한어 병음 자모와 한글 대조표

성 모 (聲母)			
한어 병음 자모	한글	한어 병음 자모	한글
b	ㅂ	j	ㅈ
p	ㅍ	q	ㅊ
m	ㅁ	x	ㅅ
f	ㅍ	zh [zhi]	ㅈ [즈]
d	ㄷ	ch [chi]	ㅊ [츠]
t	ㅌ	sh [shi]	ㅅ [스]
n	ㄴ	r [ri]	ㄹ [르]
l	ㄹ	z [zi]	ㅉ [쯔]
g	ㄱ	c [ci]	ㅊ [츠]
k	ㅋ	s [si]	ㅆ [쓰]
h	ㅎ		

[ ]는 단독 발음될 경우의 표기임.
( )는 자음이 선행할 경우의 표기임.

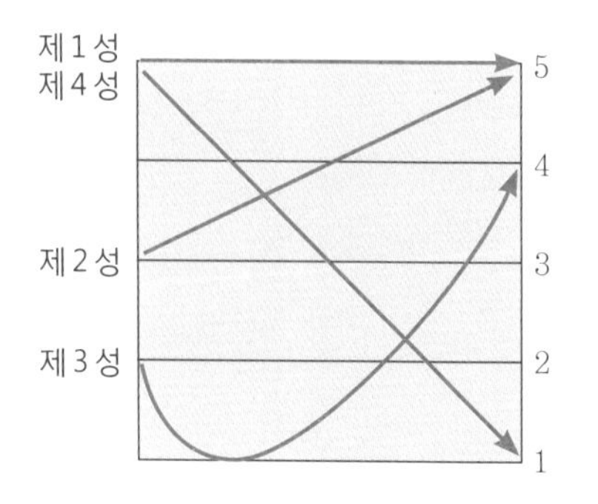

※ 4성을 표시하는 부호는 ˉˊˇˋ를 쓴다.

운 모 (韻母)			
한어 병음 자모	한글	한어 병음 자모	한글
a	아	yai	야이
o	오	yao (iao)	야오
e	어	you (ou, iu)	유
ê	에	yan (ian)	옌
yi (i)	이	yin (in)	인
wu (u)	우	yang (iang)	양
yu (u)	위	ying (ing)	잉
ai	아이	wa (ua)	와
ei	에이	wo (uo)	워
ao	아오	wai (uai)	와이
ou	어우	wei (ui)	웨이 (우이)
an	안	wan (uan)	완
en	언	wen (un)	원(운)
ang	앙	wang (uang)	왕
eng	엉	weng (ong)	웡(웅)
er (r)	얼	yue (ue)	웨
ya (ia)	야	yuan (uan)	위안
yo	요	yun (un)	윈
ye (ie)	예	yong (iong)	융

한자입문사전

《 초등학교 최신 한자 학습사전 》

민중서림 편집국 편

사전전문
민중서림

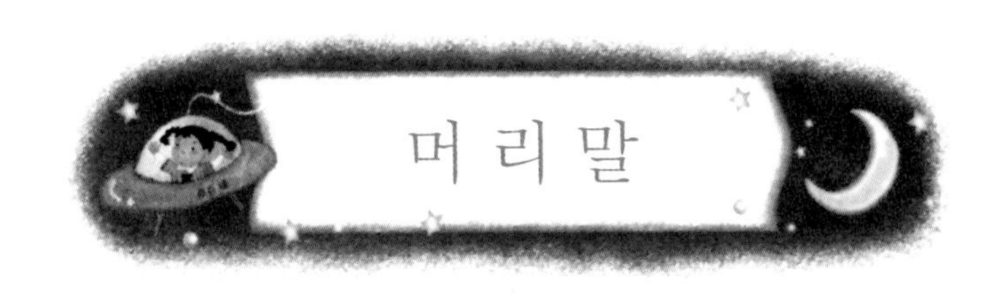

이 '한자입문사전'은 어린이 여러분의 한자 학습을 돕기 위하여 새로 엮은 초등학생용 한자사전입니다. 한자를 처음 배우는 어린이들과 기초적인 한자를 익힌 어린이들이 다 함께 사용할 수 있도록 만든 어린이 옥편입니다.

"하늘 천, 따 지, 검을 현, 누르 황", 이렇게 소리 내어 읽는 모습 혹시 보셨나요? 옛날 어린이들이 한자를 처음 배울 때 사용한 '천자문'이란 책의 첫 부분입니다. '천자문'은 이름 그대로 한자 천 자에 뜻과 음을 단 책입니다. 여러분도 이 사전으로 옛날 어린이들처럼 한자를 쉽고 재미있게 배울 수 있습니다.

이 사전에는 중학교 교육용 기초 한자 900자와 한자능력검정시험 8급에서 4급까지의 배정 한자를 포함하여 1,155자를 실었습니다. 획수가 적은 쉬운 글자부터 영어 단어를 외우듯이 한 글자 한 글자 즐겁게 공부하세요.

그리고 이 사전에서는 표제한자를 부수와 획수에 따라 배열하였습니다. 앞으로 여러분이 사용할 옥편이나 자전들은 모두 이 배열법에 따라 만들어졌습니다. 어린이 여러분은 이 사전으로 모르는 한자 찾는 법을 꼭 익혀 주세요. 이 사전으로 한자를 찾는 것은 마치 두발자전거를 처음 타는 어린이가 이제는 드디어 아빠가 뒤에서 짐받이를 잡아 주지 않아도 혼자 타는 법을 익힌 것과 마찬가지입니다. 그런 뒤에는 이 사전을 자전거로 생각하고 씽씽 달려 나아가세요.

어린이 여러분의 한자 학습과 국어 공부에 큰 발전이 있기를 기원합니다.

2009년 12월
민중서림 편집국

Ⅰ. 이 사전의 짜임

이 사전은 가나다순으로 찾기와 본문, 부록으로 이루어져 있습니다.

1 **가나다순으로 찾기**: 본문에 나오는 표제자를 가나다순으로 배열하고 쪽수를 달았습니다. 한자를 음으로 찾을 때 사용합니다.

2 **본문**(本文): 표제자(標題字)의 해설과 한자어(漢字語) 풀이의 두 부분으로 이루어져 있습니다.

1. **표제자**: 중학교 교육용 기초 한자 900자를 모두 실었고, 한자능력검정시험에 대비할 수 있도록 8급에서 4급까지의 배정 한자를 보충하여 총 1,155자를 실었습니다.
2. **한자어**: 초등학생 · 중학생의 한자어 학습에 필요한 단어를 뽑았습니다.

3 **부록**(附錄): 고사성어, 배정 한자, 획수로 찾기를 실었습니다.

1. **고사성어**(故事成語): 어린이들의 국어 학습에 도움이 될 만한 고사성어를 뽑아 부록에 실었으며, 그중 80개는 그림과 함께 본문에 실었습니다.
2. **배정 한자**: 한자능력검정시험 8급에서 4급까지의 배정 한자를 급수별로 실었습니다. 한자의 뜻과 음, 본문의 쪽수를 달았습니다.
3. **획수로 찾기**: 본문에 나오는 모든 한자를 획수로 찾을 수 있습니다.

Ⅱ. 표제자의 해설

1 **표제자의 배열**: 한자 옥편의 배열 순서에 따라 부수순, 획수순을 기본으로 하되, 같은 획수일 때에는 한자음을 기준으로 가나다순으로 배열하였습니다.

2 **표제자의 구별**: 표제자 중 중학 한자는 갈색, 고등 한자는 하늘색, 인명 한자는 연두색을 바탕에 깔아 확실히 구별할 수 있게 하였습니다.

3 **표제자의 해설**

1. 표제자에 대한 풀이

표제 한자 ● 校

● 한자 급수: 8급 중학 한자 ● 중학교용 교육 한자

중 校 (xiào) ● 중국어 간체자와 병음 자모

영 school [sku:l] ● 영어

한자의 뜻 ● 학교 교 ● 한자의 음

뜻풀이 ● 풀이 1 학교. 2 교정하다. 3 장교.

부수 ● 부수 木(나무목)부

획수 ● 찾기 木4+交6=10획

2. 필순(筆順): 표제자마다 바르게 쓰는 순서를 익힐 수 있게 하였습니다.

보기 一 十 木 木 木' 朩 杧 校

3. 글자 뿌리

① 글자 뿌리: 한자의 구성 원리와 유래를 밝혀 설명하였습니다.

② 글자의 변천: 변천 내력을 알기 쉽게 그림으로 나타내었습니다.

③ 그림: 표제자에 따라 시각적인 학습 효과를 높이기 위하여 그 한자와 관계 깊은 내용을 그림에 담아 실었습니다.

보기

글자뿌리 형성(形聲) 문자. 나무 목(木〈뜻〉)에 사귈 교(交〈음〉)를 합친 자로, 본뜻은 '질곡(차꼬와 수갑)', '비교하다'의 뜻에서 구부러진 나무를 바로잡아 주듯이 학생들이 서로 사귀며 바르게 배우게 하는 곳이라는 데서 '학교'의 뜻.

⇒ 木交 ⇒ 校

Ⅲ. 한자어(漢字語)와 뜻풀이

1 배열 순서: 글자 수에 관계없이 표제자가 앞에 오는 단어를 가나다순으로 먼저 싣고, 그 뒤에 표제자가 뒤에 오는 단어를 이어 실었습니다.

2 **한자어의 뜻풀이**: 뜻풀이는 되도록 간략하게 하였으나, 풀이 갈래가 여럿일 때는 ①, ②, ③…으로 하고, 풀이 끝에 비슷한 말은 동, 반대말은 반, 활용되는 보기 말 앞에는 ¶ 표시를 하였습니다.

Ⅳ. 한자(漢字)의 구성

1 **부수**(部首): 이 사전에서는 한자를 부수(部首)에 따라 나누어 실었습니다. 한자를 글자의 모양에 따라 같은 부분을 가진 글자끼리 한데 모은 것입니다. 이때 그 같은 부분을 '부수'라고 합니다. 예를 들면 木(목), 材(재), 東(동), 林(림)에서 같은 부분은 木(목)이고 이 글자가 '나무목'이란 부수가 됩니다.

부수는 이름과 순서가 정해져 있습니다. 이 사전의 앞뒤 표지 안쪽에 있는 '부수 찾기'를 참조하십시오.

2 **육서**(六書): 한자의 구성 원리와 활용에 관한 여섯 가지 명칭.

1 **상형**(象形) **문자**: 사물의 모양을 본떠 만든 글자.

보기 口(구), 木(목), 目(목), 山(산), 水(수), 人(인), 日(일), 川(천)

2 **지사**(指事) **문자**: '上, 下'와 같이 추상적인 생각이나 뜻을 기호로 나타낸 글자.

보기 一(일), 二(이), 上(상), 下(하)

3 **회의**(會意) **문자**: 둘 이상의 글자를 결합하여 새 뜻을 나타낸 글자.

보기 男(남), 東(동), 林(림), 明(명), 美(미), 信(신), 安(안), 好(호)

4 **형성**(形聲) **문자**: 두 글자를 합하여 새 글자를 만들 때 한 글자는 뜻, 다른 글자는 음(소리)을 나타낸 글자. 한자의 대부분이 이에 속함.

보기 江(강), 固(고), 頭(두), 問(문), 味(미), 想(상), 神(신), 洋(양) 材(재), 枝(지), 淸(청), 河(하), 花(화)

5 **전주**(轉注) **문자**: 어떤 글자를 다른 뜻으로 돌려 쓰는 글자.

보기 首(머리수→우두머리수), 惡(악할악→미워할오), 長(길장→어른장)

6 **가차**(假借) **문자**: 어떤 글자의 음(소리)만을 빌려 다른 뜻을 나타내는 글자.

보기 來(보리래→올래), 印度(인도, 나라 이름)

가나다순으로 찾기

이 찾아보기는 본문에 나오는 표제자를 그 음에 따라 가나다순으로 배열한 것입니다. 한자의 음이 같은 경우에는 부수순, 획수순으로 정리하였습니다. 오른편의 숫자는 그 한자가 실려 있는 쪽수를 나타낸 것입니다.

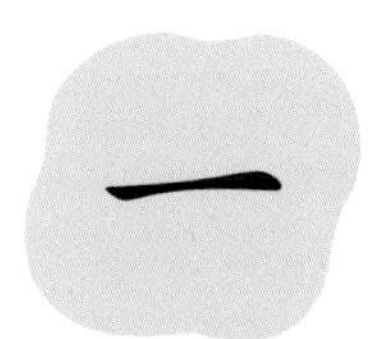

8급 중학 한자
중 一 (yī)
영 one [wʌn]

한 일

풀이 **1 한. 하나. 2 한 번. 3 첫째. 4 오로지. 5 온. 모두. 6 만일.**

부수 一(한일)부

찾기 一[1]=1획

글자뿌리 지사(指事) 문자. 가로 그은 한 선으로 '하나', 또는 '첫째'를 뜻하는 자.

[**一家** 일가] ① 한집안. 가족. ② 동성동본의 겨레붙이.

[**一擧兩得** 일거양득] 한 가지 일로써 두 가지 이익을 얻음. 동 一石二鳥(일석이조).

[**一口二言** 일구이언] 한 입으로 두 가지 말을 함.

[**一問一答** 일문일답] 한 번의 물음에 한 번 대답함.

[**一夫從事** 일부종사] 한 남편만 섬김.

[**一絲不亂** 일사불란] 한 가닥의 실도 흐트러지지 않는다는 뜻으로, 질서나 체계가 정연함을 이르는 말.

[**一場春夢** 일장춘몽] 한바탕의 봄꿈이라는 뜻으로, 헛된 영화나 덧없음을 이르는 말.

고사성어

一網打盡 (일망타진)

한 번 그물을 쳐서 한꺼번에 잡는다는 뜻으로, 단 한 번에 범인들을 모두 잡았다는 의미로 쓰임.

고사 중국 송(宋)나라의 인종(仁宗)은 어질고 능력 있는 선비들을 등용하여 나라를 잘 다스렸다. 당시 황제에게는 자기 마음대로 명령을 내릴 수 있는 권한이 있었는데, 두연(杜衍)은 이런 제도를 못마땅하게 생각하고 황제가 혼자서 결정하고 내리는 문서를 찢어 버렸다. 대신들은 이러한 그의 행동을 몹시 비난하였다. 그 무렵 두연의 사위인 소순흠(蘇舜欽)이 공금으로 신(神)에게 제사를 지내고 손님들을 초대하는 사건이 발생하였다. 그러자 평소에 두연의 소행을 못마땅하게 여겨 오던 어사(御史) 왕공진(王拱辰)은 잔치에 모인 사람들을 모두 체포했다. 이 사건으로 청렴하고 강직했던 두연도 승상의 자리에서 물러나지 않을 수 없었다. 이때 왕공진은 "두연 일파(一派)를 일망타진(一網打盡)했다."며 큰소리쳤다.

[一切 ①일절 ②일체] ① 아주. 전혀. ② 모든. 온갖 것.

[一片丹心 일편단심] 한 조각의 붉은 마음이라는 뜻으로, 변치 않는 참된 마음.

[九死一生 구사일생] 여러 차례 죽을 고비를 겪고 겨우 살아남.

[均一 균일] 똑같이 고름.

[單一 단일] ① 단 하나. ② 복잡하지 않음. ③ 다른 것이 섞이지 않음.

[滿場一致 만장일치] 모인 사람들의 의견이 모두 일치함.

4급 중학 한자

중 丁 (dīng)

영 strong young man

고무래/장정 정

풀이 **1 고무래. 2 넷째 천간.** ※방위는 남쪽. 오행(五行)으로는 화(火). **3 장정. 4 일꾼.**

부수 一(한일)부

찾기 一^1+亅^1=2획

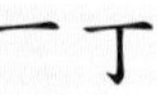

글자뿌리 상형(象形) 문자. 못을 본뜬 글자.

[丁年 정년] ① 천간이 정(丁)에 해당하는 해. ② 남자의 나이 20세.

[丁夜 정야] 오야(五夜)의 하나인 사경(四更). 새벽 1~3시 사이.

[壯丁 장정] 나이가 젊고 혈기가 왕성한 남자.

8급 중학 한자

중 七 (qī)

영 seven [sévən]

일곱 칠

풀이 **일곱. 일곱 번.**

부수 一(한일)부

찾기 一^1+乚^1=2획

一七

글자뿌리 지사(指事) 문자. 열 십(十) 자의 세로 그은 획을 구부려 '일곱'을 뜻함.

[七面鳥 칠면조] 꿩과의 새로, 목과 다리에는 털이 없고 여러 색으로 변함.

[七書 칠서] 사서(四書)와 삼경(三經)을 합쳐서 이르는 말.

[七夕 칠석] 음력으로 7월 7일이 되는 날의 밤.

[七星 칠성] 북두칠성(北斗七星)의 준말.

[七言絕句 칠언절구] 칠언(七言) 사구(四句)로 된 한시(漢詩).

[七情 칠정] 사람이 지니는 일곱 가지

감정. 즉, 희(喜)·노(怒)·애(哀)·락(樂)·애(愛)·오(惡)·욕(欲).

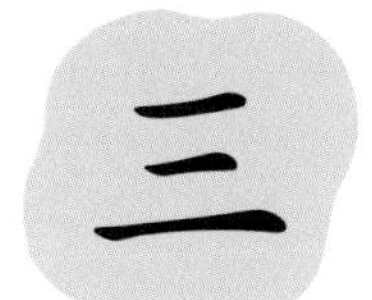

8급 중학 한자

중 三 (sān)

영 three [θriː]

석 삼

풀이 1 석. 셋. 2 세 번. 3 거듭.

부수 一(한일)부

찾기 一[1]+二[2]=3획

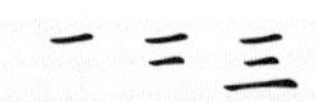

글자뿌리 지사(指事) 문자. 하나〔一〕를 세 개 포개어 '셋'을 뜻함.

[三綱 삼강] 도덕적인 세 가지 기본 강령. 곧, 임금과 신하〔君爲臣綱〕, 부모와 자식〔父爲子綱〕, 부부 사이〔夫爲婦綱〕에 지켜야 할 세 가지 도리.

[三光 삼광] 해〔日〕와 달〔月〕과 별〔星〕.

[三權 삼권] 나라를 다스리는 데 필요한 세 가지 권력. 입법권·사법권·행정권.

[三省 삼성] 매일 세 번씩 자신을 반성하는 일.

[三位一體 삼위일체] 세 가지의 것이 하나를 이룸.

[三遷之敎 삼천지교] 세 번 옮긴 가르침이라는 뜻으로, 맹자의 어머니가 아들의 교육을 위하여 집을 세 번이나 옮겼다는 고사.

[三寒四溫 삼한사온] 사흘 동안은 춥고, 나흘 동안은 따뜻하다는 뜻으로, 우리나라의 겨울철 기후를 이르는 말.

[作心三日 작심삼일] 결심이 굳지 못함을 이르는 말. 결심이 사흘을 못 감.

[再三 재삼] 두세 번. 여러 번.

[朝三暮四 조삼모사] 간교한 꾀로 남을 속이는 일.

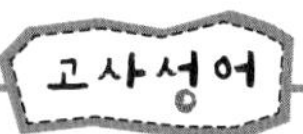

三顧草廬 (삼고초려)

초가집을 세 번 찾아간다는 뜻으로, 인재를 얻기 위해 끈기 있게 노력함을 이르는 말.

고사 중국의 삼국 시대에 촉(蜀)나라를 세운 유비(劉備)는, 작전을 세우고 지휘할 수 있는 마땅한 인물이 없어서, 위(魏)나라와 싸우면 번번이 패하였다. 이를 안타깝게 여긴 유비는 사마휘(司馬徽)가 추천한 제갈공명(諸葛孔明)을 만나기 위해 관우, 장비와 함께 제갈공명의 오두막을 찾아갔으나, 만나지 못하였다. 며칠 후 유비는 많은 예물을 싣고 다시 제갈공명의 오두막을 찾았으나, 또 허탕을 쳤다. 관우, 장비의 만류에도 아랑곳하지 않고 유비는 며칠 후 또다시 제갈공명의 오두막을 찾았다. 이에 제갈공명이 감동하여 유비를 따라 그 밑에서 일을 하게 되었다고 한다.

7급 중학 한자

중 上 (shàng)

영 top [tʌp]

윗 상:

풀이 **1 위. 겉. 2 앞. 첫째. 3 임금. 4 높다. 5 옛날. 6 오르다. 7 바치다.**

부수 一(한일)부

찾기 一[1]+ㅏ[2]=3획

글자뿌리 지사(指事) 문자. '一'은 일정한 위치를 나타내며, 사물이 그 위치보다 높은 곳에 있음을 뜻함.

[上京 상경] 지방에서 서울로 올라옴.

[上古 상고] 오랜 옛날.

[上官 상관] 자기보다 높은 지위에 있는 사람.

[上記 상기] 글에서 위나 앞쪽에 기록함. 또는 그 내용.

[上納 상납] 윗사람에게 돈이나 물건 따위를 바침.

[上書 상서] 윗사람에게 글을 올림.

[上席 상석] 높은 사람이 앉는 윗자리.

[上旬 상순] 초하루부터 열흘까지의 동안. 반 下旬(하순).

[賣上 매상] 물건을 판 수량이나 대금의 총계.

[浮上 부상] ① 물 위로 떠오름. ② 알려지지 않았던 일이 밝혀져 알려짐.

[雪上加霜 설상가상] 눈 위에 서리가 덮인다는 뜻으로, 불행이 겹쳐 일어남.

[引上 인상] ① 끌어 올림. ② 값·요금 따위를 올림. 반 引下(인하).

[頂上 정상] ① 산꼭대기. ② 그 이상 더 없는 것. 동 最上(최상). ③ 한 나라의 통치자. ¶ 頂上會談(정상 회담).

고사성어

梁上君子 (양상군자)

대들보 위의 군자라는 뜻으로, 도둑을 빗대어 이르는 말.

고사 중국의 후한(後漢) 말, 태구 현감(太丘縣監)의 자리에 있던 진식(陳寔)이 하루는 집에서 책을 읽고 있다가, 한 사나이가 몰래 안으로 들어와서 대들보 위에 올라가 웅크리고 있는 것을 보았다. 진식은 못 본 체하고 계속 책을 읽고 있다가, 아들들을 불러 말하기를, "사람은 항상 스스로 부지런히 힘써 일해야 한다. 하지만 좋지 못한 일을 저지르는 사람도 그 본바탕이 나쁜 것은 아니다. 이를테면, 지금 대들보 위〔梁上〕에 있는 저 군자(君子)도 마찬가지다."라고 했다. 도둑은 이 말을 듣고 양심의 가책을 느껴 대들보 위에서 내려와 사죄하였다. 진식은 "자네는 나쁜 사람 같아 보이지는 않네. 분명 가난 때문에 이런 짓을 했겠지." 하고 말한 후에 비단 두 필을 주어 돌려보냈다. 이 일이 있은 후부터 그 고을에 도둑이 없어졌다고 한다.

7급 중학 한자

중 下 (xià)

영 bottom [bɑ́təm]

아래 하ː

풀이 1 아래. 밑. 2 아랫사람. 3 내리다. 4 떨어지다. 5 낮추다.

부수 一(한일)부

찾기 一¹+卜²=3획

一 丅 下

글자뿌리 지사(指事) 문자. '一'은 일정한 위치를 나타내며, 사물이 그 위치보다 낮은 곳에 있음을 뜻함.

[下降 하강] 높은 데서 아래로 내려감. 반 上昇(상승).

[下校 하교] 공부를 끝내고 학교에서 집으로 돌아옴. 반 登校(등교).

[下水道 하수도] 지하에 관을 묻어 폐수를 흘려 보내게 한 시설. 반 上水道(상수도).

[下旬 하순] 그달 21일부터 30일 사이의 10일 동안.

[下野 하야] 관직에서 물러남.

[下位 하위] 낮은 지위. 반 上位(상위).

[部下 부하] 남의 밑에서 명을 받아 일하는 사람. 반 上司(상사).

[眼下無人 안하무인] 교만하여 다른 사람을 업신여김.

[天下壯士 천하장사] 세상에 상대할 사람이 없을 정도로 힘센 사람.

[統一天下 통일천하] 천하를 통일함. 또는 통일된 천하.

7급 중학 한자

중 不 (bù)

영 not [nɑt]

아닐 불·부

풀이 1 아니다. 아니하다. 2 못하다. 3 말라. ※ 'ㄷ·ㅈ'을 첫소리로 하는 글자 앞에서 '불'은 '부'로 발음함.

부수 一(한일)부

찾기 一¹+不³=4획

一 ア 不 不

글자뿌리 지사(指事) 문자. '一'은 하늘, '不'는 새가 하늘로 날아올라 돌아오지 않음을 뜻함.

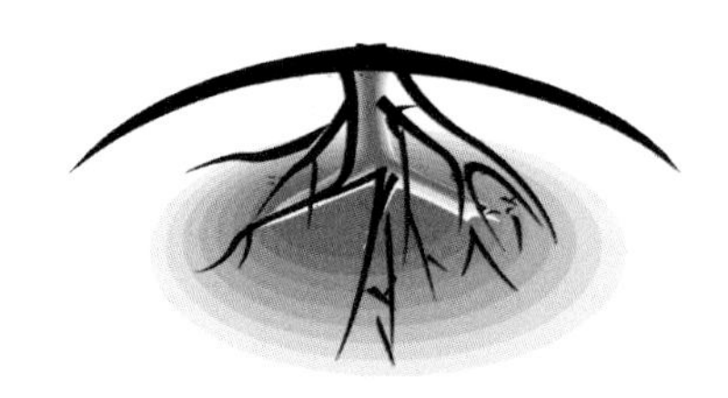

[不可 불가] ① 가능하지 않음. ② 옳지 않음.

[不可能 불가능] ① 할 수 없음. ② 될 수 없음. 반 可能(가능).

[不可分 불가분] 나누려 해도 나눌 수가 없음.

[不可思議 불가사의] 상식으로는 도저히 헤아려 알 수 없을 정도로 이상야릇함.

[不可侵 불가침] 침범할 수 없음. 침범해서는 안 됨.

[不可抗力 불가항력] 인간의 힘으로는 어쩔 수 없는 큰 힘.

[不潔 불결] 깨끗하지 못함.

[不敬 불경] 존경하지 않음.

[不景氣 불경기] 물건의 거래가 잘 이루어지지 않음. 경제 형편이 좋지 않음.

[不拘 불구] 어떤 일에 구애를 받지 않음.

[不良 불량] 행실이나 성품이 나쁨.

[不時着 불시착] 고장이나 기상 등의 문제로 비행기가 목적지가 아닌 다른 곳에 임시로 착륙하는 일.

[不當 부당] 사리에 맞지 않음. 옳지 않음. 반 正當(정당).

[不德 부덕] 덕이 없음.

[不動 부동] ① 움직이지 않음. ¶ 不動姿勢(부동자세). ② 마음이 안정되어 이리저리 흔들리지 않음.

[不正 부정] 바르지 않음. 옳지 못함.

[不足 부족] 필요한 양이나 기준에 미치지 못함.

3급 중학 한자

중 丑 (chǒu)

영 cow [kau]

소 축

풀이 **1 소. 2 둘째 지지.** ※ 십이지의 둘째. 동물로는 소, 달〔月〕로는 음력 12월, 시간은 새벽 1시~3시.

부수 一(한일)부

찾기 一¹+丑³=4획

ㄱ ㄲ 丑 丑

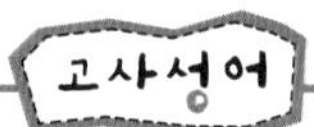

不俱戴天之讐 (불구대천지수)

한 하늘 아래 함께 살 수 없는 원수.

고사 중국 유교학파의 경전인 '예기(禮記)'라는 책을 보면 '아버지의 원수와는 하늘 아래에 함께 살 수 없고, 형제의 원수를 보았을 때는 무기(武器)를 가지러 가는 일이 없어야 하며, 친구의 원수와는 같은 나라 안에서 살 수가 없다.'라는 말이 있다. 이 말은 아버지의 원수와는 같은 하늘을 이고 살 수가 없으니 반드시 죽여야 하고, 형제의 원수는 그 원수를 만났을 때 집으로 무기를 가지러 갔다가 놓치는 일이 있어서는 안 되므로 항상 무기를 가지고 다녀야 하며, 친구의 원수와는 같은 나라에서 벼슬을 해서는 안 되므로 다른 나라로 쫓아내든가, 그렇지 않으면 살려 두지 말아야 한다는 말이다.

글자뿌리 상형(象形) 문자. 손가락〔又〕으로 물건〔丨〕을 움켜쥔 것을 나타냄.

[丑年 축년] 소해.
[丑時 축시] 새벽 1시에서 3시 사이.
[丑月 축월] 음력 12월.

3급Ⅱ 중학 한자
중 丙 (bǐng)
영 south [sauθ]

남녘 병:

풀이 **1 남녘. 2 셋째 천간.** ※ 방위는 남쪽. 오행(五行)으로는 화(火). **3 불. 4 굳세다. 5 밝다. 빛나다.**
부수 一(한일)부
찾기 一[1]+内[4]=5획

一 冂 丙 丙 丙

글자뿌리 상형(象形) 문자. 제사 지낼 때 희생물을 올려놓는 큰 책상을 본뜬 글자. ※ 일설에는 회의(會意) 문자로 보기도 함. 즉, 중국 철학의 바탕이 되는 이론으로서, 양기〔一〕가 먼 곳〔冂〕에 들어가니〔入〕 음기가 생기고 양기가 사라지려 한다는 뜻.

[丙科 병과] 옛날 과거(科擧) 성적의 세 번째 등급.
[丙寅洋擾 병인양요] 조선 고종(高宗) 3년(1866년 병인년)에 프랑스의 함대가 강화도를 침범한 사건.
[丙子 병자] 육십갑자의 열셋째.
[丙子胡亂 병자호란] 조선 시대 병자년(1637년)에 청(淸)나라가 침입한 난리. 호(胡)는 오랑캐 나라라는 뜻.

7급 중학 한자
중 世 (shì)
영 generation [dʒènəréiʃən]

인간 세:

풀이 **1 인간. 세상. 2 대(代). 세대(世代). 3 평생. 4 때. 5 말이.**
부수 一(한일)부
찾기 一[1]+丗[4]=5획

一 十 廾 廿 世

글자뿌리 회의(會意) 문자. 열 십(十) 셋을 합친 자로, '30년', '세대(世代)'를 뜻함.

⇒ ⇒ 世

[世間 세간] ① 세상. ② 불교에서, 중생이 서로 의지하며 살아가는 세상.
[世界 세계] ① 지구 위의 모든 나라. 온 세상. ② 무한한 공간. ③ 같은 종류끼리의 모임.
[世代 세대] ① 여러 대(代). ② 한 시대. 약 30년.
[世論 세론] 세상 사람들의 공통된 의견. 여론(輿論).
[世上 세상] ① 모든 사람이 살고 있는 사회. ② 한 사람이 살고 있는 기간. ③ 절, 수도원, 교도소 등에서 이르는 바깥 사회.

[世俗 세속] ① 세상의 풍속. ② 세상. ③ 세상의 속된 일.

[世子 세자] 왕의 자리를 이어받을 왕자. 왕세자.

[世態 세태] 세상의 형편.

[世波 세파] 모질고 거센 세상살이의 어려움.

[亂世 난세] 어지러운 세상.

[來世 내세] 불교에서, 죽은 뒤에 영혼이 다시 태어난다는 미래의 세상을 이르는 말.

[絕世 절세] ① 세상에서 제일 뛰어남. ② 세상과 담을 쌓음.

[處世 처세] 세상에서 살아감.

[現世 현세] 이 세상. 지금의 세상. 반 來世(내세).

3급 중학 한자

중 且 (qiě)

영 and [ənd]

또 차:

풀이 1 또. 또한. 2 우선. 3 구차하다.

부수 一(한일)부

찾기 一¹+目⁴=5획

글자뿌리 상형(象形) 문자. 고기를 수북이 담아 신에게 바친 찬합 같은 그릇 모양을 본뜬 글자.

[且問且答 차문차답] 한편으로 묻고, 한편으로 대답함.

[且置 차치] 내버려두고 논의 대상으로 삼지 않음.

8급 중학 한자

중 中 (zhōng)

영 middle [mídl]

가운데 중

풀이 1 가운데. 2 안. 속. 3 사이. 4 마음. 5 진행. 6 맞다. 7 뚫다.

부수 丨(뚫을곤)부

찾기 丨¹+口³=4획

글자뿌리 지사(指事) 문자. 사물〔口〕의 한가운데를 막대〔丨〕로 뚫는다는 뜻. 또는 화살이 과녁의 한복판을 '맞힌다'는 뜻.

[中間 중간] ① 사물의 한가운데. ② 사물 간의 사이나 간격. ③ 일이 끝나지 않은 시간이나 장소.

[中繼 중계] 중간에서 받아서 이어 줌. ¶ 中繼放送(중계방송).

[中斷 중단] 중간에서 끊어짐.

[中流 중류] ① 시내나 강의 상류와 하류의 중간. ② 품질이나 사회 계급의 중간.

[中心 중심] ① 사물의 한가운데. ② 매우 중요한 부분.

[中央 중앙] 사방의 한가운데.

[中止 중지] 하던 일 등을 중도에서 그만둠.

[中退 중퇴] 학업을 마치지 못하고 중도에서 그만둠.

[中興 중흥] 쇠퇴하던 것이 중간에 다시 일어남.

[個中 개중] 여럿 가운데.

[忙中閑 망중한] 바쁜 가운데에 잠깐 얻어 낸 틈.

[命中 명중] 겨냥한 곳에 바로 맞힘.

[百發百中 백발백중] ① 겨눈 곳에 어김없이 맞음. ② 계획이나 예상 따위가 꼭꼭 들어맞음.

[言中有骨 언중유골] 예사로운 말 속에 단단한 뼈 같은 속뜻이 있다는 말.

[熱中 열중] 한 가지 일에 정신을 집중시킴.

[意中 의중] 마음속.

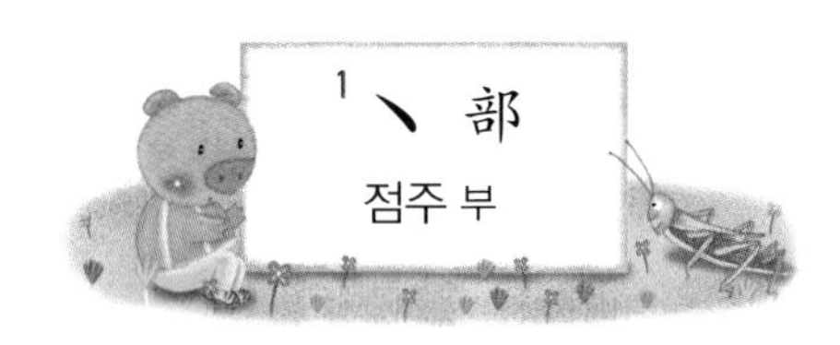

3급Ⅱ 중학 한자

중 丹 (dān)

영 red [red]

붉을 단

풀이 1 붉다. 2 정성. 성실. 3 붉은 단사(丹砂).

부수 丶(점주)부

찾기 丶¹+丹³=4획

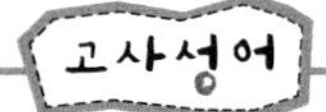

囊中之錐 (낭중지추)

주머니 속에 있는 송곳이란 뜻으로, 송곳이 그 예리한 끝으로 주머니를 뚫고 나오듯이, 재능이 뛰어난 사람은 어디서나 그 재능이 드러나게 된다는 말.

고사 중국 전국 시대 말엽, 조(趙)나라의 재상이었던 평원군(平原君)이 왕의 명령으로 초(楚)나라에 구원군을 청하러 가게 되었는데, 20명의 수행원 가운데 한 명을 뽑지 못하고 고민하고 있었다. 이때 모수(毛遂)라는 사람이 자신을 수행원으로 데려가 줄 것을 청했다. 이에 평원군이 "재능이 뛰어난 사람은 마치 주머니 속의 송곳이 주머니를 뚫고 나오듯이 남의 눈에 드러나는 법인데, 그대는 단 한 번도 이름이 드러난 일이 없지 않소?" 하자 모수는, "대감께서 저를 단 한 번도 주머니 속에 넣어 주시지 않았기 때문입니다. 하지만, 주머니 속에 넣어 주신다면 끝뿐 아니라 자루까지 보이겠습니다." 라고 하였다. 평원군은 모수를 수행원으로 뽑았고, 초나라에 도착한 평원군은 모수의 활약 덕분에 구원군을 얻을 수 있었다고 한다.

丿 冂 月 丹

글자뿌리 지사(指事) 문자. '冂'은 흙을 파낸 구덩이를 본떴으며, 가로지른 '一'은 땅을 가리키고, '丶'는 그 땅에서 캐낸 붉은 색깔의 단사(丹砂)를 뜻함.

[丹心 단심] 정성스러운 마음.

[丹靑 단청] 궁궐·사찰·정자 등의 건축물에 여러 가지 빛깔로 그림이나 무늬를 그리는 일. 또는 그 그림이나 무늬.

[丹楓 단풍] ① 단풍나무의 준말. ② 기후의 변화로 붉게 또는 누렇게 된 나뭇잎.

[一片丹心 일편단심] 한 조각의 붉은 마음이라는 뜻으로, 변치 않는 참된 마음을 이름.

7급 중학 한자

중 主 (zhǔ)

영 lord [lɔːrd]

주인 주

풀이 1 주인. 2 임금. 3 우두머리. 4 중심이 되다. 5 주장하다. 6 자기 자신.

부수 丶(점주)부

찾기 丶¹+王⁴=5획

丶 亠 亠 丰 主

글자뿌리 상형(象形) 문자. 촛대 위에서 타고 있는 불꽃 모양을 본뜬 글자로, 등불은 가정의 한가운데에 자리 잡아 중심을 차지하므로 곧 '주인'을 뜻함.

[主見 주견] 자기의 주장이 있는 의견.

[主觀 주관] 자기대로의 생각. 반 客觀(객관).

[主權在民 주권재민] 나라의 주권이 국민에게 있음.

[主流 주류] ① 강의 원줄기가 되는 큰 흐름. ② 사상이나 학술 따위에서의 주된 경향.

[主成分 주성분] 어떤 물질을 이루는 중심이 되는 성분.

[主要 주요] 주되고 중요함.

[主將 주장] 운동 경기에서, 팀을 대표하는 선수.

[主題 주제] ① 중심이 되는 제목 또는 문제. ② 작가가 나타내고자 하는 기본적인 생각.

[主從 주종] ① 주인과 부하. ② 중심이 되는 사물과 그에 딸린 사물.

[主體性 주체성] 자기의 의지나 판단에 바탕을 둔 태도나 성질.

[權威主義 권위주의] 권위에 맹목적으로 복종하거나, 권위를 휘둘러 남을 억누르려고 하는 태도.

[事大主義 사대주의] 주체성이 없이 세

력이 강한 나라나 사람을 붙좇아 자신의 안전만을 유지하려는 생각.
[爲主 위주] 으뜸으로 삼음.
[利己主義 이기주의] 남이야 어떻든 자기의 이익만을 추구하는 사고방식이나 태도.
[戶主 호주] 한 집안의 주인으로서 가족을 거느리며 부양하는 사람.

3급 중학 한자
중 乃 (nǎi)
영 hereupon [hìərəpɔ́:n]

이에 내:

풀이 1 이에. 곧. ※ 말머리에서 별다른 뜻이 없이 쓰임. 2 너. 3 이전에.
부수 丿(삐침별)부
찾기 丿1+乃1=2획

丿 乃

글자뿌리 지사(指事) 문자. 숨을 제대로 쉬지 못하거나 말을 주저하는 느낌을 나타낸 글자.

[乃至 내지] ① 얼마에서 얼마까지. ② 혹은.
[人乃天 인내천] 천도교(天道敎)의 근본 사상으로, 사람이 곧 하늘이라는 말.
[終乃 종내] 끝끝내. 마침내.

3급Ⅱ 중학 한자
중 久 (jiǔ)
영 long time

오랠 구:

풀이 1 오래다. 2 기다리다.
부수 丿(삐침별)부
찾기 丿1+乂2=3획

丿 ク 久

글자뿌리 지사(指事) 문자. 앞으로 나아가려는 사람을 뒤에서 잡아당기는 모양을 나타내어 '머물다', '오랜 시간이 걸리다'의 뜻.

⇒ ⇒ 久

[未久 미구] 그리 오래지 아니한 동안.
[永久不變 영구불변] 오래 변치 않음.
[長久 장구] 매우 길고 오램.
[持久力 지구력] 오래 버티어 내는 힘.
[恒久的 항구적] 변하지 않고 오래가는 (것).

3급Ⅱ 중학 한자
중 之 (zhī)
영 go [gou]

갈 지

풀이 1 가다. 이르다. 2 이. 이것. ※ 지시 대명사로 쓰임.
부수 丿(삐침별)부
찾기 丿1+之3=4획

丶 亠 ㇇ 之

글자뿌리 상형(象形) 문자. 땅 위에 풀이 돋아나는 모양을 본뜬 글자.

[結者解之 결자해지] 맺은 사람이 풀어야 한다는 뜻으로, 자기가 저지른 일은 자기가 해결해야 한다는 말.

[旣往之事 기왕지사] 이미 지나가 버린 일. 동 已往之事(이왕지사).

[莫逆之友 막역지우] 아주 허물없이 지내는 친구.

[無用之物 무용지물] 아무짝에도 쓸모없는 물건이나 사람.

[先見之明 선견지명] 닥쳐올 일을 미리 짐작하는 슬기로움.

[水魚之交 수어지교] 물과 물고기의 관계라는 뜻으로, 매우 친밀하여 떨어질 수 없는 사이.

[愛之重之 애지중지] 매우 사랑하고 소중히 여김.

[漁父之利 어부지리] 둘이 다투는 사이에 엉뚱한 사람이 이익을 보게 됨.

[有終之美 유종지미] 끝까지 잘하여 맺은 좋은 결과.

[人之常情 인지상정] 사람이 가지게 되는 보통의 마음.

[左之右之 좌지우지] 제 마음대로 휘두르거나 다룸.

3급 중학 한자

중 乎 (hū)

영 particle [pá:rtikl]

어조사 호

풀이 1 어조사. 2 …인가(의문사). 3 아!(감탄사). 4 …에. …보다(전치사). 5 부사를 만드는 어미.

부수 丿(삐침별)부

찾기 丿 1 + 乎 4 = 5획

글자뿌리 지사(指事) 문자. 목소리가 올라가는 것〔丿〕과 어조사〔兮〕가 합쳐져, 목소리를 길게 뽑아 생각을 나타냄을 뜻함.

[斷乎 단호] 결심한 것을 결단성 있게 처리하는 모양.

3급Ⅱ 중학 한자

중 乘 (chéng)

영 ride [raid]

탈 승

풀이 1 타다. 2 오르다. 3 곱하다. 곱셈. 4 수레. ※ 수레를 세는 단위.

부수 丿(삐침별)부

찾기 丿 1 + 乘 9 = 10획

글자뿌리 회의(會意) 문자. 사람〔大〕이 나무〔木〕 위에 두 다리를 얹어 놓은 모양〔舛〕을 본뜬 자로, '오르다', '타다'의 뜻임.

[乘降 승강] 배·기차·자동차 등을 타고 내림.
[乘客 승객] 배·자동차·비행기 등을 타는 손님.
[乘馬 승마] 말을 탐.
[乘船 승선] 배를 탐.
[乘勝長驅 승승장구] 싸움에 이긴 여세로 냅다 몰아침.
[加減乘除 가감승제] 더하기·빼기·곱하기·나누기를 아울러 이름.
[同乘 동승] 함께 탐.
[相乘作用 상승작용] 몇 가지 원인이 겹쳐 작용하면, 따로따로 작용했을 때보다 큰 효과를 냄.
[試乘 시승] 시험 삼아 타 봄.
[便乘 편승] ① 남이 타고 가는 차편을 얻어 탐. ② 세태나 남의 세력을 이용하여 자신의 이익을 거둠.
[合乘 합승] 여럿이 어울려 함께 탐.

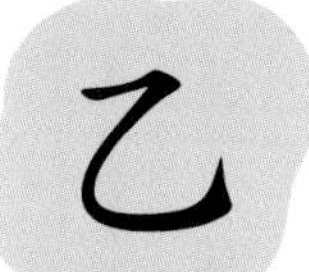

3급Ⅱ 중학 한자
중 乙 (yǐ)
영 bird [bəːrd]

새 을

풀이 **1 새. 제비. 2 둘째 천간.** ※ 방위는 남쪽. 오행(五行)으로는 목(木). **3 아무개.** ※ 상대의 이름이 확실치 않을 때 '甲' 또는 '乙'로 일컬음.

부수 乙(새을)부
찾기 乙1=1획

글자뿌리 상형(象形) 문자. 봄에 초목의 싹이 구부정하게 돋아나는 모양을 본뜬 글자. 또, 새의 가슴 모양을 본떠서 만든 글자라는 설도 있음.

[乙未事變 을미사변] 조선 고종(高宗) 32년(1895)에 일본의 자객들에 의해 명성 황후가 시해된 사건.
[乙巳士禍 을사사화] 조선 명종(明宗) 원년(1545)에, 명종의 외숙 윤원형이 윤임 일파를 몰아내는 과정에서 사림(士林)이 크게 화를 입은 사건.
[乙巳五條約 을사오조약] 1905년에 일본이 한국의 외교권을 빼앗기 위하여 강제로 맺은 다섯 가지 조약.

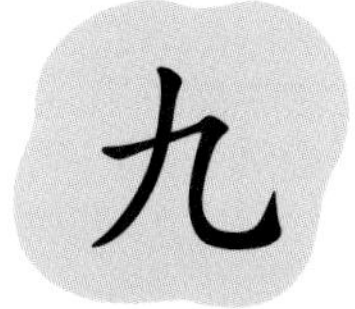

8급 중학 한자
중 九 (jiǔ)
영 nine [nain]

아홉 구

풀이 **1 아홉. 아홉 번. 2 많은 수. 3 모으다.**
부수 乙(새을)부
찾기 乙1+丿1=2획

丿 九

글자뿌리 지사(指事) 문자. '丿'와 굽은 선〔乚〕으로 한 자리 숫자 가운데 가장 큰 수를 나타내어 '아홉'을 뜻함.

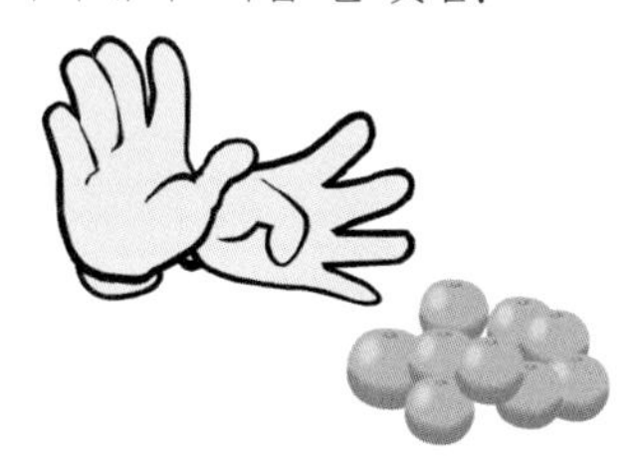

[九萬里長天 구만리장천] 한없이 높고 먼 하늘.

[九死一生 구사일생] 여러 번 죽을 고비를 겪고 겨우 살아남.

[九重宮闕 구중궁궐] 문이 겹겹이 달린 깊은 대궐.

[九尺長身 구척장신] 아주 큰 키. 또는 그러한 사람.

[九泉 구천] ① 저승. ② 깊은 땅속.

[十中八九 십중팔구] 열 가운데 여덟이나 아홉이 된다는 뜻으로, 거의 그러할 것이라는 추측을 이르는 말.

3급 중학 한자

중 也 (yě)

영 particle [pɑ́ːrtikl]

어조사 야:

풀이 1 어조사. 2 또. 또한. ※ 말의 끝에 붙여서 단정·부름·감탄·의문 따위를 나타냄.

부수 乙(새을)부

찾기 乙[1]+𠃌[2]=3획

𠃌 𠃌 也

글자뿌리 상형(象形)·가차(假借) 문자. 말을 할 때 입김이 서려 나오는 모양을 본뜬 글자. 또, 뱀이 똬리를 틀고 있는 모양을 본뜬 글자로, 이 음을 빌려 어조사로 쓰이고 있음.

[也乎 야호] 강조의 어조사.

[及其也 급기야] 마침내.

[獨也靑靑 독야청청] 홀로 푸르다는 뜻으로, 홀로 절개를 지킴을 이르는 말.

고사성어

九牛一毛 (구우일모)

아홉 마리 소의 터럭 한 개라는 뜻으로, 많은 것 가운데서 가장 하찮은 것임을 이르는 말.

고사 중국 전한(前漢)의 무제(武帝) 때 흉노족이 자주 변경을 침범하여 변경의 백성들을 괴롭혔다. 무제는 그 흉노족을 토벌하기 위해 이릉(李陵)을 별동대로 파견했는데, 이릉은 흉노에게 패하게 되자 투항하여 후한 대접을 받았다. 이 소식을 들은 무제가 몹시 노여워하며 그 일족을 몰살하려 하자, 사마천(司馬遷)이 이릉을 두둔하였다. 이에 무제는 사마천에게 생식기를 없애는 궁형(宮刑)을 내려 벌하였는데, 사마천은 이를 몹시 치욕스럽게 여겨, "세상 사람들은 내가 궁형을 받는 일 따위는 아홉 마리나 되는 소〔九牛〕가 터럭 하나〔一毛〕를 잃을 정도로밖에 느끼지 않을 것이다." 라고 한탄하였다.

[言則是也 언즉시야] 말하는 것이 사리에 맞음.

4급 고등 한자
중 乳 (rǔ)
영 milk [milk]

젖 유

풀이 1 젖. 2 젖 먹이다.
부수 乙(새을)부
찾기 乙1+孚7=8획

글자뿌리 회의(會意) 문자. 손톱 조(爪)와 아들 자(子)와 새 을(乙)을 합친 자로, 爪(조)는 손을 아래로 향해 쥐는 모양을 나타내고, 乙(을)은 유방(乳房)을 본뜬 모양임. 젖먹이로 하여금 젖을 향하게 하는 모양에서, '젖', '젖을 먹이다'의 뜻을 나타냄.

[乳母 유모] 어머니 대신 유아에게 젖을 먹여 길러 주는 여자. 젖어머니.
[乳兒 유아] 젖먹이.
[乳齒 유치] 젖니.
[豆乳 두유] 진하게 만든 콩국.
[母乳 모유] 제 어머니의 젖.
[粉乳 분유] 가루우유.
[授乳 수유] 어린아이에게 젖을 먹임.

乾

3급Ⅱ 중학 한자
중 干 (qián)
영 sky [skai]

하늘/마를 건

풀이 1 하늘. 2 마르다. 3 주역의 괘 이름. 4 임금. 천자.
부수 乙(새을)부
찾기 乙1+𠦝10=11획

글자뿌리 형성(形聲) 문자. 초목이 자라나는 모양인 을(乙)과 음을 나타내는 간(倝)을 합친 자로, 해가 뜨고 새싹이 하늘을 향해 돋아난다는 데서 '하늘'을 뜻함.

[乾坤 건곤] 하늘과 땅.
[乾期 건기] 기후가 건조한 시기. 건조기(乾燥期)의 준말. 반 雨期(우기).
[乾杯 건배] 함께 술잔을 들어 무엇인가를 기원하면서 술을 마심.
[乾性 건성] 건조한 성질. 반 濕性(습성).
[乾魚物 건어물] 말린 물고기.
[乾材 건재] 조제하지 아니한 그대로의 한약재.
[乾草 건초] 말린 풀.

4급 고등 한자
중 乱 (luàn)
영 dizzy [dízi]

어지러울 란:

풀이 1 어지럽다. 2 어지럽히다. 3 난리.
부수 乙(새을)부
찾기 乚[1]+𤔔[12]=13획

글자뿌리 형성(形聲) 문자. 새 을(乙〈뜻〉)에 다스릴 란(𤔔〈음〉)을 합친 자로, 亂(란)은 '어지러워지다'의 뜻. 乙(을)은 헝클어진 실의 끝을 본뜸.

[亂動 난동] 문란하게 행동함.
[亂離 난리] 전쟁 따위로 세상이 어지러워진 사태. 또는 그러한 전쟁이나 재난.
[亂立 난립] 질서 없이 뒤섞여 나섬.
[亂舞 난무] 함부로 나서서 마구 날뜀.
[亂世 난세] 어지럽게 된 세상.
[亂雜 난잡] 어수선하여 혼잡함.
[亂暴 난폭] 몹시 포악함.
[內亂 내란] 나라 안에서 벌이는 싸움.
[叛亂 반란] 정부나 지배자에 대항하여 내란을 일으킴.
[心亂 심란] 마음이 어수선함.

7급 중학 한자
중 事 (shì)
영 affair [əfɛ́ər]

일 사:

풀이 1 일. 작업. 사업. 업무. 2 사건. 3 섬기다.
부수 亅(갈고리궐)부
찾기 亅[1]+𤰈[7]=8획

글자뿌리 형성(形聲) 문자. 사관 사(史〈음〉)에 㞢(깃대를 세우는 모양〈뜻〉)을 합친 자로, '일'을 뜻하며, 일을 성실하게 하여 윗사람을 잘 '섬기다'의 뜻.

[事故 사고] 뜻밖에 일어난 사건.
[事理 사리] 일의 이치.
[事務 사무] 주로 책상에서 문서 따위를 처리하는 일.
[事實無根 사실무근] 사실과 전혀 다

름. 근거가 없음.

[事由 사유] 일의 까닭.

[事必歸正 사필귀정] 모든 일은 반드시 바른 데로 돌아감.

[家和萬事成 가화만사성] 집안이 화목하면 모든 일이 다 잘됨.

[慶事 경사] 축하할 만한 기쁜 일.

[多事多難 다사다난] 여러 가지로 일도 많고 어려움도 많음.

[每事 매사] 모든 일.

[育英事業 육영사업] 육영 단체나 교육 기관을 두어 교육에 힘쓰는 사업.

[人倫大事 인륜대사] 사람의 일생에서 겪게 되는 가장 중요한 일. 곧, 출생·혼인·사망 등의 일.

[一事不再理 일사부재리] 한번 확정 판결된 사건은 다시 심리하지 않는다는 원칙.

[從事 종사] ① 일삼아서 함. ② 어떤 사람을 따라 섬김.

[虛事 허사] 헛일.

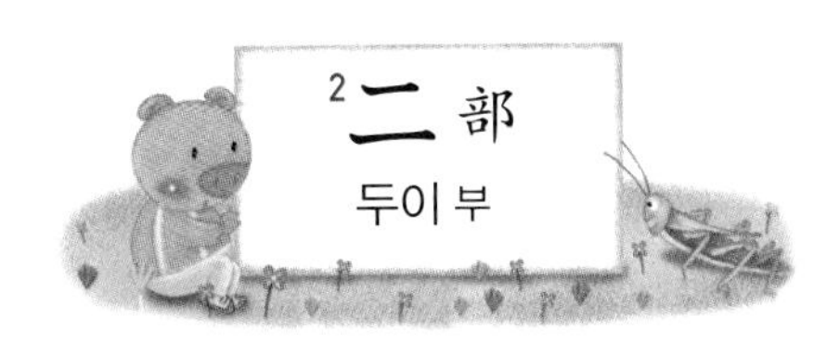

두 이:

8급 중학 한자

중 二 (èr)

영 two [tu:]

풀이 1 두. 둘. 2 두 번. 3 둘째. 다음. 4 두 가지.

부수 二(두이)부

찾기 二2=2획

一 二

글자뿌리 지사(指事) 문자. 가로줄을 두 개 포개어 '둘'이라는 수효를 나타냄.

[二重效果 이중효과] 한 가지 수단으로 동시에 두 가지 효과를 얻는 일.

[二次 이차] ① 두 번째. ② 어떤 사물이나 현상이 본디 것에 대하여 부수적인 관계나 처지에 있는 것.

[二八青春 이팔청춘] 16 세 전후의 젊은 나이.

[不事二君 불사이군] 두 임금을 섬기지 아니함.

[唯一無二 유일무이] 이 세상에 하나뿐이며 둘도 없음.

[一口二言 일구이언] 한 입으로 두 말을 한다는 뜻으로, 말을 이랬다저랬다 함.

[一石二鳥 일석이조] 한 가지 일로써 두 가지 이익을 얻음. 동 一擧兩得(일거양득).

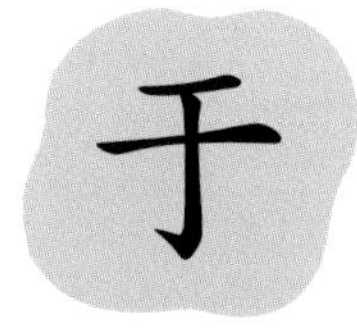

어조사 우

3급 중학 한자

중 于 (yú)

영 particle [pá:rtikl]

풀이 1 어조사. 2 가다.
부수 二(두이)부
찾기 二²+亅¹=3획

一 二 于

글자뿌리 상형(象形) 문자. 막대기의 양쪽 끝을 고정시키고 중간을 굽힌 모양을 본뜬 글자로, 이 음을 빌려 어조사로 쓰이고 있음.

[于先 우선] ① 먼저. ② 아쉬운 대로. 그럭저럭.

8급 중학 한자
중 五 (wǔ)
영 five [faiv]

다섯 오:

풀이 다섯. 다섯 번.
부수 二(두이)부
찾기 二²+𠃌²=4획

一 丆 五 五

글자뿌리 지사(指事) 문자. '二'는 하늘과 땅을 가리키고 '×'는 그 음·양이 서로 합함을 나타내며, 음양이 합하면 '水火木金土'의 오행(五行)이 상생(相生)한다는 데서 '다섯'의 뜻이 된 자.

⇒ 㐅 ⇒ 五

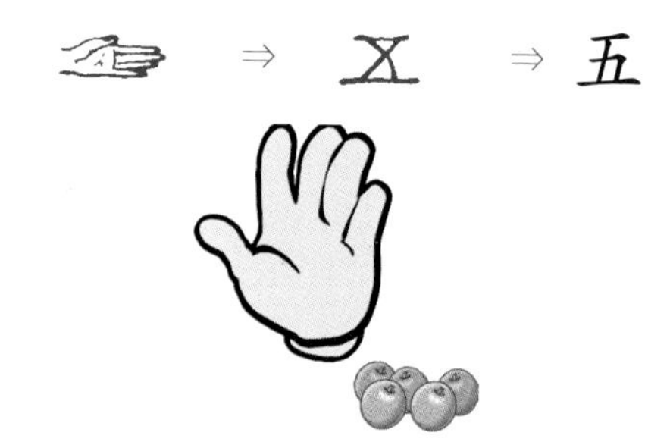

[五感 오감] 시각·청각·후각·미각·촉각의 다섯 감각.
[五穀 오곡] ① 다섯 가지 주요 곡식. 쌀·보리·조·콩·기장. ② 곡식을 통틀어 이르는 말.
[五倫 오륜] 사람으로서 지켜야 할 다섯 가지 도리. 곧, 부자 사이의 친애〔父子

五里霧中 (오리무중)

안개가 5리나 덮여 있는 속에 있다는 뜻으로, 무슨 일에 대하여 알 길이 없음을 비유해 이르는 말.

고사 중국 후한(後漢)의 안제(安帝) 때 성도(成都) 출신의 학자인 장패(張霸)라는 사람이 황제의 고문관으로 있었는데, 그의 학문이 뛰어나 누구나 그와 교제하기를 원했다. 그러나 그는 성품 또한 강직하여 당대 최고의 세도가인 등즐(鄧騭)이 교제하기를 청해 왔을 때도 거절했다고 한다. 그의 아들 장해(張楷)도 역시 학문에 뛰어나 황제의 친척들과 환관들도 그와 교제하기를 청할 정도였다. 그런데 이 장해는 학문뿐 아니라 도술(道術)에도 능하여 5리나 계속되는 안개를 만들어 냈다고 한다. 당시 관서(關西) 사람인 배우(裵優)도 3리에 이르는 안개를 일으켰는데, 장해가 5리 안개를 만든다는 말을 듣고 한 수 배워야겠다고 생각했지만, 장해가 5리 안개 속에 모습을 감추어서 만나지 못했다고 한다.

有親〕, 군신 사이의 의리〔君臣有義〕, 부부 사이의 분별〔夫婦有別〕, 어른과 아이 사이의 차례〔長幼有序〕, 친구들 사이의 신의〔朋友有信〕.

[五里霧中 오리무중] 오 리에 걸친 안개 속이라는 뜻으로, 어디에 있는지 찾을 길이 막연하거나, 갈피를 잡을 수 없음을 이르는 말.

[五線紙 오선지] 악보를 적을 수 있도록 오선을 그어 인쇄해 놓은 종이.

[五十步百步 오십보백보] 차이가 있기는 있으나, 본질적으로는 같다는 뜻.

[五臟 오장] 한방에서, 다섯 가지 내장(內臟)을 통틀어 이르는 말. 곧, 간장·심장·비장·폐장·신장.

3급 중학 한자

중 云 (yún)

영 say [sei]

이를 운

풀이 이르다. 말하다.

부수 二(두이)부

찾기 二^2+厶^2=4획

一 二 云 云

글자뿌리 상형(象形) 문자. 구름이 하늘로 피어오르는 모양을 본뜬 글자로, 구름 운(雲)의 옛 글자.

[云云 운운] 이러이러하다고 말함. 이러쿵저러쿵 말함.

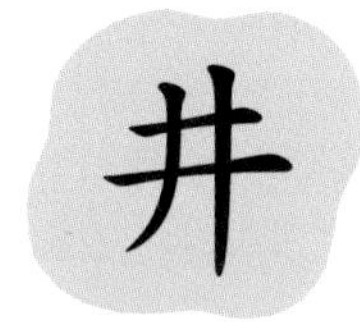

3급Ⅱ 중학 한자

중 井 (jǐng)

영 well [wel]

우물 정(ː)

풀이 1 우물. 2 '井' 자 모양으로 생긴 것. 3 반듯하다.

부수 二(두이)부

찾기 二^2+川^2=4획

井中之蛙 (정중지와)

우물 안의 개구리라는 뜻으로, 견문이 좁아 세상 물정에 어두운 사람을 이르는 말.

고사 중국 후한(後漢) 시대 무렵 마원(馬援)이라는 사람이 있었는데, 벼슬을 하지 않고 조상의 묘를 지키고 있다가 농서(隴西)의 제후인 외효(隗囂)의 부름을 받고 장군이 되었다. 외효는 마원으로 하여금 촉(蜀)나라의 공손술(公孫述)의 인물됨을 알아 오라 하였다. 마원은 공손술이 같은 고향 사람이기 때문에 반갑게 맞아 주리라 여겼으나, 오히려 공손술은 호위병을 세워 놓고 오만한 태도로 옛정을 생각해서 장군에 임명하겠으니 여기에 머물라 하였다. 마원은 공손술의 사람됨을 알아보고는 사양하고 돌아와서 "그 자는 우물 안 개구리입니다. 좁은 촉나라 땅에서 위엄만 부리고 뽐내는 자입니다."라고 보고하였다. 이 말을 들은 외효는 공손술과 친교를 맺으려던 생각을 버렸다고 한다.

一 二 井 井

글자뿌리 상형(象形) 문자. '井' 자 모양의 우물 난간을 본뜬 글자.

[井華水 정화수] 정성을 들이거나 약을 달이는 데 쓰기 위하여 이른 새벽에 길어 온 우물물.

[天井不知 천정부지] 천장을 모르다는 뜻으로, 물건 값 따위가 끊임없이 오르기만 함을 이르는 말.

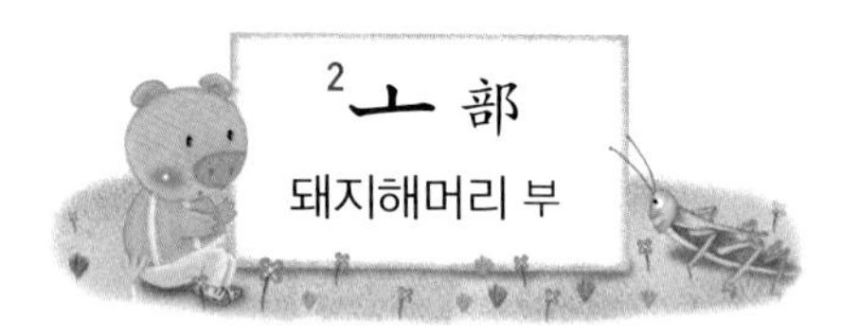

5급 중학 한자

중 亡 (wáng)

영 ruin [rú:in]

망할 망

풀이 1 망하다. 2 달아나다. 3 잃다. 4 죽다.

부수 亠(돼지해머리)부

찾기 亠2+ㄴ1=3획

丶 亠 亡

글자뿌리 회의(會意) 문자. 돼지해머리(亠=人의 변형)에 숨을 은(ㄴ: 隱의 옛 글자)을 합친 자로, 잘못을 저지른 사람이 숨는다는 데서 '망하다'의 뜻.

고사성어

亡國之音 (망국지음)

나라를 망치는 음악이란 뜻으로, 저속하고 잡스러운 음악을 일컫는 말.

고사 중국의 춘추 시대에 위(衛)나라의 영공(靈公)이 진(晉)나라로 가다가 복수(濮水)라는 강가에서 기이한 음악 소리를 듣고 진나라에 도착했다. 영공이 진나라의 평공(平公)에게 이 곡을 자랑하자, 진나라의 악사인 사광(師曠)이 깜짝 놀라며 음악을 중단시키고 말했다.

"복수란 곳은 은나라의 주왕(紂王)의 악사 사연(師延)이 자살한 곳입니다. 그 곡은 망국지음이니 연주하지 마소서."
하고 극구 말렸다 한다.

[亡國 망국] ① 나라가 망함. 나라를 망침. ② 망한 나라.
[亡靈 망령] 죽은 사람의 넋.
[亡命 망명] 정치적인 이유 등으로, 제 나라에 있지 못하고 남의 나라로 몸을 피하는 일.
[亡身 망신] 말이나 행동 따위를 잘못하여 자신의 체면이나 명예 등을 손상되게 함.
[亡者 망자] 죽은 사람.
[亡兆 망조] 망하거나 결딴날 징조.
[亡種 망종] 행실이 좋지 못한 사람을 욕으로 이르는 말.
[未亡人 미망인] 남편이 죽고 홀로 사는 여자를 이르는 말.
[死亡 사망] 죽는 일.
[敗家亡身 패가망신] 집안의 재산을 다 써서 없애고 몸까지 망침.
[敗亡 패망] ① 전쟁에 져서 망함. ② 싸움에 져서 죽음.

6급 중학 한자

중 交 (jiāo)
영 associate [əsóuʃièit]

사귈 교

풀이 **1 사귀다. 2 섞이다. 3 오고 가다. 4 바꾸다. 바뀌다.**

부수 亠(돼지해머리)부

찾기 亠2＋父4＝6획

丶 亠 六 六 㐅 交

글자뿌리 상형(象形) 문자. '六'은 '大' 곧 '人'이고, '㐅'는 종아리를 서로 교차한 모양을 본뜬 것. 그래서 '섞이다', '바뀌다' 등의 뜻이 된 자.

[交感 교감] 서로 감응함. 서로 마음이 통함.
[交代 교대] 서로 번갈아듦.
[交流 교류] ① 일정한 시간마다 번갈아 반대 방향으로 흐르는 전류. ② 문화나 사상 등이 서로 오가며 섞임.
[交尾 교미] 번식을 위하여 동물의 암수가 교접하는 일.
[交付 교부] 내어 줌.
[交涉 교섭] ① 어떤 일을 이루기 위하여 상대편과 의논함. ② 관계를 가짐.
[交易 교역] 주로 국가 간에 물건을 서로 사고파는 일.
[交友 교우] 벗과 사귐. 또는 사귀고 있는 벗.
[交際 교제] 사람과 사람이 서로 사귐.
[交叉 교차] 가로세로로 엇갈림. ¶ 交叉路(교차로).
[交替 교체] 자리나 역할 같은 것을 다른 사람 또는 다른 것과 바꿈. 또는 바뀜. 교대(交代).
[交通 교통] ① 사람이나 차·배·비행기 따위가 일정한 길을 오고 가는 일. ② 사람이나 물건을 실어 나르는 일. ③ 사람과 사람, 나라와 나라가 서로 왕래하며 의사를 통하는 일.
[交換 교환] 서로 바꿈.

3급Ⅱ 중학 한자
중 亦 (yì)
영 also [ɔ́ːlsou]

또 역

풀이 또. 또한.
부수 亠(돼지해머리)부
찾기 亠²+小⁴=6획

丶 亠 广 亣 亦 亦

글자뿌리 지사(指事) 문자. 큰 대(亣: 大의 변형)에 여덟 팔(八)을 합친 자로, 어른의 양 옆구리, 또는 이쪽저쪽에 팔이 있다 하여 '또', '또한'의 뜻이 된 자.

[亦是 역시] ① 이것도 또한. ② 생각했던 대로. ③ 전과 마찬가지로.

3급 중학 한자
중 亥 (hài)
영 pig [pig]

돼지 해

풀이 1 돼지. 2 열두째 지지. ※ 십이지의 열두째로, 동물로는 돼지, 달〔月〕로는 음력 10월, 시간은 오후 9시~11시.
부수 亠(돼지해머리)부
찾기 亠²+亥⁴=6획

丶 亠 亡 亥 亥 亥

글자뿌리 상형(象形) 문자. '亠'는 돼지의 머리 모양을, '亥'는 돼지의 몸뚱이와 네 다리를 본뜬 글자.

[辛亥革命 신해혁명] 1911년 중국에서 청나라를 무너뜨리고 중화민국을 세운 혁명.

6급 중학 한자
중 京 (jīng)
영 capital [kǽpitl]

서울 경

풀이 1 서울. 2 크다. 높다.
부수 亠(돼지해머리)부
찾기 亠²+京⁶=8획

丶 亠 亠 亡 古 亨 京 京

글자뿌리 상형(象形) 문자. 언덕 위에 집이 서 있는 것을 본뜬 글자로, 높은 언덕에 있는 임금이 사는 궁궐을 뜻하여 '서울'의 뜻이 됨.

⇒ ⇒ 京

[京都 경도] 서울.
[歸京 귀경] 서울로 돌아오거나 돌아감.
[上京 상경] 시골에서 서울로 올라옴.

8급 중학 한자

중 人 (rén)

영 man [mæn]

사람 인

풀이 1 사람. 인간. 2 백성. 3 인품. 인격.

부수 人(사람인)부

찾기 人²=2획

丿 人

글자뿌리 상형(象形) 문자. 사람이 허리를 굽히고 서 있는 옆 모양을 본뜬 글자.

⇒ ⇒ 人

[人家 인가] 사람이 사는 집.

[人間 인간] ① 사람. ② 사람의 됨됨이.

[人間性 인간성] ① 사람이 타고난 바탕. ② 사람다운 마음의 본바탕.

[人傑 인걸] 매우 뛰어난 인재. 훌륭한 사람.

[人骨 인골] 사람의 뼈.

[人工衛星 인공위성] 기상 관측·통신·방송 등을 위해 지구에서 쏘아 올려 지구의 둘레를 돌게 만든 물체.

[人口 인구] 한 나라나 일정한 지역 안에 사는 사람의 수.

[人氣 인기] 특정한 사람이나 사물에 대하여 쏠리는 사람들의 좋은 감정.

[人德 인덕] 사귀는 사람들에게서 많은 도움을 받는 복. 동 人福(인복).

[人力 인력] 사람의 힘.

[人倫 인륜] 사람으로서 마땅히 지켜야 할 도리.

[人福 인복] 사귀는 사람들에게서 많은 도움을 받는 복.

[人死留名 인사유명] 사람은 죽어도 이름은 남는다는 뜻으로, 이름이 남도록 바르게 살아야 한다는 말.

[人性 인성] 사람의 성질. 사람 본연의 성품.

[人心 인심] ① 사람의 마음. ② 사사로운 마음. 동 人情(인정).

[人跡 인적] 사람이 지나다닌 발자취.

[人情 인정] ① 사람이 본래부터 가지고 있는 마음씨. ② 남을 돕는 마음.

[人智 인지] 사람이 지닌 지혜와 재능.

[人之常情 인지상정] 사람이면 누구나 가지는 보통의 인정.

[人形 인형] ① 사람의 형상. ② 흙·나무·종이·헝겊 등으로 사람의 모양을 흉내 내어 만든 장난감.

6급 중학 한자

중 今 (jīn)

영 now [nau]

이제 금

풀이 1 이제. 오늘. 바로. 2 이. 이에.

부수 人(사람인)부

찾기 人²+ㄱ²=4획

丿 人 亼 今

글자뿌리 회의(會意) 문자. 본디는 지붕

〔人〕이 무엇〔一〕을 덮는 모양을 나타내어, 그늘 음(陰)의 원자(原字)였으나, 뒤에 가차(假借)하여 '지금'의 뜻이 된 자.

⇒ ⇒ 今

[今方 금방] 방금. 지금 막.
[今始初聞 금시초문] 이제야 비로소 처음 들음.
[東西古今 동서고금] 동양과 서양, 옛날과 지금이라는 뜻으로, 인간 사회의 모든 시대와 장소를 두고 이르는 말.
[只今 지금] 바로 이 시간. 오늘날. 이제 막. 곧.

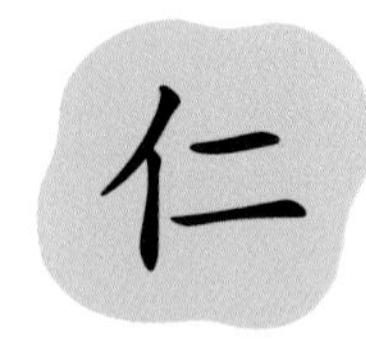

4급 중학 한자
중 仁 (rén)
영 merciful [mə́:rsifəl]

어질 인

풀이 1 어질다. 자애롭다. 2 가엾게 여기다. 3 동정.
부수 人(사람인)부
찾기 亻2(人)+二2=4획

丿 亻 亻 仁

글자뿌리 형성(形聲) 문자. 사람 인(人〈뜻〉)에 두 이(二〈음〉)를 합친 자로, 사람이 서로 친하고 사랑하며 지낸다는 데서 '어질다'의 뜻이 된 자.

⇒ ⇒ 仁

[仁德 인덕] 어진 덕.
[仁術 인술] 사람을 살리는 어진 기술이란 뜻으로, '의술'을 말함.
[仁義 인의] 어짊과 의로움.
[仁慈 인자] 어질고 인정이 많음.
[仁厚 인후] 마음이 어질고 후덕함.
[殺身成仁 살신성인] 자신의 몸을 죽여 인(仁)을 이룬다는 뜻으로, 옳은 일을 위하여 자기 몸을 희생함.

6급 중학 한자
중 代 (dài)
영 substitute [sʌ́bstətjù:t]

대신할 대:

풀이 1 대신하다. 2 시대. 세대.
부수 人(사람인)부
찾기 亻2(人)+弋3=5획

丿 亻 亻 代 代

글자뿌리 형성(形聲) 문자. 사람 인(人〈뜻〉)에 주살 익(弋〈음〉)을 합친 자로, 앞 세대와 뒤 세대가 번갈아든다는 데서 '대신하다'의 뜻이 된 자.

⇒ ⇒ 代

[代價 대가] ① 물건을 산 값. ② 무엇을 희생하여 얻어진 결과.
[代金 대금] ① 값. ② 물건을 판 사람에게 지불하는 돈.
[代納 대납] ① 남을 대신하여 바침. ② 다른 물건으로 대신 바침.
[代代 대대] 계속되는 세대.
[代理 대리] 다른 사람을 대신하여 일을 처리함. 또는 그런 사람.
[代辯 대변] 개인이나 단체를 대신하여 그의 의견이나 태도를 발표함.
[代書 대서] 다른 사람을 대신하여 글씨나 글을 씀.
[代身 대신] ① 남을 대리함. ② 다른 것의 대용.
[代用 대용] 대신으로 씀.
[代替 대체] 다른 것으로 바꿈.
[代表 대표] 개인이나 단체를 대신하여 그 의사나 성질을 외부에 나타냄. 또는 그런 사람.
[代行 대행] 대신하여 행함.
[一代記 일대기] 한 사람의 일생 동안의 일을 적은 기록.
[太平聖代 태평성대] 인자한 임금이 다스리는 평화로운 사회나 세상.

5급 중학 한자
중 令 (lìng)
영 order [ɔ́ːrdər]

하여금 령(ː)

풀이 1 하여금. 2 명령하다. 3 우두머리. 4 좋다. 아름답다.
부수 人(사람인)부
찾기 人^2+ 卩^3=5획

글자뿌리 회의(會意) 문자. 모을 합(亼=合의 생략형)에 병부 절(卩)을 합친 자로, 천자(天子)가 제후에게 내린 절(節). 즉 작위의 증표를 모을 때의 호령이란 데서 '명령'의 뜻이 된 자.

[令夫人 영부인] ① 신분이 높은 사람의 부인을 부르는 말. ② 남을 높이어 그의 부인을 이르는 말.
[令愛 영애] 윗사람의 딸을 높여서 이르는 말.
[口令 구령] 단체 행동의 몸동작을 한결같이 하도록 지휘자가 호령함. 또는 그 호령.
[軍令 군령] 군대를 지휘하는 명령.
[命令 명령] 윗사람이 아랫사람에게 시킴. 또는 그 시키는 말.
[發令 발령] 법령을 공포하거나 명령을 내림.
[設令 설령] 그렇다 하더라도.
[朝令暮改 조령모개] 아침에 영을 내리고 저녁에 고친다는 뜻으로, 법령이나 명령이 자주 바뀜을 이르는 말.
[至上命令 지상명령] 절대적으로 복종해야 할 명령.
[號令 호령] 지휘하여 명령함.

5급 중학 한자
중 仕 (shì)
영 official rank

벼슬 사(ː)

풀이 1 벼슬. 벼슬하다. 2 섬기다.
부수 人(사람인)부
찾기 亻²(人)+士³=5획

丿 亻 亻一 什 仕

글자뿌리 형성(形聲) 문자. 사람 인(人〈뜻〉)에 선비 사(士〈음〉)를 합친 자로, 학문을 익힌 사람. 즉, 선비가 되어야 '벼슬'을 한다는 뜻.

[給仕 급사] 관청이나 가게에서 잔심부름을 하는 사람.
[奉仕 봉사] 자기를 돌보지 않고 남을 위하여 노력함.

5급 중학 한자
중 仙 (xiān)
영 hermit [hə́ːrmit]

신선 선

풀이 1 신선. 선인. 2 고상한 사람.
부수 人(사람인)부
찾기 亻²(人)+山³=5획

丿 亻 亻丨 仙 仙

글자뿌리 형성(形聲) 문자. 사람 인(人〈뜻〉)에 메 산(山〈음〉)을 합친 자로, 산속에서 도를 닦아 늙지 않고 오래 사는 사람. 곧, '신선'을 뜻함.

[仙境 선경] ① 신선이 산다는 곳. ② 속세를 떠난 깨끗한 곳.
[仙女 선녀] 하늘나라에서 산다고 하는 아름다운 여자.
[神仙 신선] 도를 닦아 신통력을 얻은 사람. 동 仙人(선인).

5급 중학 한자
중 以 (yǐ)
영 with [wið]

써 이ː

풀이 1 …써. …로써. 2 …부터. 3 까닭.
부수 人(사람인)부
찾기 人²+𠃊³=5획

丨 𠃊 𠃊 𠃊丿 以

글자뿌리 형성(形聲) 문자. 밭을 가는 쟁기 이(𠃊 =㠯: 以의 옛 글자〈음〉)에 사람 인(人〈뜻〉)을 합친 자로, 사람은 쟁기를 써야 밭을 갈 수 있다는 데서 '쓰다'를 뜻하게 된 자.

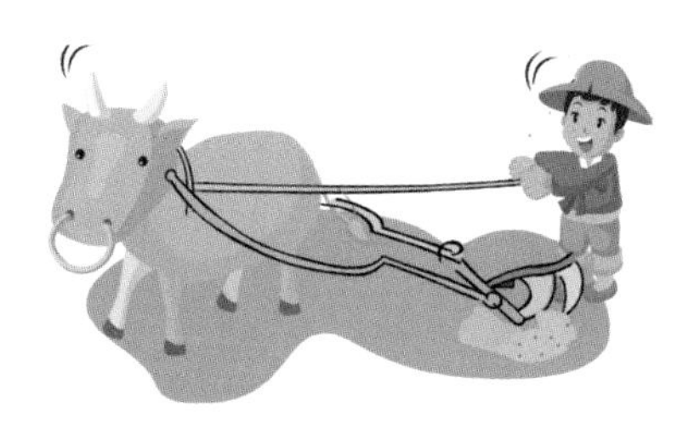

[以內 이내] 시간적·공간적으로 일정한 범위의 안.

[以德報怨 이덕보원] 덕으로써 원한을 갚음. 원한이 있는 사람에게 은혜를 베푼다는 뜻.

[以來 이래] 지나간 일정한 때로부터 지금까지.

[以上 이상] 수량이나 단계를 나타낼 때 그것을 포함하여 그보다 많거나 위임을 나타냄.

[以心傳心 이심전심] 마음에서 마음으로 뜻이 통함.

[以熱治熱 이열치열] 열은 열로써 다스린다는 뜻.

[以前 이전] ① 일정한 때로부터 앞. ② 오래전. 옛날.

[以下 이하] 수량·정도·위치 따위가 정한 기준보다 적거나 낮음.

[以後 이후] ① 일정한 때로부터 뒤. ② 지금으로부터 뒤.

他

다를 타

5급 중학 한자

㊥ 他 (tā)

㊢ different [dífərənt]

풀이 1 다르다. 2 남. 3 딴.

부수 人(사람인)부

찾기 亻²(人)+也³=5획

丿 亻 亻 仲 他

글자뿌리 형성(形聲) 문자. 사람 인(人〈뜻〉)에 어조사 야(也=它: 他·蛇〈뱀 사〉의 옛 글자〈음〉)를 합친 자로, 뱀은 사람과 완전히 다른 동물이라는 데서 '다르다'의 뜻이 된 자.

[他界 타계] ① 다른 세계. 타인의 세계. 저승. ② 귀인의 죽음을 이르는 말.

[他國 타국] 다른 나라.

[他山之石 타산지석] 다른 산에서 나

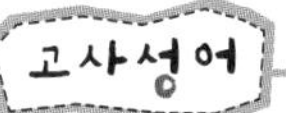

以心傳心 (이심전심)

말을 주고받지 않아도 서로의 생각이 상대방에게 통함을 이르는 말.

고사 어느 날 석가가 제자들을 불러 모아 놓고 설법을 하다가 아무 말 없이 연꽃 한 송이를 손에 들고 살짝 비틀어 보였다. 제자들은 스승인 석가가 왜 연꽃을 들고 있는지 그 뜻을 알 길이 없어서 석가의 얼굴과 연꽃만 번갈아 보고 있을 뿐이었다. 이때, 제자 중 가섭(迦葉)만이 홀로 그 뜻을 알고 활짝 웃었다. 그때서야 석가는 입을 열어 설법을 했다고 한다.

는 나쁜 돌도 자기 옥(玉)을 가는 데에 소용이 된다는 뜻으로, 옳지 못한 남의 언행도 나의 지식과 인격을 닦는 데에 도움이 된다는 말.

[他殺 타살] ① 남에게 목숨을 빼앗김. ② 남을 죽임.

[他律 타율] ① 다른 규율. ② 자기 생각대로 하지 않고 남의 지배하에서 행동함. 반 自律(자율).

[他意 타의] ① 다른 생각. ② 다른 사람의 뜻. 반 自意(자의).

[他處 타처] 다른 곳.

[他鄕 타향] 제 고향이 아닌 다른 고장. 동 他官(타관).

[其他 기타] 그 밖의 또 다른 것. 그 밖.

[出他 출타] ① 다른 지방으로 나감. ② 밖으로 나감. 외출.

4급Ⅱ 중학 한자
중 伐 (fá)
영 attack [ətǽk]

칠 벌

풀이 1 치다. 정벌하다. 2 베다.
부수 人(사람인)부
찾기 亻2(人)+戈4=6획

丿 亻 仁 代 伐 伐

글자뿌리 회의(會意) 문자. 사람 인(人)에 창 과(戈)를 합친 자로, 창을 가지고 사람을 '친다'는 뜻.

[伐木 벌목] 나무를 벰.

[伐採 벌채] 산에 있는 나무를 베어 냄.

[伐草 벌초] 봄과 가을에 무덤에 있는

고사성어

他山之石 (타산지석)

다른 산의 돌이란 뜻으로, 그런 돌로 옥을 다듬는다는 말. 즉, 다른 사람의 하찮은 언행일지라도 자신의 지혜와 덕을 닦는 데 도움이 된다는 말.

고사 이 말은 '시경(詩經)'의 다음 시에서 따온 말이다.

학(鶴)이 높은 데서 우니
그 소리가 하늘에 퍼지네.
물고기는 물가에 있다가
깊은 곳에 잠기기도 하네.
즐겁게도 저 동산에는
심어 놓은 박달나무가 있고
그 밑에는 닥나무 있네.
타산지석(他山之石), 이를 가지고
이곳의 옥(玉)을 갈 수가 있네.

이 시의 끝 구절에 나오는 '타산지석, 이를 가지고 이곳의 옥을 갈 수가 있네'라는 말은, 다른 산에서 나는 보통 돌이더라도 이곳 산에서 나는 옥을 갈아 빛을 낼 수 있다는 의미로, 돌을 소인(小人)에 비유하고 옥을 군자(君子)에 비유하여 군자도 소인의 언행을 거울삼아 경계해야 하며, 학문과 수양을 쌓아 나가야 한다는 말이다.

잡풀을 베어서 깨끗이 함.

[殺伐 살벌] 분위기·풍경·인간관계 등이 몹시 거칠고 무시무시함.

[征伐 정벌] 군대의 힘으로 적이나 죄 있는 무리를 치는 일.

[討伐 토벌] 적이 되어 맞서는 무리를 군대의 힘으로 공격하여 없앰.

伏

4급 중학 한자

중 伏 (fú)

영 prostrate [prástreit]

엎드릴 복

풀이 1 엎드리다. 2 숨다. 3 굴복하다.

부수 人(사람인)부

찾기 亻²(人)+犬⁴=6획

ノ 亻 亻 什 伏 伏

글자뿌리 회의(會意) 문자. 사람 인(人)에 개 견(犬)을 합친 자로, 개〔犬〕가 사람〔人〕 곁에서 엎드려 사람의 뜻을 살핀다는 데서, '엎드리다'의 뜻이 된 자.

[伏兵 복병] 적을 몰래 공격하기 위하여 군사를 숨겨 둠. 또는 그 군사.

[伏日 복일] 여름의 복날. 즉, 초복·중복·말복을 이름.

[伏地不動 복지부동] 땅에 엎드려 움직이지 않음.

[起伏 기복] ① 일어났다 엎드렸다 함. ② 세력이 강해졌다 약해졌다 함.

[哀乞伏乞 애걸복걸] 애처롭게 사정하여 굽실거리며 빌고 또 빎.

[降伏 항복] 전쟁에서 자신이 진 것을 인정하고 상대방에게 굴복함.

仰

3급Ⅱ 중학 한자

중 仰 (yǎng)

영 look up

우러러볼 앙:

풀이 1 우러러보다. 믿다. 의지하다. 2 사모하다. 따르다. 좇다.

부수 人(사람인)부

찾기 亻²(人)+卬⁴=6획

ノ 亻 亻 亻 仰 仰

글자뿌리 형성(形聲) 문자. 사람 인(人〈뜻〉)에 우러러볼 앙(卬〈음〉)을 합친 자로, 서 있는 사람〔𠂆〕을 무릎을 꿇고 있는 사람〔卩〕이 바라보고 있다는 데서, '우러러보다'의 뜻.

[仰望 앙망] ① 우러러봄. ② 존경하여 사모함.

[仰天 앙천] 하늘을 우러러봄.

[信仰 신앙] 신이나 초자연적인 절대자를 굳게 믿으며, 그 가르침을 받들어 따르는 일.

[推仰 추앙] 높이 받들어 우러러봄.

5급 고등 한자

중 件 (jiàn)

영 article [áːrtikl]

물건 건

풀이 1 물건. 일. 사건. 2 구분하다. 3 조건. 4 건. ※ 사물의 수를 세는 단위.

부수 人(사람인)부

찾기 亻²(人)+牛⁴=6획

丿 亻 亻 亻 仁 件

글자뿌리 회의(會意) 문자. 사람이나 소 따위를 개개(個個)의 것으로서 세는 단위로 쓰임.

[件件 건건] 이 일 저 일. 모든 일.
[件數 건수] 사물(事物)이나 사건(事件)의 수.
[物件 물건] 일정한 형체를 갖춘 모든 물질적 대상.
[與件 여건] 주어진 조건.

5급 고등 한자
중 任 (rèn)
영 charge [tʃɑːrdʒ]

맡길 임(ː)

풀이 1 맡기다. 2 마음대로 하다. 3 일. 임무.
부수 人(사람인)부
찾기 亻²(人)+壬⁴=6획

丿 亻 亻 仁 仟 任

글자뿌리 형성(形聲) 문자. 사람 인(人)에 클 임(壬〈음〉)을 합친 자로, 壬(임)은 장시간에 걸쳐 지속적(持續的)으로 어떤 무게 있는 물건을 지니다의 뜻. 사람이 짊어지다, 지탱하다의 뜻을 나타냄.

[任期 임기] 일정한 책임을 맡아보는 기간.
[任免 임면] 임명과 해임.
[任命 임명] 일정한 지위나 임무를 맡김.
[任員 임원] 단체·회사·모임 따위의 주요 직무를 맡은 사람.
[任意 임의] 자기의 의사대로 하는 일.
[兼任 겸임] 여러 가지 직무를 겸함.
[信任 신임] 믿고 맡김. 또는 그 믿음.
[後任 후임] 앞서 맡아보던 사람의 뒤를 이어 맡아보는 직무나 임무.

7급 중학 한자
중 休 (xiū)
영 rest [rest]

쉴 휴

풀이 1 쉬다. 2 아름답다. 좋다.
부수 人(사람인)부
찾기 亻²(人)+木⁴=6획

丿 亻 仁 什 休 休

글자뿌리 회의(會意) 문자. 사람 인(人)에 나무 목(木)을 합친 자로, 사람〔人〕이 나무〔木〕 그늘에서 쉬고 있는 모양에서 '쉬다'의 뜻이 된 자.

⇒ ⇒ 休

[休暇 휴가] 학교나 직장 등을 일정한 기간 동안 쉬는 일. 또는 그 겨를.
[休息 휴식] 일을 멈추고 잠깐 동안 쉼.
[休養 휴양] 피로나 병의 회복을 위하여 몸을 편히 쉼.
[休戰 휴전] 전쟁을 중지함.
[公休日 공휴일] 모두가 쉬는 날. 국경일이나 일요일.
[連休 연휴] 쉬는 날이 이틀 이상 겹쳐져서 연달아 노는 일. 또는 계속되는 휴일.

3급Ⅱ 중학 한자
중 但 (dàn)
영 only [óunli]

다만 단:

풀이 1 다만. 오로지. 홀로. 2 무릇. 부질없이.
부수 人(사람인)부
찾기 亻²(人)+旦⁵=7획

글자뿌리 형성(形聲) 문자. 사람 인(人〈뜻〉)에 아침 단(旦〈음〉)을 합친 자로, 사람〔人〕이 윗옷 한쪽을 벗으면〔袒〕 솔직하다는 데서 '다만'의 뜻이 된 자.

[但只 단지] 다만. 겨우. 오직.
[非但 비단] 다만.

佛

4급Ⅱ 중학 한자
중 佛 (fó)
영 Buddha [búːdə]

부처 불

풀이 1 부처. 불교. 2 불란서(프랑스)의 약칭(略稱).
부수 人(사람인)부
찾기 亻²(人)+弗⁵=7획

글자뿌리 형성(形聲) 문자. 사람 인(人〈뜻〉)에 아닐 불(弗〈음〉)을 합친 자로, 진리를 깨우쳐 사사로운 욕망에 얽매이지 않는 사람, 곧 '부처'를 뜻함.

[佛經 불경] 불교의 경전.
[佛供 불공] 부처 앞에 공양하는 일.
[佛敎 불교] 석가모니의 가르침을 근본으로 하는 종교.
[佛堂 불당] 부처를 모신 집.
[念佛 염불] 부처님의 모습이나 공덕을 생각하며 아미타불을 부르는 일.

[禮佛 예불] 부처에게 예배함.

3급 중학 한자
중 余 (yú)
영 I [ai]

나 여

풀이 1 나. 2 나머지.
부수 人(사람인)부
찾기 人[2]+示[5]=7획

ノ 人 亼 亼 全 余 余

글자뿌리 상형(象形) 문자. 나무로 지붕을 받친 건물 모양을 본뜬 글자. 나머지 여(餘)의 약자.

[余等 여등] 우리들.

5급 중학 한자
중 位 (wèi)
영 position [pəzíʃən]

자리 위

풀이 1 자리. 위치. 2 품위. 품격.
부수 人(사람인)부
찾기 亻[2](人)+立[5]=7획

ノ 亻 亻 亻 仁 伫 位

글자뿌리 회의(會意) 문자. 사람 인(人)에 설 립(立)을 합친 자로, 옛날 조정에서 품계에 따라 임금 앞에 서던 '자리'를 뜻함.

⇒ ⇒ 位

[位階 위계] 벼슬의 등급. ¶ 位階秩序(위계질서).
[位置 위치] ① 차지한 자리. 지위. ② 사람이나 물건이 자리 잡고 있는 곳.
[單位 단위] ① 비교·계산하는 데 기본이 되는 것. ② 무엇을 이루는 가장 기본적인 것.
[方位 방위] 동서남북을 기준으로 하여 정한 방향.
[本位 본위] ① 원래의 위치나 지위. ② 생각이나 행동의 중심이 되는 기준.
[卽位 즉위] 임금의 자리에 오름.
[地位 지위] ① 있는 자리. 또는 위치. ② 사회적 신분에 따라 개인이 차지하는 자리나 계급.
[品位 품위] 사람이나 물건이 지닌 좋은 인상.

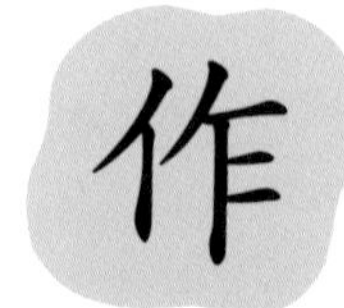

6급 중학 한자
중 作 (zuò)
영 make [meik]

지을 작

풀이 1 짓다. 일하다. 이루다. 2 만들다.
부수 人(사람인)부
찾기 亻[2](人)+乍[5]=7획

ノ 亻 亻 亻 竹 作 作

글자뿌리 형성(形聲) 문자. 사람 인(人〈뜻〉)에 잠깐 사(乍〈음〉)를 합친 자. 사람〔人〕이 잠깐〔乍〕도 쉬지 않고 물건을 만든다 하여 '짓다'의 뜻이 된 자.

⇒ ⇒ 作

[作家 작가] ① 문학이나 예술 등의 창작 활동을 하는 사람. ② 소설가.
[作故 작고] 죽음.
[作曲 작곡] 악곡을 지음.
[作名 작명] 사람이나 사물의 이름을 지음.
[作別 작별] 같이 있던 사람이 서로 헤어짐.
[作況 작황] 농사가 잘되고 못된 상황.
[耕作 경작] 밭을 갈아 농사를 지음.
[動作 동작] ① 무슨 일을 하려고 몸을 움직이는 일. 또는 그 몸놀림. ② 기계가 기능을 발휘하여 작동함.

4급Ⅱ 중학 한자
㊥ 低 (dī)
㊖ low [lou]

낮을 저:

풀이 1 낮다. 2 숙이다. 구부리다.
부수 人(사람인)부
찾기 亻²(人)+氐⁵=7획

ノ 亻 亻 亻 亻 低 低

글자뿌리 형성(形聲) 문자. 사람 인(人〈뜻〉)에 근본 저(氐〈음〉)를 합친 자로, 사람〔人〕이 머리를 낮게 숙인다〔氐〕는 데서, '낮다'의 뜻이 된 자.

⇒ ⇒ 低

[低價 저가] 헐값. 싼값.
[低級 저급] ① 낮은 등급이나 계급. ② 정도가 낮음. 취미가 천함.
[低廉 저렴] 물건 값이 쌈.
[低俗 저속] ① 학문이나 예술성 등의 정도가 고상하지 못하고 천박함. ② 인격이 낮고 속됨.
[低溫 저온] 낮은 온도.
[低下 저하] ① 낮아짐. ② 수준·물가·능률 따위가 떨어져 낮아짐.
[高低長短 고저장단] 소리의 높고 낮음과 길고 짧음.
[最低 최저] 가장 낮음.

7급 중학 한자
㊥ 住 (zhù)
㊖ dwell [dwel]

살 주:

풀이 1 살다. 머물다. 2 거처. 3 멈추다. 세우다.
부수 人(사람인)부
찾기 亻²(人)+主⁵=7획

ノ 亻 亻 亻 亻 住 住

글자뿌리 형성(形聲) 문자. 사람 인(人〈뜻〉)

에 주인 주(主〈음〉)를 합친 자로, 사람〔人〕이 일정한 곳에 주〔主〕로 머물러 산다는 데서, '머물다', '살다'의 뜻이 된 글자.

⇒ ⇒ 住

[住民 주민] 일정한 땅에 머물러 사는 사람.

[住所 주소] ① 사람이 살고 있는 곳. ② 생활의 근거가 되는 곳.

[住宅 주택] 사람이 사는 집.

[安住 안주] ① 한곳에 자리를 잡아서 편안하게 삶. ② 현재의 상태에 만족하고 있음.

[永住 영주] 한곳에서 오랫동안 삶.

[移住 이주] 다른 곳이나 다른 나라로 옮아가서 삶.

[入住 입주] 특정한 땅 또는 새로 지은 집 등에 들어가서 삶.

3급Ⅱ 중학 한자

중 何 (hé)

영 how [hau]

어찌 하

풀이 1 어찌. 무엇. 2 얼마. 3 어느.

부수 人(사람인)부

찾기 亻²(人)+可⁵=7획

丿 亻 仁 仃 何 何 何

글자뿌리 형성(形聲) 문자. 사람 인(人〈뜻〉)에 허락할 가(可〈음〉)를 합친 자. 원래 사람이 짐을 멘 모양을 본뜬 자로, 그 물건에 대해 의문을 품었다는 데서 '무엇'의 뜻이 된 자.

⇒ ⇒ 何

[何等 하등] 아무런. 조금도.

[何時 하시] 어느 때. 언제.

[何如間 하여간] 어쨌든.

[何必 하필] 어찌하여 반드시. 어째서 꼭. 해필(奚必).

[幾何級數 기하급수] 어떤 사물이 이전의 몇 배씩 급속하게 불어남을 이르는 말. 등비급수(等比級數).

[如何間 여하간] 어떠하든지 간에. 여하튼. 어떻든.

佳

3급Ⅱ 중학 한자

중 佳 (jiā)

영 beautiful [bjúːtəfəl]

아름다울 가ː

풀이 1 아름답다. 2 좋다. 훌륭하다. 3 좋아하다.

부수 人(사람인)부

찾기 亻²(人)+圭⁶=8획

丿 亻 亻 亻 仕 佳 佳 佳

글자뿌리 형성(形聲) 문자. 사람 인(人〈뜻〉)에 홀 규(圭〈음〉)를 합친 자로, 사람의 자태가 옥같이 착하고 곱다는 데서 '아름답다'의 뜻이 된 자.

⇒ ⇒ 佳

[佳約 가약] ① 좋은 언약. ② 연인과 만날 약속. ③ 부부(夫婦)가 되자는 약속.
[佳人薄命 가인박명] 용모가 아름다운 여자는 명이 짧음. 또는 불행함.
[百年佳約 백년가약] 젊은 남녀가 결혼하여 한평생을 함께 지내자는 아름다운 약속.
[絶世佳人 절세가인] 이 세상에서는 비길 사람이 없을 정도로 빼어나게 아름다운 여자.

7급 중학 한자
중 来 (lái)
영 come [kʌm]

올 래(:)

풀이 1 오다. 2 다가오다.
부수 人(사람인)부
찾기 人²+来⁶=8획

글자뿌리 상형(象形) 문자. 보리 이삭이 달려 있는 모양을 본뜬 글자.

⇒ ⇒ 來

[來歷 내력] 겪어 온 자취.
[來訪 내방] 찾아와서 봄.
[來賓 내빈] 공식으로 초대받아 찾아온 손님.
[來世 내세] 불교에서 이르는 세 곳의 세상 중 하나로, 죽은 뒤에 영혼이 다시 태어난다는 미래의 세상.
[來往 내왕] 오고 가고 함.
[來侵 내침] 침입하여 옴. 또는 그 침입.
[去來 거래] ① 상품을 사고파는 일. ② 돈을 주고받는 일. ③ 서로의 이익을 위해서 벌이는 교섭.
[由來 유래] 사물이 어디에서 연유하여 옴. 또는 그 내력.
[傳來 전래] ① 예로부터 전하여 내려옴. ② 외국으로부터 전하여 들어옴.
[招來 초래] 어떤 결과가 오게 함.

例

6급 중학 한자
중 例 (lì)
영 example [igzǽmpəl]

법식 례:

풀이 1 법식. 관습. 2 보기. 예.
부수 人(사람인)부
찾기 亻²(人)+列⁶=8획

글자뿌리 형성(形聲) 문자. 사람 인(人〈뜻〉)에 벌일 렬(列〈음〉)을 합친 자로, 한 줄에 나란히 세울 수 있는 사람의 뜻에서, 같은 유(類), 선례의 뜻이 된 자.

⇒ ⇒ 例

[例規 예규] 관례로 되어 있는 규칙.
[例年 예년] 여느 해. 별일 없이 보통으로 지나간 해.
[例事 예사] 흔히 있는 일.
[例示 예시] 예를 들어 보임.
[例外 예외] 일반적인 규칙이나 예에서 벗어난 일.
[例證 예증] 예를 들어서 증명함.
[事例 사례] 어떤 일의 전례(前例)나 실례(實例).
[先例 선례] 앞의 예.
[年例 연례] 해마다 내려오는 예. ¶ 年例行事(연례행사).
[次例 차례] 일정하게 하나씩 벌여 나가는 순서.

6급 중학 한자
㊥ 使 (shǐ)
㊣ making [méikiŋ]

하여금/부릴 사:

풀이 1 하여금. 2 부리다. 시키다. 3 사신. 심부름꾼.
부수 人(사람인)부
찾기 亻²(人)+吏⁶=8획

글자뿌리 형성(形聲) 문자. 사람 인(人〈뜻〉)에 아전 리(吏〈음〉)를 합친 자로, 윗사람이 아전에게 일을 시킨다는 데서 '시키다'의 뜻.

⇒ ⇒ 使

[使命 사명] 마땅히 해야 할 일. 또는 지워진 임무.
[使臣 사신] 임금이나 나라의 명령으로 외국에 심부름을 가는 신하.
[使用 사용] 무엇을 필요로 하거나 소용되는 데 씀.
[大使 대사] 나라를 대표하여 다른 나라에 파견되어 외교의 임무를 맡아보는 사람의 첫째 계급. 또는 그런 사람.
[密使 밀사] 비밀리에 보내는 심부름꾼.
[天使 천사] ① 마음씨가 곱고 어진 사람. ② 하느님의 사자로 하느님과 인간 사이에서 중간 역할을 하는 존재.
[行使 행사] 부려서 씀. ¶ 權利行使(권리 행사).

4급 중학 한자
㊥ 依 (yī)
㊣ depend [dipénd]

의지할 의

풀이 1 의지하다. 돕다. 2 좇다. 따르다.

부수 人(사람인)부

찾기 亻²(人)+衣⁶=8획

글자뿌리 형성(形聲) 문자. 사람 인(人〈뜻〉)에 옷 의(衣〈음〉)를 합친 자로, 사람이 옷으로 몸을 보호한다는 데서 '의지하다'의 뜻.

[依賴 의뢰] 남에게 의지하거나 부탁함.
[依然 의연] 이전과 다름없음. ¶ 舊態依然(구태의연).
[依存 의존] 의지하고 있음.

4급Ⅱ 중학 한자

중 保 (bǎo)

영 keep [ki:p]

지킬 보(:)

풀이 1 지키다. 보호하다. 2 돕다. 3 기르다. 4 맡다. 책임지다. 5 시중들다.

부수 人(사람인)부

찾기 亻²(人)+呆⁷=9획

글자뿌리 회의(會意) 문자. 사람 인(人)에 어리석을 매(呆)를 합친 자로, 사람이 아이를 업고 있는 모양으로 '지키다'의 뜻. 또, 바보는 다른 사람의 도움을 받아야 한다는 데서 '돕다'의 뜻이 된 자.

⇒ ⇒ 保

[保健 보건] 건강을 지켜 나가는 일.
[保留 보류] 뒷날로 미루어 둠.
[保守 보수] ① 보전하여 지킴. ② 재래의 풍속·습관과 전통을 그대로 지킴.
[保安 보안] ① 사회의 안녕과 질서를 지킴. ② 안전을 유지함.
[保溫 보온] 일정한 온도를 보전함.
[保育 보육] ① 어린아이를 보살피며 기르는 일. ② 어린아이들이 올바르게 자랄 수 있도록 유치원·탁아소 등에서 베푸는 교육.
[保全 보전] 보호하여 안전하게 지킴.
[保存 보존] 잘 지니어 상하거나 잃지 않도록 함.
[保證 보증] 책임지고 틀림이 없음을 증명함.
[確保 확보] ① 확실하게 보유함. ② 확실하게 보증함.

4급Ⅱ 고등 한자

중 系 (xì)

영 relate [riléit]

맬 계:

풀이 1 매다. 묶다. 2 끌다. 3 계(사무 구분의 가장 아래 단위).

부수 人(사람인)부

찾기 亻²(人)+系⁷=9획

丿 亻 … 係

글자뿌리 형성(形聲) 문자. 사람 인(人〈뜻〉)에 끈 계(系〈음〉)를 합친 자로, 系(계)는 '이어지다, 연계(連繫)'의 뜻. 사람과 사람을 '잇다', '연계'의 뜻을 나타냄.

[係累 계루] 이어서 얽어맴.

[係數 계수] 기호 문자와 숫자로 된 식에서, 기호 문자에 대하여 숫자를 이르는 말.

[係員 계원] 계 단위의 부서에서 일하는 직원.

[係長 계장] 계 부서의 책임자.

[關係 관계] 둘 이상이 서로 관련을 맺음.

4급Ⅱ 중학 한자

중 俗 (sú)

영 custom [kʌ́stəm]

풍속 속

풀이 1 풍속. 풍습. 2 평범하다. 3 품위가 없다. 4 바라다.

부수 人(사람인)부

찾기 亻²(人)+谷⁷=9획

丿 亻 … 俗

글자뿌리 형성(形聲) 문자. 사람 인(人〈뜻〉)에 골짜기 곡(谷〈음〉)을 합친 자로, 사람들이 한 골짜기에 모여 살면 같은 '풍속'을 갖게 된다는 뜻.

⇒ ⇒ 俗

[俗談 속담] 옛날부터 사람들 사이에 전해 내려오는, 교훈이 되는 말.

[俗說 속설] 세상 사람들 사이에서 전해지는 설.

[俗世 속세] 불교에서 이 세상을 일컫는 말. 곧, 일반 사회.

[俗語 속어] ① 통속적으로 쓰이는 저속한 말. ② 상말.

[俗人 속인] ① 세상의 일반 사람. ② 학식이 없거나 풍류를 알지 못하는 사람.

[俗稱 속칭] ① 세상에서 보통 부르는 이름. ② 통속적으로 일컬음.

[民俗 민속] 민간의 풍속.

[習俗 습속] 어떤 사회나 지역에서 옛날부터 전해 내려오는 것들이 습관이 된 풍속.

[低俗 저속] 고상하지 못하고 천박함.

[土俗 토속] 그 지방 특유의 습관이나 풍속.

[風俗 풍속] 예로부터 내려오는 생활에 관한 사회적 습관.

6급 중학 한자

중 信 (xìn)

영 trust [trʌst]

믿을 신:

풀이 1 믿다. 2 분명히 하다. 3 알다. 4 표지. 증표.

부수 人(사람인)부

찾기 亻²(人)+言⁷=9획

글자뿌리 회의(會意) 문자. 사람 인(人)에 말씀 언(言)을 합친 자로, 사람의 말은 마음에서 우러나와 거짓이 없는 것이어야 한다는 데서 '믿다'의 뜻이 된 자.

⇒ ⇒ 信

[信念 신념] 굳게 믿어 의심하지 않는 마음.

[信徒 신도] 종교를 믿는 사람. 동 信者(신자).

[信望 신망] 믿고 바람. 믿음과 덕망.

[信奉 신봉] 믿고 받듦.

[信心 신심] 종교를 믿는 마음. 또는 믿으며 비는 마음.

[信用 신용] ① 믿어 의심하지 않음. ② 물건을 먼저 주고받은 다음, 그에 대한 값은 뒷날 치르는 거래.

[信義 신의] 믿음과 의리.

[信條 신조] 굳게 믿어 지키고 있는 일.

[信號 신호] 소리·색깔·빛 등의 일정한 부호로 서로의 의사를 전달하는 일. 또는 그 부호.

[背信 배신] 믿음을 저버림.

[自信 자신] 스스로의 가치나 능력을 믿음. 또는 그런 마음.

[通信 통신] ① 소식을 전함. ② 우편·전신·전화 등으로 소식을 전함.

[確信 확신] 굳게 믿음. 확실히 믿음.

7급 중학 한자

중 便 (biàn)

영 ❶ convenient ❷ feces and urine

❶ 편할 편(:) ❷ 오줌 변

풀이 ❶ 1 편하다. 2 소식. 편지. ❷ 오줌. 똥.

부수 人(사람인)부

찾기 亻²(人)+更⁷=9획

글자뿌리 회의(會意) 문자. 사람 인(人)에 고칠 경(更)을 합친 자로, 사람이 불편한 것을 고쳐서 편리하게 함을 뜻함.

⇒ ⇒ 便

[便覽 편람] 보기에 편리하도록 간추린 책. 핸드북.
[便利 편리] 어떤 일을 하는 데 편리하고 이용하기 쉬움.
[便法 편법] 편리한 방법. 손쉬운 방법.
[便乘 편승] ① 남이 타는 차에 한 자리를 얻어 탐. ② 남의 세력이나 형편을 이용하여 자기의 이익을 얻음.
[便安 편안] 몸이나 마음이 거북하지 않고 한결같이 좋음.
[便宜 편의] 편리하고 좋음.
[便紙 편지] 소식을 알리거나 어떤 용건을 적어 보내는 글.
[便器 변기] 똥·오줌을 받아 내는 그릇.
[便祕 변비] 똥이 잘 누어지지 않음.
[便所 변소] 뒷간. 화장실.
[簡便 간편] 간단하고 편리함.
[不便 불편] 이용하기에 편리하지 못하고 거북스러움.

[侵攻 침공] 남의 나라에 함부로 쳐들어가 공격함.
[侵犯 침범] 남의 권리·재산·영토 등을 함부로 범함.
[侵水 침수] 물에 젖거나 잠김.
[侵蝕 침식] 외부의 영향으로 세력이나 범위 따위가 점점 줄어듦.
[侵入 침입] 함부로 침범하여 들어가거나 들어옴.
[侵害 침해] 침범하여 해침.
[不可侵 불가침] 침범하여서는 안 됨.
[外侵 외침] 외부로부터의 침입.

4급Ⅱ 고등 한자
중 侵 (qīn)
영 invade [invéid]

침노할 침

풀이 1 침노하다. 2 범하다. 3 엄습하다.
부수 人(사람인)부
찾기 亻²(人)+𠬶⁷=9획

丿 亻 亻 亻 亻 亻 侵 侵

글자뿌리 회의(會意) 문자. 사람 인(人)에 또 우(又)와 비 추(帚〈省〉)를 합친 자로, 사람이 비를 들고 구석에서부터 쓸면서 점점 앞으로 나아가다의 뜻. 전하여, '범함', '침노함'의 뜻이 됨.

4급Ⅱ 중학 한자
중 个 (gè)
영 piece [pi:s]

낱 개(:)

풀이 1 낱. 2 개.
부수 人(사람인)부
찾기 亻²(人)+固⁸=10획

丿 亻 们 们 們 倜 倜 個

글자뿌리 형성(形聲) 문자. 사람 인(人〈뜻〉)에 굳을 고(固〈음〉)를 합친 자로, 원래 대나무를 세는 낱 개(固: 箇의 생략자)였으나, 사람 인(人)을 붙여 물건을 세는 단위로 쓰임.

[個別 개별] 하나씩 따로 떨어진 것. 따로따로인 것.
[個性 개성] 개개인의 특유한 성질.
[個人 개인] 낱낱의 한 사람.
[個中 개중] 여럿이 있는 그 가운데.
[個體 개체] 따로따로 떨어진 낱낱의 물체. 반 集合體(집합체).

5급 고등 한자
중 倍 (bèi)
영 double [dʌ́bəl]

곱 배(:)

풀이 1 곱. 곱하다. 2 더하다. 3 증가하다.
부수 人(사람인)부
찾기 亻2(人)+ 咅8=10획

亻 亻 仁 仾 位 倅 倍 倍

글자뿌리 형성(形聲) 문자. 사람 인(人〈뜻〉)에 환할 부(咅〈음〉)를 합친 자로, 咅(부)는 背(배)와 통하여, 등을 돌려 떠나다의 뜻. 또 하나의 것이 둘로 떨어져 나가다의 뜻에서, '배가(倍加)', '곱절'의 뜻 따위를 나타내게 됨.

[倍加 배가] 갑절로 늘거나 늘림.
[倍數 배수] 어떤 수의 갑절이 되는 수.
[倍增 배증] 갑절로 늚.

3급Ⅱ 중학 한자
중 伦 (lún)
영 moral [mɔ́rəl]

인륜 륜

풀이 1 인륜. 윤리. 2 무리.
부수 人(사람인)부
찾기 亻2(人)+侖8=10획

丿 亻 个 伶 倫 倫 倫 倫

글자뿌리 형성(形聲) 문자. 사람 인(人〈뜻〉)에 생각할·뭉칠 륜(侖〈음〉)을 합친 자로, 사람이 뭉쳐서 살려면 '윤리'가 있어야 함을 뜻함.

[倫理 윤리] 사람이 살아가면서 지켜야 할 도리.

[五倫 오륜] 유교에서 이르는 다섯 가지의 도리. 즉, 임금과 신하 사이의 의리(義理), 아버지와 자식 사이의 친애(親愛), 부부 사이의 분별(分別), 어른과 아랫사람 사이의 차례, 친구 사이의 신의(信義).

[人倫 인륜] ① 사람으로서 마땅히 지켜야 할 도리. ② 사람과 사람 사이에 자연적으로 생겨난 질서.

[時候 시후] 봄·여름·가을·겨울 사철의 기후.

[惡天候 악천후] 궂은 날씨.

[全天候 전천후] 어떠한 날씨에도 제 기능을 다할 수 있음을 뜻함.

[節候 절후] 한 해를 스물넷으로 나눈 계절의 표준이 되는 것.

[患候 환후] 웃어른의 병의 높임말.

4급 고등 한자

중 候 (hòu)

영 weather [wéðər]

기후 후:

풀이 1 기후. 2 철. 3 조짐. 4 상태. 5 묻다.

부수 人(사람인)부

찾기 亻²(人)+ 矦⁸=10획

글자뿌리 형성(形聲) 문자. 사람 인(人〈뜻〉)에 제후 후(侯〈음〉)를 합친 자로, 候는 '문안하다'의 뜻. 侯가 과녁, 제후(諸侯)의 뜻으로 쓰이게 되어, 人을 덧붙여 구별하여, '안부를 묻다', '문안하다'의 뜻을 나타냄.

[候鳥 후조] 철새.

[氣候 기후] 날씨 상태.

修

4급Ⅱ 중학 한자

중 修 (xiū)

영 cultivate [kʌ́ltəvèit]

닦을 수

풀이 1 닦다. 2 다스리다. 3 고치다.

부수 人(사람인)부

찾기 亻²(人)+ 攸⁸=10획

글자뿌리 형성(形聲) 문자. 아득할 유(攸〈음〉)에 터럭 삼(彡〈뜻〉)을 합친 자로, 흐르는 물에 머리털을 감아 곱게 꾸미듯이 마음을 '닦음'을 뜻함.

[修交 수교] 나라와 나라 사이에 국교를 맺음.

[修羅場 수라장] 뒤범벅이 되어 야단이 난 곳. 모진 싸움으로 비참하게 된 곳.

[修練 수련] 인격·기술·학문 등을 닦아서 단련함.

[修理 수리] 고장난 데나 허름한 데를 손대어 고침.

[修飾 수식] ① 겉모양을 꾸밈. 멋을 부림. ② 그 뜻을 더 자세히 설명함.

[修身齊家 수신제가] 자기의 몸과 마음을 닦고 집안을 다스리는 일.
[修養 수양] 몸과 마음을 단련하여 품성이나 지식·도덕을 닦음.
[修業 수업] 기술이나 학업을 익히고 닦음. 또는 그런 일.
[修學 수학] 학업을 닦음.
[補修 보수] 상했거나 부서진 부분을 손질하여 고침.
[嚴修 엄수] 의식 따위를 엄숙하게 치름.

借

3급Ⅱ 중학 한자
중 借 (jiè)
영 borrow [bɔ́rou]

빌릴 차:

풀이 1 빌리다. 2 가령.
부수 人(사람인)부
찾기 亻2(人)+昔8=10획

ノ 亻 亻 仁 仩 倂 借 借 借

글자뿌리 형성(形聲) 문자. 사람 인(人〈뜻〉)에 옛 석(昔〈음〉)을 합친 자로, 백성이 나라의 땅을 오래 빌려서 농사짓는다는 데서 '빌리다'의 뜻이 된 자.

[借力 차력] 약이나 신령의 힘을 빌려 몸과 기운을 굳세게 함. 또는 그렇게 얻는 힘.
[借用 차용] 다른 사람의 물건이나 돈을 빌려서 씀.

假

4급Ⅱ 중학 한자
중 假 (jiǎ)
영 falsehood [fɔ́:lshùd]

거짓 가:

풀이 1 거짓. 가짜. 2 임시. 3 빌리다.
부수 人(사람인)부
찾기 亻2(人)+叚9=11획

ノ 亻 亻 亻 伊 伊 伊 伊 伊 假 假

글자뿌리 형성(形聲) 문자. 사람 인(人〈뜻〉)에 빌릴 가(叚〈음〉)를 합친 자로, 다른 사람에게서 빌린 것은 자기의 것이 아니므로 '거짓', '임시'의 뜻.

[假建物 가건물] 임시로 지은 건물.
[假橋 가교] 임시로 놓은 다리.
[假量 가량] 대강 헤아려 짐작함.
[假令 가령] 가정하여 말하면. 이를테면. 예를 들어.
[假面 가면] ① 나무·흙·종이 등으로 만든 얼굴의 형상. 탈. ② 속마음을 감추고 거짓으로 꾸미는 행위나 태도.
[假名 가명] ① 거짓으로 일컫는 이름. ② 남의 이름을 빌림.
[假分數 가분수] 수학에서, 분자가 분모보다 크거나 같은 분수.
[假拂 가불] 앞으로 받을 임금이나 봉급의 일부를 미리 앞당겨 받음.
[假想 가상] 실제는 없는 것을 있는 것처럼 미루어 생각함.

[假裝 가장] ① 거짓으로 꾸밈. ② 얼굴이나 옷차림을 거짓으로 꾸밈.
[假定 가정] ① 임시로 정함. ② 사실이 아니거나 분명하지 않은 것을 사실처럼 인정함.

5급 중학 한자
중 伟 (wěi)
영 great [greit]

클 위

풀이 크다. 뛰어나다.
부수 人(사람인)부
찾기 亻²(人)+韋⁹=11획

글자뿌리 형성(形聲) 문자. 사람 인(人〈뜻〉)에 어길 위(韋〈음〉)를 합친 자로, 보통 사람과는 다르다는 데서 '위대하다'의 뜻이 된 자.

[偉大 위대] 뛰어나고 훌륭함.
[偉力 위력] 위대한 힘.
[偉業 위업] 위대한 사업이나 업적.
[偉容 위용] 뛰어나게 훌륭한 모습이나 모양.
[偉人 위인] 뛰어나고 훌륭한 사람. ¶ 偉人傳(위인전).
[偉壯 위장] 용모가 준수하고 체격이 장대(壯大)함.

고사성어

狐假虎威 (호가호위)

여우가 호랑이의 위세를 빌려 놀라게 한다는 뜻으로, 남의 권세를 빌려 위세를 부리거나 위협함을 이르는 말.

고사 중국 전국 시대 초(楚)나라의 선왕(宣王)이 신하 강을(江乙)에게 북방의 나라들이 재상 소해휼(昭奚恤)을 두려워하느냐고 묻자, 강을은 "어느 날, 호랑이가 여우를 잡았는데, 여우가 말하기를 '천제(天帝)께서 나를 짐승 중의 왕으로 정하셨기 때문에 만일 나를 잡아먹으면 천제의 명을 어기는 것이 되어 큰 벌을 받을 것이다. 만일 네가 내 말을 믿지 못하겠다면 내 뒤를 따라와 보아라. 나를 보고 도망치지 않는 짐승이 없을 것이다.'라고 했습니다. 이 말을 들은 호랑이는 가소롭기는 했지만, 여우의 태도가 하도 진지하여 그러자며 따라 나섰습니다. 이리하여 호랑이는 앞장선 여우의 뒤를 따라가게 되었는데, 얼마 안 가서 한 짐승을 만났습니다. 그 놈은 여우 말대로 놀라 달아났습니다. 그 다음 짐승도, 또 그 다음 짐승도, 마주치는 짐승마다 모두 놀라서 달아나 버리는 것이었습니다. 이에 호랑이는 '아하, 과연 여우의 말이 사실이로구나.'하고 생각했습니다. 북쪽 나라들이 무엇 때문에 한낱 재상에 불과한 소해휼을 두려워하겠습니까? 그 까닭은 실은 폐하의 군대가 두려워서이옵니다."라고 아뢰었다.

健

5급 고등 한자
중 健 (jiàn)
영 strong [strɔ(:)ŋ]

굳셀 건

풀이 1 굳세다. 2 튼튼하다.
부수 人(사람인)부
찾기 亻^{2}(人)+建^{9}=11획

丿 亻 亻 亻 亻 亻 亻 亻 亻 亻 健

글자뿌리 형성(形聲) 문자. 사람 인(人〈뜻〉)에 세울 건(建〈음〉)을 합친 자로, 세울 건(建)은 힘차게 뻗은 붓의 뜻. 꿋꿋하게 선 사람의 뜻에서, '굳세고 튼튼하다'의 뜻을 나타냄.

[健康 건강] 몸이 병이 없고 튼튼함.
[健兒 건아] 혈기(血氣)가 왕성한 청년. 건장(健壯)한 남아.
[健壯 건장] 씩씩하고 굳셈. 또, 몸이 크고 셈.
[健在 건재] 힘이나 능력이 줄지 않고 온전하게 있음.
[強健 강건] 몸이 튼튼하고 건강함.
[保健 보건] 건강을 잘 지켜 나가는 일.

停

5급 중학 한자
중 停 (tíng)
영 stay [stei]

머무를 정

풀이 1 머무르다. 2 그만두다. 쉬다.
부수 人(사람인)부
찾기 亻^{2}(人)+亭^{9}=11획

丿 亻 亻 亻 亻 亻 亻 亻 亻 亻 停

글자뿌리 형성(形聲) 문자. 사람 인(人〈뜻〉)에 정자 정(亭〈음〉)을 합친 자로, 사람이 정자에서 잠시 머물러 쉰다는 데서 '머무르다'의 뜻이 된 자.

⇒ ⇒ 停

[停刊 정간] 신문이나 잡지 등의 발행을 일시 중지함.
[停年 정년] 공무원이나 회사 직원이 그 직에서 물러나도록 정해져 있는 나이.
[停留場 정류장] 사람이 타고 내릴 수 있도록 버스·택시 따위가 잠시 머무르는 일정한 곳.
[停電 정전] 전기가 한때 중단됨.
[停戰 정전] 전쟁을 하던 중 서로의 합의에 의하여 전투를 중단함.
[停止 정지] 중도에서 멈추거나 그침.

[停滯 정체] ① 앞으로 나아가지 못하고 막혀서 한 곳에 머물러 있음. ② 일이나 상황이 진전 없이 머물러 있음.
[停學 정학] 학교에서 학생의 등교를 정지시키는 처벌.
[急停車 급정거] 달리던 차가 급히 섬. 또는 차를 급히 세움.

傑 뛰어날 걸

4급 고등 한자
중 杰 (jié)
영 distinguished [distíŋgwiʃt]

풀이 1 뛰어나다. 2 준걸하다.
부수 人(사람인)부
찾기 亻²(人)+桀¹⁰=12획

丿 亻 亻' 亻ㄗ 亻ㄗ 亻ㄗ̄ 亻ㄗㄟ 亻ㄗ木 傑 傑 傑 傑

글자뿌리 형성(形聲) 문자. 사람 인(人〈뜻〉)에 뛰어날 걸(桀〈음〉)을 합친 자로, 桀(걸)은 '높이 내걸다'의 뜻. '뛰어나게 높고 훌륭한 인물'의 뜻을 나타냄.

[傑作 걸작] 매우 훌륭한 작품.
[傑出 걸출] 남보다 훨씬 뛰어남.
[女傑 여걸] 호걸스러운 여자.
[人傑 인걸] 특히 뛰어난 인재.

備 갖출 비:

4급Ⅱ 중학 한자
중 备 (bèi)
영 prepare [pripέər]

풀이 1 갖추다. 갖추어지다. 2 준비. 3 모두. 다.
부수 人(사람인)부
찾기 亻²(人)+𤰇¹⁰=12획

丿 亻 亻一 亻艹 亻卄 亻廾 亻廾 亻廾 俻 俻 備 備

글자뿌리 형성(形聲) 문자. 사람 인(人〈뜻〉)에 갖출 비(𤰇: 화살을 넣어 두는 통을 본뜬 자〈음〉)를 합친 자로, 활통에 항상 활을 넣어 둔다는 데서 '갖추다'의 뜻.

⇒ ⇒ 備

[備考 비고] 참고하기 위하여 갖춤. 또는 그 내용.
[備忘錄 비망록] 잊지 않도록 적어 두는 기록.
[備置 비치] 갖추어 놓음. 마련해 둠.
[備品 비품] 회사나 관청에서 갖추어 놓고 쓰는 물품.
[兼備 겸비] 두 가지 이상의 좋은 점을 함께 갖추어 가짐.
[具備 구비] 필요한 것을 빠짐없이 두루 갖춤.
[常備 상비] 늘 준비하여 둠.
[守備 수비] 지켜 막음.
[豫備 예비] 미리 준비함. 또는 그 준비.
[整備 정비] ① 뒤섞이거나 흩어진 것을 가다듬어 바로 갖춤. ② 기계류나 그에 딸린 것들을 수리함.

傷

4급 중학 한자
중 伤 (shāng)
영 injure [índʒər]

다칠 상

풀이 1 다치다. 상하다. 2 해치다. 3 애태우다. 근심하다.

부수 人(사람인)부

찾기 亻2(人)+𥏻11=13획

丿 亻 亻' 亻𠂉 亻𠂉 亻白 亻白 亻旦 亻旦 亻𠂉 傷 傷 傷

글자뿌리 형성(形聲) 문자. 사람 인(人〈뜻〉)에 상처 입을 상(𥏻〈음〉)을 합친 자로, 사람이 몸을 다쳐서 '상처 입다'의 뜻.

[傷心 상심] 마음을 상함. 마음 아파함.

[傷處 상처] 몸의 다친 자리.

[感傷 감상] ① 어떤 대상으로부터 받은 느낌으로 마음 아파하는 일. ② 하찮은 사물에서도 쉽게 슬픔을 느끼는 마음.

[負傷 부상] 몸에 상처를 입음. ¶ 負傷者(부상자).

[死傷 사상] ① 죽거나 다침. ② 죽은 사람과 다친 사람.

[重傷 중상] 심하게 다침. 반 輕傷(경상).

[火傷 화상] 뜨거운 열에 데어서 상함. 또는 그렇게 입은 상처.

傳

5급 중학 한자
중 传 (chuán)
영 convey [kənvéi]

전할 전

풀이 1 전하다. 2 말하다. 서술하다. 3 보내다. 옮기다.

부수 人(사람인)부

찾기 亻2(人)+專11=13획

丿 亻 亻 亻 亻 亻 亻 亻 亻 亻 亻 傳 傳

글자뿌리 형성(形聲) 문자. 사람 인(人〈뜻〉)에 오로지 전(專〈음〉)을 합친 자로, 문서나 소식이 오로지 사람에 의해서만 전달되었다는 데서 '전하다'의 뜻이 된 자.

[傳記 전기] 어떤 사람이 태어나서 죽을 때가지 한 일을 이야기식으로 적은 글.

[傳達 전달] 전함. 전하여 미치게 함.

[傳來 전래] 전하여 내려옴.

[傳送 전송] 전하여 보냄.

[傳承 전승] 대대로 전하여 이어 감.

[傳染 전염] ① 병균이 옮음. ② 나쁜 버릇이나 태도 등이 전하여 물이 듦.

[傳統 전통] 옛날부터 이어 내려오는 생각·습관·행동 등의 양식이나 그 정신.

[傳播 전파] 전하여 널리 퍼뜨리거나 퍼짐. 전포(傳布).

[口傳 구전] 말로 전함. 또는 말로 전해 내려옴.

[宣傳 선전] 어떤 일이나 생각 등을 사람들에게 퍼뜨려 알림.

4급 고등 한자

㊥ 倾 (qīng)

㊮ incline [inkláin]

기울 경

풀이 1 기울다. 기울이다. 2 비스듬하다.

부수 人(사람인)부

찾기 亻[2](人)+頃[11]=13획

丿 亻 亻 化 化 化 化 化 化 傾 傾 傾 傾

글자뿌리 형성(形聲) 문자. 사람 인(人〈뜻〉)에 기울 경(頃〈음〉)을 합친 자로, 頃(경)은 '기울이다'의 뜻. 頃이 '즈음'의 뜻으로도 쓰이게 되자, '人'을 덧붙임.

[傾斜 경사] 비스듬히 기울어짐. 또는 그 정도나 상태.

[傾聽 경청] 귀 기울여 들음.

[傾向 경향] 마음이나 형세가 한쪽으로 기울어져 쏠림.

[左傾 좌경] ① 왼쪽으로 기욺. ② 사회주의나 공산주의 등 좌익 사상으로 기울어짐.

5급 중학 한자

㊥ 价 (jià)

㊮ price [prais]

값 가

傾國之色 (경국지색)

나라 안에 으뜸가는 미인. 임금이 반하여 나라가 기울어지는 것에도 신경 쓰지 않을 만한 미인.

고사 중국 한(漢)나라의 무제(武帝) 때에 이연년(李延年)이라는 궁중 가수가 있었는데, 노래와 춤에 재능이 뛰어나 무제의 총애를 한몸에 받았다. 그가 어느 날 무제 앞에서 춤을 추며 '북방에 가인(佳人) 있어 / 둘도 없는 절세미인 / 한 번 눈길에 성이 기울고 / 두 번 눈길엔 나라 기우네 / 어찌 나라가 기욺〔傾國〕을 모르리요마는 / 가인은 다시 얻기 어려워라.'라고 노래를 불렀다. 이 노래를 듣고 난 무제는 과연 그러한 여인이 어디 있을까 하고 탄식하였는데, 이연년의 누이동생이 빼어난 미인이라는 소문을 전해 듣게 되었다. 그래서 즉시 이연년의 누이동생을 불러들였는데, 과연 빼어난 미인인데다 춤도 잘 추었다. 무제는 이내 그 미모에 빠지고 말았다고 한다.

풀이 1 값. 2 수.
부수 人(사람인)부
찾기 亻^{2}(人)+賈^{13}=15획

丿 亻 亻 亻 亻 价 价 價 價 價 價 價 價 價 價

글자뿌리 형성(形聲) 문자. 사람 인(人〈뜻〉)에 앉은 장사 가(賈〈음〉)를 합친 자로, 사람이 장사를 하면 물건의 값이 정해진다는 데서 '값'의 뜻이 된 자.

⇒ ⇒ 價

[價格 가격] 값.
[價値 가치] ① 값. ② 값어치.
[減價 감가] 값을 줄임.
[高價 고가] 값이 비쌈. 비싼 값. 반 低價(저가).
[單價 단가] 낱개의 값.
[代價 대가] 값. 어떤 일을 함으로써 얻는 값어치.
[物價 물가] 물건 값. 상품의 시장 가격.
[市價 시가] 상품이 매매되는 가격. 시장 가격.
[廉價 염가] 싼값.
[原價 원가] 본래의 값. 처음 사들일 때의 값.
[定價 정가] 정하여진 값.
[眞價 진가] 참된 값어치.
[評價 평가] ① 값어치를 따져 밝힘. ② 사람이나 사물의 가치를 측정·판단함.

儀

4급 고등 한자
중 仪 (yí)
영 manner [mǽnər]

거동 의

풀이 1 거동. 2 법도. 3 본보기. 4 예절.
부수 人(사람인)부
찾기 亻^{2}(人)+義^{13}=15획

丿 亻 亻 亻 亻 亻 亻 佯 佯 佯 佯 佯 儀 儀 儀

글자뿌리 형성(形聲) 문자. 사람 인(人〈뜻〉)에 옳을 의(義〈음〉)를 합친 자로, 본디 義(의)와 儀(의)는 구별이 없었지만, 뒤에 義가 추상적인 뜻을 나타내는 데 대하여, 人(인)을 붙여서 儀는 주로 구체적인 예법(禮法)의 뜻을 나타냄.

[儀禮 의례] 형식과 절차를 갖춘 행사. 의식(儀式).
[儀式 의식] 격식을 갖춘 행사.
[儀容 의용] 몸을 가지는 태도.
[儀仗隊 의장대] 국가 경축 행사나 외국 사절에 대한 환영·환송 따위의 의식을 위하여 특별히 조직·훈련된 군대.
[儀典 의전] 행사를 치르는 절차.
[禮儀 예의] 예절과 태도.
[祝儀金 축의금] 축하하는 뜻을 나타내기 위하여 내는 돈.

4급 고등 한자

㊥ 俭 (jiǎn)

㊢ frugal [frú:gəl]

검소할 검

풀이 1 검소하다. 2 넉넉지 못하다. 적다.

부수 人(사람인)부

찾기 亻²(人)+僉¹³=15획

글자뿌리 형성(形聲) 문자. 사람 인(人〈뜻〉)에 여러 첨(僉〈음〉)을 합친 자로, 僉(첨)은 檢(검)과 통하여, 수갑으로 죄다의 뜻. 생활에서 낭비를 덜어 죄다, 검소하게 하다의 뜻을 나타냄.

[儉朴 검박] 검소하고 꾸밈이 없음.
[儉素 검소] 사치하지 않고 수수함.
[儉約 검약] 검소하게 절약함.
[勤儉 근검] 부지런하고 검소함.

5급 중학 한자

㊥ 亿 (yì)

㊢ hundred million

억 억

풀이 1 억. 2 많은 수.

부수 人(사람인)부

찾기 亻²(人)+意¹³=15획

글자뿌리 형성(形聲) 문자. 사람 인(人〈뜻〉)에 뜻 의(意〈음〉)를 합친 자로, 사람이 생각할 수 있는 큰 수라는 데서 '억'을 뜻함.

[億劫 억겁] 불교에서 말하는 무한히 길고 오랜 시간.
[億萬 억만] 셀 수 없을 만큼 아주 많은 수효. ¶ 億萬長者(억만장자).
[億兆蒼生 억조창생] 수많은 백성.
[數億 수억] 억의 두서너 곱절. 여러 억.

4급 고등 한자

㊥ 儒 (rú)

㊢ scholar [skɑ́lər]

선비 유

풀이 1 선비. 2 유교.

부수 人(사람인)부

찾기 亻²(人)+需¹⁴=16획

글자뿌리 형성(形聲) 문자. 사람 인(人〈뜻〉)에 구할 수(需〈음〉)를 합친 자로, 需(수)는 비를 비는 '무당'의 뜻. 또, '나긋나긋하다', '부드럽다'의 뜻. 기우제(祈雨祭)에 종사하는 사람, 온화한 사람의 뜻에서 전의(轉義)되어, '학자', '유학자(儒學者)'의 뜻을 나타내게 됨.

[儒教 유교] 고대 중국에서 발생한 공자(孔子)를 시조로 하는 교(教).
[儒道 유도] ① 유교의 도(道). ② 유교(儒教)와 도교(道教).
[儒林 유림] 유도를 닦는 학자들.
[儒生 유생] 유도를 닦는 선비.
[儒學 유학] 공자의 도를 배우는 전통적인 선비 공부로서의 동양 철학.
[崇儒 숭유] 유교를 숭상함.

4급 고등 한자
㊥ 优 (yōu)
㊮ ample [ǽmpl]

넉넉할 우

풀이 1 넉넉하다. 2 후하다. 3 뛰어나다.
부수 人(사람인)부
찾기 亻2(人)+憂15=17획

글자뿌리 형성(形聲) 문자. 사람 인(人〈뜻〉)에 근심 우(憂〈음〉)를 합친 자로, 憂(우)는 큰머리를 얹고 발을 구르다의 뜻. 탈을 쓰고 춤추는 사람, 광대의 뜻을 나타냄. 전하여, '부드럽다', '뛰어나다'의 뜻을 나타냄.

[優待 우대] 특별히 잘 대우함.
[優等 우등] ① 물건의 우수한 등급. ② 성적이 높은 등급.
[優良 우량] 물건의 품질이나 상태가 아주 좋음.
[優先 우선] 다른 것에 앞서 특별하게 대우함.
[優勢 우세] 세력·형세 등이 다른 사람보다 나음.
[優秀 우수] 여럿 가운데서 뛰어남.
[優勝 우승] 경기·경주 등에서 이겨 첫째를 차지함.
[優位 우위] 경쟁 상대보다 더 나은 위치나 수준.

5급 중학 한자

중 元 (yuán)

영 first [fəːrst]

으뜸 원

풀이 1 으뜸. 2 처음. 시작. 3 근본. 근원. 4 기운.

부수 儿(어진사람인)부

찾기 儿²+二²=4획

一 二 テ 元

글자뿌리 회의(會意) 문자. 어진 사람 인(儿)에 윗 상(二: 上의 옛 글자)을 합친 자로, 사람의 맨 위는 머리라는 데서 '으뜸'의 뜻이 된 자.

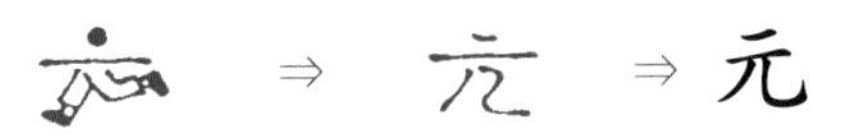

[元金 원금] ① 밑천. 본전. ② 꾸어 준 돈에서 이자를 붙이지 아니한 본디의 돈.

[元氣 원기] 마음과 기운.

[元年 원년] ① 임금이 즉위한 해. ② 나라를 세운 해.

[元旦 원단] 설날 아침.

[元首 원수] 한 나라를 대표하는 임금이나 대통령.

[元祖 원조] ① 한 겨레의 맨 처음 조상. ② 어떤 일을 처음 시작한 사람.

兄

8급 중학 한자

중 兄 (xiōng)

영 elder brother

형 형

풀이 1 형. 맏이. 2 벗을 높여 부르는 말.

부수 儿(어진사람인)부

찾기 儿²+口³=5획

丶 口 口 尸 兄

글자뿌리 회의(會意) 문자. 입 구(口)에 어진 사람 인(儿)을 합친 자로, 사람〔儿〕 위에 서서 지시하는 말〔口〕을 한다는 데서, 곧 '형', '맏이'라는 뜻이 된 자.

[兄夫 형부] 언니의 남편.

[兄嫂 형수] 형의 부인.

[兄弟 형제] 형과 아우.

[老兄 노형] 비슷한 또래 사이에서 대접하여 부르는 말.

[姉兄 자형] 손위 누이의 남편. 손위 매부(妹夫).

6급 중학 한자

중 光 (guāng)

영 light [lait]

빛 광

풀이 1 빛. 빛나다. 2 영예. 위세. 3 경치. 풍경.

부수 儿(어진사람인)부

찾기 儿2+⺌4=6획

글자뿌리 회의(會意) 문자. 불 화(⺌: 火의 변형)에 어진 사람 인(儿)을 합친 자로, 사람이 높이 쳐든 불빛이 밝다는 데서 '빛나다'의 뜻이 된 자.

[光景 광경] 벌어진 일의 형편이나 모양. 동 風景(풍경).

[光年 광년] 우주 안의 먼 거리를 나타내는 데 쓰는 단위. 1광년은 빛이 초속 30만 km의 속도로 1년 동안 나아가는 거리.

[光度 광도] ① 빛의 세기. 빛의 강도. ② 천체의 밝기.

[光明 광명] ① 밝고 환함. 반 暗黑(암흑). ② 밝은 빛.

[光線 광선] 빛. 빛의 줄기. ¶ 直射光線(직사광선).

[光陰 광음] ① 해와 달. ② 세월.

[脚光 각광] ① 무대의 앞 아래쪽에서 배우를 비추는 광선. ② 사회의 주목을 끄는 일.

[榮光 영광] 빛나는 영예.

8급 중학 한자

중 先 (xiān)

영 first [fəːrst]

먼저 선

풀이 1 먼저. 미리. 2 옛. 이전. 3 앞서다.

부수 儿(어진사람인)부

찾기 儿2+⺧4=6획

글자뿌리 회의(會意) 문자. 갈 지(⺧: 之의 변형)에 어진 사람 인(儿)을 합친 자로, 남보다 앞서 가는 사람이라는 데서 '먼저', '앞서다'의 뜻이 된 자.

[先覺 선각] 남보다 앞서서 사물이나 세상일에 대해 깨달음.

[先見之明 선견지명] 앞일을 내다보는 지혜.

[先公後私 선공후사] 공적인 일을 먼저 하고, 사적인 일을 나중에 함.

[先驅者 선구자] 어떤 한 사상이나 일에 있어 남보다 일찍 그 필요를 깨닫고 실행한 사람.

[先頭 선두] 첫머리. 맨 앞.

[先輩 선배] ① 자기보다 나이가 많거나 학문·지위 등이 나은 사람. ② 자기의 출신 학교를 먼저 졸업한 사람.

3급Ⅱ 중학 한자
중 兆 (zhào)
영 trillion [tríljən]

조 조

풀이 1 조. ※ 수효가 많음을 나타낸 말. 2 조짐. 점괘.
부수 儿(어진사람인)부
찾기 儿²+⺀⁴=6획

丿 丿 ⺀ 兆 兆 兆

글자뿌리 상형(象形) 문자. 거북의 껍데기를 구웠을 때 생기는 금을 본뜬 모양. 옛날에는 거북의 껍데기를 태워 거기에 나타난 금을 보고 길흉을 점쳤기 때문에 '조짐'의 뜻이 된 자.

⇒ ⇒ 兆

[兆朕 조짐] 어떤 일이 생길 기미가 보이는 현상.
[吉兆 길조] 좋은 일이 있을 조짐. 반 凶兆(흉조).

5급 중학 한자
중 充 (chōng)
영 full [ful]

채울 충

풀이 1 채우다. 2 가득하다. 3 막다.
부수 儿(어진사람인)부
찾기 儿²+𠫓⁴=6획

丶 亠 𠫓 𠫓 充 充

글자뿌리 회의(會意) 문자. 기를 육(𠫓: 育의 생략형)에 어진 사람 인(儿)을 합친 자로, 어린아이가 점점 자라 어진 사람이 되어 간다는 데서 '가득하다'의 뜻.

[充當 충당] 모자라는 부분을 모아서 채움.
[充滿 충만] 가득 참.
[充電 충전] 축전지 등에 전기 에너지를 채우는 일.
[補充 보충] 모자라는 부분을 보탬. ¶ 補充授業(보충 수업).

3급Ⅱ 중학 한자
중 免 (miǎn)
영 avoid [əvɔ́id]

면할 면ː

풀이 1 면하다. 벗다. 2 허가하다. 3 물러나게 하다.
부수 儿(어진사람인)부
찾기 儿²+⺈⁵=7획

丿 ⺈ ⺈ 免 免 免 免

글자뿌리 회의(會意) 문자. 사람〔⺈〕에 굴〔穴〕과 어진 사람 인(儿)을 합친 자로, 여자가 아이를 낳는 것을 뜻함. 또, 아기가 빠져나오는 모양에서 어떤 상태에서 '면하다', '벗어나다'의 뜻이 된 자.

[免稅 면세] 세금을 면제하는 일. ¶ 免稅品(면세품).
[免許 면허] 일반인에게는 허가되지 않는 것을 특정한 사람에게만 허가해 주는 처분. 또는 그 자격.
[罷免 파면] 일자리에서 쫓아내는 일.

5급 중학 한자
중 儿 (ér)
영 child [tʃaild]

아이 아

풀이 1 아이. 아기. 2 젊은 남자의 애칭.
부수 儿(어진사람인)부
찾기 儿^{2}+臼^{6}=8획

글자뿌리 회의(會意) 문자. 갓난아기의 굳어지지 않은 숫구멍〔臼〕과 어진 사람 인(儿)을 합친 글자로, '어린아이', '아기'를 뜻함.

[兒童 아동] ① 어린아이. ② 초등학교에 다니는 어린이.
[幼兒 유아] 젖먹이.

[風雲兒 풍운아] 좋은 기운을 타고 세상에 그 뛰어남을 나타낸 사람.

7급 중학 한자
중 入 (rù)
영 enter [éntər]

들 입

풀이 1 들다. 들어가다. 2 빠지다.
부수 入(들입)부
찾기 入^{2}=2획

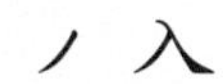

글자뿌리 지사(指事) 문자. 하나의 줄기 밑에 뿌리가 갈라져 땅속으로 뻗어 들어가는 모양, 또는 입구를 나타내어 '들다'의 뜻.

[入口 입구] 들어가는 어귀나 문.
[入賞 입상] 상을 타게 됨.
[入場 입장] 식장·경기장 등에 들어감.

¶ 入場式(입장식).

[入學 입학] 학교에 들어가서 학생이 됨. ¶ 入學式(입학식).

[沒入 몰입] 어떤 일에 정신이 빠짐.

7급 중학 한자

중 内 (nèi)

영 inside [insáid]

안 내:

풀이 1 안. 속. 2 대궐. 조정. 3 아내. 부녀자. 4 드러나지 않다.

부수 入(들입)부

찾기 $入^2$+$冂^2$=4획

丨 冂 内 內

글자뿌리 회의(會意) 문자. 멀 경(冂)과 들 입(入)을 합친 자로, 들어가는 경계 속은 집 안, 곧 '안쪽'이라는 뜻.

[內閣 내각] 국가의 행정을 맡아보는 행정 중심 기관.

[內官 내관] 궁중의 내시(內侍).

[內部 내부] 안쪽의 부분. 반 外部(외부).

[內子 내자] 남에 대하여 자기 아내를 일컫는 말.

[內通 내통] ① 몰래 알림. ② 남몰래 적과 통함.

7급 중학 한자

중 全 (quán)

영 perfect [pə́ːrfikt]

온전할 전

풀이 1 온전하다. 2 모두.

부수 入(들입)부

찾기 $入^2$+$王^4$=6획

丿 入 𠓛 全 全 全

글자뿌리 회의(會意) 문자. 들 입(入: 集의 생략형) 밑에 구슬 옥(王=玉)을 합친 자로, 모아 놓은 구슬 중에서 흠이 없는 것만 골라낸다는 데서 '완전하다', '온전하다'의 뜻이 된 자.

[全景 전경] 한눈에 보이는 전체의 경치.

[全國 전국] 한 나라의 전체. 온 나라.

[全權 전권] 모든 일을 할 수 있는 권력.

[全能 전능] 못하는 것이 없이 모두 가능함. ¶ 全知全能(전지전능).

[全文 전문] 문장의 전체.

[全域 전역] 모든 지역.

[健全 건전] 생각이나 행동 따위가 건실하고 올바름.
[完全 완전] 빠지거나 모자람이 없음. 반 不完全(불완전).

4급Ⅱ 중학 한자
중 两 (liǎng)
영 two [tuː]

두 량ː

풀이 두. 둘. 짝.
부수 入(들입)부
찾기 入^{2}+㒳^{6}=8획

글자뿌리 상형(象形) 문자. 저울의 두 추를 본뜬 글자로, 저울추가 양쪽에 있다 하여 '둘'의 뜻이 된 자.

[兩家 양가] 양쪽 집안.
[兩國 양국] 두 나라.
[兩極 양극] ① 북극과 남극. ② 양극과 음극. ③ 양극단.
[兩班 양반] 조선 시대에 벼슬아치나 신분이 높은 사람을 가리켜 이르던 말.
[兩分 양분] 둘로 나눔.
[兩者 양자] 두 사람. 두 사물.
[兩親 양친] 아버지와 어머니. 동 父母(부모).

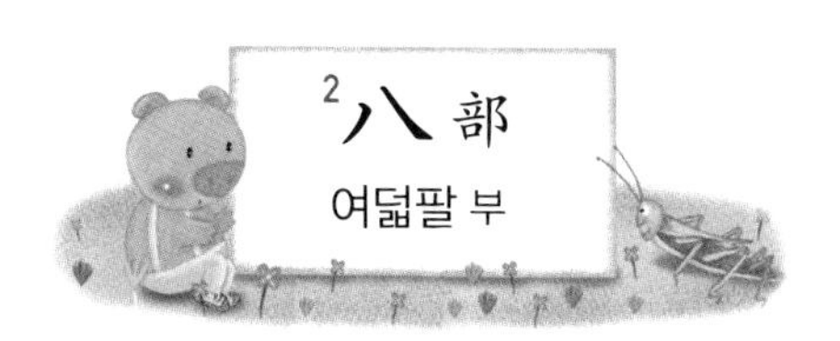

8급 중학 한자
중 八 (bā)
영 eight [eit]

여덟 팔

풀이 여덟.
부수 八(여덟팔)부
찾기 八^{2}=2획

글자뿌리 지사(指事) 문자. 두 손을 네 손가락씩 펴서 들어 보이는 모양을 나타내어 '여덟'을 뜻함.

[八景 팔경] 여덟 군데의 좋은 경치. ¶ 丹陽八景(단양 팔경).
[八方美人 팔방미인] ① 어느 모로 보나 아름다운 사람. ② 무슨 일에나 능통한 사람.
[八朔童 팔삭동] ① 밴 지 여덟 달 만에 낳은 아이. ② 똑똑하지 못한 사람을 놀려 이르는 말.

[八字 팔자] 사람이 태어난 해와 달과 날과 시의 간지(干支)인 여덟 글자. 사람의 한평생의 운수를 뜻하는 말로 쓰임. ¶ 四柱八字(사주팔자).

[公正 공정] 공평하고 올바름.

[公薦 공천] ① 여러 사람이 의논하여 천거함. ② 정당에서 공적으로 후보자를 내세움.

6급 중학 한자

중 公 (gōng)

영 public [pʌ́blik]

공평할 공

풀이 1 공평하다. 공변되다. 2 공적(인 것). 여럿. 3 귀인. ※ 상대를 높이는 말.

부수 八(여덟팔)부

찾기 八²+厶²=4획

丿 八 公 公

글자뿌리 회의(會意) 문자. 여덟 팔(八) 밑에 사사 사(厶: 私의 생략형)를 합친 자로, 사사로운〔厶〕 개인의 욕구를 등지고〔八〕 돌보지 않는다는 데서 '공정하다', '공평하다'의 뜻이 된 자.

[公告 공고] 세상에 널리 알림.

[公明 공명] 공정하고 떳떳함. ¶ 公明選擧(공명선거).

[公益 공익] 사회 공공의 이익. 반 私益(사익).

[公子 공자] 귀한 집안의 나이 어린 자제. ¶ 貴公子(귀공자).

8급 중학 한자

중 六 (liù)

영 six [siks]

여섯 륙

풀이 여섯. 여섯 번.

부수 八(여덟팔)부

찾기 八²+亠²=4획

丶 亠 六 六

글자뿌리 지사(指事) 문자. 양손의 세 손가락을 편 모양을 나타낸 글자로 '여섯'을 뜻함.

[六法 육법] 여섯 가지의 기본 법률. 곧, 헌법·형법·민법·상법·형사 소송법·민사 소송법을 이르는 말.

[六旬 육순] ① 육십 일. ② 예순 살.

[六十甲子 육십갑자] 민속에서, 십간(十干)과 십이지(十二支)를 차례대로 결합하여 육십 가지로 배열한 것.

[死六臣 사육신] 조선 세조 때 단종의 복위를 꾀하다 죽은 여섯 충신. 이개·하위지·박팽년·유성원·유응부·성삼문을 이름.

6급 중학 한자

중 共 (gòng)

영 together [təgéðər]

한가지 공:

풀이 1 한가지. 2 함께. 같이.

부수 八(여덟팔)부

찾기 八²+廾⁴=6획

一 十 廾 廾 共 共

글자뿌리 회의(會意) 문자. 스물 입(廿)과 맞잡을 공(廾)을 합친 글자로, 많은 사람들이 두 손을 써서 받든다는 데서 '함께 하다'의 뜻이 된 자.

⇒ ⇒ 共

[共感 공감] 다른 사람의 생각이나 의견에 대하여 자기도 그러하다고 느낌.

[共同 공동] 여럿이 같이 일을 함.

[共存 공존] 함께 살아 나감. ¶ 共存共榮(공존공영).

5급 중학 한자

중 兵 (bīng)

영 soldier [sóuldʒər]

병사 병

풀이 1 병사. 병졸. 군사. 2 무기. 3 전쟁.

부수 八(여덟팔)부

찾기 八²+丘⁵=7획

一 厂 F 斤 丘 乒 兵

글자뿌리 회의(會意) 문자. 도끼 근(斤)에 맞잡을 공(廾)을 합친 자로, 두 손으로 무기를 쥐고 있는 모양에서 '병사', '군사', '무기'의 뜻이 된 자.

⇒ ⇒ 兵

[兵器 병기] 전쟁에 쓰이는 여러 가지 기구.

[兵亂 병란] ① 전쟁으로 나라가 어지러워짐. ② 군대가 일으킨 반란.

[兵士 병사] 군사. 계급이 낮은 군인. 동 兵卒(병졸). 반 將校(장교).

[兵役 병역] 군대에 들어가서 군 복무를 다하는 일.

3급Ⅱ 중학 한자

중 其 (qí)

영 it [it]

그 기

풀이 1 그. 2 어조사. ※ 문장의 끝에 놓여서 어조를 고르기 위하여 쓰임.

부수 八(여덟팔)부

찾기 八²+𠀠⁶=8획

一 十 卄 廾 甘 甘 其 其

글자뿌리 상형(象形) 문자. 곡식을 까부는 키를 본뜬 '甘'에 키를 얹는 대 모양인 '八'을 합친 자.

[其實 기실] 그 사실. 사실상으로. 실지에 있어서.
[其他 기타] 그것 외의 또 다른 것.
[各其 각기] 각각 저마다. 각각 그대로.
[及其也 급기야] 마침내. 필경에는.

[典當 전당] 물건을 맡기고 돈을 꾸어 주거나 꾸어 씀. ¶ 典當鋪(전당포).
[典型 전형] 본보기. 틀.
[法典 법전] 어떤 종류의 법을 정리하여 엮은 책.
[事典 사전] 여러 가지 사항을 모아 하나하나에 해설을 붙여 놓은 책. ¶ 百科事典(백과사전).
[祭典 제전] ① 제사를 지내는 의식. ② 성대히 열리는 음악회나 체육회를 뜻하는 말.

5급 중학 한자
중 典 (diǎn)
영 law [lɔː]

법 전:

풀이 1 법. 2 책. 3 예. 의식. 4 저당 잡히다.
부수 八(여덟팔)부
찾기 八²+冊⁶=8획

丨 冂 冂 巾 曲 曲 典 典

글자뿌리 상형(象形) 문자. 책을 두 손으로 받쳐 책상〔丌〕 위에 놓은 모양을 본뜬 글자로 '법'이나 '귀한 책'의 뜻이 된 자.

⇒ ⇒ 典

5급 고등 한자
중 具 (jù)
영 equip [ikwíp]

갖출 구(:)

풀이 1 갖추다. 2 그릇. 연장.
부수 八(여덟팔)부
찾기 八²+且⁶=8획

丨 冂 冃 月 目 且 具 具

글자뿌리 회의(會意) 문자. 두 손으로 물건을 바치는 모양의 글자인 받들 공(廾)과 물건이나 돈을 나타내는 조개 패(貝)를 합친 자로, 물건을 정돈하여 갖춤의 뜻.

[具備 구비] 빠짐없이 갖춤.
[具色 구색] 여러 가지 물건을 고루 갖

춤. 또는 그런 모양새.

[具體 구체] 실제로 일정한 형상이나 성질을 갖추고 있는 것.

[家具 가구] 집 안에서 생활상의 편의를 위해 갖추어 놓고 쓰는 물건.

[道具 도구] 일을 할 때 사용되는 여러 가지 연장.

4급 중학 한자

중 册 (cè)

영 book [buk]

책 책

풀이 1 책. 2 세우다.

부수 冂(멀경)부

찾기 冂2+卄3=5획

글자뿌리 상형(象形) 문자. 대쪽에 글을 써서 가죽끈으로 꿰어 묶은 모양을 본뜬 자로, '책'을 뜻함.

[冊曆 책력] 책으로 된 달력.

[冊床 책상] 사무를 보거나 공부를 할 때 등에 앞에 놓고 쓰는 상.

[冊子 책자] 얇거나 작은 책.

[別冊 별책] 따로 나누어 엮어 만든 책. ¶ 別冊附錄(별책 부록).

5급 중학 한자

중 再 (zài)

영 twice [twais]

두 재:

풀이 1 두. 두 번. 2 거듭. 다시.

부수 冂(멀경)부

찾기 冂2+王4=6획

글자뿌리 상형(象形) 문자. 대바구니 위에 물건을 얹어 놓은 모양을 본뜬 자로, 쌓아 올린 것 위에 하나를 더 포개어 놓은 데서 '거듭', '두 번'의 뜻.

[再建 재건] 이미 없어졌거나 무너진 것을 다시 일으켜 세움.

[再考 재고] 다시 생각함. 고쳐서 생각함.

[再選 재선] ① 두 번째의 선거. ② 두

번째 뽑힘.

[再修 재수] 한 번 배웠던 학과 과정을 다시 공부함. ¶ 再修生(재수생).

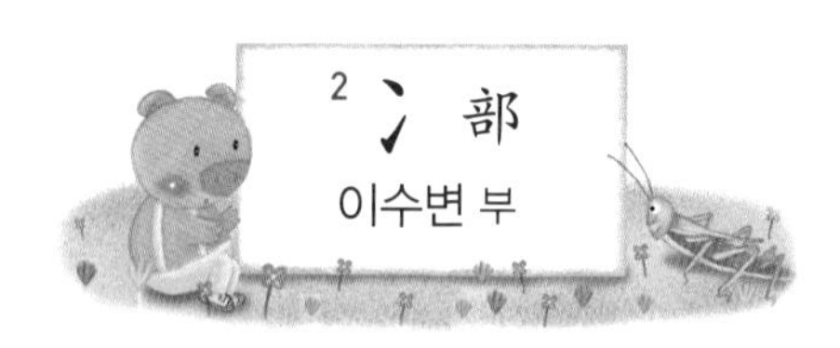

7급 중학 한자
중 冬 (dōng)
영 winter [wíntər]

겨울 동(:)

풀이 겨울. 동면하다.
부수 冫(이수변)부
찾기 冫2+夂3=5획

ノ ク 夂 冬 冬

글자뿌리 회의(會意) 문자. 뒤져올 치(夂: 終의 옛 글자)에 얼음 빙(冫)을 합친 자로, 사계절 중 맨 마지막 절기로서 얼음이 어는 때라 하여 '겨울'을 뜻함.

[冬季 동계] 겨울철. ¶ 冬季訓練(동계훈련). 동 冬節(동절).

[冬眠 동면] 뱀이나 곰, 개구리 등의 동물이 겨울 동안 땅속에서 잠자는 상태로 봄을 기다리는 일.

[冬至 동지] 24절기의 하나. 낮이 가장 짧고 밤이 가장 긺. 12월 22일경.

[春夏秋冬 춘하추동] 봄·여름·가을·겨울. 곧, 4계절을 아울러 이르는 말.

5급 중학 한자
중 冷 (lěng)
영 cold [kould]

찰 랭:

풀이 1 차다. 쌀쌀하다. 2 깔보다. 업신여기다.
부수 冫(이수변)부
찾기 冫2+令5=7획

丶 冫 冫 冫 冫 冷 冷

글자뿌리 형성(形聲) 문자. 얼음 빙(冫〈뜻〉)에 명령 령(令〈음〉)을 합친 자로, 명령은 얼음과 같이 차고 쌀쌀하다는 데서 '차다'의 뜻이 된 자.

[冷待 냉대] 정성을 들이지 않고 아무렇게나 하는 대접.

[冷凍 냉동] 차게 하여 얼림.

[冷笑 냉소] 쌀쌀한 태도로 비웃음.
[冷藏庫 냉장고] 음식물이 썩지 않도록 차게 보관하는 상자 모양의 장치.
[冷靜 냉정] 마음이 가라앉아 차분해짐. 반 興奮(흥분).

3급Ⅱ 중학 한자
중 凡 (fán)
영 in general

무릇 범(:)

풀이 1 무릇. 2 대강. 개요. 3 모두. 전부. 4 범상하다.
부수 几(안석궤)부
찾기 几²+丶¹=3획

丿 几 凡

글자뿌리 회의(會意) 문자. 안석 궤(几)에 점〔丶〕을 찍은 글자로, 천지간의 만물을 포괄한다는 데서 '모두', '대강'의 뜻.

[凡例 범례] 일러두기. 책의 내용 또는 읽을 때 주의할 사항 등을 따로 적은 글.
[凡夫 범부] 평범한 사람.
[凡事 범사] ① 모든 일. ② 평범한 일.
[凡人 범인] 평범한 사람.
[非凡 비범] 평범하지 않음. 아주 뛰어남. 반 平凡(평범).
[平凡 평범] 뛰어나거나 색다른 점이 없이 보통임.

5급 중학 한자
중 凶 (xiōng)
영 evil [íːvəl]

흉할 흉

풀이 1 흉하다. 2 흉악하다. 3 해치다. 4 흉년 들다. 5 언짢다.
부수 凵(위튼입구)부
찾기 凵²+㐅²=4획

丿 㐅 𠙹 凶

글자뿌리 지사(指事) 문자. 텅 빈 함정〔凵〕 속에 갈라진 틈〔㐅〕이 있는 모양으로, '운수가 사납다', '불길하다', '흉하다'의 뜻이 된 자.

[凶家 흉가] 들어 사는 사람마다 흉한 일을 당한다고 하는 불길한 집.
[凶器 흉기] 사람을 죽이거나 다치게 하는 데 쓰는 도구.
[凶年 흉년] 농작물이 잘되지 않은 해. 반 豊年(풍년).

[凶惡 흉악] ① 성질이 거칠고 아주 나쁨. ② 험상궂고 무섭게 생김.

7급 중학 한자
중 出 (chū)
영 come out

날 출

풀이 1 나다. 태어나다. 2 나가다. 떠나다. 3 나타나다. 4 뛰어나다. 5 나아가다. 내다.
부수 凵(위튼입구)부
찾기 凵²+屮³=5획

글자뿌리 상형(象形) 문자. 초목의 싹〔屮〕이 차츰 가지를 위로 뻗으며 자라는 모양을 본뜬 글자로, 초목의 싹은 위로 돋아난다 하여 '나다', '태어나다'의 뜻이 된 글자.

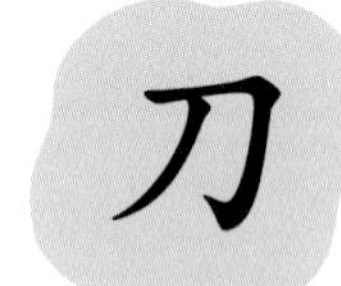

[出嫁 출가] 처녀가 시집을 감. ¶ 出嫁外人(출가외인).
[出口 출구] 나가는 곳.
[出發 출발] ① 길을 떠남. ② 어떤 일을 시작함.
[出産 출산] 아기를 낳음.
[出生 출생] 태아가 어머니의 몸에서 태어남. 반 死亡(사망).
[出世 출세] 높은 자리에 오르거나 유명해짐.
[出場 출장] 직무를 띠고 임시로 다른 곳으로 나감.
[出品 출품] 전람회나 전시회 같은 곳에 물건·작품을 내놓음. 또는 그 물건.
[出現 출현] ① 없었던 것이나 숨겨졌던 것이 나타남. ② 가려졌던 것이 다시 드러남.
[特出 특출] 남들보다 특별히 뛰어남.

刀

3급Ⅱ 중학 한자
중 刀 (dāo)
영 knife [naif]

칼 도

풀이 칼. 돈 이름.
부수 刀(칼도)부
찾기 刀²=2획

ㄱ 刀

글자뿌리 상형(象形) 문자. 칼날이 구부정하게 굽은 칼의 모양을 본뜬 글자.

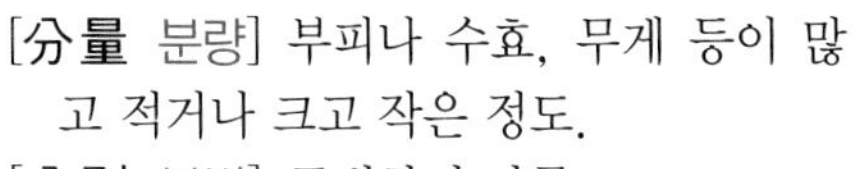

[面刀 면도] ① 얼굴에 난 잔털이나 수염을 깎는 일. ② 면도칼.

[分量 분량] 부피나 수효, 무게 등이 많고 적거나 크고 작은 정도.
[分別 분별] 구별하여 가름.
[過分 과분] 분수에 넘침.
[身分 신분] 개인의 사회적인 지위나 계급.
[職分 직분] 마땅히 해야 할 일. 직무상의 본분.

分

6급 중학 한자
중 分 (fēn)
영 divide [diváid]

나눌 분(:)

풀이 1 나누다. 가르다. 구별하다. 2 길이·무게·시간 따위의 단위. 3 신분. 직분.
부수 刀(칼도)부
찾기 刀²+八²=4획

ノ 八 分 分

글자뿌리 회의(會意) 문자. 나눌 팔(八)에 칼 도(刀)를 합친 자로, 칼로 쪼개어 '나눈다'는 뜻.

[分校 분교] 본교에서 멀리 떨어진 다른 지역에 따로 세운 같은 계통의 학교.

切

5급 고등 한자
중 切 (❶qiē, ❷qiè)
영 ❶cut [kʌt]
❷all [ɔ:l]

❶끊을 절
❷온통 체

풀이 ❶ 1 끊다. 베다. 2 정성스럽다. ❷ 온통. 전부.
부수 刀(칼도)부
찾기 刀²+七²=4획

一 七 切 切

글자뿌리 형성(形聲) 문자. 칼 도(刀〈뜻〉)에 일곱 칠(七〈음〉)을 합친 자로, 七(칠)은 가로 세로로 베다의 뜻. 물건을 '끊다', '베다'를 나타냄.

[切開 절개] 째거나 갈라서 엶.
[切斷 절단] 잘라서 끊거나 베어 버림.
[切迫 절박] ① 매우 가까이 닥침. ② 다

급하여 여유가 없음.

[切上 절상] 화폐의 가치를 올림.

[切實 절실] ① 마음속 깊이 파고듦. ② 아주 긴요함.

[切親 절친] 매우 친함.

[切下 절하] 화폐의 가치를 낮춤.

[一切 일절] '전혀'·'절대로'의 뜻으로, 사물을 부인하거나 금지할 때 쓰는 말.

[親切 친절] 태도가 정답고 성의가 있음.

[品切 품절] 다 팔려서 물건이 없음.

[一切 일체] 모든 것. 온갖 사물.

4급Ⅱ 중학 한자

중 列 (liè)

영 arrange [əréindʒ]

벌일 렬

풀이 1 벌이다. 늘어놓다. 2 여러. 3 줄. 차례. 등급.

부수 刀(칼도)부

찾기 刂^2(刀)+歹^4=6획

一 丆 万 歹 歹 列

글자뿌리 형성(形聲) 문자. 앙상한 뼈 알(歹: 歺의 생략형〈음〉)에 칼 도(刀〈뜻〉)를 합친 자로, 칼로 뼈를 발라내어 늘어놓는다 하여 '벌이다'의 뜻이 된 자.

[列強 열강] 세력이 강한 여러 나라.

[列擧 열거] 예나 사실을 죽 늘어놓음.

[列島 열도] 바다 위에 줄을 지은 모양으로 죽 늘어선 여러 개의 섬.

[序列 서열] 연령·지위·성적 등의 일정한 순서에 따라 늘어서는 일. 또는 그 순서.

[行列 ① 행렬 ② 항렬] ① 여럿이 벌여 줄을 서서 감. 또는 그 줄. ¶市街行列(시가 행렬). ② 혈족 간에서의 대수(代數) 관계. 형제자매는 같은 항렬로 같은 항렬자를 씀.

4급 중학 한자

중 刑 (xíng)

영 punishment [pʌ́niʃmənt]

형벌 형

풀이 1 형벌. 벌하다. 2 법. 다스리다.

부수 刀(칼도)부

찾기 刂^2(刀)+开^4=6획

一 二 于 开 开 刑

글자뿌리 형성(形聲) 문자. 오랑캐 견(开〈음〉)에 칼 도(刀〈뜻〉)를 합친 자로, 죄수가 된 오랑캐에게 칼로 위엄을 보이거나 벤다 하여 '형벌'의 뜻이 된 자.

[刑罰 형벌] 죄를 지은 사람들에게 주는 벌.

[刑法 형법] 범죄와 형벌에 대해 정해 놓은 법.

[刑事 형사] ① 범죄를 수사하고 범인을 잡는 일을 맡은 경찰관. ② 형법의 적용을 받는 일.

[求刑 구형] 형사 재판상에서 검사가 죄

를 지은 사람에게 줄 벌을 판사에게 요구함.
[死刑 사형] 죄지은 사람의 목숨을 끊는 형벌. ¶ 死刑宣告(사형 선고).

6급 중학 한자
중 利 (lì)
영 profit [prάfit]

이로울 리ː

풀이 1 이롭다. 2 날카롭다. 3 편리하다. 4 이자. 5 승리하다. 이기다.

부수 刀(칼도)부

찾기 刂²(刀)+禾⁵=7획

글자뿌리 회의(會意) 문자. 벼 화(禾)에 칼 도(刀)를 합친 자로, 날카로운 쟁기로 흙을 갈아엎는 모양에서 '날카롭다'의 뜻이나 '이롭다'의 뜻이 된 자.

⇒ ⇒ 利

[利器 이기] ① 날카로운 날이 있는 연장. ② 편리한 기구.
[利用 이용] 필요한 데 이롭게 씀.
[利益 이익] 보탬이나 도움이 되는 것. 동 利得(이득). 반 損害(손해).
[利子 이자] 맡은 돈이나 꾸어 준 돈에 대하여 붙여 주는 일정한 비율의 돈. 반 元金(원금).
[權利 권리] ① 자기의 이익을 주장하고 누릴 수 있는 힘. ② 권세와 이익.
[勝利 승리] 싸움·경기 등에서 이김. 반 敗北(패배).
[便利 편리] 어떤 일을 하는 데 편하고 이용하기 쉬움. 반 不便(불편).

6급 중학 한자
중 别 (bié)
영 different [dífərənt]

다를/나눌 별

풀이 1 다르다. 2 나누다. 3 헤어지다. 4 분별하다.

부수 刀(칼도)부

찾기 刂²(刀)+另⁵=7획

丨 ㄇ ㅁ 另 另 別 別

글자뿌리 회의(會意) 문자. 뼈 골(另 : 骨의 변형)에 칼 도(刀)를 합친 자로, 칼로써 뼈와 살을 갈라놓음을 뜻함.

⇒ ⇒ 別

[別途 별도] ① 특별히 따로 마련한 것. ② 다른 쓰임새.

[別味 별미] 특별히 좋은 맛.
[性別 성별] 남녀의 구분.
[離別 이별] 서로 갈리어 떨어짐. 반 相逢(상봉).
[作別 작별] 같이 지내던 사람이 서로 헤어짐.

5급 중학 한자
중 初 (chū)
영 beginning [bigíniŋ]

처음 초

풀이 처음. 비로소.
부수 刀(칼도)부
찾기 刀²+衤⁵(衣)=7획

글자뿌리 회의(會意) 문자. 옷 의(衣)에 칼 도(刀)를 합친 글자로, 옷을 만들려면 먼저 옷감을 칼로 마름질해야 한다는 데서 '처음'의 뜻.

[初面 초면] 처음으로 대하는 얼굴. 또는 처음으로 대하는 처지. 첫낯. 반 舊面(구면).
[初步 초보] 학문·기술 등을 배우는 가장 낮고 쉬운 정도의 단계. 첫걸음.
[初志 초지] 처음에 품은 생각. ¶ 初志一貫(초지일관).
[正初 정초] ① 정월 초순. ② 그해의 맨 처음.

4급 중학 한자
중 判 (pàn)
영 judge [dʒʌdʒ]

판단할 판

풀이 1 판단하다. 판결하다. 2 구별이 똑똑하다.
부수 刀(칼도)부
찾기 刂²(刀)+半⁵=7획

글자뿌리 형성(形聲) 문자. 반 반(半〈음〉)에 칼 도(刀〈뜻〉)를 합친 자로, 물건을 칼로 절반씩 자르듯 모든 일의 시비를 분명히 가려 판단함을 뜻함.

[判決 판결] 시비나 선악 등을 판단하여 결정함.
[判斷 판단] 어떤 사물에 대한 자기의 생각을 마음속으로 정함. 또는 그렇게 정한 내용.
[判讀 판독] 내용의 뜻을 헤아려 읽음.
[判明 판명] 명백히 밝힘.
[判別 판별] 명확하게 구별함. 분명히 분별함.
[判異 판이] 아주 다름.
[判定 판정] 판별하여 결정함.
[決判 결판] 옳고 그름이나 승부를 가리

어 판가름함.
[談判 담판] 서로 맞선 관계에서 양쪽이 의논하여 옳고 그른 것을 판단함.

4급 고등 한자
중 券 (quàn)
영 document [dɑ́kjəmənt]

문서 권

풀이 1 문서. 2 증서.
부수 刀(칼도)부
찾기 刀2+关6=8획

글자뿌리 형성(形聲) 문자. 칼 도(刀〈뜻〉)에 둥글게 말 권(季〈음〉)을 합친 자로, 칼로 나무의 조각에 칼집을 내어 약속하고 그것을 둘로 쪼개어, 양편이 각자 끈으로 감아서 뒷날의 증거로 삼는 어음 쪽의 뜻을 나타냄.

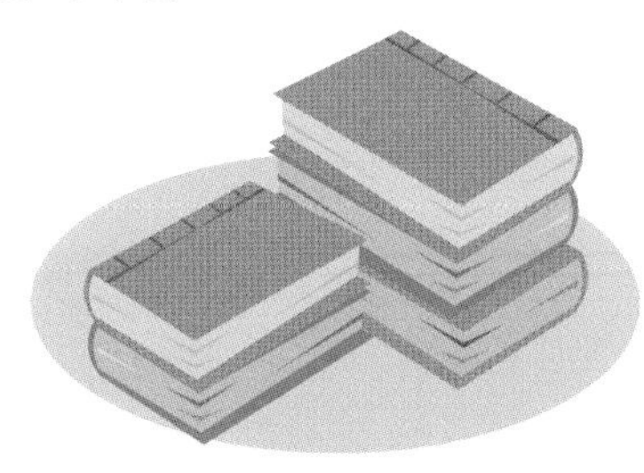

[券面 권면] 증권(證券)의 겉면.
[券帖 권첩] 어음.
[發券 발권] 지폐·채권·승차권 따위를 발행함.
[福券 복권] 추첨 등을 통하여 맞으면 일정한 상금을 타게 되는 표.
[旅券 여권] 행정 기관에서 외국 여행을 승인하는 증명서.

到

5급 중학 한자
중 到 (dào)
영 reach [riːtʃ]

이를 도ː

풀이 1 이르다. 2 주밀하다. 빈틈없다.
부수 刀(칼도)부
찾기 刂2(刀)+至6=8획

글자뿌리 형성(形聲) 문자. 이를 지(至〈뜻〉)에 칼 도(刀〈음〉)를 합친 자로, 옛날에는 멀리 길을 떠날 때는 무기를 지녀야 했으므로, 무사히 이르렀다 하여 '도착하다'의 뜻이 된 자.

[到着 도착] 목적한 곳에 다다름.
[到處 도처] 가는 곳마다.
[周到 주도] 무슨 일에든지 꼼꼼함. ¶ 用意周到(용의주도).

制

4급Ⅱ 고등 한자
중 制 (zhì)
영 restrain [ristréin]

절제할 제ː

풀이 1 절제하다. 2 금하다. 3 만들다. 4 법

도. 규정.

부수 刀(칼도)부

찾기 刂²(刀)+𠂢⁶=8획

글자뿌리 회의(會意) 문자. 칼 도(刀)에 아닐 미(未)를 합친 자로, 未(미)는 나뭇가지가 겹쳐진 나무의 상형. 불필요한 군가지를 쳐서 '억제하다'의 뜻을 나타냄.

[制度 제도] 제정된 법규.

[制動 제동] 운동을 멈추게 함.

[制服 제복] 규정에 따라 입는 옷.

[制止 제지] 하는 일을 못하게 함.

[強制 강제] 권력이나 위력으로 남의 자유를 억누름.

[抑制 억제] 억눌러서 그치게 함.

[自制 자제] 자기의 욕망이나 감정을 스스로 억제함.

刻 새길 각

4급 고등 한자

중 刻 (kè)

영 carve [kaːrv]

풀이 1 새기다. 2 깎다. 3 시각.

부수 刀(칼도)부

찾기 刂²(刀)+亥⁶=8획

글자뿌리 형성(形聲) 문자. 칼 도(刀〈뜻〉)에 돼지 해(亥〈음〉)를 합친 자로, 亥(해)는 己(기)와 통하여, 센 힘이 들어가다의 뜻에서 칼에 힘을 주어 새기다의 뜻을 나타냄.

刻舟求劍 (각주구검)

배에 위치를 새겨 놓고 칼을 찾는다는 뜻으로, 미련하고 융통성이 없음의 비유.

고사 중국의 전국 시대에 초(楚)나라 사람들이 배로 양쯔 강을 건너는데, 칼 한 자루를 소중히 지니고 다니는 한 젊은이가 함께 타고 있었다. 그런데 그 젊은이가 그만 실수로 칼을 강물에 빠뜨리고 말았다. 놀란 젊은이는 재빨리 주머니칼을 꺼내어 칼을 빠뜨린 바로 그 자리의 뱃전에다 금을 그어 표시를 하였다. 얼마 후 배가 맞은편에 가 닿자, 그 젊은이는 배에 표시해 둔 그 밑 물속으로 뛰어들었다. 그러나 칼이 그곳에 있을 리 없었으므로 사람들이 모두 그 어리석음을 비웃었다.

[刻苦 각고] 몹시 애씀.
[刻骨難忘 각골난망] 은혜가 뼈에 새길 만큼 커서 잊혀지지 않음.
[刻薄 각박] 혹독하고 인정이 없음.
[刻印 각인] 도장을 새김.
[時刻 시각] 시간의 어느 한 시점.
[深刻 심각] 상태나 정도가 매우 깊고 중대함.
[正刻 정각] 틀림없는 그 시각.

7급 중학 한자
중 前 (qián)
영 front [frʌnt]

앞 전

풀이 앞. 먼저. 일찍이.
부수 刀(칼도)부
찾기 刂²(刀)+前⁷=9획

丷 䒑 广 䒕 肖 肯 前 前

글자뿌리 형성(形聲) 문자. 앞 전(前: 歬의 변형〈음〉)과 칼 도(刀〈뜻〉)를 합친 자로, 배를 멈추게 하는 밧줄을 풀면 배가 앞으로 나아간다는 데서 '앞', '먼저'의 뜻이 된 자.

⇒ ⇒ 前

[前方 전방] 앞쪽. 반 後方(후방).
[前進 전진] 앞으로 나아감. 반 後退(후퇴)·後進(후진).
[前後 전후] ① 어떤 물체·장소 따위의 앞과 뒤. ② 처음과 마지막.
[目前 목전] ① 눈앞. ② 지금 당장.
[午前 오전] 밤 12시부터 낮 12시까지의 사이. 동 上午(상오). 반 午後(오후).

則

5급 중학 한자
중 则 (zé)
영 ❶namely [néimli] ❷law [lɔː]

❶곧 즉
❷법 칙

풀이 ❶ 곧. ❷ 1 법. 법칙. 2 본받아 따르다.
부수 刀(칼도)부
찾기 刂²(刀)+貝⁷=9획

冂 月 月 目 貝 貝 則 則

글자뿌리 회의(會意) 문자. 조개 패(貝)에 칼 도(刀)를 합친 자로, 재물을 공평하게 나눔을 나타내며, 그러려면 일정한 법칙이 있어야 한다는 뜻.

⇒ 貝刀 ⇒ 則

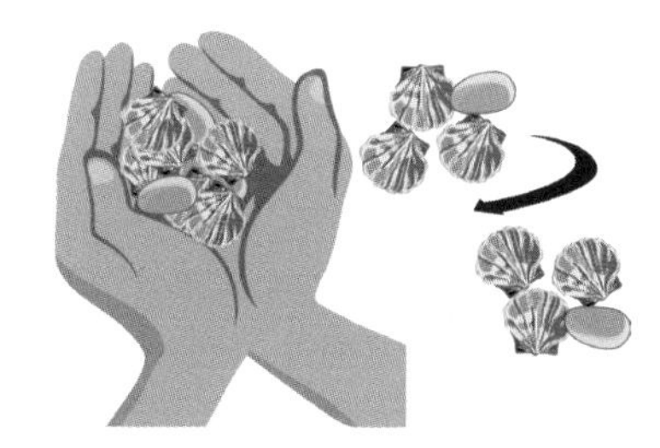

[校則 교칙] 학교의 규칙.

[規則 규칙] 여러 사람이 지키기로 한, 정해 놓은 약속.
[反則 반칙] 법칙이나 규정을 어김.
[法則 법칙] 지켜야 할 규칙.
[變則 변칙] ① 원칙에 벗어난 법칙이나 규정. ② 규칙이나 규정에서 벗어남.
[細則 세칙] 자세한 규칙.
[守則 수칙] 행동이나 절차에 관하여 지켜야 할 사항을 정한 규칙.
[原則 원칙] ① 기본이 되는 규칙이나 법칙. ② 여러 현상이나 사물에 널리 적용되는 법칙.
[鐵則 철칙] 변경하거나 어길 수 없는 굳은 규칙.
[學則 학칙] 학교의 운영과 학생 교육에 관하여 학교에서 정한 규칙.
[會則 회칙] 회의 규칙.

4급Ⅱ 고등 한자
중 副 (fù)
영 second [sékənd]

버금 부:

풀이 1 버금. 2 다음. 3 둘째.
부수 刀(칼도)부
찾기 刂²(刀)+畐⁹=11획

글자뿌리 형성(形聲) 문자. 칼 도(刀〈뜻〉)에 찰 복(畐〈음〉)을 합친 자로, 하나가 둘로 갈라지다, 칼로 베어 쪼개다의 뜻을 나타냄. 또, 둘 있는 것 중 으뜸이 되는 것에 대하여 '버금'을 나타냄.

[副賞 부상] 상장 외에 주는 상.
[副食 부식] 주식물에 곁들여 먹는 음식물.
[副業 부업] 본업 외에 따로 갖는 직업.
[副題 부제] 주가 되는 제목에 덧붙여 그것을 보충하는 제목.

4급Ⅱ 고등 한자
중 创 (chuàng)
영 begin [bigín]

비롯할 창:

풀이 1 비롯하다. 시작하다. 2 상하다. 다치다. 3 징계하다.
부수 刀(칼도)부
찾기 刂²(刀)+倉¹⁰=12획

글자뿌리 형성(形聲) 문자. 칼 도(刀〈뜻〉)에 상처를 내다의 뜻을 가진 곳집 창(倉)을 합친 자로, 칼로 상처를 내다의 뜻을 나타냄. 또, 創(창)은 파생되어 '비롯하다'의 뜻도 나타냄.

[創建 창건] 조직체나 건물 따위를 처음으로 세움.

[創團 창단] 어떤 단체를 처음 만듦.
[創立 창립] 처음 세움.
[創設 창설] 처음 세움.
[創案 창안] 처음으로 생각해 냄.
[創業 창업] 사업을 시작함.
[創造 창조] 처음으로 만듦.
[創出 창출] 처음으로 이루어져 생겨남.
[獨創的 독창적] 자기 혼자의 힘만으로 생각해 내거나 처음으로 만들어 내는 것.

劇

4급 고등 한자
중 剧 (jù)
영 violent [váiələnt]

심할 극

풀이 1 심하다. 2 대단하다. 3 연극.
부수 刀(칼도)부
찾기 刂^{2}(刀)+豦^{13}=15획

丨 ㅏ 𠂌 广 卢 卢 虍 虍 虎 虏 虏 豦 豦 豦 劇

글자뿌리 형성(形聲) 문자. 칼 도(刀〈뜻〉)에 짐승 이름 거(豦〈음〉)를 합친 자로, 짐승의 격렬한 격투의 뜻인 豦(거)에 刀(도)를 더하여, '심하다'의 뜻을 나타냄. 전하여, '연극'의 뜻도 나타냄.

[劇團 극단] 연극을 전문으로 공연하는 단체.
[劇性 극성] 극렬한 성질.
[劇藥 극약] 적은 분량으로 사람이나 동물을 해치는 약.
[歌劇 가극] 오페라.
[悲劇 비극] 인생에서 일어나는 비참한 사건.
[唱劇 창극] 창(唱)으로 하는 연극.

力

7급 중학 한자
중 力 (lì)
영 strength [streŋkθ]

힘 력

풀이 1 힘. 2 힘쓰다.
부수 力(힘력)부
찾기 力^{2}=2획

𠃌 力

글자뿌리 상형(象形) 문자. 물건을 들어 올릴 때 팔에 생기는 근육의 모양을 본뜬 글자.

[力道 역도] 역기를 들어 올려 그 중량을 겨루는 경기.
[力量 역량] 능히 해낼 수 있는 힘.

[力士 역사] 남보다 뛰어나게 힘이 센 사람.

[國力 국력] 나라의 힘. 나라의 경제력이나 군사력.

[努力 노력] 힘을 들이고 애를 씀. 힘을 다함.

5급 중학 한자

중 加 (jiā)

영 add [æd]

더할 가

풀이 1 더하다. 2 들다.

부수 力(힘력)부

찾기 力^{2}+口^{3}=5획

ㄱ 力 力 加 加

글자뿌리 회의(會意) 문자. 힘 력(力)에 입 구(口)를 합친 자로, 입 놀리기에 힘쓴다는 데서 말이 많아짐을 뜻하고, 이는 곧 '불어남', '더함'을 뜻함.

⇒ ⇒ 加

[加減 가감] ① 덧셈과 뺄셈. ② 더하거나 뺌.

[加工 가공] 재료나 완성이 덜 된 제품에 손을 더 대어 새로운 물건을 만듦. ¶ 加工貿易(가공 무역).

[加速 가속] 속도를 더함. 또는 그렇게 더해진 속도. ¶ 加速度(가속도). 반 減速(감속).

[加入 가입] 단체나 조직 등에 들어감. 반 脫退(탈퇴).

[參加 참가] 어떤 모임에 참여함. 반 不參(불참).

6급 중학 한자

중 功 (gōng)

영 merit [mérit]

공 공

풀이 1 공. 2 명예. 자랑하다. 3 이용하다.

부수 力(힘력)부

찾기 力^{2}+工^{3}=5획

一 丅 工 玏 功

글자뿌리 형성(形聲) 문자. 장인 공(工〈음〉)에 힘 력(力〈뜻〉)을 합친 자로, 힘써 일하여 '공'을 세움을 뜻함.

⇒ 工 ⇒ 功

[功德 공덕] 여러 사람을 위하여 착한 일을 많이 쌓는 일.

[功勞 공로] 애를 써서 이룬 보람이나 공적.

[武功 무공] 나라를 위해 싸운 공적.

[成功 성공] 목적이나 뜻을 이룸. 반 失敗(실패).

4급Ⅱ 고등 한자
중 努 (nǔ)
영 endeavor [endévər]

힘쓸 노

풀이 힘쓰다. 힘들이다.
부수 力(힘력)부
찾기 力²+奴⁵=7획

글자뿌리 형성(形聲) 문자. 노비 노(奴〈음〉)에 힘 력(力〈뜻〉)을 합친 자로, 노비처럼 일에 힘쓴다는 데서 '힘쓰다'의 뜻이 된 자.

[努力 노력] 힘을 다해 애를 씀.

4급Ⅱ 중학 한자
중 助 (zhù)
영 help [help]

도울 조:

풀이 돕다. 거들다.
부수 力(힘력)부
찾기 力²+且⁵=7획

글자뿌리 형성(形聲) 문자. 또 차(且〈음〉)에 힘 력(力〈뜻〉)을 합친 자로, 힘쓰는 일에 또 힘을 더한다는 데서 '돕다'의 뜻.

[助力 조력] 힘을 써 도와줌.
[助手 조수] 일을 도와주고 거들어 주는 사람.
[救助 구조] 곤란한 일을 당한 사람을 도움.
[內助 내조] 아내가 남편을 도와줌.
[協助 협조] 힘을 모아 서로 도움.

勉

4급 중학 한자
중 勉 (miǎn)
영 strive [straiv]

힘쓸 면:

풀이 힘쓰다. 부지런하다.
부수 力(힘력)부
찾기 力²+免⁷=9획

글자뿌리 형성(形聲) 문자. 면할 면(免〈음〉)에 힘 력(力〈뜻〉)을 합친 자로, 고생을 면하려면 힘써 일해야 한다는 데서 '힘쓰다'의 뜻이 된 자.

[勉學 면학] 힘써 공부함.
[勤勉 근면] 부지런히 힘씀.

6급 중학 한자
중 勇 (yǒng)
영 brave [breiv]

날랠 용:

풀이 날래다. 용맹하다.
부수 力(힘력)부
찾기 力²+甬⁷=9획

勇

글자뿌리 형성(形聲) 문자. 물 솟을 용(甬: 涌의 생략형〈음〉)에 힘 력(力〈뜻〉)을 합친 자로, 물이 솟아오르듯 힘을 돋우면 날래고 용맹해짐을 뜻함.

⇒ ⇒ 勇

[勇敢 용감] 겁이 없으며 씩씩하고 기운 참. 동 勇猛(용맹).

[勇氣 용기] 씩씩하고 겁내지 않는 굳센 기운.

[勇士 용사] 용감한 병사.

[武勇談 무용담] 싸움에서 용감하게 활약하여 공을 세운 이야기.

[義勇軍 의용군] 나라가 위급할 때 민간에서 스스로 조직한 의로운 군대.

[動亂 동란] 반란·전쟁 등으로 사회가 혼란해지는 일.

[動力 동력] 전력·수력·풍력 따위로 기계를 움직이게 하는 힘.

[動物 동물] 스스로 움직이고 감각 기능을 갖춘 생물로, 식물과 구분하여 이르는 말. 반 植物(식물).

[動産 동산] 모양이나 성질을 바꾸지 않고 옮길 수 있는 재물. 토지·정착물 이외의 모든 물건. 반 不動産(부동산).

[感動 감동] 깊이 느끼어 마음이 움직임. 동 感激(감격).

[活動 활동] ① 기운차게 움직임. ② 어떤 일을 이루기 위하여 힘씀. 동 活躍(활약).

7급 중학 한자

중 动 (dòng)

영 move [muːv]

움직일 동:

풀이 1 움직이다. 2 어지럽다.

부수 力(힘력)부

찾기 力²+重⁹=11획

重 動 動

글자뿌리 형성(形聲) 문자. 무거울 중(重〈음〉)에 힘 력(力〈뜻〉)을 합친 자로, 무거운 것을 힘으로 '움직인다'는 뜻.

⇒ ⇒ 動

務

4급Ⅱ 중학 한자

중 务 (wù)

영 endeavor [endévər]

힘쓸 무:

풀이 1 힘쓰다. 2 일. 직무.

부수 力(힘력)부

찾기 力²+敄⁹=11획

敄 務 務

글자뿌리 형성(形聲) 문자. 힘쓸 무(敄〈음〉)에 힘 력(力〈뜻〉)을 합친 자로, 어려운 일에 힘을 다한다는 데서 '힘쓰다'의 뜻.

⇒ ⇒ 務

[務實力行 무실역행] 참되고 실속 있도록 힘써 실행함.
[公務 공무] ① 개인적인 일이 아닌 여러 사람의 일. ② 국가 또는 공공 단체의 일.
[勤務 근무] 일터에 나가 일함. 일을 봄.
[服務 복무] 일을 맡아봄. 의무를 치름. ¶ 軍服務(군복무).
[外務部 외무부] 외국과의 교제에 관한 일을 맡아보는 정부 기관.
[任務 임무] 맡은 일.

5급 중학 한자
㊥ 劳 (láo)
㊈ toil [tɔil]

일할 로

풀이 1 일하다. 수고롭다. 지치다. 2 위로하다.
부수 力(힘력)부
찾기 力^{2}+𤇾^{10}=12획

丶 丷 ⺌ 火 火 炏 炏 炏 𤇾 𤇾 勞 勞

글자뿌리 회의(會意) 문자. 밝을 형(𤇾: 熒의 생략형)에 힘 력(力)을 합친 자로, 집〔冖〕에 불〔炏〕이 나서 힘써〔力〕 불을 끈다는 데서 '일하다', '수고롭다'의 뜻이 된 자.

[勞苦 노고] 수고롭게 애씀.
[勞動 노동] 생활하는 데 필수적인 물품을 얻기 위하여 마음과 힘을 써서 일함. 또는 그러한 행위.
[勞力 노력] 힘을 들여 일함.
[過勞 과로] 지나치게 일하여 피로함.
[不勞所得 불로소득] 직접 일하지 않고 얻는 소득.
[慰勞 위로] 수고나 괴로움을 잊게 하여 마음을 편하게 함. 동 慰安(위안).

勝

6급 중학 한자
㊥ 胜 (shèng)
㊈ win [win]

이길 승

풀이 1 이기다. 2 낫다. 경치가 좋다.
부수 力(힘력)부
찾기 力^{2}+朕^{10}=12획

丿 月 月 月 月 月 月 月 朕 朕 勝 勝

글자뿌리 형성(形聲) 문자. 나 짐(朕〈음〉)에 힘 력(力〈뜻〉)을 합친 자로, 스스로 참고 힘쓰면 이겨 낼 수 있다는 데서 '이기다'의 뜻이 된 자.

⇒ ⇒ 勝

[勝利 승리] 싸움이나 경기 따위에서 이김. 반 敗北(패배).
[勝敗 승패] 이김과 짐. 동 勝負(승부).
[決勝 결승] 최후의 승패를 결정함. ¶ 決勝戰(결승전).
[名勝 명승] 훌륭하고 이름난 자연 경치. ¶ 名勝古蹟(명승고적).
[必勝 필승] 꼭 이김. 반드시 이김.

勤

4급 중학 한자
중 勤 (qín)
영 diligent [dílədʒənt]

부지런할 근(:)

풀이 1 부지런하다. 2 근무하다.
부수 力(힘력)부
찾기 力²+ 堇¹¹=13획

一 十 艹 廿 苎 苗 革 菫 菫 堇 堇 勤 勤

글자뿌리 형성(形聲) 문자. 진흙 근(堇〈음〉)에 힘 력(力〈뜻〉)을 합친 자로, 진흙밭을 다루려면 더한층 힘을 들여야 한다는 데서 '부지런하다', '수고하다'의 뜻.

⇒ ⇒ 勤

[勤勞 근로] ① 부지런히 일을 함. ② 일정한 시간 동안 정해진 일을 함.
[勤務 근무] 일터에 나가 일함. 일을 봄. ¶ 勤務時間(근무시간).
[皆勤 개근] 하루도 빠짐없이 출석함. 또는 출근함. ¶ 皆勤賞(개근상).
[出勤 출근] 일을 하러 일터로 나감. 반 退勤(퇴근).

勢

4급Ⅱ 중학 한자
중 势 (shì)
영 force [fɔːrs]

형세 세:

풀이 1 형세. 2 기세. 권세.
부수 力(힘력)부
찾기 力²+埶¹¹=13획

一 十 土 夫 夫 吉 圥 坴 坴 埶 埶 勢 勢

글자뿌리 형성(形聲) 문자. 심을 예(埶〈음〉)에 힘 력(力〈뜻〉)을 합친 자로, 심은 초목이 힘차게 자란다는 데서 '형세', '기세'의 뜻이 된 자.

[勢道 세도] 정치상의 권세를 장악함.
[勢力 세력] ① 권세의 힘. ② 일을 하는 데 필요한 힘.
[攻勢 공세] 공격하는 태세. 또는 그런 세력.
[時勢 시세] ① 그때의 형세. 세상의 형편. ② 그때의 물건 값.

勸

4급 중학 한자
중 劝 (quàn)
영 advise [ædváiz]

권할 권:

풀이 1 권하다. 장려하다. 2 힘쓰다.
부수 力(힘력)부
찾기 力²+雚¹⁸=20획

글자뿌리 형성(形聲) 문자. 황새 관(雚〈음〉)에 힘 력(力〈뜻〉)을 합친 자로, 황새처럼 부지런히 힘써 일을 하도록 '권한다'는 뜻을 나타냄.

⇒ ⇒ 勸

[勸告 권고] 남에게 무슨 일을 하도록 권함. 또는 그 말. 동 勸誘(권유).
[勸善懲惡 권선징악] 착한 일을 권하고 악한 행위를 징계함.
[勸奬 권장] 권하여 어떤 일에 힘쓰도록 북돋아 줌.
[強勸 강권] 억지로 권함.

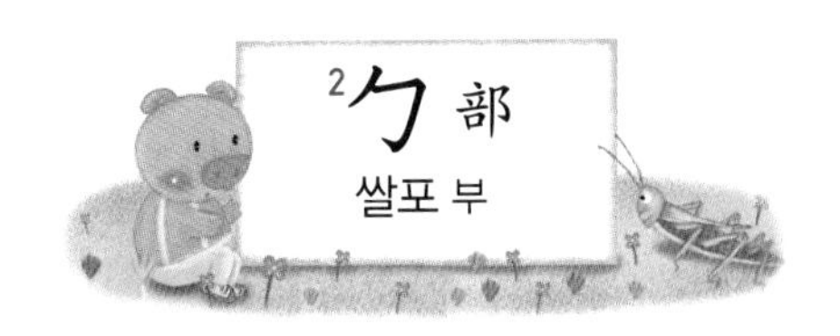

勿

3급Ⅱ 중학 한자
중 勿 (wù)
영 not [nɑt]

말 물

풀이 1 말다. ※ 금지를 뜻하는 어조사. 2 없다. 아니다.
부수 勹(쌀포)부
찾기 勹²+丿丿²=4획

丿 勹 勿 勿

글자뿌리 상형(象形) 문자. 옛날에 마을 입구에 세웠던 세 개의 기가 나부끼는 장대를 본뜬 글자로, 깃발의 빛깔에 따라 '하지 마라' 등의 뜻으로 쓰임.

 ⇒ ⇒ 勿

[勿論 물론] 말할 것도 없이.

包

4급Ⅱ 고등 한자
중 包 (bāo)
영 pack [pæk]

쌀 포(:)

풀이 1 싸다. 2 용납하다. 3 보따리.
부수 勹(쌀포)부
찾기 勹²+巳³=5획

丿 勹 匀 匂 包

글자뿌리 회의(會意) 문자. 자식 사(巳)에 쌀 포(勹)를 합친 자로, 巳(사)는 배 속의 아이를 나타내며, 勹(포)는 사람이 몸을 구부리고 있는 것을 나타냄. 아기를 밴 모양에서, 일반적으로 '싸다'의 뜻을 나타냄.

[包容 포용] 감싸 받아들임.
[包含 포함] 속에 들어 있음.
[內包 내포] 어떤 성질이나 뜻을 그 속에 지님.

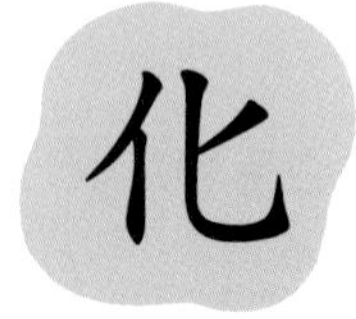

5급 중학 한자
중 化 (huà)
영 change [tʃeindʒ]

될 화(:)

풀이 1 되다. 화하다. 2 교화하다. 3 변화하다. 4 본받다.
부수 匕(비수비)부
찾기 匕^2+亻^2(人)=4획

丿 亻 亻⺊ 化

글자뿌리 회의(會意) 문자. 사람 인(人)에 화할 화(匕: 化의 옛 글자)를 합친 자로, 바로 선 사람과 거꾸로 선 사람의 모양을 합쳐 사물이 '되다', '화하다'의 뜻.

⇒ ⇒ 化

[化石 화석] 지질 시대에 살던 생물의 주검이나 흔적 등이 암석 속에 남아 있는 것.
[化合 화합] 두 가지 이상의 물질이 화학 변화로 인해 새 물질이 되는 현상.
[感化 감화] 좋은 영향을 받아 바람직한 방향으로 변함.
[開化 개화] 사람의 머리가 깨어 새로운 문화를 가지게 됨. 동 開明(개명).
[現代化 현대화] 현대적인 것으로 되거나 되게 함.

北

8급 중학 한자
중 北 (běi)
영 ❶north [nɔːrθ]
❷escape [iskéip]

❶북녘 북
❷달아날 배

풀이 ❶ 북녘. ❷ 달아나다.

부수 匕(비수비)부
찾기 匕²+扌³=5획

丨 亻 扌 扌' 北

글자뿌리 상형(象形) 문자. 두 사람이 서로 등을 맞대고 있는 모양에서 '등지다', '달아나다'의 뜻과 남녘의 반대인 '북녘'의 뜻을 나타냄.

⇒ ⇒ 北

[北極 북극] 지구의 북쪽 끝.
[北端 북단] 북쪽의 끝.
[北斗七星 북두칠성] 큰곰자리에서 국자 모양을 이루고 있는 일곱 개의 별.
[北方 북방] ① 북쪽. ② 북한이나 러시아 등 북쪽에 위치한 나라. ¶ 北方外交(북방 외교).
[北上 북상] 북쪽으로 올라감.
[北韓 북한] 육이오 전쟁 이후의 휴전선 이북. 반 南韓(남한).
[敗北 패배] ① 싸움이나 겨루기에서 짐. ② 싸움에 져서 도망감.

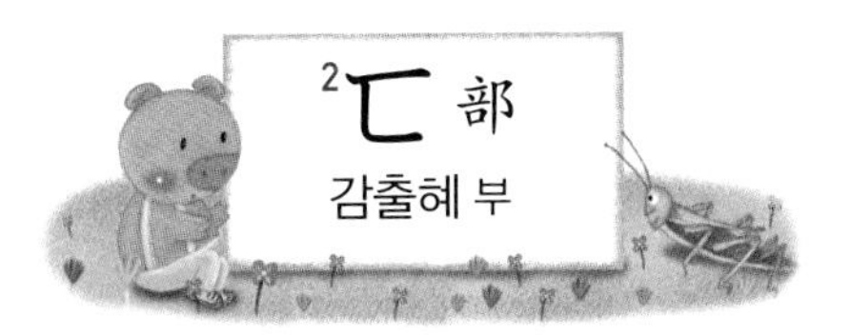

匹

3급 중학 한자
중 匹 (pǐ)
영 mate [meit]

짝 필

풀이 1 짝. 2 상대. 3 천한 사람.
부수 匚(감출혜)부
찾기 匚²+八²=4획

一 丆 兀 匹

글자뿌리 형성(形聲) 문자. 감출 혜(匚〈뜻〉)에 나눌 팔(八〈음〉)을 합친 자로, 감추어 둔 피륙을 둘로 나누면 서로 '짝'이라는 뜻.

[匹馬 필마] 한 필의 말.
[匹夫 필부] ① 한 사람의 남자. ② 신분이 낮은 남자.
[匹敵 필적] 능력·세력 따위가 엇비슷하여 서로 견줄 만함.
[配匹 배필] 부부로서의 짝.

6급 고등 한자
중 区 (qū)
영 divide [diváid]

구분할/지경 구

풀이 1 구분하다. 2 지경. 구역. 지역.
부수 匚(감출혜)부
찾기 匚²+品⁹=11획

一 丆 冖 口 戸 戸 戸 戸 品 品 區

글자뿌리 회의(會意) 문자. 감출 혜(匚)에

물건 품(品)을 합친 자로, 品(품)은 많은 물건, 匸(혜)는 구획을 지어 갈라놓다의 뜻. 많은 물건을 따로 갈라놓은 모양에서, '구분하다' 의 뜻.

[區間 구간] 일정한 지점 간의 사이.

[區內 구내] 큰 건물이나 시설 혹은 부지의 안.

[區分 구분] 일정한 기준에 따라 전체를 몇 개로 구별하여 따로따로 나눔.

[地區 지구] 일정한 목적을 위하여 특별히 지정된 지역.

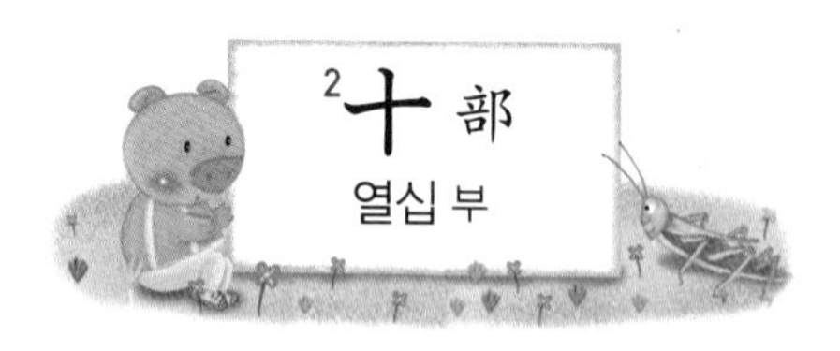

열 십

8급 중학 한자

중 十 (shí)

영 ten [ten]

풀이 1 열. 2 전부.

부수 十(열십)부

찾기 十^{2}=2획

一 十

글자뿌리 지사(指事) 문자. 본디는 세로 그은 한 선으로 나타내었으나, 후에 '十' 도 '열'을 나타냄.

[十代 십대] 스무 살 안쪽의 나이. 또는 그런 나이의 사람들.

[十分 십분] 넉넉히. 모자람이 없이.

[十中八九 십중팔구] 열 가운데 여덟이나 아홉이 그러함. 거의 다 그러함.

[十進法 십진법] 열씩 모일 때마다 한 자리씩 위로 올라가 새로운 단위의 이름을 붙여 세는 방법.

7급 중학 한자

중 千 (qiān)

영 thousand [θáuzənd]

일천 천

풀이 1 일천. 2 여럿. 많다.

부수 十(열십)부

찾기 十^{2}+丿^{1}=3획

丿 二 千

글자뿌리 형성(形聲) 문자. 사람 인(人〈음〉)에 열 십(十〈뜻〉)을 합친 자로, 한 사람의 수명을 100세로 보아, 열 사람의 수명은

'一千(일천)'이 된다는 뜻.

⇒ ⇒ 千

[千古 천고] 아주 먼 옛날.

[千里馬 천리마] 하루에 천 리를 달리는 말이라는 뜻으로, 아주 잘 달리는 좋은 말을 이르는 말.

[千里眼 천리안] 천 리 밖을 보는 눈이라는 뜻으로, 먼 데서 일어난 일도 잘 알아맞힘을 이르는 말.

[千字文 천자문] 지난날, 한문을 처음 배우는 사람을 위하여 교과서로 쓰이던 책. 한자 천 자를 모아 넣었음.

[千秋 천추] 오래고 긴 세월. 썩 오랜 세월. 먼 미래.

7급 중학 한자

중 午 (wǔ)

영 noon [nu:n]

낮 오:

풀이 **1 낮. 2 일곱째 지지.** ※ 십이지의 일곱 번째로, 동물로는 말, 달〔月〕로는 음력 5월, 시간은 오전 11시~오후 1시.

부수 十(열십)부

찾기 十^2+𠂉^2=4획

글자뿌리 상형(象形) 문자. 들어 올린 절굿공이를 본뜬 글자로 '한낮', '남쪽'의 뜻.

⇒ ⇒ 午

千載一遇 (천재일우)

천 년에 한 번 만난다는 뜻으로, 좀처럼 만나기 어려운 좋은 기회를 이르는 말.

고사 중국 동진(東晉)의 원굉(袁宏)이 지은 책 중에서 특히 유명한 것은 〈문선(文選)〉에 수록되어 있는 '삼국명신서찬(三國名臣序贊)'이다. 이것은 〈삼국지(三國志)〉에 나오는 삼국의 건국 명신(建國名臣) 20명에 대한 기록이다. 그중 위(魏)나라 조조(曹操)의 참모였다가 조조가 한(漢)나라를 치려 하는 것을 반대하다 쫓겨나 불행하게 죽은 순문약(筍文若)을 찬양한 글 가운데 "만 년에 한 번 찾아오는 기회는 이 세상의 통칙(通則)이며, 천 년에 한 번 만나는 것은〔千載一遇〕 현인(賢人)과 지자(智者)의 아름다운 만남이다."라는 말이 있다. 이런 기회를 만나면 누구나 기뻐하고 이런 호기(好機)를 놓치면 누구나 한탄하게 될 것이라는 뜻이다.

[午時 오시] 오전 11시부터 오후 1시까지의 사이.

[午前 오전] 밤 12시부터 낮 12시까지의 사이. 자정부터 정오까지. 반 午後(오후).

[端午 단오] 명절의 하나. 음력 5월 5일.

[子午線 자오선] 날줄. 지구를 남북으로 그은 상상의 줄.

[正午 정오] 낮 12시. 반 子正(자정).

[下午 하오] 낮 12시부터 밤 12시까지의 동안. 반 上午(상오).

6급 중학 한자

중 半 (bàn)

영 half [hæf]

반 반

풀이 1 반. 절반. 2 조각.

부수 十(열십)부

찾기 十2+丷3=5획

글자뿌리 회의(會意) 문자. 나눌 팔(八)과 소 우(牛: 牛의 획 줄임)를 합친 자로, 소를 잡아 둘로 가른다는 데서 '절반'의 뜻이 된 자.

[半島 반도] 삼면이 바다에 둘러싸이고, 한 면은 육지에 이어진 땅. ¶韓半島(한반도).

[半萬年 반만년] 만 년의 반. 오천 년을 나타내는 말.

[半世紀 반세기] 한 세기(100년)의 절반. 곧, 50년.

[過半數 과반수] 전체의 반이 넘는 수. 절반 이상의 수.

5급 중학 한자

중 卒 (zú)

영 soldier [sóuldʒər]

마칠 졸

풀이 1 마치다. 죽다. 2 군사. 3 갑자기. 별안간.

부수 十(열십)부

찾기 十2+从6=8획

글자뿌리 회의(會意) 문자. 옷 의(𠆢: 衣의 변형)와 열 십(十)을 합친 자로, 옷 여러 벌을 병졸에게 나누어 준다는 데서 '병졸'의 뜻. 또, 병졸은 싸움터에서 죽는다는 데서 '마치다'의 뜻.

[卒倒 졸도] 갑작스러운 충격이나 피로·빈혈·일사병 등으로 인해 갑자기 정신을 잃고 쓰러지는 일.
[卒兵 졸병] 계급이 낮은 군인.
[卒業 졸업] ① 학교에서의 정해진 공부를 다 마침. ② 일정한 단계를 지나 익숙하게 됨을 비유하는 말.

協

4급Ⅱ 중학 한자
중 协 (xié)
영 harmonize [há:rmənàiz]

화할 협

풀이 1 화하다. 2 힘을 합하다. 돕다.
부수 十(열십)부
찾기 十2+劦6=8획

글자뿌리 형성(形聲) 문자. 열 십(十〈뜻〉)에 합할 협(劦〈음〉)을 합친 자로, 많은 사람이 힘을 합한다 하여 '화합하다', '돕다'의 뜻.

[協同 협동] 여러 사람의 힘과 마음을 함께 합함. ¶協同心(협동심). 동 協力(협력).
[協商 협상] 서로의 이익을 위하여 의논함. 동 協議(협의).
[協約 협약] 어떤 문제에 대하여 서로 의논하여 약속함.
[協定 협정] 의논하여 결정함.
[協助 협조] 힘을 모아 서로 도움.
[協奏 협주] 두 개 이상의 악기에 의한 연주. ¶協奏曲(협주곡).

5급 고등 한자
중 卓 (zhuó)
영 high [hái]

높을 탁

풀이 1 높다. 2 탁자.
부수 十(열십)부
찾기 十2+卓6=8획

글자뿌리 회의(會意) 문자. 비수 비(匕)에 새벽 조(早)를 합친 자로, 匕(비)는 '사람', 早(조)는 '새벽녘'의 뜻. 사람이 동틀 녘의 태양보다 높은 모양에서, '높다'의 뜻을 나타냄.

[卓見 탁견] 뛰어난 의견이나 견해.
[卓球 탁구] 작은 공을 라켓으로 쳐 넘겨 승부를 겨루는 실내 경기.
[卓上空論 탁상공론] 현실성이 없는 허황한 이론.
[卓越 탁월] 남보다 훨씬 뛰어남.
[卓子 탁자] 물건을 올려놓도록 책상 모양으로 만든 기구.
[教卓 교탁] 교실에서 교사가 책 따위를 놓는 교단 앞의 탁자.
[食卓 식탁] 식사용의 탁자.
[圓卓 원탁] 둥글게 모여 앉아 일 보는 둥근 탁자.

8급 중학 한자

중 南 (nán)

영 south [sauθ]

남녘 남

풀이 1 남녘. 2 남쪽.

부수 十(열십)부

찾기 十[2]+𢆉[7]=9획

一 十 𠂇 冂 冇 冇 冇 南

글자뿌리 회의(會意) 문자. 무성할 발(冂=宋의 변형)에 점점 심해질 임(羊)을 합친 자로, 초목은 남쪽으로 갈수록 점점 무성해진다는 데서 '남쪽', '남녘'의 뜻이 된 자.

[南極 남극] ① 지구의 남쪽 끝. 반 北極(북극). ② 자침(磁針)이 가리키는 남쪽 끝.

[南山 남산] 남쪽에 있는 산.

[南風 남풍] 남쪽에서 불어오는 바람.

博

4급Ⅱ 고등 한자

중 博 (bó)

영 extensive [iksténsiv]

넓을 박

풀이 1 넓다. 2 많다. 3 노름. 4 넓이.

부수 十(열십)부

찾기 十[2]+尃[10]=12획

一 十 十 忄 忄 忄 忄 忄 博 博 博 博

고사성어

南柯一夢 (남가일몽)

남쪽 가지 밑에서 꾼 꿈이라는 뜻으로, 덧없는 꿈이나 한때의 헛된 부귀영화를 이르는 말.

고사 중국의 당나라 덕종(德宗) 때, 순우분(淳于棼)이라는 사람이 있었다. 하루는 그가 자기 집 남쪽에 있는 오래된 느티나무 밑에서 잠이 들었는데, 꿈에 두 사자(使者)가 나타나 괴안국(槐安國) 왕의 명령으로 모시러 왔다고 말했다. 순우분이 그들을 따라 느티나무 구멍 속으로 들어갔더니, 왕이 그를 반갑게 맞아 태수로 삼고 잘 다스리지 못해 어지러워진 남가군(南柯郡)을 다스려 줄 것을 부탁해 왔다. 그래서 그가 남가군에서 20년간 어진 정치를 베풀고 서울로 돌아오자, 이를 시기한 왕이 그를 옥에 가두었다. 바로 그때 잠을 깨어 보니 꿈이었다. 잠을 깬 순우분은 하도 이상한 꿈이라 느티나무 밑을 파 보았더니, 큰 구멍 속에 개미 떼가 있었다. 거기가 괴안국의 서울이고, 왕개미는 국왕이었던 것이다.

글자뿌리 형성(形聲) 문자. 열 십(十〈뜻〉)에 펼 부(尃〈음〉)를 합친 자로, 十(십)은 '사방', 尃(부)는 논에 모를 넓게 심다의 뜻. '넓다'의 뜻을 나타냄.

[博覽 박람] ① 책을 많이 읽음. ② 돌아다니며 사물을 널리 봄.
[博士 박사] 전문 학술 분야에서 연구와 업적을 쌓은 이에게 주는 가장 높은 학위. 또는 그 학위를 받은 사람.
[博識 박식] 널리 아는 것이 많음.
[博愛 박애] 모든 것을 널리 평등하게 사랑함.
[博學 박학] 학식이 매우 넓고 아는 것이 많음.
[博學多識 박학다식] 학문이 넓고 아는 것이 많음.
[賭博 도박] 돈이나 재물을 걸고 서로 따먹기를 다투는 것.

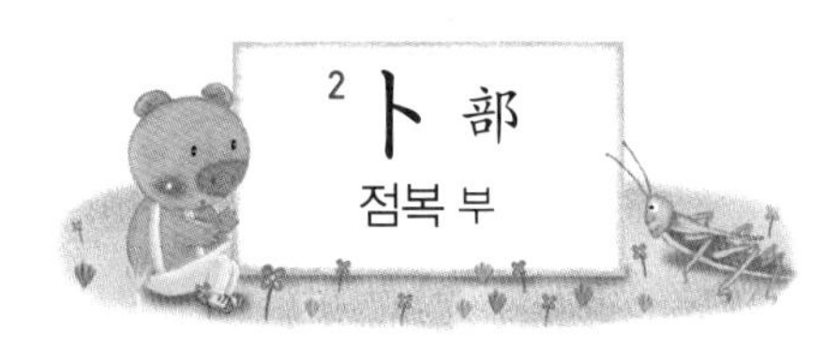

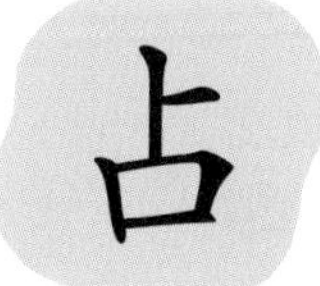

4급 고등 한자
중 占 (zhàn)
영 occupy [ákjəpài]

점령할/점칠 점

풀이 1 점령하다. 차지하다. 2 점치다.
부수 卜(점복)부
찾기 卜²+口³=5획

丨 ⺊ ⺊ 占 占

글자뿌리 회의(會意) 문자. 점 복(卜)에 입 구(口)를 합친 자로, 卜(복)은 점에 나타난 모양의 상형. 口(구)를 더하여 '점치다'의 뜻. 또한, 점은 거북 등딱지의 특정한 점(點)을 새겨서 하므로, 특정한 점을 '차지하다'의 뜻도 나타냄.

[占領 점령] 어떤 장소를 차지함.
[占星 점성] 별을 보고 점을 침.
[占術 점술] 점을 치는 술법.
[占有 점유] 차지함.
[強占 강점] 강제로 차지함.
[買占 매점] 물건 값이 오를 것을 예상하여, 폭리를 얻기 위하여 물건을 사들임.

3급 중학 한자
중 卯 (mǎo)
영 rabbit [rǽbit]

토끼 묘:

풀이 1 토끼. 2 넷째 지지. ※ 십이지의 넷째로, 동물로는 토끼, 달〔月〕로는 음력 2월, 시간은 오전 5시~7시.

부수 卩(병부절)부

찾기 卩^2+𠂎^3=5획

글자뿌리 상형(象形) 문자. 양쪽 문짝을 열어젖힌 모양을 본뜬 글자.

[卯年 묘년] 그해의 지지(地支)가 '卯'인 해. 토끼해.

[卯時 묘시] 오전 5시에서 7시 사이.

[卯月 묘월] 음력 2월.

[危急 위급] 매우 위태롭고 급함. 위험이 곧 닥쳐올 것 같음.

[危機 위기] 위험한 순간. 위급한 시기.

[危篤 위독] 병세가 매우 심하여 생명이 위태로움.

[危重 위중] 병의 증세가 위험할 정도로 대단함.

[危殆 위태] 위험함. 또는 형세가 매우 어려움.

[危險 위험] 위태로움. 안전하지 못함.

危 위태할 위

4급 중학 한자

중 危 (wēi)

영 dangerous [déindʒərəs]

풀이 1 위태하다. 2 두려워하다.

부수 卩(병부절)부

찾기 卩^2+厃^4=6획

글자뿌리 회의(會意) 문자. 사람 인(⺈: 人의 변형)에 언덕 엄(厂)과 몸기 절(卩)을 합친 자로, 사람이 벼랑 위에 꿇어앉아 있어 '위태함'의 뜻.

印 도장 인

4급Ⅱ 중학 한자

중 印 (yìn)

영 seal [siːl]

풀이 1 도장. 2 찍다.

부수 卩(병부절)부

찾기 卩^2+E^4=6획

글자뿌리 회의(會意) 문자. 손톱 조(E: 爪의 변형)에 몸기 절(卩)을 합친 자. '卩'은 임금이 내려 주는 신표인 부절이므로 정사를 맡은 사람이 그 '도장'을 손으로 찍음을 뜻함.

[印鑑 인감] 자기의 도장임을 증명할 수 있도록 미리 관공서의 인감부에 등록해 둔 특정한 도장.
[印度 인도] '인디아(India)' 의 한자음 표기.
[印本 인본] 인쇄한 책.
[印象 인상] ① 외래의 사물이 사람의 마음에 주는 감각. ② 마음에 깊이 새겨져 잊혀지지 않는 자취.
[印稅 인세] 법으로 정해진 규정에 의하여 책의 발행자가 저자에게 치르는 돈.
[印刷 인쇄] 판면(版面)에 잉크를 묻혀서 글이나 그림을 종이나 헝겊 등에 박아 내는 일.
[印朱 인주] 도장을 찍는 데 쓰는 붉은빛의 재료.
[印紙 인지] 세금·수수료 등을 낸 것을 증명하기 위해 서류에 붙이는, 정부가 발행한 증표. ¶ 收入印紙(수입 인지).
[官印 관인] 관청 또는 관직의 도장.
[消印 소인] 우체국에서 날짜가 나오도록 우표 등에 찍는 도장.
[調印 조인] 나라 간의 조약을 맺는 서류에 도장을 찍음.

4급 중학 한자
중 卵 (luǎn)
영 egg [eg]

알 란:

풀이 1 알. 2 기르다.
부수 卩(병부절)부
찾기 卩2+卯5=7획

글자뿌리 상형(象形) 문자. 개구리나 물고기의 양쪽 알주머니 모양을 본뜬 글자.

[卵管 난관] 난자를 자궁으로 보내는 나팔 모양의 관. 나팔관.
[卵白 난백] 알의 흰자위.
[卵生 난생] 알을 낳아 새끼를 까는 일.
[卵子 난자] 암컷의 생식 세포.
[鷄卵 계란] 달걀. 닭의 알.
[明卵 명란] 명태의 알.
[産卵 산란] 알을 낳음. ¶ 産卵期(산란기).

고사성어

鷄卵有骨 (계란유골)

계란에도 뼈가 있다는 뜻으로, 늘 일이 안되는 사람이 모처럼 좋은 기회를 만났으나 역시 잘 안됨을 비유하여 이르는 말.

고사 조선 초기의 대신이었던 황희(黃喜)는 청렴결백하여 높은 벼슬에 있으면서도 집이 몹시 가난하였다. 이를 안타깝게 여긴 임금은 하루 동안 남대문으로 들어오는 모든 상품을 황희의 집으로 보내라고 명령하였다. 그런데 이날 따라 종일 비가 와서 아무것도 들어오는 물건이 없었다. 다저녁때가 되자 달걀 한 꾸러미가 들어왔으나 그것도 삶아 놓고 보니 모두 곯아서 먹을 수가 없었다고 한다.

4급 중학 한자

중 卷 (juǎn)

영 volume [válju:m]

책 권(:)

풀이 1 책. 2 말다.

부수 卩(병부절)부

찾기 卩²+龹⁶=8획

글자뿌리 형성(形聲) 문자. 구부릴 권(龹: 𢍏의 변형〈음〉)에 몸기 절(卩〈뜻〉)을 합친 자로, 원래는 오금을 구부린다는 뜻이었으나, 대나무 쪽에 글을 새겨 두루마리처럼 책으로 만들어 썼던 데서 '서책', '책'의 뜻이 된 자.

[卷頭 권두] 책의 첫머리.
[卷數 권수] 책의 수효.
[卷土重來 권토중래] 흙을 말아 쌓아 온다는 뜻으로, 한 번 패한 자가 세력을 얻어 다시 쳐들어옴.
[席卷 석권] 자리를 말아 가듯이 무서운 기세로 쉽게 쳐서 빼앗음. 또는 빠른 기세로 널리 세력을 폄.

3급Ⅱ 중학 한자

중 即 (jí)

영 soon [su:n]

곧 즉

풀이 1 곧. 2 이제. 3 나아가다.

부수 卩(병부절)부

찾기 卩²+皀⁷=9획

글자뿌리 회의(會意) 문자. 고소할 급(皀)에 몸기 절(卩)을 합친 자로, 고소한 냄새가 나는 밥상머리에 앉으면 곧 수저를 들게 된다 하여 '곧'이라는 뜻이 된 자.

[卽決 즉결] 일을 그 자리에서 결정하거나 해결함.
[卽死 즉사] 그 자리에서 바로 죽음.
[卽席 즉석] ① 일이 진행되는 바로 그 자리. ② 그 자리에서 곧바로 무슨 일을 하거나 무엇을 만드는 일. ¶卽席料理(즉석요리).
[卽時 즉시] 바로 그때. 곧.
[卽位 즉위] 임금의 자리에 오름. 등극.
[卽興 즉흥] 즉석에서 일어나는 흥취. ¶卽興詩(즉흥시).

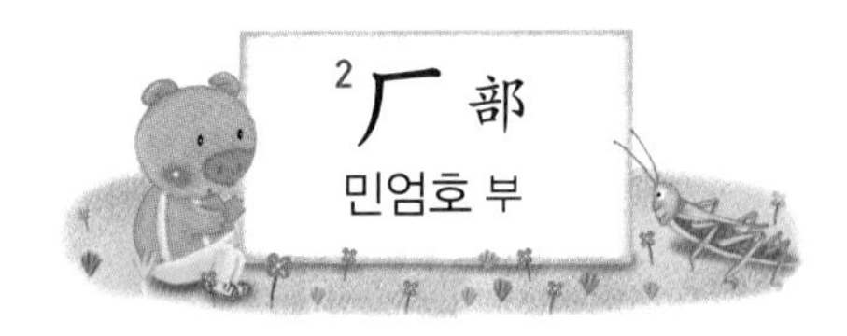

4급 중학 한자

중 厚 (hòu)

영 thick [θik]

두터울 후:

풀이 1 두텁다. 2 두껍다. 3 짙다.

부수 厂(민엄호)부

찾기 厂²+旱⁷=9획

글자뿌리 형성(形聲) 문자. 언덕 엄(厂〈뜻〉)에 두터울 후(𠪋: 厚의 본자〈음〉)를 합친 자로, 산이나 언덕이 두텁게 겹쳐 있다는 데서 '두텁다'의 뜻.

⇒ ⇒ 厚

[厚德 후덕] 말과 행동이 어질고 두터움. 두터운 덕행.
[厚謝 후사] 후하게 사례함.
[厚生 후생] ① 넉넉하게 삶. ② 건강을 유지하고 더욱 북돋움.
[厚意 후의] 인정을 두텁게 베푸는 마음.
[重厚 중후] 몸가짐이 정중하고 견실함.

5급 중학 한자
중 原 (yuán)
영 origin [ɔ́:rədʒin]

언덕/근원 원

풀이 1 언덕. 2 근원. 근본. 3 벌판.
부수 厂(민엄호)부
찾기 厂^{2}+泉^{8}=10획

一 厂 厂 厂 历 盾 厚 原

글자뿌리 회의(會意) 문자. 언덕 엄(厂)에 샘 천(泉: 泉의 변형)을 합친 자로, 바위 밑에서 솟아나는 샘은 물의 근본이 된다는 데서, '근원'의 뜻. 또, 언덕 위의 넓은 '평원'의 뜻.

⇒ ⇒ 原

[原告 원고] 법원에 재판을 걸어 온 사람. 반 被告(피고).
[原動力 원동력] 사물을 활동시키는 근원이 되는 힘.
[原料 원료] 어떤 물건을 만드는 데 바탕이 되는 재료.
[原理 원리] 모든 사물의 바탕이 되는 이치.
[原産地 원산지] ① 원료·물건의 본디 생산지. ② 동물이나 식물이 본디 자라난 곳.
[原石 원석] 아직 가공하지 않은 광석.
[原始林 원시림] 사람의 손이 가지 않은 자연 그대로의 숲.
[原因 원인] 어떤 일이 일어난 까닭. 반 結果(결과).
[草原 초원] 풀이 자라는 넓은 평지.
[平原 평원] 평평하게 이어지는 넓게 펼쳐진 들판.

5급 중학 한자
중 去 (qù)
영 leave [liːv]

갈 거:

풀이 1 가다. 지나다. 2 버리다. 없애다.
부수 厶(마늘모)부
찾기 $厶^2+土^3$=5획

글자뿌리 상형(象形) 문자. 밥그릇 모양과 그 뚜껑을 본뜬 자로, 솥의 밥을 밥그릇에 옮겨 담는다는 데서 '덜다', '떨어져 나가다'의 뜻이 된 자.

[去來 거래] ① 돈을 주고받거나, 물건을 팔고 사는 일. ② 서로의 이익을 얻기 위한 교섭. ③ 오가는 일. 왕래.
[去勢 거세] ① 저항하거나 반대하는 세력을 없앰. ② 동물의 생식 기능을 없애 버림.
[去處 거처] 간 곳. 또는 갈 곳.
[去就 거취] ① 사람이 어디로 가거나 다니거나 하는 움직임. ② 어떤 일에 대하여 취하는 태도.
[過去 과거] 지나간 때.

5급 중학 한자
중 参 (❶sān, ❷cān)
영 ❶three [θriː]
❷participate in

❶석 삼
❷참여할 참

풀이 ❶ 석. 셋. ❷ 1 참여하다. 2 뵈다. 알현하다. 3 헤아리다. 견주다.
부수 厶(마늘모)부
찾기 $厶^2+參^9$=11획

글자뿌리 형성(形聲) 문자. 厽(맑을 정(晶)과 같이 별 셋을 가리킴〈뜻〉)에 머리 검을 진(㐱〈음〉)을 합친 자로, 사람의 머리 위에서 삼태성(三台星)이 빛난다는 데서 '셋'을, 또 오리온 별자리와 함께 빛난다는 데서 '참여하다'를 뜻함.

[參加 참가] 어떤 모임 또는 단체에 함께함.
[參見 참견] 남의 일에 끼어들어 아는 체하거나 간섭함.
[參考 참고] ① 살펴 생각함. ② 도움이 될 만한 자료로 삼음. 또는 그런 자료.

[參觀 참관] 어떤 행사나 모임에 가거나 와서 봄.
[參拜 참배] ① 신이나 부처에게 절함. ② 무덤이나 기념탑 등의 앞에서 경의·추모의 뜻을 나타내는 일.
[參席 참석] 어떤 자리나 모임에 나감.
[參與 참여] 어떤 일에 참가하여 관계함.
[參戰 참전] 전쟁에 참가함.
[參政權 참정권] 국민의 기본권 중 하나로, 나라의 정치에 직접·간접으로 참여할 수 있는 권리.
[古參 고참] 오래전부터 한 직장이나 직위에 머물러 있는 일. 또는 그러한 사람.
[不參 불참] 참가하거나 참석지 아니함.
[新參 신참] 새로 들어옴. 또는 그 사람.
[持參 지참] 돈이나 물건 따위를 가지고 참석함.

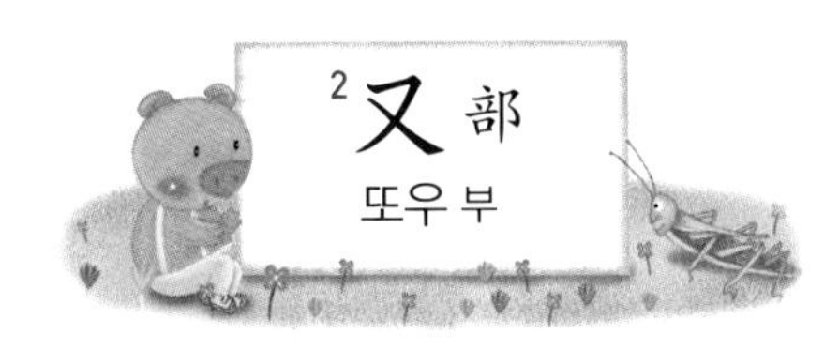

3급 중학 한자
중 又 (yòu)
영 and [ənd]

또 우:

풀이 또. 다시.
부수 又(또우)부
찾기 又²=2획

ㄱ 又

글자뿌리 상형(象形) 문자. 세 손가락을 편 오른손을 본뜬 글자로, 오른손은 자주 쓰게 된다 하여 '또', '다시'의 뜻이 된 자.

[又驚又喜 우경우희] 놀라기도 하고 기뻐하기도 함.

3급Ⅱ 중학 한자
중 及 (jí)
영 reach [riːtʃ]

미칠 급

풀이 1 미치다. 이르다. 2 및. 와〔과〕. ※ 접속사로 쓰임.
부수 又(또우)부
찾기 又²+𠂆²=4획

ノ ア 乃 及

글자뿌리 회의(會意) 문자. 사람 인(𠂆: 人의 변형)에 손 우(又)를 합친 자로, 사람을 따라잡아 뒷사람의 손이 앞사람에게 '미친다'는 뜻.

[及其也 급기야] 마침내는. 마지막에 가서는.
[及第 급제] 과거나 시험 등에 합격함. 반 落榜(낙방).
[過猶不及 과유불급] 정도를 지나침은 미치지 못한 것과 같다는 뜻으로, 중용(中庸)이 중요함을 이르는 말.
[普及 보급] 널리 펴서 알리거나 사용하게 함.
[言及 언급] 어떤 문제에 대하여 말함.
[波及 파급] 어떤 일의 영향이 차차 다른 데로 미침.

6급 중학 한자
중 反 (fǎn)
영 react [riːǽkt]

돌이킬 반

풀이 1 돌이키다. 2 되풀이하다. 3 반대하다.

부수 又(또우)부

찾기 又²+厂²=4획

一 厂 万 反

글자뿌리 형성(形聲) 문자. 언덕 한(厂〈음〉)에 손 우(又〈뜻〉)를 합친 자로, 덮어 가린 것을 손으로 뒤치는 모양에서 '뒤치다', '돌이키다'의 뜻이 된 자.

[反感 반감] ① 반대하거나 반항하는 감정. ② 노여운 감정.

[反對 반대] ① 두 사물의 내용이나 방향이 맞서서 서로 다름. ¶ 正反對(정반대). ② 남의 의견이나 행동에 찬성하지 아니함.

[反論 반론] 남의 의견에 대하여 반대 의견을 말함.

[反問 반문] 되받아 물음.

[反駁 반박] 남의 의견이나 비난에 대하여 맞서 공격함.

[反復 반복] 같은 일을 되풀이함.

[反省 반성] 자기 자신의 잘못을 스스로 돌아봄.

[反逆 반역] 배반하여 돌아섬.

[反戰 반전] 전쟁에 반대함.

[反則 반칙] 규칙을 어김.

[背反 배반] 믿음을 저버리고 돌아섬.

[相反 상반] 서로 반대됨.

5급 중학 한자
중 友 (yǒu)
영 friend [frend]

벗 우ː

풀이 1 벗. 2 벗하다. 우애 있다.

부수 又(또우)부

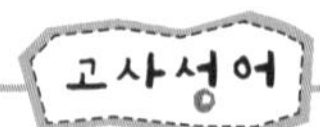

反哺之孝 (반포지효)

까마귀 새끼가 자라서 늙은 어미에게 먹이를 물어다 주는 효성이란 뜻으로, 자식이 자라서 어버이를 봉양하여 그 길러 주신 은혜를 갚는 효행을 이르는 말.

고사 까마귀는 새끼를 낳으면 60일 동안 먹이를 물어다가 먹이면서 키우는데, 새끼 까마귀가 자라면 역시 60일 동안 어미에게 먹이를 물어다 주어, 길러 준 은혜에 보답한다고 한다.

찾기 又²+ナ²=4획

글자뿌리 회의(會意) 문자. 왼손 좌(ナ=左의 본자)에 오른손 우(又)를 합친 자로, 손과 손을 맞잡은 친한 사이라는 데서 '벗'을 뜻함.

[友軍 우군] 자기편의 군대.
[友邦 우방] 서로 친밀한 관계를 가진 나라.
[友愛 우애] 형제간이나 친구 사이의 두터운 정과 사랑.
[友情 우정] 친구 사이의 정. 동 友誼(우의).
[友好 우호] 사이가 좋음.
[校友 교우] 같은 학교에 다니거나 다닌 벗. 동창의 벗.
[朋友 붕우] 벗. 친구. ¶ 朋友有信(붕우유신).
[戰友 전우] 전쟁터에서 함께 싸우는 벗. ¶ 戰友愛(전우애).
[竹馬故友 죽마고우] 대나무로 만든 말을 타고 놀던 친구라는 뜻으로, 어릴 때부터 같이 놀며 자란 아주 가까운 벗을 이르는 말.
[學友 학우] 한 학교에서 같이 공부하는 벗.

4급Ⅱ 중학 한자
중 受 (shòu)
영 receive [risíːv]

받을 수(ː)

풀이 1 받다. 2 입다. 당하다. 3 응하다. 들어주다.
부수 又(또우)부
찾기 又²+爫⁶=8획

글자뿌리 형성(形聲) 문자. 손톱 조(爪)에 배 주(冖: 舟의 변형〈음〉)와 손 우(又〈뜻〉)를 합친 자로, 배를 타고 오고 가면서 물건을 주고받는다에서 '받다'의 뜻.

[受難 수난] 어려움을 당함.
[受動 수동] 남의 힘을 받아서 움직임. 반 能動(능동).
[受賞 수상] 상을 받음.
[受信 수신] 우편이나 전보 등의 통신을 받음.
[受容 수용] 받아들임.
[受取 수취] 자기에게 온 것을 받음. ¶ 受取人(수취인).
[甘受 감수] 불만 없이 달게 받음.
[感受性 감수성] 외부의 자극을 받아 느낌을 일으키는 성질이나 능력.

[引受 인수] 물건이나 권리를 넘겨받음.
[傳受 전수] 전하여 받음.
[接受 접수] 어떤 신청을 말이나 문서로 받음.

4급 중학 한자
중 叔 (shū)
영 uncle [ʌ́ŋkəl]

아재비 숙

풀이 아재비. 아저씨. 숙부.
부수 又(또우)부
찾기 又^{2}+尗^{6}=8획

글자뿌리 형성(形聲) 문자. 콩 숙(尗: 菽의 원자〈음〉)에 손 우(又〈뜻〉)를 합친 자로, '손으로 콩을 줍다'가 본래의 뜻이었으나, 콩이 작고 어린 데서 아버지보다 어린 '숙부'의 뜻이 된 자.

[叔父 숙부] 작은아버지. 아버지의 남동생.
[叔姪 숙질] 아저씨와 조카.
[堂叔 당숙] 아버지의 사촌 형제를 친근하게 이르는 말.
[外叔 외숙] 외삼촌. ¶ 外叔母(외숙모).

4급Ⅱ 중학 한자
중 取 (qǔ)
영 take [teik]

가질 취:

풀이 가지다. 취하다.
부수 又(또우)부
찾기 又^{2}+耳^{6}=8획

글자뿌리 회의(會意) 문자. 귀 이(耳)에 손 우(又)를 합친 자로, 옛날 전쟁에서 적을 죽이면 그 증거물로 적의 귀를 잘라서 가졌다는 데서 '가지다'의 뜻이 된 자.

[取得 취득] 취하여 가짐.
[取消 취소] 약속하거나 발표했던 것을 없었던 것으로 함.
[取材 취재] 기사나 작품 등의 재료를 얻음.
[爭取 쟁취] 싸워서 얻음.
[進取 진취] 어려움을 무릅쓰고 힘껏 앞으로 나아감.
[採取 채취] 필요한 것을 거두어서 취함.
[聽取 청취] 방송 등을 들음. ¶ 聽取者(청취자).

7급 **중학 한자**

중 口 (kǒu)

영 mouth [mauθ]

입 구(:)

풀이 **1 입. 2 구멍. 어귀. 3 말하다.**

부수 口(입구)부

찾기 口³＝3획

글자뿌리 상형(象形) 문자. 사람의 입 모양을 본뜬 글자.

[口令 구령] 여러 사람의 움직임을 같이 하기 위하여 부르는 호령.

[口味 구미] ① 입맛. ② 갖고 싶은 마음. 욕심.

[口實 구실] 핑계 삼을 밑천.

[口傳 구전] 말로 전함. 또는 말로 전하여 옴.

[口號 구호] 뜻을 분명히 전하기 위하여 외치는 짤막한 말이나 글.

[非常口 비상구] 위급한 일이 생겼을 때, 급히 피할 수 있도록 만든 문.

[食口 식구] 같은 집에서 함께 먹으며 사는 사람.

[有口無言 유구무언] 입은 있으나 할 말이 없다는 뜻으로, 변명할 말이 없다는 말.

[異口同聲 이구동성] 입은 다르나 목소리는 같다는 뜻으로, 여러 사람의 말이 모두 같음을 이르는 말.

[耳目口鼻 이목구비] ① 눈·코·입·귀를 이르는 말. ② 얼굴의 생김새.

[一口二言 일구이언] 한 입으로 두 말을 한다는 뜻으로, 이랬다저랬다 갈팡질팡함을 이르는 말.

[入口 입구] 어떤 곳으로 들어가는 문.

[出入口 출입구] 드나드는 어귀나 문.

口蜜腹劍 (구밀복검)

입으로는 꿀 같은 말을 하지만 배 속에는 칼이 들어 있다는 뜻으로, 말로는 친한 척하지만, 속으로는 해칠 생각을 가지고 있음을 이르는 말.

[고사] 중국의 당(唐)나라 현종(玄宗) 때에 후궁의 힘을 빌려 재상의 자리에까지 오른 이임보(李林甫)라는 사람이 있었다. 그는 황제의 뜻이라면 무조건 따르며 아첨하는 한편, 바른말을 하는 충신을 미워하여 무슨 구실을 붙여서라도 그들을 죽이거나 멀리 귀양 보냈다. 그러한 그가 조정의 책임자로 있었으니 황제 곁에 충신이 남아 있을 리가 없었다. 당시의 사람들은 모두 이임보를 두려워하여, "이임보는 입으로는 꿀 같은 말을 하지만, 그 배 속에는 칼이 들어 있다."라고 말했다고 한다.

[戶口 호구] 집과 식구의 수. ¶ 戶口調査(호구 조사).

5급 중학 한자
중 可 (kě)
영 right [rait]

옳을 가:

풀이 1 옳다. 찬성하다. 2 허락하다. 3 가히.
부수 口(입구)부
찾기 口³+丁²=5획

글자뿌리 회의(會意) 문자. 입 구(口)에 어여쁠 교(丁: 丂의 변형)를 합친 자로, 입으로 용서한다〔丁〕고 말한다는 데서 '옳다'의 뜻이 된 자.

[可決 가결] 어떠한 의견에 대해서 옳다고 결정함.
[可恐 가공] 두려워할 만함.
[可觀 가관] ① 볼만한 가치가 있음. ② 꼴이 우스워 비웃을 만함.
[可能 가능] ① 할 수가 있음. ② 될 수 있음. 반 不可能(불가능).
[可憐 가련] 동정심이 갈 만큼 가엾고 불쌍함.
[不可分 불가분] 나누려고 해도 나눌 수가 없음.

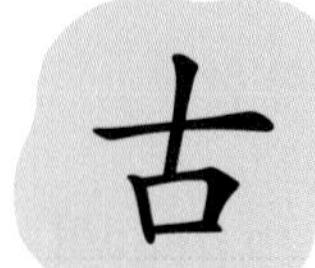

6급 중학 한자
중 古 (gǔ)
영 old [ould]

예 고:

풀이 1 예. 예전. 옛날. 2 예스럽다. 3 오래되다.
부수 口(입구)부
찾기 口³+十²=5획

글자뿌리 회의(會意) 문자. 어떤 사실이 입〔口〕으로 전하여 십(十)대가 지났다는 데서 '옛날', '오래되다'의 뜻이 된 자.

[古家 고가] 지은 지 아주 오래된 집.
[古今 고금] 옛날과 지금.
[古跡 고적] 지금 남아 있는 옛날의 건물이나 시설물. 또는 그러한 것이 있었던 터.
[古典 고전] ① 옛날의 의식이나 법식. ② 옛날에 만든 작품이나 책.
[古稀 고희] 옛날부터 지금에 이르기까지 보기 힘든 나이라는 뜻으로, 일흔 살이 되는 때를 이름.
[萬古不變 만고불변] 오랫동안 변하지 않음.

4급Ⅱ 중학 한자
중 句 (jù)
영 phrase [freiz]

글귀 구

풀이 1 글귀. 2 굽다. 구부러지다.
부수 口(입구)부
찾기 口³+勹²=5획

글자뿌리 형성(形聲) 문자. 쌀 포(勹〈음〉)에 입 구(口〈뜻〉)를 합친 자로, '勹'가 숨쉬는 가슴의 모양을 나타내는 데서, 단숨에 읽을 수 있는 '글귀'의 뜻.

[句句節節 구구절절] 문장의 모든 구절마다.
[句節 구절] 긴 글에서 한 부분이 되는 토막 글.
[結句 결구] 시(詩)에서 끝을 맺는 구.
[名句 명구] ① 뛰어나게 잘된 글귀. ② 유명한 문구(文句).
[文句 문구] 글의 구절.
[詩句 시구] 시의 구절.
[一言半句 일언반구] 한 마디 말과 반 구절이라는 뜻으로, 아주 짧은 말을 이르는 말.

5급 중학 한자
중 史 (shǐ)
영 history [hístəri]

역사 사:

풀이 1 역사. 기록된 문서. 2 사관(史官).
부수 口(입구)부
찾기 口³+乂²=5획

글자뿌리 회의(會意) 문자. 가운데 중(中)에 오른손 우(又)를 합친 자로, 역사나 그것을 기록하는 사관(史官)은 공평하고 엄정해야 함을 뜻함.

[史家 사가] 역사에 대해 연구하거나 잘 알고 있는 사람. 역사가.
[史劇 사극] 역사상의 인물이나 사건을 소재로 한 극. 역사극.
[史書 사서] 역사적인 사실을 적은 책.
[史蹟 사적] 역사상의 사건과 관계가 있거나 그러한 건물이 있던 곳.
[歷史 역사] ① 인간이 살아온 사회의 발자취. 또는 그것의 기록. ② 어떤 사물이나 인물 등이 오늘에 이르기까지의 변화된 자취.
[有史以來 유사이래] 역사가 시작된 그 뒤로.

7급 중학 한자

중 右 (yòu)

영 right [rait]

오른쪽 우:

풀이 1 오른쪽. 2 숭상하다. 3 돕다.

부수 口(입구)부

찾기 口3＋ナ2＝5획

ノ ナ 𠂇 右 右

글자뿌리 회의(會意) 문자. 원래는 일을 할 때에 오른손〔ナ〕만으로 모자라 입〔口〕으로도 돕는다는 데서 '돕다'의 뜻이 었으나, 후에 와서 '도울 우(佑)' 자가 생기면서 '오른쪽'이라는 뜻으로 쓰이게 된 글자.

[右方 우방] 오른쪽.

[右往左往 우왕좌왕] ① 이리저리 오락가락함. ② 어떤 일을 결정짓지 못하고 망설임.

[右翼 우익] ① 새의 오른쪽 날개. ② 보수적인 당이나 그런 당에 소속된 사람.

[前後左右 전후좌우] 앞쪽과 뒤쪽, 왼쪽과 오른쪽. 곧, 사방을 이르는 말.

[左右 좌우] ① 왼쪽과 오른쪽. ② 곁. 옆. ③ 곁에서 가까이 거느리고 있는 사람.

[左之右之 좌지우지] 제 마음대로 다루거나 휘두름.

3급 중학 한자

중 只 (zhǐ)

영 only [óunli]

다만 지

풀이 1 다만. 2 이. 이것. 3 오직. 뿐.

부수 口(입구)부

찾기 口3＋八2＝5획

丶 冂 口 ㅁ 只

글자뿌리 회의(會意) 문자. 입 구(口)에 나눌 팔(八)을 합친 자로, 입에서 나오는 말이 흩어져서 말의 여운이 있음을 뜻함.

[只今 지금] 이제. 현재.

[但只 단지] 다만. 오직.

6급 중학 한자

중 各 (gè)

영 each [iːtʃ]

각각 각

풀이 1 각각. 따로따로. 2 여러. 3 서로.

부수 口(입구)부

찾기 口3＋夂3＝6획

ノ ク 夂 夂 各 各

글자뿌리 회의(會意) 문자. 뒤져올 치(夂)와 입 구(口)를 합친 자로, 앞에 한 말과 뒤에 한 말이 다르다는 데서 '각각', '따로따로'의 뜻.

[各各 각각] 따로따로. 각기.
[各界 각계] 사회의 각 방면.
[各國 각국] 각 나라.
[各其 각기] 각각. 저마다.
[各論 각론] 논설문 따위에서 각 부문이나 항목에 대한 논설.
[各方面 각방면] 모든 방면. 여러 군데.
[各別 각별] ① 유달리 다름. 특별함. ② 깍듯함.
[各自 각자] 사람들마다 각기. 제각각.
[各種 각종] 여러 가지 종류. 여러 가지. 갖가지.

5급 중학 한자
중 吉 (jí)
영 lucky [lʌ́ki]

길할 길

풀이 1 길하다. 운이 좋다. 2 좋다. 3 복. 행복.
부수 口(입구)부
찾기 口³ + 士³ = 6획

一 十 士 吉 吉 吉

글자뿌리 회의(會意) 문자. 선비 사(士)에 입 구(口)를 합친 글자로, 선비〔士〕의 입〔口〕에서 나오는 말이라는 데서 '좋다', '길하다'의 뜻이 된 자.

[吉夢 길몽] 좋은 꿈.
[吉運 길운] 좋은 운수.
[吉日 길일] 좋은 날.
[吉兆 길조] 좋은 징조.
[吉鳥 길조] 사람들에게 어떤 좋은 일이 생길 것을 미리 알려 준다는 새.
[不吉 불길] 좋지 못함.
[立春大吉 입춘대길] 24절기의 하나인 입춘에 문지방이나 대문에 써 붙이는 글귀로, '입춘을 맞이하여 크게 길하다'는 뜻.

7급 중학 한자
중 同 (tóng)
영 same [seim]

한가지 동

풀이 1 한가지. 함께. 같다. 2 화(和)하다.
부수 口(입구)부
찾기 口³ + 冂³ = 6획

丨 冂 冂 冋 同 同

글자뿌리 회의(會意) 문자. 무릇 범(冂: 凡의 변형)에 입 구(口)를 합친 글자로,

여러 사람의 입이라는 데서 '화합하다', '같다'는 뜻이 된 자.

[同價紅裳 동가홍상] 같은 값이면 다홍치마라는 뜻으로, 이왕이면 보기에 좋은 것을 가진다는 말.
[同感 동감] 남과 같이 생각하거나 느낌. 또는 그 느낌.
[同甲 동갑] 같은 나이.
[同苦同樂 동고동락] 즐거움과 괴로움을 같이 겪음.
[同等 동등] 자격 또는 수준이나 입장 등이 같음. 동 平等(평등).
[同僚 동료] 같은 곳에서 같이 일하는 사람.
[同伴 동반] 길을 같이 감. 데리고 함께 다님.
[同病相憐 동병상련] 같은 병을 앓고 있는 사람끼리 서로 불쌍히 여긴다는 뜻으로, 어려운 처지에 있는 사람끼리 서로 도움을 이르는 말.
[同性 동성] ① 같은 성질. ② 성별(性別)이 같음.
[同姓同本 동성동본] 성과 본관이 같음. 같은 성에 같은 본관임.
[同乘 동승] 같이 탐.
[同時 동시] 같은 때나 같은 시기.
[同情 동정] 다른 사람의 불행이나 슬픔을 자기 일처럼 생각하여 가슴 아파하고 위로함.
[同族 동족] 같은 민족. 같은 종족.
[同窓 동창] 같은 학교에서 함께 공부한 사이.
[同鄕 동향] 같은 고향. 고향이 같음.
[共同 공동] ① 두 사람 이상이 함께 일함. ② 두 사람 이상이 같은 자격으로 한데 합침.

同病相憐 (동병상련)

같은 병을 가진 사람끼리 불쌍히 여긴다는 뜻으로, 고난을 같이 겪는 사람은 서로 불쌍히 여겨 동정하고 돕는다는 말.

고사 중국 전국 시대 초(楚)나라 오자서(伍子胥)는 비무기(費無忌)의 모함으로 아버지와 형을 잃고, 오(吳)나라로 도망쳤다. 합려(闔閭)는 오자서를 중요한 자리에 임명하여 나랏일을 그와 의논했다. 그해에 백비(伯嚭)란 사람도 오나라로 도망쳐 왔다. 합려는 백비를 불쌍히 여겨 대부(大夫)의 자리에 오르게 했다. 그 사실을 안 오나라 대부 피리(被離)는 그를 추천했던 오자서에게 항의했다. 그러자 오자서는 "초나라에 대한 원한은 나나 백비나 꼭 같소이다. 그대는 동병상련(同病相憐)이란 말도 들어 보지 못하시었소? 사람이란 누구나 자기와 비슷한 처지에 놓여 있는 사람을 동정하며 같이 슬퍼하게 마련이지요."라고 대답했다.

[異口同聲 이구동성] 여러 사람의 말이 모두 같음.
[一心同體 일심동체] 여러 사람이 한 사람처럼 마음을 합하여 굳게 결합하는 일.
[協同精神 협동정신] 서로가 힘을 합하는 정신.

7급 중학 한자
㊥ 名 (míng)
㊥ name [neim]

이름 명

풀이 1 이름. 2 이름나다. 훌륭하다. 3 사람.
부수 口(입구)부
찾기 $口^3 + 夕^3$ = 6획

글자뿌리 회의(會意) 문자. 저녁 석(夕)에 입 구(口)를 합친 자로, 저녁이 되면 어두워 서로를 알아볼 수 없으므로 입으로 이름을 말하여 자신을 알려야 한다는 데서 '이름'의 뜻이 된 자.

⇒ ⇒ 名

[名君 명군] 훌륭한 임금.
[名弓 명궁] ① 활을 매우 잘 쏘는 사람. ② 이름난 활.
[名門 명문] 훌륭한 집안.
[名山大刹 명산대찰] 이름난 산과 아주 큰 절.
[名聲 명성] 세상에 널리 퍼져 평판이 높은 이름.
[名所 명소] 이름난 곳. 뛰어나게 경치가 좋은 곳.
[名譽 명예] 사회적으로 훌륭하다고 평가를 받는 이름이나 자랑. 좋은 평판.
[名人 명인] 어떤 부문에 아주 뛰어나서 이름난 사람.
[名作 명작] 뛰어난 작품.
[名匠 명장] 훌륭한 기술자.
[名將 명장] 훌륭한 장군. 이름난 장수.
[名唱 명창] 잘 부르는 노래. 또는 노래를 아주 잘 부르는 사람.
[名筆 명필] ① 매우 잘 쓴 글씨. 글씨를 매우 잘 쓰는 사람. ② 좋은 붓.
[名啣 명함] 이름·주소·신분 등을 적은 종이쪽.
[名畫 명화] ① 매우 잘 그린 그림. 매우 유명한 그림. ② 유명한 영화. 잘된 영화. ③ 그림을 잘 그리는 사람.
[姓名 성명] 성과 이름.
[有名 유명] 이름이 널리 알려짐.

6급 중학 한자
㊥ 合 (hé)
㊥ unite [juːnáit]

합할 합

풀이 1 합하다. 모이다. 2 맞다.
부수 口(입구)부
찾기 $口^3 + 亼^3$ = 6획

丿 人 亼 亽 合 合

글자뿌리 회의(會意) 문자. 모일 집(亼: 集의 원자)에 입 구(口)를 합친 자로, 여러 사람의 입, 곧 말이 하나로 모였다는 데서 '합하다', '맞다'의 뜻이 된 자.

[合格 합격] 시험이나 검사에 통과함.
[合計 합계] 수나 양을 모두 합하여 셈함. 또는 그 셈한 값.
[合金 합금] 두 가지 이상의 다른 금속을 섞어서 녹여 만든 금속.
[合同 합동] ① 둘 이상의 개인이 모여 일을 함께함. ② 두 도형이 크기와 모양이 같아 서로 일치하는 것.
[合理 합리] 논리나 이치에 잘 맞음.
[合成 합성] 두 가지 이상이 합쳐져서 하나를 이룸.
[合心 합심] 여러 사람이 마음을 하나로 합함.
[合作 합작] ① 둘 이상이 힘을 합하여 만듦. 또는 그 작품. ② 공동의 목표를 달성하기 위하여 여러 사람 또는 단체가 서로 손잡고 힘을 합함.
[合唱 합창] 여러 사람이 소리를 맞춰서 노래함.
[合致 합치] 서로 일치함.
[試合 시합] 서로 재주를 겨루어 승부를 다툼.
[適合 적합] 꼭 알맞음.

6급 중학 한자
중 向 (xiàng)
영 face [feis]

향할 향:

풀이 1 향하다. 대하다. 2 나아가다.
부수 口(입구)부
찾기 口³ + 冂³ = 6획

丿 丨 冂 门 向 向

글자뿌리 회의(會意) 문자. 집 면(宀)에 입 구(口)를 합친 자로, 집의 북쪽에 낸 높다란 창문, 곧, 창문이 북쪽을 향하게 된 데서 '향하다'의 뜻.

[向上 향상] 수준이나 실력, 기술 따위가 나아짐.
[向後 향후] 이 뒤. 이다음.
[南向 남향] 남쪽으로 향함.
[內向性 내향성] 마음이 자기의 내면에만 관심을 가지고 밖으로 향하려 하지 않는 성격.
[動向 동향] 사람의 마음이나 사물의 움직임.
[方向 방향] ① 향하거나 나아가는 쪽. ② 뜻이 향하는 곳.
[意向 의향] 무엇을 어떻게 할 것인가에 대한 생각.

5급 중학 한자

중 告 (❶gào, ❷gù)

영 ❶tell [tel]
❷ask [æsk]

고할 고ː

풀이 1 고하다. 알리다. 2 여쭈다. 3 하소연하다. 고소하다.

부수 口(입구)부

찾기 口3＋牛4＝7획

글자뿌리 회의(會意) 문자. 소 우(牛)에 입 구(口)를 합친 자로, 신에게 소를 바치고 축사를 말한다는 데서 '고하다', '알리다'의 뜻.

[告發 고발] 피해자가 아닌 사람이 범죄 사실을 경찰이나 검찰에 알림.

[告白 고백] 사실을 분명하게 말함.

[告祀 고사] 집안이 잘되기를 바라며 지내는 제사.

[告訴 고소] 피해자가 피해 사실을 경찰이나 검찰에 알림.

[告示 고시] 국가 기관 등에서 일반에게 널리 알림.

[告知 고지] 게시나 글을 통해 알림.

[公告 공고] 어떤 일을 신문이나 게시판을 통하여 일반 사람들에게 널리 알리는 일.

[廣告 광고] ① 세상에 널리 알림. ② 상품을 널리 선전하기 위한 글·그림 또는 방송.

[忠告 충고] 남의 결함이나 잘못을 고치도록 타이름.

4급 중학 한자

중 君 (jūn)

영 king [kiŋ]

임금 군

풀이 1 임금. 2 남편. 3 자네.

부수 口(입구)부

찾기 口3＋尹4＝7획

글자뿌리 형성(形聲) 문자. 다스릴 윤(尹〈음〉)에 입 구(口〈뜻〉)를 합친 자로, 사람의 위에서 다스리는 이, 곧 '임금'의 뜻.

[君臨 군림] ① 임금으로서 나라를 다스림. ② 어떤 방면에서 가장 높은 위치에 서게 됨.

[君臣 군신] 임금과 신하.

[君臣有義 군신유의] 오륜(五倫)의 하나로, 임금과 신하 사이에는 의리가 있어야 한다는 말.

[君子 군자] ① 학문이나 덕이 높으며 행동이 바르고 품위가 있는 사람. ② 옛날에 아내가 남편을 높여 부르던 말.

[君子有三樂 군자유삼락] 군자에게는 세 가지 즐거움이 있음. 즉, 부모가 살아 계시고 형제가 무고한 것, 자기의 행실에 부끄러움이 없는 것, 영재를 얻어 교육하는 일을 이름.

4급 중학 한자

중 否 (fǒu)

영 not [nɑt]

아닐 부:

풀이 아니다. 없다.

부수 口(입구)부

찾기 口^{3}+不^{4}=7획

글자뿌리 형성(形聲) 문자. 아닐 불(不〈음〉)에 입 구(口〈뜻〉)를 합친 자로, 아니라고 말한다는 뜻.

[否認 부인] 그렇지 않다고 주장함. 인정하지 않음.

[否定 부정] 그렇지 않다고 단정함.

[可否 가부] ① 옳고 그름. ② 찬성과 반대.

[安否 안부] 편안히 잘 있는지를 묻는 인사.

[與否 여부] 그러함과 그러하지 않음.

吾

3급 중학 한자

중 吾 (wū)

영 I [ai]

나 오

풀이 1 나. 자신. 2 우리.

부수 口(입구)부

찾기 口^{3}+五^{4}=7획

글자뿌리 형성(形聲) 문자. 다섯 오(五〈음〉)에 입 구(口〈뜻〉)를 합친 자로, 손으로 자기를 가리키며 말한다는 데서 '나', '우리'의 뜻.

[吾兄 오형] 편지에서, 벗을 친근하게 부르는 말.

3급 중학 한자

중 吟 (yín)

영 recite [risáit]

읊을 음

풀이 1 읊다. 노래하다. 2 끙끙 앓다.

부수 口(입구)부

찾기 口^{3}+今^{4}=7획

글자뿌리 형성(形聲) 문자. 입 구(口〈뜻〉)에 이제 금(今〈음〉)을 합친 자로, 길게 내는 소리를 뜻하여 '읊다'의 뜻이 된 자.

[吟味 음미] ① 시·노래 등을 읊어 그 참뜻을 감상함. ② 사물의 뜻을 새겨 찬찬히 생각함.

[吟遊詩人 음유시인] 떠돌아다니며 시를 읊는 시인.
[吟風弄月 음풍농월] ① 맑은 바람을 쐬며 시를 읊고 밝은 달을 감상함. ② 아름다운 자연의 경치를 시로 읊으며 즐겁게 놂.
[呻吟 신음] ① 앓는 소리를 냄. ② 고통에 허덕임.

4급Ⅱ 고등 한자
㊥ 吸 (xī)
㊎ breath [breθ]

마실 흡

풀이 1 마시다. 2 숨 들이쉬다. 3 빨다.
부수 口(입구)부
찾기 口³+及⁴=7획

丨 ㄇ 口 口ノ 口乃 吸 吸

글자뿌리 형성(形聲) 문자. 입 구(口〈뜻〉)에 미칠 급(及〈음〉)을 합친 자로, 及(급)은 숨을 들이쉴 때 나는 소리의 의성어. 口를 더하여 '들이쉬다'의 뜻을 나타냄.

[吸收 흡수] 빨아들임.
[吸煙 흡연] 담배를 피움.
[吸引力 흡인력] 빨아서 이끄는 힘.
[吸入 흡입] 빨아들임.
[吸着 흡착] 달라붙음.
[呼吸 호흡] 숨을 쉼. 숨쉬기.

吹

3급Ⅱ 중학 한자
㊥ 吹 (chuī)
㊎ blow [blou]

불 취

풀이 1 불다. 2 숨 쉬다.
부수 口(입구)부
찾기 口³+欠⁴=7획

丨 ㄇ 口 口ノ 口ᄼ 口ケ 吹

글자뿌리 회의(會意) 문자. 입 구(口)에 하품할 흠(欠)을 합친 자로, 입으로 하품을 하듯이 숨을 불어 낸다는 데서 '불다'의 뜻이 된 자.

[吹入 취입] ① 공기를 불어 넣음. ② 음반이나 녹음테이프에 소리나 목소리를 녹음함.
[吹奏 취주] 피리·생황·나팔 등의 악기를 불어서 연주함.
[吹打 취타] 옛날 군대에서, 관악기와 타악기를 연주하던 군악.

周

4급 고등 한자
㊥ 周 (zhōu)
㊎ around [əráund]

두루 주

풀이 1 두루. 2 둘레. 3 두르다. 4 주나라.
부수 口(입구)부
찾기 口3+用5=8획

丿 冂 冃 冃 用 周 周 周

글자뿌리 회의(會意) 문자. 쓸 용(用)에 입 구(口)를 합친 자로, 말을 하는 데는 조심하여야 함을 뜻하는 데서 파생하여, '두루'의 뜻.

[周到 주도] 조심성이 두루 미쳐서 빈틈이 없음.
[周邊 주변] 둘레의 언저리.
[周圍 주위] ① 어떤 곳의 바깥. ② 원의 바깥.
[圓周 원주] 원의 둘레.
[一周 일주] 한 바퀴를 돎.

7급 중학 한자
㊥ 命 (mìng)
㊐ life [laif]

목숨 명ː

풀이 1 목숨. 수명. 2 명령하다. 3 이름 짓다.
부수 口(입구)부
찾기 口3+令5=8획

ノ 人 亽 亼 合 合 合 命

글자뿌리 형성(形聲) 문자. 명령 령(令〈음〉)에 입 구(口〈뜻〉)를 합친 자로, 입으로 내리는 임금의 명령이라는 뜻. 옛날 임금의 명령은 목숨을 좌우하는 것이었으므로 '목숨'의 뜻을 지님.

⇒ ⇒ 命

[命令 명령] 분부. 지휘.
[命脈 명맥] 생명의 줄. 목숨.
[命中 명중] 겨냥한 곳을 바로 맞힘.
[短命 단명] ① 짧은 목숨. 또는 목숨이 짧음. ② 조직 등이 오래가지 못함.
[生命 생명] ① 목숨. ② 사물을 유지하는 기간.
[宿命 숙명] 피할 수 없는 운명.
[人命在天 인명재천] 사람의 목숨은 하늘에 달려 있다는 뜻으로, 목숨의 길고 짧음은 사람의 힘으로 어쩔 수 없음을 이르는 말.

4급Ⅱ 중학 한자
㊥ 味 (wèi)
㊐ taste [teist]

맛 미ː

풀이 1 맛. 맛보다. 2 뜻. 의미.
부수 口(입구)부
찾기 口3+未5=8획

丨 口 口 口一 口二 吀 味 味

글자뿌리 형성(形聲) 문자. 입 구(口〈뜻〉)에 아닐 미(未〈음〉)를 합친 자로, 잘 익어 빛깔이 고운 과실을 입으로 먹어 본다는 데서 '맛'의 뜻이 된 자.

[味覺 미각] 맛을 느끼는 감각. 단맛·짠맛·신맛 따위.
[甘味料 감미료] 단맛을 내는 데 쓰이는 조미료.
[口味 구미] 입맛.
[妙味 묘미] 미묘한 재미나 흥취.
[無意味 무의미] ① 아무 뜻이 없음. ② 아무 가치나 의의가 없음.
[性味 성미] 본디 가지고 있는 마음의 바탕. 성질과 비위.
[吟味 음미] ① 시·노래 등을 읊어 그 깊은 뜻을 되새겨 봄. ② 사물의 내용이나 뜻을 새겨 깊이 연구함.
[興味 흥미] ① 재미. ② 관심을 가지는 감정.

4급Ⅱ 중학 한자
중 呼 (hū)
영 call [kɔːl]

부를 호

풀이 1 부르다. 부르짖다. 2 숨을 내쉬다.
부수 口(입구)부
찾기 口3+乎5=8획

글자뿌리 형성(形聲) 문자. 입 구(口〈뜻〉)에 그런가 호(乎〈음〉)를 합친 자로, 소리를 길게 내어 부른다는 데서 '부르다'의 뜻이 된 자.

[呼訴 호소] 자기의 억울한 사정을 남에게 하소연함.
[呼應 호응] ① 한쪽이 부르면 다른 쪽이 이에 답함. ② 서로 뜻이 통함.
[呼吸 호흡] ① 숨을 내쉬고 들이마심. 또는 그 숨. ② 두 사람 이상이 함께 일할 때의 서로의 마음.
[歡呼聲 환호성] 기뻐서 부르짖는 소리.

和

6급 중학 한자
중 和 (hé)
영 peaceful [píːsfəl]

화할 화

풀이 1 화하다. 화목하다. 2 화답하다.
부수 口(입구)부
찾기 口3+禾5=8획

글자뿌리 형성(形聲) 문자. 벼 화(禾〈음〉)에 입 구(口〈뜻〉)를 합친 자로, 곡식을 충족하게 먹으니 절로 '화목해진다'는 뜻.

[和氣靄靄 화기애애] 여럿이 모인 자리에 화목한 분위기가 가득한 모양.
[和睦 화목] 서로 뜻이 맞고 정다움.
[和音 화음] 높낮이가 다른 둘 이상의 소리가 함께 울렸을 때 서로 어울리는 소리.
[和暢 화창] 날씨나 바람이 부드럽고 맑음.
[和合 화합] 사람들이 뜻이 잘 맞고 사이좋게 어울림.
[和解 화해] 싸움을 그만두고 다시 좋은 사이가 됨.
[家和萬事成 가화만사성] 집안이 화목하면 모든 일이 잘된다는 말.
[調和 조화] 서로 대립함이 없이 잘 어울림.

3급Ⅱ 중학 한자
중 哀 (āi)
영 grievous [gríːvəs]

슬플 애

풀이 1 슬프다. 슬퍼하다. 2 불쌍히 여기다.
부수 口(입구)부
찾기 口3+衣6=9획

글자뿌리 형성(形聲) 문자. 옷 의(衣〈음〉)에 입 구(口〈뜻〉)를 합친 자로, 옷이 낡아 구멍이 난 사람을 보고 '슬퍼한다'는 뜻.

[哀悼 애도] 사람의 죽음을 슬퍼함.
[哀惜 애석] 슬프고 안타깝게 여김.
[哀愁 애수] 서글픈 마음.
[哀歡 애환] 슬픔과 기쁨.
[悲哀 비애] 슬픔과 설움.
[喜怒哀樂 희로애락] 기쁨과 노여움과 슬픔과 즐거움. 즉, 사람의 온갖 감정.

3급 중학 한자
중 哉 (zāi)
영 particle [páːrtikl]

어조사 재

풀이 어조사.
부수 口(입구)부
찾기 口3+𢦏6=9획

글자뿌리 형성(形聲) 문자. 끊을 재(𢦏=栽〈음〉)에 입 구(口〈뜻〉)를 합친 자로, 감탄이나 의문의 '어조사'로 쓰임.

[快哉 쾌재] 통쾌하게 여김.

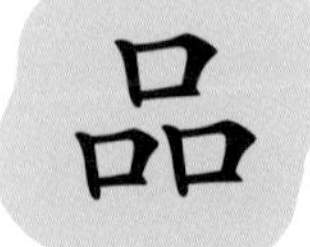

5급 중학 한자
중 品 (pǐn)
영 goods [gudz]

물건 품:

풀이 1 물건. 2 품수. 등급. 3 품격. 4 품

평하다.

부수 口(입구)부

찾기 口3+品6=9획

丶 口 口 口 吕 吕 品 品

글자뿌리 회의(會意) 문자. 입 구(口)를 셋 합친 자로, 여러 층의 사람들이 모여 옳으니 그르니 한다는 데서 '물건', '품격'의 뜻.

[品名 품명] 물건의 이름.
[品目 품목] ① 물건의 종류를 나타내는 이름. ② 물품의 이름을 쓴 목록.
[品性 품성] 사람의 됨됨이.
[品位 품위] 아름다움과 의젓함을 잃지 않는 몸가짐.
[品切 품절] 물건이 다 팔리어 없음.
[品質 품질] 물건의 좋고 나쁜 성질과 바탕.
[品行 품행] 품성과 행실.
[貴重品 귀중품] 귀하고 중요한 물건.
[氣品 기품] 사람의 모습이나 태도, 예술 작품에서 느껴지는 고상한 느낌.
[物品 물품] 쓸 만한 값어치가 있는 물건이나 제품.
[非賣品 비매품] 일반에게는 팔지 않는 물품.
[商品 상품] 사고파는 물품.
[生必品 생필품] 일상생활에 꼭 있어야 하는 물품.
[食品 식품] 사람이 일상적으로 섭취하는 음식물.
[藥品 약품] 병이나 상처를 고치는 데 사용하는, 만들어 놓은 약.
[人品 인품] 사람의 품격이나 됨됨이.
[中古品 중고품] 오래 써서 약간 낡은 물건.
[廢品 폐품] 쓸 수 없게 된 물품.
[學用品 학용품] 연필·공책 등 공부에 필요한 물건.

4급Ⅱ 고등 한자

중 员 (yuán)

영 number [nʌ́mbər]

인원 원

풀이 1 인원. 2 관원. 3 수효. 4 둥글다.

부수 口(입구)부

찾기 口3+貝7=10획

丶 口 口 月 月 員 員 員 員

글자뿌리 회의(會意) 문자. 조개 패(貝)에 입 구(口)를 합친 자로, 貝(패)는 金文에서는 세발솥의 상형. 口(구)는 둥근 것의 상형. 둥근 솥을 세는 데서 파생하여, '인원', '수효'의 뜻.

[員石 원석] 둥근 돌.
[員數 원수] 사람의 수. 물건의 수.

[減員 감원] 인원을 줄임.
[滿員 만원] 정한 인원이 다 참.
[定員 정원] 정해진 사람 수.
[職員 직원] 어느 단체에서 일정한 직무를 담당하는 사람.
[充員 충원] 인원을 채움.
[會員 회원] 어떤 모임을 구성하고 있는 사람들.

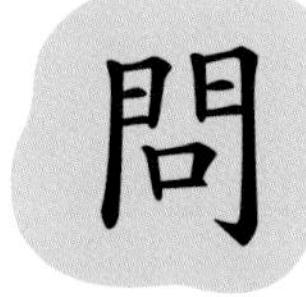

7급 중학 한자
중 问 (wèn)
영 ask [æsk]

물을 문:

풀이 1 묻다. 물음. 2 알리다. 3 분부. 명령.
부수 口(입구)부
찾기 口3+門8=11획

丨 𠃌 ㄗ 卩 阝 門 門 門 門 問 問

글자뿌리 형성(形聲) 문자. 문 문(門〈음〉)에 입 구(口〈뜻〉)를 합친 자로, 문 앞에서 고한다는 데서 '묻다'의 뜻이 된 자.

[問答 문답] ① 물음과 대답. ② 묻고 대답하는 것을 반복하는 일.
[問病 문병] 아픈 사람을 찾아보고 위로함. 병문안.
[問喪 문상] 초상난 집에 가서 슬픔을 나타내는 인사를 함. 또는 그 인사.
[問安 문안] 아랫사람이 웃어른에게 안부를 여쭘.
[問議 문의] 물어보고 의논함.
[問題 문제] ① 대답을 얻기 위한 물음. ② 풀어야 할 어려운 일.
[問責 문책] 일의 잘못을 물어 나무람.
[東問西答 동문서답] 묻는 말에 엉뚱하게 대답함을 이르는 말.
[反問 반문] 물음에는 답하지 않고 도리어 되받아 물음.
[訪問 방문] 남을 찾아봄.
[質問 질문] 알고 싶은 것이나 모르는 것을 물음.
[學問 학문] 어떤 분야를 체계적으로 배워서 익힘. 또 그 익힌 체계적 지식.

5급 중학 한자
중 商 (shāng)
영 trade [treid]

장사 상

풀이 1 장사. 장사하다. 2 장수. 3 헤아리다.
부수 口(입구)부
찾기 口3+啇8=11획

丶 亠 亠 产 产 产 产 产 商 商 商

글자뿌리 회의(會意) 문자. 밝힐 장(立: 章의 획 줄임) 밑에 빛날 경(冏)을 합친 자로, 물건의 가격을 밝히고 헤아려 판다는 데서 '장사'의 뜻.

[商街 상가] 상점들이 죽 늘어서 있는 거리.
[商工業 상공업] 상업과 공업.
[商業 상업] 상품을 팔아 이익을 얻으려고 하는 사업.
[商人 상인] 물건을 사고파는 것을 직업으로 하는 사람.
[商店 상점] 여러 가지 물건을 파는 집. 가게.
[商品 상품] 팔고 사는 물건.
[協商 협상] 어떤 목적에 부합되는 결정을 하기 위하여 함께 의논함.

3급 중학 한자
중 唯 (wéi)
영 only [óunli]

오직 유

풀이 오직. 다만.
부수 口(입구)부
찾기 口3+隹8=11획

글자뿌리 형성(形聲) 문자. 입 구(口〈뜻〉)에 새 추(隹〈음〉)를 합친 자로, 부르는 소리〔口〕에 새〔隹〕가 짧은 외마디 소리로 대답한다는 뜻.

[唯一 유일] 오직 하나밖에 없음.

5급 중학 한자
중 唱 (chàng)
영 sing [siŋ]

부를 창:

풀이 1 (노래) 부르다. 2 인도하다. 먼저 부르다.
부수 口(입구)부
찾기 口3+昌8=11획

글자뿌리 형성(形聲) 문자. 입 구(口〈뜻〉)에 창성할 창(昌〈음〉)을 합친 자로, 풍성한〔昌〕 소리〔口〕를 낸다는 데서 '(노래) 부르다'의 뜻.

[唱歌 창가] 곡조에 맞추어 노래를 부름. 또는 그 노래.
[獨唱 독창] 혼자서 노래함.
[復唱 복창] 명령이나 지시하는 말을 그

대로 소리냄.

[先唱 선창] 노래나 구호 등을 맨 먼저 부르거나 외침.

[愛唱曲 애창곡] ① 즐겨 부르는 노래. ② 많은 사람에게 널리 불려지는 노래.

4급Ⅱ 중학 한자

중 单 (chān)

영 single [síŋgəl]

홑 단

풀이 1 홑. 하나. 2 오직. 다만. 3 혼자.

부수 口(입구)부

찾기 口³+單⁹=12획

글자뿌리 상형(象形) 문자. 끝이 두 갈래로 갈라진 창〔丫〕과 두 개의 탄환〔○○〕을 본뜬 글자.

[單獨 단독] 단 하나. 혼자.

[單文 단문] 짧은 문장. 간단한 문장.

[單色 단색] 한 가지의 색깔.

[單純 단순] ① 복잡하지 않고 간단함. ② 다른 불순물이 섞이지 않고 순수함. ③ 아무 제한이나 조건이 없음.

[單身 단신] 홑몸.

[單一 단일] ① 단 하나. ② 복잡하지 않음. ③ 다른 것이 섞여 있지 않음.

[單調 단조] ① 가락에 변화가 없는 단순한 소리. ② 사물이 단순하고 변화가 없어 싱거움.

[名單 명단] 이름을 적은 표.

[食單 식단] ① 음식점에서 파는 음식의 이름과 값을 적은 표. ② 일정한 기간 동안 먹을 음식의 종류와 순서를 적은 표.

3급Ⅱ 중학 한자

중 丧 (sāng)

영 lose [lu:z]

잃을 상(:)

풀이 1 잃다. 망하다. 2 복을 입다. 죽다.

부수 口(입구)부

찾기 口³+喪⁹=12획

글자뿌리 회의(會意) 문자. 울 곡(哭: 哭의 변형)과 없을 망(亾: 亡의 변형)을 합친 자로, 없어져 버린 것을 애타게 여겨 운다는 데서 사람이 죽어 '잃다'의 뜻.

[喪家 상가] 초상난 집.
[喪服 상복] 상중에 있는 상제가 입는 예복.
[喪失 상실] 잃음.
[喪輿 상여] 시체를 실어 나르는 제사용 기구.
[喪主 상주] 장례를 맡아서 이끄는 사람. 대체로 맏아들이 됨.
[喪中 상중] 상제의 몸으로 있는 동안.
[喪妻 상처] 아내의 죽음을 당함. 아내를 여읨.
[記憶喪失 기억상실] 자기와 관계있는 어떤 일이나 전에 있었던 일을 기억하지 못하게 되는 일.

5급 중학 한자
중 善 (shàn)
영 good [gud]

착할 선:

풀이 1 착하다. 2 잘하다. 3 좋다. 훌륭하다.
부수 口(입구)부
찾기 口³+䍫⁹=12획

丶 丷 䒑 䒒 兰 羊 羊 羊 羔 羔 善 善

글자뿌리 회의(會意) 문자. 양 양(羊: 祥〔상서로울 상〕의 뜻)에 다투어 말할 경(言言: 詰의 변형)을 합친 자로, 군자(君子)의 상서로운 말이라는 데서 '착하다', '훌륭하다'의 뜻.

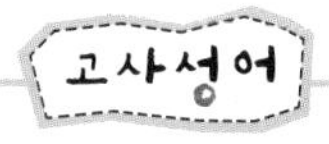

喪家之狗 (상가지구)

초상난 집의 개라는 뜻으로, 초라한 몰골로 여기저기 기웃거리며 먹을 것을 찾아다니는 사람을 비유하여 이르는 말.

고사 중국 춘추 시대(春秋時代) 노(魯)나라에서 이상적인 정치를 하려던 공자는 자신의 의견을 받아 줄 현명한 임금을 찾아서 천하를 돌아다니게 되었다. 공자가 정(鄭)나라까지 갔을 때 공자와 헤어지게 된 제자들은 스승을 찾아 나섰다. 제자인 자공(子貢)이 한 정나라 사람에게 공자의 얼굴 생김새와 옷차림을 말하며 본 적이 있느냐고 묻자, 그는 "아까 동문(東門)에서 웬 노인을 보았는데, 이마는 어질기로 유명한 요(堯)임금과 같고, 어깨는 명재상(名宰相)인 자산(子產)과 같았습니다. 그런데 뜻을 이루지 못해 심히 피로한 모습이 마치 상갓집 개 같더군요."라고 하였다. 이 말을 듣고 황급히 가 보니, 그곳에 스승 공자가 있었다. 자공이 방금 들은 이야기를 전하자, 공자는 웃으며 "나의 외모를 보고 한 말은 옳지 않으나, 상갓집 개와 같다는 표현은 맞는 말이다."라고 말했다 한다.

[善德 선덕] 훌륭한 덕. 바르고 착한 덕. 반 惡德(악덕).

[善導 선도] 잘 가르쳐서 올바른 길로 인도함.

[善良 선량] 착하고 어짊.

[善心 선심] ① 착한 마음. ② 남을 돕는 마음.

[善惡 선악] 착함과 악함.

[善政 선정] 바르고 착한 정치. 훌륭한 정치.

[善行 선행] 착한 행실.

[改善 개선] 잘못된 것을 고쳐 좋게 함.

4급 중학 한자

중 喜 (xǐ)

영 pleasure [pléʒər]

기쁠 희

풀이 1 기쁘다. 2 즐겁다. 3 좋아하다.

부수 口(입구)부

찾기 口^{3}+壴^{9}=12획

글자뿌리 회의(會意) 문자. 대〔口〕 위에 북〔壴〕을 얹어 놓은 모양을 나타내어 음악을 뜻하며, 음악을 들으면 기쁘다는 데서 '기쁘다', '즐겁다'는 뜻이 됨.

[喜劇 희극] ① 결과가 행복하게 끝나는 연극. ② 웃음거리가 될 만한 사건.

[喜怒哀樂 희로애락] 기쁨과 노여움과 슬픔과 즐거움.

[喜悲 희비] 기쁨과 슬픔.

[喜消息 희소식] 기쁜 소식.

[喜喜樂樂 희희낙락] 매우 기뻐하고 즐거워함.

[歡喜 환희] 즐겁고 기쁨.

4급Ⅱ 고등 한자

중 器 (qì)

영 vessel [vésəl]

그릇 기

풀이 1 그릇. 접시. 2 도구.

부수 口(입구)부

찾기 口^{3}+㗊^{13}=16획

글자뿌리 회의(會意) 문자. 뭇입 즙(㗊)에 개 견(犬)을 합친 자로, 㗊(즙)은 제기(祭器)를 벌여 놓은 모양을 본뜸. 犬(견)은 희생(犧牲)으로 바친 개의 뜻. 제사에 쓰이는 그릇의 모양에서, 일반적으로 '그릇'의 뜻을 나타냄.

[器具 기구] 세간·그릇·연장 등을 통틀어 일컫는 말.

[器物 기물] 그릇이나 기구 등을 통틀어 일컫는 말.

[器材 기재] 기구와 재료.

[器質 기질] 타고난 재능이 있는 바탕.

[兵器 병기] 전쟁에 쓰이는 모든 기구.
[食器 식기] 음식을 담아 먹는 그릇.
[樂器 악기] 음악 연주에 사용하는 도구의 총칭.

4급 중학 한자
중 严 (yán)
영 strict [strikt]

엄할 엄

풀이 1 엄하다. 2 훈계하다. 3 혹독하다.
부수 口(입구)부
찾기 口³+嚴¹⁷=20획

글자뿌리 형성(形聲) 문자. 부르짖을 현(吅〈뜻〉)에 산 험할 엄(厰〈음〉)을 합친 자로, 큰 호령이 위엄스럽다는 데서 '엄하다'의 뜻이 된 자.

[嚴格 엄격] 조그마한 잘못도 용서하지 않을 정도로 매우 엄하고 철저함.
[嚴禁 엄금] 엄하게 금지함.
[嚴冬雪寒 엄동설한] 깊은 겨울의 심한 추위.
[嚴命 엄명] 엄하게 명령함. 엄령.
[嚴罰 엄벌] 엄하게 벌을 줌. 또는 그런 엄한 벌.
[威嚴 위엄] 의젓하고 엄숙함.
[莊嚴 장엄] 규모가 크고 엄숙함.
[尊嚴 존엄] ① 높고 엄숙함. ② 지위나 인품 따위가 높아서 범할 수 없음.

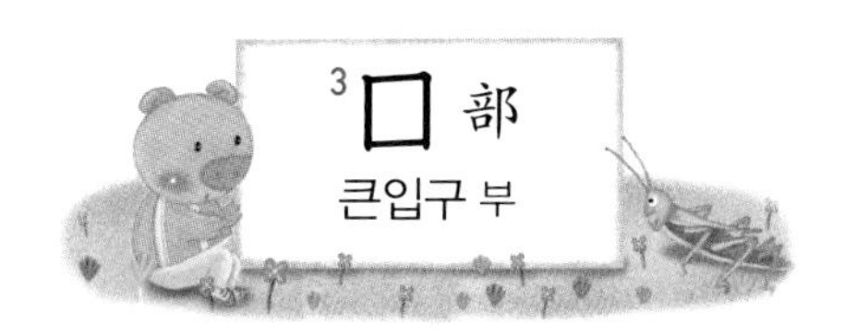

8급 중학 한자
중 四 (sì)
영 four [fɔːr]

넉 사:

풀이 1 넉. 넷. 2 네 번. 3 사방.
부수 囗(큰입구)부
찾기 囗³+八²=5획

글자뿌리 지사(指事) 문자. 사방을 각각 네 부분으로 나누는 모양. 원래는 '亖'로 썼으나, 나중에 '四'로 대신하게 됨.

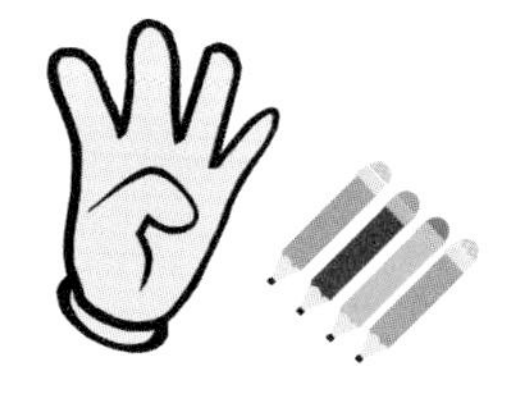

[四角 사각] 네모. 또는 네모진 모양.
[四季 사계] 봄·여름·가을·겨울의 네 계절.
[四苦 사고] 불교에서 말하는 인간이 겪는 네 가지 고통. 즉, 생(生)·노(老)·병(病)·사(死)를 이름.
[四顧無親 사고무친] 의지할 만한 사람이 도무지 없음.

[四面 사면] 동·서·남·북의 네 방향. 사방.

[四面楚歌 사면초가] ① 적에게 완전히 포위되어 어찌할 수 없는 상태. ② 자신의 의견에 주위 사람들이 모두 반대하여 고립된 상태.

[四方 사방] ① 동·서·남·북의 네 방향. ② 모든 방향.

[三寒四溫 삼한사온] 겨울철 우리나라 날씨의 주기적인 현상. 대개 사흘쯤 추위가 계속되다가 나흘쯤은 포근한 날씨가 계속됨.

5급 중학 한자

중 因 (yīn)

영 cause [kɔːz]

풀이 1 인하다. 말미암다. 2 유래. 연유.

부수 囗(큰입구)부

찾기 囗³+大³=6획

글자뿌리 회의(會意) 문자. 에울 위(囗)에 큰 대(大: 사람이 누운 모양)를 합친 자로, 사람이 집〔囗〕 안에 편히 누워 있는 것은 믿는 데가 있어서라는 데서 '인하다', '말미암다'의 뜻이 된 자.

⇒ 大 ⇒ 因

[因果應報 인과응보] 과거 또는 전생의 선악의 인연에 따라서 뒷날 길흉화복의 갚음을 받게 됨을 이름.

[因習 인습] 옛날부터 전해 내려와 몸에 익은 관습.

[起因 기인] 어떤 일을 일으키는 원인이

고사성어

四面楚歌 (사면초가)

사방에서 들리는 초(楚)나라의 노래라는 뜻으로, 적에게 포위된 경우나 누구의 도움도 받을 수 없는 어려운 처지에 빠짐을 이르는 말.

고사 중국을 통일했던 진(秦)나라가 무너지고 초(楚)나라의 항우(項羽)와 한(漢)나라의 유방(劉邦)이 천하를 다시 통일하기 위해 서로 싸울 때의 일이다. 처음에 우세했던 항우는 해하(垓下)에서 유방의 군사에게 완전히 포위당하고 말았다. 그러던 어느 날 밤, 사방에서 초나라 노래가 들려오자, 초나라 병사들은 고향 생각을 하며 눈물을 흘렸고, 심지어는 도망가는 병사까지 생겼다. 결국 항우는 싸움을 포기할 수밖에 없었는데, 밤마다 초나라 노래를 부른 사람들은 다름 아닌 한나라 군사들이었고, 그런 작전을 편 사람은 한나라 유방의 참모인 장량(張良)이었다. 이 싸움에서 이긴 유방은 마침내 중국 대륙을 통일하여 한나라를 세웠고, 항우는 결국 자살하고 말았다.

됨. 또는 그 원인.
[死因 사인] 죽게 된 원인.

4급Ⅱ 중학 한자
중 回 (huí)
영 return [ritə́ːrn]

돌아올 회

풀이 1 돌아오다. 2 돌다. 3 돌리다.
부수 口(큰입구)부
찾기 口^3+口^3=6획

글자뿌리 상형(象形) 문자. 물이 빙빙 도는 모양을 본뜬 글자로 '돌아오다', '돌다'의 뜻.

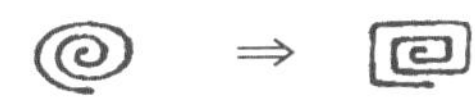 ⇒ 

[回甲 회갑] 나이 61세를 가리키는 말.
[回顧 회고] 지난 일을 돌이켜 생각함.
[回答 회답] 묻는 말이나 편지에 대하여 답함.
[回復 회복] 전과 같이 좋아짐.
[回信 회신] 편지·전신·전화 등에 대한 회답.
[回心 회심] 좋지 못한 마음을 고침.
[回避 회피] ① 몸을 피하고 만나지 아니함. ② 책임지지 아니하고 꾀를 부림. ③ 일하기를 꺼려 선뜻 나서지 않음.
[起死回生 기사회생] 거의 죽을 뻔하다가 다시 살아남.
[每回 매회] ① 한 회 한 회. ② 한 회 한 회마다.

4급 중학 한자
중 困 (kùn)
영 distress [distrés]

곤할 곤

풀이 1 곤하다. 노곤하다. 2 가난하다. 지치다. 3 어렵다.
부수 口(큰입구)부
찾기 口^3+木^4=7획

글자뿌리 회의(會意) 문자. 에울 위(口)에 나무 목(木)을 합친 자로, 울타리 안에 나무가 갇혀 있어서 잘 자라지 못할 어려운 처지라는 의미로, '곤하다', '괴롭다'의 뜻.

 ⇒ 木 ⇒ 困

[困境 곤경] 어려운 처지.
[困窮 곤궁] ① 대책이 없어서 어찌할 바를 모름. ② 살림살이가 가난함.
[困難 곤란] 매우 딱하고 어려움.
[困辱 곤욕] 심한 모욕.
[貧困 빈곤] 가난하여 살림이 어려움.
[食困症 식곤증] 음식을 먹은 후 몸이 나른하고 졸음이 오는 증세.
[春困 춘곤] 봄에 느끼는 노곤한 기운.
[疲困 피곤] 몸이나 마음이 지쳐서 고달픔.

5급 중학 한자

중 固 (gù)

영 firm [fəːrm]

굳을 고(:)

풀이 1 굳다. 단단하다. 2 완고하다. 3 이미. 4 진실로.

부수 口(큰입구)부

찾기 口³+古⁵=8획

글자뿌리 형성(形聲) 문자. 에울 위(口〈뜻〉)에 예 고(古〈음〉)를 합친 자로, 성벽〔口〕을 굳게〔古〕 지킴을 뜻하는 의미로 '굳다', '단단하다'의 뜻.

[固陋 고루] 생각이 좁고 고집이 셈.

[固守 고수] 굳게 지킴.

[固有 고유] ① 본래부터 있음. ② 어떤 사물에만 특별히 있음.

[固定 고정] ① 일정한 곳에 붙어 있어 움직이지 아니함. ② 흥분이나 노여움을 가라앉힘.

[固執 고집] 의견을 굽히지 아니함.

[固體 고체] 나무·쇠·돌 등과 같이 일정한 모양과 부피를 갖추고 있는 단단한 물체.

[固形 고형] 단단하고 굳은 일정한 형체.

8급 중학 한자

중 国 (guó)

영 state [steit]

나라 국

풀이 나라. 국가. 세상.

부수 口(큰입구)부

찾기 口³+或⁸=11획

글자뿌리 회의(會意) 문자. 에울 위(口) 안에 혹 혹(或)을 합친 글자로, '或'은 본디 '나라'를 뜻했다가 '혹'의 뜻이 되면서 '口'를 더해 '나라'를 뜻하게 됨.

[國歌 국가] 나라를 상징하며 대표하는 노래.

[國家 국가] 일정한 영토와 그곳에 사는 사람들로 이루어져, 주권에 의해 다스려지는 조직을 가진 사회.

[國慶日 국경일] 나라에서 법으로 정하여 온 국민이 기념하는 날.

[國軍 국군] 나라의 군대.

[國旗 국기] 한 나라를 상징하기 위하여 표지로 정한 기.

[國立 국립] 나라에서 세움.

[國民 국민] 한 나라 안에서 그 나라의 국적을 가지고 사는 사람들.

[國産 국산] 자기 나라에서 생산함.
[國稅 국세] 나라를 운영하는 데에 쓰려고 거둬들이는 세금.
[國樂 국악] ① 그 나라의 고유한 음악. ② 우리나라의 고전 음악.
[國語 국어] ① 그 나라의 말. ② 우리나라의 말. 우리말.
[國籍 국적] 한 나라의 국민으로서의 신분과 자격.
[國土 국토] 나라의 땅. 곧, 국가의 통치권이 미치는 지역.
[國號 국호] 나라의 이름.
[國花 국화] 그 나라의 상징이며 국민들이 사랑하고 중요하게 여기는 꽃. 우리나라는 무궁화임.
[大韓民國 대한민국] 우리나라의 공식적인 이름.
[母國 모국] 외국에 있으면서 자기의 조국을 이르는 말. ¶ 母國語(모국어).
[愛國 애국] 나라를 사랑함.
[祖國 조국] 조상 때부터 살아온 나라. 또는 자기가 태어난 나라.

4급 고등 한자
중 围 (wéi)
영 surround [səráund]

에워쌀 위

풀이 1 에워싸다. 2 둘레. 3 포위.
부수 口(큰입구)부
찾기 $口^{3}+韋^{9}=12$획

丨 冂 门 闩 闩 闩 闱 闱 闱 闱 闱 圍

글자뿌리 형성(形聲) 문자. 에울 위(口〈뜻〉)에 둘러쌀 위(韋〈음〉)를 합친 자로, 울을 둘러싼다는 데서 '에워싸다'의 뜻.

[圍障 위장] 경계선(境界線)에 설치한 담. 울타리.
[防圍 방위] 공격해 오는 적을 막아서 에워쌈.
[範圍 범위] ① 한정된 구역의 언저리. ② 어떤 힘이 미치는 한계.
[周圍 주위] 어떤 곳의 바깥 둘레.
[包圍 포위] 도망가지 못하도록 주위를 둘러쌈.

4급Ⅱ 중학 한자
중 圆 (yuán)
영 round [raund]

둥글 원

풀이 1 둥글다. 2 둘레.
부수 口(큰입구)부
찾기 $口^{3}+員^{10}=13$획

丨 冂 冂 冃 冃 冃 冐 冐 冐 圓 圓 圓 圓

글자뿌리 형성(形聲) 문자. 에울 위(口〈뜻〉)에 둥글 원(員〈음〉)을 합친 자로, 둘레가 '둥글다'는 뜻.

⇒ ⇒ 圓

[圓滿 원만] ① 성격이 모나지 않고 두루 좋음. ② 서로 의가 좋음. ③ 마음에 흡족함.
[圓熟 원숙] ① 나무랄 데 없이 익숙함. ② 인격·지식 따위가 깊은 경지에 이름.
[圓滑 원활] 일이 거침없이 잘되어 나감.
[半圓 반원] 이등분한 원의 한 부분.

6급 중학 한자
중 园 (yuán)
영 garden [gáːrdn]

동산 원

풀이 1 동산. 뜰. 2 밭.
부수 口(큰입구)부
찾기 口^{3}+袁^{10}=13획

글자뿌리 형성(形聲) 문자. 에울 위(口〈뜻〉)에 옷 치렁치렁할 원(袁〈음〉)을 합친 자로, 과일이 주렁주렁 열린 과일나무를 울타리로 에워쌌다는 데서, '동산', '뜰'의 뜻.

⇒ ⇒ 園

[園頭幕 원두막] 참외·수박 등을 심어 놓은 밭을 지키기 위해 지은 높직한 막.
[園藝 원예] 채소·화초·과수 등을 심어 가꾸는 일.
[公園 공원] 누구라도 쉬거나 즐길 수 있게 여러 가지 시설을 해 놓은 큰 정원이나 지역.
[樂園 낙원] 아무 근심 걱정 없이 편안하고 즐겁게 살 수 있는 곳.
[田園 전원] ① 논밭과 동산. ② 시골. 교외.

5급 고등 한자
중 团 (tuán)
영 round [raund]

둥글 단

풀이 1 둥글다. 2 모이다. 모임.
부수 口(큰입구)부
찾기 口^{3}+專^{11}=14획

글자뿌리 형성(形聲) 문자. 에울 위(口〈뜻〉)에 오로지 전(專〈음〉)을 합친 자로, 專(전)은 실을 실패에 감다의 뜻. '둥글게 하다', '둥글게 굽어지다'의 뜻을 나타냄.

[團結 단결] 많은 사람이 한마음으로 뭉침. 단합(團合).
[團體 단체] 같은 목적을 위하여 여러 사람이 모인 조직체.
[團合 단합] 많은 사람이 한데 뭉침.
[樂團 악단] 음악을 연주하는 단체.
[入團 입단] 어떤 단체에 가입함.
[集團 집단] 여럿이 모여 이룬 단체.

6급 중학 한자
중 图 (tú)
영 picture [píktʃər]

그림 도

풀이 1 그림. 2 그리다. 베끼다. 3 꾀하다.
부수 囗(큰입구)부
찾기 囗3+啚11=14획

丨 冂 冂 冂 冋 冋 冎 冎 冎 啚 啚 啚 圖 圖

글자뿌리 회의(會意) 문자. 에울 위(囗)에 인색할 비(啚)를 합친 자로, 곡식 창고〔啚〕를 종이〔囗〕에 설계한다는 데서, '그림'의 뜻이 된 자.

[圖面 도면] 건물·기계 등의 짜임새를 그림으로 나타낸 것.
[圖書 도서] 글씨·그림·책 등을 통틀어 이르는 말.
[圖章 도장] 나무나 뿔, 돌 등에 개인이나 단체의 이름을 새긴 물건.
[圖表 도표] ① 그림과 표. ② 수량 관계를 그려 나타낸 표.
[圖解 도해] ① 그림으로 풀이함. ② 그림에 대한 설명.
[圖形 도형] ① 그림의 형상. ② 입체·면·선·점 등이 모여서 이루어진 꼴.
[略圖 약도] 간략하게 대충 그린 도면이나 지도.
[意圖 의도] ① 생각. ② 무엇인가를 이루려고 속으로 꾀함. 또는 그 계획.

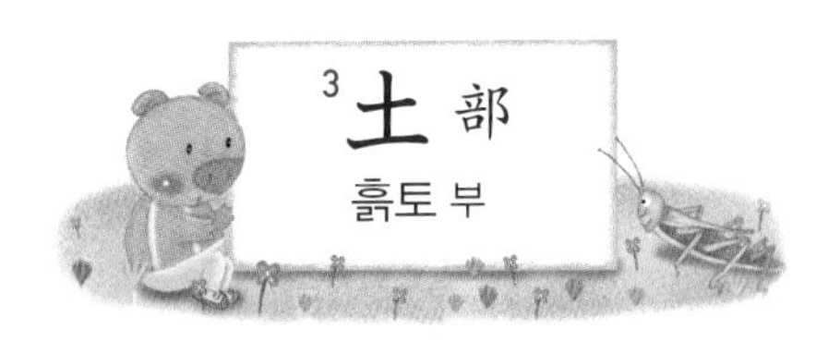

8급 중학 한자
중 土 (tǔ)
영 soil [sɔil]

흙 토

풀이 1 흙. 2 땅. 육지. 영토. 3 오행(五行)의 하나.
부수 土(흙토)부
찾기 土3=3획

一 十 土

글자뿌리 상형(象形) 문자. 땅을 뚫고 나오는 식물을 본떠서, 풀을 자라게 하는 '흙'을 뜻함.

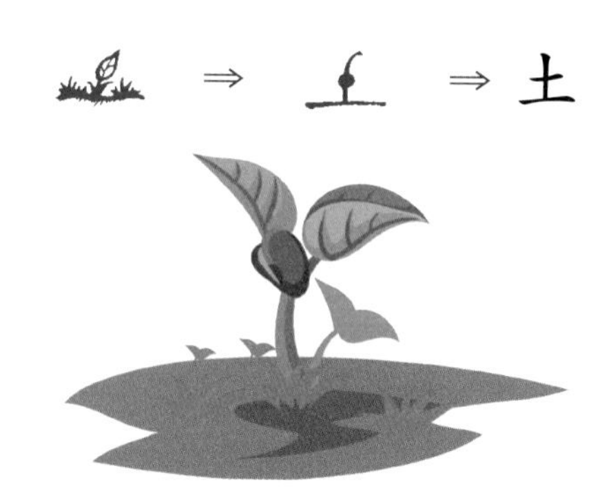

[土窟 토굴] 땅굴.

[土器 토기] ① 진흙으로 만들어 볕에 말리거나 불에 구운 그릇. ② 원시 시대에 쓰던, 흙으로 만든 그릇.

[土木工事 토목공사] 나무·흙·돌 따위를 써서 하는 공사.

[土城 토성] 흙으로 쌓아 올린 성.

[土壤 토양] 농작물을 자라게 하는 흙.

[土曜日 토요일] 일주일의 하나로, 일요일의 전날.

[土種 토종] 본디 그 땅에서 나는 종자.

[土質 토질] 흙의 성질.

[國土 국토] 나라의 땅. 곧, 국가의 통치권이 미치는 지역. ¶ 國土防衛(국토방위).

[沃土 옥토] 농작물이 잘 자라는 기름진 땅. 동 肥土(비토).

[風土 풍토] ① 기후와 토지의 상태. ② 생활의 상태.

[鄕土 향토] 시골. 고향.

있을 재:

6급 중학 한자

중 在 (zài)

영 exist [igzíst]

풀이 1 있다. 2 존재하다.

부수 土(흙토)부

찾기 土3+𠂇3=6획

글자뿌리 형성(形聲) 문자. 바탕 재(𠂇: 才의 변형〈음〉)에 흙 토(土〈뜻〉)를 합친 자로, 새로 나온 싹은 비록 작지만 확실히 땅 위에 있다는 데서, '있다', '존재하다'의 뜻.

⇒ ⇒ 在

[在來 재래] 전부터 있어 내려온 것. 이제까지 해 오던 일.

[在野 재야] 정치나 벼슬을 떠나서 민간에 있음.

[在位 재위] 임금의 자리에 있음. 또는 그 동안.

[在任 재임] 직무에 있음.

[在職 재직] 직장에서 일하고 있음.

[在學生 재학생] 현재 학교에서 공부하고 있는 학생.

[在鄕軍人 재향군인] 현역 복무를 마치고 사회로 돌아와 있는 사람.

[健在 건재] 아무 탈 없이 잘 있음.

[不在 부재] 그곳에 있지 아니함. 없음.

[所在 소재] 있는 곳.

[存在 존재] ① 실제로 있음. 또는 있는 그것. ② 세상에 알려질 만하게 이름이 있음.

[現在 현재] ① 지금. ② 이 세상. 이승.

7급 중학 한자

중 地 (dì)

영 earth [əːrθ]

땅 지

풀이 **1 땅. 육지. 2 곳. 3 처지. 신분. 4 바탕.**

부수 土(흙토)부

찾기 土3+也3=6획

글자뿌리 형성(形聲) 문자. 흙 토(土〈뜻〉)에 어조사 야(也〈음〉)를 합친 자로, 큰 뱀〔也〕이 꿈틀거리듯 굴곡진 땅〔土〕의 형상에서 '땅'의 뜻이 된 자.

[地球 지구] 인류가 살고 있는 땅덩이. 태양계의 세 번째 행성.

[地帶 지대] ① 한정된 일정한 구역. ② 자연 조건이 띠 모양과 같은 지역.

[地圖 지도] 지구 표면의 일부나 전부를 일정한 비율로 줄여 평면 위에 나타낸 그림.

[地理 지리] 바다·육지·산·하천·인구·산업·교통·기후 따위의 상태. 또는 그에 대해 연구하는 학문.

[地名 지명] 땅의 이름.

[地方 지방] ① 나라 안의 어떤 넓은 지역. ② 서울 밖의 지역. ¶ 地方法院(지방 법원).

[地上 지상] 땅 위.

[地獄 지옥] 죄를 많이 지은 사람이 죽어서 간다는 고통으로 가득 찬 세계. 아주 처참한 곳을 비유하기도 함.

[地位 지위] ① 있는 자리. 위치. 처지. ② 개인의 사회적인 신분에 따르는 어떠한 자리나 계급.

[地表 지표] 지구의 표면.

[地下道 지하도] 사람·차 들이 다닐 수 있도록 땅 밑으로 낸 길.

[地形 지형] 땅의 생긴 모양.

[大地 대지] 대자연 속의 넓고 큰 땅.

[墓地 묘지] 무덤이 있는 땅. 또는 그 구역. 무덤.

[天地 천지] ① 하늘과 땅. ② 세상. 우주. ③ 대단히 많음.

[平地 평지] 평평한 땅.

4급 중학 한자

중 均 (jūn)

영 even [íːvən]

고를 균

풀이 **고르다. 평평하다. 조화를 이루다.**

부수 土(흙토)부

찾기 土3+匀4=7획

글자뿌리 형성(形聲) 문자. 흙 토(土〈뜻〉)

에 고를 균(匀〈음〉)을 합친 자로, 평평한 땅〔土〕에 고루 미친다〔匀〕는 데서, '고르다'의 뜻.

[均等 균등] 고르고 가지런하여 차별이 없음.
[均一 균일] 한결같이 고름.
[均衡 균형] 어느 한쪽으로 치우치거나 기울지 않고 고름.
[平均 평균] ① 수나 양의 크고 작음이나 많고 적음의 차이가 없이 고름. ② 크고 작은 차이가 나는 몇 개의 수에서 중간의 값을 구함. 또는 그 값.

3급Ⅱ 중학 한자
중 坐 (zuò)
영 sit [sit]

앉을 좌:

풀이 1 앉다. 2 무릎 꿇다.
부수 土(흙토)부
찾기 土³+从⁴=7획

丿 人 从 从 丛 坐 坐

글자뿌리 회의(會意) 문자. 흙 토(土)에 두 사람을 뜻하는 '从'을 합친 자로, 땅 위에 두 사람이 '앉아 있다'는 뜻.

[坐像 좌상] 앉아 있는 모습을 나타낸 그림이나 조각.
[坐席 좌석] ① 앉는 자리. ② 여러 사람이 모인 자리. ③ 깔고 앉는 여러 종류의 자리를 통틀어 이르는 말.
[坐禪 좌선] 조용히 앉아서 참선함.
[坐視 좌시] 앉아서 가만히 지켜봄.
[坐藥 좌약] 항문 따위에 끼워 넣고 체온으로 녹여서 약효를 내게 만든 약.
[正坐 정좌] 몸을 바르게 하고 앉음.
[靜坐 정좌] 조용히 앉음. 마음을 가라앉히고 몸을 바르게 하여 앉음.

3급 중학 한자
중 坤 (kūn)
영 earth [əːrθ]

땅 곤

풀이 땅. 대지.
부수 土(흙토)부
찾기 土³+申⁵=8획

一 十 土 圠 圳 坰 坤 坤

글자뿌리 회의(會意) 문자. 흙 토(土)에 펼 신(申=伸)을 합친 자로, 하늘 아래에 넓게 펼쳐진 '땅'을 뜻함.

[乾坤 건곤] 하늘과 땅.

4급 Ⅱ 중학 한자

중 城 (chéng)

영 castle [kǽsl]

성 성

풀이 성. 성곽.

부수 土(흙토)부

찾기 土[3]+成[7]=10획

一 十 土 圹 圻 城 城 城

글자뿌리 형성(形聲) 문자. 흙 토(土〈뜻〉)에 이룰 성(成〈음〉)을 합친 자로, 마을을 빙 둘러친, 흙〔土〕으로 쌓은 담〔成〕이라는 데서 '성'의 뜻이 된 자.

[城內 성내] 성 안.
[城門 성문] 성을 드나들 수 있는 문.
[城主 성주] 성의 우두머리.
[古城 고성] 옛 성.
[築城 축성] 성을 쌓음.

4급 고등 한자

중 域 (yù)

영 boundary [báundəri]

지경 역

풀이 1 지경. 2 구역. 3 나라. 국가.

부수 土(흙토)부

찾기 土[3]+或[8]=11획

一 十 土 圹 圻 垣 垣 域 域 域 域

글자뿌리 형성(形聲) 문자. 흙 토(土〈뜻〉)에 혹 혹(或〈음〉)을 합친 자로, 或(혹)은 '나라'의 뜻. 토지의 '지경', '구역'의 뜻.

[域內 역내] 구역 또는 지역의 안.
[域外 역외] ① 구역 밖. ② 범위 밖.
[廣域 광역] 넓은 지역이나 넓은 구역.
[區域 구역] 일정하게 갈라놓은 지역이나 범위.
[聖域 성역] 신성한 장소.
[領域 영역] 한 나라의 주권이 미치는 범위.
[地域 지역] 일정한 땅의 구역. 땅의 경계.
[海域 해역] 바다의 일정한 구역.

4급 중학 한자

중 坚 (jiān)

영 hard [haːrd]

굳을 견

풀이 1 굳다. 단단하다. 2 굳게 하다. 3 강하다.

부수 土(흙토)부

찾기 土[3]+臤[8]=11획

글자뿌리 형성(形聲) 문자. 굳을 간(臤〈음〉)에 흙 토(土〈뜻〉)를 합친 자로, 확고한 땅이라는 데서, '굳다'의 뜻이 된 자.

[堅固 견고] ① 굳고 튼튼함. ② 확실함.
[堅果 견과] 단단한 껍데기에 보통 한 개의 씨가 들어 있는 나무 열매. 밤·호두 따위.
[堅持 견지] 자기의 주장이나 생각 등을 굳게 지니거나 지킴.

5급 중학 한자

중 基 (jī)

영 base [beis]

터 기

풀이 1 터. 기초. 토대. 2 비롯하다. 근거하다.

부수 土(흙토)부

찾기 土[3]+其[8]=11획

글자뿌리 형성(形聲) 문자. 그 기(其: 키 모양의 네모꼴을 뜻함〈음〉)와 흙 토(土〈뜻〉)를 합친 자로, 집을 지을 네모난 땅이라는 데서 '터', '바탕'의 뜻.

⇒ 其土 ⇒ 基

[基盤 기반] 기초가 될 만한 자리.
[基本 기본] 일의 밑바탕.
[基因 기인] 근본적 원인.
[基底 기저] 기초가 되는 밑바닥.
[基準 기준] 기본이 되는 표준. ¶ 基準線(기준선).
[基礎 기초] ① 집이나 다리, 둑 등의 무게를 받치기 위하여 만든 바닥. ② 사물의 밑바탕.
[國基 국기] 나라의 기초.

6급 중학 한자

중 堂 (táng)

영 hall [hɔːl]

집 당

풀이 1 집. 2 당당하다.

부수 土(흙토)부

찾기 土[3]+尙[8]=11획

글자뿌리 형성(形聲) 문자. 높을 상(尙〈음〉)에 흙 토(土〈뜻〉)를 합친 자로, 높은 언덕에 지은 '큰 집'을 뜻함.

⇒ 尙土 ⇒ 堂

[堂內 당내] 팔촌(八寸) 이내의 친척.
[講堂 강당] 강연이나 모임을 할 때에 많은 사람들이 한꺼번에 들어갈 수 있도록 만든 건물이나 큰 방.
[明堂 명당] ① 아주 좋은 묏자리나 집터. ② 썩 좋은 장소나 지위를 비유하여 이르는 말.
[書堂 서당] 옛날에 어린아이들에게 한문을 가르치던 마을의 글방.
[食堂 식당] ① 식사를 할 수 있도록 시설을 갖춘 방. ② 음식을 파는 가게.
[草堂 초당] 짚이나 억새 따위로 지붕을 인 조그마한 집.

3급Ⅱ 중학 한자
중 执 (zhí)
영 take [teik]

잡을 집

풀이 1 잡다. 체포하다. 2 차지하다. 3 가지다.
부수 土(흙토)부
찾기 土³+㚔丸⁸=11획

글자뿌리 형성(形聲) 문자. 놀랄 집(幸: 㚔의 변형〈음〉)과 잡을 극(丸: 丮의 변형〈뜻〉)을 합친 자로, 큰 죄를 지은 사람을 잡는다는 데서 '잡다'라는 뜻.

[執權 집권] 정권을 잡음.
[執念 집념] ① 좀처럼 머리에서 떨쳐 버릴 수 없는 생각. ② 한 사물에만 정신을 쏟음.
[執務 집무] 사무를 봄.
[執拗 집요] 지긋지긋하게 끈덕짐.
[執着 집착] 깊이 마음먹음. 어떤 일에만 마음이 쏠려 떠나지 아니함.
[執筆 집필] 붓을 들고 글씨나 글을 씀. 원고를 씀.
[執行 집행] ① 실제로 행함. ② 관리가 직권으로 법률에 정한 바를 실행함.
[固執 고집] 자신의 의견이나 생각을 굳게 내세워 굽히지 않음. 또는 그러한 성질.

報

4급Ⅱ 중학 한자
중 报 (bào)
영 reward [riwɔ́:rd]

갚을/알릴 보:

풀이 1 갚다. 2 알리다.
부수 土(흙토)부
찾기 土³+㚔𠬝⁹=12획

글자뿌리 회의(會意) 문자. 놀랄 집(幸: 㚔의 변형)에 다스릴 복(𠬝)을 합친 자로, 죄인을 잡아 다스린다는 데서 '갚다', '알리다'의 뜻이 된 자.

⇒ ⇒ 報

[報告 보고] 주어진 임무에 대한 결과나 내용을 글 또는 말로 알림.

[報答 보답] 남의 두터운 호의나 은혜를 갚음.

[報道 보도] 나라 안팎에서 일어난 일들을 널리 알려 줌. 또는 알리는 일.

[報復 보복] 원수를 갚음.

[報酬 보수] ① 고마움에 대한 갚음. ② 노력의 대가로 주는 물품이나 돈.

[報恩 보은] 은혜를 갚음.

[急報 급보] 급히 알림. 또는 급한 기별.

[豫報 예보] 앞으로 닥칠 일을 예상해서 미리 알림. ¶ 日氣豫報(일기 예보).

[日報 일보] ① 날마다 하는 보고. ② 매일 나오는 신문.

[情報 정보] 사물의 내용이나 형편에 관한 소식이나 자료.

場

7급 중학 한자

㊥ 场 (chǎng)

㊤ place [pleis]

마당 장

풀이 1 마당. 2 자리. 곳. 장소.

부수 土(흙토)부

찾기 土^{3}+昜^{9}=12획

一 十 土 𡈼 坦 坦 坦 坦 埸 場 場 場

글자뿌리 형성(形聲) 문자. 흙 토(土〈뜻〉)에 빛날 양(昜〈음〉)을 합친 자로, 햇볕이 잘 드는 땅이라는 데서 '마당'의 뜻.

⇒ ⇒ 場

[場內 장내] 장소의 안.

[場所 장소] 곳. 자리.

[工場 공장] 근로자가 기계를 써서 물건을 만들어 내거나 손질을 하는 곳.

[劇場 극장] 연극·영화·무용 등을 감상할 수 있도록 무대와 관람석 등 여러 가지 시설을 갖춘 곳.

[市場 시장] 여러 가지 물건을 팔고 사는 장소.

[職場 직장] 사람들이 근무하며 맡은 일을 하는 일터.

境

4급Ⅱ 고등 한자

㊥ 境 (jìng)

㊤ boundary [báundəri]

지경 경

풀이 1 지경. 경계. 2 경우. 3 곳. 처지.

부수 土(흙토)부

찾기 土^{3}+竟^{11}=14획

글자뿌리 형성(形聲) 문자. 흙 토(土〈뜻〉)에 널리 경(竟〈음〉)을 합친 자로, 竟(경)은 '구획'의 뜻. 구획하는 땅이란 데서 '경계'의 뜻.

[境界 경계] 지역이 구분되는 한계.
[境遇 경우] 부닥친 형편이나 사정.
[死境 사경] 죽을 지경.
[心境 심경] 마음의 상태.
[接境 접경] 서로 맞닿은 경계.
[地境 지경] 땅의 경계.

4급 고등 한자

중 墓 (mù)

영 grave [greiv]

무덤 묘:

풀이 무덤. 묘지.

부수 土(흙토)부

찾기 土^{3}+莫^{11}=14획

글자뿌리 형성(形聲) 문자. 흙 토(土〈뜻〉)에 장막 막(莫〈음〉)을 합친 자로, 莫(막)은 '덮어 숨기다'의 뜻. 죽은 사람을 흙으로 덮어 감춘 '무덤'의 뜻.

[墓所 묘소] 산소.
[墓地 묘지] 무덤. 무덤이 있는 땅.
[省墓 성묘] 조상의 산소를 살펴봄.

3급Ⅱ 중학 한자

중 墨 (mò)

영 Chinese ink

먹 묵

풀이 1 먹. 2 검다. 3 어둡다. 4 형벌의 하나.

부수 土(흙토)부

찾기 土^{3}+黑^{12}=15획

글자뿌리 회의(會意) 문자. 검을 흑(黑)에 흙 토(土)를 합친 자로, 옛날에는 아궁이에 생기는 그을음을 흙에 섞어 먹으로 사용한 데서 '먹'의 뜻.

[墨畫 묵화] 먹으로 그린 동양화.
[筆墨 필묵] 붓과 먹.

4급Ⅱ 중학 한자

중 增 (zēng)

영 increase [inkríːs]

더할 증

풀이 1 더하다. 늘리다. 2 붇다. 많아지다.

부수 土(흙토)부

찾기 土[3]+曾[12]=15획

글자뿌리 형성(形聲) 문자. 흙 토(土〈뜻〉)에 거듭 증(曾〈음〉)을 합친 자로, 흙 위에 흙을 거듭한다는 데서 '더하다'의 뜻.

[增加 증가] 늘어남. 많아짐.

[增減 증감] 많아짐과 적어짐. 늘어남과 줄어듦.

[增強 증강] 더 늘려 강하게 함.

[增大 증대] 더하여 커짐. 또는 늘려서 많게 함.

[增設 증설] 시설이나 기관 따위를 더 늘려서 세움.

[增進 증진] 더하여 나감. 또는 더하여 나아가게 함.

[急增 급증] 갑자기 늘어남.

壇

5급 고등 한자

중 坛 (tán)

영 altar [ɔ́ːltər]

단 단

풀이 단. 제단.

부수 土(흙토)부

찾기 土[3]+亶[13]=16획

글자뿌리 형성(形聲) 문자. 흙 토(土〈뜻〉)에 클 단(亶〈음〉)을 합친 자로, 亶(단)은 坦(탄)과 통하여 '평지'의 뜻. 태양신을 제사 지내기 위하여 한층 높게 만든 평지에서, '단', '제단'의 뜻.

[壇上 단상] 교단·강단 등의 위.

[壇位 단위] 흙을 쌓아 올려 만든 단.

[教壇 교단] 교실에서 선생이 강의할 때 올라서는 단.

[文壇 문단] 문학에 종사하는 사람들의 사회.

[演壇 연단] 강연·연설 등을 하는 사람이 올라서는 단.

[祭壇 제단] ① 제사 지내는 단. ② 가톨릭교에서, 미사(missa)를 드리는 단.

[花壇 화단] 꽃을 심으려고 뜰 한쪽에 흙을 조금 높게 쌓은 곳.

4급Ⅱ 고등 한자
중 壁 (bì)
영 wall [wɔːl]

벽 벽

풀이 1 벽. 2 낭떠러지.
부수 土(흙토)부
찾기 土3+辟13=16획

글자뿌리 형성(形聲) 문자. 흙 토(土〈뜻〉)에 임금 벽(辟〈음〉)을 합친 자로, 辟(벽)은 옆으로 비키다의 뜻. 방의 옆에 흙으로 만든 '벽'의 뜻을 나타냄.

[壁報 벽보] 어떤 내용을 널리 알리기 위하여 벽에 붙이는 게시물.
[壁紙 벽지] 벽에 바르는 종이.
[壁畫 벽화] 벽에 그린 그림.
[防壁 방벽] 외부로부터 쳐들어오는 것을 막기 위한 담벼락.
[巖壁 암벽] 벽 모양으로 깎아지른 듯이 높이 솟은 바위.
[絕壁 절벽] 험한 낭떠러지.

4급Ⅱ 고등 한자
중 压 (yā)
영 press [pres]

누를 압

풀이 1 누르다. 2 막다.
부수 土(흙토)부
찾기 土3+厭14=17획

글자뿌리 형성(形聲) 문자. 흙 토(土〈뜻〉)에 싫어할 염(厭)을 합친 자로, 厭(염)은 눌러 찌부러뜨리다의 뜻. 흙으로 '누르다'의 뜻을 나타냄.

[壓卷 압권] 여럿 중에서 가장 뛰어남. 옛날 과기 시험에서 가장 뛰어난 답안지를 다른 답안지 위에 올려놓은 데에서 유래.
[壓倒 압도] ① 상대편을 눌러 넘어뜨림. ② 뛰어나게 남을 능가함.
[壓力 압력] 누르는 힘.
[壓迫 압박] ① 내리누름. ② 기운을 펴지 못하게 위압함.
[壓死 압사] 눌려서 죽음.
[強壓 강압] 강제로 억누름.
[高壓 고압] 높은 압력.
[氣壓 기압] 대기의 압력.

5급 **중학 한자**

중 士 (shì)

영 scholar [skálər]

선비 사:

풀이 **1 선비. 사내. 2 벼슬.**

부수 士(선비사)부

찾기 士³=3획

一十士

글자뿌리 회의(會意) 문자. 열 십(十)에 한 일(一)을 합친 자로, 하나를 듣고 열 가지를 다 아는 재주가 뛰어난 사람이란 데서 '선비'를 뜻함.

[士氣 사기] ① 의욕이나 자신감이 가득 차서 굽힐 줄 모르는 기운. ② 선비의 꿋꿋한 기운.

[士大夫 사대부] 문벌이 높은 사람.

[士林 사림] 유학을 공부하는 선비들. 또는 그들의 사회.

[道士 도사] ① 도를 닦은 사람. ② 어떤 일에 능숙한 사람을 속되게 일컫는 말.

[名士 명사] ① 이름난 선비. ② 이름이 널리 알려진 사람.

[博士 박사] ① 일정한 학문을 연구하여 낸 논문을 심사한 후 주는 가장 높은 학위. 또는 그 학위를 딴 사람. ② 널리 아는 것이 많거나 어느 부문에 능통한 사람.

[人士 인사] 어떤 일에 있어서 사회적인 지위가 있는 사람. ¶ 有名人士(유명 인사).

[壯士 장사] 힘이 아주 세고 체격이 우람한 사람.

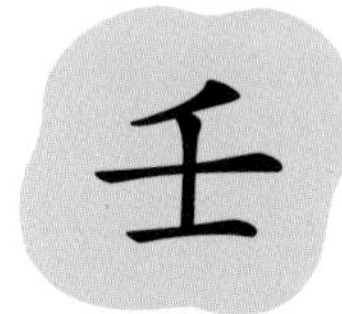

3급Ⅱ **중학 한자**

중 壬 (rén)

영 north [nɔːrθ]

북방 임:

풀이 **1 북방. 2 아홉째 천간.** ※ 방위는 북쪽. 오행(五行)으로는 수(水).

부수 士(선비사)부

찾기 士³+一¹=4획

丿 二 千 壬

글자뿌리 상형(象形) 문자. 베틀에서 날실을 감는 도투마리의 모양을 본뜬 글자.

[壬時 임시] 오후 10시 30분에서 11시 30분 사이.

[壬辰倭亂 임진왜란] 조선 선조 25년(1592년) 4월에 일본이 침입하여 일어난 전쟁.

壯

4급 중학 한자

㊥ 壮 (zhuàng)

㊌ brave [breiv]

씩씩할 장

풀이 1 씩씩하다. 굳세다. 2 장하다. 훌륭하다. 3 성하다.

부수 士(선비사)부

찾기 士³+爿⁴=7획

丨 丩 丬 爿 爿一 爿十 壯

글자뿌리 형성(形聲) 문자. 조각널 장(爿〈음〉)에 사내 사(士〈뜻〉)를 합친 자로, 무기를 들고 적과 싸우는 사내라는 데서 '씩씩하다'는 뜻이 된 자.

[壯觀 장관] 굉장하여 볼 만한 광경.

[壯年 장년] 30~40세 안팎의 기운이 넘치는 시기. 또는 그러한 사람.

[壯談 장담] 자신 있게 말함. 또는 그런 말.

[壯烈 장렬] 의기가 씩씩하고 열렬함.

[壯士 장사] 힘이 세고 체격이 굳센 사람.

[壯丁 장정] ① 기운이 좋은 젊은 남자. ② 군에 입대할 나이가 된 젊은 남자.

[健壯 건장] 몸이 크고 굳셈.

[悲壯 비장] 슬픔 속에서도 기운을 잃지 않고 오히려 꿋꿋함.

[雄壯 웅장] 우람하고 으리으리함.

壽

3급Ⅱ 중학 한자

㊥ 寿 (shòu)

㊌ life [laif]

목숨 수

풀이 1 목숨. 수명. 2 장수. 오래 살다.

부수 士(선비사)부

찾기 士³+𠷎¹¹=14획

一 十 士 耂 耂 耂 壴 壴 壴 壴 壴 壴 壽 壽

글자뿌리 형성(形聲) 문자. 늙을 로(耂: 老의 생략형〈뜻〉)에 길 주(𠷎〈음〉)를 합친 자로, 늙도록 오래 산다는 데서 '수명이 길다'는 뜻.

[壽命 수명] ① 살아 있는 시간의 길이. ② 사용할 수 있는 시간의 길이.

[壽宴 수연] 오래 삶을 축하하는 잔치. 보통 환갑을 말함.

[壽衣 수의] 시체에 입히는 옷.

[萬壽 만수] 오래오래 삶.

[長壽 장수] 오래 삶.

[天壽 천수] 타고난 수명.

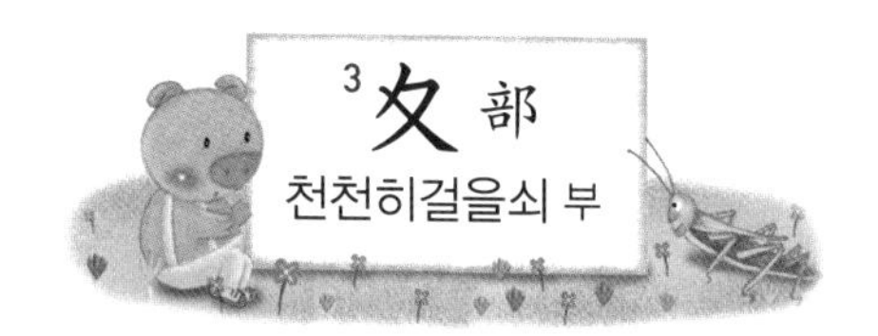

7급 중학 한자

중 夏 (xià)

영 summer [sʌ́mər]

여름 하:

풀이 여름.

부수 夊(천천히걸을쇠)부

찾기 夊³+百⁷=10획

글자뿌리 회의(會意) 문자. 머리 혈(百: 頁의 생략형)에 천천히 걸을 쇠(夊)를 합친 자로, 더워서 머리〔百〕와 발을 드러낸다는 데서 '여름'의 뜻.

[夏服 하복] 여름에 입는 옷.

[夏至 하지] 24절기의 하나. 1년 중 낮의 길이가 가장 긴 날. 6월 21일경.

7급 중학 한자

중 夕 (xī)

영 evening [íːvniŋ]

저녁 석

풀이 저녁.

부수 夕(저녁석)부

찾기 夕³=3획

글자뿌리 상형(象型) 문자. 달 월(月)에서 획 하나를 뺀 모양으로, 해가 지고 달이 반쯤 보이기 시작하는 '저녁'의 뜻.

[夕刊新聞 석간신문] 매일 저녁 때 발행되는 신문.

[夕陽 석양] 저녁나절의 저무는 해. 또는 그 저녁 무렵.

[朝夕 조석] ① 아침과 저녁. ② 아침밥과 저녁밥.

[秋夕 추석] 한가위.

[七夕 칠석] 음력 7월 7일 밤을 이르는 말. 이날 밤이면 견우와 직녀가 일년 만에 오작교에서 만난다고 함.

[花朝月夕 화조월석] 꽃 피는 아침과 달 밝은 저녁이라는 뜻으로, 경치가 좋은 시절을 이르는 말.

8급 중학 한자

중 外 (wài)

영 outside [áutsáid]

바깥 외:

풀이 1 바깥. 밖. 2 멀리하다.

부수 夕(저녁석)부

찾기 夕³+卜²=5획

丿 ク 夕 外 外

글자뿌리 형성(形聲) 문자. 저녁 석(夕〈음〉)에 점 복(卜〈뜻〉)을 합친 자로, 점은 아침에 치는 게 보통인데 저녁에 치면 정상이 아닌 일이라는 데서 '바깥', '밖'의 뜻.

⇒ 夕人 ⇒ 外

[外家 외가] 어머니의 친정. 어머니쪽 친척의 집안.

[外觀 외관] 겉으로 본 모양.

[外國 외국] 자기 나라 밖의 다른 나라.

[外來 외래] ① 밖에서 옴. ② 외국에서 옴. ③ 병원에 입원하지 않고 치료를 받음.

[外貌 외모] 겉으로 드러나 보이는 모습이나 용모.

[外泊 외박] 자기 집이나 정하여 둔 숙소가 아닌 다른 곳에서 자는 일.

[外食 외식] 밥을 음식점에서 사 먹음. 또는 그러한 끼니.

[外地 외지] ① 나라 밖의 땅. 식민지. ② 다른 지방.

[外出 외출] 볼일을 보러 밖으로 나감.

[外套 외투] 추위 따위를 막기 위하여 옷 위에 덧입는 옷.

[外風 외풍] ① 밖에서 들어오는 찬바람. ② 외국에서 들어온 풍속.

[外形 외형] 겉으로 드러난 모양. 겉에서 본 모양.

[外貨 외화] 다른 나라의 돈.

[校外 교외] 들이나 논밭이 비교적 많은 도시 또는 마을의 주변.

[疏外 소외] 주위에서 꺼리며 따돌림. 꺼리며 멀리함.

[市外 시외] 도시에서 벗어난 곳. 동 郊外(교외).

[號外 호외] 중대한 사건이 있을 때 임시로 발행하는 신문이나 잡지.

6급 중학 한자

중 多 (duō)

영 many [méni]

많을 다

풀이 많다.

부수 夕(저녁석)부

찾기 夕³+夕³=6획

丿 ク 夕 夕 多 多

글자뿌리 회의(會意) 문자. 저녁 석(夕)을 둘 겹친 자로, 오늘 저녁〔夕〕이 지나면 내일, 내일 저녁〔夕〕이 지나면 모레로 이어지므로 '많다'의 뜻.

⇒ 夕夕 ⇒ 多

[多多益善 다다익선] 많으면 많을수록 더 좋음.

[多量 다량] 분량이 많음.

[多方面 다방면] 여러 방면. 여러 분야. 많은 곳.

[多福 다복] 복이 많음. 또는 많은 복.

[多事多難 다사다난] 여러 가지로 일도 많은데다 어려움도 많음.

[多産 다산] ① 아이나 새끼를 많이 낳음. ② 물품 등을 많이 생산함.

[多數 다수] 수효가 많음. 많은 수효. ¶ 多數決(다수결).

[多樣 다양] 모양이나 종류가 여러 가지로 많음.

[多才 다재] 재주가 많음. 재능이 많음. ¶ 多才多能(다재다능).

[多情 다정] ① 정이 많음. 애정이 깊음. ¶ 多情多感(다정다감). ② 사이가 아주 좋음.

[多血 다혈] ① 보통 사람보다 몸에 피가 많음. ② 쉽게 감격하거나 감정에 치우침. ¶ 多血質(다혈질).

6급 중학 한자

중 夜 (yè)

영 night [nait]

밤 야:

풀이 밤. 밤중.

부수 夕(저녁석)부

찾기 夕³+亠⁵=8획

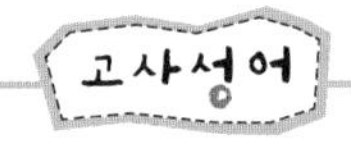

多多益善 (다다익선)

많으면 많을수록 더욱 좋다는 말.

고사 오랜 맞수인 항우(項羽)를 무찌르고 마침내 천하를 통일한 한(漢)나라의 고조(高祖) 유방(劉邦)은 천하를 통일하기 위해 그때까지 함께 싸워 온 부하 장수들이 두려워졌다. 그들은 모두 그들 나름대로 큰 뜻을 펴 보려는 야심을 가지고 있었기 때문이었다. 그중에서도 초왕(楚王)으로 봉해진 한신(韓信)의 인물됨에 위협을 느꼈다. 고조는 항우의 장수를 숨겨 준 옛일을 핑계 삼아서 한신을 회음후(淮陰侯)로 강등시켰다. 어느 날 고조는 한신과 여러 장수들의 통솔력에 대하여 이야기하다가 한신에게 "나와 같은 사람은 대체 몇 만 명의 군사를 거느릴 수 있겠소?" 하고 물었다. 한신은 "폐하께서는 한 10만 정도일 것이옵니다." 라고 아뢰었다. 이에 유방이 "그렇다면 그대는 몇 명이나 거느릴 수 있는 재목이라 생각하오?" 하고 묻자, 한신은 "신은 군사가 많으면 많을수록 좋습니다." 라고 대답했다. 그 대답을 의아하게 여긴 고조가 "그럼, 어찌하여 내 밑에서 장수 노릇을 하였소?" 하고 묻자, 한신은 "폐하께서는 장수의 장수 되실 인품을 갖추고 계시오나, 신은 병사의 장수 될 그릇밖에는 되지 못하기 때문입니다. 또 폐하의 힘은 하늘에서 내려 준 것이니, 사람의 힘으로 어찌할 수는 없습니다."라고 말했다고 한다.

글자뿌리 형성(形聲) 문자. 또 역(亦: 亦의 변형〈음〉)에 저녁 석(夕: 月의 변형〈뜻〉)을 합친 자로, 亦(역)은 사람의 양 겨드랑이. 겨드랑이에 달을 그린 모양으로 낮에 비해 밤은 곁에 있는 것으로 간주한 데서 '밤'의 뜻.

[夜間 야간] 밤. 밤 사이.

[夜景 야경] 밤의 경치.

[夜光 야광] 밤 또는 어두운 곳에서 빛을 내는 일.

[夜勤 야근] 밤에 일함.

[夜食 야식] 밤에 음식을 먹음. 또는 밤에 먹는 음식.

[夜學 야학] ① 밤에 공부함. ② 야간에 학업을 배우는 과정. 또는 그런 교육 기관.

[夜行性 야행성] 낮에는 숨어 있다가 밤에 먹이를 찾아 활동하는 동물의 습성.

[深夜 심야] 깊은 밤.

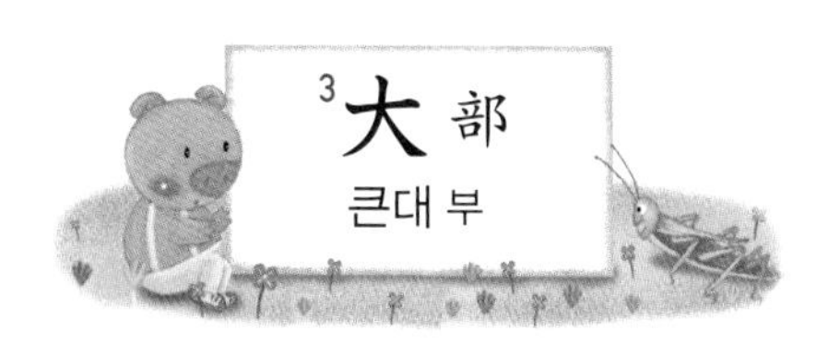

8급 중학 한자

㊥ 大 (dà)

㊐ great [greit]

큰 대(:)

풀이 1 크다. 2 대강. 대개.

부수 大(큰대)부

찾기 大³ = 3획

一 ナ 大

글자뿌리 상형(象形) 문자. 팔과 다리를 벌리고 서 있는 사람을 정면에서 바라본 모양을 본떠 하늘 다음으로 사람이 '크다'는 뜻.

[大家 대가] 어떤 분야에서 유명한 사람. 학문이나 예술에 뛰어난 사람.

[大權 대권] 국가의 원수가 나라를 다스리는 권한.

[大器晩成 대기만성] 큰 그릇은 늦게 이루어진다는 뜻으로, 크게 될 인물은 늦게 성공한다는 말.

[大吉 대길] 매우 길함.

[大同小異 대동소이] 거의 같고 조금 다름. 비슷비슷함.

[大量 대량] 많은 분량.

[大路 대로] 큰길.

[大陸 대륙] 큰 땅덩어리.
[大部分 대부분] 반이 훨씬 넘는 수효나 분량. 거의 모두.
[大使 대사] 다른 나라에 가 있으면서 자기 나라를 대표하는 외교관.
[大雪 대설] ① 많이 내린 눈. ② 이십사 절기의 하나로 12월 7일경을 이름.
[大聲痛哭 대성통곡] 큰 소리로 목을 놓아 슬피 욺.
[大食家 대식가] 음식을 남달리 많이 먹는 사람.
[大洋 대양] 큰 바다.

7급 중학 한자
중 夫 (fū)
영 husband [hʌ́zbənd]

지아비 부

풀이 1 지아비. 남편. 2 사나이.
부수 大(큰대)부
찾기 $大^{3}+一^{1}=4$획

一 二 夫 夫

글자뿌리 회의(會意) 문자. 큰 대(大)에 한 일(一)을 합친 자로, 관례〔一〕를 올린 성인〔大〕 남자, 곧 '지아비'를 뜻함.

⇒ ⇒ 夫

[夫婦 부부] 남편과 아내.
[夫婦有別 부부유별] 오륜(五倫)의 하나. 부부 사이에는 각기 직분이 있어 서로 침범하지 못할 구별이 있음.
[夫唱婦隨 부창부수] 남편의 주장에 아내가 따르는 것이 부부 화합의 도리라는 뜻.
[夫妻 부처] 남편과 아내.
[農夫 농부] 농사짓는 남자.

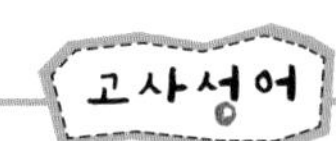

大器晩成 (대기만성)

큰 그릇은 늦게 이루어진다는 뜻으로, 크게 될 사람은 늦게 성공한다는 말.

고사 중국의 위(魏)나라에 최염(崔琰)이라는 장군이 있었는데, 그는 훌륭한 기품을 지니고 있어 무제(武帝 : 조조)의 신임이 매우 두터웠다. 그의 사촌 동생 중에 임(林)이라는 사람이 있었는데, 그는 젊어서는 별로 이루어 놓은 것이 없었기 때문에 그 누구의 주의도 끌지 못했다. 하지만 최염만은 그의 사람됨을 꿰뚫어 보고는 늘 "큰 종이나 솥을 쉽게 만들지 못하는 것과 마찬가지로 큰 인재도 쉽게 이루어지지 않는 법이네. 임은 대기만성형의 사람이니, 후일에는 반드시 큰 인물이 될 것이야."라고 말하며 그를 아끼고 도와주었다. 과연 뒷날에 임은 삼공(三公)이 되어 천자(天子)를 모시는 자리에 오르게 되었다고 한다.

[丈夫 장부] ① 다 자란 건장한 남자. ② 사내답고 씩씩한 남자. 동 大丈夫(대장부).

[匹夫 필부] ① 한 사람의 남자. ② 신분이 낮은 사내.

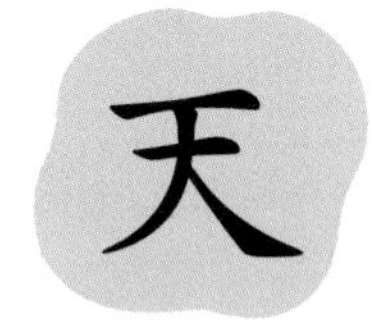

7급 중학 한자
중 天 (tiān)
영 sky [skai]

하늘 천

풀이 1 하늘. 2 천체. 태양. 3 타고나다. 4 임금. 하느님. 아버지.

부수 大(큰대)부

찾기 大³＋一¹=4획

글자뿌리 회의(會意) 문자. 큰 대(大)에 한 일(一)을 합친 자로, 사람〔大〕의 머리 위에 있는〔一〕 넓은 '하늘'을 뜻함.

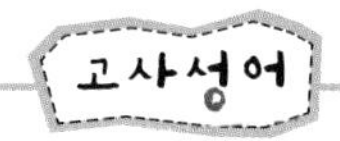

[天國 천국] ① 세상에서 가장 살기 좋은 나라. ② 죽은 후에 갈 수 있다고 하는, 영혼이 축복받는 나라.

[天倫 천륜] 부모와 자식 간에 변하지 않는 도리.

[天命 천명] ① 하늘의 명령. ② 하늘이 내린 운명. 타고난 수명.

[天方地軸 천방지축] ① 못난 사람이 주책없이 덤벙거림. ② 매우 급하여 정신없이 허둥지둥 날뛰는 모양.

[天罰 천벌] 하늘이 내린 벌.

[天使 천사] ① 신이나 하느님의 심부름꾼. ② 마음씨가 깨끗하고 고운 사람을 이르는 말.

[天生緣分 천생연분] 하늘이 미리 마련하여 준 연분.

고사성어

天高馬肥 (천고마비)

하늘이 높고 말이 살찐다는 뜻으로, 가을을 비유해 이르는 말.

고사 중국의 북방 이민족인 흉노족은 그 기질이 매우 사나웠기 때문에 진(秦)나라의 시황제는 만리장성을 쌓아 그들의 침입을 막으려 했고, 한(漢)나라는 미녀를 바치면서 달래기도 하였다.

흉노족은 중국 북쪽의 대초원 지대에 살면서 방목(放牧)과 수렵을 주요 생활 수단으로 삼았기 때문에 남녀노소 누구나 말타기에 익숙하였다. 이들은 찬 바람이 불기 시작하는 10월쯤에 살찐 말을 타고 겨울 동안 먹을 양식을 구하려고 남쪽인 중국으로 쳐들어오곤 했다. 그래서 중국 사람들은 하늘이 높고 말이 살찌는 계절인 가을을 몹시 두려워했다고 한다.

[天性 천성] 선천적으로 타고난 성질. 본성.
[天然 천연] 사람이 손대거나 만들지 아니한, 자연 그대로의 상태.
[天障 천장] 지붕의 안쪽.
[天才 천재] 태어날 때부터 갖춘 뛰어난 재주. 또는 그런 재주를 갖춘 사람.
[天地 천지] 하늘과 땅. 온 세상을 이르는 말.
[開天節 개천절] 우리나라의 건국을 기념하는 국경일. 10월 3일.

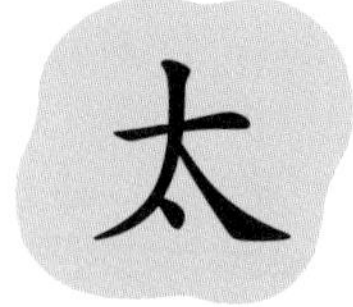

6급 중학 한자
중 太 (tài)
영 big [big]

클 태

풀이 1 크다. 2 첫째. 처음.
부수 大(큰대)부
찾기 大³+丶¹=4획

一 ナ 大 太

글자뿌리 지사(指事) 문자. 큰 대(大)를 두 개 겹쳐 썼으나, 같은 자를 겹쳐 쓸 때는 점(=→丶)을 찍는 데서 유래된 자.

⇒ ⇒ 太

[太古 태고] 아주 오랜 옛날.
[太極旗 태극기] 우리나라의 국기.
[太不足 태부족] 크게 부족함. 매우 모자람.
[太陽 태양] 해.
[太子 태자] 장차 임금이 될 왕자. 황태자(皇太子).
[太祖 태조] 나라를 세운 임금에게 붙이는 호칭.
[太初 태초] 하늘과 땅이 맨 처음 생겨났을 때.
[太平聖代 태평성대] 어질고 착한 임금이 다스리는 평화로운 세상.
[太平洋 태평양] 아시아와 남북 아메리카 및 오스트레일리아에 둘러싸인 세계에서 제일 큰 바다.
[明太 명태] 대구과의 바닷물고기.

6급 중학 한자
중 失 (shī)
영 lose [lu:z]

잃을 실

풀이 1 잃다. 놓치다. 2 그르치다. 잘못하다.
부수 大(큰대)부
찾기 大³+𠂉²=5획

ノ ㅗ 느 生 失

글자뿌리 형성(形聲) 문자. 손 수(手〈뜻〉)에 새 을(乙〈음〉)을 합친 자로, 손에서 도망간다〔乙〕는 뜻. 즉, 화살이 손에서 도망가니 '잃는다'는 뜻.

[失格 실격] 자격을 잃음.
[失禮 실례] 예의에 어그러짐. 또는 그러한 일.
[失望 실망] 희망을 잃음.
[失明 실명] 눈이 멂.
[失性 실성] 정신에 이상이 생겨 본성을 잃어버림.
[失笑 실소] ① 알지 못하는 사이에 나오는 웃음. ② 실수로 나오는 웃음.
[失手 실수] ① 잘못하여 그르침. 또는 그런 짓. ② 실례.
[失神 실신] 정신을 잃음. 의식을 잃은 상태.
[失言 실언] 실수로 말을 잘못함. 해서는 안 될 말을 함. 또는 그 말.
[失業 실업] 직업을 잃음.
[失踪 실종] 종적을 감춤. 모습을 숨김. 있는 곳이나 생사(生死)를 알 수 없음.
[失敗 실패] 일을 잘못하여 그르침.
[過失 과실] 잘못이나 허물.
[記憶喪失 기억상실] 어떤 사실이나 있었던 일 등이 생각나지 않게 되는 일.
[得失 득실] ① 얻음과 잃음. ② 이익과 손해.
[損失 손실] 축나거나 잃어버려 손해를 봄. 또는 그 손해.
[遺失 유실] 갖고 있던 물건을 잃어버림. 떨어뜨림. ¶ 遺失物(유실물).
[自失 자실] 자기 자신을 잊고 멍하니 있음.

奇

4급 고등 한자
중 奇 (qí)
영 strange [streindʒ]

기특할 기

풀이 1 기특하다. 2 기이하다. 3 새롭다.
부수 大(큰대)부
찾기 大³+可⁵=8획

一 ナ 大 大 奆 奇 奇 奇

글자뿌리 형성(形聲) 문자. 큰 대(大〈뜻〉)에 옳을 가(可〈음〉)를 합친 자로, 大(대)는 두 팔다리를 벌리고 선 사람의 모양. 可(가)는 하나의 뜻. 사람이 한쪽 발로 선다는 뜻으로, 보통이 아니라는 데서 '기이하다'의 뜻이 된 자.

[奇妙 기묘] 기이하고 묘함.
[奇拔 기발] 매우 놀랍게 재치가 있고 뛰어남.
[奇異 기이] 기괴하고 이상함.
[奇人 기인] 성질이나 행동이 보통 사람과 다른 사람.
[奇特 기특] 언행이 기이하고 귀염성이 있음.
[好奇心 호기심] 새롭고 기이한 것을 좋아하거나 모르는 것에 대하여 끌리는 마음.

奉

5급 중학 한자
중 奉 (fèng)
영 serve [səːrv]

받들 봉:

풀이 받들다.

부수 大(큰대)부

찾기 大³+𡗗⁵=8획

一 二 三 夫 夫 夫 奉 奉

글자뿌리 형성(形聲) 문자. 무성할 봉(丰〈음〉)에 두 손〔廾〈뜻〉〕과 손 수(手〈뜻〉)를 합친 자로, 두 손으로 물건을 떠받들고 있다는 데서 '받들다'의 뜻.

[奉仕 봉사] 남을 위하여 자기를 돌보지 않고 노력함.

[奉養 봉양] 조부모나 부모를 받들어 모심.

[奉職 봉직] 공무에 종사함.

[信奉 신봉] 믿고 받듦.

4급 고등 한자

중 奖 (jiǎng)

영 exhort [igzɔ́:rt]

장려할 장(:)

풀이 1 장려하다. 2 권면하다. 3 칭찬하다.

부수 大(큰대)부

찾기 大³+將¹¹=14획

丨 丬 丬 爿 爿' 爿' 爿' 爿' 爿' 將 將 將 奬 奬

글자뿌리 형성(形聲) 문자. 큰 대(大〈뜻〉)에 장수 장(將〈음〉)을 합친 자로, 將(장)은 고기를 들어 권하는 모양. 개를 부추겨 고기를 먹이는 모양에서, '격려하다', '권면하다'의 뜻을 나타냄.

[奬勸 장권] 장려하여 권함.

[奬導 장도] 권장하여 인도함.

[奬勵 장려] 좋은 일을 하도록 권하여 북돋워 줌.

[奬學金 장학금] 학문의 연구를 돕기 위한 장려금.

[勸奬 권장] 권하여서 장려함.

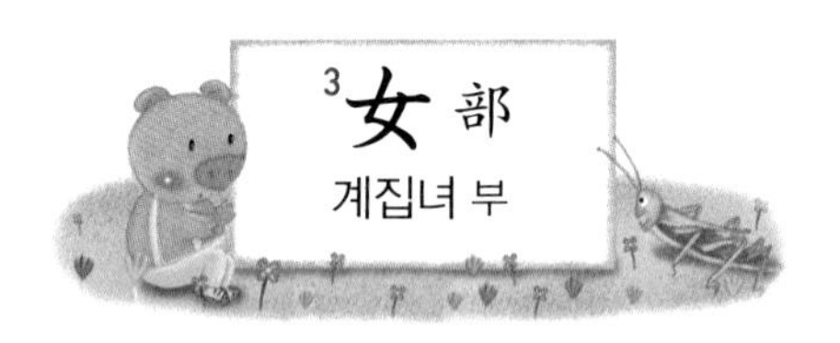

女

8급 중학 한자

중 女 (nǚ)

영 female [fí:meil]

계집 녀

풀이 1 계집. 여자. 2 딸.

부수 女(계집녀)부

찾기 女³=3획

𡿨 女 女

글자뿌리 상형(象形) 문자. 손을 앞으로 모으고 무릎을 꿇고 얌전하게 앉아 있는 여자의 모양을 본뜬 글자.

⇒ ⇒ 女

[女軍 여군] 여자 군인. 여자로 조직된 군대.

[女權 여권] 사회 · 정치 · 법률 따위의 모든 면에서의 여자의 권리.

[女流 여류] (일부 명사 앞에 쓰여) 어떤 전문적인 일에 종사하는 여자들을 이르는 말.

[女史 여사] ① 시집간 여자의 높임말. ② 사회적으로 덕망이 있고 유명한 여자의 이름 뒤에 쓰는 말.

[女性 여성] 여자.

[女神 여신] 여자인 신(神).

[女丈夫 여장부] 남자 이상으로 씩씩하고 용기가 있고 강한 의지가 있는 여자를 이르는 말.

[宮女 궁녀] 예전에, 궁궐 안에서 왕이나 왕비 등을 가까이 모시던 여인들을 이르던 말.

[美女 미녀] 얼굴이 아름다운 여자.

[少女 소녀] 나이가 어린 여자아이.

[淑女 숙녀] ① 정숙하고 품위 있는 여자. ② 다 자란 여자를 아름답게 이르는 말.

[烈女 열녀] 죽음을 무릅쓰고 절개를 굳게 지키는 여자.

[長女 장녀] 맏딸. 큰딸.

[處女 처녀] 아직 결혼하지 않은 여자.

[海女 해녀] 바닷속에 있는 해산물을 따는 것을 직업으로 하는 여자.

如

4급Ⅱ 중학 한자

중 如 (rú)

영 like [laik]

같을 여

풀이 1 같다. 2 어떠하다. 어찌.

부수 女(계집녀)부

찾기 女³+口³=6획

글자뿌리 형성(形聲) 문자. 계집 녀(女〈음〉)에 입 구(口〈뜻〉)를 합친 자로, 여자의 미덕은 부모 · 남편 · 자식의 말을 자기의 뜻과 같이 함에 있다는 데서 '같다'의 뜻이 된 자.

[如干 여간] 보통으로. 어지간하게.

[如反掌 여반장] 손바닥을 뒤집는 것처럼 일이 아주 쉬움을 이르는 말.

[如前 여전] 전과 다름없음.

[百聞不如一見 백문불여일견] 여러 번 말로만 듣는 것보다 실제로 한 번 보는 것이 더 낫다는 뜻으로, 무엇이든지 경험해 보아야 확실히 안다는 말.

4급Ⅱ 중학 한자

중 好 (hǎo)

영 good [gud]

좋을 호ː

풀이 1 좋다. 2 사이좋다. 3 좋아하다.

부수 女(계집녀)부

찾기 女³+子³=6획

글자뿌리 회의(會意) 문자. 계집 녀(女)에 아들 자(子)를 합친 자로, 젊은 여자의 아름다움을 나타냄. 또는 어머니와 아이는 서로 떼어 놓을 수 없다는 데서 '좋아하다'의 뜻이 된 자.

⇒ ⇒ 好

[好感情 호감정] 좋은 느낌. 좋게 여기는 감정.
[好景氣 호경기] 좋은 경기. 한 사회의 경제 따위가 매우 활발하게 돌아가는 시기.
[好奇心 호기심] 새로운 것, 신기한 것을 알고자 하는 마음.
[好事多魔 호사다마] 좋은 일이 있을 때는 이를 방해하는 일이 뒤따르기 쉬움. 또는 그런 일이 많이 생김.
[好衣好食 호의호식] 잘 입고 잘 먹음. 또는 그런 생활.
[好轉 호전] 잘 안되던 일이 잘되어 나가기 시작함.
[好評 호평] 좋은 평판.
[同好人 동호인] 어떤 사물을 같이 좋아하는 사람. 또는 취미나 오락이 같은 사람.
[愛好 애호] 사랑하고 즐김.
[良好 양호] 매우 좋음.
[友好 우호] 서로 친함. 사이가 좋음.

4급 중학 한자
중 妙 (miào)
영 exquisite [ikskwízit]

묘할 묘:

풀이 1 묘하다. 2 젊다.
부수 女(계집녀)부
찾기 女3＋少4＝7획

글자뿌리 형성(形聲) 문자. 계집 녀(女〈뜻〉)에 젊을 소(少〈음〉)를 합친 자로, 젊은 여자는 예쁘고 묘하다는 데서 '묘하다'의 뜻이 된 자.

[妙技 묘기] 절묘한 재주. 훌륭한 기술.
[妙齡 묘령] 20세 안팎의 여자의 나이.
[妙味 묘미] 썩 좋은 재미. 묘한 맛.
[妙手 묘수] 뛰어난 솜씨. 또는 솜씨가 뛰어난 사람.
[妙策 묘책] 절묘한 계책.
[巧妙 교묘] ① 솜씨나 재치가 있고 약삭빠름. ② 매우 잘되고 묘함.
[奇妙 기묘] 기이하고 묘함.
[絶妙 절묘] 매우 신기함.

4급 고등 한자
중 妨 (fáng)
영 hinder [híndər]

방해할 방

풀이 1 방해하다. 2 거리끼다.
부수 女(계집녀)부
찾기 女3＋方4＝7획

글자뿌리 형성(形聲) 문자. 계집 녀(女〈뜻〉)에 모 방(方〈음〉)을 합친 자로, 方(방)은 좌우로 내밀다의 뜻. 손을 좌우로 내밀어 '방해하다'의 뜻을 나타냄.

[妨止 방지] 어떤 일이나 현상이 일어나지 못하게 막음.
[妨害 방해] 남의 일에 훼방을 놓아 해를 끼침.
[無妨 무방] 방해될 것이 없음.

4급 중학 한자
㊥ 妹 (mèi)
㊍ younger sister

누이 매

풀이 (손아래) 누이.
부수 女(계집녀)부
찾기 女³+未⁵=8획

글자뿌리 형성(形聲) 문자. 계집 녀(女〈뜻〉)에 아닐 미(未〈음〉)를 합친 자로, 아직 철이 없는 계집이라는 데서 '(손아래) 누이'의 뜻이 된 자.

⇒ ⇒ 妹

[妹家 매가] 시집간 누이의 집.
[妹夫 매부] 손위 누이의 남편.
[妹氏 매씨] 남을 높이어 그 누이를 가리키는 호칭.
[妹弟 매제] 손아래 누이의 남편. 반 姉兄(자형).
[妹兄 매형] 손위 누이의 남편.
[男妹 남매] 오빠와 누이. 또는 누이와 남동생.
[姉妹 자매] ① 손위 누이와 손아래 누이. 여자 형제. ② 같은 계통에 속하여 서로 밀접하거나 교류를 통해 친선 관계가 있음을 이르는 말. ¶ 姉妹結緣(자매결연).

7급 중학 한자
㊥ 姓 (xìng)
㊍ surname [sə́ːrnèim]

성 성:

풀이 1 성. 2 겨레. 씨족.
부수 女(계집녀)부
찾기 女³+生⁵=8획

글자뿌리 형성(形聲) 문자. 계집 녀(女〈뜻〉)에 날 생(生〈음〉)을 합친 자로, 한 여자가 낳은 같은 겨레붙이임을 뜻함.

[姓名 성명] 성과 이름. 이름.
[姓氏 성씨] 성(姓)의 높임말.
[姓字 성자] ① 성을 나타내는 글자. ② 성명(姓名).
[同姓 동성] 같은 성씨.
[同姓同本 동성동본] 성과 본관(本貫)이 같음.
[百姓 백성] 그 나라에 사는 사람들.
[異姓 이성] 성이 다름. 또는 다른 성.
[通姓名 통성명] 처음 인사할 때 서로 성과 이름을 알려 줌.

[始動 시동] 기계 등이 처음으로 움직이기 시작함.
[始作 시작] ① 처음으로 함. ② 어떤 행동·현상 등의 처음.
[始祖 시조] ① 한 겨레의 맨 처음이 되는 조상. ② 어떤 학문·기술 등을 처음으로 생각해 낸 사람.
[始終一貫 시종일관] 처음부터 끝까지 똑같은 방침이나 태도로 나감.
[開始 개시] 처음 시작함.
[原始 원시] ① 사물의 처음. ② 자연 그대로 아직 진보나 발전이 없는 상태.

6급 중학 한자
중 始 (shǐ)
영 begin [bigín]

비로소 시:

풀이 1 비로소. 비롯하다. 시작하다. 2 처음. 최초. 3 근본.
부수 女(계집녀)부
찾기 女^{3}+台^{5}=8획

ㄑ 女 女 女' 女ㅅ 始 始 始

글자뿌리 형성(形聲) 문자. 계집 녀(女〈뜻〉)에 기를 이(台〈음〉)를 합친 자로, 여자가 아이를 배어서 기르기 시작한다는 데서 '비로소', '처음'의 뜻이 된 자.

4급 중학 한자
중 姉 (zǐ)
영 elder sister

손위누이 자

풀이 손위 누이. 누이.
부수 女(계집녀)부
찾기 女^{3}+市^{5}=8획

ㄑ 女 女 女' 女 女 姉 姉

글자뿌리 형성(形聲) 문자. 계집 녀(女〈뜻〉)에 그칠 자(𠂔〈음〉)를 합친 자로, 다 자란 여자라는 데서 '손위 누이'를 뜻함. '姉'는 '姊'의 속자(俗字)임.

[姉妹 자매] 여자끼리의 언니와 동생.
[姉母會 자모회] 유치원이나 초등학교 등에서 효과적인 교육을 위하여 어린이의 어머니들이 구성하는 후원 단체.
[姉兄 자형] 손위 누이의 남편.

3급Ⅱ 중학 한자
중 妻 (qī)
영 wife [waif]

아내 처

풀이 1 아내. 2 시집보내다.
부수 女(계집녀)부
찾기 女3 + 㐀5 = 8획

글자뿌리 회의(會意) 문자. 빗자루를 뜻하는 풀잎 돋을 철(屮)에 손 수(又: 手의 변형)와 계집 녀(女)를 합친 자로, 손에 비를 들고 있는 여자, 곧 집안일을 돌보는 '아내'를 뜻함.

⇒ ⇒ 妻

[妻家 처가] 아내의 본집.
[妻男 처남] 아내의 남동생이나 오빠.
[妻子 처자] 아내와 자식.
[妻弟 처제] 아내의 여동생.
[妻兄 처형] 아내의 언니.

[夫妻 부처] 남편과 아내.
[愛妻家 애처가] 아내를 몹시 소중히 여기는 사람.
[賢母良妻 현모양처] 어진 어머니인 동시에 착한 아내.

4급 고등 한자
중 委 (wěi)
영 entrust [entrʌ́st]

맡길 위

풀이 1 맡기다. 2 버리다. 3 자세하다.
부수 女(계집녀)부
찾기 女3 + 禾5 = 8획

글자뿌리 회의(會意) 문자. 계집 녀(女)에 벼 화(禾)를 합친 자로, 禾(화)는 이삭 끝이 보드랍게 처져 숙인 벼의 형상을 본뜸. 나긋나긋한 여성(女性)의 뜻을 나타냄. 파생하여, '순종하다', '맡기다' 등의 뜻을 나타냄.

[委員 위원] 어떤 일에 대하여 그 처리를 위임받은 사람.
[委任 위임] 어떤 일을 책임 지워 맡김.
[委託 위탁] 맡기어 부탁함. 의뢰함.

4급 중학 한자
중 威 (wēi)
영 dignity [dígnəti]

위엄 위

풀이 1 위엄. 2 세력. 3 으르다. 협박하다.
부수 女(계집녀)부
찾기 女3+戌6=9획

丿 厂 厂 厈 威 威 威 威

글자뿌리 형성(形聲) 문자. 도끼 월(戉=戌〈음〉)에 계집 녀(女〈뜻〉)를 합친 자로, 큰 도끼로 약한 여자를 위협한다는 데서 '위엄'의 뜻.

[威力 위력] 남을 복종시키는 강한 힘.
[威勢 위세] ① 사람을 두렵게 하여 복종시키는 힘. ② 맹렬한 기세.
[威信 위신] 위엄과 신망.
[威嚴 위엄] 존경하고 어려워할 만큼 듬직한 모습.
[威風 위풍] 위엄이 있는 모습이나 기세. ¶ 威風堂堂(위풍당당).
[威脅 위협] 힘으로 으르고 두려움을 갖게 함.
[國威 국위] 나라의 권세와 위력.
[權威 권위] ① 남을 강제로 복종시키는 힘. ② 어떤 분야에서 능히 남이 신뢰할 만한 뛰어난 지식이나 기술.

4급 고등 한자
중 姿 (zī)
영 figure [fígjər]

모양 자:

풀이 1 모양. 2 맵시. 3 풍치.
부수 女(계집녀)부
찾기 女3+次6=9획

丶 冫 冫 冫 次 次 姿 姿

글자뿌리 형성(形聲) 문자. 계집 녀(女〈뜻〉)에 버금 차(次〈음〉)를 합친 자로, 次(차)는 '긴장을 풀다'의 뜻. 긴장을 풀고 쉴 때 여성(女性)의 여러 모습에서, '자태', '모습'의 뜻을 나타냄.

[姿勢 자세] 몸을 가지는 상태.
[姿態 자태] 몸을 가지는 태도와 맵시.
[勇姿 용자] 용감한 모습.
[雄姿 웅자] 웅장한 모습.

4급Ⅱ 중학 한자
중 妇 (fù)
영 daughter-in-law

며느리 부

풀이 1 며느리. 2 지어미.
부수 女(계집녀)부
찾기 女3+帚8=11획

𡿨 女 女 女 女 女 女 女 婦 婦 婦

글자뿌리 회의(會意) 문자. 계집 녀(女)에 비 추(帚)를 합친 자로, 집 안에서 비를 들고 청소하는 여자, 곧 '며느리'를 뜻함.

⇒ ⇒ 婦

[婦女子 부녀자] 여자. 여성.
[婦人 부인] 결혼한 여자.
[貴婦人 귀부인] 신분이 높은 부인. 상

류 계급의 부인.
[夫婦 부부] 남편과 아내.
[新婦 신부] 갓 결혼한 여자.
[姙産婦 임산부] 아기를 밴 부인 및 출산 전후의 부인을 이르는 말.
[主婦 주부] 한 가정의 살림살이를 맡아 꾸려 가는 안주인.
[孝婦 효부] 효도하는 며느리.

4급 중학 한자
중 婚 (hūn)
영 marry [mǽri]

혼인할 혼

풀이 혼인하다.
부수 女(계집녀)부
찾기 女[3]+昏[8]=11획

婚婚婚

글자뿌리 형성(形聲) 문자. 계집 녀(女〈뜻〉)에 저물 혼(昏〈음〉)을 합친 자로, 옛날에는 저녁에 신랑이 신부 집에서 신부를 맞아 혼례를 올렸던 데서 '혼인하다'의 뜻이 된 자.

[婚談 혼담] 결혼을 하기 위한 의논. 결혼에 대하여 오가는 말.
[婚禮 혼례] 혼인의 예절. 혼인의 의식.
[婚姻 혼인] 장가들고 시집가는 일.
[結婚 결혼] 남녀가 정식으로 부부 관계를 맺음.
[晩婚 만혼] 나이가 들어 늦게 결혼함. 또는 그런 혼인.
[新婚 신혼] 갓 결혼함.
[約婚 약혼] 결혼하기로 약속함.
[再婚 재혼] 다시 결혼함. 또는 그런 결혼.
[請婚 청혼] 결혼하기를 청함.

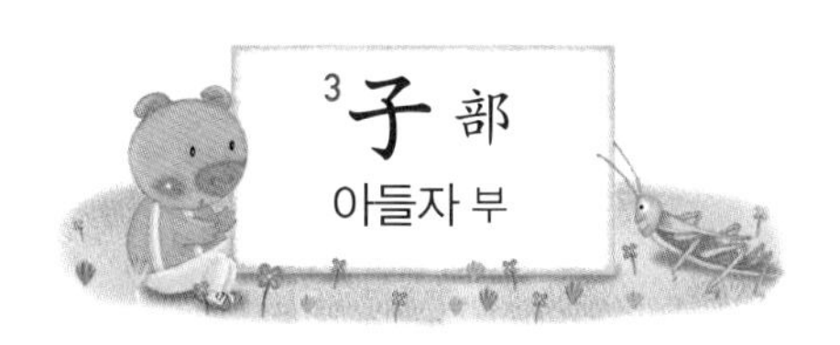

7급 중학 한자
중 子 (zǐ)
영 son [sʌn]

아들 자

풀이 1 아들. 2 **첫째 지지.** ※ 십이지의 첫째로, 동물로는 쥐, 달〔月〕로는 음력 11월, 시간은 밤 11시~새벽 1시. 3 **사람.** 4 **씨. 열매.**
부수 子(아들자)부
찾기 子[3]=3획

子

글자뿌리 상형(象形) 문자. 두 팔을 벌리고 있는 아기의 모양을 본뜬 글자.

[子女 자녀] 아들과 딸. 자식.
[子婦 자부] 며느리.
[子孫 자손] ① 아들과 여러 대의 손자. ② 후손.
[子息 자식] 아들과 딸.
[子午線 자오선] 날줄. 지구의 남과 북을 그은 상상의 줄.
[子正 자정] 밤 12시. 곧 0시.
[子弟 자제] 남을 높여서 그의 아들을 이르는 말.
[君子 군자] 학문과 덕이 높고 행실이 바르며 품위를 갖춘 사람.
[男子 남자] 남성인 사람. 사나이. 반 女子(여자).
[母子 모자] 어머니와 아들.
[父子 부자] 아버지와 아들.
[三尺童子 삼척동자] 키가 석 자에 지나지 않는 아이. 곧, 철없는 아이.
[養子 양자] ① 조카뻘 되는 아이를 데려다가 삼는 아들. ② 입양으로 아들이 된 사람.
[原子力 원자력] 원자로 내에서 핵반응의 결과로 나오는 에너지.
[利子 이자] 맡은 돈이나 꾸어 쓴 돈에 대해 붙여 주는 일정한 비율의 돈.
[長子 장자] 맏아들.
[種子 종자] 채소·곡식 등의 씨. 씨앗.
[孝子 효자] 부모를 잘 섬기는 아들.

4급 고등 한자
중 孔 (kǒng)
영 hole [houl]

구멍 공:

풀이 1 구멍. 2 성(姓).
부수 子(아들자)부
찾기 子^{3} + 乚^{1} = 4획

乛 了 子 孔

글자뿌리 지사(指事) 문자. 孑(혈)은 '어린애', 乚(은)은 유방(乳房)을 나타내어, 젖이 나오는 '구멍'의 뜻을 나타냄.

[孔孟 공맹] 공자(孔子)와 맹자(孟子).
[孔方 공방] 엽전을 달리 이르는 말.
[孔雀 공작] 꿩과에 속하는 새.
[孔穴 공혈] 구멍.
[瞳孔 동공] 눈동자.
[毛孔 모공] 털구멍.
[針孔 침공] 바늘귀. 바늘구멍.

7급 중학 한자
중 字 (zì)
영 letter [létər]

글자 자

풀이 1 글자. 문자. 2 기르다. 사랑하다.

부수 子(아들자)부
찾기 子³+宀³=6획

글자뿌리 형성(形聲) 문자. 집 면(宀〈뜻〉)에 아들 자(子〈음〉)를 합친 자로, 한 집안이 자식을 낳아 식구가 늘듯이 글자도 기본자를 바탕으로 늘어난다는 데서 '글자'의 뜻.

[字幕 자막] 영화나 텔레비전 화면에 보이는 제목·해설 등의 글자.
[字義 자의] 글자의 뜻.
[字解 자해] 글자의 풀이. 문자의 해석.
[甲骨文字 갑골문자] 거북의 등딱지나 짐승의 뼈에 새긴, 중국 고대의 상형 문자.
[文字 문자] ① 글자. ② 예로부터 전하여 내려오는 한자로 된 숙어나 격언 등의 문구.
[略字 약자] 글자의 점·획 등을 줄여 간단하게 쓴 한자.
[赤十字 적십자] 흰 바탕에 붉은 십자형을 그린 휘장. 적십자사의 표시임. ¶ 赤十字會談(적십자 회담).
[點字 점자] 점으로 이루어진 맹인용 글자. 손가락으로 더듬어 읽음.
[千字文 천자문] 옛날에 한문을 처음 배우는 사람에게 교과서로 쓰이던 책.
[漢字 한자] 중국어를 표기하는 중국 고유의 문자. 우리나라·일본 등지에서도 널리 쓰이고 있음.
[活字 활자] 인쇄에 쓰이는 일정한 규격의 글자.

고사성어

一字千金 (일자천금)

글자 한 자에 천금이라는 뜻으로, 매우 훌륭한 글자나 문장을 이르는 말.

고사 중국 전국 시대(戰國時代) 말엽, 여러 나라의 제후들은 서로 질세라 하고 앞다투어 식객(食客)을 모아들였다. 제(齊)나라의 맹상군(孟嘗君), 조(趙)나라의 평원군(平原君) 등은 수백, 수천 명씩 재주 있는 식객들을 거느리면서 그것을 자랑했다. 이때 강대국인 진(秦)나라의 정권을 쥐고 있던 재상 여불위(呂不韋)는 강대국인 진나라가 이에 질쏘냐 하며 돈을 물쓰듯 하여 식객을 모아들이는 한편, 그들로 하여금 20여만 어(語)나 되는 큰 책을 지어 내게 했다. 세상의 온갖 사물에 대한 내용을 적은 이 책은 오늘날의 대백과사전(大百科事典) 격이었다. 이것이 바로 그 유명한 〈여씨춘추(呂氏春秋)〉인데, 그는 이 책을 함양(咸陽)의 성문 앞에 진열하고 그 위에다 '이 책에 한 글자라도 더하거나 뺄 수 있는 사람에게는 천금을 주겠다.'라고 방을 써 붙였다. 이 방은 말할 것도 없이 식객을 더 끌어들이기 위한 술책이었던 것이다.

4급 중학 한자

중 存 (cún)

영 exist [igzíst]

있을 존

풀이 있다.

부수 子(아들자)부

찾기 子3+𠂇3=6획

一 ナ 𠂇 疒 存 存

글자뿌리 형성(形聲) 문자. 재주 재(才)의 변형인 '𠂇(어린 새싹의 뜻〈음〉)'에 아들 자(子〈뜻〉)를 합친 자로, 어린 새싹 같은 아들이 잘 있는지 살핀다는 데서 '있다'의 뜻.

⇒ ⇒ 存

[存立 존립] 없어지지 않고 존재함.

[存亡 존망] 존재와 멸망.

[存續 존속] 그대로 계속함. 또는 계속하여 있음.

[存在 존재] ① 현재 있음. 또는 있는 것. ② 세상에 알려질 만하게 이름이 있음.

[共存 공존] ① 서로 다른 두 가지 이상의 성질이 함께 존재함. ② 서로 도우며 살아감.

[旣存 기존] 이미 존재함.

[保存 보존] 잘 지니어 상하거나 잃지 않도록 함.

[生存 생존] 생명을 유지하고 있음. 살아남음. ¶ 生存權(생존권).

[適者生存 적자생존] 환경에 적응하는 사람만이 살아남을 수 있음.

[現存 현존] 현재에 존재함. 지금 살아 있음.

7급 중학 한자

중 孝 (xiào)

영 filial piety

효도 효:

풀이 효도.

부수 子(아들자)부

찾기 子3+耂4=7획

一 十 土 耂 耂 孝 孝

글자뿌리 회의(會意) 문자. 아들 자(子)에 늙을 로(耂=老)를 합친 자로, 아들이 노인을 업은 모양에서 '효도'의 뜻이 된 자.

⇒ ⇒ 孝

[孝女 효녀] 부모를 정성스럽게 받들며 효도하는 딸.

[孝道 효도] 부모를 잘 섬기는 도리.

[孝婦 효부] 효성이 지극한 며느리.

[孝誠 효성] 마음을 다하여 어버이를 섬기는 정성.

[孝心 효심] 효성스러운 마음.

[孝子 효자] 부모를 잘 섬기는 아들.

[不孝 불효] 부모를 잘 섬기거나 받들지 않아 자식된 도리를 못함.

[忠孝 충효] 나라를 위한 지극한 정성과 부모를 잘 섬기는 도리. ¶ 忠孝思想(충효 사상).

4급 중학 한자

중 季 (jì)

영 end [end]

계절 계:

풀이 1 계절. 2 끝. 마지막. 3 막내.

부수 子(아들자)부

찾기 子³+禾⁵=8획

글자뿌리 회의(會意) 문자. 벼 화(禾)와 아들 자(子)를 합친 자로, 子(자)는 아이의 뜻. 벼 따위가 어리다, 늦되다의 뜻에서 '막내'의 뜻이 된 자.

[季刊 계간] 잡지 등을 일 년에 네 번 계절에 따라 발간하는 일. 또는 그런 간행물. ¶ 季刊誌(계간지).

[季氏 계씨] 남의 남동생을 높여 부르는 말.

[季節 계절] ① 한 해를 봄·여름·가을·겨울로 구분한 시기. ② 어떤 일을 하는 데 가장 알맞은 시기. ¶ 季節食品(계절 식품).

[冬季 동계] 겨울철.

[四季 사계] 봄·여름·가을·겨울의 네 계절.

[夏季 하계] 여름철.

4급 고등 한자

중 孤 (gū)

영 lonely [lóunli]

외로울 고

풀이 1 외롭다. 2 고아. 3 홀로.

부수 子(아들자)부

찾기 子³+瓜⁵=8획

글자뿌리 형성(形聲) 문자. 아들 자(子〈뜻〉)에 오이 과(瓜〈음〉)를 합친 자로, 瓜(과)는 두려워할 구(懼)와 통하여, 아버지가 없어 주눅이 든 '고아(孤兒)'의 뜻.

[孤獨 고독] 홀로 외로움.

[孤立 고립] 홀로 떨어짐.

[孤兒 고아] 부모를 여의어 몸 붙일 곳이 없는 아이.

[德不孤 덕불고] 덕이 있는 사람은 외롭지 않다는 뜻으로, 덕을 베풀며 사는 사람은 반드시 세상에서 인정을 받게 됨을 이르는 말.

6급 중학 한자

중 孙 (sūn)

영 grandson [grǽndsʌ̀n]

손자 손(:)

풀이 손자. 자손.

부수 子(아들자)부

찾기 子³+系⁷=10획

글자뿌리 회의(會意) 문자. 아들 자(子)에 이을 계(系)를 합친 자로, 아들에서 아들로 이어지는 것이 바로 '손자'라는 뜻.

⇒ ⇒ 孫

[孫悟空 손오공] 〈서유기〉에 나오는, 도술을 부리는 원숭이.
[孫子 손자] 자녀의 아들.
[代代孫孫 대대손손] 대대로 이어 내려오는 자손. 동 子子孫孫(자자손손).
[王孫 왕손] 임금의 손자 또는 후손.
[外孫子 외손자] 딸이 낳은 아들.
[子孫 자손] ① 아들과 손자. ② 후손.
[宗孫 종손] 종가의 맏손자. 또는 종가의 대를 이을 자손.

學 배울 학

8급 중학 한자
중 学 (xué)
영 learn [ləːrn]

풀이 1 배우다. 익히다. 2 학문.
부수 子(아들자)부
찾기 子^{3}+𦥯^{13}=16획

글자뿌리 회의(會意) 문자. 양손 국(臼)·본받을 효(爻)·덮을 멱(冖=家)·아들 자(子)를 합친 자로, 아이가 집 안에서 책을 잡고 스승의 가르침과 예의범절을 '배운다'는 뜻.

⇒ ⇒ 學

[學校 학교] 여러 가지 시설을 갖추어 놓고 공부를 계속해서 가르치는 곳. ¶ 中學校(중학교).
[學級 학급] 한 교실에서 같이 수업을 받는 학생의 집단.
[學問 학문] 지식을 배우고 익힘. 또는 배우고 익힌 지식.
[學父母 학부모] 학생의 부모.
[學生 학생] 학교에서 공부하는 사람.
[學習 학습] 배워서 익힘.
[學用品 학용품] 공부하는 데 필요한 물건들. 연필·필통·공책 따위.
[學友 학우] 한 학교에서 함께 공부하는 친구.
[學園 학원] 학교와 교육 기관을 통틀어 이르는 말.
[開學 개학] 방학·휴교 등으로 한동안 쉬었다가 수업을 다시 시작함.
[放學 방학] 학교에서 학기가 끝난 뒤나 더위와 추위를 피하여 얼마 동안 수업을 쉬는 일.
[留學 유학] 외국에서 한동안 머물면서 학문이나 예술 등을 공부함. ¶ 留學生

(유학생).

[入學 입학] 공부하기 위하여 학교에 들어가 학생이 됨.

[就學 취학] 교육을 받기 위해 학교에 들어감.

4급Ⅱ 중학 한자

중 守 (shǒu)

영 keep [kiːp]

지킬 수

풀이 1 지키다. 2 절개.

부수 宀(갓머리)부

찾기 宀3+寸3=6획

글자뿌리 회의(會意) 문자. 집 면(宀)에 법도 촌(寸)을 합친 자로, 집이나 관청을 지키는 데는 법도가 필요하다는 데서 '지키다'의 뜻이 된 자.

⇒ ⇒ 守

[守門將 수문장] 문을 지키는 사람. 문지기.

[守備 수비] 외부의 침략이나 공격을 지키어 막음. 반 攻擊(공격).

[守節 수절] 절개를 지킴.

[守則 수칙] 지켜야 하는 규칙. ¶安全守則(안전 수칙).

[守護 수호] 지키어 보호함.

[固守 고수] 굳게 지킴.

[保守 보수] 오랜 습관·제도·방법 등을 소중히 여겨 그대로 지킴.

7급 중학 한자

중 安 (ān)

영 comfortable [kʌ́mfərtəbəl]

편안 안

풀이 1 편안. 편안하다. 2 즐기다. 좋아하다.

부수 宀(갓머리)부

찾기 宀3+女3=6획

글자뿌리 회의(會意) 문자. 집 면(宀)에 계집 녀(女)를 합친 자로, 집 안에 여자가 있어야 편안하다는 데서 '편안하다'의 뜻이 된 자.

⇒ ⇒ 安

[安寧 안녕] ① 마음이 편안하고 몸이 건강함. ② 만나거나 헤어질 때에 쓰는 인사말.
[安堵 안도] ① 아무 일 없이 편안함. ② 마음을 놓음.
[安樂 안락] 편안하고 즐거움.
[安否 안부] 편안히 잘 있는지를 묻는 인사.
[安貧樂道 안빈낙도] 가난한 생활 속에서도 평안한 마음으로 도(道)를 즐김.
[安全 안전] 위험이 없음. 편안하고 아무 탈이 없음.
[安定 안정] 안전하게 자리 잡음. 큰 변화 없이 일정한 상태로 자리 잡힘.
[問安 문안] 웃어른에게 안부를 물음.
[保安 보안] ① 안전을 유지하는 일. ② 사회의 안녕과 질서를 지키는 일.
[不安 불안] 걱정이 되어서 마음이 편하지 않음. 또는 그런 마음.
[慰安 위안] 위로하여 마음을 편안하게 함.
[治安 치안] ① 나라를 편안하게 다스림. 또는 나라가 편안히 다스려짐. ② 국가 사회의 안녕질서를 보전함. 또는 보전됨.

3급Ⅱ 중학 한자
중 宇 (yǔ)
영 house [haus]

집 우:

풀이 1 집. 2 하늘.
부수 宀(갓머리)부
찾기 宀3+于3=6획

丶 丷 宀 宀 宇 宇

글자뿌리 형성(形聲) 문자. 집 면(宀〈뜻〉)에 클 우(于〈음〉)를 합친 자로, 지붕을 뜻하고 지붕처럼 땅을 덮고 있는 것은 천만 년이 지나도 변함없는 하늘이라는 데서 '하늘'을 뜻함.

[宇宙 우주] 지구·태양·별 등이 있는 끝없이 넓은 공간.

5급 중학 한자
중 宅 (zhái)
영 ❶house ❷your esteemed house

❶집 택
❷댁 댁

풀이 ❶ 집. ❷ 댁. ※ 남의 집안의 높임말.
부수 宀(갓머리)부
찾기 宀3+乇3=6획

丶 丷 宀 宀 宅 宅

글자뿌리 형성(形聲) 문자. 집 면(宀〈뜻〉)에 맡길 탁(乇: 托의 획 줄임〈음〉)을 합친 자로, 집에 의지하고 산다는 데서 '집'을 뜻함.

[宅地 택지] 집터.
[家宅 가택] 사람이 사는 집.
[自宅 자택] 자기 집.
[住宅 주택] 사람이 살 수 있게 지은 집.

5급 중학 한자
중 完 (wán)
영 complete [kəmplíːt]

완전할 완

풀이 1 완전하다. 온전하다. 2 완전하게 하다. 3 끝내다.
부수 宀(갓머리)부
찾기 宀3+元4=7획

글자뿌리 형성(形聲) 문자. 근본 원(元〈음〉)에 집 면(宀〈뜻〉)을 합친 자로, 근본이 있는 집안은 '완전하다'는 뜻.

⇒ ⇒ 完

[完決 완결] 일·사무 등을 완전히 결정함. 또는 그 결정.
[完結 완결] 완전히 마무리함.
[完了 완료] 완전히 마침.
[完璧 완벽] 흠이 없는 구슬이라는 뜻으로, 사소한 결점도 없이 완전함.
[完封 완봉] ① 완전히 막음. ② 야구에서, 투수가 상대 팀에게 득점을 주지 않는 일.
[完備 완비] 빠짐없이 완전히 갖추어짐. 또는 갖춤.
[完成 완성] 본디의 계획대로 다 이룸. 반 未完成(미완성).
[完全 완전] 부족함이 없음.
[完製品 완제품] 일정한 조건에 맞추어 완전하게 만든 물건.
[完快 완쾌] 병이 다 나음.
[補完 보완] 모자라는 것을 더하여 완전하게 함.

4급Ⅱ 중학 한자
중 官 (guān)
영 official rank

벼슬 관

풀이 1 벼슬. 벼슬아치. 2 관청.
부수 宀(갓머리)부
찾기 宀3+㠯5=8획

` 丶 宀 宀 宀 宀 官 官

글자뿌리 회의(會意) 문자. 집 면(宀)에 많은 사람이 모인다는 퇴(㠯: 自의 생략형)를 합친 자로, 많은 사람이 일하는 집은 '관청', 그 안에서 많은 사람을 다스리는 사람은 '관리'라는 뜻.

[官家 관가] 지난날, 관리들이 나랏일을 맡아보던 곳. 동 官廳(관청).

[官僚 관료] ① 같은 관직에 있는 동료. ② 관리.

[官吏 관리] 관청의 일을 맡아보는 사람. 공무원.

[官運 관운] 벼슬을 할 운수.

[官印 관인] 관청 또는 관리가 직무상으로 사용하는 도장.

[官製葉書 관제엽서] 정부에서 만들어 파는 우편엽서.

[高官 고관] 지위가 높은 관리.

[教官 교관] ① 학교에서 교련을 가르치는 교사. ② 훈련소 등에서 훈련을 가르치는 장교.

[九官鳥 구관조] 사람의 말이나 다른 동물의 울음소리를 흉내 내는 찌르레깃과의 새.

[軍醫官 군의관] 군대에서 다치거나 병든 군인을 치료하는 장교.

[法官 법관] 법원에서 법률에 의하여 재판을 담당하는 사람.

[士官學校 사관학교] 장교가 되는 과정을 가르치는 학교.

[外交官 외교관] 나라를 대표해서 외교 업무를 보는 공무원. 또는 그 관직.

[長官 장관] 나라의 일을 맡은 행정 각부의 우두머리.

6급 중학 한자

중 定 (dìng)

영 set [set]

정할 정:

풀이 1 정하다. 2 정해지다.

부수 宀(갓머리)부

찾기 宀3+疋5=8획

글자뿌리 형성(形聲) 문자. 집 면(宀〈뜻〉)에 바를 정(疋: 正의 변형〈음〉)을 합친 자로, 집안을 바르게 다스린다는 데서 '정하다', '정해지다'의 뜻이 된 자.

[定價 정가] ① 정해진 값. ② 상품에 값을 매김. 또는 그 값.

[定說 정설] 확정된 설. 결정적으로 인정된 설.

[定時 정시] 일정한 시간.

[定食 정식] 식당·음식점 등에서 일정한 식단에 따라 차리는 음식.

[定額 정액] 일정한 액수.

[定義 정의] 어떤 뜻을 뚜렷이 밝힌 것. 말의 뜻을 결정함.

[定評 정평] 모든 사람들이 다 같이 인정하는 평판.

[假定 가정] ① 임시로 정함. ② 사실이

아니거나, 사실인지 아닌지 아직 분명하지 않은 것을 사실인 것처럼 인정함.
[決定 결정] 어떻게 하겠다고 정함. 또는 정한 그 내용.
[否定 부정] 그렇지 않다고 단정함.
[作定 작정] 어떤 일을 마음으로 결정함. 또는 그 결정.
[測定 측정] 헤아려 정함.
[限定 한정] 수량이나 범위를 제한하여 정함.

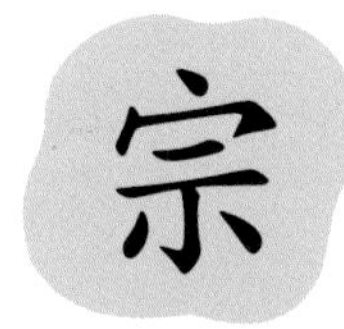

4급Ⅱ 중학 한자
중 宗 (zōng)
영 ancestral [ænséstrəl]

마루 종

풀이 1 마루. 으뜸. 근본. 2 사당. 종묘. 3 갈래. 4 교파. 유파.
부수 宀(갓머리)부
찾기 宀3+示5=8획

글자뿌리 회의(會意) 문자. 집 면(宀)에 보일 시(示)를 합친 자로, 귀신이 있는 집이라는 데서 '종묘', '사당'을 뜻함.

[宗家 종가] 한 문중에서 맏이로만 내려온 큰집.
[宗敎 종교] 신이나 어느 절대자를 인정하여 일정한 의식을 통해 그것을 믿고, 숭배하고, 받듦으로써 마음의 안정과 행복을 얻고자 하는 것.
[宗廟 종묘] 조선 때, 역대의 왕들과 왕비의 위패를 모시던 사당.
[宗廟社稷 종묘사직] 왕실과 나라를 아울러 이르는 말.
[宗親 종친] ① 임금의 친족. ② 친족. ¶ 宗親會(종친회).
[改宗 개종] 믿던 종교를 바꾸어 다른 종교를 믿음.
[世宗 세종] 조선 제4대 임금. 훈민정음을 만들고, 민족 문화를 일으킨 업적을 남겼음.

3급Ⅱ 중학 한자
중 宙 (zhòu)
영 house [haus]

집 주:

풀이 1 집. 2 하늘.
부수 宀(갓머리)부
찾기 宀3+由5=8획

글자뿌리 형성(形聲) 문자. 집 면(宀〈뜻〉)에 말미암을 유(由〈음〉)를 합친 자로, 지붕에 말미암는 것은 '집'이라는 뜻.

[宇宙 우주] 지구·태양·별 등이 있는 끝없이 넓은 공간.

5급 중학 한자
㊥ 客 (kè)
㊢ guest [gest]

손 객

풀이 1 손. 손님. 나그네. 2 부치다. 의탁하다.
부수 宀(갓머리)부
찾기 宀3+各6=9획

글자뿌리 형성(形聲) 문자. 집 면(宀〈뜻〉)에 각각 각(各: 이른다는 뜻〈음〉)을 합친 자로, 외부 사람이 집에 이른다는 데서 '손님'을 뜻함.

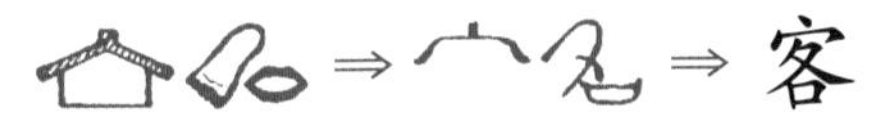

[客氣 객기] 쓸데없는 혈기.
[客死 객사] 타향이나 여행지에서 죽음.
[客室 객실] ① 손님을 접대하거나 거처하게 하려고 마련해 놓은 방. ② 유람선 따위에서 손님이 타는 곳.
[客地 객지] 고향 이외의 땅. 집을 떠나 임시로 가 있는 곳.
[顧客 고객] 장사를 하는 사람에게 찾아오는 손님.
[不請客 불청객] 청하지 않았는데 오거나 우연히 온 손님.
[食客 식객] ① 예전에 세력이 있는 사람의 집에서 손님이 되어 지내던 사람을 이르는 말. ② 하는 일 없이 남의 집에 얹혀서 얻어먹고 지내는 사람.
[弔客 조객] 남의 죽음에 슬픔을 표하기 위해 온 사람.
[賀客 하객] 축하하는 손님.

8급 중학 한자
㊥ 室 (shì)
㊢ room [ru:m]

집 실

풀이 1 집. 2 방.
부수 宀(갓머리)부
찾기 宀3+至6=9획

글자뿌리 회의(會意) 문자. 집 면(宀)에 이를 지(至)를 합친 자로, 사람이 이르러 머무르는 곳이라는 데서 '집'을 뜻함.

[室內 실내] 방이나 건물의 안.
[居室 거실] 가족이 모여서 생활하는 공간.
[敎室 교실] ① 학교에서 수업하는 방. ② 대학에서, 전공 과목별 연구실.

[病室 병실] ① 병을 치료하기 위하여 환자가 거처하는 방. ② 병자가 누워 있는 방.
[溫室 온실] 식물이나 추위에 약한 동물 등을 기르기 위해 알맞은 온도와 습도를 유지할 수 있게 만든 건물이나 방.
[王室 왕실] 왕의 집안.
[寢室 침실] 잠을 잘 수 있게 마련된 방.

4급 고등 한자
중 宣 (xuān)
영 proclaim [proukléim]

베풀 선

풀이 1 베풀다. 2 널리 펴다. 3 밝히다. 4 임금의 말.
부수 宀(갓머리)부
찾기 $宀^{3}+亘^{6}$=9획

글자뿌리 형성(形聲) 문자. 집 면(宀〈뜻〉)에 구할 선(亘〈음〉)을 합친 자로, 亘(선)은 빙 둘러싸다의 뜻. 건물이 빙 둘러싸고 있는 천자(天子)의 방을 나타내며, 나중에 '널리 펴다', '널리 퍼지다'의 뜻으로 쓰임.

[宣告 선고] ① 선언하여 널리 알림. ② 공판정에서, 재판장이 재판의 판결을 알리는 일.
[宣敎 선교] 종교를 전하여 널리 펼침.
[宣言 선언] 널리 펴서 말함.
[宣傳 선전] 어떤 사물·사상·주의 따위를 널리 알리는 일.
[宣布 선포] 세상에 널리 알림.

7급 중학 한자
중 家 (jiā)
영 house [haus]

집 가

풀이 1. 집. 집안. 2 자기 집. 3 학문·기예의 전문가.
부수 宀(갓머리)부
찾기 $宀^{3}+豕^{7}$=10획

글자뿌리 회의(會意) 문자. 집 면(宀)에 돼지 시(豕)를 합친 자로, '豕'는 신에게 바치는 제물의 뜻. 신을 모신 집이란 뜻에서 후에 널리 식구가 많이 모여 있는 '집'을 뜻함.

[家計 가계] 한 집안의 살림살이.
[家具 가구] 집안 살림에 쓰이는 장롱·책상 등의 기구.
[家門 가문] ① 집안과 가까운 살붙이. ② 대대로 내려오는 그 집안의 사회적인 신분·지위.
[家寶 가보] 집안의 보배. 대대로 전하여 내려오는 집안의 값진 물건.
[家事 가사] 집안의 살림살이에 관한 일.
[家産 가산] 집안의 재산.
[家業 가업] 한 집안에서 전해 내려온

생업.

[家屋 가옥] 사람이 사는 집.

[家運 가운] 집안의 운수.

[家庭 가정] 한 가족을 단위로 하여 살림하고 있는 사회의 가장 작은 집단.

[家族 가족] 부모·형제·부부·자녀 등 혈연과 혼인에 의하여 맺어지며 생활을 함께하는 공동체. 또는 그 구성원.

[家風 가풍] 한 집안의 규율과 풍습. 각 가정의 특유한 생활 형식.

[家訓 가훈] 조상이 자손에게 남긴 교훈.

4급Ⅱ 고등 한자

중 宫 (gōng)

영 palace [pǽlis]

집 궁

풀이 1 집. 가옥. 2 궁궐. 대궐.

부수 宀(갓머리)부

찾기 宀3 + 呂7 = 10획

丶 宀 宀 宀 宀 宀 宀 宮

글자뿌리 상형(象形) 문자. 건물 안에 방들이 이어져 있는 모양을 본떠, '궁궐'의 뜻을 나타냄.

[宮女 궁녀] 궁중에서 임금·왕비·왕세자를 가까이 모시고 시중들던 여자.

[宮中 궁중] 대궐 안.

[宮合 궁합] 혼인할 남녀의 사주를 오행(五行)에 맞추어 보아 부부로서 잘 맞는지 미리 알아보는 점.

[古宮 고궁] 옛 궁전.

[東宮 동궁] ① 황태자. 왕세자. ② 태자궁. 세자궁.

4급Ⅱ 중학 한자

중 容 (róng)

영 face [feis]

얼굴 용

풀이 1 얼굴. 모습. 2 담다. 3 용납하다.

부수 宀(갓머리)부

찾기 宀3 + 谷7 = 10획

丶 宀 宀 宀 宀 宀 容 容

글자뿌리 형성(形聲) 문자. 집 면(宀〈뜻〉)에 골짜기 곡(谷: 浴의 생략형〈음〉)을 합친 자로, 집이나 골짜기는 사물을 잘 받아들인다는 데서 '담다', 또 사람의 얼굴은 많은 것을 담을 수 있다는 데서 '얼굴'의 뜻이 된 자.

[容器 용기] 물건을 담아 두는 그릇.

[容納 용납] 남의 언행을 너그러운 마음으로 받아들임.

[容貌 용모] 모습. 얼굴 모양.

[容恕 용서] 잘못이나 죄를 꾸짖거나 벌하지 않고 덮어 줌.
[容積 용적] 속에 담을 수 있는 물건의 부피.
[寬容 관용] 너그럽게 받아들이거나 용서함.
[威容 위용] 위엄 있는 모양이나 모습.
[許容 허용] ① 허락하고 용납함. ② 막았어야 할 것을 막지 못하고 받아들임.

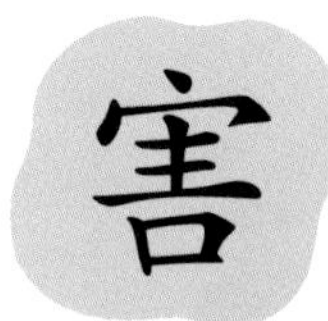

5급 중학 한자
중 害 (hài)
영 harm [hɑːrm]

해할 해

풀이 1 해하다. 해치다. 2 손해. 3 훼방 놓다. 4 방해하다.
부수 宀(갓머리)부
찾기 宀³ + 害⁷ = 10획

글자뿌리 회의(會意) 문자. 집 면(宀)에 풀 어지럽게 날 개(丰)와 입 구(口)를 합친 자로, 집에 앉아 마구 사람을 헐뜯는다는 데서 '해하다'의 뜻이 된 자.

[害惡 해악] 해가 되는 나쁜 영향.
[害蟲 해충] 사람이나 농작물에 해를 끼치는 벌레.
[加害 가해] ① 남에게 손해를 끼침. ② 남을 상처 나게 하거나 죽임. ¶ 加害者(가해자).
[妨害 방해] 남의 일에 짓궂게 훼방을 놓아 하지 못하게 함.
[殺害 살해] 사람을 죽임. 남의 생명을 해침.
[水害 수해] 큰물로 인한 재해. 동 水災(수재).
[有害 유해] 해가 됨. 해로움. ¶ 有害食品(유해 식품).
[被害 피해] 신체·재물·정신상의 손해를 입는 일. 또는 그 손해.

4급Ⅱ 중학 한자
중 密 (mì)
영 dense [dens]

빽빽할 밀

풀이 1 빽빽하다. 2 비밀로 하다. 3 가깝다. 친하다.
부수 宀(갓머리)부
찾기 宀³ + 密⁸ = 11획

글자뿌리 형성(形聲) 문자. 빽빽할 밀(宓〈음〉)에 메 산(山〈뜻〉)을 합친 자로, 산에 나무가 빽빽하다는 데서 '빽빽하다'의 뜻.

[密告 밀고] 남몰래 일러바침.
[密林 밀림] 나무가 빽빽하게 들어선 깊은 숲.
[密使 밀사] 비밀리에 보내는 심부름꾼.
[密語 밀어] 비밀히 하는 말. 남이 알아듣지 못하게 소곤대는 말.
[密接 밀접] ① 단단히 붙음. ② 관계가 매우 깊음.
[密閉 밀폐] 꼭 닫음.
[密會 밀회] 비밀히 모임. 비밀히 만남. 특히 남녀가 몰래 만나는 것.
[緊密 긴밀] 관계가 서로 밀접함.
[祕密 비밀] ① 숨겨져 있어서 외부에서는 알 수 없는 상태. 또는 그 내용. ② 아직 밝혀지지 않은 사실.
[細密 세밀] 자세하고 빈틈이 없음.
[精密 정밀] ① 가늘고 촘촘함. ② 아주 잘고 자세함.
[親密 친밀] 사이가 아주 친하고 가까움.

5급 중학 한자
중 宿 (❶sù, ❷xiǔ)
영 ❶lodge [ladʒ]
❷star [stɑːr]

❶잘 숙
❷별자리 수ː

풀이 ❶ 1 자다. 묵다. 2 지키다. 3 오래다. 4 여관. ❷ 별자리.

부수 宀(갓머리)부
찾기 宀³+佰⁸=11획

丶 丶 宀 宀 宀 宀 宀 宀 宿 宿 宿

글자뿌리 형성(形聲) 문자. 집 면(宀〈뜻〉)에 백 사람의 어른 백(佰〈음〉)을 합친 자로, 여러 사람이 들어가 자는 집이라는 데서 '자다'의 뜻이 된 자.

⇒ 宀百 ⇒ 宿

[宿命 숙명] 태어날 때부터 타고난 운명. 피할 수 없는 운명.
[宿泊 숙박] 여관이나 호텔 등에 머물러 묵음.
[宿所 숙소] 머물러 묵는 곳.
[宿題 숙제] ① 학생들에게 복습과 예습을 위해 내주는 과제. ② 두고 생각해 보거나 해결해야 할 문제.
[宿主 숙주] 기생(寄生) 생물이 기생의 대상으로 삼는 생물.
[宿直 숙직] 직장에서 잠자며 밤을 지킴. 또는 그 사람.
[宿患 숙환] 오래 묵은 병.
[露宿 노숙] 바깥에서 잠.
[下宿 하숙] 정기적으로 일정한 액수의 돈을 내고 비교적 오랜 기간 남의 집에 머물면서 먹고 잠. 또는 그 집.
[合宿 합숙] 여러 사람이 한곳에서 묵음.

4급 고등 한자
중 寄 (jì)
영 send [send]

부칠 기

풀이 1 부치다. 2 보내다. 3 맡기다. 4 머물러 있다.
부수 宀(갓머리)부
찾기 宀3 + 奇8 = 11획

글자뿌리 형성(形聲) 문자. 집 면(宀〈뜻〉)에 기이할 기(奇〈음〉)를 합친 자로, 奇(기)는 몸을 구부려 선 사람. 즉, 평형(平衡)을 잃고 한쪽으로 쏠려 있다는 데서, 남의 집에 몸을 부치다의 뜻을 나타냄.

[寄居 기거] 남에게 덧붙어 사는 일.
[寄稿 기고] 원고를 써서 신문사나 잡지사로 보냄.
[寄別 기별] 알림. 통지함.
[寄附 기부] 남을 돕기 위하여 돈이나 물건을 내놓음.
[寄宿 기숙] 남의 집에 몸을 부쳐 숙식(宿食)함.
[寄與 기여] 도움이 되도록 이바지함.
[寄贈 기증] 선물이나 기념으로 물품의 값을 받지 않고 보내어 줌.

3급 중학 한자
중 寅 (yín)
영 tiger [táigər]

범 인

풀이 1 범. 2 셋째 지지. ※ 십이지의 셋째로, 동물로는 범, 달〔月〕로는 음력 1월, 시간은 오전 3시~5시. 3 삼가다. 공경하다.
부수 宀(갓머리)부
찾기 宀3 + 㢴8 = 11획

글자뿌리 회의(會意) 문자. 집 면(宀)에 큰 대(夳: 大의 변형)와 양손 국(臼)을 합친 자로, 두 손〔臼〕으로 화살을 바로 펴고 있는 모양을 본뜸. 나중에 음을 빌려 십이지의 셋째를 나타냄.

[寅方 인방] 이십사방위(二十四方位)의 하나. 동북간의 방위.
[寅時 인시] 오전 3시부터 5시까지의 시간(時間).
[寅月 인월] 음력 1월.

4급Ⅱ 중학 한자
중 富 (fù)
영 rich [ritʃ]

부자 부:

풀이 1 부자. 2 풍성하다. 넉넉하다. 3 성하다.
부수 宀(갓머리)부
찾기 宀3 + 畐9 = 12획

글자뿌리 형성(形聲) 문자. 집 면(宀〈뜻〉)에 찰 복(畐〈음〉)을 합친 자로, 집 안에 보화가 가득한 집은 '부자'라는 뜻.

⇒ ⇒ 富

[富強 부강] 나라의 살림이 넉넉하고 군대의 힘이 강함.

[富國 부국] ① 나라를 부유하게 함. ② 재물이 풍부한 나라.

[富貴 부귀] 재산이 많고 신분이 귀함.

[富裕 부유] 재물이 넉넉함.

[富益富 부익부] 부자는 더욱 부자가 됨. 반 貧益貧(빈익빈).

[富者 부자] 재산이 많아 넉넉한 사람.

[富豪 부호] 재산이 많고 세력이 있는 사람. 큰 부자.

[貧富 빈부] 가난함과 넉넉함. 가난한 사람과 부자.

5급 중학 한자

중 寒 (hán)

영 cold [kould]

찰 한

풀이 1 차다. 차게 하다. 춥다. 2 떨다. 오싹하다.

부수 宀(갓머리)부

찾기 宀3 + 寒9 = 12획

글자뿌리 회의(會意) 문자. 틈 하(寒: 宀〔집〕+ 茻〔艸(풀 초)〕+ 人)에 얼음 빙(冫)을 합친 자로, 얼음이 얼면 사람들이 집 안에 풀을 두껍게 깔고 생활한다는 데서 '차다', '춥다'의 뜻.

⇒ ⇒ 寒

[寒氣 한기] ① 추위. ② 몸에 느껴지는 으스스한 기운.

[寒冷 한랭] 춥고 차가움.

[寒流 한류] 한대 지방에서 적도 쪽으로 흐르는 찬 바닷물의 흐름.

[寒心 한심] ① 안타깝고 어이가 없음. ② 가엾고 딱함.

[寒波 한파] 찬 공기가 갑자기 이동하여 모진 추위가 오는 기류의 흐름.

[防寒 방한] 추위를 막음.

[惡寒 오한] 갑자기 몸에 열이 나면서 오슬오슬 추워지는 증세.

[酷寒 혹한] 만물이 얼어붙을 정도의 몹시 심한 추위.

5급 중학 한자

중 实 (shí)

영 fruit [fru:t]

열매 실

풀이 1 열매. 2 실제. 사실. 3 참되다. 4 차다. 옹골차다.

부수 宀(갓머리)부

찾기 宀3 + 貫11 = 14획

丶 丷 宀 宀 宀 宀 宀 宀 宀 宀 宀 宀 實 實

글자뿌리 회의(會意) 문자. 집 면(宀)에 꿸 관(貫)을 합친 자로, 집 안에 꿴 재물, 즉 돈이 가득 차 있다는 뜻이었다가 '열매'의 뜻이 된 자.

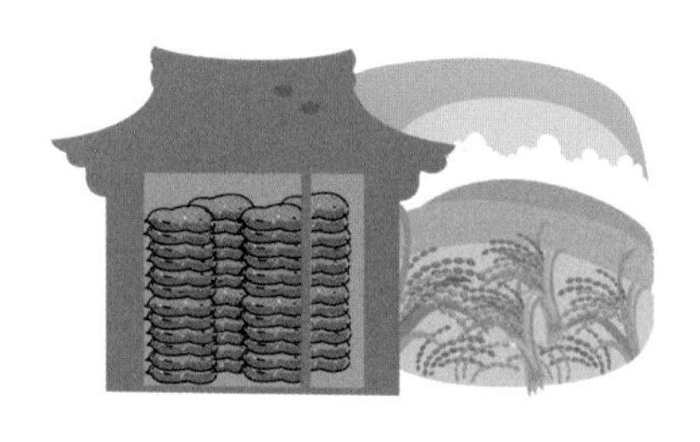

[實感 실감] ① 실물에 접했을 때 일어나는 감정. ② 실제로 체험하는 듯한 감정.

[實力 실력] 실제로 가지고 있는 힘.

[實錄 실록] ① 사실을 있는 그대로 적은 역사. ② 한 임금의 재위 기간 동안의 사적(事蹟)을 적은 기록.

[實利 실리] 실지로 얻은 이익. 현실적인 이익.

[實名 실명] 가명에 대해 본명을 이르는 말. ¶ 金融實名制(금융 실명제).

[實物 실물] 실제로 있는 물건, 또는 사람.

[實相 실상] 실제의 모양이나 형편. 있는 그대로의 상황.

[實用 실용] 실제로 씀. 실제로 쓸모가 있음.

[實益 실익] 실제의 이익.

[實情 실정] 실제의 사정.

[實踐 실천] 실제로 행함.

[實驗 실험] ① 실제로 시험하여 봄. 일정한 연구 대상을 여러 가지 조건으로 변화를 일으키게 하여 그 현상을 관찰함. ② 실제의 경험.

[實話 실화] 실제로 있었던 이야기.

[結實 결실] ① 열매를 맺음. ② 일의 결과가 잘 맺어짐.

[不實 부실] ① 내용이 충실하지 못함. ② 믿음성이 적음. ③ 몸이 튼튼하지 못함.

[事實 사실] 실제로 있었거나 있는 일.

[誠實 성실] 태도나 말씨 등이 정성스럽고 참됨. 착하고 거짓이 없음.

[眞實 진실] 거짓이 없이 바르고 참됨.

[行實 행실] 일상의 행동.

4급 고등 한자

㊥ 寝 (qǐn)

㊒ sleep [sli:p]

잘 침ː

풀이 1 자다. 2 쉬다. 3 방. 4 잠.

부수 宀(갓머리)부

찾기 宀3 + 寑11 = 14획

丶 丷 宀 宀 宀 宀 宀 宀 宀 宀 宀 宀 宀 寢

글자뿌리 형성(形聲) 문자. 집 면(宀〈뜻〉)에 조각 장(爿〈뜻〉)과 침노할 침(侵〈省〉〈음〉)을 합친 자로, 爿(장)은 잠자리의 뜻. 侵(침)은 깊숙이 들어감의 뜻. 집의 깊숙한 곳에 있는 '방', 또는 방에서 '자다' 의 뜻을 나타냄.

[寢具 침구] 잠자는 데 쓰는 물건. 이부자리, 베개 따위.
[寢臺 침대] 사람이 누워서 자는 가구. 서양식 침상(枕上).
[寢食 침식] 잠자는 일과 먹는 일.
[寢室 침실] 잠을 자도록 마련된 방.
[不寢番 불침번] 밤에 자지 않고 경비를 서는 일. 또는 그 사람.
[就寢 취침] 잠자리에 듦.

⇒ ⇒ 察

[考察 고찰] 깊이 생각하여 살펴봄.
[觀察 관찰] 사물을 주의 깊게 살펴봄.
[省察 성찰] 자신이 한 일을 돌이켜 보고 깊이 생각함.
[視察 시찰] 실지 사정을 돌아다니며 살펴봄.
[診察 진찰] 의사가 여러 가지 수단으로 병의 유무나 증세 따위를 살피는 일.

4급Ⅱ 중학 한자

중 察 (chá)

영 watch [watʃ]

살필 찰

풀이 1 살피다. 2 조사하다.

부수 宀(갓머리)부

찾기 宀³+祭¹¹=14획

글자뿌리 형성(形聲) 문자. 집 면(宀〈뜻〉)에 제사 제(祭〈음〉)를 합친 자로, 신이 하늘에서 인간이 제사 지내는 정성을 본다는 데서 '살피다' 의 뜻이 된 자.

5급 고등 한자

중 写 (xiě)

영 copy [kɑ́pi]

베낄 사

풀이 1 베끼다. 2 그리다. 3 본뜨다.

부수 宀(갓머리)부

찾기 宀³+舄¹²=15획

글자뿌리 형성(形聲) 문자. 집 면(宀〈뜻〉)에 주춧돌 석(舄〈음〉)을 합친 자로, 舄(석)은 席(석)과 통하여 깔다의 뜻. 宀(면)은 덮다의 뜻. 실물(實物)을 밑에 깔고 그

위에 종이 따위를 덧씌워 '베끼다'의 뜻을 나타냄.

[寫本 사본] 원본을 그대로 옮기어 베낌. 또는 베낀 서류나 책.
[寫生 사생] 실물이나 경치를 있는 그대로 그리는 일.
[複寫 복사] 원본을 베낌.
[出寫 출사] 사진사가 출장을 가서 사진을 찍음.
[筆寫 필사] 베껴 씀.

4급Ⅱ 고등 한자
중 宝 (bǎo)
영 treasure [tréʒər]

보배 보ː

풀이 1 보배. 2 보물.
부수 宀(갓머리)부
찾기 宀3 + 貝17 = 20획

글자뿌리 회의(會意) 문자. 집 면(宀)과 구슬 옥(玉)과 조개 패(貝)와 장군 부(缶)를 합친 자로, 缶(부)는 술 따위를 넣어 두는 독. 집 안에 보석과 화폐를 독에 넣어 간직해 둔다는 데에서, '보배', '보물'의 뜻을 나타냄.

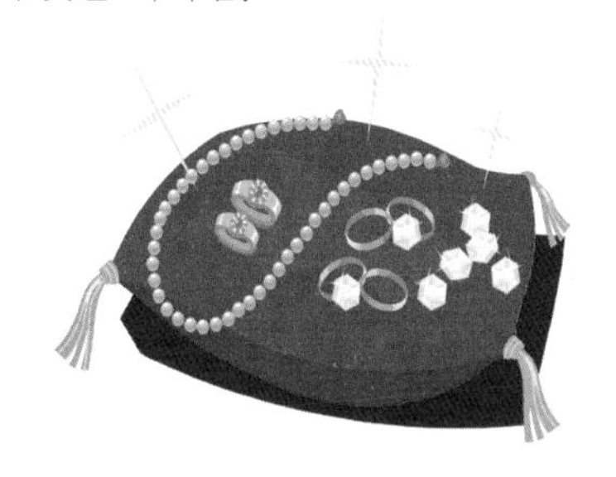

[寶物 보물] 드물고 귀한 가치가 있는 보배로운 물건.
[寶石 보석] 단단하고 빛깔과 광택이 아름다우며 희귀한 광물.
[家寶 가보] 한 집안에서 대를 물려 전해 오거나 전해질 보배로운 물건.
[國寶 국보] 나라의 보배로서 법률로 정해 보호하는 문화재.

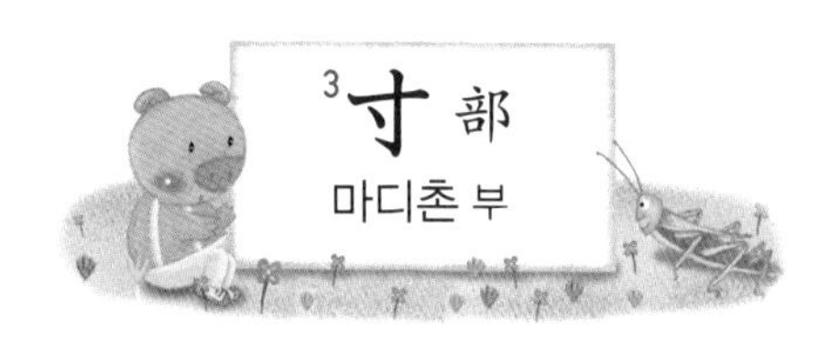

8급 중학 한자
중 寸 (cùn)
영 inch [intʃ]

마디 촌ː

풀이 1 마디. 2 치. ※ 길이의 단위.
부수 寸(마디촌)부
찾기 寸3 = 3획

글자뿌리 지사(指事) 문자. 손목〔寸=又〕에서 맥박이 뛰는 곳〔丶=一〕까지의 길이가 한 치〔寸〕라는 뜻.

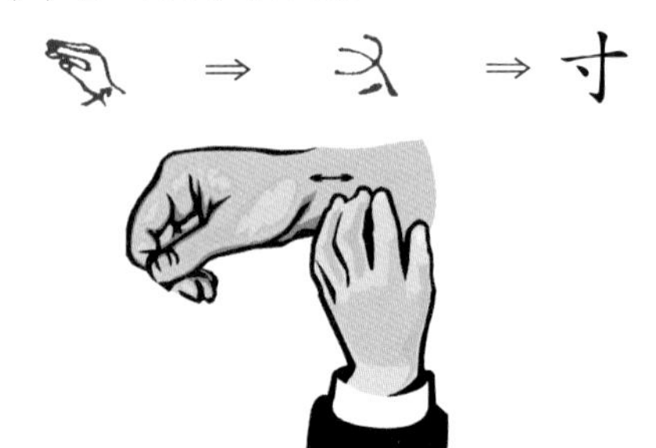

[寸刻 촌각] 아주 짧은 시간.
[寸陰 촌음] ① 매우 짧은 시간. ② 얼마 안 되는 시간.
[寸志 촌지] ① 속으로 품은 작은 뜻. ② 마음이 담긴 작은 선물.

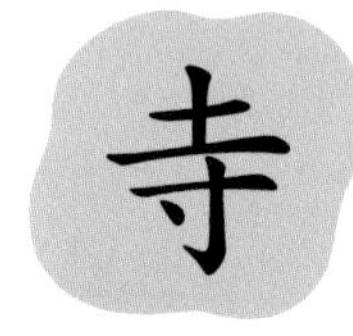

4급Ⅱ 중학 한자
중 寺 (sì)
영 ❶temple ❷eunuch

❶절 사
❷내시 시

풀이 ❶ 절. ❷ 내시. 관청.
부수 寸(마디촌)부
찾기 寸³+土³=6획

一 十 土 土 寺 寺

글자뿌리 회의(會意) 문자. 갈 지(土: 之의 변형)에 마디 촌(寸)을 합친 자로, 일정한 법도로써 일을 해 나가는 곳, 즉 관청. 나아가 '절'의 뜻이 된 자.

⇒ ⇒ 寺

[寺院 사원] 절이나 암자.
[寺刹 사찰] 절.

4급 중학 한자
중 射 (shè)
영 shoot [ʃu:t]

쏠 사(:)

풀이 쏘다.
부수 寸(마디촌)부
찾기 寸³+身⁷=10획

丿 亻 竹 自 自 身 射 射

글자뿌리 회의(會意) 문자. 몸 신(身: 본디는 활에 화살을 나타낸 모양)에 화살 시(矢)를 합친 자로, 몸에서 화살이 떠난다는 데서 '쏘다'의 뜻이 된 자.

[射殺 사살] 총이나 활로 쏘아 죽임.
[亂射 난사] 활·총 등을 표적을 정하지 않고 함부로 쏨.
[反射 반사] 빛 또는 소리가 다른 물체의 표면에 부딪쳐서 그 방향을 바꿔 나아가는 현상.
[發射 발사] 총포나 로켓 따위를 쏨.

將

4급Ⅱ 중학 한자
㊥ 将 (jiàng)
㊵ general [dʒénərəl]

장수 장(:)

풀이 1 장수. 2 장차. 3 어찌. 4 나아가다.
부수 寸(마디촌)부
찾기 寸3 + 爿8 = 11획

글자뿌리 형성(形聲) 문자. 조각 널 장(爿〈음〉)에 육달 월(⺼=肉)과 법도 촌(寸)을 합친 자로, 신 앞에 많은 제물을 차려 놓고 법도 있게 많은 씨족을 거느린 사람은 '장수'라는 뜻.

[將軍 장군] 군대를 지휘하는 군인.
[將來 장래] 앞날. 앞으로 닥쳐올 날.
[將星 장성] 장군.
[將帥 장수] 군대를 거느리는 장군.
[將次 장차] 차차. 앞으로.
[猛將 맹장] 날렵하고 용감한 장수.
[名將 명장] 뛰어난 장수. 이름난 장수.

專

4급 고등 한자
㊥ 专 (zhuān)
㊵ only [óunli]

오로지 전

풀이 1 오로지. 2 제 마음대로 하다.
부수 寸(마디촌)부
찾기 寸3 + 叀8 = 11획

글자뿌리 형성(形聲) 문자. 삼갈 전(叀〈뜻〉)에 마디 촌(寸〈음〉)을 합친 자로, 叀(전)은 실패의 상형. 寸(촌)은 손을 본뜬 모양. 실을 실패에 감음의 뜻. 전하여, 하나의 축(軸)에 감아 집중시킴의 뜻에서, '오로지'의 뜻을 나타냄.

[專攻 전공] 한 가지 부문을 전문적으로 연구함.
[專念 전념] 오로지 한 가지 일에만 마음을 쏟음.
[專擔 전담] 전문적으로 맡음.
[專門 전문] 어떤 부문의 일만을 맡아 하거나 연구하는 것.
[專屬 전속] 한 곳에만 딸려 있음.
[專制 전제] 다른 사람의 의사를 존중하지 않고 마음대로 일을 처리함.

4급Ⅱ 중학 한자
㊥ 尊 (zūn)
㊵ high [hái]

높을 존

풀이 1 높다. 높이다. 2 우러러보다.
부수 寸(마디촌)부
찾기 寸^{3} + 酋^{9} = 12획

글자뿌리 회의(會意) 문자. 술 익을 추(酋)에 법도 촌(寸)을 합친 자로, 술 단지를 오른손에 들고 윗사람에게 바쳐 따른다 하여 '높이다', '공경하다'의 뜻이 된 글자.

[尊敬 존경] 받들어 공경함.
[尊卑 존비] 존귀함과 비천함. 신분의 높음과 낮음.
[尊嚴 존엄] ① 존귀하고 엄숙함. ② 지위 또는 인품이 높아서 범할 수 없음.
[尊重 존중] 높이 받들고 귀중하게 여김.
[尊稱 존칭] 존경하여 부르는 명칭.
[尊銜 존함] 남을 높여서 그의 이름을 이르는 말.

6급 중학 한자
중 对 (duì)
영 reply [ripláí]

대할 대:

풀이 1 대하다. 2 대답하다. 3 상대. 짝.
부수 寸(마디촌)부
찾기 寸^{3} + 丵^{11} = 14획

글자뿌리 회의(會意) 문자. 종(鐘)을 매다는 판자 기둥을 본뜬 '丵'에 마디 촌(寸)을 합친 자로, 종 걸이는 서로 마주 보도록 되어 있다는 데서 '대하다', '상대'의 뜻이 된 글자.

[對決 대결] 양자가 맞서서 이기고 짐, 낫고 못함 따위를 겨룸.
[對談 대담] 서로 마주 보고 이야기함.
[對答 대답] ① 묻는 말에 대하여 자기의 뜻을 나타냄. ② 부름에 응함.
[對等 대등] 서로 견주어 낫고 못함이 없음.
[對立 대립] ① 마주 섬. ② 서로 반대되거나 모순됨.
[對比 대비] 서로 비교함. 또는 그 비교.
[對應 대응] ① 서로 마주 대함. 상대함. ② 상대에 따라 그에 맞게 일을 함. ③ 쌍방이 서로 같음. 서로 어울림.
[對照 대조] ① 둘 이상의 대상을 마주 대어 비교함. ② 서로 반대되거나 상대적으로 대비됨. 또는 그런 대비.
[對抗 대항] 서로 겨룸. 맞서서 서로 저항함.

[反對 반대] ① 사물의 위치·방향·순서 따위가 정상이 아니고 거꾸로임. 또는 그런 상태. ② 어떤 의견이나 제안 등에 찬성하지 아니함.
[相對 상대] ① 서로 마주 대함. 또는 그 대상. ② 서로 겨룸. 또는 그럴 만한 대상. ③ 서로 대비함.
[絶對 절대] 비교하거나 맞설 만한 것이 없는 상태. 또는 구속이나 제약을 받지 않고 그 자체로서 존재하는 것.

4급Ⅱ 고등 한자
중 导 (dǎo)
영 guide [gáid]

인도할 도:

풀이 인도하다. 이끌다.
부수 寸(마디촌)부
찾기 寸3 + 道13 = 16획

丶 丷 䒑 䒑 䒑 首 首 首 首 首 道 道 道 道 導 導

글자뿌리 형성(形聲) 문자. 마디 촌(寸〈뜻〉)에 길 도(道〈음〉)를 합친 자로, 寸(촌)은 '손'의 뜻. 손을 끌고 길을 가다에서 '인도하다'의 뜻이 된 자.

[導線 도선] 전기를 통하게 하는 철선.
[導入 도입] 끌어들임.
[導出 도출] 판단이나 결론을 이끌어 냄.
[教導 교도] 가르쳐 지도함.
[善導 선도] 좋은 길로 인도함.
[引導 인도] 가르쳐서 일깨움.
[指導 지도] 가르쳐 이끎.

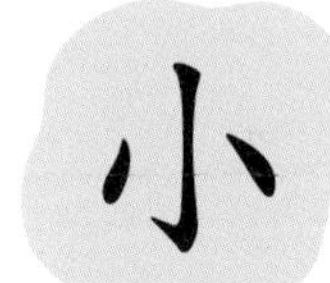

8급 중학 한자
중 小 (xiǎo)
영 small [smɔːl]

작을 소:

풀이 작다. 적다. 조금.
부수 小(작을소)부
찾기 小3=3획

亅 小 小

글자뿌리 상형(象形) 문자. 작은 점 세 개를 찍어서 '작음'을 나타낸 자.

∴ ⇒ 小 ⇒ 小

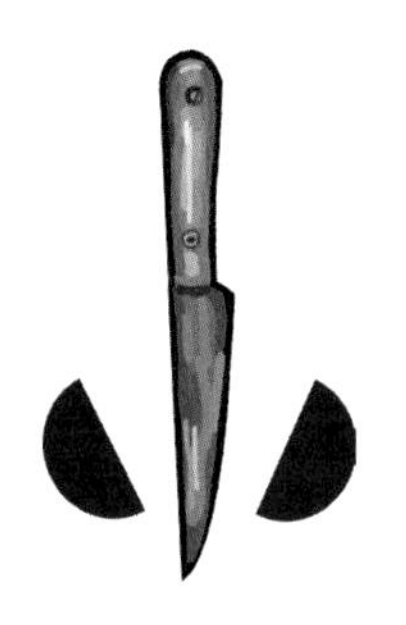

[小盤 소반] 음식을 놓고 먹는 작은 상. 밥상.
[小心 소심] 대담하지 못하고 조심성이 많음.
[小兒 소아] 어린아이.
[小人 소인] ① 나이 어린 사람. ② 덕(德)이 부족한 사람. 마음이 간사한 사람. ③ 자신을 낮추어 이르는 말.
[小品 소품] ① 소그만 물건. ② 규모가 작은 예술 작품.
[極小 극소] 아주 작음.
[弱小 약소] 약하고 작음. 작고 힘없음. 반 強大(강대).
[縮小 축소] 수량·부피·규모 등을 줄여서 작아지거나 작게 함.
[狹小 협소] 좁고 작음.

7급 중학 한자
중 少 (shǎo)
영 little [lítl]

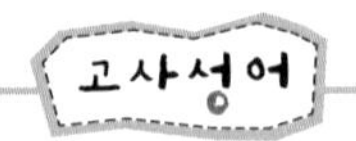

풀이 1 적다. 2 젊다.
부수 小(작을소)부

찾기 小³+丿¹=4획

글자뿌리 상형(象形) 문자. 작은 것의 일부분이 떨어져 나가 양이 더욱 적어져 '적음'을 나타낸 자.

[少女 소녀] 나이 어린 여자아이.
[少年 소년] 나이 어린 남자아이.
[少量 소량] 적은 분량.
[減少 감소] 줄어서 적어짐.
[老少 노소] 늙은이와 젊은이. ¶ 男女老少(남녀노소).
[多少 다소] ① 분량이나 정도의 많음과 적음. ② 조금. 약간. 어느 정도.
[年少 연소] 나이가 어림.
[稀少 희소] 드물고 적음.

고사성어

少年易老學難成 (소년이로학난성)

소년은 늙기 쉽지만 학문을 이루기는 어렵다는 뜻.

고사 중국 송(宋)나라 때의 대유학자인 주자(朱子)의 시(時) 〈권학문(勸學問)〉에 나오는 다음 구절에서 온 말로, 학문을 권하는 대표적인 이 한시(漢詩)는 오늘날에도 널리 알려져 있다.

少年易老學難成 소년은 늙기 쉽고 학문은 이루기가 어려우니,
一寸光陰不可輕 아주 짧은 시간도 가벼이 할 수 없다.
未覺池塘春草夢 못가에 돋아난 봄풀이 꿈을 깨기도 전에,
階前梧葉已秋聲 뜰 앞의 오동 잎이 이미 가을을 알린다.

3급Ⅱ 중학 한자

㊥ 尙 (shàng)

㊢ still [stil]

오히려 상(:)

풀이 1 오히려. 도리어. 2 높다. 3 숭상하다.

부수 小(작을소)부

찾기 小[3]+冋[5]=8획

丨 ⺌ 小 ⺌ 尚 尚 尚 尙

글자뿌리 형성(形聲) 문자. 향할 향(向〈음〉)에 여덟 팔(八〈뜻〉)을 합친 자로, 높은 토대 위에 조금 더 쌓아 올려 '오히려', '높다'는 뜻이 된 자.

[高尙 고상] 인품이나 학문, 취미 등의 정도가 높으며 품위가 있음.

[崇尙 숭상] 높이어 소중하게 여김.

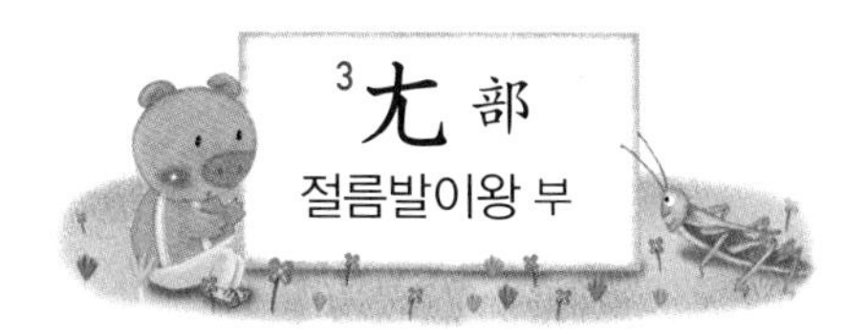

3급 중학 한자

㊥ 尤 (yóu)

㊢ moreover [mɔːróuvər]

더욱 우

풀이 1 더욱. 2 허물. 탓하다.

부수 尢(절름발이왕)부

찾기 尢[3]+丶[1]=4획

一 ナ 尢 尤

글자뿌리 상형(象形) 문자. 끝을 고정시키고 반대쪽을 잡아 구부리는 모양을 본뜬 글자.

4급 중학 한자

㊥ 就 (jiù)

㊢ enter [éntər]

나아갈 취:

풀이 1 나아가다. 2 이루다. 3 좇다. 따르다.

부수 尢(절름발이왕)부

찾기 尢[3]+京[9]=12획

丶 亠 亠 亠 古 亨 亨 京 京 就 就 就

글자뿌리 회의(會意) 문자. 서울 경(京)에 더욱 우(尤)를 합친 자로, 높은 데 쌓은 언덕이 남다르다는 뜻으로, 원뜻은 '높다'였으나 '나아가다', '이루다'의 뜻으로 쓰이게 됨.

⇒ ⇒ 就

[就任 취임] 높은 직책에 임명되어 처음으로 일하러 나아감.

[就職 취직] 일자리를 얻음. 취업.

[就寢 취침] 잠자리에 듦. 잠을 잠.
[就航 취항] 배나 비행기 따위가 항로에 오름.
[去就 거취] ① 사람이 어디로 나다니는 움직임. ② 어떤 일, 특히 일신상의 진퇴에 대하여 취하는 태도.
[成就 성취] 목적한 바를 이룸.

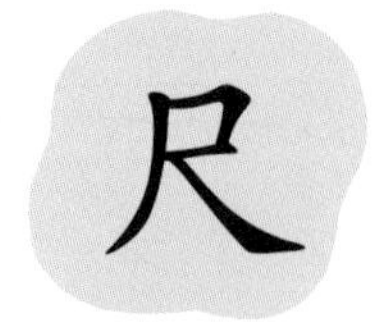

3급Ⅱ 중학 한자
중 尺 (chǐ)
영 measure [méʒər]

자 척

풀이 1 자. ※ 길이의 단위 및 재는 도구. 2 짧다. 작다.
부수 尸(주검시)부
찾기 尸3+ ㇏1=4획

글자뿌리 상형(象形) 문자. 사람의 발 부분에 표를 한 모양으로, 발바닥의 길이에서 '자'를 뜻함.

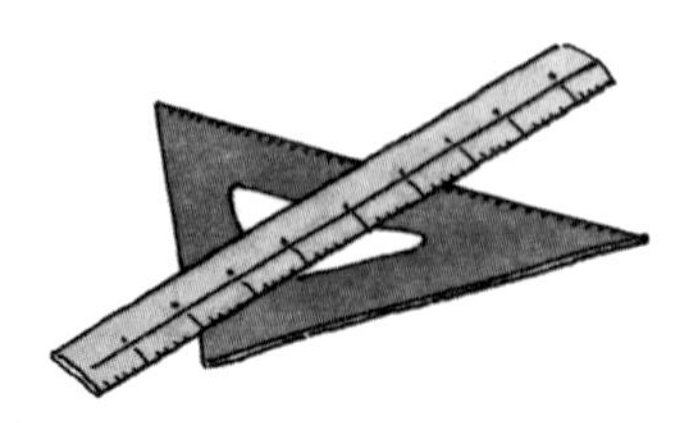

[尺度 척도] ① 자로 재는 길이의 표준. ② 평가하거나 측정하는 기준.
[咫尺 지척] 썩 가까운 거리.

5급 고등 한자
중 局 (jú)
영 bureau [bjúərou]

판 국

풀이 1 판. 2 관청. 부서. 3 방.
부수 尸(주검시)부
찾기 尸3+司4=7획

글자뿌리 회의(會意) 문자. 자 척(尺)에 입 구(口)를 합친 자로, 입을 자 밑에 놓은 것은 말을 법도에 맞게 해야 한다는 데서 한정하다의 뜻이 생기고, 전하여 '판', '방'의 뜻이 된 자.

[局面 국면] 일이 벌어진 경우나 장면.
[局部 국부] 전체 가운데의 한 부분.
[局限 국한] 범위를 일정한 부분에 한정(限定)함.
[難局 난국] 처리하기 어려운 국면이나 고비.
[時局 시국] 당면하고 있는 국내 및 국제적 정세.
[形局 형국] 어떤 일이 벌어진 그때의 형편이나 판국.

3급Ⅱ 중학 한자

중 尾 (wěi)

영 tail [teil]

꼬리 미:

풀이 1 꼬리. 2 끝.

부수 尸(주검시)부

찾기 尸3+毛4=7획

ㄱ ㅋ 尸 尸 尸 尸 尾

글자뿌리 회의(會意) 문자. 꽁무니 고(尸: 尻의 변형)에 터럭 모(毛)를 합친 자로, 짐승 꽁무니 뒤의 털이라는 뜻으로, '꼬리'를 나타내며, 전하여 '뒤', '끝'을 뜻함.

[尾蔘 미삼] 가는 인삼 뿌리.

[尾行 미행] 남의 행동을 감시하기 위하여 그 사람 몰래 뒤를 따라다님.

[九尾狐 구미호] ① 꼬리가 아홉 개 달린 여우. ② 교활한 사람을 비유하여 이르는 말.

[大尾 대미] 맨 끝.

[末尾 말미] 말·문장·번호 등의 연속되어 있는 것의 맨 끝.

[龍頭蛇尾 용두사미] 머리는 용이고 꼬리는 뱀이라는 뜻으로, 처음은 왕성하나 끝이 흐지부지됨의 비유.

[後尾 후미] ① 뒤쪽의 맨 끝. ② 대열의 맨 끝.

居

4급 중학 한자

중 居 (jū)

영 dwell [dwel]

살 거

풀이 1 살다. 2 있다.

부수 尸(주검시)부

찾기 尸3+古5=8획

ㄱ ㅋ 尸 尸 尸 尸 居 居

글자뿌리 형성(形聲) 문자. 몸 시(尸〈뜻〉)에 예 고(古〈음〉)를 합친 자로, 옆으로 눕거나 무릎을 펴고 편안히 있다는 데서 '있다', '살다'의 뜻이 된 자.

⇒ ⇒ 居

[居留 거류] ① 임시로 머물러 삶. ② 남의 나라 영토에 머물러 삶.

[居室 거실] 가족이 모여서 생활하는 공간.

[居住 거주] 어느 한 곳에 머물러 삶. 또는 사는 곳.

[居處 거처] 일정하게 자리를 잡고 살거나 묵는 일. 또는 그 장소.

[起居 기거] 일정한 장소에서 일상생활을 함. 또는 그 생활.

[同居 동거] 한집에서 같이 삶.

[別居 별거] 부부 또는 한 가족이 따로 떨어져서 삶.

4급 고등 한자
중 屈 (qū)
영 bend [bend]

굽힐 굴

풀이 1 굽히다. 2 굽다.
부수 尸(주검시)부
찾기 尸3+出5=8획

글자뿌리 형성(形聲) 문자. 몸 시(尸〈뜻〉)에 날 출(出〈음〉)을 합친 자로, 出(출)은 우묵한 것의 상형(象形)이 변화한 모양. 짐승이 움푹 팬 곳에 꼬리를 구부려 넣는 모양에서, '굽힘'의 뜻을 나타냄.

[屈曲 굴곡] 이리저리 꺾이고 굽어 있음. 또는 그런 굽이.
[屈伏 굴복] ① 고개를 숙이고 무릎을 꿇어 엎드림. ② 굴복(屈服).
[屈服 굴복] 힘이 모자라 뜻을 굽히고 복종함.
[屈辱 굴욕] 자기의 의사(意思)를 굽혀 남에게 복종하는 치욕.
[屈折 굴절] 휘어서 꺾임.
[屈指 굴지] ① 손꼽힐 만큼 아주 뛰어남. ② 무엇을 셀 때 손가락을 꼽음.
[百折不屈 백절불굴] 온갖 어려움에도 굽히지 아니함.
[卑屈 비굴] 용기가 없고 비겁함.

屋

5급 중학 한자
중 屋 (wū)
영 house [haus]

집 옥

풀이 1 집. 2 지붕. 덮개.
부수 尸(주검시)부
찾기 尸3+至6=9획

글자뿌리 회의(會意) 문자. 몸 시(尸)에 이를 지(至)를 합친 자로, 사람이 이르러 머물러 있는 곳이라는 데서, '집'을 뜻함.

[屋上 옥상] 지붕 위.
[家屋 가옥] 사람이 사는 집.
[社屋 사옥] 회사가 들어 있는 건물. 회사의 건물.
[洋屋 양옥] 서양식으로 지은 집. 반 韓屋(한옥).

5급 중학 한자
중 展 (zhǎn)
영 spread [spred]

펼 전:

풀이 1 펴다. 2 벌이다. 3 나아가다. 잘되다.

부수 尸(주검시)부

찾기 尸3+㠭7=10획

글자뿌리 형성(形聲) 문자. 몸 시(尸〈뜻〉)에 붉은 비단옷 전(㠭: 襄의 생략형〈음〉)을 합친 자로, 비단옷을 벗고 누워 팔·다리를 편히 한다는 데서 '펴다'의 뜻.

[展開 전개] 펴서 벌림. 또는 펴져서 벌어짐.

[展望 전망] ① 멀리 바라봄. 또는 멀리 바라다보이는 경치. ¶ 展望臺(전망대). ② 앞을 헤아려 내다봄.

[展示 전시] 여러 가지 물건을 벌여 놓고 보임.

[發展 발전] ① 세력 등이 성하게 뻗어 나감. ② 어떤 상태가 보다 좋은 상태로 되어 감. ③ 어떤 일이 낮은 단계에서 보다 높거나 복잡한 단계로 나아감.

層 층 층

4급 고등 한자

중 层 (céng)

영 story [stɔ́:ri]

풀이 1 층. 2 겹.

부수 尸(주검시)부

찾기 尸3+曾12=15획

글자뿌리 형성(形聲) 문자. 몸 시(尸〈뜻〉)에 일찍 증(曾〈음〉)을 합친 자로, 尸(시)는 집, 曾(증)은 겹쳐 쌓임의 뜻. 지붕이 포개져 쌓인 높은 다락집의 뜻에서 파생하여, '층', '겹'을 나타냄.

[層階 층계] 계단.

[層巖絶壁 층암절벽] 여러 층의 바위로 된 낭떠러지.

[深層 심층] 사물의 속이나 밑에 있는 깊은 층.

[地層 지층] 자갈·모래·진흙·생물체 등이 물 밑에 퇴적하여 이룬 층.

屬 붙일 속

4급 고등 한자

중 属 (shǔ)

영 belong to

풀이 1 붙이다. 붙다. 2 잇다. 3 무리.

부수 尸(주검시)부

찾기 尸3+蜀18=21획

글자뿌리 형성(形聲) 문자. 꼬리 미(尾〈뜻〉)에 하나 촉(蜀〈음〉)을 합친 자로, 蜀(촉)은 계속되다의 뜻. 尾(미: 꽁무니) 뒤에 이어지다의 뜻에서, 연속해 있음의 뜻을 나타냄.

[屬國 속국] 정치적으로 다른 나라의 지배를 받고 있는 나라.

[屬領 속령] 어떤 다른 나라에 속해 있는 영토.

[屬性 속성] 사물의 특징이나 성질.

[屬地 속지] 어느 나라에 속한 땅.

[歸屬 귀속] 재산·권리·영토 따위가 어떤 주체에 붙거나 딸림.

[所屬 소속] 일정한 단체나 기관에 속해 있음.

[從屬 종속] 자주성이 없이 주가 되는 것에 딸려 매여 있음.

[直屬 직속] 직접 속해 있음.

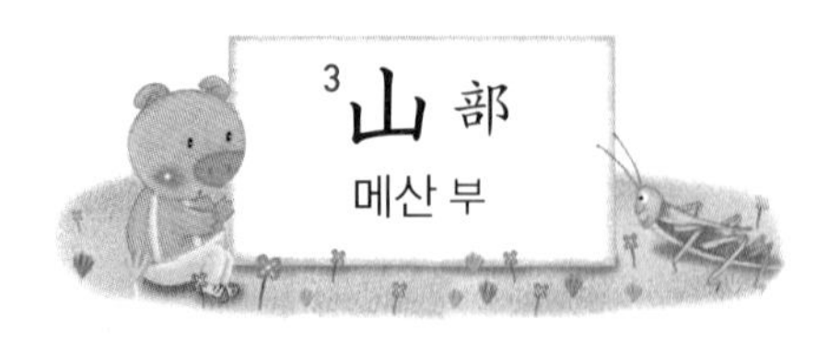

山

8급 중학 한자

중 山 (shān)

영 mountain [máuntən]

메 산

풀이 1 메. 산. 2 무덤. 뫼.

부수 山(메산)부

찾기 山³=3획

글자뿌리 상형(象形) 문자. 산의 모양을 본뜬 글자.

[山間 산간] 산과 산 사이. 산골짜기.

[山林 산림] 산과 숲. 산에 있는 숲.

[山脈 산맥] 산줄기.

[山寺 산사] 산속에 있는 절.

[山蔘 산삼] 깊은 산속에 저절로 나서 자라난 삼.

[山所 산소] ① 무덤을 높여서 이르는 말. ② 무덤이 있는 곳.

[山水 산수] ① 산과 물. 산하의 경치. ② 산에 흐르는 물.

[山野 산야] ① 산과 들. ② 시골.

[山莊 산장] 산에 있는 별장.

[山戰水戰 산전수전] 산에서 싸우고 물에서도 싸웠다는 뜻으로, 세상의 온갖 어려움을 다 겪음을 이르는 말.

[山中豪傑 산중호걸] 산속에 있는 호걸이란 뜻으로, 호랑이를 이르는 말.
[山海珍味 산해진미] 산과 바다의 산물을 모두 갖춘 진귀한 음식. 온갖 귀한 재료로 만든 맛 좋은 음식.
[登山 등산] 산에 오름.
[名山 명산] 이름난 산.
[火山 화산] 땅속의 용암이 밖으로 내뿜어지는 곳이나 그 내뿜어진 것이 쌓여 이루어진 산.

5급 중학 한자
중 岛 (dǎo)
영 island [áilənd]

섬 도

풀이 섬.
부수 山(메산)부
찾기 山3+鳥7=10획

글자뿌리 형성(形聲) 문자. 새 조(鳥: 鳥의 생략형〈음〉)에 메 산(山〈뜻〉)을 합친 자로, 사람이 살지 않고 새가 사는 산이라는 데서 '섬'의 뜻이 된 자.

[島嶼 도서] 크고 작은 섬을 두루 이르는 말.
[群島 군도] 무리를 이룬 많은 섬. 동 諸島(제도).
[落島 낙도] 육지에서 멀리 떨어져 있는 외딴섬.
[半島 반도] 대륙에서 바다 쪽으로 길게 뻗어 나와 삼면이 바다인 육지.

崇

4급 중학 한자
중 崇 (chóng)
영 venerate [vénərèit]

높일 숭

풀이 1 높이다. 높다. 2 존중하다. 공경하다.
부수 山(메산)부
찾기 山3+宗8=11획

글자뿌리 형성(形聲) 문자. 메 산(山〈뜻〉)에 마루 종(宗〈음〉)을 합친 자로, 산마루는 높다는 데서 '높다', '높이다'의 뜻이 된 자.

[崇高 숭고] 훌륭하고 높음.
[崇德廣業 숭덕광업] 높은 덕과 큰 사업. 또, 덕(德)을 높이고 업(業)을 넓힘.
[崇拜 숭배] ① 우러러 공경함. ② 종교적 대상을 우러러 신앙함.
[崇尙 숭상] 높여 소중하게 여김.
[崇仰 숭앙] 높여 우러러봄.
[崇祖尙門 숭조상문] 조상(祖上)을 숭배하고 문중(門中)을 위함.
[隆崇 융숭] 대우하는 태도가 정중하고 극진함.

巖

3급Ⅱ 중학 한자

중 岩 (yán)

영 rock [rak]

바위 암

풀이 1 바위. 2 가파르다. 험하다. 3 낭떠러지. 벼랑.

부수 山(메산)부

찾기 山3+嚴20=23획

글자뿌리 형성(形聲) 문자. 메 산(山〈뜻〉)에 엄할 엄(嚴〈음〉)을 합친 자로, 험준하여 가까이할 수 없는 엄한 산이라는 데서 '바위'의 뜻이 된 자.

[巖窟 암굴] 바위에 뚫린 굴.

[巖盤 암반] 암석으로 된 지반. 땅속의 큰 암석층.

[巖壁 암벽] 벽 모양으로 깎아지른 듯이 험하게 솟아 있는 바위.

[巖石 암석] 바위.

[巖牆 암장] 높고 위험한 담. 전하여, 위험한 장소. 또, 해치려고 하는 자.

[奇巖怪石 기암괴석] 기묘하고 괴상하게 생긴 바위와 돌.

川

7급 중학 한자

중 川 (chuān)

영 stream [stri:m]

내 천

풀이 내.

부수 巛(개미허리)부

찾기 川3=3획

글자뿌리 상형(象形) 문자. 양쪽 기슭 사이로 물이 흘러가는 모양을 본뜬 글자.

⇒ ⇒ 川

[川渠 천거] 물의 근원(根源)이 가까운 곳에 있는 내.

[川獵 천렵] 냇물에서 고기를 잡음.

[川邊 천변] 냇가.

[大川 대천] 큰 내. 또는 이름난 내.

[山川 산천] 산과 내.

[河川 하천] 시내와 강.

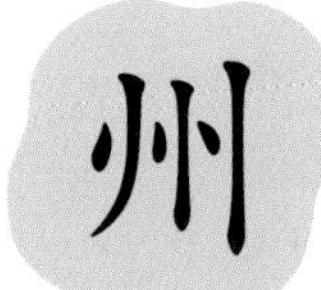

5급 고등 한자

중 州 (zhōu)

영 region [ríːdʒən]

고을 주

풀이 1 고을. 마을. 2 섬.

부수 巛(개미허리)부

찾기 川3+灬3=6획

丶 丿 ⺍ 州 州 州

글자뿌리 회의(會意) 문자. 강 가운데의 모래톱, 강섬의 뜻을 나타냄.

[州郡 주군] 주(州)와 군(郡)의 뜻으로, 전하여 지방(地方)을 뜻함.

[州知事 주지사] 미국 등 일부 국가에서 주(州)의 행정 사무를 총괄하는 자치 단체장.

[九州 구주] 신라가 삼국을 통일한 뒤 전국을 아홉으로 나눈 지방 행정 구역.

[沙州 사주] 바람·파도·조류에 밀린 잔돌이나 모래가 해안이나 하구(河口)에 쌓여서 이루어진 모래톱.

7급 중학 한자

중 工 (gōng)

영 artisan [ɑ́ːrtəzən]

장인 공

풀이 1 장인. 2 공교하다.

부수 工(장인공)부

찾기 工3=3획

一 丅 工

글자뿌리 상형(象形) 문자. 목수가 사용하는 자·곱자의 모양을 본뜬 글자.

[工巧 공교] ① 솜씨가 좋음. 교묘함. ② 뜻밖의 우연한 일에 마주치는 것이 썩 기이함.

[工事 공사] 토목·건축 등에 관한 일.

[工藝 공예] 실용적인 물건에 본래의 기능을 살리면서 아름다움을 조화시키는 솜씨. 또는 그 제품.

[工作 공작] ① 물건을 만드는 일. ② 어떤 목적을 위하여 일을 미리 꾸밈.

[工場 공장] 사람들을 모아 기계 등을 사용하여 물건을 만들어 내거나 손질하는 곳.

[加工 가공] 재료나 물품 등에 손을 더 대어 새로운 물건을 만드는 일.

[木工 목공] ① 나무를 다루어 물건을 만드는 일. ② 목수.

[手工 수공] ① 손으로 하는 공예. ② 손으로 하는 일의 품. 또는 그 품삯.

[職工 직공] ① 자기의 기술로 물건을 만드는 일을 업으로 하는 사람. ② 공장에서 일하는 근로자.

4급 중학 한자

중 巨 (jù)

영 great [greit]

클 거:

풀이 1 크다. 2 많다.

부수 工(장인공)부

찾기 工³+ コ²=5획

一 厂 戶 戶 巨

글자뿌리 상형(象形) 문자. 손잡이〔コ〕가 달린 큰 자〔匚〕를 손에 쥔 모양을 본뜬 자로, 큰 자라는 데서 '크다'의 뜻.

[巨金 거금] 큰돈. 많은 돈.

[巨大 거대] 매우 큼.

[巨物 거물] ① 거창한 물건. ② 학문이나 세력이 중요한 위치에 있는 사람.

[巨富 거부] 큰 부자.

[巨匠 거장] 학문, 예술 따위의 일정 분야에서 특히 뛰어난 사람.

左

7급 중학 한자

중 左 (zuǒ)

영 left [left]

왼 좌:

풀이 1 왼. 왼쪽. 2 증거. 3 돕다. 4 옳지 못하다.

부수 工(장인공)부

찾기 工³+ナ²=5획

一 ナ 𠂇 左 左

글자뿌리 회의(會意) 문자. 왼손 좌(ナ=左)에 장인 공(工)을 합친 자로, 목수가 자를 쥘 때 왼손으로 쥐므로 '왼쪽'. 또, 왼손은 오른손을 돕는다는 데서 '돕다'의 뜻도 됨.

⇒ 工 ⇒ 左

[左右 좌우] ① 왼쪽과 오른쪽. ② 곁. 측근자.

[左之右之 좌지우지] 제 마음대로 다루거나 휘두름.

[左遷 좌천] 높은 직위에서 낮은 직위로 떨어짐.

[左衝右突 좌충우돌] 이리저리 마구 찌르고 치고받고 함.

[左側 좌측] 왼쪽.

[右往左往 우왕좌왕] 이리저리 왔다 갔다 하며 종잡지 못함.

4급 고등 한자

중 差 (chā)

영 differ [dífər]

다를 차

풀이 1 다르다. 2 어긋나다. 3 병이 낫다.

부수 工(장인공)부

찾기 工3+𦍌7=10획

丷 䒑 𦍍 𦍌 羊 差 差 差

글자뿌리 형성(形聲) 문자. 늘어질 수(𠂹=𠂹〈뜻〉)에 왼 좌(左〈음〉)를 합친 자로, 𠂹(수)는 金文(금문)에서는 禾(화)로서, 이삭이 고르지 않게 팬 벼의 상형. 左(좌)는 叉(차)와 통하며, 손가락을 벌리고 그 사이에 물건을 끼운 모양을 나타냄. 고르지 않으며 제각각이거나 사물이 다르다는 뜻을 나타냄.

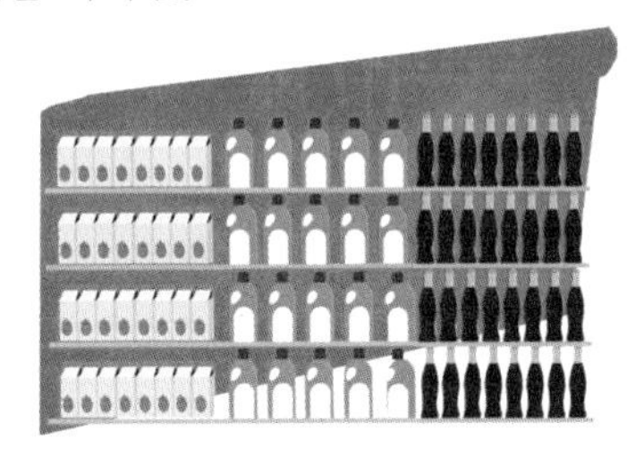

[差度 차도] 병이 조금씩 차차 나아가는 정도.

[差等 차등] 차이가 나는 등급.

[差別 차별] 차이 나게 구별함.

[差益 차익] 들인 비용을 빼고 난 이익.

[差出 차출] 어떤 일을 시키기 위하여 사람을 골라 뽑음.

[隔差 격차] 수준 등의 차이.

[誤差 오차] 관측하거나 셈한 수와 그 정확한 수와의 차이.

[快差 쾌차] 병이 다 나음.

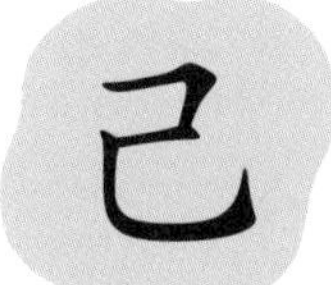

5급 중학 한자

중 己 (jǐ)

영 self [self]

몸 기

풀이 1 몸. 자기. 2 여섯째 천간(天干). ※ 방위는 중앙, 오행(五行)으로는 토(土).

부수 己(몸기)부

찾기 己3=3획

㇆ 𠃍 己

글자뿌리 상형(象形) 문자. 실타래에서 당겨 놓은, 구부러진 실의 끝 모양, 또는 만물이 몸을 굽혀서 숨기는 모양을 본뜬 글자로 '처음'을 뜻했다가 '자기'를 뜻하게 되었음.

⇒ ⇒ 己

[己所不欲勿施於人 기소불욕물시어인] 자기가 싫어하는 것은 다른 사람도 역

시 싫어하는 것이니, 이것을 남에게 시키면 안 된다는 말.
[克己 극기] 자기의 욕심 따위를 자기 힘으로 억눌러 이김.
[利己 이기] 자기 이익만 꾀함. ¶ 利己主義(이기주의).
[自己 자기] 그 사람 자신.
[知己 지기] 자기 마음을 알아주는 친구.

3급 중학 한자
중 巳 (sì)
영 snake [sneik]

뱀 사:

풀이 1 뱀. 2 여섯째 지지(地支). ※ 십이지의 여섯째로, 동물로는 뱀, 달〔月〕로는 음력 4월, 시간은 오전 9시~11시.
부수 己(몸기)부
찾기 巳³(己)=3획

ㄱ ㅋ 巳

글자뿌리 상형(象形) 문자. 뱀이 몸을 사리고 꼬리를 드리우고 있는 모양을 본뜬 글자.

[巳時 사시] 오전 9시에서 11시 사이.
[巳月 사월] 음력 4월.

3급Ⅱ 중학 한자
중 已 (yǐ)
영 already [ɔːlrédi]

이미 이:

풀이 1 이미. 2 그치다. 말다. 3 너무. 4 뿐. 따름.
부수 己(몸기)부
찾기 已³(己)=3획

ㄱ ㅋ 已

글자뿌리 상형(象形) 문자. 이(目=以)의 변한 글자로, 나무로 만든 쟁기를 본떠서, '그치다'의 뜻.

[已往 이왕] 이전(以前).
[已往之事 이왕지사] 이미 지나간 일.

7급 중학 한자
중 市 (shì)
영 market [máːrkit]

저자 시:

풀이 1 저자. 시장. 2 시가(市街). 3 행정 구역의 하나.
부수 巾(수건건)부
찾기 巾³+亠²=5획

丶 亠 亣 市 市

글자뿌리 회의(會意) 문자. 미칠 급(丿: 及의 옛 글자)에 멀 경(冂)과 갈 지(㞢: 之의 변형)를 합친 자로, 물건을 사고파는 곳으로 간다는 데서 '저자'의 뜻.

⇒ ⇒ 市

[市價 시가] 시장에서의 가격.
[市街 시가] 도시의 큰 거리.
[市立 시립] 행정 관청인 시에서 세움.
[市民 시민] 행정 구역인 시에서 사는 사람.
[市勢 시세] 일정한 시기의 어떤 물건의 시장 가격.
[市外 시외] 도시에 가까운 지역. 반 市內(시내).
[市議會 시의회] 시민이 뽑은 의원으로 이루어진 의회.
[市長 시장] 행정 관청인 시의 우두머리.
[市場 시장] 물건을 모아 팔고 사는 곳.
[市中 시중] 시내의 안. 도시의 안.
[市廳 시청] 행정 구역의 하나인 시의 행정 사무를 맡아보는 관청.
[都市 도시] 사람이 많고 상업이나 공업 등이 발달한 곳.
[門前成市 문전성시] 문 앞이 시장을 이룬다는 뜻으로, 찾아오는 사람이 많음을 두고 이르는 말.
[波市 파시] 고기가 많이 잡히는 철에 바다 위에서 열리는 생선 시장.

4급Ⅱ 중학 한자
중 布 (bù)
영 hemp cloth

❶베/펼 포(:)
❷보시 보:

풀이 ❶ 1 베. 2 펴다. 베풀다. ❷ 보시(布施)하다.
부수 巾(수건건)부
찾기 巾3+ナ2=5획

ノ ナ 才 右 布

글자뿌리 형성(形聲) 문자. 본래는 아비 부(父→ナ〈음〉) 밑에 수건 건(巾〈뜻〉)을 합친 자로, 아버지가 아들을 매로 다스리듯 천을 다듬질하여 매만진다는 데서 잘 다듬질한 '베'를 뜻함.

⇒ ⇒ 布

[布告 포고] 일반 사람들에게 널리 알림. ¶ 宣戰布告(선전 포고).
[布教 포교] 종교를 널리 폄.
[布木 포목] 베와 무명. ¶ 布木店(포목점).
[布石 포석] ① 바둑에서, 처음에 넓은 곳을 차지하려고 돌을 벌여 놓는 일. ② 장래의 일을 위하여 미리 손을 씀.
[公布 공포] 모든 사람에게 널리 알림.
[麻布 마포] 삼베.
[綿布 면포] 무명.

[毛布 모포] 담요.
[發布 발포] 법령 따위를 세상에 널리 펴서 알림.
[分布 분포] 나누어져 여러 곳에 널리 퍼져 있음.
[宣布 선포] 세상에 널리 펴서 알림.
[流布 유포] 세상에 널리 퍼뜨림. 또는 세상에 널리 퍼짐.

4급Ⅱ 중학 한자
중 希 (xī)
영 hope [houp]

바랄 희

풀이 1 바라다. 2 드물다.
부수 巾(수건건)부
찾기 巾3+𡗗4=7획

ノ ㄨ 𠂊 𡗗 𡗗 肴 希

글자뿌리 회의(會意) 문자. 형상할 효(𡗗=爻)에 수건 건(巾)을 합친 자로, 무늬를 수놓은 수건은 흔하지 않으므로 이것을 탐내고 '바란다'는 뜻.

[希求 희구] 바라고 구함.
[希望 희망] 무엇을 이루거나 얻기를 바람. 반 絕望(절망).
[希願 희원] 앞으로의 일에 대한 바람. 희망(希望).

4급 중학 한자
중 帝 (dì)
영 emperor [émpərər]

임금 제:

풀이 임금. 천자. 황제.
부수 巾(수건건)부
찾기 巾3+产6=9획

丶 亠 ㄊ 立 产 产 产 帝

글자뿌리 상형(象形) 문자. 하늘에 제사 지낼 때 쓰는 나무 신주를 본뜬 자로, 하늘의 신 또는 그 아들〔天子〕이란 데서 '왕', '임금'을 뜻함.

[帝國 제국] 황제가 다스리는 나라. ¶ 帝國主義(제국주의).
[帝臣 제신] 황제의 신하.
[帝王 제왕] 황제와 국왕.
[帝位 제위] 제왕의 자리.
[帝號 제호] 제왕의 이름.
[大帝 대제] '황제'를 높여서 이르는 말.
[上帝 상제] '옥황상제(玉皇上帝)'의 준말로, 하느님을 이르는 말. 동 天帝(천제).
[皇帝 황제] 제국의 임금.

4급Ⅱ 중학 한자
중 师 (shī)
영 teacher [tíːtʃər]

스승 사

풀이 1 스승. 선생님. 2 전문가. 3 군사.
부수 巾(수건건)부
찾기 巾3+𠂤7=10획

글자뿌리 회의(會意) 문자. 쌓일 퇴(𠂤: 堆의 본자)에 두를 잡(帀)을 합친 자로, 언덕에 군대가 주둔한다고 해서 '군사'의 뜻이 됨. 또한, 사람의 모범이 되어 남을 이끄는 사람이라는 데서 '선생'을 뜻함.

[師團 사단] 군대 편성의 한 단위. 군단의 아래, 연대의 위.
[師母 사모] 스승의 부인.
[師範 사범] ① 스승으로서 모범이 될 만한 사람. ② 권투·유도·바둑 등의 기예를 가르치는 사람.
[師父 사부] ① '스승'을 높여 이르는 말. ② 스승과 아버지.
[師弟 사제] 스승과 제자.
[講師 강사] 학원·학교 등에서 강의를 하는 사람.
[敎師 교사] 지식이나 기술 등을 가르치는 스승.
[牧師 목사] 교회를 맡아 신자를 가르치고 인도하는 사람.
[藥師 약사] 약사 자격증을 가지고 의사의 처방에 따라 약을 조제하거나 의약품을 파는 사람.
[恩師 은사] 은혜를 베풀어 준 스승.
[醫師 의사] 의술과 약으로 병을 고치는 일을 직업으로 하는 사람.

6급 중학 한자
중 席 (xí)
영 seat [siːt]

자리 석

풀이 1 자리. 돗자리. 2 깔다. 3 베풀다.
부수 巾(수건건)부
찾기 巾3+庶7=10획

글자뿌리 형성(形聲) 문자. 무리 서(庶=庶〈음〉) 밑에 수건 건(巾〈뜻〉)을 합친 자로, 여럿이 앉을 수 있도록 넓은 천〔巾〕을 깐다는 데서 '자리'를 뜻함.

[席卷 석권] 자리를 말듯이 무서운 기세로 영토를 차지하거나 닥치는 대로 공격함을 이르는 말.
[席上 석상] 어떤 모임의 자리. 여러 사람이 모인 자리.
[席次 석차] ① 자리의 차례. ② 성적의 차례.
[客席 객석] ① 손님이 앉는 자리. ② 극

장 따위에서 구경하는 자리.
[缺席 결석] 학교나 모임 등에 나가지 아니함. 반 出席(출석).
[末席 말석] ① 맨 끝자리. ② 모임 따위에서 지위가 낮은 사람이나 손아랫사람이 앉는 아랫자리. 반 上席(상석). ③ 낮은 지위.
[首席 수석] ① 맨 윗자리. ② 석차 따위에서 첫째.
[座席 좌석] ① 앉는 자리. 반 立席(입석). ② 여러 사람이 모인 자리.
[次席 차석] ① 맨 윗자리의 다음 자리나 지위. ② 성적 따위에서, 수석에 다음가는 성적.
[着席 착석] 자리에 앉음.
[出席 출석] 공부하는 자리나 모임 등에 나감. 동 參席(참석). 반 缺席(결석).

4급Ⅱ 중학 한자
중 常 (cháng)
영 always [ɔ́:lweiz]

항상/떳떳할 상

풀이 1 항상. 늘. 2 떳떳하다. 3 보통. 4 상사람.
부수 巾(수건건)부
찾기 巾3+尙8=11획

글자뿌리 형성(形聲) 문자. 높을 상(尙〈음〉)에 수건 건(巾〈뜻〉)을 합친 자로, 사람에게는 항상 옷이 필요하고, 옷을 입음은 예법에 맞으므로 '항상', '떳떳하다'의 뜻이 된 자.

[常例 상례] 늘 있는 일.
[常綠樹 상록수] 나뭇잎이 가을이나 겨울이 되어도 떨어지지 않고 사철 푸른 나무.
[常民 상민] 상사람. 평민.
[常備 상비] 늘 갖추어 둠. ¶ 常備藥(상비약).
[常事 상사] 늘 있는 일.
[常設 상설] 시설이나 설비를 늘 갖추어 둠. ¶ 常設市場(상설 시장).
[常習 상습] 늘 하는 버릇. ¶ 常習犯(상습범).
[常識 상식] 보통의 지식. 일반으로 알려진 지식.
[常任 상임] 늘 계속해서 맡음. ¶ 常任理事(상임 이사).
[常情 상정] 보통의 정분이나 인정. ¶ 人之常情(인지상정).
[常住 상주] 항상 살고 있음. ¶ 常住人口(상주인구).
[常套 상투] 늘 하는 버릇.
[非常 비상] ① 심상치 않음. ¶ 非常事態(비상사태). ② 평범하지 않음.
[異常 이상] 보통과 다름.
[日常 일상] 날마다. 항상. ¶ 日常生活(일상생활).

4급 고등 한자
중 帐 (zhàng)
영 curtain [kə́ːrtən]

장막 장

풀이 1 장막. 2 휘장. 3 장부책.
부수 巾(수건건)부
찾기 巾3+長8=11획

帳帳帳

글자뿌리 형성(形聲) 문자. 수건 건(巾〈뜻〉)에 긴 장(長〈음〉)을 합친 자로, 長(장)은 '길게 펴다'의 뜻. 천을 길게 둘러친 '휘장'의 뜻을 나타냄.

[帳幕 장막] 사람이 볕이나 비를 피할 수 있도록 한데에 둘러치는 막.
[帳簿 장부] 금품의 수입·지출 또는 기타의 사항을 기록하는 책.
[臺帳 대장] ① 어떤 근거가 되도록 일정한 양식으로 기록한 장부나 원부(原簿). ② 상업상의 모든 계산을 기록한 원부.
[通帳 통장] 은행·우체국 같은 곳에서 예금한 사람에게 출납 상태를 기록하여 주는 장부.
[布帳 포장] 베·무명 따위로 만든 휘장.
[揮帳 휘장] 피륙을 여러 폭으로 이어 빙 둘러치게 만든 포장.

4급Ⅱ 고등 한자
중 带 (dài)
영 belt [belt]

띠 대(:)

풀이 1 띠. 2 차다. 3 데리고 있다. 4 근처.
부수 巾(수건건)부
찾기 巾3+𠔻8=11획

帶帶帶

글자뿌리 상형(象形) 문자. 띠에 장식 끈이 겹쳐 늘어진 형상을 본떠서 '띠'의 뜻을 나타냄.

[帶劍 대검] 칼을 참. 또, 그 칼.
[帶同 대동] 함께 데리고 감.
[連帶 연대] 어떤 일에 대하여 두 사람 이상이 함께 책임을 짐.
[一帶 일대] 어느 지역의 전부.
[地帶 지대] 한정된 땅의 구역.
[携帶 휴대] 물건을 몸에 지님.

4급 중학 한자

㊥ 干 (gān)

㊢ shield [ʃiːld]

방패 간

풀이 1 방패. 2 막다. 방어하다. 3 범하다. 4 마르다.

부수 干(방패간)부

찾기 干³=3획

글자뿌리 상형(象形) 문자. 나뭇가지로 만든 두 갈래로 갈라진 창을 본뜬 글자로, 무기로 적을 '찌른다'는 뜻을 나타내고, 나아가 '방패', '방어하다'를 뜻함.

⇒ ⇒ 干

[干滿 간만] 썰물과 밀물.

[干涉 간섭] 남의 일에 끼어들어 참견을 함.

[干證 간증] ① 지난날, 범죄에 관련된 증언을 뜻하던 말. ② 기독교에서, 지은 죄를 자백하고 믿음을 고백하는 일.

[干拓 간척] 바다 또는 호수를 막아 물을 빼어 뭍으로 만듦.

[欄干 난간] 층계나 다리의 가장자리에 나무나 쇠로 세워 놓은 살.

[若干 약간] 얼마 되지 않음.

[如干 여간] 보통으로. 어지간하게.

7급 중학 한자

㊥ 平 (píng)

㊢ even [íːvən]

평평할 평

풀이 1 평평하다. 2 고르다. 3 보통. 4 관리하다. 다스리다.

부수 干(방패간)부

찾기 干³+八²=5획

글자뿌리 상형(象形) 문자. 물 위에 뜬 수초 모양을 본뜬 자로, '평평하다'는 뜻을 나타냄.

⇒ ⇒ 平

[平交 평교] 나이가 비슷한 사람끼리 사귐. 또는 그런 벗.

[平均 평균] 많거나 적지 않고 고름.

[平年 평년] ① 윤년이 아닌 해. ② 농사가 보통으로 된 해. ¶ 平年作(평년작).

[平等 평등] 권리나 자격이 고르고 한결같음. 차별이 없이 동등함. ¶ 男女平等(남녀평등).

[平面 평면] 평평한 겉면.

[平民 평민] 벼슬이 없는 보통 사람.

[平凡 평범] 뛰어나지 않고 보통임. 반 非凡(비범).

[平素 평소] 보통 때. 평상시.

[平安 평안] 무사히 잘 있음. 마음에 걱정이 없음.
[平易 평이] 까다롭지 않고 쉬움.
[平日 평일] ① 휴일이나 명절이 아닌 보통날. ② 보통 때. 동 平素(평소).
[平定 평정] 난리를 평화롭게 진정시킴.
[平地 평지] 바닥이 평평한 땅.
[平坦 평탄] ① 바닥이 평평함. ② 마음이 고요하고 편안함. ③ 일이 순조롭게 진행됨.
[公平 공평] 한쪽으로 치우침이 없이 공정함.
[不平 불평] ① 불만스럽게 생각함. ② 마음이 편치 않음.
[水平 수평] 기울지 않고 평평한 상태.
[地平線 지평선] 땅과 하늘이 맞닿아 보이는 넓고 평평한 경계선.
[太平 태평] 세상이 안정되어 아무 걱정이 없이 평안함.
[泰平 태평] ① 성격이 느긋하여 근심 걱정 없이 태연함. ② 마음과 몸 또는 집안이 평안함.
[和平 화평] ① 마음이 평안함. ② 나라 사이가 평화로움.

8급 중학 한자
중 年 (nián)
영 year [jiər]

해 년

풀이 1 해. 2 나이.
부수 干(방패간)부
찾기 干3+𠂉3=6획

丿 𠂉 𠂉 𠂉 𠂉 年

글자뿌리 형성(形聲) 문자. 벼 화(禾〈뜻〉)에 일천 천(千〈음〉)을 합친 자로, 벼를 심어 수확하는 기간을 일 년으로 하여 '해'를 뜻함.

[年金 연금] 일정한 기간이나 죽을 때까지 해마다 지급되는 일정액의 돈.
[年內 연내] 그해의 안.
[年代 연대] ① 지나온 시대. ② 시대. ¶ 年代表(연대표).
[年度 연도] 사무 처리상 구분한 1년간의 기간.
[年齡 연령] 나이.
[年老 연로] 나이가 들어 늙음. 반 年少(연소).
[年末 연말] 그해의 끝 무렵. 반 年始(연시).
[年上 연상] 자기보다 나이가 위. 반 年下(연하).
[年歲 연세] '나이'를 높여 이르는 말.
[年少 연소] 나이가 어림. 반 年老(연로).
[年長 연장] 자기보다 나이가 많음. ¶ 年長者(연장자).
[年中 연중] 한 해의 동안. ¶ 年中無休(연중무휴).
[年賀狀 연하장] 새해를 축하하는 글을 적은 인사장.
[來年 내년] 다음 해. 동 明年(명년).

[老年 노년] 늙은 나이.
[少年 소년] 아주 어리지도 다 자라지도 않은 남자아이. 반 少女(소녀).
[送年 송년] 한 해를 보냄. ¶ 送年號(송년호).
[新年 신년] 새해.
[靑年 청년] 젊은이.

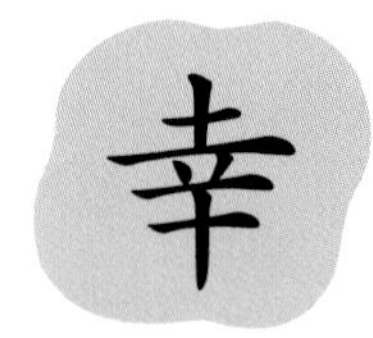

6급 중학 한자
중 幸 (xìng)
영 fortunate [fɔ́ːrtʃənit]

다행 행ː

풀이 1 다행. 다행하다. 2 요행.
부수 干(방패간)부
찾기 干[3]+圥[5]=8획

글자뿌리 회의(會意) 문자. 일찍 죽을 요(夭) 밑에 거스를 역(屰)을 합친 자로, 일찍 죽지 않고 장수했으므로 다행한 일이라는 뜻.

[幸福 행복] ① 좋은 운수와 복. ② 마음이 즐겁고 흡족한 상태. 반 不幸(불행).
[幸運 행운] 행복한 운수.
[幸運兒 행운아] 좋은 운수를 만난 사람.

[多幸 다행] 일이 좋게 됨. 운수가 좋음. 뜻밖에 잘되어 좋음.
[不幸 불행] ① 행복하지 못함. 반 幸福(행복). ② 운수가 나쁨. 반 多幸(다행).
[天幸 천행] 하늘이 준 행복이나 좋은 운수.

幼

3급Ⅱ 중학 한자
중 幼 (yòu)
영 infantile [ínfəntàil]

어릴 유

풀이 어리다. 어린아이.
부수 幺(작을요)부
찾기 幺[3]+力[2]=5획

글자뿌리 형성(形聲) 문자. 작을 요(幺〈음〉)와 힘 력(力〈뜻〉)을 합친 자로, 갓 태어나서 힘이 작고 약하므로 '어리다'의 뜻.

[幼年 유년] ① 나이가 어림. 어린아이. ② 어릴 때. ¶ 幼年期(유년기).
[幼兒 유아] 어린아이.
[幼弱 유약] 어리고 약함.
[幼蟲 유충] 애벌레.
[幼稚 유치] ① 생각이나 하는 행동 등이 어림. ② 나이가 어림. ¶ 幼稚園(유치원). ③ 지식이나 기술 등이 낮거나 미숙함.
[幼齒 유치] 어린 나이.
[長幼 장유] 어른과 어린아이. ¶ 長幼有序(장유유서).

3급 중학 한자
중 几 (jǐ)
영 some [sʌm]

몇 기

풀이 1 몇. 얼마. 2 기미.
부수 幺(작을요)부
찾기 幺3+戍9=12획

글자뿌리 형성(形聲) 문자. 작을 유(丝〈뜻〉)와 수자리 수(戍〈음〉)를 합친 자로, 적은 수의 군사로 지킬 때는 위태로운 기미를 알아채야 한다는 데서 '기미'의 뜻이 됨.

[幾微 기미] 낌새.
[幾百 기백] 몇 백.
[幾日 기일] 며칠. 몇 날.
[幾何學 기하학] 수학의 한 가지로, 점·선·면·입체 등이 만드는 공간 도형의 성질을 연구하는 학문.

5급 중학 한자
중 序 (xù)
영 order [ɔ́ːrdər]

차례 서:

풀이 1 차례. 2 실마리.
부수 广(엄호)부
찾기 广3+予4=7획

글자뿌리 형성(形聲) 문자. 집 엄(广〈뜻〉)에 나 여(予〈음〉)를 합친 자로, 앞〔予: 앞이라는 뜻이 있음〕에 있는 바위 집으로 들어간다는 데서 '처음', '차례'라는 뜻이 된 자.

[序曲 서곡] ① 오페라 등에서 막이 오르기 전에 연주하는 악곡. ② 어떤 일의 시작을 비유하여 이르는 말.
[序頭 서두] 글이나 말의 첫머리.
[序論 서론] 머리말.

[序幕 서막] 연극 등에서 처음 여는 막.
[序文 서문] 머리말. 동 序言(서언).
[序詩 서시] 서문 대신에 쓰는 시.
[序言 서언] 머리말.
[序列 서열] 차례를 늘어놓음. 또는 그 차례.
[順序 순서] 차례.
[秩序 질서] 혼란이 없는 올바른 상태를 유지하기 위하여 지켜야 할 차례나 규칙. ¶ 社會秩序(사회 질서).

4급Ⅱ 고등 한자
중 床 (chuáng)
영 couch [kautʃ]

상 상

풀이 1 상. 2 평상. 3 침상. 4 마루.
부수 广(엄호)부
찾기 广3+木4=7획

丶 亠 广 广 庄 床 床

글자뿌리 형성(形聲) 문자. 牀의 속자(俗字). 집 엄(广〈뜻〉)에 牀(상)의 생략형인 나무 목(木〈음〉)을 합친 자로, 집 안의 '마루', '침대'의 뜻을 나타냄.

[床石 상석] 무덤 앞에 제물을 차리기 위해 놓은 돌상.
[起床 기상] 잠자리에서 일어남.
[病床 병상] 병자가 누워 있는 침상.
[寢床 침상] 누워 잘 수 있는 평상.
[平床 평상] 나무로 만든 침상.

3급 중학 한자
중 庚 (gēng)
영 star [sta:r]

별 경(:)

풀이 1 별. 2 일곱째 천간. ※ 방위로는 서쪽, 오행(五行)으로는 금(金).
부수 广(엄호)부
찾기 广3+隶5=8획

丶 亠 广 户 庐 序 庚 庚

글자뿌리 회의(會意) 문자. 집 엄(广)에 절굿공이 오(隶=臾)를 합친 자로, 절굿공이로 곡식을 찧는 것을 뜻함.

4급Ⅱ 고등 한자
중 府 (fǔ)
영 village [vílidʒ]

마을 부(:)

풀이 1 마을. 고을. 2 관청. 3 곳집.
부수 广(엄호)부
찾기 广3+付5=8획

丶 亠 广 广 府 府 府 府

글자뿌리 형성(形聲) 문자. 집 엄(广〈뜻〉)에 줄 부(付〈음〉)를 합친 자로, 广(엄)은 '지붕', '건물'의 뜻. 付(부)는 '건네다', '부치다'의 뜻. 중요 서류를 부쳐서 간수해 두는 '곳집'의 뜻을 나타냄.

[府庫 부고] 궁정의 문서·재보를 넣어 두는 곳집.
[府君 부군] 남자 조상이나 죽은 아버지를 높여 부르는 말.
[府尹 부윤] ① 부(府)의 장관. 한(漢)나라의 경조윤(京兆尹)에서 시작하였음. ② 조선 시대, 종이품(從二品)의 외관직(外官職).
[官府 관부] 조정. 정부.
[政府 정부] 국가의 통치권을 행사하는 기관.

5급 중학 한자
중 店 (diàn)
영 shop [ʃɑp]

가게 점:

풀이 가게.
부수 广(엄호)부
찾기 $广^3$+$占^5$=8획

丶 亠 广 广 庁 庐 店 店

글자뿌리 형성(形聲) 문자. 집 엄(广〈뜻〉)에 차지할 점(占〈음〉)을 합친 자로, 집을 차지하고 물건을 파는 '가게'의 뜻을 나타냄.

[店房 점방] 가겟방.
[店員 점원] 다른 사람의 가게에서 가게 일을 보는 사람.
[店主 점주] 가게 주인.
[店鋪 점포] 가게. 상점.
[開店 개점] 새로 가게를 엶. 반 閉店(폐점).
[露店 노점] 길가에 벌여 놓은 가게.
[本店 본점] 은행이나 백화점 등에서, 영업의 본거지가 되는 점포. 반 支店(지점).
[書店 서점] 책을 파는 가게. 책방.

4급 고등 한자
중 底 (dǐ)
영 bottom [bɑ́təm]

밑 저:

풀이 1 밑. 2 속. 3 바닥. 4 이르다.
부수 广(엄호)부
찾기 $广^3$+$氐^5$=8획

丶 亠 广 广 庀 庀 底 底

글자뿌리 형성(形聲) 문자. 집 엄(广〈뜻〉)에 근본 저(氐〈음〉)를 합친 자로, 氐(저)는 바닥의 뜻. 가옥의 바닥이란 뜻에서, 일반적으로 물건의 '밑', '바닥'의 뜻을 나타냄.

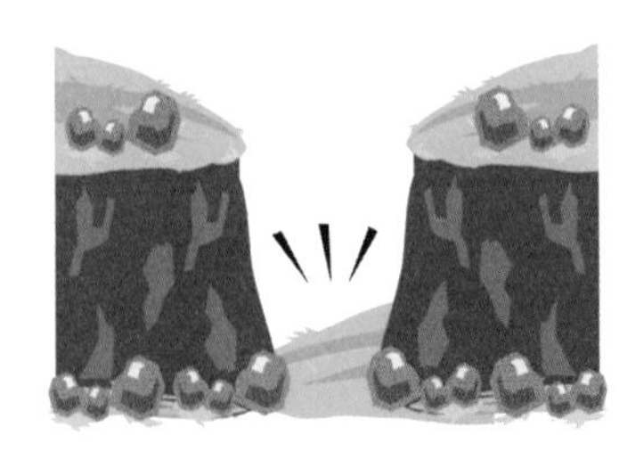

[底力 저력] 속에 간직한 힘. 숨은 힘.
[底面 저면] 밑바닥.
[底意 저의] 속으로 품은 생각.
[基底 기저] 기초가 되는 밑바닥.
[海底 해저] 바다의 밑바닥.

6급 중학 한자
㊥ 度 (❶dù, ❷duó)
㊣ ❶law
❷consider

❶법도 도: ❷헤아릴 탁

풀이 ❶ 1 법도. 2 자. 3 국량. 4 정도. 5 모양. 6 횟수. 도수. ❷ 헤아리다.
부수 广(엄호)부

찾기 广³+𠬝⁶=9획

丶 亠 广 广 庐 庐 庐 度 度

글자뿌리 형성(形聲) 문자. 무리 서(庶=庶〈음〉)에 오른손 우(又〈뜻〉)를 합친 자로, 손으로 여러 번 헤아려 긴 정도를 알아낸다는 데서 '법도(法度)'의 뜻.

⇒ ⇒ 度

[度量 도량] ① 너그러운 마음과 깊은 생각. ② 일을 잘 알아서 처리할 수 있는 품성. ③ 길이를 재는 자와 양을 재는 되.
[度量衡 도량형] 길이·면적·부피·무게 등을 재는 기구, 단위, 방법을 일컫는 말.

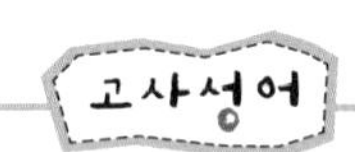

度外視 (도외시)

안중에 두지 않고 무시함을 이르는 말.

고사 중국의 후한(後漢)을 세운 유수(劉秀)는 여러 반란군을 무찌르고 부하들의 추천으로 황제가 되었는데, 그가 황제가 된 뒤에도 천하 통일을 위한 싸움은 여전히 계속되고 있었다. 그러나 제(齊) 땅과 강회(江淮) 땅이 평정되자, 중원(中原)은 차츰 유수에게 항복해 왔다. 그러나 벽지인 진(秦) 땅에 거점을 두고 있던 외효(隗囂)와 역시 산간 지방인 성도(成都)에 거점을 두고 있던 공손술(公孫述) 두 사람만은 항복해 오지 않았다. 중신들은 계속 이 두 사람을 토벌할 것을 주장했으나 유수는, "이미 중원은 평정되었으니 그 두 사람은 안중에 둘 것도 없소〔度外視〕."라고 말했다 한다.

[度外視 도외시] 범위나 한도 밖으로 여겨 문제 삼지 않음.
[角度 각도] ① 각의 크기. ② 사물을 보는 방향.
[強度 강도] 강한 정도.
[過度 과도] 정도에 지나침.
[速度 속도] 빠른 정도.
[溫度 온도] 덥고 찬 정도.
[進度 진도] 일이 진행되어 가는 정도나 속도.

4급 고등 한자
중 库 (kù)
영 warehouse [wέərhàus]

곳집 고

풀이 곳집. 창고.
부수 广(엄호)부
찾기 广3+車7=10획

亠 广 户 庐 庐 启 庫 庫

글자뿌리 형성(形聲) 문자. 집 엄(广〈뜻〉)에 수레 거(車〈음〉)를 합친 자로, 广(엄)은 '가옥'의 뜻. 車(거)는 '수레'의 뜻. 수레를 넣는 '곳집'의 뜻을 나타냄.

[庫直 고직] 창고지기.
[金庫 금고] 돈·재물 등 귀중품을 넣어 두는 곳.
[書庫 서고] 책을 보관하는 집이나 방.
[入庫 입고] 물건을 창고에 넣음.
[在庫 재고] 창고에 쌓아 둔 물건.
[車庫 차고] 차를 넣어 두는 창고.
[出庫 출고] 창고에서 물건을 꺼냄.

4급 고등 한자
중 座 (zuò)
영 seat [si:t]

자리 좌:

풀이 1 자리. 2 지위.
부수 广(엄호)부
찾기 广3+坐7=10획

亠 广 广 広 広 応 座 座

글자뿌리 형성(形聲) 문자. 집 엄(广〈뜻〉)에 앉을 좌(坐〈음〉)를 합친 자로, 가옥 안의 앉는 장소의 뜻을 나타냄.

[座談 좌담] 마주 자리를 잡고 앉아서 하는 이야기.
[座席 좌석] 앉는 자리.
[座中 좌중] 여러 사람이 모인 자리. 또는 모여 앉은 여러 사람.
[講座 강좌] 대학 등에서 가르치는 과목이나 여러 차례의 강연.
[權座 권좌] 권력을 가진 자리.
[星座 성좌] 별자리.

6급 중학 한자
중 庭 (tíng)
영 garden [gáːrdn]

뜰 정

풀이 1 뜰. 2 집안. 3 조정.
부수 广(엄호)부
찾기 广3+廷7=10획

글자뿌리 형성(形聲) 문자. 집 엄(广〈뜻〉)에 조정 정(廷〈음〉)을 합친 자로, 본디는 대궐 안의 안뜰을 나타내다가 나중에 일반 가정의 '뜰'을 뜻하게 됨.

[庭球 정구] 공을 라켓으로 쳐서 중간 그물을 넘기며 즐기는 운동 경기. 연식 정구와 경식 정구가 있음. 테니스.
[庭園 정원] 집 안의 뜰.
[庭園師 정원사] 정원의 꽃밭이나 나무를 가꾸는 사람.
[家庭 가정] 가족이 함께 살아가는 사회의 가장 작은 집단.
[校庭 교정] 학교의 마당이나 운동장.
[宮庭 궁정] 대궐 안의 마당.
[法庭 법정] 법원이 소송 절차에 따라 송사를 심리하고 판결하는 곳.

4급Ⅱ 고등 한자
중 康 (kāng)
영 peaceful [píːsfəl]

편안할 강

풀이 1 편안하다. 2 즐겁다. 3 풍년이 들다.
부수 广(엄호)부
찾기 广3+隶8=11획

글자뿌리 회의(會意) 문자. 경(庚)에 쌀 미(米)를 합친 자로, 경(庚)은 절굿공이를 양손으로 들어 올려 탈곡하는 형상임. 米(미)는 흘러 떨어지는 벼의 모양을 형상함. 결실이 많아 안락하다의 뜻을 나타냄.

[康寧 강녕] 건강하고 편안함.
[康樂 강락] 편안히 즐거워함.
[小康 소강] 소란스러운 상태가 얼마 동안 가라앉는 일.

5급 중학 한자
중 广 (guǎng)
영 broad [brɔːd]

넓을 광

풀이 1 넓다. 2 널리.
부수 广(엄호)부
찾기 广^{3}+黃^{12}=15획

丶 亠 广 广 庐 庐 庐 庐
庐 庴 庴 廣 廣 廣 廣

글자뿌리 형성(形聲) 문자. 집 엄(广〈뜻〉)에 누를 황(黃〈음〉)을 합친 자로, 벽이 없는 대청의 뜻에서 '넓다'는 뜻.

[廣告 광고] ① 널리 알림. ② 상품 따위를 많이 팔거나 널리 알리기 위하여 선전함. ¶ 廣告主(광고주).
[廣大 광대] 넓고 큼.
[廣漠 광막] 끝없이 넓음.
[廣範 광범] 범위가 넓음.
[廣野 광야] 넓은 들.
[廣義 광의] 넓은 뜻. 반 狹義(협의).
[廣場 광장] 넓은 마당.

4급 고등 한자
중 厅 (tīng)
영 government office

관청 청

풀이 1 관청. 2 마루. 3 건물.
부수 广(엄호)부
찾기 广^{3}+聽^{22}=25획

广 广 广 庐 庐 庐 庐 庐
庐 庐 庐 庐 廳 廳 廳 廳

글자뿌리 형성(形聲) 문자. 집 엄(广〈뜻〉)에 들을 청(聽〈음〉)을 합친 자로, 聽(청)은 '잘 듣다'의 뜻. 정무(政務)를 듣는 집의 뜻에서, '관청'의 뜻을 나타냄.

[廳舍 청사] 관청의 건물.
[官廳 관청] 국가의 사무를 맡아보는 기관.
[區廳 구청] 구의 행정 사무를 맡아보는 관청.
[大廳 대청] 한옥에서, 몸채의 방과 방 사이에 있는 큰 마루.

4급 고등 한자
중 延 (yán)
영 delay [diléi]

늘일 연

풀이 1 늘이다. 2 잇다. 3 끌다.

부수 廴(민책받침)부

찾기 廴3+正4=7획

丿 亻 𠂉 正 ⺄正 延 延

글자뿌리 형성(形聲) 문자. 편히 걸을 천(㢟〈뜻〉)에 당길 예(厂〈음〉)를 합친 자로, 멀리까지 천천히 간다는 데에서 '늘이다'의 뜻을 나타냄.

[延期 연기] 정한 때를 뒤로 물림.
[延命 연명] 목숨을 겨우 이어 살아감.
[延長 연장] 시간이나 거리 등을 본래보다 길게 늘임.
[延着 연착] 정하여진 시간보다 늦게 도착함.
[外延 외연] 일정한 개념이 적용되는 사물의 전 범위.
[遲延 지연] 시간을 끌어서 늦춤.

5급 중학 한자

㊥ 建 (jiàn)

㊣ build [bild]

세울 건:

풀이 1 세우다. 2 일으키다.

부수 廴(민책받침)부

찾기 廴3+聿6=9획

ㄱ ⺕ ⺕ ⺕ 𦘒 聿 律 建

글자뿌리 회의(會意) 문자. 조정 정(廴: 廷의 생략형)에 붓 율(聿)을 합친 자로, 조정에서 법률을 만든다는 데서 '세우다'의 뜻.

[建立 건립] 만들어 세움.
[建物 건물] 세워 놓은 건축물이란 뜻으로, 집·사무실·공장·창고 등을 통틀어 이르는 말.
[建設 건설] 건물, 시설 따위를 지음.
[建議 건의] 의견이나 희망 사항을 말함. 또는 그 의논.
[建造 건조] 건물, 배 따위를 만듦.
[建築 건축] 흙·나무·돌·시멘트·쇠 등을 써서 집·다리 등을 세움.
[再建 재건] 다시 세움.
[創建 창건] 처음으로 세움.

6급 중학 한자

㊥ 式 (shì)

㊣ rule [ru:l]

법 식

풀이 1 법. 제도. 2 예식. 의식.

부수 弋(주살익)부

찾기 弋3+工3=6획

글자뿌리 형성(形聲) 문자. 주살 익(弋〈음〉)에 장인 공(工〈뜻〉)을 합친 자로, 자〔工〕로 재고 먹물로 표〔弋〕를 하여 법식에 맞게 한다는 데서 '의식'을 뜻함.

[式順 식순] 의식의 차례.
[式場 식장] 의식을 거행하는 장소.
[結婚式 결혼식] 시집가고 장가드는 예식. 동 婚禮式(혼례식).
[公式 공식] ① 공적으로 정한 형식. ② 산수에서 계산의 법칙 등을 기호로 나타낸 것. ③ 틀에 박힌 방식.
[舊式 구식] 낡은 방식. 반 新式(신식).
[禮式 예식] 예법에 따라 하는 의식. ¶ 禮式場(예식장).
[正式 정식] 일정한 격식이나 의식.
[株式 주식] ① 주식회사의 자본을 구성하는 단위. ② 주권(株券).
[形式 형식] 사물이 겉으로 나타나 보이는 모양.

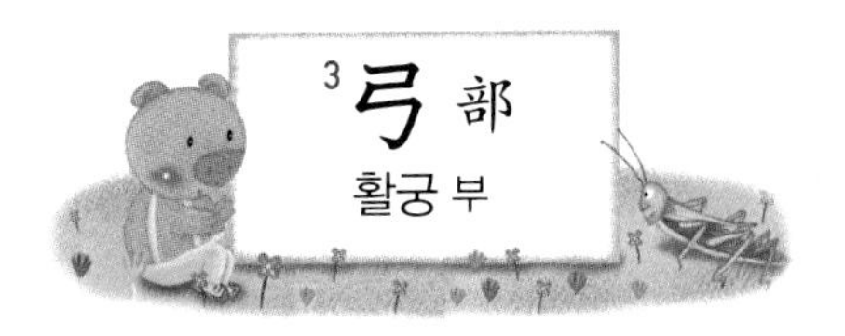

弓

3급Ⅱ 중학 한자
중 弓 (gōng)
영 bow [bou]

활 궁

풀이 활.
부수 弓(활궁)부
찾기 弓3=3획

글자뿌리 상형(象形) 문자. 화살을 메기지 않은 활의 모양을 본뜬 글자.

[弓術 궁술] 활 쏘는 기술.
[名弓 명궁] ① 활을 매우 잘 쏘는 사람. ② 이름난 활.
[良弓 양궁] 좋은 활.
[洋弓 양궁] ① 서양식의 활. ② 서양식의 활을 쏘아 일정한 거리에 있는 표적을 맞히어 얻는 점수를 겨루는 경기.

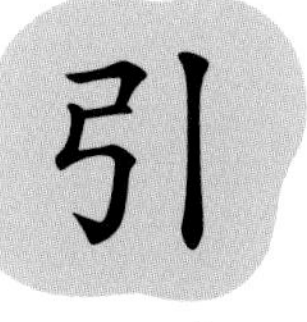

引

4급Ⅱ 중학 한자
중 引 (yǐn)
영 pull [pul]

끌 인

풀이 1 끌다. 당기다. 2 물러나다. 3 이끌다.
부수 弓(활궁)부
찾기 弓³+丨¹=4획

글자뿌리 지사(指事) 문자. 활 궁(弓)에 위아래로 통할 곤(丨)을 합쳐, 활에 화살을 메겨, 과녁을 향하여 나가게 한다는 데서 '당기다'의 뜻.

⇒ ⇒ 引

[引繼 인계] 하던 일을 다른 사람에게 넘겨줌. ¶ 引受引繼(인수인계).
[引渡 인도] 물건·권리 따위를 남에게 넘겨줌.
[引導 인도] 길이나 방법 등을 안내하거나 이끌어 줌.
[引力 인력] 물체와 물체가 서로 끌어당기는 힘. ¶ 萬有引力(만유인력).
[引上 인상] ① 물건 따위를 끌어 올림. ② 물건 값 따위를 올림. ¶ 物價引上(물가 인상). 반 引下(인하).
[引受 인수] 물건이나 권리를 이어받음.
[引用 인용] 다른 데에서 끌어다 씀. ¶ 引用文(인용문).
[引責 인책] 잘못된 일에 대하여 스스로 책임을 짐.
[引出 인출] 예금을 찾음.
[引火 인화] 불이 붙음. 또는 불을 붙임.

弟 아우 제:

8급 중학 한자
중 弟 (dì)
영 younger brother

풀이 1 아우. 2 제자.
부수 弓(활궁)부
찾기 弓³+丫⁴=7획

丶 丷 䒑 弓 弟 弟

글자뿌리 상형(象形)·회의(會意) 문자. 무두질한 가죽으로 물건을 칭칭 묶어 다발로 만든 모양. 또는 가닥날 아(丫)에 가죽 위(弓=韋)를 합친 자로, 가닥이 진 막대에 가죽끈을 차례로 감아 내려감을 나타내어 형제 중에서 아래를 가리키는 '아우'의 뜻이 된 자.

⇒ ⇒ 弟

[弟嫂 제수] 아우의 아내. 동 계수(季嫂).
[弟子 제자] 스승의 가르침을 받은 사람. 반 師父(사부).
[師弟 사제] 스승과 제자.
[子弟 자제] 남을 높이어 그의 아들을 이르는 말.
[妻弟 처제] 아내의 여동생.
[兄弟 형제] 형과 아우.

6급 중학 한자
중 弱 (ruò)
영 weak [wi:k]

약할 약

풀이 1 약하다. 2 어리다. 젊다.
부수 弓(활궁)부
찾기 弓^{3}+弱^{7}=10획

글자뿌리 회의(會意) 문자. 어린 새 두 마리의 날개를 나란히 펼친 모양. 또는 구부러진 활〔弓〕 두 개와 부드러운 털〔彡〕을 합쳐 '약하다'를 뜻함.

[弱骨 약골] 몸이 약한 사람.
[弱冠 약관] ① 남자 나이 20세를 이르는 말. ② 젊은 나이.
[弱小國 약소국] 힘이 약하고 작은 나라. 반 強大國(강대국).
[弱肉強食 약육강식] 약한 자의 고기는 강한 자가 먹는다는 뜻으로, 약한 자는 강한 자에게 먹힘을 이르는 말.
[弱點 약점] 모자라서 남에게 뒤떨어지는 점. 동 缺點(결점).
[弱化 약화] 힘이나 실력 등이 약해지거나 약하게 됨. 반 強化(강화).
[貧弱 빈약] 가난하고 허약함. 보잘것없음.
[衰弱 쇠약] 몸이 약해져서 전보다 못하여 감.
[虛弱 허약] 몸이 튼튼하지 못하고 약함.

強

6급 중학 한자
중 强 (qiáng)
영 strong [strɔŋ]

강할 강(:)

풀이 1 강하다. 굳세다. 2 힘쓰다. 3 억지쓰다.
부수 弓(활궁)부
찾기 弓^{3}+虽^{8}=11획

글자뿌리 형성(形聲) 문자. 클 홍(弘〈음〉)에 벌레 충(虫〈뜻〉)을 합친 자로, 크고 단단한 껍데기를 한 곤충은 '굳세다', '힘세다'의 뜻.

[強健 강건] 몸과 마음이 튼튼하고 굳셈. 반 病弱(병약).
[強國 강국] 힘과 세력이 강한 나라.
[強權 강권] ① 강한 권력. ② 억지로 누

르는 권력.

[強大國 강대국] 힘세고 큰 나라. 반 약소국(弱小國).

[強力 강력] ① 힘이 셈. 굳센 힘. ② 효과나 작용이 강함.

[強烈 강렬] 세차고 맹렬함.

[強壓 강압] 강한 힘으로 억누름. 강제로 억누름.

[強弱 강약] ① 강함과 약함. ② 강자와 약자.

[強要 강요] 억지로 하도록 요구함. 무리하게 요구함.

[強者 강자] 힘이나 세력이 센 사람이나 생물, 집단. 반 弱者(약자).

[強制 강제] 힘으로 남의 자유를 억제함. ¶ 強制勞動(강제 노동).

[強調 강조] 힘차게 부르짖음. 특히 힘주어 주장함.

[強奪 강탈] 억지로 빼앗음.

[強行 강행] ① 어려움을 무릅쓰고 실행함. ② 강제로 시행함. 억지로 함.

[強化 강화] 부족한 점을 보충하여 강하게 함. 반 弱化(약화).

4급 고등 한자

중 张 (zhāng)

영 extend [iksténd]

베풀 장

풀이 1 베풀다. 2 당기다. 3 펴다.

부수 弓(활궁)부

찾기 弓3+長8=11획

글자뿌리 형성(形聲) 문자. 활 궁(弓〈뜻〉)에 길 장(長〈음〉)을 합친 자로, 長(장)은 '길다'의 뜻. 활시위를 길게 하다. '당기다'의 뜻을 나타냄.

[張力 장력] 당기거나 당겨지는 힘.

[張本人 장본인] 어떤 일을 꾀하여 일으킨 바로 그 사람.

[誇張 과장] 사실보다 지나치게 떠벌려 나타냄.

[伸張 신장] 늘리고 넓게 폄.

[主張 주장] 자기 의견을 굳게 내세움.

[擴張 확장] 늘려서 넓힘.

彈

4급 고등 한자

중 弹 (dàn)

영 bullet [búlit]

탄알 탄:

풀이 1 탄알. 2 튀기다. 3 타다.

부수 弓(활궁)부

찾기 弓3+單12=15획

글자뿌리 형성(形聲) 문자. 활 궁(弓〈뜻〉)에 홑 단(單〈음〉)을 합친 자로, 單(단)은 탄알을 튀겨 쏘는 Y자형의 활의 상형. 弓

(궁)을 붙여 '활'의 뜻을 나타냄. 갑골문은 알을 쏘는 활 모양을 본뜸.

[彈琴 탄금] 거문고·가야금 따위를 탐.
[彈力 탄력] 튀기는 힘.
[彈壓 탄압] 무력이나 권력 따위로 남을 억지로 누름.
[彈劾 탄핵] 죄상을 따져 문책함.
[糾彈 규탄] 책임이나 죄상을 엄하게 따지고 나무람.
[指彈 지탄] ① 손가락으로 튀김. ② 지목하여 비난함.

6급 중학 한자
중 形 (xíng)
영 form [fɔːrm]

모양 형

풀이 1 모양. 형상. 2 나타나다. 3 형세.
부수 彡(터럭삼)부
찾기 彡3+开4=7획

一 二 于 开 开' 开彡 形

글자뿌리 형성(形聲) 문자. 평평할 견(开: 井의 변형〈음〉)에 터럭 삼(彡〈뜻〉)을 합친 자로, 털로 만든 붓으로 우물틀처럼 가로 세로 그린 '형상'을 뜻함.

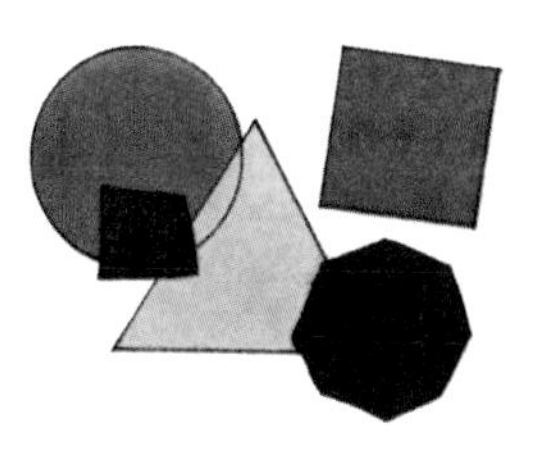

[形狀 형상] 사람이나 물건의 생긴 모양이나 상태.
[形成 형성] 어떤 형태로 이루어짐.
[形勢 형세] ① 어떤 일의 형편이나 상태. ② 살림살이의 형편.
[形言 형언] 형용하여 말함.
[形容 형용] ① 생긴 모양. ② 사물의 어떠함을 나타냄.
[形態 형태] 사물의 생김새.
[形便 형편] ① 일이 되어 가는 모양이나 상태. ② 살림살이의 형세.
[形形色色 형형색색] 모양·빛깔·종류가 서로 다른 여러 가지.
[圖形 도형] ① 그림의 모양이나 상태. ② 선·점·면이 모여서 이루어진 꼴.
[無形 무형] 모양이 없음. ¶ 無形文化財(무형 문화재).
[象形 상형] 모양을 본뜸. ¶ 象形文字(상형 문자).
[有形 유형] 모양이 있음.

往

4급Ⅱ 중학 한자
중 往 (wǎng)
영 go [gou]

갈 왕:

풀이 1 가다. 2 이따금. 3 예. 과거.
부수 彳(두인변)부
찾기 彳3+主5=8획

글자뿌리 형성(形聲) 문자. 조금 걸을 척(彳〈뜻〉)에 무성할 황(主: 㞷의 변형〈음〉)을 합친 자로, 풀이 뻗어 나가는 모양에서 '가다'의 뜻이 된 자.

⇒ ⇒ 往

[往年 왕년] 지나간 해. 옛날.
[往來 왕래] ① 오고 감. ② 편지 따위를 주고받음.
[往復 왕복] 갔다가 돌아옴.
[往往 왕왕] 이따금.
[往診 왕진] 의사가 환자의 집으로 가서 진료함.
[旣往之事 기왕지사] 이미 지나간 일.
[說往說來 설왕설래] 어떤 일의 옳고 그름을 따지느라 말로 옥신각신함.
[右往左往 우왕좌왕] 이리저리 왔다 갔다 하며 종잡지 못함.

彼

3급Ⅱ 중학 한자
중 彼 (bǐ)
영 that [ðæt]

저 피:

풀이 1 저. 저이. 2 저편. 저것. 3 그. 그이.
부수 彳(두인변)부
찾기 彳3+皮5=8획

글자뿌리 형성(形聲) 문자. 조금 걸을 척(彳〈뜻〉)에 가죽 피(皮〈음〉)를 합친 자로, 皮(피)는 波(파)와 통해 물결의 뜻. 물결처럼 멀리 간 곳, 저쪽의 뜻을 나타냄.

[彼此 피차] ① 저것과 이것. ② 서로.
[彼此一般 피차일반] 서로가 마찬가지임. 두 편이 서로 같음.
[於此彼 어차피] 이렇게 하든지 저렇게 하든지.
[此日彼日 차일피일] 이 날 저 날 하고 자꾸 기한을 미룸.

待

6급 중학 한자
중 待 (dài)
영 wait [weit]

기다릴 대:

풀이 1 기다리다. 2 대접하다. 대우하다.
부수 彳(두인변)부
찾기 彳3+寺6=9획

글자뿌리 형성(形聲) 문자. 조금 걸을 척

(彳〈뜻〉)에 관청 시(寺〈음〉)를 합친 자로, 관청에 가면 '기다린다'는 뜻.

⇒ ⇒ 待

[待機 대기] ① 기회나 행동할 때를 기다림. ② 명령을 기다림.
[待令 대령] 명령을 기다림.
[待望 대망] 몹시 기다리고 바람.
[待遇 대우] 예의를 갖추어 대함. 그 사람에 맞게 대접함.
[待接 대접] ① 음식을 차려서 손님을 맞이함. ② 예를 차리어 맞이함.
[待避 대피] 위험을 피하여 잠시 기다림.
[待合室 대합실] 역이나 병원 등에서 손님이 쉬며 기다리도록 마련해 놓은 곳.
[苦待 고대] 애써 기다림. ¶ 鶴首苦待(학수고대).
[恭待 공대] ① 공손하게 대접함. ② 상대에게 높임말을 씀.
[期待 기대] 어떤 일이 이루어지기를 바라고 기다림.
[薄待 박대] 성의 없이 아무렇게나 대접함. 푸대접. ¶ 門前薄待(문전 박대).
[優待 우대] 특별히 잘 대우함. 또는 그런 대우.
[接待 접대] 손님을 대접함.
[招待 초대] 손님을 오시라고 하여서 대접함. ¶ 招待狀(초대장).
[虐待 학대] 아주 못살게 굴어 괴롭힘.

律

4급Ⅱ 중학 한자
중 律 (lǜ)
영 law [lɔː]

법칙 률

풀이 1 법칙. 법. 법률. 2 음률. 3 율시. ※ 시(詩) 형식의 한 가지.
부수 彳(두인변)부
찾기 彳3+聿6=9획

丿 彳 彳 彳 彳 彳 彳 律

글자뿌리 형성(形聲) 문자. 조금 걸을 척(彳〈뜻〉)에 붓 율(聿〈음〉)을 합친 자로, 행하는 기준을 붓으로 써 놓았다고 해서 '법률'의 뜻이 된 자.

⇒ ⇒ 律

[律動 율동] ① 규칙적으로 되풀이되는 운동. ② 리듬에 맞추어 추는 춤.
[律令 율령] 법률과 명령.
[律法 율법] 종교적·사회적·도덕적인 생활과 행동에 대하여 신의 이름으로 규정한 규범.
[戒律 계율] 불교에서, 승려가 지켜야 할 규칙.
[規律 규율] ① 지켜야 할 행동의 본보기. ② 어떤 질서나 차례.
[法律 법률] 사회생활을 유지하기 위하여 정한 국민이 지켜야 할 규범.
[二律背反 이율배반] 서로 모순되는 두 개의 명제가 동등한 권리로서 주장되는 일.
[自律 자율] 자기의 행동들을 스스로 억제함. 반 他律(타율).
[調律 조율] 악기의 음을 일정한 기준음에 맞추어 고름. ¶ 調律師(조율사).

7급 중학 한자
중 后 (hòu)
영 later [léitər]

뒤 후:

풀이 1 뒤. 2 뒤지다.
부수 彳(두인변)부
찾기 彳³+夋⁶=9획

丿 彳 彳' 彳ㄠ 彳幺 彳夊 後 後

글자뿌리 회의(會意) 문자. 조금 걸을 척(彳)에 작을 요(幺)와 뒤져 올 치(夊)를 합친 자로, 어린아이가 천천히 걸어서 간다는 데서 남보다 뒤지다, '뒤'의 뜻이 된 자.

⇒ ⇒ 後

[後繼 후계] 뒤를 이음. ¶ 後繼者(후계자).
[後期 후기] 뒤의 기간.
[後年 후년] 다음다음 해.
[後代 후대] 앞으로 올 세대. 반 前代(전대).
[後門 후문] 뒷문. 반 正門(정문).
[後半期 후반기] 일정한 기간을 둘로 나눌 때 뒤의 기간. 반 前半期(전반기).
[後方 후방] ① 뒤쪽. ② 일선 뒤쪽의 안전한 지대. 반 前方(전방).
[後輩 후배] 학문이나 경험, 나이 등이 자기보다 뒤늦은 사람. 반 先輩(선배).
[後世 후세] 뒤에 오는 세상. 또는 다음 세대의 사람들.
[後孫 후손] 여러 대가 지난 뒤의 자손.
[後裔 후예] 뒤에 태어난 사람. 핏줄을 이은 먼 후손.
[後援 후원] 뒤에서 도와줌.
[後進國 후진국] 산업·경제·문화 등이 다른 나라보다 뒤진 나라. 반 先進國(선진국).
[後退 후퇴] 뒤로 물러섬. 반 前進(전진).

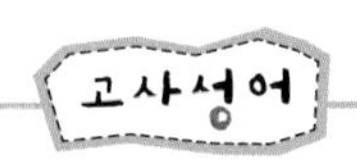

後生可畏 (후생가외)

후배들이 선배보다 나아질 가망이 많기 때문에 나중에 두려운 존재가 될 수 있다는 말.

고사 중국 춘추 시대(春秋時代)에 공자(孔子)는 어지러운 세상을 바로잡고 자신의 이상(理想)을 펼치려고 여러 나라를 유랑하며 진리를 가르치고 다녔지만, 끝내 뜻을 이루지 못하고 말았다. 그 후 공자는 교육에 힘을 썼는데, 그가 배움을 권고한 많은 말 가운데

"젊은 후배들을 두려워해야 한다〔後生可畏〕. 장래에 그들이 오늘의 우리만 못하리라고 누가 말할 수 있겠느냐? 그러나 40세, 50세가 되어도 이름이 나지 않는다면 그들은 두려워할 바가 없느니라."

라고 한 데서 온 말이다.

[今後 금후] 이제부터 뒤.
[讀後感 독후감] 책이나 글을 읽고 난 후의 느낌이나 감상을 적은 글.
[前後 전후] 앞과 뒤.
[最後 최후] 마지막.

徒 무리 도

4급 중학 한자
㊥ 徒 (tú)
㊢ group [gru:p]

풀이 1 무리. 2 걸어 다니다. 3 헛되다.
부수 彳(두인변)부
찾기 彳³+走⁷=10획

글자뿌리 형성(形聲) 문자. 조금 걸을 척(彳〈뜻〉)에 흙 토(土〈음〉)와 발 소(疋=疋〈뜻〉)를 합친 자로, 땅 위를 걸어 다니는 여러 사람을 나타내어 '무리'의 뜻.

[徒步 도보] 탈것을 타지 않고 걸어서 감. ¶ 徒步旅行(도보 여행).
[敎徒 교도] 종교를 믿는 사람. 통 信徒(신도).
[無爲徒食 무위도식] 아무런 일도 하지 않고 먹기만 함.
[生徒 생도] ① 학생. ② 사관 학교에서 교육을 받는 학생.
[暴徒 폭도] ① 난폭한 무리. ② 폭동을 일으킨 무리.
[學徒 학도] 배우는 무리. ¶ 學徒兵(학도병).
[花郞徒 화랑도] 신라 시대에 귀족 출신의 청소년으로 조직되었던 수양 단체. 또는 화랑의 무리.

得 얻을 득

4급Ⅱ 중학 한자
㊥ 得 (dé)
㊢ get [get]

풀이 1 얻다. 이익. 2 깨닫다. 3 이루다. 만족하다.
부수 彳(두인변)부
찾기 彳³+㝵⁸=11획

글자뿌리 회의(會意) 문자. 조금 걸을 척(彳)에 조개 패(貝)와 마디 촌(寸)을 합친 자로, 무엇을 구하러 다니다가〔彳〕 재물〔貝〕을 드디어 손에 쥐었다〔寸〕는 데서 '얻다'의 뜻이 된 자.

[得男 득남] 아들을 낳음.
[得道 득도] 도를 깨달음. 이치를 깨달음.
[得勢 득세] 세력을 얻음.
[得失 득실] 얻음과 잃음.
[得意 득의] 뜻대로 되어 만족하거나 뽐냄. ¶ 得意揚揚(득의양양).
[得點 득점] 점수를 얻음. 또는 그 점수.

[得票 득표] 선거에서 표을 얻거나 얻은 표의 수효.

[旣得權 기득권] 개인 등이 정당한 절차를 밟아 법규에 의해 얻은 권리.

[說得 설득] 설명하여 알아듣게 함.

[所得 소득] 일한 결과로 얻어지는 이익.

[拾得 습득] 주워서 얻음.

[習得 습득] 배워서 얻음.

[一擧兩得 일거양득] 한 가지 일을 하여 두 가지의 이익을 얻음. 동 一石二鳥(일석이조).

[自業自得 자업자득] 자기가 저지른 일의 과보를 자기 자신이 받는 일.

[取得 취득] 자기 것으로 얻음. ¶ 取得稅(취득세).

4급 중학 한자

중 从 (cóng)

영 obey [oubéi]

좇을 종(:)

풀이 1 좇다. 따르다. 2 종사하다. 3 종용하다.

부수 彳(두인변)부

찾기 彳^{3}+⺯^{8}=11획

글자뿌리 형성(形聲) 문자. 천천히 갈 착(辵〈뜻〉)에 좇을 종(从〈음〉)을 합친 자로, 앞사람의 뒤를 좇아간다는 데서 '좇다', '따르다'의 뜻.

[從軍記者 종군기자] 부대를 따라서 싸움터에 나가 전쟁의 상황을 보도하는 신문·방송·잡지의 기자.

[從來 종래] 이전부터 지금까지 지나온 동안.

[從事 종사] 어떠한 일에 힘쓰거나 일삼아 함.

[從業員 종업원] 어떠한 일에 종사하는 사람.

[白衣從軍 백의종군] 벼슬이 없는 사람으로 군대를 따라 전쟁터로 나감.

[服從 복종] 남이 하자는 대로 따름.

[順從 순종] 순순히 복종함.

復

4급Ⅱ 중학 한자

중 复 (fù)

영 ❶recover ❷again

❶회복할 복 ❷다시 부:

풀이 ❶ 1 회복하다. 2 돌이키다. 3 대답하다. 4 되풀이하다. 5 같다. ❷ 다시.

부수 彳(두인변)부

찾기 彳^{3}+复^{9}=12획

글자뿌리 형성(形聲) 문자. 조금 걸을 척(彳〈뜻〉)에 거듭 복(复〈음〉)을 합친 자로, 거듭해서 간다는 데서 '회복하다', '다시' 등의 뜻.

⇒ ⇒ 復

[復古 복고] ① 도로 옛 상태로 돌아감. ② 과거의 전통·생각 등을 본뜨려고 하는 일. ¶ 復古風(복고풍).
[復舊 복구] 옛 모양이나 상태로 돌아가게 함.
[復歸 복귀] 본래의 상태대로 되돌아옴.
[復讐 복수] 원수를 갚음.
[復習 복습] 배운 것을 다시 익힘.
[復唱 복창] 명령 또는 남의 말을 그대로 소리 내어 외는 일.
[復活 부활] 죽었다가 다시 되살아남.
[復興 부흥] 쇠했던 일을 다시 일으킴. ¶ 復興會(부흥회).
[光復節 광복절] 우리나라가 1945년에 일제로부터 해방된 것을 기념하는 날. 8월 15일.
[克復 극복] 어려움을 이겨 내어 본디의 상태로 돌아감.
[反復 반복] 되풀이함.
[報復 보복] 앙갚음.
[往復 왕복] 갔다가 돌아옴.
[回復 회복] 예전 상태로 돌아옴.

5급 중학 한자
중 德 (dé)
영 virtue [vé:rtʃu:]

큰 덕

풀이 1 크다. 덕(크고 너그러운 마음이나 품성). 2 은혜. 은혜를 베풀다.
부수 彳(두인변)부
찾기 彳3+悳12=15획

글자뿌리 형성(形聲) 문자. 조금 걸을 척(彳〈뜻〉)에 큰 덕(悳: 悳의 변형〈음〉)을 합친 자로, 올곧은 마음을 지닌 행위를 나타내어 '크다', '덕'의 뜻이 된 자.

⇒ ⇒ 德

[德談 덕담] 상대방이 잘되기를 바라는 말이나 인사. 반 악담(惡談).
[德望 덕망] 여러 사람이 우러러보는 높은 덕과 인격.
[德分 덕분] 베풀어 준 은혜나 도움. 동 德澤(덕택).
[德性 덕성] 어질고 너그러운 품성.
[德行 덕행] 어질고 너그러운 행실.
[道德 도덕] 사람으로서 마땅히 지켜야 할 도리와 행동. ¶ 公衆道德(공중도덕).
[變德 변덕] 이랬다저랬다 하며 잘 변하는 성질.
[福德房 복덕방] 건물이나 토지 등의 매매나 전세·월세 등에 관한 일을 중간에서 맡아 해 주는 곳.
[恩德 은덕] 은혜와 덕.

7급 중학 한자

중 心 (xīn)

영 mind [maind]

마음 심

풀이 1 마음. 생각. 2 염통. 심장. 3 가운데. 중심. 근본.

부수 心(마음심)부

찾기 心4=4획

글자뿌리 상형(象形) 문자. 심장의 모양을 본뜬 글자.

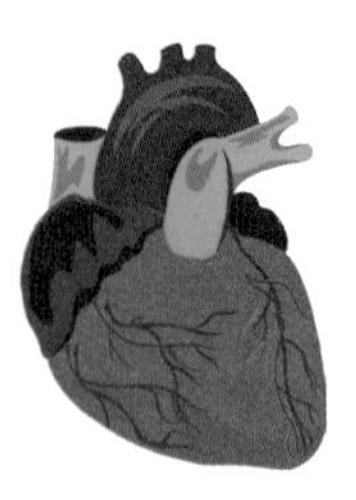

[心境 심경] 마음의 상태.

[心亂 심란] 마음이 어수선함.

[心理 심리] 마음의 움직임이나 마음의 상태. ¶心理學(심리학).

[心性 심성] 본디부터 타고난 마음씨.

[心臟 심장] 온몸에 피를 보내는 복숭아 모양의 기관. 염통.

[心情 심정] ① 마음과 정. ② 마음씨.

[心血 심혈] 심장의 피라는 뜻으로, '있는 대로의 온 힘'을 이르는 말.

[關心 관심] 마음이 끌림. 또는 그런 마음이나 주의.

[銘心 명심] 마음에 새김.

[良心 양심] 옳고 그름을 가릴 줄 아는 어진 마음.

[眞心 진심] 참된 마음.

5급 중학 한자

중 必 (bì)

영 surely [ʃúərli]

반드시 필

풀이 1 반드시. 꼭. 2 오로지. 3 기약하다.

부수 心(마음심)부

찾기 心4+丿1=5획

글자뿌리 회의(會意) 문자. 주살 익(弋)에 여덟 팔(八)을 합친 자로, 어떤 표적으로 말뚝〔弋〕을 박아 놓고 그 경계를 갈라〔八〕놓아 분명히 한다는 데에서 '반드시'의 뜻이 된 자.

[必讀書 필독서] 꼭 읽어야 하는 책.
[必死 필사] 반드시 죽는다는 뜻으로, 죽을힘을 다함을 이르는 말.
[必須 필수] 반드시 없어서는 안 됨. 꼭 필요로 함.
[必勝 필승] 반드시 이김.
[必要 필요] 꼭 소용이 됨. 없어서는 아니 됨.
[必要惡 필요악] 좋지 못한 일이지만 어쩔 수 없이 필요한 일.
[事必歸正 사필귀정] 모든 일은 반드시 바른 데로 돌아감.
[生必品 생필품] 일상생활에 꼭 있어야 하는 물품.

3급 중학 한자
중 忙 (máng)
영 busy [bízi]

바쁠 망

풀이 1 바쁘다. 2 조급하다.
부수 心(마음심)부
찾기 忄3(心)+亡3=6획

丶 丷 忄 忄 忙 忙

글자뿌리 형성(形聲) 문자. 심방변(忄=心〈뜻〉)에 잃을 망(亡〈음〉)을 합친 자로, 중요한 일을 잊을 만큼 '바쁘다'는 뜻.

[忙中閑 망중한] 바쁜 가운데 잠깐 한가한 때. '망중유한(忙中有閑)'의 준말.
[公私多忙 공사다망] 공적인 일과 사적인 일로 매우 바쁨.

3급 중학 한자
중 忘 (wàng)
영 forget [fərgét]

잊을 망

풀이 잊다. 잊어버리다.
부수 心(마음심)부
찾기 心4+亡3=7획

丶 亠 亡 亡 忘 忘 忘

글자뿌리 형성(形聲) 문자. 잃을 망(亡〈음〉)에 마음 심(心〈뜻〉)을 합친 자로, 마음을 잃었다는 데서 '잊다'의 뜻이 된 자.

⇒ 亾心 ⇒ 忘

[忘却 망각] 잊어버림.
[忘年會 망년회] 한 해가 바뀔 때 그해에 있었던 좋지 못한 일들을 잊어버리자고 베푸는 모임.
[忘失 망실] 잃어버림.
[健忘症 건망증] 기억력의 장애로 잘 잊어버리는 증세.
[勿忘草 물망초] '나를 잊지 마세요.'라

는 꽃말로 잘 알려진 지칫과의 관상용 다년초.

[備忘錄 비망록] 잊어버리지 않으려고 적어 두는 기록이나 책자.

[寤寐不忘 오매불망] 자나 깨나 잊지 못함.

3급Ⅱ 중학 한자

㊥ 忍 (rěn)

㊧ bear [bɛər]

참을 인

풀이 1 참다. 2 모질다. 잔인하다.

부수 心(마음심)부

찾기 心4+刃3=7획

ㄱ 刀 刃 刃 忍 忍 忍

글자뿌리 형성(形聲) 문자. 마음 심(心〈뜻〉)에 칼날 인(刃〈음〉)을 합친 자로, 마음 위에 칼날을 들이대고 있어 두려운 형편 또는 '참는다'는 뜻.

[忍苦 인고] 괴로움을 꾹 참고 견딤.

[忍耐 인내] 참고 견딤. ¶ 忍耐心(인내심).

[目不忍見 목불인견] 눈 뜨고는 도저히 볼 수 없음.

[殘忍 잔인] 인정이 없고 몹시 모짊.

4급Ⅱ 중학 한자

㊥ 志 (zhì)

㊧ intent [intént]

뜻 지

풀이 1 뜻. 뜻하다. 2 기록. 기록하다.

부수 心(마음심)부

찾기 心4+士3=7획

一 十 士 士 志 志 志

글자뿌리 회의(會意) 문자. 갈 지(士: 之의 변형)에 마음 심(心)을 합친 자로, 마음이 가는 쪽을 나타내어 '뜻', '뜻하다'의 뜻이 된 자.

⇒ ⇒ 志

[志望 지망] 뜻하여 바람.

[志士 지사] 높은 뜻을 지닌 사람. ¶ 愛國志士(애국지사).

[志願 지원] 뜻하고 원함.

[同志 동지] 뜻이 서로 같음. 또는 그러한 사람.

[三國志 삼국지] 나관중이 지은 역사 소설로, 중국 촉나라 유비·관우·장비의 활약을 기록함.

[意志 의지] ① 마음. 뜻. ② 결심하여 실행하려는 마음.

[立志 입지] 뜻을 세움.

[初志 초지] 처음에 품은 뜻. ¶ 初志一貫(초지일관).

5급 중학 한자

㊥ 念 (niàn)

㊧ thought [θɔ:t]

생각 념:

풀이 1 생각. 생각하다. 2 외다. 소리를 내어 읽다. 3 주의하다.

부수 心(마음심)부

찾기 心4+今4=8획

丿 人 𠆢 今 今 念 念 念

글자뿌리 형성(形聲) 문자. 마음 심(心〈뜻〉)에 이제 금(今〈음〉)을 합친 자로, 지금 마음속에 있는 것이라는 데서 '생각', '생각하다'의 뜻이 된 자.

[念頭 염두] 머릿속의 생각.
[念慮 염려] 걱정하는 마음.
[念佛 염불] 부처를 생각하며 아미타불을 욈. 또는 그 일.
[念願 염원] 마음속으로 생각하여 바람.
[紀念 기념] 어떤 일을 기리고 생각함. ¶ 紀念式(기념식).
[觀念 관념] 사물에 대한 생각이나 견해.
[信念 신념] 굳게 믿는 마음.
[留念 유념] 마음에 새겨 두고 생각함.
[理念 이념] 옳다고 생각하는 이상적인 생각.
[執念 집념] 한 가지 일이나 사물만을 끈질기게 생각함. 또는 그런 생각.

풀이 충성. 충성하다.
부수 心(마음심)부
찾기 心⁴+中⁴=8획

丶 口 口 中 中 忠 忠 忠

글자뿌리 형성(形聲) 문자. 마음 심(心〈뜻〉) 위에 가운데 중(中〈음〉)을 합친 자로, 마음 한가운데 있는 뜻이라는 데서 '충성'을 뜻함.

⇒ 中心 ⇒ 忠

[忠告 충고] 진실된 마음으로 남의 잘못을 타이름.
[忠武公 충무공] 이순신이 죽은 뒤 그의 공을 기려 임금이 내린 이름.
[忠僕 충복] 충성스러운 종.
[忠誠 충성] 국가 또는 임금을 위하여 거역하지 않고 몸을 바침. 또는 그런 마음가짐.
[忠臣 충신] 충성스러운 신하.
[忠言 충언] 충직하고 바른 말.
[忠直 충직] 충성스럽고 곧음.
[忠孝 충효] 충성과 효도.

4급Ⅱ 중학 한자
중 忠 (zhōng)
영 loyalty [lɔ́iəlti]

충성 충

4급Ⅱ 중학 한자
중 快 (kuài)
영 delightful [diláitfəl]

쾌할 쾌

풀이 1 유쾌하다. 시원하다. 2 빠르다.

부수 心(마음심)부

찾기 忄³(心)+夬⁴=7획

丶 丷 忄 忄 忄 快 快

글자뿌리 형성(形聲) 문자. 심방변(忄=心〈뜻〉)에 터놓을 쾌(夬〈음〉)를 합친 자로, 마음에 걸리는 것이 없이 상쾌한 모양을 나타냄.

⇒ ⇒ 快

[快感 쾌감] 상쾌하고 즐거운 느낌.

[快擧 쾌거] 가슴이 후련해질 만큼 장한 일이나 행동.

[快樂 쾌락] 기분이 좋고 즐거움. 또는 그러한 감정.

[快哉 쾌재] 통쾌하게 여김.

[快適 쾌적] 몸과 마음에 알맞아 기분이 썩 좋음.

[快晴 쾌청] 날씨가 좋음.

[快活 쾌활] 씩씩하고 활발함.

[輕快 경쾌] 마음이 홀가분하고 상쾌함.

[明快 명쾌] 말이나 글 등이 조리가 분명하여 시원스러움.

[不快 불쾌] 기분이 좋지 않음. ¶ 不快指數(불쾌지수).

[完快 완쾌] 병이 완전히 다 나음.

[愉快 유쾌] 마음이 즐거움.

급할 급

6급 중학 한자

중 急 (jí)

영 urgent [ə́:rdʒənt]

풀이 1 급하다. 급작스럽다. 서두르다. 2 빠르다.

부수 心(마음심)부

찾기 心⁴+刍⁵=9획

急 필순

글자뿌리 형성(形聲) 문자. 마음 심(心〈뜻〉)에 미칠 급(刍=及〈음〉)을 합친 자로, 쫓기는 마음을 나타내어 '급하다', '빠르다'의 뜻이 된 자.

⇒ ⇒ 急

[急激 급격] 급하고 세참. 갑작스러움.

[急求 급구] 급히 구함.

[急流 급류] 급히 흐르는 물.

[急變 급변] 갑자기 달라짐.

[急報 급보] 급히 알리는 일. 급한 보고나 보도.

[急先務 급선무] 무엇보다도 먼저 해야 할 일.

[急襲 급습] 상대방이나 적의 방심을 틈타서 갑자기 공격함.

[急停車 급정거] 달리던 차가 급히 섬. 또는 차를 급히 세움.

[急增 급증] 갑자기 늘어남.

[急進 급진] 앞으로 급히 나아감. 반 점진(漸進).

[急行 급행] ① 급히 감. ② '급행열차'의 준말.

[救急 구급] 매우 위급한 처지에 있는

사람을 구함. ¶ 救急藥(구급약).
[性急 성급] 성질이 급함.
[時急 시급] 때가 몹시 급함.
[危急 위급] 위태롭고 급함.
[至急 지급] 매우 급함.

4급Ⅱ 중학 한자
중 怒 (nù)
영 angry [ǽŋgri]

성낼 노ː

풀이 1 성내다. 화내다. 노여워하다. 2 세차다.
부수 心(마음심)부
찾기 心4+奴5=9획

글자뿌리 형성(形聲) 문자. 마음 심(心〈뜻〉)에 종 노(奴〈음〉)를 합친 자로, 천대받고 희롱당하는 종의 마음을 나타내어 '성냄', '성내다'의 뜻.

[怒氣 노기] 노여운 기색. 성이 난 얼굴빛.
[怒氣衝天 노기충천] 노여운 기색이 하늘을 찌를 듯함.
[激怒 격노] 격렬하게 성냄.
[大怒 대로] 크게 성냄.
[憤怒 분노] 분하여 성냄. 또는 그 성.
[震怒 진노] 윗사람이 성을 내며 노여워함. 또는 그런 노여움.
[天人共怒 천인공노] 하늘과 사람이 함께 노여워함.

5급 중학 한자
중 思 (sī)
영 think [θiŋk]

생각 사(ː)

풀이 1 생각. 생각하다. 2 그리워하다.
부수 心(마음심)부
찾기 心4+田5=9획

글자뿌리 회의(會意) 문자. 마음 심(心)에 정수리 신(田: 囟의 변형)을 합친 자로, 머리로 생각한다는 데서 '생각', '생각하다'의 뜻이 된 자.

[思考 사고] 생각하고 궁리함.
[思慕 사모] ① 애틋하게 생각하며 몹시 그리워함. ② 우러러 받들고 마음으로 따름.
[思想 사상] 사회나 인생 등에 대한 일정한 생각이나 견해.

[思索 사색] 사물의 줄거리나 이치를 따져 깊이 생각함.
[思潮 사조] 어떤 시대에 일반적으로 널리 유행하는 흐름이나 경향.
[思春期 사춘기] 봄을 생각하는 시기라는 뜻으로, 이성(異性)에 관심을 가지게 되는 나이를 이르는 말.
[居安思危 거안사위] 편안한 곳에 있으면서 위험을 생각함. 평안할 때라도 앞으로 닥칠 어려움을 생각해 미리미리 대비함.
[不可思議 불가사의] 인간의 생각으로는 미루어 헤아릴 수 없을 만큼 이상하고 야릇함. 또는 그 일.
[相思 상사] 남녀가 그리워함. ¶ 相思病(상사병).
[深思熟考 심사숙고] 깊이 생각함. 또는 그 생각.

5급 중학 한자
중 性 (xìng)
영 nature [néitʃər]

성품 성:

풀이 1 성품. 2 바탕. 3 남녀의 구분.
부수 心(마음심)부
찾기 忄³(心)+生⁵=8획

丶 丷 忄 忄 忄 忄 性 性

글자뿌리 형성(形聲) 문자. 심방변(忄=心〈뜻〉)에 날 생(生〈음〉)을 합친 자로, 사람이 태어날 때부터 갖게 되는 마음을 나타내어 '성품'을 뜻함.

⇒ 心 生 ⇒ 性

[性格 성격] 사람마다 제각기 지니고 있는 성질.
[性急 성급] 성질이 급함.
[性能 성능] 기계가 일을 해내는 힘. 기계의 성질과 능력.
[性別 성별] 남녀의 구별.
[性質 성질] 사람이 본디부터 가지고 있는 본바탕이나 타고난 기질.
[性稟 성품] 본디 가지고 있는 성격.
[感受性 감수성] 외부의 자극을 받아 느낌을 일으키는 성질이나 능력.
[個性 개성] 사람마다 지니고 있는 남과 다른 특성.
[急性 급성] 병이 갑자기 심해지는 성질. 반 慢性(만성).
[德性 덕성] 어질고 너그러운 성질.
[民族性 민족성] 그 민족만이 가지고 있는 독특한 성질.
[本性 본성] 본디부터 타고난 성질.
[食性 식성] 음식에 대하여 좋아하거나 싫어하는 성미.
[心性 심성] 마음의 바탕.
[理性 이성] 논리적으로 생각하고 판단·행동하는 능력.
[異性 이성] ① 성질이 다름. ② 남자와 여자로 구별 짓는 말.
[主體性 주체성] 자기의 의지나 판단에 바탕을 둔 태도나 성질.
[知性人 지성인] 이성적인 사고나 판단

능력을 지닌 사람.
[品性 품성] 사람의 됨됨이.

4급 중학 한자
중 怨 (yuàn)
영 grudge [grʌdʒ]

원망할 원(:)

풀이 1 원망하다. 원망. 원한. 2 원수.
부수 心(마음심)부
찾기 心4+夗5=9획

ノ ク 夕 夗 夗 夗 怨 怨

글자뿌리 형성(形聲) 문자. 마음 심(心〈뜻〉)에 누워 뒹굴 원(夗〈음〉)을 합친 자로, 자리에서 뒹굴며 생각하는 마음이라는 데서 '원망'의 뜻이 된 자.

[怨望 원망] ① 남을 못마땅하게 여기고 탓함. ② 마음에 불평을 품고 미워함.
[怨聲 원성] 원망하는 소리.
[怨讐 원수] 해를 끼쳐 원한이 맺히게 한 사람이나 집단.
[怨恨 원한] 원통하고 한스러운 생각.
[報怨 보원] 원한이나 원수를 갚음. 앙갚음.

4급Ⅱ 고등 한자
중 息 (xī)
영 breathe [bri:ð]

쉴 식

풀이 1 쉬다. 2 숨쉬다. 3 살다. 4 그치다. 5 번식하다. 자라다. 6 자식.
부수 心(마음심)부
찾기 心4+自6=10획

丿 亻 亣 自 自 自 息 息

글자뿌리 회의(會意) 문자. 마음 심(心)에 스스로 자(自)를 합친 자로, 心(심)은 심장, 自(자)는 코의 상형. 심장부로부터 코로 빠지는 '숨'의 뜻을 나타냄. 또, 잔잔한 숨의 뜻에서, '쉬다'의 뜻을 나타내고 '숨을 쉬다', '살다'의 뜻과 자기의 분신(分身)으로서 살아가는 자, 곧 '자식'의 뜻을 나타냄.

[息利 식리] 이자. 이식(利息).
[棲息 서식] 동물이 깃들여 삶.
[消息 소식] 안부나 새로 일어나는 동정 등에 관한 기별이나 알림.
[安息 안식] 편안히 쉼.
[窒息 질식] 숨이 막힘.
[休息 휴식] 일을 멈추고 쉼.

4급Ⅱ 중학 한자
중 恩 (ēn)
영 favor [féivər]

은혜 은

풀이 1 은혜. 2 은혜로 여기다. 고맙게 생각하다.
부수 心(마음심)부

찾기 心4+因6=10획

丨 冂 冃 冃 因 因 恩 恩 恩

글자뿌리 형성(形聲) 문자. 마음 심(心〈뜻〉)에 인할 인(因〈음〉)을 합친 자로, 참마음에서 도와준 데 대한 보답이라는 데서 '은혜'의 뜻이 된 자.

[恩功 은공] 은혜와 공.

[恩德 은덕] 은혜와 덕. 또는 은혜를 베푸는 덕.

[恩師 은사] 은혜로운 스승이라는 뜻으로, 자기를 직접 가르쳐 준 스승을 이르는 말.

[恩人 은인] 자기에게 은혜를 베풀어 준 사람.

[恩寵 은총] ① 은혜와 총애라는 뜻으로, 높은 사람으로부터 받는 특별한 은혜와 사랑. ② 인간에 대한 하느님의 사랑.

[恩惠 은혜] 고맙게 베풀어 주는 신세나 혜택.

[背恩忘德 배은망덕] 은혜를 저버리고 배반함.

[報恩 보은] 은혜를 갚음. ¶ 結草報恩(결초보은).

[謝恩會 사은회] 졸업생이 스승의 은혜에 감사하는 뜻으로 베푸는 연회나 다과회.

恨 한 한:

4급 중학 한자

㊥ 恨 (hèn)

㊀ deplore [diplɔ́:r]

풀이 1 한. 한하다. 2 뉘우치다.

부수 心(마음심)부

찾기 忄3(心)+艮6=9획

丶 忄 忄 忄 忄 忄 恨 恨 恨

글자뿌리 형성(形聲) 문자. 심방변(忄=心〈뜻〉)에 그칠 간(艮〈음〉)을 합친 자로, 마음속에 상처가 남아 있다는 데서 '한하다', '뉘우치다'의 뜻이 된 자.

[恨歎 한탄] 원통한 일이 있거나 잘못을 뉘우쳤을 때에 한숨짓는 탄식.

[餘恨 여한] 풀지 못하고 남은 원한.

[怨恨 원한] 몹시 원통하고 한스러운 생각.

[痛恨 통한] 가슴이 아프도록 몹시 한탄함. 또는 그런 한.

[悔恨 회한] 뉘우치고 한탄함.

恒 항상 항

3급Ⅱ 중학 한자

㊥ 恒 (héng)

㊀ always [ɔ́:lweiz]

풀이 항상. 늘. 언제나.
부수 心(마음심)부
찾기 忄3(心)+亘6=9획

丶 忄 忄 忙 怔 恒 恒 恒

글자뿌리 형성(形聲) 문자. 심방변(忄=心〈뜻〉)에 뻗칠 긍(亘〈음〉)을 합친 자로, 참마음이 한없이 뻗친다는 데서 '항상', '영원히'의 뜻이 된 자.

[恒常 항상] 늘. 언제나.
[恒星 항성] 태양처럼 스스로 빛을 내면서 늘 같은 자리에 있는 별.
[恒時 항시] 보통 때.

3급Ⅱ 중학 한자
중 悦 (yuè)
영 pleased [pli:zd]

기쁠 열

풀이 기쁘다. 즐겁다.
부수 心(마음심)부
찾기 忄3(心)+兌7=10획

丶 忄 忄 忄 怜 怡 悅 悅

글자뿌리 형성(形聲) 문자. 심방변(忄=心〈뜻〉)에 기쁠 태(兌〈음〉)를 합친 자로, 마음의 바르지 않음을 없애 '기쁘다'는 뜻.

[喜悅 희열] 기뻐하고 즐거워함. 또는 기쁨과 즐거움.

3급Ⅱ 중학 한자
중 悟 (wù)
영 realize [rí:əlàiz]

깨달을 오:

풀이 깨닫다. 깨우치다.
부수 心(마음심)부
찾기 忄3(心)+吾7=10획

丶 忄 忄 忄 忏 悟 悟 悟

글자뿌리 형성(形聲) 문자. 심방변(忄=心〈뜻〉)에 나 오(吾〈음〉)를 합친 자로, 마음 속으로 나를 인식하는 데서 '깨닫다'의 뜻이 된 자.

[覺悟 각오] ① 도리를 깨달음. ② 앞으로 닥쳐올 일에 대한 마음의 준비.

5급 중학 한자
중 患 (huàn)
영 anxiety [æŋzáiəti]

근심 환:

풀이 1 근심. 근심하다. 2 병. 앓다.
부수 心(마음심)부
찾기 心4+串7=11획

口 口 吕 吕 串 串 患 患

글자뿌리 형성(形聲) 문자. 마음 심(心〈뜻〉)에 꼬챙이 관(串〈음〉)을 합친 자로, 꼬챙

이로 찌르듯이 마음이 아프다는 데서 '근심'의 뜻이 된 자.

[患部 환부] 병 또는 상처가 난 곳.
[患者 환자] 병을 앓는 사람.
[病患 병환] 윗사람의 병을 높여 이르는 말.
[宿患 숙환] 오래된 병환.
[有備無患 유비무환] 준비가 있으면 근심할 것이 없음.
[後患 후환] 어떤 일로 말미암아 뒷날에 생기는 근심이나 걱정.

4급 Ⅱ 중학 한자
중 悲 (bēi)
영 sad [sæd]

슬플 비:

풀이 슬프다. 슬퍼하다.
부수 心(마음심)부
찾기 心[4]+非[8]=12획

글자뿌리 형성(形聲) 문자. 마음 심(心〈뜻〉)에 아닐 비(非〈음〉)를 합친 자로, 마음으로 바라던 것이 아니어서 '슬프다'는 뜻.

[悲觀 비관] 무엇이든 슬프게만 봄.
[悲劇 비극] ① 슬픈 내용으로 된 연극. 반 喜劇(희극). ② 슬프고 끔찍한 일.
[悲鳴 비명] 몹시 위태롭거나 무서움을 느꼈을 때 지르는 외마디 소리.
[悲哀 비애] 슬픔과 설움.
[悲運 비운] 슬픈 운명. 불행한 운명.
[悲慘 비참] 차마 눈 뜨고 볼 수 없을 정도로 슬프고 끔찍함.
[悲歎 비탄] 슬퍼서 탄식함.
[慈悲 자비] ① 남을 사랑하고 가엾게 여김. ② 불교에서, 중생에게 복을 주어 괴로움을 없앰. 또는 그 일.

3급 Ⅱ 중학 한자
중 惜 (xī)
영 grudge [grʌdʒ]

아낄 석

풀이 아끼다. 아깝게 여기다.
부수 心(마음심)부
찾기 忄[3](心)+昔[8]=11획

글자뿌리 형성(形聲) 문자. 심방변(忄=心〈뜻〉)에 예 석(昔〈음〉)을 합친 자로, 오래

된 물건을 잃으면 마음이 아쉽다는 데서 '아깝다'는 뜻이 된 자.

[惜別 석별] 이별을 안타깝게 여김.
[哀惜 애석] 슬프고 안타깝게 여김.

5급 중학 한자
중 恶 (❶è, ❷wù)
영 ❶bad [bæd]
❷hate [heit]

❶악할 악
❷미워할 오

풀이 ❶ 1 악하다. 나쁘다. 2 더럽다. 추하다. ❷ 미워하다.
부수 心(마음심)부
찾기 心[4]+亞[8]=12획

一 丅 工 互 亞 亞 亞 惡

글자뿌리 형성(形聲) 문자. 마음 심(心〈뜻〉)에 버금 아(亞: 꼽추의 모양〈음〉)를 합친 자로, 등이 굽은 것처럼 마음이 굽었다 해서 '악하다', '미워하다'의 뜻이 된 자.

[惡鬼 악귀] 악한 귀신.
[惡談 악담] 남을 나쁘게 말하거나, 남이 잘못되게 저주하는 말. 반 德談(덕담).
[惡德 악덕] 도덕에 어긋나는 나쁜 마음이나 나쁜 짓.
[惡毒 악독] 마음이 몹시 모질고 독함.
[惡童 악동] 성질이나 행실이 나쁜 아이. 장난꾸러기.
[惡靈 악령] 원한을 품고 재앙을 내린다는 죽은 이의 영혼.
[惡魔 악마] ① 사람에게 재앙을 내리거나, 나쁜 짓을 하도록 꾀는 마귀. ② 흉악한 사람을 비유하는 말. 반 天使(천사).
[惡名 악명] 악하기로 소문난 이름이나 나쁜 평판.
[惡夢 악몽] 무섭거나 불길하고 기분 나쁜 꿈. 반 吉夢(길몽).
[惡法 악법] 나쁜 법률.
[惡性 악성] ① 모질고 악독한 성질. ② 고치기 어려운 병의 성질.
[惡習 악습] 나쁜 버릇.
[惡緣 악연] 불행한 인연. 나쁜 인연.
[惡用 악용] 나쁘게 씀. 반 善用(선용).
[惡運 악운] 사나운 운수.
[惡意 악의] 남을 해치려는 나쁜 마음. 반 善意(선의).
[惡材 악재] 증권 거래에서 시세 하락의 원인이 되는 것.
[善惡 선악] 착함과 악함.
[最惡 최악] 어떤 조건·상태 등이 가장 나쁨.
[凶惡 흉악] ① 성질이 몹시 거칠고 사나움. ¶ 凶惡無道(흉악무도). ② 겉모습이 험상궂게 생김.
[憎惡 증오] 몹시 미워함.

情

5급 중학 한자

중 情 (qíng)

영 sentiment [séntəmənt]

뜻 정

풀이 1 뜻. 무엇을 하려고 하는 마음. 2 정. 사랑. 3 사정. 형편.

부수 心(마음심)부

찾기 忄3(心)+青8=11획

情情情

글자뿌리 형성(形聲) 문자. 심방변(忄=心〈뜻〉)에 푸를 청(青〈음〉)을 합친 자로, 마음이 맑고 푸른 하늘처럼 환히 드러남을 나타내어 '뜻', '정'을 뜻하게 된 자.

⇒ 心青 ⇒ 情

[情景 정경] 감흥과 경치.
[情談 정담] 정다운 이야기.
[情報 정보] 사정이나 상황에 대한 자세한 소식. 또는 그 내용이나 자료.
[情緒 정서] 사람의 마음에 일어나는 온갖 감정.
[情熱 정열] 뜨겁게 달아오른 감정.
[感情 감정] 사물에 따라 느끼어 일어나는 마음.
[冷情 냉정] 마음이 매정하고 쌀쌀함.
[同情 동정] 남의 어려운 처지를 딱하게 여김. 또는 그러한 마음.
[無情 무정] 인정이나 동정심이 없음.
[物情 물정] 세상의 인심이나 사정.
[溫情 온정] 따뜻한 인정. 정다운 마음.
[友情 우정] 친구 사이에 오가는 정.
[人情 인정] ① 사람이 본래부터 가지고 있는 마음씨. ② 남을 위하거나 동정하는 마음.

4급Ⅱ 중학 한자

중 惠 (huì)

영 favor [féivər]

은혜 혜:

풀이 1 은혜. 은혜롭다. 2 인자하다. 3 주다.

부수 心(마음심)부

찾기 心4+叀8=12획

叀惠惠惠

글자뿌리 회의(會意) 문자. 마음 심(心)에 삼갈 전(叀)을 합친 자로, 언행을 삼가고 어진 마음을 베푼다는 데서 '은혜', '인자하다'의 뜻이 된 자.

[惠存 혜존] 자기가 지은 책이나 작품을 남에게 보낼 때 '받아 간직해 주십시오.'라는 뜻으로 쓰는 말.
[惠澤 혜택] 베풀어 주는 고마움.
[恩惠 은혜] 고맙게 베풀어 주는 신세나 혜택.
[天惠 천혜] 하늘이 베푼 은혜. 자연의 은혜.
[特惠 특혜] 특별한 혜택.

6급 중학 한자
중 感 (gǎn)
영 feel [fi:l]

느낄 감:

풀이 1 느끼다. 2 감동하다. 3 고맙게 여기다.
부수 心(마음심)부
찾기 心⁴+咸⁹=13획

丿 厂 厂 F 后 后 咸 咸 咸 咸 感 感 感

글자뿌리 형성(形聲) 문자. 마음 심(心〈뜻〉)에 모두 함(咸〈음〉)을 합친 자로, 마음을 다한다는 데서 '느끼다'의 뜻이 된 자.

⇒ ⇒ 感

[感覺 감각] 느끼어 깨닫는다는 뜻으로, 눈·코·혀·귀·살갗 등을 통하여 받아들이는 느낌.
[感慨無量 감개무량] 마음에 사무치는 느낌이 한이 없음.
[感激 감격] ① 크게 느끼어 마음이 몹시 감동함. ② 매우 고맙게 여김.
[感氣 감기] 온몸이 오슬오슬 추워지며 코가 막히고, 머리가 아프며, 열이 나는 병. 고뿔.
[感動 감동] 깊이 느끼어 마음이 움직임.
[感銘 감명] 깊이 느끼어 마음에 새김.
[感謝 감사] ① 고마움. 고맙게 여김. ② 고맙게 여기어 그 뜻을 나타냄.
[感想 감상] 마음에서 일어나는 느낌이나 생각.
[感電 감전] 전기가 몸에 통하여 충격을 받음.
[感情 감정] 어떤 사물에 대하여 느끼어 일어나는 마음.
[感歎 감탄] 마음속에 느끼어 탄복함.
[同感 동감] 남과 똑같게 생각하거나 느낌. 또는 그러한 생각이나 느낌.
[敏感 민감] 감각이 날카롭고 민첩함. 반 鈍感(둔감).
[反感 반감] ① 남의 말·태도 등에 반발하거나 반항하는 감정. ② 노여워하는 감정.
[所感 소감] 마음에 느낀 바.
[立體感 입체감] 위치·넓이·길이·두께를 가지고 있는 물체의 느낌.
[體感溫度 체감온도] 사람의 몸으로 느껴지는 외부의 온도.
[快感 쾌감] 상쾌하고 즐거운 느낌.
[好感 호감] 사람이나 사물에 대하여 좋게 여기는 감정.

4급Ⅱ 중학 한자
중 想 (xiǎng)
영 imagine [imǽdʒin]

생각 상:

풀이 생각. 생각하다.
부수 心(마음심)부
찾기 心[4]+相[9]=13획

一 十 才 木 木 札 机 相
相 相 想 想 想

글자뿌리 형성(形聲) 문자. 마음 심(心〈뜻〉)에 서로 상(相〈음〉)을 합친 자로, 서로가 마음을 바라보며 살핀다는 데서 '생각하다'의 뜻이 된 자.

木心 ⇒ 目心 ⇒ 想

[想像 상상] 마음속으로 그리며 미루어 생각함.
[空想 공상] 이루어질 수 없는 헛된 생각.
[冥想 명상] 조용히 눈을 감고 깊이 생각함. 또는 그 생각.
[理想 이상] 실제로는 불가능해도 각자가 생각할 수 있는 범위 안에서 가장 완전한 상태 또는 목표.
[回想 회상] 지난 일을 돌이켜 생각함. 또는 그 생각.

3급Ⅱ 중학 한자
중 愁 (chóu)
영 anxiety [æŋzáiəti]

근심 수

풀이 1 근심. 시름. 2 근심하다. 시름하다.
부수 心(마음심)부
찾기 心[4]+秋[9]=13획

丿 二 千 千 禾 禾 禾' 秒
秋 秋 愁 愁 愁

글자뿌리 형성(形聲) 문자. 마음 심(心〈뜻〉)에 가을 추(秋〈음〉)를 합친 자로, 가을에는 추수 때문에 농부의 마음이 걱정스럽다는 데서 '근심'을 뜻함.

[愁心 수심] 근심스러운 마음.
[哀愁 애수] 마음속으로 스며드는 것 같은 슬픈 시름.
[旅愁 여수] 나그네의 시름. 여행지에서 느끼는 시름.
[憂愁 우수] 근심과 걱정.
[鄕愁 향수] 고향을 그리워하거나 근심하는 마음.

6급 중학 한자
중 爱 (ài)
영 love [lʌv]

사랑 애(:)

풀이 1 사랑. 사랑하다. 2 즐기다. 3 아끼다.
부수 心(마음심)부
찾기 心[4]+爱[9]=13획

글자뿌리 형성(形聲) 문자. 사랑 애(㤅〈음〉)에 천천히 걸을 쇠(夊〈뜻〉)를 합친 자로, 어여삐 여기는 마음이 향해 가서 미치다의 뜻.

[愛嬌 애교] 다른 사람에게 귀엽게 보이는 태도.
[愛國 애국] 자기 나라를 사랑함. ¶ 愛國歌(애국가).
[愛讀 애독] 즐겨 읽음. ¶ 愛讀者(애독자).
[愛惜 애석] 슬프고 안타깝게 여김.
[愛玩犬 애완견] 사랑하여 가까이 두고 기르는 개.
[愛用 애용] 즐겨 씀.
[愛人 애인] ① 사랑하는 사람. ② 남을 사랑함.
[愛情 애정] ① 사랑하는 마음. ② 귀엽게 여기는 마음.
[愛族 애족] 겨레를 사랑함. ¶ 愛國愛族(애국애족).
[愛之重之 애지중지] 몹시 사랑하고 소중히 여김.
[愛着 애착] 사랑하고 아끼는 마음에 사로잡혀 그 생각을 버릴 수 없음.
[愛唱曲 애창곡] 즐겨 부르는 노래.
[愛鄕心 애향심] 자기의 고향을 사랑하는 마음.
[敬愛 경애] 존경하고 사랑함.
[友愛 우애] 형제간의 사랑.

6급 중학 한자
중 意 (yì)
영 meaning [míːniŋ]

뜻 의ː

풀이 1 뜻. 생각. 2 의미.
부수 心(마음심)부
찾기 心[4]+音[9]=13획

글자뿌리 회의(會意) 문자. 마음 심(心)에 소리 음(音)을 합친 자로, 마음속으로 생각하는 일은 소리가 되어 밖으로 나타난다는 데서 '뜻', '생각'의 뜻이 된 자.

[意見 의견] 어떤 대상이나 일에 대한 생각.
[意氣 의기] 씩씩한 마음. 장한 마음. ¶

意氣揚揚(의기양양).
[意圖 의도] 마음속으로 꾀함. 또는 그 생각이나 계획.
[意味 의미] ① 말이나 글이 가지고 있는 뜻. ② 어떤 일의 숨겨진 뜻.
[意思 의사] 마음먹은 생각. 무엇을 하고자 하는 뜻. ¶ 意思表示(의사 표시).
[意識 의식] 사람이 깨어 있을 때의 마음 상태.
[意外 의외] 뜻밖. 생각 밖.
[意慾 의욕] 어떤 일을 하고자 하는 적극적인 마음이나 욕망.
[意義 의의] ① 뜻. ② 어떤 말이나 행위가 가지는 가치나 중요한 정도.
[意中 의중] 마음속.
[意志 의지] ① 마음. 뜻. ② 무엇을 생각하고 결심하여 실행하려는 마음.
[意向 의향] 무엇을 하고자 하는 생각.
[決意 결의] 의논해서 결정함. 또는 회의에서 결정된 일.
[敬意 경의] 존경하는 마음.
[故意 고의] 딴 뜻을 가지고 일부러 함.
[同意 동의] 같은 뜻. ¶ 同意語(동의어).
[善意 선의] 착한 마음. 좋은 뜻. 반 惡意(악의).
[誠意 성의] 정성스러운 뜻. ¶ 誠心誠意(성심성의).
[失意 실의] 기대에 어긋나서 의욕을 잃어버리는 일.
[留意 유의] 마음에 새겨 두어 조심하며 관심을 가짐.
[敵意 적의] 해치려고 하는 마음. 적으로 대하는 마음.
[注意 주의] ① 마음에 새겨 조심함. ② 알아듣도록 타이름.
[厚意 후의] 남을 위해 베푸는 두텁고 인정 있는 마음.

3급Ⅱ 중학 한자
중 兹 (cí)
영 mercy [mə́:rsi]

사랑 자

풀이 1 사랑. 2 어머니.
부수 心(마음심)부
찾기 心4+兹9=13획

글자뿌리 형성(形聲) 문자. 마음 심(心〈뜻〉) 위에다 이 자(兹〈음〉)를 합친 자로, 자식에 대한 도타운 이 마음이 고루 베풀어짐을 나타내어 '사랑', '인자함'을 뜻하게 된 자.

[慈堂 자당] 남의 '어머니'를 높여 이르는 말.
[慈母 자모] ① 인자한 어머니. 어머니. ② 어머니를 여읜 뒤에 자기를 길러 준 서모(庶母).
[慈悲 자비] ① 남을 사랑하고 가엾게 여김. ② 불교에서, 중생에게 복을 주어 괴로움을 없앰. 또는 그 일.
[慈善 자선] 불쌍히 여겨 은혜를 베풂. 또는 그 일.
[慈愛 자애] 아랫사람을 도탑게 사랑함. 또는 그 사랑.
[仁慈 인자] 마음이 매우 어질고 너그러움.

4급Ⅱ 고등 한자

중 态 (tài)

영 attitude [ǽtitjù:d]

모습 태:

풀이 1 모습. 모양. 2 형편. 상황. 상태.

부수 心(마음심)부

찾기 心^{4}+能^{10}=14획

𠃋 厶 ㇺ 𦙃 𦙃 𦙃 𦙄 𦙄 能 能 能 態 態 態

글자뿌리 회의(會意) 문자. 마음 심(心)에 재능 능(能)을 합친 자로, 能(능)은 능력으로서 잘할 수 있다는 뜻. 어떤 일을 할 수 있다는 마음가짐의 뜻에서, '모습'·'몸짓'의 뜻을 나타냄.

[態度 태도] 몸의 동작이나 마음을 가지는 모양.

[態勢 태세] 일을 앞둔 태도나 자세.

[動態 동태] 움직이거나 변하는 상태.

[事態 사태] 일의 상태.

[狀態 상태] 사물이나 현상이 놓여 있는 형편이나 모양.

[實態 실태] 있는 그대로의 상태.

[重態 중태] 병이 위중한 상태.

[形態 형태] 사물의 생김새.

4급Ⅱ 중학 한자

중 庆 (qìng)

영 happy [hǽpi]

경사 경:

풀이 1 경사. 2 경사스럽다.

부수 心(마음심)부

찾기 心^{4}+𢉖^{11}=15획

丶 亠 广 户 戶 严 严 严 严 𢉖 𢉖 𢉖 㢧 㢧 慶

글자뿌리 회의(會意) 문자. 사슴 록(声: 鹿의 변형)에 마음 심(心)과 뒤져 올 치(夂)를 합친 자로, 옛날에는 이웃의 기쁜 일에 사슴의 가죽을 가지고 가서 축하해 주었다는 데서 '축하하다', '경사'의 뜻이 된 글자.

[慶事 경사] 축하할 만한 좋은 일. 매우 즐겁고 기쁜 일.

[慶弔 경조] 결혼·출생 등의 경사스러운 일과 장사(葬事) 등의 불행한 일.

[慶祝 경축] 기쁘고 좋은 일을 축하함. ¶ 慶祝日(경축일).

[慶賀 경하] 경사스러운 일을 축하함.

[國慶日 국경일] 나라에서 경사스러운 날로 정하여 온 국민이 기념하는 날. 우리나라에는 삼일절·제헌절·광복절·개천절·한글날이 있음.

4급 고등 한자

중 慰 (wèi)

영 comfort [kʌ́mfərt]

위로할 위

풀이 1 위로하다. 2 위안하다.

부수 心(마음심)부

찾기 心4+尉11=15획

글자뿌리 형성(形聲) 문자. 마음 심(心〈뜻〉)에 편안히 할 위(尉(叞)〈음〉)를 합친 자로, 叞(위)는 '다리미'의 뜻. 마음을 따뜻하게 하여, '펴다'의 뜻에서 '위로하다'의 뜻을 나타냄.

[慰樂 위락] 위안과 안락.
[慰勞 위로] 괴로움이나 슬픔을 어루만지고 달래줌.
[慰問 위문] 위로하기 위해 문안함.
[慰安 위안] 위로하여 마음을 편하게 함.

4급 고등 한자

중 虑 (lǜ)

영 consider [kənsídər]

생각할 려:

풀이 1 생각하다. 2 걱정하다. 3 꾀하다.

부수 心(마음심)부

찾기 心4+虍11=15획

글자뿌리 형성(形聲) 문자. 마음 심(心〈뜻〉)에 주발 로(盧〈음〉)를 합친 자로, 盧(로)는 '빙 돌리다'의 뜻. '마음을 돌리다', '깊이 생각하다'의 뜻을 나타냄.

[慮外 여외] 뜻밖. 의외(意外).
[考慮 고려] 생각하여 헤아림.
[配慮 배려] 도와주거나 보살펴 주려고 이리저리 마음을 써 줌.
[思慮 사려] 여러 가지 일에 대해 주의 깊게 생각함.
[心慮 심려] 마음속으로 걱정함.
[念慮 염려] 앞일을 여러 가지로 헤아려 걱정함.

3급Ⅱ 중학 한자

중 忧 (yōu)

영 anxiety [æŋzáiəti]

근심 우

풀이 1 근심. 걱정. 2 근심하다. 걱정하다. 3 병. 병을 앓다. 4 상제가 되다.

부수 心(마음심)부

찾기 心[4]+夏[11]=15획

글자뿌리 형성(形聲) 문자. 마음 심(心〈뜻〉)에 머리 수(百: 首의 변형〈음〉)와 민갓머리(冖〈뜻〉)를, 아래에 뒤져 올 치(夂〈뜻〉)와 합친 자로, 뒤미처 올 일이 마음을 덮어 머리에서 떠나지 않는다는 데서 '근심'을 뜻함.

[憂國 우국] 나라의 일을 걱정함. ¶ 憂國之士(우국지사).

[憂慮 우려] 걱정함. 염려함.

[憂愁 우수] 근심과 걱정.

[憂鬱 우울] 어떤 일이 근심스러워 마음이 개운하지 않고 답답함.

[憂患 우환] ① 근심이나 걱정이 되는 일. ② 집안에 복잡한 일이 있거나 환자가 생겨서 겪는 근심.

[杞憂 기우] 쓸데없는 근심. 옛날 중국의 기(杞)나라 사람이 하늘이 무너지지 않을까 걱정했다는 이야기에서 유래.

[內憂外患 내우외환] ① 안팎의 근심거리. ② 나라 안의 근심스러운 일과 나라 밖에서의 어려운 문제.

[識字憂患 식자우환] 학식이 있는 것이 도리어 근심을 사게 된다는 말.

4급 고등 한자

중 宪 (xiàn)

영 constitution [kɑ̀nstətjúːʃən]

법 헌:

풀이 1 법. 2 관청. 3 상관. 4 모범.

부수 心(마음심)부

찾기 心[4]+害[12]=16획

글자뿌리 형성(形聲) 문자. 눈 목(目〈뜻〉)에 해칠 해(害〈省〉〈음〉)를 합친 자로, 害(해)는 '날붙이'로, '해치다'의 뜻. 눈을 깎아 내는 형(刑)의 뜻에서, '법'의 뜻을 나타냄. 뒤에 心이 덧붙어 '憲'이 되었음.

[憲法 헌법] 국가 통치 체제의 조직과 구성, 국민의 기본적 권리, 의무 등을 규정한 근본법.

[憲兵 헌병] 군대에서, 경찰 업무를 맡아보는 군인.

[憲章 헌장] 법적으로 규정한 규범.

[憲政 헌정] 헌법에 따라 행하는 정치. 입헌 정치(立憲政治).

[改憲 개헌] 헌법을 고침.

[違憲 위헌] 헌법을 어김.

[立憲 입헌] 헌법을 제정함.

[制憲 제헌] 헌법을 제정함.

4급 고등 한자

중 愤 (fèn)

영 indignant [indígnənt]

분할 분:

풀이 1 분하다. 2 성내다. 3 분노하다.

부수 心(마음심)부

찾기 忄3(心)+賁12=15획

글자뿌리 형성(形聲) 문자. 심방변(忄=心〈뜻〉)에 날랠 분(賁〈음〉)을 합친 자로, 賁(분)은 왕성하게 달리다의 뜻. 무엇인가 마음속을 뛰어 돌아다니며 화를 내다의 뜻을 나타냄.

[憤慨 분개] 격분하여 개탄함.

[憤怒 분노] 분하여 성을 냄.

[激憤 격분] 몹시 분해 성이 치밀어 오름.

[悲憤 비분] 슬프고 분함.

[義憤 의분] 불의를 보고 일으키는 분노.

3급Ⅱ 중학 한자

중 忆 (yì)

영 recall [rikɔ́:l]

생각할 억

풀이 1 생각하다. 생각. 2 기억하다.

부수 心(마음심)부

찾기 忄3(心)+意13=16획

글자뿌리 형성(形聲) 문자. 심방변(忄=心〈뜻〉)에 뜻 의(意〈음〉)를 합친 자로, 마음 속에 지니고 있는 뜻이라는 데서 '기억하다', '생각하다'의 뜻이 된 자.

[記憶 기억] 지난 일을 잊지 아니함. ¶ 記憶力(기억력).

[追憶 추억] 지난 일이나 가 버린 사람을 돌이켜 생각함. 또는 그 생각.

4급Ⅱ 중학 한자

중 应 (yīng)

영 respond [rispɑ́nd]

응할 응:

풀이 1 응하다. 대답하다. 2 응당.

부수 心(마음심)부

찾기 心4+雁13=17획

글자뿌리 형성(形聲) 문자. 마음 심(心〈뜻〉)

위에 매 응(䧹〈음〉)을 합친 자로, 매가 주인의 마음에 따라 꿩을 잡는다는 데서 '응하다'의 뜻이 된 자.

[應急 응급] 급한 대로 우선 처리함. ¶ 應急治療(응급 치료).
[應諾 응낙] 부탁에 응하여 허락함.
[應答 응답] 물음에 대답함.
[應當 응당] ① 당연함. ② 당연히.
[應對 응대] 부름·물음·요구 등에 응하여 대답함.
[應募 응모] 모집에 응함.
[應分 응분] 어떤 분수나 정도에 맞거나 맞도록 함.
[應試 응시] 시험을 치름.
[應用 응용] 어떤 원리를 실제로 활용하거나 사용함. ¶ 應用問題(응용문제).
[應援 응원] 운동 경기 등에서 선수들이 힘을 내도록 도와줌.
[應接 응접] 손님을 맞이하여 접대함. ¶ 應接室(응접실).
[適應 적응] 생물의 생김새나 기능이 주위의 사정에 알맞게 되는 것.

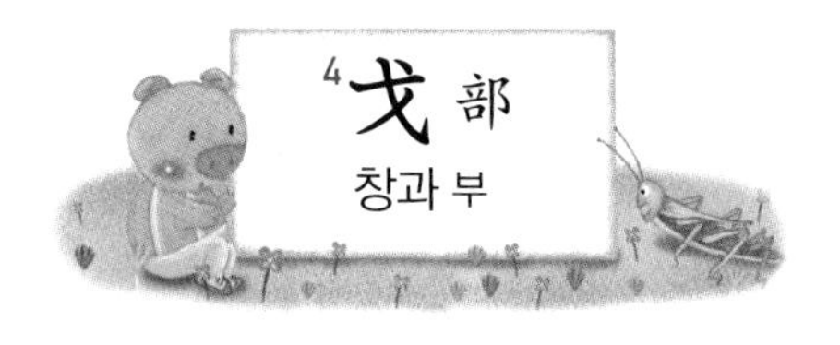

3급 중학 한자
중 戊 (wù)
영 the 5th of the 10 Heaven's

다섯째천간 무:

풀이 다섯째 천간. ※ 방위로는 중앙, 오행으로는 토(土), 시간은 새벽 3시~5시 사이.
부수 戈(창과)부
찾기 戈4+丿1=5획

丿 厂 𠂇 戊 戊

글자뿌리 상형(象形)·가차(假借) 문자. 양쪽에 날이 있는 큰 도끼의 모양을 본뜬 글자. 가차하여 십간의 하나가 됨.

[戊夜 무야] 오경(五更). 새벽 3시~5시 사이.
[戊辰 무진] 육십갑자(六十甲子)의 다섯 번째.

3급 중학 한자
중 戌 (xū)
영 dog [dɔ(:)g]

개 술

풀이 1 개. 2 열한째 지지. ※ 방위로는 서북, 오행으로는 토(土), 시간으로는 오후 7시~9시 사이, 동물로는 개에 해당함.
부수 戈(창과)부
찾기 戈4+卜2=6획

丿 厂 F 戌 戌 戌

글자뿌리 지사(指事) 문자. 다섯째 천간 무(戊)에 한 일(一)을 더한 글자.

[戌時 술시] 십이시의 열한째 시. 곧 오후 7시~9시 사이의 동안.
[甲戌 갑술] 육십갑자(六十甲子)의 열한 번째.

6급 중학 한자

중 成 (chéng)

영 accomplish [əkámpliʃ]

이룰 성

풀이 이루다. 이루어지다. 되다.

부수 戈(창과)부

찾기 戈^{4}+𠃌^{3}=7획

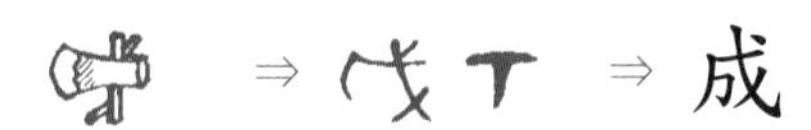

글자뿌리 형성(形聲) 문자. 다섯째 천간 무(戊〈뜻〉)에 장정 정(丁〈음〉)을 합친 자로, 戊(무)는 도끼의 뜻. 도구를 써서 사물을 만든다는 데서 '이루다', '이루어지다'의 뜻이 된 자.

⇒ ⇒ 成

[成功 성공] 목적이나 뜻 등을 이룸. 동 成就(성취). 반 失敗(실패).

[成果 성과] 일을 이루어 내거나 일이 이루어진 결과.

[成年 성년] ① 성인이 되는 나이. 곧, 만 20세. ② 어른.

[成立 성립] 일이 이루어짐.

[成分 성분] 무엇을 이루는 바탕이 되는 요소.

[成事 성사] 어떤 일을 이룸.

[成熟 성숙] ① 열매가 익음. ② 생물이 다 자람.

[成員 성원] ① 구성하고 있는 인원. ② 성립시키는 데 필요한 인원.

[成人 성인] 어른. 보통 만 20세 이상이 된 남녀.

[成長 성장] 자라서 점점 커짐. 자라남.

[成蟲 성충] 다 자란 벌레. 어른벌레.

[成就 성취] 목적한 대로 일을 다 이룸. ¶ 所願成就(소원성취). 동 達成(달성).

[成敗 성패] 성공과 실패.

[成形 성형] 일정한 모양을 이룸. ¶ 成形手術(성형수술).

[結成 결성] 어떤 모임을 만들어 단체를 이룸.

[構成 구성] 얽어 짜서 하나로 만듦. 또는 그런 일.

[旣成服 기성복] 주문을 받지 않고 미리 만들어 놓은 옷.

[生成 생성] 무엇이 일어나거나 생겨남.

[速成 속성] 빨리 이룸.

[養成 양성] 길러 냄.

[完成 완성] 완전히 다 이룸.

[自手成家 자수성가] 물려받은 재산이 없는 사람이 혼자만의 힘으로 재산을 모음.

[作成 작성] 만들어 이룸.

[集大成 집대성] 여럿을 모아 하나로 크게 완성함.

3급Ⅱ 중학 한자

중 我 (wǒ)

영 I [ai]

나 아:

풀이 1 나. 2 우리.

부수 戈(창과)부

찾기 戈⁴+手³=7획

글자뿌리 회의(會意) 문자. 창 과(戈)에 손 수(手)를 합친 자로, 손에 창을 들고서 자기의 몸을 지킨다는 데서 '나'를 뜻하게 된 자.

⇒ ⇒ 我

[我國 아국] 우리의 나라.
[我軍 아군] ① 우리 편의 군대. ② 운동 따위에서 우리 편.
[我田引水 아전인수] 제 논에 물을 댄다는 뜻으로, 자기에게만 이롭게 되도록 말하거나 행동함을 이르는 말.
[我執 아집] 자기의 생각에만 집착함. 또는 그런 일.
[無我境 무아경] 마음이나 정신이 한곳으로 온통 쏠려 자기를 잊고 있는 상태. 무아지경(無我之境).
[自我 자아] 나. 자기 자신을 이르는 말.

4급 고등 한자
중 戒 (jiè)
영 warn [wɔ:rn]

경계할 계:

풀이 1 경계하다. 2 주의하다. 3 타이르다.
부수 戈(창과)부
찾기 戈⁴+廾³=7획

글자뿌리 회의(會意) 문자. 창 과(戈)에 들 공(廾)을 합친 자로, 戈(과)는 창의 상형. 廾(공)은 좌우의 손의 상형. 무기를 양손에 들고 있다는 데서 '경계하다'의 뜻을 나타냄.

[戒嚴 계엄] 비상사태가 발생했을 때 군대가 그 지역을 관할하는 일.
[戒律 계율] 계와 율. 불자(佛者)가 지켜야 할 규범.
[戒責 계책] 허물이나 잘못을 꾸짖고 경계하여 각성하도록 함.
[警戒 경계] 잘못되는 일이 일어나지 않도록 미리 조심함.
[訓戒 훈계] 타일러서 경계함.

4급 중학 한자
중 或 (huò)
영 maybe [méibi:]

혹 혹

풀이 혹. 혹시.
부수 戈(창과)부
찾기 戈⁴+口⁴=8획

글자뿌리 회의(會意) 문자. 창 과(戈)에 입 구(口)와 한 일(一)을 합친 자로, 무기〔戈〕를 들고 일정한 땅〔一〕의 사방 경계〔口〕를 지킨다는 데서 원래 '나라'를 뜻했다가, 뒤에 적이 쳐들어올까 의심한다는 데서 '혹시'의 뜻이 된 자.

[或是 혹시] 만일에. 만약에.
[或時 혹시] 어떠한 때.
[或如 혹여] 혹시.
[或者 혹자] ① 혹시. ② 어떤 사람.
[間或 간혹] 어쩌다. 가끔.
[設或 설혹] 설령.

6급 중학 한자
중 战 (zhàn)
영 battle [bǽtl]

싸움 전:

풀이 1 싸움. 싸우다. 2 두려워 떨다.
부수 戈(창과)부
찾기 戈[4]+單[12]=16획

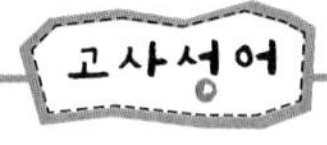

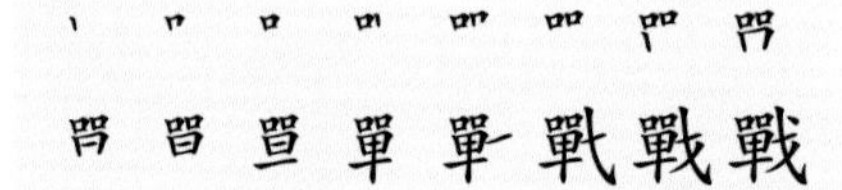

글자뿌리 형성(形聲) 문자. 창 과(戈〈뜻〉)에 오랑캐 임금 선(單〈음〉)을 합친 자로, 창을 들고 오랑캐와 싸운다는 데서 '싸움'을 뜻하게 된 자.

[戰略 전략] 전쟁하는 꾀.
[戰死 전사] 전쟁에서 싸우다 죽음.
[戰線 전선] 적의 전투 부대와 마주 대하고 있는 지역. ¶ 休戰線(휴전선).
[戰術 전술] ① 전쟁하는 기술이나 술책. ② 어떠한 목적을 효과적으로 이루기 위한 방법.
[戰友 전우] 같은 부대 또는 전쟁터에서

고사성어

戰戰兢兢 (전전긍긍)

몹시 두려워서 벌벌 떨며 조심한다는 뜻으로, 남에게 잘못을 했거나, 어떤 일이 뜻대로 되지 않아서 몸 둘 바를 모르고 쩔쩔매는 경우를 이르는 말.

고사 중국에서 제일 오래된 시집(詩集)인 〈시경(詩經)〉에는 계략을 잘 꾸미는 간사한 신하가 군주(君主) 곁에서 옛 법을 무시한 정치를 하고 있음을 한탄하는 시가 나오는데, 그 내용은 다음과 같다.

"감히 맨손으로 호랑이를 잡지 못하고
감히 걸어서 황하(黃河)를 건너지 못한다.
사람들은 그런 것은 알고 있지만
그 밖의 것은 알지 못하네.
벌벌 떨면서 조심하기를[戰戰兢兢]
깊은 못에 임하듯
엷은 얼음판을 밟고 걸어가듯 해야 하네."

같이 생활하는 벗. ¶ 戰友愛(전우애).
[戰爭 전쟁] 나라 사이에서 벌어진 큰 싸움. 동 戰鬪(전투).
[決戰 결전] 승부를 결판내는 싸움.
[反戰 반전] 전쟁을 반대함.
[百戰百勝 백전백승] 싸울 때마다 번번이 다 이김.
[山戰水戰 산전수전] 산과 물에서의 싸움이라는 뜻으로, 세상의 온갖 고생을 다 겪음을 이르는 말.
[速戰速決 속전속결] 싸움을 오래 끌지 않고 빨리 끝을 냄.
[惡戰苦鬪 악전고투] 악조건을 무릅쓰고 죽을힘을 다하여 싸움.
[終戰 종전] 전쟁이 끝남.
[參戰 참전] 전쟁에 참가함. ¶ 參戰國(참전국).

4급Ⅱ 중학 한자
중 户 (hù)
영 door [dɔːr]

집 호ː

풀이 1 집. 2 지게. 지게문.
부수 戶(지게호)부
찾기 戶⁴=4획

丶 ㄱ 彐 戶

글자뿌리 상형(象形) 문자. 지게문, 곧 두 짝으로 된 문의 한 짝을 본뜬 자로, '지게', '지게문'을 뜻함.

[戶口 호구] 집과 식구의 수. ¶ 戶口調査(호구 조사).
[戶別訪問 호별방문] 집집마다 찾아다님.
[戶數 호수] 집의 수효.
[戶籍 호적] 그 집안 식구의 이름이나 생년월일 등을 기록한 장부.
[戶主 호주] 한 집안의 가장이 되는 사람.
[門戶 문호] ① 집으로 드나드는 문. ② 출입구가 되는 요긴한 곳. ¶ 門戶開放(문호 개방).

4급Ⅱ 중학 한자
중 房 (fáng)
영 room [ruːm]

방 방

풀이 1 방. 2 집. 가옥.
부수 戶(지게호)부
찾기 戶⁴+方⁴=8획

丶 ㄱ 彐 戶 戶 戽 房 房

글자뿌리 형성(形聲) 문자. 지게 호(戶〈뜻〉)

에 모 방(方〈음〉)을 합친 자로, 지게문에 이어진 모진 곳이라는 데서 '방'의 뜻.

[房門 방문] 방으로 드나드는 문.
[房子 방자] 조선 때, 지방 관아에서 부리던 남자 하인.
[金銀房 금은방] 금이나 은 등을 가공하여 팔고 사는 가게.
[暖房 난방] 실내를 따뜻하게 함. 또는 그 일이나 그런 방. 반 冷房(냉방).
[門間房 문간방] 대문이나 중문 바로 옆에 있는 방.

7급 중학 한자
중 所 (suǒ)
영 thing [θiŋ]

바 소:

풀이 1 바. 2 곳.
부수 戶(지게호)부
찾기 戶⁴+斤⁴=8획

글자뿌리 회의(會意) 문자. 지게 호(戶)에 도끼 근(斤)을 합친 자로, 문에서 나는 도끼 소리가 그 '것'이나 그 '곳'을 알린다는 데서 '바', '곳'을 뜻함.

[所感 소감] 마음에 느낀 바〔것〕. 느낀 바의 생각.
[所見 소견] 무엇을 보고 갖게 되는 생각이나 의견.
[所得 소득] ① 얻은 것. ② 얻은 이익이나 수입.
[所望 소망] 바라는 일.
[所聞 소문] 전하여 들리는 말.
[所要 소요] 필요로 하는 것. ¶ 所要人員(소요 인원).
[所用 소용] ① 쓸 곳. ② 쓰임.
[所願 소원] 바라는 바.
[所謂 소위] 이른바.
[所有 소유] 자기 것으로 가짐. ¶ 所有權(소유권).
[所長 소장] 연구소나 사무소 등과 같은 직장 일을 돌보는 책임자.
[所在地 소재지] 어떤 건물이나 기관 등이 있는 곳.
[所重 소중] 매우 귀중함.
[所行 소행] 이미 행한 일이나 짓.
[便所 변소] 대소변을 볼 수 있게 만들어 놓은 곳. 뒷간.
[山所 산소] '무덤'을 높여서 이르는 말.
[宿所 숙소] 머물러 묵는 곳.
[場所 장소] 곳. 자리.
[住所 주소] 살고 있는 곳.
[注油所 주유소] 거리의 요소요소에 특별한 장치를 갖추고 자동차에 연료를 넣어 주는 곳.

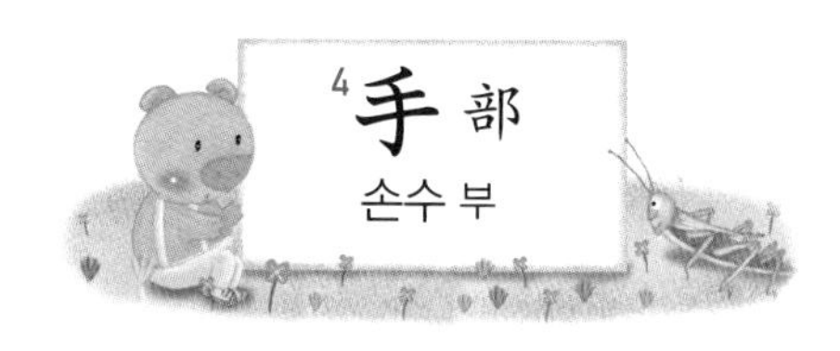

7급 중학 한자
중 手 (shǒu)
영 hand [hænd]

손 수(ː)

풀이 1 손. 손으로 하다. 2 재주. 수단. 3 능한 사람. 4 잡다.

부수 手(손수)부

찾기 手4=4획

글자뿌리 상형(象形) 문자. 다섯 손가락을 펼친 모양을 본뜬 글자.

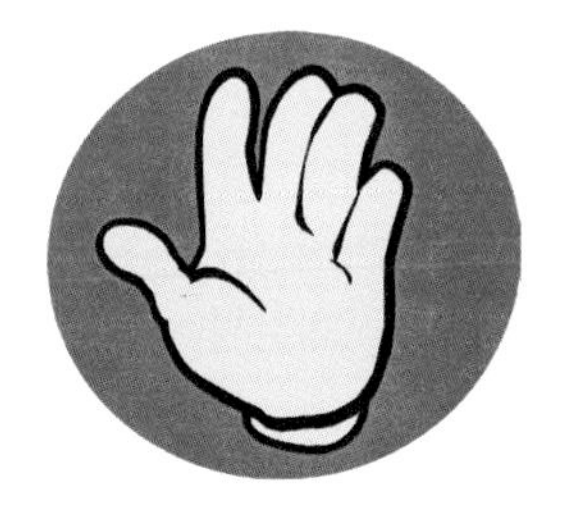

[手匣 수갑] 죄인의 양 손목에 걸쳐서 채우는 쇠로 만든 형구(形具).
[手巾 수건] 손·얼굴·몸 등을 닦기 위한 헝겊 조각. 타월.
[手工業 수공업] 기계를 사용하지 않고 손이나 간단한 기구를 써서 물건을 만들어 내는 공업.
[手記 수기] 자기의 체험을 손수 적음. 또는 그 기록.
[手段 수단] 일을 해 나가는 꾀와 솜씨.
[手配 수배] 범인을 잡기 위해 수사망을 폄.
[手法 수법] 일을 꾸미는 솜씨나 방법.
[手續 수속] 일을 하는 데 필요한 절차.
[手數料 수수료] 어떠한 일을 맡아서 처리해 주는 데 대한 보수.
[手術 수술] 살갗·살 등을 째거나 꿰매서 병을 치료하는 일.
[手腕 수완] 일을 꾸미거나 치러 나가는 재간.
[手足 수족] ① 손과 발. ② 손이나 발처럼 마음대로 부리는 사람.
[手中 수중] ① 손안. ② 자신의 힘이 미칠 수 있는 범위.
[手帖 수첩] 몸에 지니고 다니면서 여러 가지 일을 적는 조그만 공책.
[手票 수표] 은행과 당좌 계약을 맺고 돈처럼 사용하는 문서 쪽지.
[手話 수화] 청각 장애인과 언어 장애인들이 손을 써서 하는 말.
[歌手 가수] 노래 부르는 일을 직업으로 삼는 사람.
[國手 국수] 그 나라에서 바둑 등을 가장 잘 두는 사람을 이르는 말.
[名手 명수] 어떤 일에 뛰어난 솜씨가 있는 사람.
[木手 목수] 나무를 다루어 집을 짓거나 물건을 만드는 일을 하는 사람.
[選手 선수] 운동 경기에 출전하기 위하여 대표로 뽑힌 사람. ¶ 運動選手(운동선수).
[洗手 세수] 물로 손이나 얼굴을 씻음. 동 洗面(세면).
[失手 실수] ① 잘못하여 그르침. ② 실

례(失禮).

[着手 착수] 어떤 일을 손대어 시작함.

[投手 투수] 내야의 중앙에서 타자에게 공을 던지는 야구 선수. 반 捕手(포수).

[砲手 포수] ① 총으로 짐승을 잡는 사냥꾼. ② 포병에서, 포를 쏘는 병사.

[訓手 훈수] 바둑이나 장기 등에서, 좋은 수를 가르쳐 줌.

6급 중학 한자

중 才 (cái)

영 talent [tǽlənt]

재주 재

풀이 1 재주. 재간. 2 근본. 기본. 3 능하다.

부수 手(손수)부

찾기 扌3(手)=3획

一 十 才

글자뿌리 상형(象形) 문자. 나무나 풀의 줄기가 어떤 것은 땅〔一〕을 뚫고 내밀고〔亅〕, 또 어떤 것은 아직 땅 밑에 있는〔丿〕 모양을 본뜬 글자로, 새싹과 같이 지금은 여리지만 장차 여러 가능성이 있다는 데서 '재주'의 뜻이 된 자.

[才幹 재간] 일을 잘 처리하는 능력.

[才能 재능] 타고난 재주와 능력.

[才弄 재롱] 어린아이의 슬기롭고 귀여운 말과 짓.

[才致 재치] 눈치 빠르게 응하는 재주.

[多才 다재] 재주가 많음. ¶ 多才多能(다재다능).

[秀才 수재] 재주가 뛰어난 사람. 또는 뛰어난 재주. 반 鈍才(둔재).

[天才 천재] 태어나면서 갖춘 뛰어난 재주. 또는 그런 재주를 갖춘 사람.

5급 중학 한자

중 打 (dǎ)

영 strike [straik]

칠 타:

풀이 1 치다. 때리다. 2 타. 다스. ※ 물품 12개를 한 단위로 하여 세는 말.

부수 手(손수)부

찾기 扌3(手)+丁2=5획

一 十 扌 扌 打

글자뿌리 형성(形聲) 문자. 손 수(扌=手〈뜻〉)에 못 정(丁〈음〉)을 합친 자로, 손에 망치를 들고 못을 박는다는 데서 '치다'의 뜻이 된 자.

⇒ ⇒ 打

[打開 타개] 얽히고 막혀 있는 일을 잘 처리함.

[打擊 타격] ① 때리고 침. ② 손해. 손실. ③ 야구에서, 배트로 공을 침.

[打倒 타도] 어떤 대상이나 세력을 때리거나 쳐서 부수어 버림.

[打撲傷 타박상] 부딪치거나 맞아서 생긴 상처.
[打算 타산] 이로움과 해로움을 따져 헤아려 봄.
[打席 타석] 야구에서, 타자가 투수의 공을 치기 위하여 서는 장소.
[打者 타자] 야구에서, 배트로 공을 치는 공격진(陣)의 선수.
[打字 타자] 타자기로 종이 위에 글자를 찍음. 또는 그 일. ¶ 打字機(타자기).
[打盡 타진] 모조리 잡음.
[打破 타파] 나쁜 관습·제도 등을 깨뜨려 버림. ¶ 迷信打破(미신 타파).
[強打 강타] 세게 침.
[毆打 구타] 사람을 함부로 때리고 침.
[安打 안타] 야구에서, 타자가 베이스에 나아갈 수 있도록 친 공.

5급 중학 한자
중 技 (jì)
영 skill [skil]

재주 기

풀이 재주. 재능.
부수 手(손수)부
찾기 扌3(手)+支4=7획

一 十 扌 扌 扌 抟 技

글자뿌리 형성(形聲) 문자. 손 수(扌=手〈뜻〉)에 지탱할 지(支〈음〉)를 합친 자로, 손으로 다루는 능력이 뛰어남을 나타내어 '재주'의 뜻이 된 자.

⇒ ⇒ 技

[技巧 기교] 아주 묘한 솜씨.
[技能 기능] 기술상의 재능.
[技法 기법] 기교를 나타내는 방법.
[技術 기술] 어떤 일을 정확하고 능률적으로 해내는 솜씨.
[技藝 기예] 기술상의 재주와 솜씨.
[競技 경기] 기량이나 기술의 우수함을 겨룸. ¶ 競技大會(경기 대회).
[妙技 묘기] 교묘한 기술이나 재주.
[演技 연기] 사람들에게 연극이나 춤, 음악 등을 실지로 보여 줌. 또는 그 일.
[長技 장기] 가장 잘하는 재주.
[特技 특기] 특별한 기능이나 기술.

4급 고등 한자
중 抗 (kàng)
영 compete [kəmpíːt]

겨룰 항:

풀이 1 겨루다. 2 들다. 3 대항하다. 4 막다.
부수 手(손수)부
찾기 扌3(手)+亢4=7획

一 十 扌 扌 扌 扩 抗

글자뿌리 형성(形聲) 문자. 손 수(手〈뜻〉)에 목 항(亢〈음〉)을 합친 자로, 亢(항)은 '높다'의 뜻. '손을 높이 들다'의 뜻을 나타냄.

[抗拒 항거] 대항함. 버팀.
[抗議 항의] 반대의 뜻을 주장함.
[對抗 대항] 굽히거나 지지 않으려고 서로 맞서서 겨룸.
[反抗 반항] 거슬러서 대듦.

4급 고등 한자
중 折 (zhé)
영 break [breik]

꺾을 절

풀이 1 꺾다. 꺾이다. 2 결단하다. 3 일찍 죽다.
부수 手(손수)부
찾기 扌^{3}(手)+斤^{4}=7획

一 十 扌 扩 折 折 折

글자뿌리 회의(會意) 문자. 손 수(手(扌))에 날 근(斤)을 합친 자로, 도끼로 나무를 자름의 뜻.

[折骨 절골] 뼈가 부러짐.
[折半 절반] 하나를 가른 반.
[骨折 골절] 뼈가 부러짐.
[短折 단절] ① 일찍 부러짐. ② 젊은 나이에 죽음.
[百折不屈 백절불굴] 백 번 꺾어도 굴하지 않는다는 뜻으로, 어떠한 난관에도 결코 굽히지 않음을 일컬음.

扶

3급Ⅱ 중학 한자
중 扶 (fú)
영 assist [əsíst]

도울 부

풀이 1 돕다. 2 부축하다. 붙들다.
부수 手(손수)부
찾기 扌^{3}(手)+夫^{4}=7획

一 十 扌 扌 扌 抉 扶

글자뿌리 형성(形聲) 문자. 손 수(扌=手〈뜻〉)에 지아비 부(夫〈음〉)를 합친 자로, 夫(부)는 '사나이'의 뜻. 사나이가 손을 뻗어 돕다의 뜻을 나타냄.

[扶養 부양] '도와주어 기른다'는 뜻으로, 혼자 살아갈 능력이 없는 사람을 돌보아 줌.
[扶助 부조] ① 잔칫집이나 상가에 돈이나 물건을 보냄. ② 남을 거들어 도와줌.
[扶支 부지] 어려운 상태를 버티어 감.
[扶持 부지] ① 서로 도움. ② 어려운 상태를 버티어 감.
[相扶相助 상부상조] 서로서로 도와줌.

4급 고등 한자
중 批 (pī)
영 criticize [krítisàiz]

비평할 비

풀이 1 비평하다. 2 손으로 치다. 3 평하다. 4 비교하다.
부수 手(손수)부
찾기 扌^{3}(手)+比^{4}=7획

一 十 扌 扌 扌 扌 批

글자뿌리 형성(形聲) 문자. 손 수(扌=手〈뜻〉)에 견줄 비(比〈음〉)를 합친 자로, 比(비)는 '비교하다'의 뜻. 기준이 되는 것과 비교하여 검토하다의 뜻을 나타냄.

[批准 비준] 전권 위원이 서명·조인한 조약을 국가 원수가 확인하는 절차.
[批判 비판] ① 옳고 그름을 가려서 판단함. ② 잘잘못을 들어 따짐.
[批評 비평] 사물의 옳고 그름 따위를 가려 논함.

4급Ⅱ 중학 한자
중 承 (chéng)
영 inherit [inhérit]

이을 승

풀이 1 잇다. 이어받다. 2 받들다. 받아들이다. 3 돕다.
부수 手(손수)부
찾기 手⁴+丆⁴=8획

了 了 子 手 手 承 承 承

글자뿌리 회의(會意) 문자. 병부 절(⺈=卩의 변형) 밑에 손 수(手)와 받들 공(廾)을 합친 자로, 임금의 명령을 받들어 나랏일을 돌본다는 데서 '이어받다', '받들다'의 뜻이 된 자.

[承繼 승계] 뒤를 이어받음.
[承諾 승낙] 청하는 말을 들어줌.
[承認 승인] 어떤 사실을 마땅하다고 인정함.
[傳承 전승] 대대로 전하여 이어 감.

投

4급 중학 한자
중 投 (tóu)
영 throw [θrou]

던질 투

풀이 1 던지다. 2 버리다. 3 주다. 보내다. 4 머무르다. 묵다. 5 맞다.
부수 手(손수)부
찾기 扌³(手)+殳⁴=7획

一 十 扌 扌 扌 投 投

글자뿌리 형성(形聲) 문자. 손 수(扌=手〈뜻〉)에 창 수(殳〈음〉)를 합친 자로, 손으로 창을 던진다는 데서 '던지다', '버리다'의 뜻이 된 자.

⇒ ⇒ 投

[投稿 투고] 신문·잡지 등에 원고를 보냄. 또는 그 원고.
[投機 투기] 기회를 엿보아서 큰 이익을 얻고자 함. 또는 그러한 일.
[投書 투서] 드러나지 아니한 사실이나 잘못을 글로 적어서 몰래 보냄. 또는 그 일.
[投石 투석] 돌을 던짐.
[投宿 투숙] 숙소나 여관 등에 들어가 묵음.
[投身 투신] ① 높은 곳에서 아래로 몸을 던짐. ¶投身自殺(투신자살). ② 어

떤 일을 위하여 온 힘을 다함.
[投獄 투옥] 옥에 가둠.
[投資 투자] 사업 밑천을 댐.
[投票 투표] 선거 등에서 찬성과 반대의 뜻을 적은 표를 함 속에 넣음. 또는 그 일.
[投降 투항] 적에게 항복함.

4급Ⅱ 중학 한자
중 拜 (bài)
영 bow [bau]

절 배:

풀이 1 절. 절하다. 2 삼가고 공경하다. 3 벼슬을 주다.
부수 手(손수)부
찾기 手4+𠦂5=9획

⺘ 三 手 手' 手'' 手''' 手𠦂 拜

글자뿌리 회의(會意) 문자. 손 수(手)에 빠를 휘(𠦂)를 합친 자. 또는 아래 하(丅: 下의 옛 글자)와 손 수(手)를 합친 자로, 두 손을 모아 몸을 아래로 구부린다는 데서 '절'을 뜻함.

[拜金 배금] 돈을 최고의 가치로 여기고 숭배함. ¶ 拜金主義(배금주의).
[拜上 배상] 편지 끝에 '절하고 올림'의 뜻으로 쓰는 말.
[拜謁 배알] 지체 높은 분을 만나 뵘.
[敬拜 경배] 공경하여 공손히 절함.
[歲拜 세배] 새해에 웃어른께 인사로 하는 절.
[崇拜 숭배] 마음속으로부터 우러러 공경함.
[參拜 참배] ① 신에게 절하고 빎. ② 무덤이나 기념비 등의 앞에서 경의나 추모의 뜻을 나타내는 일.

4급 중학 한자
중 招 (zhāo)
영 call [kɔːl]

부를 초

풀이 부르다. 불러오다.
부수 手(손수)부
찾기 扌3(手)+召5=8획

一 十 扌 扨 扨 扨 招 招

글자뿌리 형성(形聲) 문자. 손 수(扌=手〈뜻〉)에 부를 소(召〈음〉)를 합친 자로, 윗사람이 아랫사람을 손으로 부른다는 데서 '손짓하다', '부르다'를 뜻하게 됨.

[招來 초래] ① 어떤 결과를 가져오게 함. ② 불러옴.
[招聘 초빙] 예를 갖추고 불러 맞이함.
[招宴 초연] 연회에 초대함.

[招請 초청] 청하여 부름.
[問招 문초] 지난날, 죄인에게 죄를 캐어 물음을 이르던 말.
[自招 자초] 제 스스로 어떤 결과를 생기게 함.

4급 고등 한자
중 拒 (jù)
영 defend [difénd]

막을 거:

풀이 1 막다. 2 거절하다. 3 겨루다.
부수 手(손수)부
찾기 扌^{3}(手)+巨^{5}=8획

一 十 扌 扌 扌 拒 拒 拒

글자뿌리 형성(形聲) 문자. 손 수(扌=手〈뜻〉)에 클 거(巨〈음〉)를 합친 자로, 巨(거)는 却(각) 등과 통하여, '물리치다'의 뜻. '손으로 물리치다', '거절하다'의 뜻을 나타냄.

[拒否 거부] 거절하거나 반대함.
[拒逆 거역] 윗사람의 명령이나 뜻을 따르지 않고 거스름.
[拒絶 거절] 남의 제의나 요구를 받아들이지 않고 물리침.
[抗拒 항거] 대항함.

抱

3급 중학 한자
중 抱 (bào)
영 embrace [embréis]

안을 포:

풀이 안다. 품다.
부수 手(손수)부
찾기 扌^{3}(手)+包^{5}=8획

一 十 扌 扌 扚 扚 抱 抱

글자뿌리 형성(形聲) 문자. 손 수(扌=手〈뜻〉)에 쌀 포(包〈음〉)를 합친 자로, 두 손으로 싸안는다는 데서 '안다', '품다'의 뜻이 된 자.

[抱腹絶倒 포복절도] 배를 안고 넘어진다는 뜻으로, '몹시 웃음'을 뜻함.
[抱負 포부] 마음에 품고 있는 앞날에 대한 계획과 희망.
[抱擁 포옹] 품에 껴안음.
[懷抱 회포] 마음속에 품은 생각이나 정(情).

4급 고등 한자
중 拍 (pāi)
영 clap [klæp]

칠 박

풀이 1 (손뼉)치다. 2 박자. 3 장단. 가락.

부수 手(손수)부

찾기 扌³(手)+白⁵=8획

一 扌 扌 扌' 扌' 扪 拍 拍

글자뿌리 형성(形聲) 문자. 손 수(扌=手〈뜻〉)에 일백 백(白=百〈음〉)을 합친 자로, 白(백)은 손뼉을 치는 소리를 나타내는 의성어.

[拍手 박수] 손뼉을 침.

[拍子 박자] 곡조의 진행하는 시간을 헤아리는 단위.

[拍掌 박장] 손바닥을 침.

[拍車 박차] ① 말을 탈 때 신는 신의 뒤축에 댄 쇠로 만든 물건. ② 어떤 일을 촉진하려고 더하는 힘.

3급Ⅱ 중학 한자

중 拾 (shí)

영 ❶pick up ❷ten

❶주울 습
❷열 십

풀이 ❶ 줍다. 집다. ❷ 열. ※ 주로 문서·증서 따위에서 十(열 십)을 고쳐 쓰지 못하도록 갖은자로 씀.

부수 手(손수)부

찾기 扌³(手)+合⁶=9획

一 扌 扌 扒 扴 拎 拾 拾

글자뿌리 형성(形聲) 문자. 손 수(扌=手〈뜻〉)에다 합할 합(合〈음〉)을 합친 자로, 손으로 주워 모은다는 데서 '줍다'의 뜻이 된 자.

[拾得 습득] 남이 잃어버린 물건을 주워 얻음. ¶ 拾得物(습득물).

[收拾 수습] ① 어수선하게 흩어진 것을 다시 주워 거두어 정돈함. ② 흩어진 마음을 가라앉힘.

4급 중학 한자

중 持 (chí)

영 hold [hould]

가질 지

풀이 1 가지다. 지니다. 잡다. 2 지키다.

부수 手(손수)부

찾기 扌³(手)+寺⁶=9획

一 扌 扌 扌 扌 扌 持 持

글자뿌리 형성(形聲) 문자. 손 수(扌=手〈뜻〉)에 관청 시(寺〈음〉)를 합친 자로, 관청에서 보낸 문서를 손에 지니고 있다는 데서 '가지다', '지키다'의 뜻이 된 자.

⇒ ⇒ 持

[持久力 지구력] 어떤 상태를 오래 견디는 힘.
[持久戰 지구전] 결정적인 싸움을 피하고 시간을 얻기 위하여 오랫동안 끄는 싸움.
[持論 지론] 늘 가지고 있는 의견.
[持病 지병] 오랫동안 낫지 않아 늘 지니고 있는 질병.
[持續 지속] 어떤 상태를 오래 계속함.
[持參 지참] 가지고 참석함.
[堅持 견지] 굳게 지님.
[維持 유지] 지탱하여 나감.
[支持 지지] 붙들어서 버틴다는 뜻으로, 주의·정책 등에 찬동하여 도와줌을 이르는 말.

指

4급Ⅱ 중학 한자
중 指 (zhǐ)
영 finger [fíŋgər]

가리킬 지

풀이 1 가리키다. 2 손가락.
부수 手(손수)부
찾기 扌3(手)+旨6=9획

一 十 扌 扌 扌 指 指 指

글자뿌리 형성(形聲) 문자. 손 수(扌=手〈뜻〉)에 맛 지(旨〈음〉)를 합친 자로, 맛이 있는 것에 손이 먼저 가게 된다는 데서 '손가락', '가리키다'의 뜻.

고사성어

指鹿爲馬 (지록위마)

사슴을 가리켜 말이라고 한다는 뜻으로, 윗사람을 속여서 함부로 권세를 부리거나 남을 속여 곤경에 빠뜨림을 이르는 말.

고사 중국의 진(秦)나라 시황제(始皇帝)가 죽고 나자 이사(李斯)와 조고(趙高)는 태자 부소(扶蘇)를 죽이고, 아직 어린 호해(胡亥)를 황제의 자리에 앉혔다. 조고는 이사와 함께 선왕(先王) 때부터 있었던 오랜 신하 및 왕자, 장군 등을 모두 죽이고 승상이 되었다. 그런 다음 신하들을 떠보기 위해 황제에게 사슴을 바치면서 말을 바친다고 말했다. 그러자 황제는 "승상께선 이상한 말씀을 하시는군요. 사슴을 보고 말이라고 하다니요?" 하고는 좌우를 둘러보았다. 간사한 조고는 말이 아니라고 한 사람을 기억해 두었다가 후에 구실을 붙여 죽여 버렸다. 나중에는 황제마저 죽이며 위세를 떨쳤지만, 결국은 부소의 아들 자영(子嬰)에게 살해되었다.

[指南鐵 지남철] 쇠붙이를 끌어당기는 성질이 있는 쇠. 동 磁石(자석).
[指導 지도] 가르쳐서 인도함. ¶指導力(지도력).
[指令 지령] ① 관청에서 내리는 통지나 명령. ② 단체 등의 상부에서 하부나 구성원에게 내리는 활동 방침에 관한 지시 명령.
[指名 지명] 여러 사람 가운데서 어떠한 사람을 지정함.
[指目 지목] 사람이나 사물이 어떠하다고 가리켜 정함.
[指示 지시] ① 가리켜 보임. ② 어떤 일을 시킴.
[指章 지장] 손도장.
[指摘 지적] ① 꼭 집어서 가리킴. ② 잘못 등을 드러내어 말함.
[指定 지정] 가리켜 정함.
[指針 지침] 생활이나 행동 등의 방향이나 방법 같은 것을 인도하여 주는 길잡이. ¶指針書(지침서).
[指向 지향] ① 뜻하여 향함. ② 지정하여 그쪽으로 나아감. 또는 그 방향.
[指揮 지휘] 지시하여 일을 하도록 시킴.
[屈指 굴지] 손가락을 꼽아 헤아릴 만큼 뛰어남.
[中指 중지] 가운뎃손가락. 동 長指(장지).

풀이 1 주다. 2 가르치다.
부수 手(손수)부
찾기 扌^{3}(手)+受^{8}=11획

一 扌 扌 扌 扌 扌 扌 扌 扌 扌 授

글자뿌리 형성(形聲) 문자. 손 수(扌=手〈뜻〉)에 받을 수(受〈음〉)를 합친 자로, 손으로 물건을 내밀어 상대방에서 받게 한다는 데서 '주다'의 뜻.

[授粉 수분] 암꽃술에 수꽃술의 꽃가루를 붙여 줌.
[授賞 수상] 상을 줌.
[授受 수수] 주고받음.
[授業 수업] 학업을 가르쳐 줌.
[授與 수여] 상장·증서·상품·훈장 등을 줌.
[授乳 수유] 어린아이에게 젖을 먹임.
[教授 교수] ① 학문·예술·기술을 가르쳐 줌. ② 대학에서 전문직인 학문을 가르치는 사람을 일컫는 말.
[傳授 전수] 전하여 줌.

4급Ⅱ 중학 한자
중 授 (shòu)
영 give [giv]

줄 수

4급Ⅱ 중학 한자
중 接 (jiē)
영 join [dʒɔin]

이을 접

풀이 1 잇다. 맞대다. 접하다. 2 사귀다. 대접하다. 맞이하다.

부수 手(손수)부

찾기 扌³(手)+妾⁸=11획

一 丅 扌 扌 扌 扌 扌 拉
接 接 接

글자뿌리 형성(形聲) 문자. 손 수(扌=手〈뜻〉)에 첩 첩(妾〈음〉)을 합친 자로, 남편에게 첩의 부드러운 손이 다가간다는 데서 '대다', '사귀다'의 뜻.

⇒ ⇒ 接

[接見 접견] 맞아들여서 직접 만남.

[接近 접근] 가까이 다가옴. 바싹 다가붙음.

[接待 접대] 손님을 맞아 대접함.

[接受 접수] 문서류를 처리하기 위해 받아들임.

[接種 접종] 병을 미리 예방하기 위해 병원균이나 독소를 몸에 집어넣는 일.

[接觸 접촉] ① 맞붙어서 닿음. ② 교섭함.

[間接 간접] 바로 대하지 않고 중간에 무엇을 두고 접함. 반 直接(직접).

[待接 대접] 음식을 차려서 손님을 맞이함.

[面接 면접] 서로 대면하여 만나 봄. ¶ 面接試驗(면접시험).

[密接 밀접] 매우 가깝게 맞닿음. 사이가 아주 가까움.

4급Ⅱ 고등 한자

중 扫 (sǎo)

영 sweep [swiːp]

쓸 소(:)

풀이 1 쓸다. 2 없애다. 3 칠하다.

부수 手(손수)부

찾기 扌³(手)+帚⁸=11획

一 丅 扌 扌 扌 扌 扌 扌
扌 掃 掃

글자뿌리 형성(形聲) 문자. 손 수(扌=手〈뜻〉)에 비 추(帚〈음〉)를 합친 자로, 帚(추)는 '비'의 뜻. 비를 손에 들다, 쓸다의 뜻을 나타냄.

[掃除 소제] 쓸어서 깨끗하게 함.

[掃地 소지] ① 땅바닥을 쓸어 깨끗이 함. ② 흔적도 없이 됨.

[掃蕩 소탕] 쓸어버리듯이 모조리 무찔러 없앰.

[掃海 소해] 바다에 있는 위험한 물건을 없애 항해를 안전하게 하는 일.

[一掃 일소] 모조리 쓸어버림.

[淸掃 청소] 깨끗이 쓸어 치움.

4급 중학 한자
㊥ 采 (cǎi)
㊢ pick [pik]

캘 채:

풀이 1 캐다. 2 가려내다.
부수 手(손수)부
찾기 扌3(手)+采8=11획

글자뿌리 형성(形聲) 문자. 손 수(扌=手〈뜻〉)에 캘 채(采〈음〉)를 합친 자로, 손끝으로 나무 열매를 따거나 뿌리를 캔다는 데서 '캐다', '따다'의 뜻.

⇒ ⇒ 採

[採鑛 채광] 광물을 캐냄.
[採掘 채굴] 땅을 파서 속에 묻혀 있는 광물 등을 캐냄.
[採石 채석] 돌산이나 바위에서 건축·토목 등에 쓰일 돌을 캐내는 일. ¶採石場(채석장).
[採用 채용] ① 의견이나 방법 등을 채택하여 씀. ② 사람을 선택하여 씀. ¶公開採用(공개 채용).
[採點 채점] 시험 답안의 맞고 틀림을 살펴 점수를 매김.
[採集 채집] 잡거나 따거나 캐거나 하여 모음. ¶昆蟲採集(곤충 채집).
[採取 채취] ① 풀·나무 등을 찾아서 캐내거나 뜯어냄. ② 연구나 조사를 위하여 필요한 것을 찾거나 챙김.
[採擇 채택] 작품·의견·제도 따위를 골라서 가려냄. 가려서 택함.
[伐採 벌채] 산의 나무를 베어 내는 일.

4급 중학 한자
㊥ 推 (tuī)
㊢ push [puʃ]

밀 추·퇴

풀이 1 밀다. 2 미루어 헤아리다. 3 옮기다.
부수 手(손수)부
찾기 扌3(手)+隹8=11획

글자뿌리 형성(形聲) 문자. 손 수(扌=手〈뜻〉)에 새 추(隹〈음〉)를 합친 자로, 새가 앞으로 날아가듯이 손으로 힘껏 민다는 데서 '밀다', '옮기다' 등을 뜻함.

⇒ ⇒ 推

[推理 추리] 이미 아는 사실을 근거로 아직 모르는 사실을 미루어 알아냄.
[推算 추산] 어림짐작으로 미루어 계산함. 또는 그 계산.
[推仰 추앙] 높이 받들어 우러러봄.
[推移 추이] 시간이 흐름에 따라 일어나 사물의 상태가 변하여 가는 일.
[推定 추정] 미루어 헤아려서 판정함.
[推進 추진] 앞으로 나아감. 힘을 써서 어떤 일이 잘되도록 함.
[推薦 추천] ① 좋거나 알맞다고 생각되는 물건을 남에게 권함. ② 알맞은 사람을 소개함.
[推敲 퇴고] 글을 지을 때 여러 번 생각하여 고치고 다듬음.
[類推 유추] 비슷한 것을 가지고 다른 것을 미루어 생각함.

4급 중학 한자
중 探 (tàn)
영 search [səːrtʃ]

찾을 탐

풀이 1 찾다. 2 더듬다. 3 염탐하다.
부수 手(손수)부
찾기 扌3(手)+罙8=11획

글자뿌리 회의(會意)·형성(形聲) 문자. 손 수(扌=手〈뜻〉)에 깊을 심(罙=深〈음〉)을 합친 자로, 물건을 찾기 위하여 깊은 굴에 들어가 더듬는다는 데서 '더듬다', '찾다'의 뜻.

[探究 탐구] 진리나 법칙 등을 더듬어 연구함.
[探査 탐사] 더듬어 살펴 조사함. ¶石油探査(석유 탐사).
[探索 탐색] ① 감추어진 사물을 이리저리 더듬어 찾음. ② 범죄 사건에 관계된 사람이나 물건 등을 더듬어 샅샅이 찾음.
[探偵 탐정] 은밀히 남의 비밀이나 행동을 더듬어 살핌. 또는 그 사람.
[探知 탐지] 더듬어 찾아내거나 알아냄.
[探險 탐험] 어떤 발견을 위하여 위험을 무릅쓰고 험한 곳을 두루 찾아다니며 조사함. 또는 그 일. ¶探險家(탐험가).

4급 고등 한자
중 挥 (huī)
영 wield [wiːld]

휘두를 휘

풀이 1 휘두르다. 2 지휘하다. 3 뿌리다.
부수 手(손수)부
찾기 扌3(手)+軍9=12획

글자뿌리 형성(形聲) 문자. 손 수(扌=手〈뜻〉)에 군사 군(軍〈음〉)을 합친 자로, 軍(군)은 '두르다'의 뜻. '손을 돌리다', '휘두르다'의 뜻을 나타냄.

[揮發油 휘발유] 원유를 증류하거나 열 또는 화학적 처리를 하여 얻는 기름.
[揮帳 휘장] 넓은 천으로 만들어 주위를 둘러치는 장막.
[發揮 발휘] 재능이나 힘 따위를 떨쳐서 드러냄.
[指揮 지휘] 명령하여 사람들을 통솔함.

[提供 제공] 가져다 주어 이바지함.
[提起 제기] 의논할 문제나 의견 따위를 내놓음.
[提示 제시] 어떤 의사를 말이나 글로 나타내 보임.
[提案 제안] 의안을 제출함.
[提出 제출] 의견이나 안건을 내놓음.
[提携 제휴] 공동의 목적을 위하여 서로 돕는 관계를 맺음.
[前提 전제] 어떤 사물이나 상황이 이루어지도록 먼저 내세우는 것.

4급Ⅱ 고등 한자
중 提 (tí)
영 drag [dræg]

끌 제

풀이 1 끌다. 2 거느리다. 3 들다.
부수 手(손수)부
찾기 扌3(手)+是9=12획

一 十 扌 扌 扣 扣 捍 捍 捍 捍 提 提

글자뿌리 형성(形聲) 문자. 손 수(扌=手〈뜻〉)에 이 시(是〈음〉)를 합친 자로, 是(시)는 숟가락총이 긴 '수저'의 뜻. 팔을 내밀어 들다의 뜻을 나타냄.

4급 고등 한자
중 援 (yuán)
영 aid [eid]

도울 원:

풀이 1 돕다. 2 잡다. 3 구원하다. 4 도움.
부수 手(손수)부
찾기 扌3(手)+爰9=12획

一 十 扌 扌 扌 扌 扌 扌 拦 拦 援 援

글자뿌리 형성(形聲) 문자. 손 수(扌=手〈뜻〉)에 이에 원(爰〈음〉)을 합친 자로, 爰(원)은 잡아끌어 구하다의 뜻. 手(수)를 더하여, 뜻을 분명히 함.

[援助 원조] 도와줌.
[援護 원호] 구원하여 보호함.
[救援 구원] 어려움에 처하여 있는 사람을 도와서 구해 줌.
[聲援 성원] 소리를 지르며 응원함.
[應援 응원] 운동 경기 따위에서, 선수들의 힘을 북돋움.
[支援 지원] 지지하여 도움.
[後援 후원] 뒤에서 도와줌.

揚

3급Ⅱ 중학 한자
중 扬 (yáng)
영 become famous

날릴 양

풀이 1 날리다. 떨치다. 2 높이다. 끌어올리다. 3 드러내다. 칭찬하다.
부수 手(손수)부
찾기 扌^{3}(手)+昜^{9}=12획

一 扌 扌 扌 扣 扣 扣 押 押 揚 揚 揚

글자뿌리 형성(形聲) 문자. 손 수(扌=手〈뜻〉)에 해 양(昜=陽〈음〉)을 합친 자로, 해가 솟는 것같이 손으로 올린다는 데서 '끌어올리다', 나아가서 '날리다'의 뜻이 된 자.

[揚名 양명] 이름을 드러냄.
[揚水機 양수기] 모터나 발동기를 이용하여 물을 퍼 올리는 기계.
[揭揚 게양] 깃발 등을 높이 걺. ¶ 國旗揭揚(국기 게양).
[得意揚揚 득의양양] 뜻을 이루어 우쭐거리며 뽐내는 모양.
[宣揚 선양] 명성이나 권위 따위를 드러내어서 널리 떨치게 함.
[讚揚 찬양] 아름다움과 훌륭함을 기리고 드러냄.

損

4급 고등 한자
중 损 (sǔn)
영 diminish [dəmíniʃ]

덜 손:

풀이 1 덜다. 2 잃다. 3 상하다.
부수 手(손수)부
찾기 扌^{3}(手)+員^{10}=13획

一 扌 扌 扌 扣 扣 扣 捐 捐 捐 捐 損 損

글자뿌리 형성(形聲) 문자. 손 수(扌=手〈뜻〉)에 인원 원(員〈음〉)을 합친 자로, 員(원)은 수효의 뜻. 손으로 물건을 가져가 수가 준다는 데서 '덜다'의 뜻을 나타냄.

[損氣 손기] 몹시 자극을 받아서 기운이 상함.
[損傷 손상] ① 물체가 깨지거나 상함. ② 병이 들거나 다침.
[損失 손실] 축나서 없어짐.
[損益 손익] 손해와 이익.
[損害 손해] 경제적으로 밑지는 일.
[損害賠償 손해배상] 남에게 손해를 끼쳤을 때 그에 상당(相當)한 것을 물어 줌.
[缺損 결손] 축이 나서 완전하지 못함.
[破損 파손] 깨어져 못 쓰게 됨.

4급 고등 한자
㊥ 据 (jù)
㊎ basis [béisis]

근거 거:

풀이 1 근거. 증거. 2 의지하다. 기대다.
부수 手(손수)부
찾기 扌3(手) + 豦13 = 16획

글자뿌리 형성(形聲) 문자. 손 수(扌=手〈뜻〉)에 짐승 이름 거(豦〈음〉)를 합친 자로, 豦(거)는 짐승이 뒤엉켜 있음의 뜻. '손을 서로 얽히게 하다', '의지하다', '기대다'의 뜻을 나타냄.

[據動 거동] 몸을 움직임. 행동거지.
[據點 거점] 활동의 발판이 되는 곳.
[據虛搏影 거허박영] 허공에 의거하여 그림자를 친다는 뜻으로, 확실한 근거나 좋은 기회를 얻지 못함의 비유.
[根據 근거] 근본이 되는 자리나 토대.
[典據 전거] 말이나 문장 따위의 근거가 되는 문헌상의 출처.
[占據 점거] 차지하여 자리 잡음.
[準據 준거] 표준을 삼아서 의거함.
[證據 증거] 사실을 증명할 만한 표적이나 근거.

4급Ⅱ 고등 한자
㊥ 担 (dān)
㊎ shoulder [ʃóuldər]

멜 담

풀이 1 메다. 2 맡다. 3 짐. 화물.
부수 手(손수)부
찾기 扌3(手) + 詹13 = 16획

글자뿌리 형성(形聲) 문자. 손 수(扌=手〈뜻〉)에 이를 첨(詹〈음〉)을 합친 자로, 詹

(첨)은 위에 받치어 덮어 가리다의 뜻. 어깨를 덮듯 '메다'의 뜻을 나타냄.

[擔當 담당] 어떤 일을 맡음.
[擔保 담보] 맡아서 보증함.
[擔任 담임] 어떤 학급이나 학년을 책임지고 맡음. 또는 그 사람.
[加擔 가담] 같은 편이 되어 도움.
[分擔 분담] 나누어서 맡음.
[全擔 전담] 어떤 일의 전부를 맡음.

5급 고등 한자
중 操 (cāo)
영 grasp [græsp]

잡을 조(:)

풀이 1 잡다. 2 부리다. 다루다. 3 지조. 절개.
부수 手(손수)부
찾기 扌^{3}(手)+喿^{13}=16획

一 十 扌 扌 扌 扌 扌 扌 扌 扌 扌 扌 扌 操 操 操

글자뿌리 형성(形聲) 문자. 손 수(扌=手〈뜻〉)에 떠들 소(喿〈음〉)를 합친 자로, 喿(소)는 巢(소)와 통하여, 둥지를 틀다의 뜻. 새가 둥지를 틀듯 손을 교묘하게 놀리다, 조종하다의 뜻을 나타냄. 또, 손에 꼭 쥐다의 뜻.

[操身 조신] 몸가짐을 조심함.
[操心 조심] 잘못이나 실수가 없도록 말이나 행동에 마음을 씀.
[操作 조작] 기계 따위를 다루어 움직이게 함.
[操縱 조종] 마음대로 다루어 부림.
[貞操 정조] 곧고 깨끗한 절개.
[志操 지조] 끝까지 굽히지 않는 꿋꿋한 절개.
[體操 체조] 몸의 발육을 돕고 체력 단련과 건강을 위하여 여러 가지 방식으로 몸의 각 부분을 움직이는 운동.

4급 고등 한자
중 择 (zé)
영 select [silékt]

가릴 택

풀이 1 가리다. 2 고르다. 3 뽑다.
부수 手(손수)부
찾기 扌^{3}(手)+睪^{13}=16획

一 十 扌 扌 扌 扌 扌 扌 扌 扌 扌 扌 扌 擇 擇 擇

글자뿌리 형성(形聲) 문자. 손 수(手〈뜻〉)

에 늪 택(睪〈음〉)을 합친 자로, 睪(택)은 차례로 나타나는 것 중에서 가려내다의 뜻. 손으로 가리다의 뜻을 나타냄.

[擇隣 택린] 주택을 정할 때 우선 이웃의 인심(人心)부터 살핌. 전하여, 살기 좋은 곳으로 이사함.
[擇日 택일] 좋은 날짜를 고름.
[擇地 택지] 좋은 땅을 고름.
[選擇 선택] 여럿 중에서 골라 뽑음.
[採擇 채택] 작품·의견·제도 따위를 골라서 가려내거나 뽑음.

[擊滅 격멸] 쳐서 멸망시킴.
[擊沈 격침] 적의 배를 공격하여 가라앉게 함.
[擊退 격퇴] 적을 쳐서 물리침.
[擊破 격파] 단단한 물체를 손이나 발 따위로 쳐서 깨뜨림.
[加擊 가격] 치거나 때림.
[目擊 목격] 몸소 눈으로 봄.
[進擊 진격] 앞으로 나아가서 침.
[出擊 출격] 공격하러 나아감.
[打擊 타격] 세게 때려 침.

4급 고등 한자
중 击 (jī)
영 attack [ətǽk]

칠 격

풀이 1 치다. 2 공격하다.
부수 手(손수)부
찾기 手4+毄13=17획

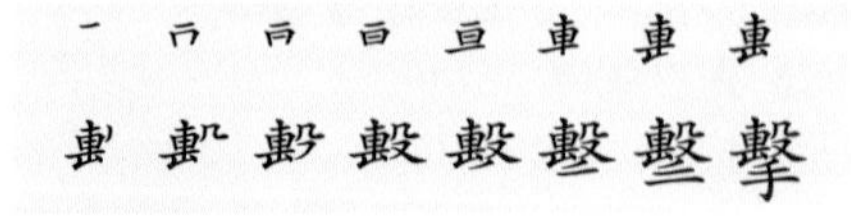

글자뿌리 형성(形聲) 문자. 손 수(手〈뜻〉)에 부딪칠 격(毄〈음〉)을 합친 자로, 毄(격)은 수레가 서로 부딪치다의 뜻. 手(수)를 더하여, '치다'의 뜻을 나타냄.

5급 중학 한자
중 举 (jǔ)
영 lift [lift]

들 거:

풀이 1 들다. 2 일으키다. 3 행하다. 4 올리다. 5 모두. 6 거동. 거사.
부수 手(손수)부
찾기 手4+與14=18획

글자뿌리 형성(形聲) 문자. 더불 여(與〈음〉)에 손 수(手〈뜻〉)를 합친 자로, 다 함께 물건을 들어 올리다의 뜻을 나타냄.

[擧動 거동] 몸을 움직이는 동작이나 태도.

[擧論 거론] 어떤 사항을 의논거리로 삼아 논의함.

[擧手 거수] 손을 위로 들어 올림. ¶擧手敬禮(거수경례).

[擧行 거행] ① 어떤 일을 명령대로 함. ② 의식이나 행사를 치름.

[選擧 선거] 많은 사람 가운데서 적당한 사람을 뽑음.

[列擧 열거] 여러 가지를 하나씩 들어 말함.

[義擧 의거] 옳은 일을 위해 큰일을 일으킴. 또는 그 일.

[一擧兩得 일거양득] 한 가지의 일을 하여 두 가지의 이익을 얻음.

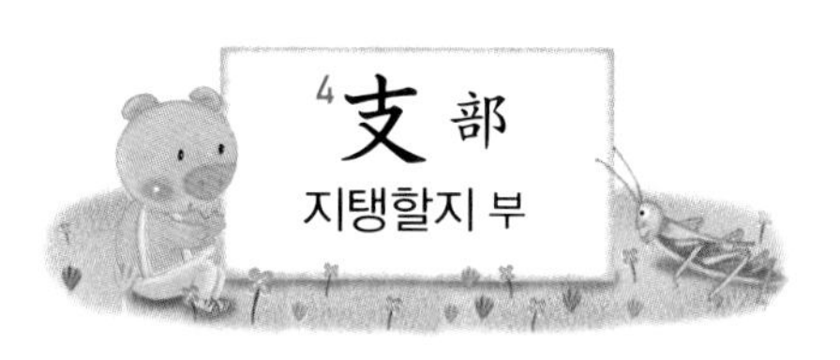

4급Ⅱ 중학 한자

중 支 (zhī)

영 support [səpɔ́ːrt]

지탱할 지

풀이 1 지탱하다. 2 흩어지다. 갈리다. 3 주다.

부수 支(지탱할지)부

찾기 支4=4획

一 十 㔾 支

글자뿌리 회의(會意) 문자. 열 십(十)에 손 수(又: 手의 변형)를 합친 자로, 댓가지(十: 个 모양)를 손으로 받치고 있는 모양에서 '지탱하다', '가르다'의 뜻이 된 자.

一擧兩得 (일거양득)

한 가지 일을 하여 두 가지 이익을 얻음을 이르는 말.

고사 중국 전국 시대(戰國時代)에 진나라의 재상(宰相)이었던 장의(張儀)와 사마착(司馬錯)이 왕 앞에서 촉(蜀) 땅을 토벌해야 하느냐 말아야 하느냐에 대하여 논쟁을 벌이게 되었다. 장의는 촉나라 같은 산간벽지를 공격해 봤자 아무 소득이 없다며, 위나라 · 초나라와 손을 잡고 천자(天子)가 다스리는 주(周)나라를 공격하는 것이 천하를 평정하는 지름길이라고 강력하게 주장했다. 그러자 사마착은 "지금 우리 진나라는 토지는 좁고 반면에 백성들은 가난하옵니다. 따라서 촉 땅을 손에 넣는 것은 영토를 넓히고 재물을 얻을 수 있는 실로 일거양득(一擧兩得)의 방법이옵니다." 라고 하였다. 이 말을 들은 왕은 사마착의 말을 받아들여 촉 땅을 공격했다고 한다.

[支流 지류] 강의 원줄기로부터 갈려 흐르는 물줄기. 또는 원줄기로 흘러 들어가는 물줄기. 반 本流(본류).

[支配 지배] ① 일을 구분하여 처리함. ② 무엇을 도맡아서 다스림.

[支拂 지불] 물건 값을 내어 줌. 돈을 치러 줌.

[支店 지점] ① 본점에서 갈라져 나온 가게. ② 본점에 딸리어 그 지휘·명령에 따르는 영업소. 반 本店(본점).

[支柱 지주] ① 받침대. ② 의지할 수 있는 물체나 힘을 비유해 이르는 말.

4급Ⅱ 중학 한자

중 收 (shōu)

영 gather [gǽðər]

거둘 수

풀이 1 거두다. 2 잡다.

부수 攵(등글월문)부

찾기 攵[4](攴)+丩[2]=6획

글자뿌리 형성(形聲) 문자. 얽힐 구(丩〈음〉)에 칠 복(攵=攴〈뜻〉)을 합친 자로, 죄인을 쳐서 옭아맨다는 데서 '거두다'의 뜻이 된 자.

[收監 수감] 사람을 구치소나 교도소에 가둠. 반 釋放(석방).

[收金 수금] 받아야 할 돈을 거두어들임.

[收入 수입] ① 돈 또는 물품 따위를 거두어들임. ② 들어오는 돈. 반 支出(지출).

[秋收 추수] 가을에 익은 곡식을 거두어들이는 일. 가을걷이. ¶ 秋收感謝節(추수 감사절).

5급 중학 한자

중 改 (gǎi)

영 improve [imprúːv]

고칠 개(ː)

풀이 고치다.

부수 攵(등글월문)부

찾기 攵[4](攴)+己[3]=7획

글자뿌리 형성(形聲) 문자. 몸 기(己〈음〉)에 칠 복(攵=攴〈뜻〉)을 합친 자로, 지난 자기 자신의 잘못을 질책하여 바로잡는다는 데서 '고치다'의 뜻.

[改良 개량] 품질이나 성능 등의 나쁜 점을 고치어 좋게 함. 동 改善(개선).
[改正 개정] 바르게 고침.
[改造 개조] 고쳐 다시 만듦.
[改革 개혁] 새롭게 고침.

4급 고등 한자
중 攻 (gōng)
영 attack [ətǽk]

칠 공:

풀이 1 치다. 공격하다. 2 닦다. 3 다스리다.
부수 攵(등글월문)부
찾기 攵^{4}(攴)+工^{3}=7획

一 丅 工 エ' 工' 功 攻

글자뿌리 형성(形聲) 문자. 장인 공(工〈음〉)에 칠 복(攵〈뜻〉)을 합친 자로, 攵(복)은 '치다'의 뜻. 工(공)은 끌 따위의 연장의 상형. 끌을 두드려 물건을 만들다의 뜻.

[攻擊 공격] 나아가 적을 침.
[攻勢 공세] 공격하는 태세.
[攻守 공수] 공격과 수비.
[速攻 속공] 운동 경기나 전투에서 재빠른 동작으로 공격함.
[遠交近攻 원교근공] 먼 나라와 친하고 가까운 나라를 쳐서 영토를 넓힘.
[侵攻 침공] 남의 나라에 쳐들어감.

6급 중학 한자
중 放 (fàng)
영 release [rilíːs]

놓을 방(:)

풀이 1 놓다. 2 내쫓다. 3 방자하다. 4 내버려 두다.
부수 攵(등글월문)부
찾기 攵^{4}(攴)+方^{4}=8획

丶 亠 亣 方 方' 方' 方攵 放

글자뿌리 형성(形聲) 문자. 모 방(方〈음〉)에 칠 복(攵=攴〈뜻〉)을 합친 자로, 회초리를 들고 먼 방향으로 내쫓는다는 데서 '놓아주다', '내쫓다'의 뜻.

⇒ 方攴 ⇒ 放

[放浪 방랑] 일정한 거처 없이 떠돌아다님.

[放心 방심] 마음을 놓음. 정신을 차리지 않음.

[放任 방임] 되는대로 내버려 둠. ¶ 放任主義(방임주의).

[放學 방학] 학교에서 학기가 끝난 뒤, 또는 더위와 추위를 피하여 얼마 동안 수업을 중지하는 일. 또는 그 기간.

[追放 추방] ① 나쁜 짓 또는 잘못된 것을 그 사회에서 몰아냄. ② 쓸모없는 사람을 그 직장이나 직위에서 쫓아내거나 몰아냄.

4급Ⅱ 중학 한자

중 故 (gù)

영 reason [ríːzən]

연고 고(:)

풀이 1 연고. 일. 2 예. 오래되다. 3 죽다. 4 짐짓. 고로.

부수 攵(등글월문)부

찾기 攵4(攴)+古5=9획

글자뿌리 형성(形聲) 문자. 예 고(古〈음〉)에 칠 복(攵=攴〈뜻〉)을 합친 자로, 옛일을 들추어 까닭을 캐묻는다는 데서 '연고'의 뜻.

[故國 고국] 조상 때부터 살던 나라.

[故事 고사] 예로부터 전해 오는 일. ¶ 故事成語(고사성어).

[故意 고의] 일부러 함.

[故人 고인] ① 세상을 떠난 사람. 죽은 사람. ② 오래된 벗.

[故鄕 고향] 자기가 태어나서 자란 곳. 반 他鄕(타향).

[緣故 연고] ① 까닭. 사유(事由). ② 핏줄 또는 법률상으로 맺어진 관계. ¶ 緣故者(연고자).

4급Ⅱ 중학 한자

중 政 (zhèng)

영 politics [pálitiks]

정사 정

풀이 1 정사. 2 다스리다.

부수 攵(등글월문)부

찾기 攵4(攴)+正5=9획

글자뿌리 형성(形聲) 문자. 바를 정(正〈음〉)에 칠 복(攵=攴〈뜻〉)을 합친 자로, 바르지 못한 자를 쳐서 바르게 만든다는 데서 '정사', '바르게 하다', '다스리다'의 뜻.

[政界 정계] 정치 및 정치가의 세계.

[政黨 정당] 나라를 다스리는 데 있어 같은 생각이나 주장을 갖는 사람들끼리 모인 단체.

[政府 정부] ① 정치를 행하는 곳. ② 국가의 통치권을 행사하는 국가 기관. ③

행정부.
[政治 정치] 나라를 다스리는 일. ¶ 政治家(정치가).

5급 중학 한자
중 效 (xiào)
영 imitate [ímitèit]

본받을 효:

풀이 1 본받다. 힘쓰다. 2 보람.
부수 攵(등글월문)부
찾기 攵^{4}(攴)+交^{6}=10획

글자뿌리 형성(形聲) 문자. 사귈 교(交〈음〉)에 칠 복(攵=攴〈뜻〉)을 합친 자로, 어질고 학식 있는 사람과 사귀도록 타이르면 좋은 점을 본받게 된다는 뜻.

[效果 효과] 보람. 좋은 결과. ¶ 展示效果(전시 효과).
[效用 효용] ① 효험. 효과. 효능. ② 이롭게 쓰이는 것.
[效率 효율] 어떤 일에 들인 노력에 대해 얻은 결과의 좋은 정도.
[失效 실효] 효력을 잃음.
[藥效 약효] 약의 효력.
[有效 유효] 효과나 효력이 있음.

8급 중학 한자
중 教 (jiào)
영 teach [tiːtʃ]

가르칠 교:

풀이 1 가르치다. 2 종교.
부수 攵(등글월문)부
찾기 攵^{4}(攴)+孝^{7}=11획

글자뿌리 형성(形聲) 문자. 인도할 교(孝〈음〉)에 칠 복(攵=攴〈뜻〉)을 합친 자로, 어린아이를 가르치기 위하여 매를 친다는 데서 '가르치다'의 뜻이 된 자.

[教科 교과] 학교에서 가르치는 과목. ¶ 教科書(교과서).
[教理 교리] 종교에서 가르치는 이치나 원리. ¶ 教理問答(교리 문답).
[教師 교사] 학생에게 공부를 가르치거나 돌보는 사람.
[教育 교육] 지식·기술을 가르치며 품성을 길러 줌. ¶ 全人教育(전인 교육).
[教會 교회] ① 동일한 종교를 가진 사람들이 모여서 이룬 단체. ② 교회당.
[說教 설교] ① 종교의 가르침을 설명

함. ② 단단히 타일러서 가르침. 동 說得(설득).

[救援 구원] 어려움에서 일어날 수 있도록 도와줌. 동 救濟(구제).

5급 중학 한자

중 救 (jiù)

영 save [seiv]

구원할 구:

풀이 구원하다. 돕다.

부수 攵(등글월문)부

찾기 攵4(攴)+求7=11획

一 十 才 才 求 求 求 求 求 求 救

글자뿌리 형성(形聲) 문자. 구할 구(求〈음〉)에 칠 복(攵=攴〈뜻〉)을 합친 자로, 무기를 들고 치려다가 항복하는 적을 구해 준다는 데서 '구원하다'의 뜻.

⇒ ⇒ 救

[救國 구국] 나라를 위태로운 형편에서 건져 냄.

[救急 구급] ① 몹시 급한 것을 구원함. ② 위급한 환자에게 응급 치료를 하는 일. ¶ 救急車(구급차).

[救命 구명] 사람의 목숨을 구함. ¶ 救命帶(구명대).

敗

5급 중학 한자

중 败 (bài)

영 be defeated

패할 패:

풀이 1 패하다. 2 무너지다. 헐다. 3 썩다.

부수 攵(등글월문)부

찾기 攵4(攴)+貝7=11획

丨 冂 冃 月 目 貝 貝 貝 貝 敗 敗

글자뿌리 형성(形聲) 문자. 조개 패(貝〈음〉)에 칠 복(攵=攴〈뜻〉)을 합친 자로, 값진 조개를 두드려서 깨뜨려 버린다는 데서 '패하다', '무너지다'의 뜻.

⇒ ⇒ 敗

[敗家 패가] 집·재산 등을 다 써서 없애 버림. ¶ 敗家亡身(패가망신).

[敗亡 패망] 싸움에 져서 망하거나 죽음.

[敗北 패배] 싸움에 짐. 반 勝利(승리).

[腐敗 부패] ① 썩어서 쓸모가 없게 됨. ② 법규나 제도 등이 문란하여 바르지

못함.

[失敗 실패] 일을 잘못하여 그르침. 반 成功(성공).

4급 중학 한자

중 敢 (gǎn)

영 dare [dɛər]

감히 감:

풀이 1 감히. 2 용감하다. 결단성 있다.

부수 攵(등글월문)부

찾기 攵[4](攴)+耳[8]=12획

글자뿌리 회의(會意) 문자. 두 개의 또 우(又)에 점칠 점(占)을 합친 자의 변형. 양손으로 占(점)의 위쪽 부분의 卜(복)을 무리하게 눌러 휘게 만든 모양에서, 이치에 안 맞는 짓을 억지로 하다, 감히의 뜻을 나타냄.

[敢行 감행] 어려움을 견디고 용감하게 일을 행함.

[果敢 과감] 일을 딱 잘라서 결정하는 성질이 있고 용감함.

4급 중학 한자

중 散 (sàn)

영 disperse [dispə́:rs]

흩을 산:

풀이 1 흩다. 헤어지다. 흩어지다. 2 한가롭다.

부수 攵(등글월문)부

찾기 攵[4](攴)+䏋[8]=12획

글자뿌리 형성(形聲) 문자. 고기 육(月=肉〈뜻〉)과 산(𢿱=㪚: 잘라 낸다는 뜻〈음〉)을 합친 자로, 고깃덩이를 잘게 잘라 내니 여러 개로 '흩어진다'는 뜻.

[散漫 산만] 정돈되지 않고 어수선하게 흩어져 있음.

[散文 산문] 글자의 수나 운율 따위에 얽매이지 않고 자유롭게 쓰는 글. 반 韻文(운문).

[散在 산재] 여기저기 흩어져 있음.

[散策 산책] 휴식이나 건강을 위하여 천천히 거니는 일.

[解散 해산] 모였던 사람이 흩어짐. 또는 흩어지게 함. 반 集合(집합).

5급 중학 한자

중 敬 (jìng)

영 respect [rispékt]

공경할 경:

풀이 공경하다. 삼가다.

부수 攵(등글월문)부

찾기 攵[4](攴)+苟[9]=13획

글자뿌리 회의(會意) 문자. 진실할 구(苟)에 칠 복(攵=攴)을 합친 자로, 입을 삼가 조심〔苟〕할 것을 자신에게 급박하게 재촉한다〔攵=攴〕는 데서 '삼가다'의 뜻.

[敬禮 경례] 공경의 뜻을 나타내는 인사의 하나. ¶ 擧手敬禮(거수경례).

[敬愛 경애] 존경하고 사랑함.

[敬意 경의] 공경하는 마음. 섬기어 받드는 뜻.

[恭敬 공경] 공손하게 섬김.

[尊敬 존경] 남의 인격 등을 높이어 공손히 섬김.

7급 중학 한자

㊥ 数 (shǔ)

㊋ count [kaunt]

셈 수:

풀이 1 셈. 세다. 셈하다. 2 몇. 두서너. 3 운수. 4 꾀.

부수 攵(등글월문)부

찾기 攵⁴(攴)+婁¹¹=15획

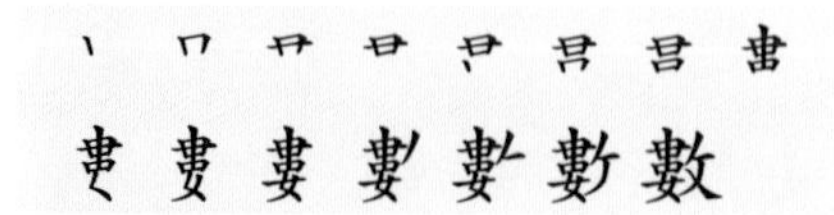

글자뿌리 형성(形聲) 문자. 끌 루(婁〈음〉)에 칠 복(攵=攴〈뜻〉)을 합친 자로, 여성이 머리를 이중으로 틀어 올린〔婁〕 모양에서 '여러 번', 나아가 '세다', '수효'의 뜻이 된 자.

[數値 수치] ① 계산하여 얻은 수. ② 어떤 양의 크기를 나타낸 수.

[術數 술수] 어떤 나쁜 일을 꾸미는 꾀.

[運數 운수] 사람에게 정해진 운명의 좋고 나쁨.

4급Ⅱ 중학 한자

㊥ 敌 (dí)

㊋ oppose [əpóuz]

대적할 적

풀이 1 대적하다. 원수. 2 짝. 적수.

부수 攵(등글월문)부

찾기 攵⁴(攴)+啇¹¹=15획

글자뿌리 형성(形聲) 문자. 밑동 적(啇〈음〉)에 칠 복(攵=攴〈뜻〉)을 합친 자로, 원수의 근거지〔啇〕를 친다는 데서 '원수', '대적하다'의 뜻.

[敵國 적국] 우리와 적이 되어 있는 나라. 상대가 되어 싸우는 나라.
[敵軍 적군] 적의 군대나 군사. 반 我軍(아군).
[敵手 적수] ① 재주나 힘이 서로 엇비슷한 상대. ② 싸움이나 경쟁의 상대가 되는 자.

4급 고등 한자
중 整 (zhěng)
영 orderly [ɔ́ːrdərli]

가지런할 정ː

풀이 1 가지런하다. 2 정돈하다.
부수 攵(등글월문)부
찾기 攵⁴(攴)+⿱¹²=16획

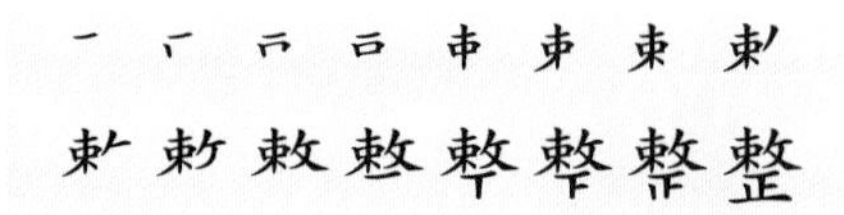

글자뿌리 형성(形聲) 문자. 묶을 속(束〈뜻〉)과 칠 복(攵=攴〈뜻〉)과 바를 정(正〈음〉)을 합친 자로, 束(속)은 '묶다'의 뜻. '攵'은 '치다'의 뜻. 묶거나 치거나 하여 바르게 정돈하다의 뜻을 나타냄.

[整頓 정돈] 가지런히 함.
[整列 정렬] 가지런하게 줄지어 늘어섬.
[整備 정비] 정돈하여 제대로 갖춤.
[整然 정연] 질서 있고 가지런한 모양.
[端整 단정] 깨끗이 정돈되어 있음.
[調整 조정] 기준이나 실정에 알맞게 정돈함.

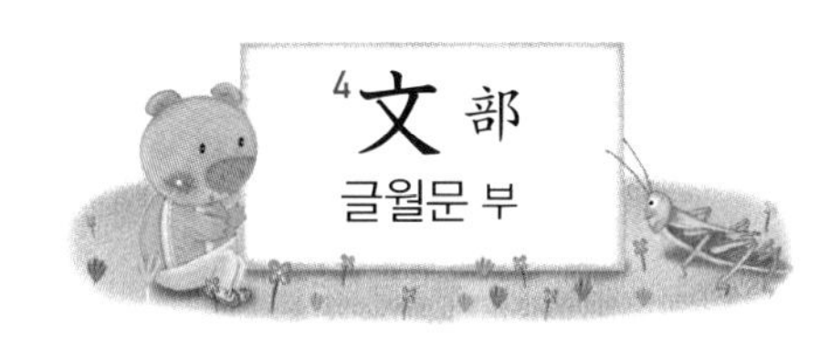

7급 중학 한자
중 文 (wén)
영 sentence [séntəns]

글월 문

풀이 1 글월. 글자. 2 문서. 3 무늬. 문채. 4 제도. 교육. 법도.
부수 文(글월문)부
찾기 文⁴=4획

丶 亠 ナ 文

글자뿌리 상형(象形) 문자. 사람의 몸에 X 모양이나 心(심)자 꼴의 문신을 한 모양을 본뜬 자로, '무늬'의 뜻에서 나아가 '글월'의 뜻이 된 자.

⇒ 文 ⇒ 文

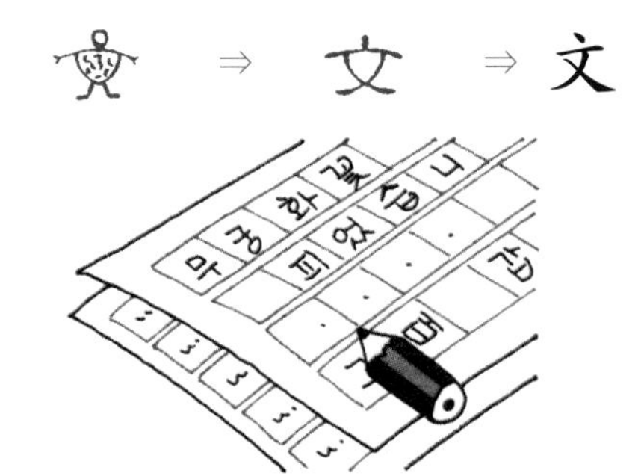

[文庫 문고] ① 여러 사람들이 읽을 수 있도록 책을 모아서 놓아 둔 곳. ② 값이 싸고 가지고 다니며 읽기 편하게 만든 작은 책에 붙이는 이름.

[文物 문물] 문화의 발달로 이루어진 것. 곧, 정치·경제·학문·예술·법률·종교 등 문화에 관한 모든 것을 통틀어 이르는 말.

[文書 문서] 글이나 기호 따위로 생각이나 뜻을 적어 나타낸 것. ¶ 祕密文書(비밀문서).

[文身 문신] 살갗을 바늘로 떠서 먹물이나 물감으로 글씨나 그림, 무늬 따위를 새겨 넣는 일. 또는 그렇게 새긴 것.

[文藝 문예] ① 학문과 예술. ② 시·소설·희곡·수필 등과 같이 말과 글로써 아름다움을 나타내는 예술.

[文彩 문채] ① 무늬. 문양. ② 아름다운 광채.

[文豪 문호] 문학에 뛰어난 사람. ¶ 大文豪(대문호).

[文化 문화] 사람의 지혜가 깨이고 세상이 열려 살기가 좋아지는 일. 또는 그런 활동.

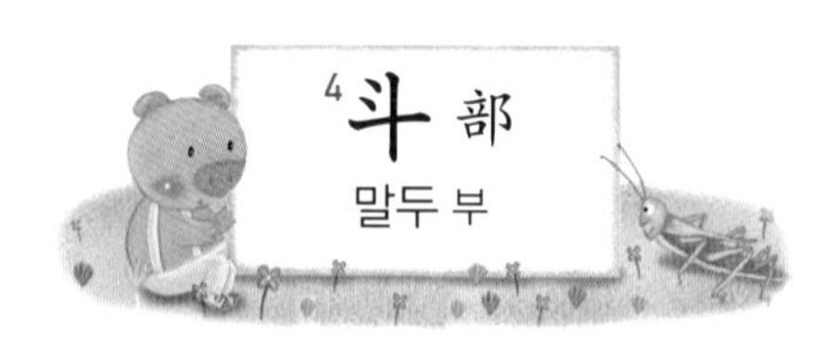

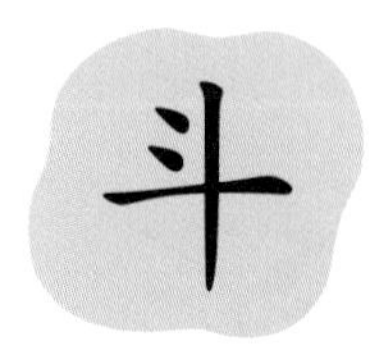

말 두

4급Ⅱ 중학 한자
중 斗 (dǒu)
영 measure [méʒər]

풀이 1 말. ※ 분량을 재는 기구. 또는 단위. 2 우뚝 솟다. 3 별 이름.
부수 斗(말두)부
찾기 斗4=4획

丶 丶 二 斗

글자뿌리 상형(象形) 문자. 자루 달린 말의 모양을 본뜬 글자.

[斗量 두량] 말로 될 만큼의 분량.

[北斗七星 북두칠성] 큰곰자리에서, 가장 뚜렷하게 보이는 국자 모양의 일곱 개의 별.

[泰斗 태두] 어떤 전문 분야에서 권위가 있는 사람을 이르는 말.

[泰山北斗 태산북두] ① 태산과 북두칠성. ② 널리 존경받는 사람.

헤아릴 료(ː)

5급 중학 한자
중 料 (liào)
영 estimate [éstəmèit]

풀이 1 헤아리다. 되질하다. 세다. 2 거리. 감. 3 삯. 값.
부수 斗(말두)부
찾기 斗4+米6=10획

丶 丷 半 米 米 米 料 料

글자뿌리 회의(會意) 문자. 쌀 미(米)에 말 두(斗)를 합친 자로, 쌀을 말로 되다의 뜻에서, 일반적으로 '헤아리다'의 뜻을 나타냄.

⇒ 米斗 ⇒ 料

[料金 요금] 남의 수고나 사물을 사용·관람한 대가로 지불하는 돈.
[料量 요량] 앞으로의 일에 대하여 잘 생각하여 헤아림.
[料理 요리] ① 음식을 만드는 일. 또는 그 음식. ② 일을 능숙하게 처리함.
[給料 급료] 일을 한 보수로 주는 돈.
[材料 재료] ① 물건을 만드는 데 드는 원료. 동 資材(자재). ② 예술적 표현의 제재.

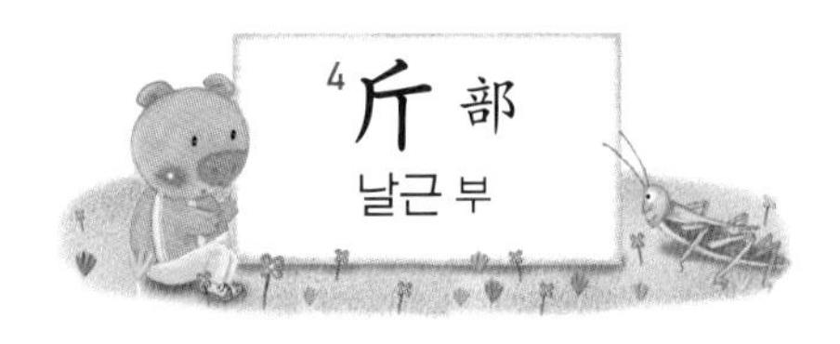

新 새 신

6급 중학 한자
중 新 (xīn)
영 new [njuː]

풀이 새. 새롭다.
부수 斤(날근)부
찾기 斤4+亲9=13획

丶 亠 亡 立 立 辛 辛 亲 亲 亲 新 新 新

글자뿌리 형성(形聲) 문자. 땔나무 신(亲: 薪의 본자〈음〉)에 도끼 근(斤〈뜻〉)을 합친 자로, 나무를 도끼로 베어 내면 벤 단면이 선명한 데서 '새롭다'의 뜻.

[新年 신년] 새해.
[新規 신규] ① 새로운 규칙이나 규정. ② 새로 무엇을 함.
[新大陸 신대륙] ① 새로 발견된 대륙. ② 남북아메리카 대륙 및 오스트레일리아 대륙을 이르는 말.
[新綠 신록] 늦봄이나 초여름에 새로 나온 잎의 푸른빛.
[新聞 신문] 새로운 사건 등을 알려 주려고 정기적으로 발행하는 인쇄물.
[新陳代謝 신진대사] ① 묵은 것이 없어지고 새것이 대신 생김. ② 생물이 영양분을 흡수하고, 노폐물을 내보내는 작용. 물질대사.
[新婚 신혼] 갓 결혼함.

斷 끊을 단:

4급Ⅱ 고등 한자
중 断 (duàn)
영 cut [kʌt]

풀이 1 끊다. 2 결단하다.
부수 斤(날근)부
찾기 斤4+㡭14=18획

글자뿌리 회의(會意) 문자. 㡭(절: 실을 자른 모양)과 斤(근: 도끼)의 합자. 도끼로 실을 자른다는 데서 '끊다'의 뜻.

[斷機之戒 단기지계] 베틀의 실을 끊어 경계함.
[斷交 단교] 교제를 끊음.
[斷念 단념] 품었던 생각을 버림.
[斷面 단면] ① 물체를 자른 면. 베어 낸 면. ② 어떤 현상의 부분적인 측면.
[斷食 단식] 음식 먹기를 끊음.
[斷言 단언] 딱 잘라 하는 말.
[決斷 결단] 결정적으로 판단하거나 단정함.
[獨斷 독단] 혼자서 결단함.
[分斷 분단] 잘라서 동강을 냄.
[死生決斷 사생결단] 죽고 사는 것을 가리지 않고 끝장을 내려고 덤벼듦.
[中斷 중단] 중도에서 끊어지거나 끊음.

方 모 방

7급 중학 한자
㊥ 方 (fāng)
㊐ square [skwɛr]

풀이 1 모. 네모. 2 방위. 방향. 3 곳. 장소. 4 방법. 5 바야흐로. 6 처방.
부수 方(모방)부
찾기 方^{4}=4획

글자뿌리 상형(象形) 문자. 뱃머리를 나란히 대 놓은 두 척의 배를 본뜬 글자.

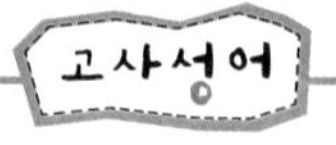

斷機之戒 (단기지계)

베틀의 실을 끊은 훈계라는 뜻으로, 학문을 중도에서 그만두는 것은 마치 짜던 베틀의 실을 끊어 버리는 것과 같이 아무런 이득이 없다는 말.

고사 맹자(孟子)가 어려서 학문을 닦는 도중에 그만두고 집으로 돌아오자, 어머니가 짜고 있던 베의 날을 끊으며, 학문을 중도에서 그만두는 것도 이와 같다고 훈계하였다고 한다.

[方今 방금] 바로 지금. 이제 막. 금방.
[方法 방법] 어떤 목적을 이루기 위하여 취하는 수단. 동 方途(방도).
[方位 방위] 어떠한 쪽의 위치. 동서남북을 기준으로 16방위나 32방위로 나눔.
[方舟 방주] ① 네모난 배. ② 두 척의 배를 나란히 함.
[方針 방침] 어떤 일을 하려고 하는 방향과 계획.
[方向 방향] ① 향하는 쪽. ¶ 反對方向(반대 방향). ② 뜻이 향하는 곳.
[處方 처방] ① 병을 다스리기 위해 약을 조제하는 방법. ② 잘못이나 결함을 고쳐서 바로잡기 위한 대책.

3급 중학 한자
중 於 (❶yú, ❷wū)
영 ❶particle [pá:rtikəl] ❷sigh [sai]

❶어조사 어
❷탄식할 오

풀이 ❶ 어조사. ※ '…에', '…에서', '…보다' 등의 뜻. ❷ 탄식하다.
부수 方(모방)부
찾기 方4+仒4=8획

丶 亠 亠 方 方 扵 扵 於

글자뿌리 상형(象形)·가차(假借) 문자. 까마귀가 날아가는 모양을 본뜬 자로, '까옥' 하고 우는 소리를 흉내 내어 감탄하는 어조사로 씀은 가차. '…에', '…에서' 등의 뜻.

[於中間 어중간] ①거의 중간쯤 되는 곳. ② 넘거나 모자라 어느 것에도 알맞지 않음.
[甚至於 심지어] 더욱 심하다 못해. 심하게는.

4급Ⅱ 중학 한자
중 施 (shī)
영 perform [pərfɔ́:rm]

베풀 시:

풀이 1 베풀다. 2 주다.
부수 方(모방)부
찾기 方4+㐌5=9획

亠 亠 方 方 扩 扩 㫋 施

글자뿌리 형성(形聲) 문자. 깃발 펄럭일 언(㫃〈뜻〉)에 어조사 야(也〈음〉)를 합친 자로, 깃발을 단다는 것은 군대가 진을 친다는 뜻이니, 곧 '베풀다'의 뜻.

[施工 시공] 공사를 시행함.
[施賞 시상] 상장이나 상품 또는 상금 따위를 줌.
[施設 시설] 어떤 목적을 위해 건물 따위를 만들어 놓음. 또는 그 만든 것.
[施主 시주] 승려나 절에 돈이나 물건을 베풀어 주는 일. 또는 그 사람.
[實施 실시] 계획 따위를 실지로 실행함. 동 施行(시행).

5급 중학 한자
중 旅 (lǚ)
영 traveler [trǽvlər]

나그네 려

풀이 1 나그네. 여행하다. 2 군사. 3 함께.
부수 方(모방)부
찾기 方⁴+ 𠂉⁶=10획

글자뿌리 회의(會意) 문자. 깃발 펄럭일 언(㫃)에 따를 종(𠂈: 从의 변형)을 합친 자로, 바람에 나부끼고 있는 깃발 아래 여러 사람이 나란히 서 있는〔从〕 모양을 나타냄. 그래서 군기(軍旗)를 중심으로 모여 있는 '군사'를 뜻함.

⇒ ⇒ 旅

[旅客 여객] 여행하는 사람.
[旅館 여관] 돈을 받고 여행하는 사람을 묵게 하는 집.
[旅券 여권] 해외 여행자의 신분·국적을 증명하고, 상대국에 보호를 의뢰하는 문서.
[旅團 여단] 군대 조직에서 사단보다는 작으나, 연대보다는 큰 단위 부대. 보통 2개 연대로 구성됨.
[旅行 여행] 볼일이나 구경할 목적으로 다른 고장이나 다른 나라에 가는 일. ¶修學旅行(수학여행).
[行旅 행려] 나그네가 되어 돌아다님. 또는 그런 사람.

6급 중학 한자
중 族 (zú)
영 tribe [traib]

겨레 족

풀이 1 겨레. 2 일가. 친족. 3 동류.
부수 方(모방)부
찾기 方⁴+ 矢⁷=11획

글자뿌리 회의(會意) 문자. 깃발 펄럭일 언(㫃)에 화살 시(矢)를 합친 자로, 목표점으로 세워 놓은 깃발 아래 많은 무리가 모여 한 덩어리로 뭉쳐 있다는 데서 '겨레'를 뜻함.

⇒ ⇒ 族

[族譜 족보] 한 집안의 대대로 내려온 계통을 적은 책.
[族屬 족속] 같은 종류에 속하는 사람

들. 겨레붙이.
[家族 가족] 부모와 자식, 부부 등의 관계로 맺어져 한집에서 생활을 같이하는 사람들. 동 食口(식구).
[貴族 귀족] 문벌이나 사회적 지위가 높은 사람.
[民族 민족] 같은 지역에 살고, 언어와 풍속 따위가 같은 사람들의 무리.

旗

7급 고등 한자
중 旗 (qí)
영 flag [flæg]

기 기

풀이 기. 깃발.
부수 方(모방)부
찾기 方4 + 㫺10 = 14획

글자뿌리 형성(形聲) 문자. 깃발 펄럭일 언(㫃〈뜻〉)에 그 기(其〈음〉)를 합친 자로, 其(기)는 질서 있고 가지런하다의 뜻. 사각형, 직사각형으로 가지런한 기의 뜻을 나타냄.

[旗手 기수] 대열의 앞에서 기를 드는 사람.
[國旗 국기] 나라를 상징하는 기.
[反旗 반기] 반대의 뜻을 나타낸 행동이나 표시.
[白旗 백기] ① 바탕이 흰 기. ② 항복을 표시하는 흰 기.
[靑旗 청기] 푸른 빛깔의 기.

旣

3급 중학 한자
중 既 (jì)
영 already [ɔːlrédi]

이미 기

풀이 이미.
부수 无(없을무)부
찾기 旡4 + 皀7 = 11획

글자뿌리 형성(形聲) 문자. 고소할 급(皀〈뜻〉)에 목 멜 기(旡〈음〉)를 합친 자로, 많은 음식〔皀〕을 다 먹고 옆을 보고 있는 모양〔旡〕에서 다하다의 뜻을 나타내고, 파생하여 '이미'의 뜻을 나타냄.

[旣得 기득] 이미 얻어서 차지함. ¶ 旣得權(기득권).
[旣成 기성] ① 사물이 이미 이루어짐. ② 주문을 받지 않고 미리 만들어 놓음. ¶ 旣成服(기성복).

[旣往 기왕] ① 이미. 벌써. ② 이미 지나간 이전. 그전.

[旣定 기정] 이미 정해져 있음. 반 未定(미정).

[旣婚 기혼] 이미 결혼함. 반 未婚(미혼).

[日刊 일간] 신문 따위를 날마다 발행하는 일.

[日課 일과] 날마다 규칙적으로 하는 일. 또는 그 과정.

[日光 일광] 햇빛.

[日常 일상] 늘. 항상. 평상.

[日出 일출] 해가 뜸.

8급 중학 한자

중 日 (rì)

영 day [dei]

날 일

풀이 1 날. 2 해. 3 낮.

부수 日(날일)부

찾기 日4=4획

丨 冂 月 日

글자뿌리 상형(象形) 문자. 해의 모양을 본뜬 자로, '때', '날', '하루', '태양' 등의 뜻.

⇒ ⇒ 日

4급Ⅱ 중학 한자

중 早 (zǎo)

영 early [ə́:rli]

이를 조:

풀이 1 일찍. 이르다. 2 새벽.

부수 日(날일)부

찾기 日4+十2=6획

丨 冂 日 日 旦 早

글자뿌리 회의(會意) 문자. 날 일(日)에 첫째 갑(十: 甲의 변형)을 합친 자로, 해가 처음 떠오르고, 초목의 싹이 처음 돋는다 하여 '이르다'의 뜻이 된 자.

[早期 조기] 이른 시기. ¶ 早期敎育(조기 교육).

[早晩間 조만간] 앞으로 곧. 앞으로 얼마 안 지나서. 머지않아.

[早熟 조숙] ① 식물의 열매가 일찍 익음. ② 나이에 비해 몸과 정신의 발달이 빠름.
[早失父母 조실부모] 어려서 부모를 여읨. 동 早喪父母(조상부모).
[早朝 조조] 이른 아침.

6급 중학 한자
중 明 (míng)
영 bright [brait]

밝을 명

풀이 1 밝다. 밝히다. 2 나타나다.
부수 日(날일)부
찾기 日4+月4=8획

丨 冂 月 日 町 明 明 明

글자뿌리 회의(會意) 문자. 날 일(日)과 달 월(月)을 합친 자로, 해는 낮, 달은 밤에 밝게 비춰 준다는 데서 '밝다'의 뜻. 나아가 '낮', '나타나다'의 뜻.

[明年 명년] 내년.
[明朗 명랑] 밝고 쾌활함.
[明晳 명석] 생각이나 판단력이 분명하고 똑똑함.
[明暗 명암] ① 밝음과 어두움. ② 기쁜 일과 슬픈 일.
[明日 명일] 내일.
[失明 실명] 눈이 멂.
[幽明 유명] ① 저승과 이승. ② 어둠과 밝음.

고사성어

明鏡止水 (명경지수)

맑은 거울과 고요한 물이라는 뜻으로, 잔잔한 물처럼 맑고 고요한 심경을 이르는 말.

고사 중국의 춘추 시대(春秋時代) 노(魯)나라에 왕태(王駘)라는 덕망이 아주 높은 사람이 있었다. 공자의 제자인 상계(常季)가 하루는 "저 자는 무슨 재주가 있기에 남들로부터 존경을 받는 겁니까?" 하고 물었다. 공자는 "그것은 다름이 아니라, 그분의 마음이 조용하기 때문이다. 사람들이 거울 대신 비춰 볼 수 있는 물이 있는데, 그 물이란 가만히 정지해 있는 물이니라." 라고 대답했다. 상계가 공자에게 "그러면 많은 사람들이 그분을 우러르는 것은 무슨 까닭에서입니까?" 라고 묻자 공자는, "그것은 어떤 것을 보든, 흔들리지 않는 그분의 평온한 마음 때문이다. 사람이 자기의 모습을 물 위에 비춰 보려고 할 때는 정지되어 있는 물을 거울로 삼지 않더냐. 이처럼 언제나 흔들리지 않는 마음을 보전하는 자만이, 다른 사람에게도 마음의 평안함을 안겨 줄 수 있는 법이니라." 라고 대답하였다.

3급 중학 한자
중 昔 (xī)
영 ancient [éinʃənt]

예 석

풀이 예. 접때.
부수 日(날일)부
찾기 日^{4}+龷^{4}=8획

글자뿌리 회의(會意) 문자. 말린 고기 우(龷: 𠈌의 변형)에 날 일(日)을 합친 자로, 말린 고기를 쌓아 올린 모양에서 '날이 쌓이다'의 뜻. 전하여, '지난 옛날'의 뜻.

[今昔 금석] 지금과 옛적. ¶ 今昔之感(금석지감).

4급 중학 한자
중 易 (yì)
영 ❶exchange ❷easy

❶바꿀 역
❷쉬울 이:

풀이 ❶ 1 바꾸다. 변하다. 2 주역. ❷ 쉽다. 간략하다.
부수 日(날일)부
찾기 日^{4}+勿^{4}=8획

글자뿌리 상형(象形) 문자. 도마뱀의 머리와 네 개의 발을 본뜬 글자.

[易書 역서] 점술에 관한 책.
[易學 역학] 주역(周易)에 관해 연구하는 학문.
[交易 교역] 물건을 서로 사고파는 일.
[貿易 무역] ① 상품을 팔고 사거나 교환하는 일. ② 나라와 나라 사이에 서로 물품을 수출 또는 수입하는 일.
[周易 주역] 삼경(三經)의 하나. 음양의 원리로 천지 만물의 변화하는 현상을 설명하고 해석한 유교의 경전. 동 易經(역경).
[簡易 간이] 간단하고 편리함.
[安易 안이] ① 너무 쉽게 여김. ② 근심 없이 편안함.
[便易 편이] 편리하고 쉬움.
[平易 평이] 쉬움.

3급Ⅱ 중학 한자
중 昌 (chāng)
영 prosper [práspər]

창성할 창(:)

풀이 창성하다. 번성하다.
부수 日(날일)부
찾기 日^{4}+日^{4}=8획

글자뿌리 회의(會意) 문자. 날 일(日)에 가로 왈(曰)을 합친 자로, 해〔日〕같이 밝고 공명하게 말〔曰〕함은 착한 것이니 '창성한다'는 뜻.

[昌盛 창성] 일이나 세력 등이 번성하고 잘되어 감.
[繁昌 번창] 한창 잘되어 성함. 번성함.

4급Ⅱ 중학 한자
중 星 (xīng)
영 star [stɑːr]

별 성

풀이 1 별. 2 세월.
부수 日(날일)부
찾기 日^4+生^5=9획

글자뿌리 형성(形聲) 문자. 날 일(日〈뜻〉)에 날 생(生〈음〉)을 합친 자로, 해와 같이 빛을 발하는 '별'이라는 뜻.

⇒ ⇒ 星

[星光 성광] 별의 빛.
[星霜 성상] 세월.
[星雲 성운] 구름 모양으로 퍼져 보이는 별들의 무리.
[星座 성좌] 별의 위치를 표시하는 별자리.

4급Ⅱ 중학 한자
중 是 (shì)
영 this [ðis]

이/옳을 시ː

풀이 1 이. 2 옳다. 바르다.
부수 日(날일)부
찾기 日^4+疋^5=9획

글자뿌리 회의(會意) 문자. 날 일(日)에 바를 정(疋=正)을 합친 자로, 태양의 운행은 '바르다'는 뜻. 나아가 '이것'이라는 뜻도 나타냄.

⇒ ⇒ 是

[是非 시비] ① 옳음과 그름. ② 서로 자기가 옳다고 주장하며 다투는 일.
[是非調 시비조] 트집을 잡아 시비하는 듯한 투.
[是認 시인] 옳다고 인정함.
[是正 시정] 잘못을 바로잡음.
[國是 국시] 그 나라의 근본이 되는 주의와 방침.
[必是 필시] 반드시. 어김없이. 틀림없이. 동 必然(필연).

昨

6급 중학 한자
중 昨 (zuó)
영 yesterday [jéstərdi]

어제 작

풀이 어제.
부수 日(날일)부
찾기 日^4+乍^5=9획

글자뿌리 형성(形聲) 문자. 날 일(日〈뜻〉)에 잠깐 사(乍〈음〉)를 합친 자로, 하루가 잠깐 사이에 지나가니 '어제'라는 뜻.

[昨今 작금] 어제와 오늘. 요즈음. 근래.
[昨年 작년] 지난해.
[再昨年 재작년] 그러께. 2년 전의 해. 지지난해.

4급 고등 한자
㊥ 映 (yìng)
㊀ reflect [riflékt]

비칠 영(:)

풀이 1 비치다. 2 비추다.
부수 日(날일)부
찾기 日^{4}+央^{5}=9획

丨 冂 日 日 旪 眏 映 映

글자뿌리 형성(形聲) 문자. 날 일(日〈뜻〉)에 가운데 앙(央〈음〉)을 합친 자로, 央(앙)은 亢(항)과 통하여, 붕긋 솟아오르다의 뜻. 다른 것으로부터 빛을 받아, 그 자체가 본래 가지고 있는 색채 등이 반사해서 '비치다'의 뜻을 나타냄.

[映像 영상] 광선의 굴절 또는 반사를 따라 물체의 상(像)이 비추어진 것.
[反映 반영] ① 빛이 반사하여 비침. ② 어떤 영향이 다른 것에 미쳐 나타남.
[放映 방영] TV로 방송하는 일.
[上映 상영] 영화를 공개함.
[終映 종영] 영화 따위의 상영을 마침.

7급 중학 한자
㊥ 春 (chūn)
㊀ spring [spriŋ]

봄 춘

풀이 봄.
부수 日(날일)부
찾기 日^{4}+𡗗^{5}=9획

一 二 三 夫 夫 春 春 春

글자뿌리 회의(會意) 문자. 풀 초(艸) 밑에 어려울 준(屯)과 날 일(日)을 합친 자로, 햇빛을 받아 풀의 싹이 어렵게 돋아나는 계절은 '봄'이라는 뜻.

[春季 춘계] 봄.
[春窮期 춘궁기] 봄철에 농가에서 양식이 떨어져 궁하게 지낼 때. 곧, 음력 3~4월경.

[春分 춘분] 24절기의 하나. 3월 21일 경. 낮과 밤의 길이가 같음.

[春秋 춘추] ① 봄과 가을. ② 어른의 나이를 높여 이르는 말.

[思春期 사춘기] 청년 초기로 이성을 그리워하는 15~20세경을 일컫는 말.

7급 중학 한자

중 时 (shí)

영 time [taim]

때 시

풀이 때. 철.

부수 日(날일)부

찾기 日[4]+寺[6]=10획

글자뿌리 형성(形聲) 문자. 날 일(日〈뜻〉)과 관청 시(寺〈음〉)를 합친 자로, 寺(시)는 之(지)와 통하여, '가다'의 뜻. 진행해 가는 해, '때'의 뜻을 나타냄.

[時局 시국] 세상 형편. 당면한 사회의 안팎 사정.

[時急 시급] 때가 몹시 급함.

[時代 시대] 일정한 기준에 의하여 구분된 기간. ¶ 朝鮮時代(조선 시대).

[時勢 시세] ① 그 당시의 형편. ② 그 당시의 물건 값.

[時速 시속] 한 시간을 단위로 해서 잰 평균 속력.

[時節 시절] ① 철. 때. ② 사람의 일생을 몇 단계로 구분한 동안. ¶ 靑年時節(청년 시절).

3급Ⅱ 중학 한자

중 晚 (wǎn)

영 late [leit]

늦을 만

풀이 늦다. 저물다.

부수 日(날일)부

찾기 日[4]+免[7]=11획

글자뿌리 형성(形聲) 문자. 날 일(日〈뜻〉)에 면할 면(免〈음〉)을 합친 자로, 밝게 비춰 주던 해가 지다, 즉 저문다는 데서 '늦다'의 뜻이 된 자.

[晩年 만년] 나이 많은 노인의 시절.

[晩成 만성] 늦게야 이루어짐. ¶ 大器晩成(대기만성).

[晩鐘 만종] 저녁때 절이나 교회 같은 데서 치는 종.

[晩秋 만추] 늦가을.

[晩學 만학] 나이가 들어서 늦게야 공부함. 또는 그 공부.

[早晩間 조만간] 앞으로 곧. 앞으로 얼마 안 지나서. 머지않아.

6급 중학 한자
㊥ 昼 (zhòu)
㊎ daytime [déitàim]

낮 주

풀이 낮.
부수 日(날일)부
찾기 日4+𦘒7=11획

글자뿌리 회의(會意) 문자. 날 일(日)에 그을 획(𦘒=畫)을 합친 자로, 해〔日〕가 떠서 질 때까지를 구획 지어 '낮'을 뜻하게 된 글자.

[晝間 주간] 낮. 낮 동안.
[晝耕夜讀 주경야독] 낮에는 일하고, 밤에는 공부함.
[晝想夜夢 주상야몽] 낮에 생각하던 것을 밤에 꿈꿈.
[晝夜 주야] 밤낮.
[晝夜兼行 주야겸행] ① 밤낮 쉬지 않고 감. ② 일을 밤낮을 가리지 않고 급히 서둘러 함.
[晝夜長川 주야장천] 밤낮으로 쉬지 않고 잇따라서.
[白晝 백주] 대낮.

智

4급 고등 한자
㊥ 智 (zhì)
㊎ wisdom [wízdəm]

슬기/지혜 지

풀이 1 슬기. 2 지혜.
부수 日(날일)부
찾기 日4+知8=12획

글자뿌리 회의(會意) 문자. 知(지)는 본디 화살 시(矢)에 어조사 우(于)와 입 구(口)를 합친 자로, 于(우)는 도려내기 위한 칼을 본뜬 것. 화살이나 칼을 나란히 놓고 빌어서 신의 뜻을 '알다'의 뜻을 나타냄. 뒤에 日(일)을 더하여, 지혜로운 발언을 하는 사람의 뜻으로 쓰임.

[智略 지략] 슬기로운 계략이나 꾀.
[智謀 지모] 슬기 있는 꾀.
[智慧 지혜] 슬기.
[機智 기지] 상황에 따라 재치 있게 대응하는 슬기.
[才智 재지] 재주와 지혜.

5급 중학 한자
㊥ 景 (jǐng)
㊎ sunshine [sʌ́nʃàin]

볕 경(ː)

풀이 1 볕. 빛. 2 경치.
부수 日(날일)부
찾기 日4+京8=12획

글자뿌리 형성(形聲) 문자. 날 일(日〈뜻〉)에 언덕 경(京〈음〉)을 합친 자로, 높은 언덕 위의 햇빛이란 데서 '밝다'의 뜻. 또, 자연의 조화를 뜻하여 '경치'의 뜻.

[景觀 경관] 산·강 등 자연의 아름다운 모습. 동 景致(경치).
[光景 광경] 모습. 벌어진 일의 형편이나 모양.
[絶景 절경] 더할 수 없이 아름다운 경치.

4급 고등 한자
중 普 (pǔ)
영 universal [jùːnəvə́ːrsəl]

넓을 보:

풀이 1 넓다. 2 두루 미치다. 3 널리.
부수 日(날일)부
찾기 日4+並8=12획

글자뿌리 형성(形聲) 문자. 날 일(日〈뜻〉)에 나란할 병(並=竝〈음〉)을 합친 자로, 竝(병)은 나란히 퍼지다의 뜻. 햇빛이 널리 퍼지다의 뜻을 나타냄.

[普及 보급] 널리 퍼짐. 또, 널리 퍼뜨림.
[普通 보통] 특별한 것이 없이 널리 통하여 예사로움.
[普遍 보편] 두루 미침.

3급 중학 한자
중 晴 (qíng)
영 clear [kliər]

갤 청

풀이 개다. 날이 개다.
부수 日(날일)부
찾기 日4+靑8=12획

글자뿌리 형성(形聲) 문자. 날 일(日〈뜻〉)에 푸를 청(靑〈음〉)을 합친 자로, 하늘이 푸르고 날이 맑다 하여 '개다', '맑다'의 뜻.

[晴雨 청우] 날이 갬과 비가 옴.
[晴天 청천] 맑게 갠 하늘.
[快晴 쾌청] 날씨가 좋음.

4급Ⅱ 중학 한자
중 暖 (nuǎn)
영 warm [wɔːrm]

따뜻할 난:

풀이 따뜻하다.

부수 日(날일)부

찾기 日⁴+爰⁹=13획

글자뿌리 형성(形聲) 문자. 날 일(日〈뜻〉)에 바꿀 원(爰〈음〉)을 합친 자로, 햇빛을 받아 따뜻하게 한다 하여 '따뜻하다'의 뜻이 된 자.

⇒ ⇒ 暖

[暖帶 난대] 열대와 온대의 중간으로 기후가 따뜻한 지대.

[暖流 난류] 온도가 높고 소금기가 많은 해류. 반 寒流(한류).

[暖房 난방] 따뜻한 방. 또는 방을 덥게 함. 반 冷房(냉방).

3급 중학 한자

중 暑 (shǔ)

영 hot [hat]

더울 서:

풀이 덥다. 더위.

부수 日(날일)부

찾기 日⁴+者⁹=13획

글자뿌리 형성(形聲) 문자. 날 일(日〈뜻〉)에 사람 자(者: 타는 장작불 모양〈음〉)를 합친 자로, 햇빛이 강렬하여 장작불 같다는 데서 '덥다'의 뜻이 된 자.

[處暑 처서] 24절기의 하나. 8월 23일경으로, 입추와 백로 사이.

[避暑 피서] 시원한 곳으로 더위를 피함.

暇

4급 고등 한자

중 暇 (xiá)

영 leisure [líːʒər]

틈/겨를 가:

풀이 1 틈. 겨를. 2 한가하다.

부수 日(날일)부

찾기 日⁴+叚⁹=13획

글자뿌리 형성(形聲) 문자. 날 일(日〈뜻〉)에 빌릴 가(叚〈음〉)를 합친 자로, 叚(가)는 잠재적인 가치가 있는 가공하지 않은 옥(玉)의 뜻. 잠재적인 가치가 있는 시간, '겨를'의 뜻을 나타냄.

[暇隙 가극] 틈. 겨를. 여가(餘暇).
[暇日 가일] 한가한 날.
[病暇 병가] 병으로 말미암아 얻은 휴가.
[餘暇 여가] 남은 시간. 겨를.
[閑暇 한가] 시간이 생겨 여유가 있음.
[休暇 휴가] 직장·학교·군대 따위에서 일정한 기간 동안 쉬는 일.

4급Ⅱ 중학 한자
중 暗 (àn)
영 dark [dáːrk]

어두울 암ː

풀이 1 어둡다. 2 가만히. 남몰래. 3 외다.
부수 日(날일)부
찾기 日⁴+音⁹=13획

글자뿌리 형성(形聲) 문자. 날 일(日〈뜻〉)에 그늘 음(音=陰〈음〉)을 합친 자로, 해가 지자 소리만 들릴 정도로 깜깜하다는 데서 '어둡다'의 뜻.

[暗記 암기] 머릿속에 외어 잊지 아니함.
[暗澹 암담] ① 어두컴컴하고 쓸쓸함. ② 희망이 없음.
[暗殺 암살] 아무도 모르게 사람을 죽임.
[暗示 암시] 넌지시 알림.
[暗室 암실] 햇빛이 들어오지 못하도록 어둡게 꾸민 방.

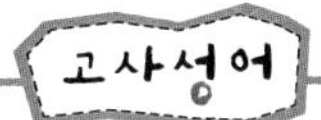

暗中摸索 (암중모색)

어두운 가운데에서 더듬어 찾는다는 뜻.

고사 중국 당(唐)나라 때의 허경종(許敬宗)이라는 사람은 경솔하고 기억력이 없기로 유명했는데, 조금 전에 만났던 사람도 그 사람이 돌아서자마자 이름을 잊어버릴 정도였다. 어떤 사람이 그의 기억력을 비웃자, 그는 "세상에 잘 알려지지도 않은 사람들의 이름을 하나하나 외워서 무얼 하겠나? 존경할 만한 사람이라든가 유명한 사람을 외워 두어야지. 그런 사람의 이름이라면 암중모색(暗中摸索)을 해서라도 알아낼 수 있는 법이야."라고 대꾸했다고 한다.

[暗行 암행] 자신의 신분을 숨기고 남모르게 다님. ¶ 暗行御史(암행어사).
[暗黑 암흑] ① 어둡고 캄캄함. ② 암담하고 비참한 상태를 비유적으로 이르는 말.

3급 중학 한자
중 暮 (mù)
영 sunset [sʌ́nset]

저물 모:

풀이 1 저물다. 2 늦다.
부수 日(날일)부
찾기 日4+莫11=15획

글자뿌리 회의(會意) 문자. 없을 막(莫)에 날 일(日)을 합친 자로, 해 저물 때의 뜻. 해가 풀 속으로 숨었다는 데서 '저물다', '늦다'의 뜻.

[歲暮 세모] 한 해의 마지막 때.

4급Ⅱ 중학 한자
중 暴 (bào)
영 violent [váiələnt]

❶사나울 폭
❷모질 포:

풀이 ❶ 1 사납다. 2 나타내다. 드러내다. 3 쬐다. ❷ 모질다.
부수 日(날일)부
찾기 日4+𣎴11=15획

글자뿌리 회의(會意) 문자. 날 일(日)에 낼 출(屮: 出의 변형)과 두 손 공(八=廾), 쌀 미(氺=米)를 합친 자로, 쌀을 두 손으로 내어 놓고 햇빛에 말린다는 데서 '드러내다', '쬐다'의 뜻.

[暴惡 포악] 성질이 사나움.
[暴君 폭군] 포악한 임금.
[暴騰 폭등] 물건 값이 별안간 크게 오름. 반 暴落(폭락).
[暴露 폭로] 나쁜 일·음모·비밀 따위를 드러냄.
[暴利 폭리] 부당한 이익.
[暴炎 폭염] 혹독하게 사나운 더위. 동 暴暑(폭서).
[暴行 폭행] 사납고 거친 행동. 남에게 마구 주먹을 휘두르는 일.

5급 고등 한자
중 曜 (yào)
영 dazzling [dǽzəliŋ]

빛날 요:

풀이 1 빛나다. 빛. 2 요일.
부수 日(날일)부
찾기 日4+翟14=18획

글자뿌리 형성(形聲) 문자. 날 일(日〈뜻〉)에 꿩 적(翟〈음〉)을 합친 자로, 翟(적)은 '높이 뛰어오르다'의 뜻. '햇빛'의 뜻을 나타냄.

[曜靈 요령] 태양(太陽)의 딴 이름.
[曜魄 요백] 북두성(北斗星)의 딴 이름.
[曜日 요일] 일·월·화·수·목·금·토에 붙여 일주일의 각 날을 나타내는 말.

3급 중학 한자
㊥ 曰 (yuē)
㊒ speak [spiːk]

가로되 왈

풀이 1 가로되. 이르다. 2 말하다.
부수 曰(가로왈)부
찾기 曰⁴=4획

丨 冂 日 曰

글자뿌리 지사(指事) 문자. 입 구(口) 가운데에 혀를 뜻하는 한 일(一)을 그은 자로, 입을 열어 말하는 모양을 나타내고, 마음에 있는 생각을 말로 나타낸다 하여 '말하다'의 뜻.

[曰可曰否 왈가왈부] 어떠한 일에 대해서 옳다느니 그르다느니 하고 말함.
[曰牌 왈패] 언행이 단정하지 못하고 수선스러운 사람.

5급 중학 한자
㊥ 曲 (qū)
㊒ bend [bend]

굽을 곡

풀이 1 굽다. 2 굽이. 구석. 3 가락. 악곡. 4 자세하다.
부수 曰(가로왈)부
찾기 曰⁴+ ||²=6획

丨 冂 円 冋 冊 曲

글자뿌리 상형(象形) 문자. 대나무나 싸리를 엮어 만든 바구니의 굽은 모양을 본뜬 자로, 그 굽은 모양에서 '굽다', 나아가 '가락'의 뜻도 됨.

[曲線 곡선] 부드럽게 구부러진 선. 반 直線(직선).
[曲藝 곡예] 줄타기·곡마·공 타기·재주넘기 따위의 연예.

[曲調 곡조] 음악이나 노래의 가락.
[歌曲 가곡] ① 노래. ② 독창곡·중창곡·합창곡 등의 성악곡.
[序曲 서곡] ① 가극·성극(聖劇) 등의 주요한 부분을 시작하기 전에 연주하는 기악곡. ② 일의 시작.

4급 중학 한자
중 更 (❶gēng, ❷gèng)
영 ❶change [tʃeindʒ] ❷again [əgén]

❶고칠 경
❷다시 갱:

풀이 ❶ 1 고치다. 2 바꾸다. 대신하다. ❷ 다시. 재차.
부수 曰(가로왈)부
찾기 曰⁴+乀³=7획

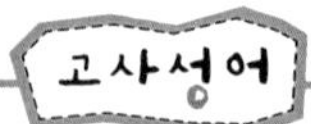

글자뿌리 형성(形聲) 문자. 본디 글자는 남녘 병(丙〈음〉)에 칠 복(攴〈뜻〉)을 합친 자로, 밝은 길로 나아가도록 일깨운다는 데서 '다시', '고치다'의 뜻이 된 자.

[更迭 경질] 어떤 직위에 있는 사람을 다른 사람으로 바꿈.
[更年期 갱년기] 인체가 성숙기에서 노년기로 접어드는 시기.
[更生 갱생] ① 거의 죽을 지경에서 다시 살아남. ② 마음이나 생활 태도를 바로잡아 본디의 바른 삶을 되찾음.
[更新 갱신] 다시 새롭게 함. 다시 새로워짐.
[更紙 갱지] 신문이나 시험지 등을 만들 때 쓰이는 좀 거친 종이의 하나.
[變更 변경] 바꾸어서 고침.
[初更 초경] 저녁 7시~9시 사이.

6급 중학 한자
중 书 (shū)
영 writing [ráitiŋ]

글 서

고사성어

曲學阿世 (곡학아세)

정도(正道)를 벗어난 학문으로 세상 사람에게 아첨함을 이르는 말.

고사 중국 전한(前漢) 시대 경제(景帝)는 시인으로 유명한 원고(轅固)를 박사(博士)로 등용하였는데, 그는 90세의 늙은 나이였음에도 강직한 성품을 그대로 지니고 있어 바른말 잘하기로 유명하였다. 그 때문에 가짜 선비들은 갖은 이유를 대며 등용을 적극적으로 반대하였다. 그러나 경제는 그들의 만류를 뿌리치고 원고를 등용하였다. 이때 원고와 함께 등용된 사람으로 공손홍(公孫弘)이라는 학자가 있었는데, 그도 또한 원고를 달가워하지 않았다. 그러나 원고는 "부디 올바른 학문을 열심히 배워 세상에 널리 알리도록 하게. 절대로 자기가 옳다고 믿는 학설을 굽혀 세상의 속된 자들에게 아첨하는 일이 없길 바라네."라고 공손홍에게 충고의 말을 했다. 이 말에 감복한 공손홍은 자신의 무례함을 사죄한 뒤에 원고의 제자가 되었다고 한다.

풀이 1 글. 글씨. 2 책. 문서. 3 쓰다. 4 편지.

부수 曰(가로왈)부

찾기 曰[4]+聿[6]=10획

글자뿌리 형성(形聲) 문자. 붓 율(聿〈뜻〉)에 사람 자(者〈음〉)를 합친 자로, '者'는 기재하다, 적다의 뜻. 붓으로 글을 짓거나 적는다는 데서 '글', '글씨'의 뜻이 된 자.

⇒ ⇒ 書

[書簡 서간] 편지. ¶ 書簡文(서간문).

[書記 서기] ① 회의 같은 데서 기록을 맡아보는 사람. ② 관공서 등에서 문서의 관리나 기록을 맡은 사람. ¶ 面書記(면서기).

[書類 서류] ① 글자로 쓴 문서. ② 사무에 관한 문서.

[書藝 서예] 붓으로 글씨를 맵시 있게 쓰는 예술.

[書籍 서적] 책. 서책.

[淨書 정서] 깨끗이 옮겨 씀.

일찍 증

3급Ⅱ 중학 한자

㊥ 曽 (céng)

㊇ once [wʌns]

풀이 1 일찍. 일찍이. 2 곧. 3 거듭.

부수 曰(가로왈)부

찾기 曰[4]+八[8]=12획

글자뿌리 상형(象形) 문자. 솥〔曰〕에 얹은 시루〔罒〕에서 김이 나는 모양〔八〕을 본뜬 글자로, 시루를 뜻하다가 솥과 시루가 겹쳐진 데서 '거듭', 나아가 '일찍이'의 뜻이 된 자.

[曾孫 증손] 증손자. 아들의 손자.

[曾遊 증유] 전에 논 일이 있음.

[曾祖 증조] 할아버지의 아버지. 삼대 위의 조상. 증조부.

[未曾有 미증유] 이제까지 한 번도 있어 본 적이 없음. 일찍이 없음.

가장 최:

5급 중학 한자

㊥ 最 (zuì)

㊇ most [moust]

풀이 가장. 제일.

부수 曰(가로왈)부

찾기 曰[4]+取[8]=12획

글자뿌리 회의(會意) 문자. 무릅쓸 모(曰: 冒의 변형)에 취할 취(取)를 합친 자로, 위험을 무릅쓰고 모두 가지다에서, '가장', '제일'이라는 뜻.

[最高 최고] ① 가장 높음. ② 가장 나음. 좋음.

[最近 최근] ① 가장 가까움. ② 지난 지 얼마 안 되는 날.

[最善 최선] ① 모든 힘. 전력. ② 가장 좋거나 훌륭한 것. 반 最惡(최악).

[最新 최신] 가장 새로움. ¶ 最新流行(최신 유행).

[最初 최초] 맨 처음. 반 最終(최종).

6급 중학 한자

중 会 (huì)

영 meet [miːt]

모일 회ː

풀이 1 모이다. 모으다. 만나다. 2 맞다. 3 기회. 4 회계.

부수 曰(가로왈)부

찾기 曰^{4}+^{9}=13획

글자뿌리 회의(會意) 문자. 모을 집(亼: 集의 본자)에 거듭 증(曾: 增의 생략형)을 합친 자로, 거듭 모은다는 데서 '모으다'의 뜻.

[會見 회견] 서로 만나 봄.

[會計 회계] ① 따져서 셈함. ② 돈이나 물품을 주고받는 일에 관한 사무.

[會談 회담] 만나서 서로 의논함. 또는 그 일. 동 會議(회의). ¶ 頂上會談(정상회담).

[會心 회심] 마음에 맞음. ¶ 會心作(회심작).

[機會 기회] 어떤 일을 해 나가는 데 가장 알맞고 좋은 때.

8급 중학 한자

중 月 (yuè)

영 moon [muːn]

달 월

풀이 1 달. 2 세월.

부수 月(달월)부

찾기 月⁴=4획

글자뿌리 상형(象形) 문자. 이지러진 달의 모양을 본뜬 글자로, '달'을 뜻함. 나아가 '한 달'의 뜻으로도 쓰임.

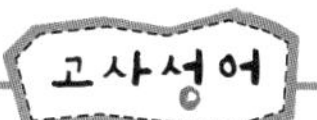
⇒ ⇒ 月

[月刊 월간] 한 달에 한 번씩 펴냄. 또는 펴낸 것.
[月給 월급] 일한 대가로 다달이 받는 돈. 동 俸給(봉급).
[月內 월내] 한 달 안. 그달 안.
[月末 월말] 그달의 끝 무렵.
[歲月 세월] 흘러가는 시간.

7급 중학 한자
중 有 (yǒu)
영 exist [igzíst]

있을 유:

풀이 1 있다. 2 가지다.
부수 月(달월)부
찾기 月⁴+𠂇²=6획

글자뿌리 형성(形聲) 문자. 오른손 우(𠂇: 又의 변형〈음〉)에 고기 육(月: 肉의 변형〈뜻〉)을 합친 자로, 손에 고기를 또 들고 있다 하여 '있다'의 뜻.

⇒ ⇒ 有

고사성어

月下氷人 (월하빙인)

결혼을 중매해 주는 사람을 이르는 말.

고사 중국 당(唐)나라에 위고(韋固)라는 총각이 있었는데, 어느 해 달밤에 송성(宋城)이란 곳을 향해 가다가 어떤 노인을 보게 되었다. 그 노인은 자신이 세상 모든 남녀의 인연을 맺어 주는 사람이라고 했다. 위고가 하도 신기하여 자신의 아내 될 사람에 대하여 묻자, 노인은 그의 아내 될 아가씨는 송성에서 채소를 파는 진(陳)이라는 노파가 안고 있는 갓난아기라고 말해 주었다. 세월이 흘러 14년 후, 위고는 상주(相州)의 관리가 되어 그 고을 태수의 딸과 결혼하였다. 그런데, 첫날밤에 신부가 자신은 태수의 딸이 아니며 갓난아기 때 돌아가신 아버지를 대신하여 진(陳)이라는 유모가 채소를 팔아 이제까지 길러 주었다고 고백하는 게 아닌가. 이 말을 들은 위고는 14년 전 달밤에 만난 노인의 말이 생각났다고 한다.

[有口無言 유구무언] 입이 있어도 할 말이 없다는 뜻으로, 변명할 말이 없음을 이르는 말.
[有能 유능] 재능이나 능력이 있음. 반 無能(무능).
[有利 유리] 이익이 있음. 이로움.
[有識 유식] 아는 것이 많음.
[有益 유익] 이롭거나 도움이 됨.
[有罪 유죄] 죄가 있음. 반 無罪(무죄).
[固有 고유] 본디부터 지니고 있거나 그것에만 특별히 있음.
[所有 소유] 자기 것으로 가지고 있음.
[特有 특유] 그것만이 특별히 가지고 있음. 특별히 소유함.

[服務 복무] 일을 맡아봄. 의무를 치름.
[服藥 복약] 약을 먹음.
[服裝 복장] 옷차림.
[服從 복종] 명령대로 따름.
[着服 착복] 옷을 입음.

服

6급 중학 한자
중 服 (fú)
영 clothes [klouðz]

옷 복

풀이 1 옷. 옷을 입다. 2 일하다. 복종하다. 3 제 것으로 하다. 4 약을 먹다.
부수 月(달월)부
찾기 月4+𠬝4=8획

丿 刀 月 月' 肌 服 服

글자뿌리 회의(會意)·형성(形聲) 문자. 배 주(月: 舟의 변형)에 다스릴 복(𠬝)을 합친 자로, 배에서 선장의 다스림에 따른다는 데서 '좇다', '복종하다'의 뜻이 된 자. 또, 몸(月: 肉의 변형)을 다스리기 위하여 '약을 먹는다'거나 '옷을 입는다'는 데서 '옷'의 뜻으로도 쓰임.

朋

3급 중학 한자
중 朋 (péng)
영 friend [frend]

벗 붕

풀이 1 벗. 2 무리.
부수 月(달월)부
찾기 月4+月4=8획

丿 刀 月 月 刖 朋 朋 朋

글자뿌리 상형(象形) 문자. 재물인 조개 다섯 개를 꿴 것 한 쌍을 본뜬 자로, '조개 열 개', 나아가 '무리'의 뜻을 나타냄. 또, 봉황새의 모양을 본뜬 자로, 새처럼 둘이서 다정하게 붙어 다닌다는 데서 '벗'의 뜻이 된 자.

[朋友 붕우] 벗. 친구.
[朋友有信 붕우유신] 오륜(五倫) 중의 하나. 벗 사이에는 믿음이 있어야 한다는 말.

5급 중학 한자
중 望 (wàng)
영 hope [houp]

바랄 망:

풀이 1 바라다. 2 바라보다. 우러러보다. 3 원망하다. 4 보름.

부수 月(달월)부

찾기 月^{4}+𦣠^{7}=11획

望望望

글자뿌리 회의(會意) 문자. 본자는 신하 신(亡=臣)과 달 월(月) 밑에 우뚝 설 정(壬)을 받친 자로, 사람이 눈을 크게 뜨고 서서 먼 곳을 '바라본다'는 뜻.

⇒ ⇒ 望

[望月 망월] 보름달.
[望鄕 망향] 고향을 그리워함. 고향 쪽을 바라봄.
[怨望 원망] 남을 못마땅히 여겨 탓함.
[展望臺 전망대] 멀리 바라볼 수 있도록 높게 만들어 세운 대.
[責望 책망] 허물을 들어 꾸짖음. 잘못을 나무람.
[希望 희망] 앞일에 대한 소망. 반 絕望(절망).

5급 인명 한자
중 朗 (lǎng)
영 bright [brait]

밝을 랑:

풀이 밝다.

부수 月(달월)부

찾기 月^{4}+良^{7}=11획

朗朗朗

글자뿌리 형성(形聲) 문자. 달 월(月〈뜻〉)에 좋을 량(良〈음〉)을 합친 자로, 좋은 달이란 뜻에서, '밝다'의 뜻을 나타냄.

[朗讀 낭독] 소리를 내어 읽음.
[朗報 낭보] 반가운 소식.
[朗誦 낭송] 소리 내어 글을 읽거나 욈.
[明朗 명랑] 밝고 쾌활함.

5급 중학 한자
중 期 (qī)
영 promise [prámis]

기약할 기

풀이 1 기약하다. 기대하다. 바라다.

2 때. 기간.

부수 月(달월)부

찾기 月4+其8=12획

一 十 卄 廾 甘 甘 其 其
其 期 期 期

글자뿌리 형성(形聲) 문자. 그 기(其〈음〉)에 달 월(月〈뜻〉)을 합친 자로, 달이 지구를 한 바퀴 도는 1개월을 뜻하며 '주기', '때'를 뜻하기도 함.

⇒ 其 月 ⇒ 期

[期間 기간] 어느 일정한 시기의 사이.

[期待 기대] 어떤 일이 이루어지기를 바라고 기다림.

[期末 기말] 기간이나 학기 따위의 끝. ¶ 期末考査(기말 고사).

[期成會 기성회] 어떤 일을 이루고자 만든 모임.

[期約 기약] 때를 정하여 약속함.

[期日 기일] 정해진 날짜. 기한이 되는 날.

[期限 기한] 미리 정하여 놓은 때.

[時期 시기] ① 정하여진 때. ② 어떤 일을 하는 데 가장 적당한 때.

[定期 정기] 정한 기한. 또는 기간. ¶ 定期國會(정기 국회).

[早期 조기] 이른 시기. ¶ 早期教育(조기 교육).

朝

6급 중학 한자

중 朝 (zhāo)

영 morning [mɔ́ːrniŋ]

아침 조

풀이 1 아침. 2 조정. 3 임금을 뵈다. 뵙다. 4 왕조.

부수 月(달월)부

찾기 月4+𠦝8=12획

一 十 𠫓 古 古 査 直 𠦝
𠦝 朝 朝 朝

글자뿌리 회의(會意) 문자. 해 돋을 간(𠦝: 倝의 생략형)에 달 월(月)을 합친 자로, 아침 해가 빛나는데 서쪽 하늘에는 아직 달이 떠 있는 '아침'이라는 뜻.

⇒ 𠦝 ⇒ 朝

[朝刊 조간] 아침에 발행되는 신문. 조간신문.

[朝飯 조반] 아침밥.

[朝夕 조석] 아침과 저녁.

[朝鮮 조선] 고려가 망한 뒤, 이성계에 의해 새로이 세워진 우리나라의 왕조.

[朝廷 조정] 임금이 나라의 정치를 의논하고 집행하던 곳.

[朝會 조회] 학교나 관청 등에서 일을 시작하기 전에 인사나 그 밖의 주의할 일 등을 이르는 아침의 모임. 동 朝禮

(조례).

[王朝 왕조] ① 같은 왕가에 속하는 통치자의 계열. 또는 그 왕가가 다스리는 시대. ② 왕이 직접 다스리는 조정.

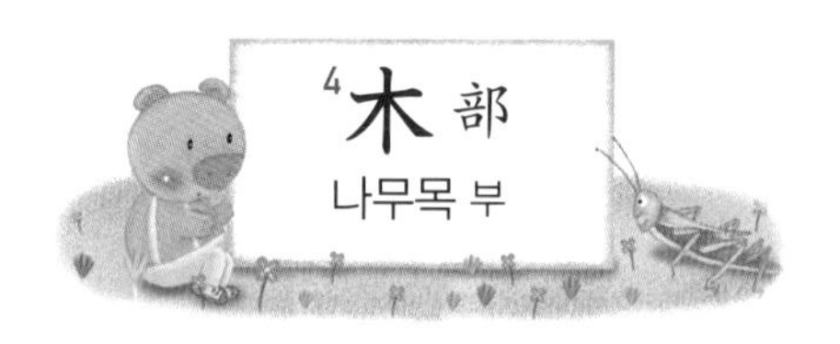

8급 중학 한자

㊥ 木 (mù)

㊒ tree [tri:]

나무 목

풀이 1 나무. 2 질박하다.

부수 木(나무목)부

찾기 木⁴=4획

一 十 才 木

글자뿌리 상형(象形) 문자. 땅에 뿌리를 박고 가지를 벌리고 서 있는 나무의 모양을 본뜬 글자.

[木刻 목각] 그림 또는 글씨 등을 나무에 새김.

[木工 목공] 나무를 재료로 여러 가지 물건을 만드는 일. 또는 만드는 사람. 동 木手(목수). ¶ 木工所(목공소).

[木星 목성] 태양에서 다섯 번째로 가까운 행성. 태양계에 있는 여덟 개의 행성 중 가장 큼.

[木材 목재] 어떤 물건을 만드는 데 쓰는 나무로 된 재료.

朝三暮四 (조삼모사)

아침에는 세 개, 저녁에는 네 개라는 뜻으로, 간사한 꾀를 써서 사람을 속인다는 말.

고사 중국 송(宋)나라 때, 저공(狙公)이라는 사람이 원숭이를 길렀는데, 많이 기르다 보니 먹이가 모자라게 되었다. 곤란해진 저공은 원숭이들의 먹이를 줄이기로 결심하고 원숭이들에게

"이제부터는 너희들에게 주던 도토리를 아침에 세 개, 저녁에 네 개씩으로 줄이겠다."

라고 말했다. 그러자 원숭이들은 아침에 세 개, 저녁에 네 개 먹고서는 배가 고파 살 수 없다며 펄쩍 뛰었다. 난처해진 저공이 이번에는

"그럼, 아침에 네 개, 저녁에 세 개씩 주면 어떠냐?"

하고 물었더니, 원숭이들이 모두 기뻐했다고 한다.

[古木 고목] 오래 묵은 나무. 나이 많은 나무.
[樹木 수목] 살아 있는 나무.
[植木 식목] 나무를 심음. ¶ 植木日(식목일).

5급 중학 한자
중 末 (mò)
영 end [end]

끝 말

풀이 1 끝. 2 보잘것없다. 3 가루. 4 가볍다.
부수 木(나무목)부
찾기 木4+一1=5획

글자뿌리 지사(指事) 문자. 나무 목(木) 위에 한 일(一)을 합친 자로, 나무의 위쪽, 곧 '끝'을 가리킴.

[末期 말기] 끝나는 시기.
[末端 말단] 맨 아래. 맨 끄트머리.
[末日 말일] ① 어느 기간의 마지막 날. ② 그달의 마지막 날.
[末梢 말초] ① 나무의 끝 가지. ② 사물의 끝. ¶ 末梢神經(말초 신경).
[結末 결말] 일을 맺는 끝.
[粉末 분말] 가루.
[始末書 시말서] 일을 잘못한 사람이 그 일의 시작부터 끝까지 자세히 적은 글.
[年末 연말] 한 해의 마지막 무렵. 세밑. 반 年初(연초).
[月末 월말] 그달의 끝 무렵.
[週末 주말] 한 주일의 끝 무렵.

4급Ⅱ 중학 한자
중 未 (wèi)
영 not yet

아닐 미(:)

풀이 아니다. ※ '아직 아니함'과 같이 부정을 나타내는 말로 쓰임.
부수 木(나무목)부
찾기 木4+一1=5획

글자뿌리 상형(象形) 문자. 나무〔木〕에 새로운 가지〔一〕가 돋아난 모양을 본뜬 글자로, 가지가 무성하나 열매 맛이 아직 들지 않았다는 데서 '되지 않음', '미처 못함', '하지 않는다'의 뜻이 된 자.

[未開 미개] ① 문명이 발달하지 못한 상태. 동 野蠻(야만). ¶ 未開人(미개인). ② 꽃이 피지 않음. 반 開花(개화).
[未來 미래] 앞으로 올 때.
[未滿 미만] 정한 수효나 정도에 차지 못함.

[未成年者 미성년자] 법률에서, 아직 만 20세가 되지 않은 사람.
[未收 미수] 아직 다 거두지 못함. ¶未收金(미수금).
[未然 미연] 어떤 일이 아직 그렇게 되지 않음.
[未定 미정] 아직 결정을 하지 못함.
[未知數 미지수] ① 예측할 수 없는 앞일. ② 방정식에서, 구하려고 하는 수.
[未婚 미혼] 아직 결혼을 하지 않음. 반 旣婚(기혼).

6급 중학 한자
중 本 (běn)
영 origin [ɔ́:rədʒin]

근본 본

풀이 1 근본. 2 본디. 3 주가 되는 것. 4 자기 자신. 5 책.
부수 木(나무목)부
찾기 木4+一1=5획

글자뿌리 지사(指事) 문자. 나무〔木〕줄기의 밑부분에 한 일(一)을 그어 나무의 뿌리, 곧 '근본' 되는 곳을 가리킴.

⇒ ⇒ 本

[本能 본능] 생물이 태어날 때부터 가지고 있는 동작이나 성질, 능력.
[本來 본래] 처음부터.
[本論 본론] 문장이나 말에서 주장이 되는 부분.
[本文 본문] 서론·부록 등을 제외한 본 줄거리가 되는 글.
[本部 본부] 어떠한 기관이나 단체의 중심이 되는 조직체.
[本分 본분] ① 사람이 저마다 갖는 본디의 신분. ② 마땅히 하여야 할 본디의 의무.
[本選 본선] 예선에 대하여 우승자를 결정하는 마지막 선발.
[本業 본업] 주가 되는 직업. 반 副業(부업).
[本意 본의] 본래의 마음. 진정한 마음.
[本人 본인] 그 사람 자신. 당사자.
[本籍 본적] ① 그 사람의 호적이 있는 곳. ② '본적지'의 준말.
[見本 견본] 미리 보이는 본보기가 되는 물건.
[基本權 기본권] 인간으로서 마땅히 누려야 할 기본적인 권리. '기본적 인권'의 준말.
[單行本 단행본] 총서나 전집과 달리 한 가지만을 단독으로 출판한 책.
[人本主義 인본주의] 인간이 모든 것의 중심이 된다는 사상.

4급 중학 한자
중 朱 (zhū)
영 red [red]

붉을 주

풀이 붉다.

부수 木(나무목)부

찾기 木^4+𠂉^2=6획

丿 𠂉 𠂉 牛 朱 朱

글자뿌리 지사(指事) 문자. 나무 목(木)의 중심에 한 일(一)과 점을 더한 자로, 소나무의 중간 가지를 자르면 송진이 나와 붉게 된다는 데서 '붉다'의 뜻.

[朱丹 주단] 곱고 붉은 빛깔.
[朱紅 주홍] 노란색과 빨간색의 중간색으로 붉은색에 가까운 색깔.
[朱黃 주황] 빨간색과 노란색의 중간색.
[印朱 인주] 도장을 찍을 때 묻혀 쓰는 붉은 빛깔의 재료.

6급 중학 한자

중 朴 (piáo, pǔ)

영 surname [sə́ːrnèim]

성 박

풀이 1 성(姓). 2 순박하다. 3 팽나무.

부수 木(나무목)부

찾기 木^4+卜^2=6획

一 十 才 木 朩 朴

글자뿌리 형성(形聲) 문자. 나무 목(木〈뜻〉)에 점 복(卜〈음〉)을 합친 자로, 卜(복)은 '팍', '폭' 소리를 나타내는 의성어(擬聲語). '팍' 소리를 내는 두꺼운 나무껍질의 뜻. '樸(박)'과 통하여 '순박함'의 뜻으로 쓰임.

[朴實 박실] 순박하고 진실함.
[朴質 박질] 순박하고 질박함.
[素朴 소박] 꾸밈이나 거짓이 없이 순수함.
[淳朴 순박] 성질이 순하고 진실하며 아무런 꾸밈이 없음.

5급 중학 한자

중 材 (cái)

영 timber [tímbər]

재목 재

풀이 1 재목. 2 재료. 감. 3 재능.

부수 木(나무목)부

찾기 木^4+才^3=7획

一 十 才 木 朩 村 材

글자뿌리 형성(形聲) 문자. 나무 목(木〈뜻〉)에다 바탕 재(才〈음〉)를 합친 자로, 집을 지을 때 바탕이 되는 나무, 곧 '재목'을 뜻함. 또, 나무를 깎아 모양을 내므로 '재능'의 뜻도 있음.

⇒ 木 才 ⇒ 材

[材能 재능] 재주와 능력.
[材料 재료] ① 물건을 만드는 데 드는 원료. ② 예술적 표현의 제재.
[材木 재목] ① 건축물·기구 등을 만드는 데 재료로 쓰는 나무. ② 어떤 직위에 합당한 인물.
[材質 재질] 재료의 성질.
[骨材 골재] 시멘트와 섞어서 콘크리트를 만드는 모래·자갈 등의 재료.
[教材 교재] 가르치고 배우는 데 쓰이는 책과 재료.
[素材 소재] ① 어떤 것을 만드는 데 바탕이 되는 재료. ② 예술 작품의 재료가 되는 모든 대상.
[藥材 약재] 약을 짓는 재료.
[人材 인재] 학식과 능력이 뛰어나 큰 일을 할 수 있는 사람.
[資材 자재] 어떤 물건을 만드는 물자와 재료.

村

7급 중학 한자
중 村 (cūn)
영 village [vílidʒ]

마을 촌:

풀이 마을. 시골.
부수 木(나무목)부
찾기 木⁴+寸³=7획

一 十 才 木 木一 村 村

글자뿌리 형성(形聲) 문자. 나무 목(木〈뜻〉)에 법도 촌(寸〈음〉)을 합친 자로, 나무 밑에 법도 있게 모여 사는 곳이라는 데서 '마을'의 뜻이 된 자.

⇒ 木 ⇒ 村

[江村 강촌] 강가의 마을.
[農村 농촌] 농사를 짓고 사는 사람들이 모여 사는 마을.
[無醫村 무의촌] 의사나 의료 시설이 전혀 없는 마을.
[富村 부촌] 부자가 많은 마을. 살기가 넉넉한 마을. 반 貧村(빈촌).
[山村 산촌] 산속의 마을.
[漁村 어촌] 어부들이 모여서 사는 바닷가 마을.

6급 중학 한자
중 李 (lǐ)
영 plum [plʌm]

오얏/성 리:

풀이 1 자두(오얏). 자두나무. 2 성(姓).
부수 木(나무목)부
찾기 木⁴+子³=7획

一 十 才 木 本 李 李

글자뿌리 회의(會意) 문자. 나무 목(木)에 아들 자(子)를 합친 자로, 子(자)는 '어린이', '열매'의 뜻. 열매가 많이 열리는 '자두나무'의 뜻을 나타냄.

[李朝 이조] '이씨 조선'의 준말.
[李花 이화] 자두나무의 꽃.
[張三李四 장삼이사] 장씨의 셋째 아들과 이씨의 넷째 아들이라는 뜻으로, 이름이나 신분이 특별하지 않은 평범한 보통 사람들을 이름.

5급 고등 한자
중 束 (shù)
영 bind [baind]

묶을 속

풀이 1 묶다. 2 약속하다. 3 단속하다.
부수 木(나무목)부
찾기 木4+口3=7획

一 丅 亓 㠯 申 束 束

글자뿌리 상형(象形) 문자. 땔나무를 묶은 모양을 본떠 '단 짓다', '묶다', '매다'의 뜻을 나타냄.

[束縛 속박] 얽어매어 자유를 구속함.
[束手 속수] 팔짱을 끼고 아무것도 하지 아니함.
[束手無策 속수무책] 어찌할 도리가 없어 꼼짝 못함.
[結束 결속] ① 맺어 뭉침. ② 동여맴.
[團束 단속] 경계해 단단히 다잡음.
[約束 약속] 언약하여 정함. 앞으로 할 일을 상대방과 서로 정하여 둠.

6급 중학 한자
중 果 (guǒ)
영 fruit [fru:t]

실과 과:

풀이 1 실과. 과실. 2 결과. 3 결단성 있다. 4 과연.
부수 木(나무목)부
찾기 木4+日4=8획

丨 冂 日 日 旦 甲 果 果

글자뿌리 상형(象形) 문자. 나무〔木〕 위에 열매〔⊕〕가 열려 있는 모양을 본뜬 글자로, '과실', '열매'를 뜻함.

⇒ ⇒ 果

[果敢 과감] 일을 딱 잘라서 결정하는 성질이 있고 용감함.
[果糖 과당] 포도당과 함께 과실 속에 있는 당분.
[果樹園 과수원] 과실나무를 기르는 곳.
[果實 과실] 먹을 수 있는 나무의 열매.
[果然 과연] 알고 보니 참으로. 빈말이 아니라 정말로.
[結果 결과] 어떤 원인으로 말미암아 생긴 일의 끝. 반 原因(원인).
[無花果 무화과] 뽕나뭇과에 속하는 과실나무의 한 가지. 또는 그 열매.
[成果 성과] 일을 이루어 내거나 이루어진 결과.
[水正果 수정과] 생강과 계피를 달인 물에 설탕이나 꿀을 탄 다음, 곶감을 넣고 잣을 띄운 음료.
[藥果 약과] ① 밀가루를 기름과 꿀에 반죽한 후 기름에 지져서 만드는, 우리나라 고유 과자의 한 가지. ② 감당하기 어렵지 않은 일.
[青果 청과] 신선한 과일과 채소를 통틀어 이르는 말. ¶ 青果物(청과물).
[效果 효과] 한 일로 말미암아 나타난 보람. ¶ 展示效果(전시 효과).

東

8급 중학 한자
중 东 (dōng)
영 east [iːst]

동녘 동

풀이 **동녘. 동쪽.**
부수 木(나무목)부
찾기 木⁴+日⁴=8획

글자뿌리 회의(會意) 문자. 나무 목(木)과 날 일(日)을 합친 자로, 해가 동쪽에서 떠올라 나무 중간에 걸쳐 있는 모양을 나타내어 '동쪽'을 뜻함.

고사성어

東家食西家宿 (동가식서가숙)

동쪽 집에서 먹고, 서쪽 집에서 잔다는 뜻으로, 먹을 곳도 없고 잘 곳도 없어 떠돌아다니며 이 집 저 집에서 얻어먹고 지내는 일. 여기저기 빌붙어 사는 행태를 비유해 이르기도 함.

고사 옛날 중국의 제(齊)나라에 살던 한 여자가 동쪽 집은 부유하기는 하지만 못생긴 남자이고, 서쪽 집은 잘생기기는 했지만 가난한데 너는 어느 쪽 집으로 시집가겠느냐라는 어머니의 물음에 '동가식서가숙'이라고 대답했다고 한다.

[東問西答 동문서답] 동쪽을 묻는 데 서쪽을 대답한다는 뜻으로, 묻는 말에 대한 엉뚱한 대답을 이르는 말.

[東奔西走 동분서주] 이리저리 바쁘게 돌아다님.

[東西古今 동서고금] 동양과 서양, 옛날과 지금. 곧, 모든 곳의 모든 시대라는 뜻.

[東洋 동양] 유럽 대륙인 서양에 대해 동쪽에 있는 아시아 전체를 이르는 말.

[東風 동풍] ① 동쪽에서 불어오는 바람. ② 봄바람.

[極東 극동] 한국·일본·중국 등 아시아의 가장 동쪽에 있는 지역.

[馬耳東風 마이동풍] 남의 말을 귀담아 듣지 않고 흘려버림을 이르는 말.

[海東 해동] 발해의 동쪽에 있는 나라. 곧, 예전에 우리나라를 이르던 말.

林

7급 중학 한자

중 林 (lín)

영 forest [fɔ́(:)rist]

수풀 림

풀이 수풀. 숲.

부수 木(나무목)부

찾기 木⁴+木⁴=8획

一 十 才 木 木 朩 村 材 林

글자뿌리 회의(會意) 문자. 나무 목(木)을 둘 겹친 자로 나무가 많이 서 있음을 나타내어 '수풀'이라는 뜻이 된 자.

⇒ 林 ⇒ 林

[林野 임야] 나무들이 들어서 있는 넓은 땅. 숲과 벌판.

[林業 임업] 인간 생활에 이용할 수 있는 나무를 가꾸고 베어 내는 산업.

[農林 농림] 농업과 임업. ¶ 農林水産食品部(농림 수산 식품부).

[密林 밀림] 큰 나무들이 빽빽이 들어찬 수풀.

[山林 산림] 산과 숲. 산에 있는 숲.

[森林 삼림] 나무가 많아 우거진 숲.

[原始林 원시림] 옛날부터 사람이 벌목하거나 이용하지 않은 자연 그대로의 삼림.

3급 중학 한자

중 杯 (bēi)

영 cup [kʌp]

잔 배

풀이 잔.

부수 木(나무목)부

찾기 木⁴+不⁴=8획

글자뿌리 형성(形聲) 문자. 나무 목(木〈뜻〉)에 아닐 불(不: 술잔의 모양〈음〉)을 합친 자로, 옛날에는 나무로 만든 그릇으로 술을 마셨으므로 '술잔'의 뜻.

[乾杯 건배] 성공이나 건강을 빌며 모두가 술잔을 들어 마시는 일.
[苦杯 고배] ① 쓴 술이 든 잔. ② 쓰라린 경험의 비유.
[祝杯 축배] 축하하는 뜻으로 마시는 술. 또는 그 술잔.

4급 중학 한자
㊥ 松 (sōng)
㊧ pine tree

소나무 송

풀이 소나무. 솔.
부수 木(나무목)부
찾기 木4+公4=8획

글자뿌리 형성(形聲) 문자. 나무 목(木〈뜻〉)에 공변될 공(公: 본래는 빽빽하다는 뜻〈음〉)을 합친 자로, 바늘 같은 잎이 빽빽이 나는 나무는 '소나무'라는 뜻.

[松林 송림] 소나무 숲. 솔숲.
[松栮 송이] 소나무의 잔뿌리에 붙어 사는 식용 버섯의 한 가지.
[老松 노송] 늙은 소나무.

5급 고등 한자
㊥ 板 (bǎn)
㊧ board [bɔːrd]

널 판

풀이 1 널. 널빤지. 2 판자.
부수 木(나무목)부
찾기 木4+反4=8획

글자뿌리 형성(形聲) 문자. 나무 목(木〈뜻〉)에 돌이킬 반(反〈음〉)을 합친 자로, 反(반)은 얇고 넓적하다는 뜻. 얇고 넓적한 나무라는 데서 '널빤지'의 뜻을 나타냄.

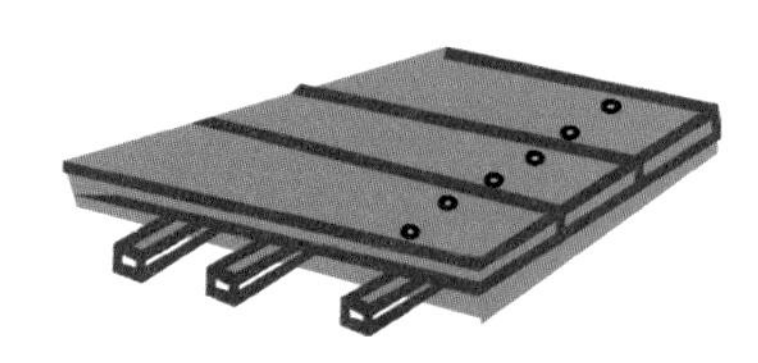

[板刻 판각] 그림이나 글씨를 나뭇조각에 새김.
[板木 판목] 인쇄하기 위하여 글자나 그림을 새긴 나뭇조각.
[板本 판본] 목판으로 인쇄한 책.
[板子 판자] 널빤지.
[登板 등판] 야구에서, 투수가 마운드에 서는 일.
[本板 본판] 원래의 바탕.
[氷板 빙판] 물이나 눈 따위가 얼어서 미끄럽게 된 바닥.

3급Ⅱ 중학 한자
중 枝 (zhī)
영 branch [bræntʃ]

가지 지

풀이 1 가지. 2 버티다.
부수 木(나무목)부
찾기 木4+支4=8획

글자뿌리 형성(形聲) 문자. 나무 목(木〈뜻〉)에 가를 지(支〈음〉)를 합친 자로, 나무줄기에서 갈라져 나간 것은 '가지'라는 뜻으로 된 자.

[金枝玉葉 금지옥엽] 황금으로 된 나뭇가지와 옥으로 만든 잎이라는 뜻으로, '임금의 자손이나 집안' 또는 '귀한 자손'을 이르는 말.
[剪枝 전지] 나뭇가지의 일부를 잘라 냄.

4급 중학 한자
중 柳 (liǔ)
영 willow [wílou]

버들 류(:)

풀이 버드나무. 버들.
부수 木(나무목)부
찾기 木4+卯5=9획

글자뿌리 형성(形聲) 문자. 나무 목(木〈뜻〉)에 넷째 지지 묘(卯〈음〉)를 합친 자로, 卯(묘)는 流(류)와 통하여 흐르다의 뜻. 가지와 잎이 나부끼는 나무라는 데서 '버드나무'라는 뜻이 된 자.

5급 고등 한자
중 查 (chá)
영 investigate [invéstəgèit]

조사할 사

풀이 조사하다.
부수 木(나무목)부
찾기 木4+且5=9획

글자뿌리 형성(形聲) 문자. 나무 목(木〈뜻〉)에 또 차(且〈음〉)를 합친 글자. 且(차)는 '겹쳐 쌓다'의 뜻. 나무를 겹친 뗏목의 뜻을 나타냄. 楂(사)와 槎(사)의 원자(原字). 나중에는 察(찰)과 통하여 '조사하다'의 뜻을 나타냄.

[査定 사정] 조사하여 결정함.
[査察 사찰] 조사하여 살핌.
[考査 고사] 시험.
[内査 내사] 겉으로 드러나지 않게 몰래 조사함. 자체 조사.
[調査 조사] 사물의 내용을 명확히 알기 위하여 자세히 살펴보거나 찾아봄.

3급Ⅱ 중학 한자
중 柔 (róu)
영 soft [sɔ(:)ft]

부드러울 유

풀이 1 부드럽다. 2 온순하다. 순하다. 3 연약하다.

부수 木(나무목)부

찾기 木4+矛5=9획

글자뿌리 회의(會意) 문자. 창 모(矛)에 나무 목(木)을 합친 자로, 탄력성이 있어 창의 자루로 쓰이는 나무라는 데서 '부드럽다', '순하다'의 뜻이 된 자.

[柔道 유도] 두 경기자가 맨손으로 맞잡고 서서 상대방의 힘을 이용하여 넘어뜨리거나 몸을 눌러 조르거나 하여 승부를 겨루는 운동.

[柔順 유순] 성질·태도·표정 따위가 부드럽고 순함.

[柔弱 유약] 부드럽고 약함.

[柔軟 유연] 부드럽고 연함.

[溫柔 온유] 마음씨가 따뜻하고 부드러움.

8급 중학 한자
중 校 (xiào)
영 school [sku:l]

학교 교ː

풀이 1 학교. 2 교정하다. 3 장교.

부수 木(나무목)부

찾기 木4+交6=10획

글자뿌리 형성(形聲) 문자. 나무 목(木〈뜻〉)에 사귈 교(交〈음〉)를 합친 자로, 본뜻은 '질곡(차꼬와 수갑)', '비교하다'의 뜻에서 구부러진 나무를 바로잡아 주듯이 학생들이 서로 사귀며 바르게 배우게 하는 곳이라는 데서 '학교'의 뜻.

[校歌 교가] 그 학교의 기풍을 높이기 위해서 특별히 만들어 학생들에게 부르도록 하는 노래.

[校時 교시] 학교의 수업 시간을 세는 단위.

[校閱 교열] 문서나 원고의 잘못된 글자나 내용을 바로잡아 고침.

[校友 교우] 같은 학교를 다니는 친구.

[校長 교장] 학교 내의 사무를 관장하고, 직원을 통솔·감독하는 책임자.

[校正 교정] 글자가 잘못된 것을 대조하여 바르게 잡음.

[校訓 교훈] 학교의 교육 목표를 간단히 나타낸 표어.

[登校 등교] 학교에 감. 반 下校(하교).

[將校 장교] 육·해·공군의 소위 이상의 군인.

[學校 학교] 학생을 가르치는 공공의 교육 기관.

4급 고등 한자
중 核 (hé)
영 seed [siːd]

씨 핵

풀이 1 씨. 2 핵심.
부수 木(나무목)부
찾기 木⁴+亥⁶=10획

글자뿌리 형성(形聲) 문자. 나무 목(木〈뜻〉)에 돼지 해(亥〈음〉)를 합친 자로, 亥(해)는 己(기)와 통하여, '단단하다'의 뜻. 과실의 중심의 단단한 부분, 곧 '씨'의 뜻을 나타냄.

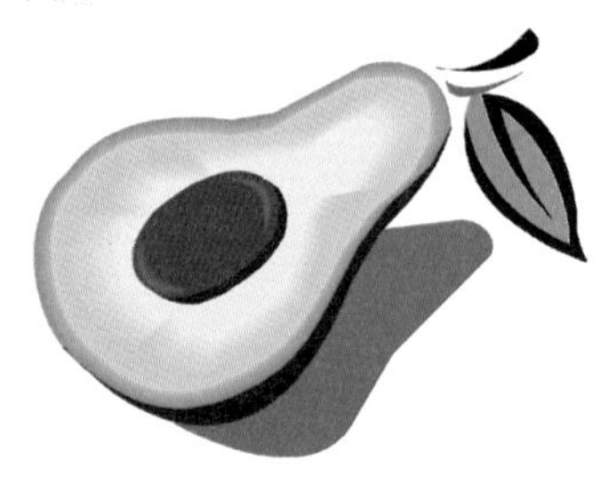

[核武器 핵무기] 핵에너지를 이용한 여러 가지 무기.
[核心 핵심] 사물의 중심이 되는 가장 요긴한 부분.
[結核 결핵] 결핵균에 감염되어 일어나는 만성 전염병.

6급 중학 한자
중 根 (gēn)
영 root [ruːt]

뿌리 근

풀이 1 뿌리. 2 근본. 밑.
부수 木(나무목)부
찾기 木⁴+艮⁶=10획

글자뿌리 형성(形聲) 문자. 나무 목(木〈뜻〉)에 머무를 간(艮〈음〉)을 합친 자로, 나무를 가만히 머무르게 하여 두는 곳이라는 데서 '뿌리'의 뜻.

⇒ 木艮 ⇒ 根

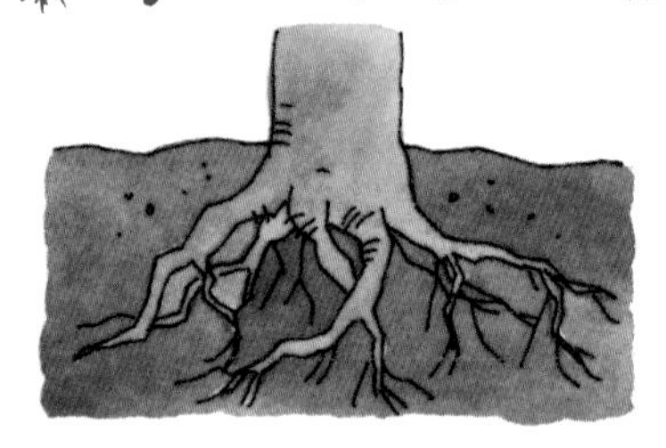

[根幹 근간] ① 뿌리와 줄기. ② 어떤 사물의 가장 중심이 되는 부분.
[根本 근본] ① 사물이 발생하는 근원. ② 초목의 뿌리. ③ 자라 온 환경이나 경력.
[根源 근원] 어떤 일이 생겨나는 본바탕. 동 根本(근본).
[根絶 근절] 어떤 일이 다시 일어나지 못하도록 뿌리째 없애 버림.
[毛根 모근] 털이 피부에 박힌 부분.
[事實無根 사실무근] 사실이라는 근거가 없음. 사실과 다름.

格

5급 고등 한자
중 格 (gé)
영 form [fɔːrm]

격식 격

풀이 1 격식. 2 이르다. 3 연구하다.
부수 木(나무목)부
찾기 木⁴+各⁶=10획

글자뿌리 형성(形聲) 문자. 나무 목(木〈뜻〉)에 각각 각(各〈음〉)을 합친 자로, 各(각)은 '이르다'의 뜻. 나무가 똑바로 높게 자란다는 데서 '격식'의 뜻.

[格式 격식] 격에 어울리는 방식.
[格下 격하] 자격 따위를 낮춤.
[資格 자격] 어떤 임무를 맡거나 일을 하는 데 필요한 조건.
[品格 품격] 사람 된 바탕과 성품.

5급 중학 한자
중 案 (àn)
영 desk [desk]

책상 안:

풀이 1 책상. 안석. 2 생각. 생각하다. 3 인도하다.
부수 木(나무목)부
찾기 木⁴+安⁶=10획

글자뿌리 형성(形聲) 문자. 편안할 안(安: 여기서는 놓는다는 뜻〈음〉)에 나무 목(木〈뜻〉)을 합친 자로, 책을 놓고 편안하게 앉아 볼 수 있도록 나무로 만든 '책상'을 뜻함.

[案件 안건] 회의에서 토의하거나 연구할 거리.
[案內 안내] 내용이나 사정 등을 알림. 데리고 가서 알려 줌.
[考案 고안] 좋은 방법을 생각해 냄.
[答案紙 답안지] 시험 문제의 답을 쓸 종이.
[代案 대안] 어떠한 의견을 대신하는 다른 의견.
[圖案 도안] 미술·공예품 등을 만들기 위하여, 무늬·색·배치에 관하여 생각하고 연구하여 구상한 것을 그림으로 나타낸 것.
[方案 방안] 일을 처리해 나갈 방법이나 계획.

3급Ⅱ 중학 한자
중 栽 (zāi)
영 plant [plænt]

심을 재:

풀이 심다.
부수 木(나무목)부
찾기 木4+𢦏6=10획

一 十 土 丰 耒 栽 栽 栽

글자뿌리 형성(形聲) 문자. 세울 재(𢦏〈음〉)에 나무 목(木〈뜻〉)을 합친 자로, 나무를 심어서 가꾸어 '기른다'는 뜻. '심다'의 뜻이 됨.

[栽培 재배] 풀이나 나무·곡식·채소 등을 심어 가꿈.
[栽植 재식] 초목을 심음.
[盆栽 분재] 보고 즐기기 위하여 줄기나 가지를 아름답게 다듬거나 변형시켜 가꾼, 화분에 심은 나무. 또는 그렇게 가꾸는 일.

[條件 조건] 어떤 일을 결정하기에 앞서 내놓는 요구나 견해.
[條理 조리] 글이나 말 등의 앞뒤가 들어맞고 체계가 서는 갈피.
[條目 조목] 낱낱의 조항이나 항목.
[條約 조약] 국가 간 또는 국가와 국제기구 사이의 문서에 의한 합의.
[金科玉條 금과옥조] 금이나 옥처럼 귀중히 여겨 꼭 지켜야 할 규칙.
[信條 신조] 굳게 믿고 있는 생각.

條 가지 조

4급 고등 한자
중 条 (tiáo)
영 branch [bræntʃ]

풀이 1 가지. 2 조리. 3 맥락. 4 조목. 5 법규.
부수 木(나무목)부
찾기 木4+攸7=11획

丿 亻 亻 亻 亻 攸 攸 攸 條 條 條

글자뿌리 형성(形聲) 문자. 나무 목(木〈뜻〉)에 달릴 유(攸〈음〉)를 합친 자로, 攸(유)는 사람의 등에 줄기를 이루어 흐르는 물을 끼얹어 씻음의 뜻. 나무의 줄기를 이루는 부분, '작은 가지'의 뜻을 나타냄.

植 심을 식

7급 중학 한자
중 植 (zhí)
영 plant [plænt]

풀이 1 심다. 2 식물.
부수 木(나무목)부
찾기 木4+直8=12획

一 十 才 木 木 朩 朩 朩 朩 植 植 植

글자뿌리 형성(形聲) 문자. 나무 목(木〈뜻〉)에 곧을 직(直〈음〉)을 합친 자로, 식물을 곧게 세운다는 데서 '심다'의 뜻이 된 자.

⇒ 木直 ⇒ 植

[植木 식목] 나무를 심음. 또는 심은 나무. 동 植樹(식수).

[植物 식물] 나무나 풀 등과 같이 줄기·뿌리·잎 등으로 되어 있는 생물. 반 動物(동물).

[植民地 식민지] 국가로서의 주권을 상실하고 타국의 지배를 받는 나라.

[植樹 식수] 나무를 심음. 동 植木(식목).

[移植 이식] 농작물이나 나무를 다른 데로 옮겨 심음.

極

4급Ⅱ 중학 한자

중 极 (jí)

영 utmost [ʌ́tmòust]

다할/극진할 극

풀이 1 다하다. 2 극진하다. 3 끝. 한계.

부수 木(나무목)부

찾기 木⁴+亟⁹=13획

글자뿌리 형성(形聲) 문자. 나무 목(木〈뜻〉)에 빠를 극(亟〈음〉)을 합친 자로, 그 집에서 가장 높은 곳〔亟〕에 있는 나무〔木〕인 용마루를 뜻했다가, 가장 높다는 데서, '다하다', '극진하다'의 뜻.

⇒ 木亟 ⇒ 極

[極光 극광] 지구의 양 극지방의 공중에 나타나는 아름다운 광선. '오로라'라고도 함.

[極東 극동] 아시아에서 가장 동쪽에 있는 지역. 곧, 한국·중국·일본 등을 포함하는 지역.

[極烈 극렬] 지극히 열렬함.

[極貧 극빈] 몹시 가난함.

[極甚 극심] 매우 심함.

[極盡 극진] 정성을 다함.

[極刑 극형] 더할 수 없이 무거운 형벌이라는 뜻으로, '사형'을 이르는 말.

[北極 북극] 지구의 가장 북쪽에 위치한 아주 추운 곳. 반 南極(남극).

[兩極 양극] ① 남극과 북극. ② 양극(+)과 음극(−).

業

6급 중학 한자

중 业 (yè)

영 business [bíznis]

업 업

풀이 1 업. 일. 직업. 2 선악의 소행.

부수 木(나무목)부

찾기 木⁴+业⁹=13획

글자뿌리 상형(象形) 문자. 북이나 종 따위의 악기를 다는 널을 본뜬 글자로, '종 다는 널'의 뜻. 나아가 글씨를 쓰는 판, 그것으로 배운다는 데서 '일', '업'의 뜻.

[開業 개업] 영업을 시작함.
[農業 농업] 논밭을 갈아 곡식이나 채소 등을 가꾸고 거두는 일.
[事業 사업] 일정한 목적과 계획을 가지고 하는 일.
[產業 산업] 농업·수산업·임업·광업·공업 등 여러 가지 생산 사업을 통틀어 일컬음.
[商業 상업] 상품을 사고팔아 이익을 얻는 영업. 장사.
[自業自得 자업자득] 자기가 저지른 일의 과보를 자기 자신이 받는 일.
[作業 작업] 일터에서 연장이나 기계 등을 가지고 일을 함. 또는 그 일.
[職業 직업] 생활을 꾸려 나가기 위하여 일정한 기간 동안 계속 종사하는 일.
[學業 학업] ① 학교의 공부. ② 공부하여 학문을 닦는 일.

부수 木(나무목)부
찾기 木4+冓10=14획

글자뿌리 형성(形聲) 문자. 나무 목(木〈뜻〉)에 어긋매껴 쌓을 구(冓〈음〉)를 합친 자로, 冓(구)는 '짜 맞추다'의 뜻. 나무를 얽어 '짜 맞추다', '꾸미다', '이루다'의 뜻.

[構內 구내] 큰 건물의 울 안.
[構文 구문] 글의 짜임. 문장의 구성.
[構想 구상] 일을 어떤 계획으로 하겠다는 생각.
[構成 구성] 얽어 만듦. 짜임새.
[構造 구조] 부분을 모아 전체를 이루는 짜임.
[機構 기구] 조직을 이루고 있는 구조적인 체계.
[虛構 허구] 없는 일을 사실처럼 꾸며 만듦.

4급 고등 한자
중 构 (gòu)
영 frame [freim]

얽을 구

풀이 1 얽다. 2 얽어 짜내다. 3 이루다.

4급Ⅱ 중학 한자
중 荣 (róng)
영 glory [glɔ́:ri]

영화 영

풀이 1 영화. 영화롭다. 2 성하다. 3 명예.

부수 木(나무목)부

찾기 木^{4}+𤇾^{10}=14획

글자뿌리 형성(形聲) 문자. 빛날 형(𤇾: 熒의 생략형〈음〉)에 나무 목(木〈뜻〉)을 합친 자로, 나무에 핀 꽃이 불꽃처럼 반짝거려 '영화롭다', '번영하다'의 뜻이 된 자.

[榮光 영광] 빛나는 명예.
[榮華 영화] 몸이 귀하게 되어 이름이 세상에 빛남. ¶ 富貴榮華(부귀영화).
[繁榮 번영] 번성함. 일이 성하게 잘됨.
[虛榮心 허영심] 지나친 겉치레에 들뜬 마음.

6급 중학 한자

중 乐 (❶yuè, ❷lè)

영 ❶enjoy [endʒɔ́i] ❷music [mjú:zik] ❸like [laik]

❶즐길 락
❷노래 악
❸좋아할 요

풀이 ❶ 즐기다. ❷ 노래. 풍류. 음악. ❸ 좋아하다.

부수 木(나무목)부

찾기 木^{4}+[illegible]^{11}=15획

글자뿌리 상형(象形) 문자. 크고 작은 북이 받침 위에 놓여 있는 모양의 악기를 본뜬 글자로, '음악', '노래'의 뜻이 되고 나아가 음악을 들으면 즐거워지므로 '즐겁다'의 뜻이 된 자.

⇒ ⇒ 樂

[樂觀 낙관] ① 일이 잘될 것으로 생각함. ② 인생이나 세상 형편을 희망적인 것으로 봄.
[樂園 낙원] 근심·걱정 없이 안락하게 살 수 있는 즐거운 곳.
[樂天 낙천] 세상이나 인생을 즐겁게 생각하여 이를 즐김. ¶ 樂天主義(낙천주의).
[樂譜 악보] 음악의 곡조를 일정한 문자 또는 기호를 써서 나타낸 것.
[極樂 극락] 지극히 편안하여 아무 걱정이 없는 경우와 처지. 또는 그런 장소.
[食道樂 식도락] 여러 가지의 맛있는 음식을 먹는 것을 즐거움으로 삼는 일.
[安樂死 안락사] 살아날 가망이 없는 병자의 고통을 덜어 주기 위하여 죽음에 이르게 하는 일.
[娛樂 오락] 재미있게 놀아서 기분을 즐겁게 하는 일.

様

4급 고등 한자

중 样 (yàng)

영 style [stail]

모양 양

풀이 1 모양. 2 본보기. 3 무늬.

부수 木(나무목)부

찾기 木⁴+羕¹¹=15획

글자뿌리 형성(形聲) 문자. 나무 목(木〈뜻〉)에 내 길 양(羕〈음〉)을 합친 자로, 橡(상)의 정자(正字)로서, 칠엽수(七葉樹)의 열매의 뜻을 나타냈으나, 가차(假借)하여, '모양', '형상', '상태'의 뜻을 보임.

[樣相 양상] 모양이나 상태.
[樣式 양식] 일정한 모양과 방식.
[樣態 양태] 사물의 존재나 행동의 모습. 상태.
[各樣 각양] 각기 다른 여러 가지 모양.
[多樣 다양] 여러 가지 모양 또는 양식.
[外樣 외양] 겉모양.

4급 고등 한자
중 模 (mó)
영 pattern [pǽtərn]

본뜰 모

풀이 1 본뜨다. 2 본보기. 3 법. 4 무늬.

부수 木(나무목)부

찾기 木⁴+莫¹¹=15획

글자뿌리 형성(形聲) 문자. 나무 목(木〈뜻〉)에 저물 모(莫〈음〉)를 합친 자로, 莫(모)는 찾아 구함의 뜻. 같은 모양의 것을 구하기 위한 목형(木型), 파생(派生)하여 '본보기'의 뜻을 나타냄.

[模倣 모방] 본받음. 본뜸.
[模範 모범] 배워서 본받을 만함.
[模寫 모사] 본떠 그대로 그림.
[模樣 모양] 꼴. 형상.
[模作 모작] 남의 작품을 그대로 본떠 만듦. 또는 그 작품.
[模造 모조] 본떠 만듦.
[模唱 모창] 남의 노래를 흉내 냄.
[規模 규모] 사물의 크기와 범위.

4급 고등 한자
중 标 (biāo)
영 mark [ma:rk]

표할 표

풀이 1 표하다. 2 나타내다. 3 표.

부수 木(나무목)부

찾기 木⁴+票¹¹=15획

글자뿌리 형성(形聲) 문자. 나무 목(木〈뜻〉)에 불똥 표(票〈음〉)를 합친 자로, 票(표)는 나무의 높은 곳을 나타내며, 전하여, 높아서 눈에 띄는 표시를 나타냄.

[標本 표본] 본보기가 될 만한 물건.
[標題 표제] 책의 겉에 쓰는 책 이름.
[標準 표준] 규범이 되는 준칙.
[目標 목표] 이루거나 도달하려는 대상.
[指標 지표] 방향을 가리키는 표지.

5급 중학 한자
중 桥 (qiáo)
영 bridge [bridʒ]

다리 교

풀이 다리. 교량.
부수 木(나무목)부
찾기 木4+喬12=16획

글자뿌리 형성(形聲) 문자. 나무 목(木〈뜻〉)에 높을 교(喬〈음〉)를 합친 자로, 개울 위에 높고 구부러지게 걸쳐 놓은 나무라는 데서 '다리'의 뜻이 된 자.

[橋脚 교각] 다리를 받치고 있는 기둥.
[橋梁 교량] 강·개천·골짜기 또는 바다의 좁은 목 등에 건너다닐 수 있도록 높게 가로질러 걸쳐 놓은 시설. 다리.
[橋流水不流 교류수불류] 자기 입장에 너무 집착하면 사물이 거꾸로 보임을 이름.
[架橋 가교] 다리를 놓음.
[大橋 대교] 큰 다리. ¶ 漢江大橋(한강대교).
[浮橋 부교] 배나 뗏목을 잇대어 매고 그 위에 널빤지를 깔아 만든 다리.
[陸橋 육교] 도로나 철도 위에 가로질러 놓은 다리.
[人道橋 인도교] 사람이나 자동차 따위가 건너다니게 만든 다리.
[鐵橋 철교] ① 쇠로 만든 다리. ② 열차가 다닐 수 있는 다리.

4급 고등 한자
중 机 (jī)
영 loom [lu:m]

틀 기

풀이 1 틀. 2 기계. 3 재치. 4 거짓. 5 기회.
부수 木(나무목)부
찾기 木4+幾12=16획

글자뿌리 형성(形聲) 문자. 나무 목(木〈뜻〉)에 몇 기(幾〈음〉)를 합친 자로, 幾(기)는 '세밀함'의 뜻. 세밀한 장치가 되어 있는 기구(器具)의 뜻을 나타냄.

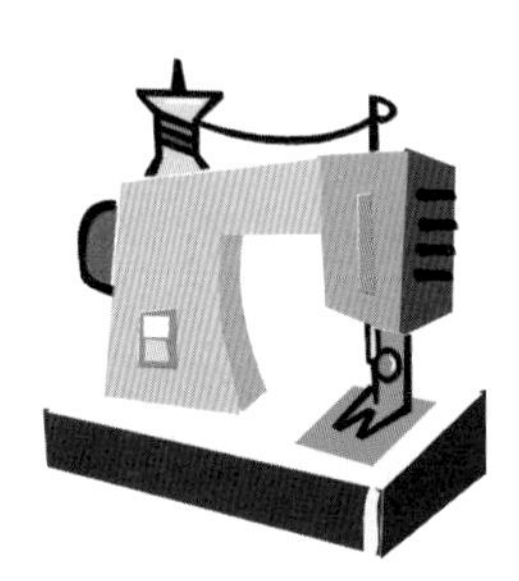

[機械 기계] 동력에 의해 움직여 일정한 작업을 할 수 있게 만들어진 장치.
[機關 기관] 일정한 업무를 수행하는 사회의 각 기구나 조직체.
[機內 기내] 항공기의 안.
[機能 기능] 어느 기관이 그 기관으로서 하는 구실이나 작용.
[機會 기회] 어떤 일을 하기에 알맞은 때나 경우.
[待機 대기] 기회를 기다림.
[動機 동기] 의사 결정이나 어떤 행위의 직접적인 원인.
[時機 시기] 알맞은 때.

6급 중학 한자
중 树 (shù)
영 tree [tri:]

나무 수

풀이 1 나무. 초목. 2 심다. 3 세우다.
부수 木(나무목)부
찾기 木4+尌12=16획

글자뿌리 형성(形聲) 문자. 나무 목(木〈뜻〉)에 세울 주(尌〈음〉)를 합친 자로, 나무를 심을 때는 반드시 세워서 심어야 한다는 데서 '나무', '심다'의 뜻.

⇒ ⇒ 樹

[樹立 수립] 국가·정부·제도·계획 등을 이룩하여 세움.
[樹木 수목] 나무.
[植樹 식수] 나무를 심음. ¶ 紀念植樹(기념 식수).
[針葉樹 침엽수] 잎이 가늘고 긴 나무들을 통틀어 이르는 말.

4급Ⅱ 고등 한자
중 检 (jiǎn)
영 examine [igzǽmin]

검사할 검:

풀이 1 검사하다. 2 조사하다.
부수 木(나무목)부
찾기 木4+僉13=17획

글자뿌리 형성(形聲) 문자. 나무 목(木〈뜻〉)에 여러 첨(僉〈음〉)을 합친 자로, 僉(첨)은 여럿이 한결같은 소리를 하다의 뜻. 증언(證言)이 서로 앞뒤가 맞을 때까지 문초하기 위해 사용된 수갑(手匣)의 뜻을 나타냄. '금제하다', '조사하다', '조사한 후에 서명하다'의 뜻 따위를 나타냄.

[檢擧 검거] 범죄의 피의자를 잡음.
[檢問 검문] 검사하고 물음.
[檢査 검사] 실제의 상황을 잘 살피고 조사하여 알아냄.
[檢算 검산] 계산이 맞는지를 검사함. 또는 그러기 위해 따로 하는 계산.
[檢定 검정] 검사하여 인정함.
[檢察 검찰] 검사하여 살핌.
[檢出 검출] 검사하여 찾아냄.

4급Ⅱ 고등 한자
중 檀 (tán)
영 sandalwood [sǽndlwùd]

박달나무 단

풀이 1 박달나무. 2 단향목.
부수 木(나무목)부
찾기 木^{4}+亶^{13}=17획

一 十 才 木 朩 朩 析 枋
柿 柿 椢 檀 檀 檀 檀 檀

글자뿌리 형성(形聲) 문자. 나무 목(木〈뜻〉)에 클 단(亶〈음〉)을 합친 자.

[檀君 단군] 우리 겨레의 시조로 받드는 임금. 이름은 왕검(王儉).
[檀木 단목] 박달나무.

權

4급Ⅱ 중학 한자
중 权 (quán)
영 power [páuər]

권세 권

풀이 1 권세. 권력. 2 권도. 방편. 3 저울질하다.
부수 木(나무목)부
찾기 木^{4}+雚^{18}=22획

十 木 木 木 木 木 木 木
權 權 權 權 權 權 權 權

글자뿌리 형성(形聲) 문자. 나무 목(木〈뜻〉)에 황새 관(雚〈음〉)을 합친 자로, 황새가 서로 울음을 주고받는 것과 같이 저울질한다는 뜻인데, 저울로 무게를 단다는 데서 '재다', 나아가 사람의 '권세'를 뜻하게 된 자.

⇒ 木雚 ⇒ 權

[權能 권능] ① 권력과 능력. ② 권리를 주장하고 행사할 수 있는 능력.
[權利 권리] ① 자기의 이익을 주장하고 누릴 수 있는 힘. ② 권세와 이익.
[權勢 권세] 세력과 위세. 남을 복종시키는 힘.
[權威主義 권위주의] 권위에 대하여 무조건 복종하거나, 권위를 이용하여 다

른 사람들을 마음대로 억누르려고 하는 생각이나 행동.

[公權力 공권력] 국가나 공공 단체가 국민에 대하여 명령하고 강제하는 권력. 또는 그 권력을 행사하는 국가.

[國權 국권] ① 국가의 주권. ② 국가의 통치권.

[永住權 영주권] 일정한 자격을 갖춘 외국인에게 그 나라에서 영원히 살 수 있도록 주는 권리.

[人權 인권] 인간으로서 당연히 가지는 기본적인 권리.

[著作權 저작권] 저작물의 저작자가 그 저작물의 복제나 번역·방송·상연 등을 독점하는 권리.

[政權 정권] 정치를 행할 수 있는 권력.

[主權 주권] ① 국가를 이루는 가장 중요하고 중심이 되는 권력. ② 가장 중요한 권리.

4급Ⅱ 중학 한자

㊥ 次 (cì)

㊎ next [nekst]

버금 차

풀이 1 버금. 다음. 2 차례. 3 번. ※ 횟수를 세는 단위.

부수 欠(하품흠)부

찾기 欠[4]+二[2]=6획

丶 冫 冫 冫 次 次

글자뿌리 형성(形聲) 문자. 두 이(二〈음〉)에 하품 흠(欠〈뜻〉)을 합친 자로, 사람이 여행 도중에 하품이 나서 쉬는 곳이라는 데서 나아가 '다음'의 뜻.

⇒ ⇒ 次

[次期 차기] 다음 시기나 기회.

[次男 차남] 둘째 아들.

[次例 차례] 일정하게 하나씩 하나씩 일을 벌여 나가는 순서.

[次世代 차세대] 지금 세대가 지난 다음 세대.

[次點 차점] 최고 점수 다음가는 점수.

[四次元 사차원] 상대성 이론에서 쓰이는 개념으로, 공간과 시간을 합쳐서 생각한 세계.

[席次 석차] ① 성적의 차례. ② 자리의 차례. 석순.

[將次 장차] 앞으로. 미래에.

[再次 재차] 두 번째. 또다시.

3급Ⅱ 중학 한자

㊥ 欲 (yù)

㊎ desire [dizáiər]

하고자할 욕

풀이 1 하고자 하다. 바라다. 2 탐내다.

부수 欠(하품흠)부

찾기 欠[4]+谷[7]=11획

丿 八 ⺈ 父 谷 谷 谷 谷 谷 欲 欲

글자뿌리 형성(形聲) 문자. 하품 흠(欠〈뜻〉)에 골 곡(谷〈음〉)을 합친 자로, 谷(곡)은 容(용)과 통하여 넣다, 담다의 뜻. 무엇을 입에 넣으려 한다는 데서 '하고자 하다', '바라다'의 뜻.

⇒ ⇒ 欲

[欲求 욕구] 무엇을 얻거나 무슨 일을 하고자 바라고 원하는 것. ¶ 欲求不滿(욕구 불만).

[欲望 욕망] ① 바라고 원함. ② 부족을 느껴 이를 채우고자 하는 마음.

[欲心 욕심] 자기만을 이롭게 하려는 마음. 탐내는 마음.

[意欲 의욕] 무엇을 하고자 하는 적극적인 마음이나 욕망.

7급 중학 한자

중 歌 (gē)

영 song [sɔ(:)ŋ]

노래 가

풀이 노래. 노래하다.

부수 欠(하품흠)부

찾기 欠[4]+哥[10]=14획

글자뿌리 형성(形聲) 문자. 노래할 가(哥〈음〉)에 하품 흠(欠〈뜻〉)을 합친 자로, 하품하듯이 입을 벌리고 노래를 부른다는 데서 '노래', '노래하다'의 뜻.

⇒ ⇒ 歌

[歌曲 가곡] ① 노래. ② 독창곡·중창곡·합창곡 등의 성악곡.

[歌舞 가무] ① 노래와 춤. ② 노래하고 춤을 춤.

[歌謠 가요] 가락을 붙여 부르는 노래. 민요·동요·유행가 등을 통틀어 이르는 말.

[高聲放歌 고성방가] 거리에서 큰 소리를 지르거나 노래를 부름.

[校歌 교가] 그 학교의 기풍을 높이기 위해서 특별히 만들어 학생들에게 부르도록 하는 노래.

[國歌 국가] 나라를 상징하며 대표하는 노래. ¶ 愛國歌(애국가).

[流行歌 유행가] 어느 한 시기에 널리 불리는 노래.

[祝歌 축가] 축하하는 뜻으로 부르는 노래.

4급 고등 한자

중 叹 (tàn)

영 lament [ləmént]

탄식할 탄:

풀이 1 탄식하다. 2 한숨. 3 탄식.

부수 欠(하품흠)부

찾기 欠[4]+𦰩[11]=15획

一 十 廾 廿 廿 苩 苩 苩
菓 菓 菓 菓 歎 歎 歎

글자뿌리 형성(形聲) 문자. 하품 흠(欠〈뜻〉)에 어려울 난(𦰩: 難의 생략형〈음〉)을 합친 자로, 곤란한 일을 당하여 '한숨을 쉬다', '탄식하다' 또는 '감탄하다'의 뜻을 나타냄.

[歎服 탄복] 감탄하여 마음으로 따름.
[歎息 탄식] 한숨 쉬며 한탄함.
[感歎 감탄] 마음속 깊이 느껴 탄복함.

4급 중학 한자
중 欢 (huān)
영 rejoice [ridʒɔ́is]

기쁠 환

풀이 기뻐하다. 즐기다.
부수 欠(하품흠)부
찾기 欠⁴+雚¹⁸=22획

丶 十 卄 廾 艹 芢 芢 芢
芢 芢 䓝 䓝 䓝 䕩 萑 雚
雚 雚 歡 歡 歡

글자뿌리 형성(形聲) 문자. 황새 관(雚〈음〉)에 하품 흠(欠〈음〉)을 합친 자로, 어미 황새가 먹이를 물어 오면 새끼들이 소리를 내며 입을 벌려〔欠〕 기뻐한다는 데서 '기뻐하다'의 뜻.

⇒ ⇒ 歡

[歡談 환담] 즐거운 마음으로 정답게 이야기함. 또는 그러한 이야기.
[歡待 환대] 반겨서 기쁘게 맞아 정성껏 대접함.
[歡聲 환성] 기뻐서 부르짖는 소리.
[歡送 환송] 떠나는 사람을 기쁜 마음으로 보냄. 반 歡迎(환영).
[歡心 환심] 기뻐하고 즐거워하는 마음.
[歡迎 환영] 오는 사람을 기쁜 마음으로 맞이함.
[歡呼 환호] 몹시 기뻐서 소리를 지름.

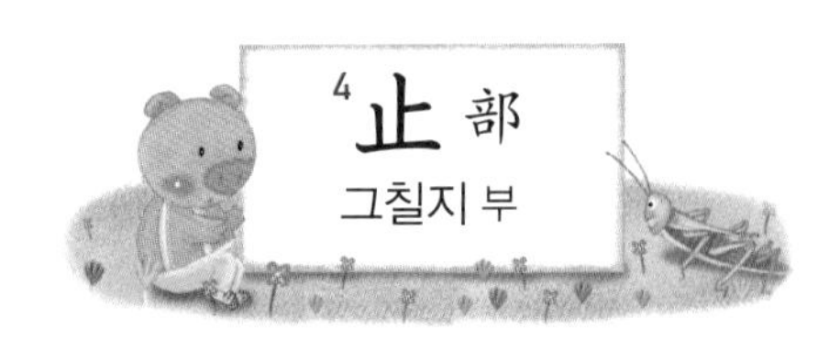

5급 중학 한자
중 止 (zhǐ)
영 stop [stɑp]

그칠 지

풀이 1 그치다. 멎다. 2 막다. 금지하다. 3 머무르다. 4 발.
부수 止(그칠지)부
찾기 止⁴=4획

丨 ⺊ 𠃊 止

글자뿌리 상형(象形) 문자. 발목 전체의

모양을 본뜬 글자로, 움직이지 않고 가만히 있으므로 '그치다', '머무르다'의 뜻.

[止血 지혈] 피가 나오다 그침. 또는 나오는 피를 그치게 함.
[禁止 금지] 하지 못하게 함.
[防止 방지] 어떤 일이 일어나지 못하도록 막음.
[停止 정지] 중도에서 멎거나 그침. 반 進行(진행).

7급 중학 한자
중 正 (zhèng)
영 right [rait]

바를 정(:)

풀이 **1 바르다. 바로잡다. 2 본. 주가 되는 것. 3 정월.**
부수 止(그칠지)부
찾기 止4+一1=5획

一 丅 下 下 正

글자뿌리 회의(會意) 문자. 한 일(一)에 발 지(止)를 합친 자로, 해·달·별 등 하늘〔一〕의 움직임〔止〕이 정확하고 틀림이 없다는 데서 '바르다'의 뜻.

[正刻 정각] 조금도 틀림없는 바로 그 시각.
[正規 정규] 정식 규정. 정당한 법규.
[正氣 정기] ① 생명의 근원이 되는 기운. ② 정신과 기력.
[正當 정당] 바르고 옳음. 이치에 맞음.
[正大 정대] 바르고 당당함. 정정당당(正正堂堂)함.
[正月 정월] 1년 중의 첫째 달. 1월.
[正義 정의] ① 올바른 도리. ¶ 正義感(정의감). ② 바른 뜻.
[正常 정상] 특별한 변동이나 탈이 없이 제대로인 상태.
[正色 정색] 얼굴빛을 엄격하고 바르게 가짐.
[正午 정오] 낮 열두 시.
[正正堂堂 정정당당] 바르고 떳떳함.
[正直 정직] 거짓이나 꾸밈이 없이 마음이 바르고 곧음.
[正統 정통] ① 바른 계통. ② 사물의 요긴한 부분.
[正確 정확] 바르고 확실함.
[公明正大 공명정대] 마음이 바르고 떳떳하며, 조금도 사사로움이 없이 바름.
[公正 공정] 치우침이 없이 올바르고 공평함.
[校正 교정] 글자가 잘못된 것을 대조하

여 바르게 잡음.
[修正 수정] 잘못된 것을 바르게 잡음.
[子正 자정] 밤 열두 시.
[訂正 정정] 글이나 글자 따위의 잘못된 것을 바로잡아 고침.
[眞正 진정] 참되고 바름. 거짓이 없음.

3급Ⅱ 중학 한자
중 此 (cǐ)
영 this [ðis]

이 차

풀이 이. 이에.
부수 止(그칠지)부
찾기 止4+匕2=6획

丨 ㅏ ⺊ 止 止' 此

글자뿌리 회의(會意) 문자. 발 지(止)에 따를 비(匕: 比의 생략형)를 합친 자로, 발자국을 밟고 있는 자리라는 데서 가장 가까운 '이', '이곳'의 뜻.

[此日彼日 차일피일] 이 날 저 날 하고 자꾸 기한을 미룸.
[此後 차후] 이 다음. 이 뒤.
[於此彼 어차피] 이렇게 하든지 저렇게 하든지.
[如此 여차] 이와 같음.

4급Ⅱ 중학 한자
중 步 (bù)
영 walk [wɔːk]

걸음 보:

풀이 1 걸음. 걷다. 2 여섯 자. ※ 땅의 넓이의 한 단위.
부수 止(그칠지)부
찾기 止4+少3=7획

丨 ㅏ ⺊ 止 牛 岁 步

글자뿌리 상형(象形) 문자. 양쪽 다리의 모양을 본뜬 글자. 한 걸음 한 걸음 걸어간다는 데서 '걷다'의 뜻이 된 자.

⇒ ⇒ 步

[步道 보도] 사람이 걸어 다니는 길.
[步調 보조] ① 걸음걸이의 속도. ② 여러 사람이 함께 일을 할 때의 진행 속도나 조화.
[步行 보행] 자동차·기차 등의 탈것을 타지 않고 걸어서 감.
[競步 경보] 어느 한쪽 발이 반드시 땅에 닿은 상태로 하여 일정한 거리를 걸어서 빠르기를 겨루는 육상 경기의 한 가지.
[五十步百步 오십보백보] 싸움에서 오십 보 달아난 사람이 백 보 달아난 사람을 비웃는다는 뜻으로, 차이가 심하지 않고 대체로 비슷함을 이르는 말.
[進步 진보] 점점 잘되어 나감. 차차 발달함. 반 退步(퇴보).
[初步 초보] 학문·기술 등을 익힐 때 가장 낮고 쉬운 단계나 수준. ¶ 初步運轉(초보 운전).

4급Ⅱ 중학 한자

중 武 (wǔ)

영 military [míliteri]

호반 무:

풀이 1 호반. 군사. 전쟁. 2 굳세다. 3 발자취.

부수 止(그칠지)부

찾기 止4+弋4=8획

一 二 亍 亍 正 正 武 武

글자뿌리 회의(會意) 문자. 창 과(弋: 戈의 변형자)에 막을 지(止)를 합친 자로, 적이 싸울 의욕을 버리도록 하는 군대의 힘을 뜻하며, 나아가 '전쟁의 기술', '강한 힘'의 뜻.

⇒ ⇒ 武

[武功 무공] 전쟁터에서 싸운 공적.

[武官 무관] ① 옛날 과거 시험의 하나인 무과 출신의 벼슬아치. ② 군대의 일을 맡아보는 관리.

[武器 무기] 전쟁에 쓰는 기구. 동 兵器(병기).

[武道 무도] ① 무술을 하는 사람이 마땅히 지켜야 할 도리. ② '무예'·'무술'을 통틀어 이르는 말.

[武力 무력] 군사상의 힘.

[武藝 무예] 활·말·창·칼 등의 무술에 관한 재주. 동 武術(무술).

[武勇 무용] ① 싸움에서의 용맹스러움. ② 무예와 용맹. ¶ 武勇談(무용담).

[武人 무인] 무예를 배워 실력을 갖춘 사람.

[文武 문무] 학문과 무예. 곧, 글을 읽는 일과 말 타고 활 쏘는 일을 통틀어 이르는 말.

고사성어

武陵桃源 (무릉도원)

무릉의 복숭아 꽃잎이 떠 내려온 근원이란 뜻으로, 이 세상과 따로 떨어진 별천지, 즉 이상향(理想鄕)을 이르는 말.

고사 중국 진(晉)나라의 무릉에 한 어부가 살고 있었는데, 어느 날 고기를 잡으려는 욕심에 강을 따라 자꾸 올라가게 되었다. 가다 보니 다른 나무는 하나도 없고, 복숭아나무만이 향기를 풍기고 있는 숲에 이르게 되었다. 그곳엔 작은 굴이 있었고 들어가자 일하는 사람들이 보였다. 그들은 조상이 진(秦)나라 때에 난리를 피해 이곳에 들어온 후 한 번도 세상 밖에 나가 보지 못하였다며 세상이 달라진 것을 전혀 모르고 있었다. 그곳에서 며칠 쉬다가 돌아온 어부가 나중에 다시 그곳을 찾아 나섰으나, 그가 돌아올 때 군데군데 해 두었던 표지는 보이지 않았고, 동굴 또한 찾지 못했다고 한다.

5급 중학 한자

㊥ 岁 (suì)

㊎ year [jiər]

해 세:

풀이 1 해. 2 나이. 3 세월.

부수 止(그칠지)부

찾기 止4+戚9=13획

글자뿌리 형성(形聲) 문자. 걸음 보(步〈뜻〉)와 도끼 월(戉〈음〉)을 합친 자로, 戉(월)은 수확 때마다 희생을 죽여 제사 지내는 뜻을 나타냈는데, 돌아다닌다는 뜻의 步(보)를 더해 순환하는 한 해를 나타냄.

[歲拜 세배] 새해에 웃어른께 인사로 하는 절.

[歲月 세월] 흘러가는 시간.

[歲入 세입] 1년 또는 한 회계 연도 안의 총수입.

[萬歲 만세] ① 많은 세월. ② 축하할 때나 영원한 번영을 빌며 외치는 말.

[年歲 연세] '나이'의 높임말.

5급 중학 한자

㊥ 历 (lì)

㊎ pass [pæs]

지날 력

풀이 1 지나다. 겪다. 2 두루. 3 책력. 4 분명하다.

부수 止(그칠지)부

찾기 止4+厤12=16획

글자뿌리 형성(形聲) 문자. 책력 력(厤: 厝

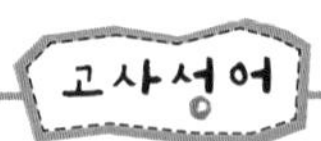

歲月不待人 (세월부대인)

세월은 사람을 기다리지 않는다는 뜻으로, 세월의 중요함을 깨닫고 아끼라는 말.

고사 이 구절은 중국 진(晉)나라 때의 유명한 시인 도연명(陶淵明)의 권학시(勸學詩:학문을 권하는 시)에 나오는 말이다. 즉,

盛年不重來 한창 나이는 거듭 오지 않으며,
一日難再晨 하루는 두 번 새기 어렵다.
及時當勉勵 때에 미쳐 힘을 써야 하느니,
歲月不待人 세월은 사람을 기다리지 않는다.

의 생략형〈음〉)에다 그칠 지(止=之: 걷는다는 뜻〈뜻〉)를 합친 자로, 책력과 같이 순서대로 두루 '지나다'의 뜻.

[歷代 역대] 이어 내려온 여러 대.
[歷歷 역력] 분명함. 또렷함.
[歷史 역사] ① 인간이 살아온 사회의 발자취. 또는 그것을 기록한 것. ② 어떤 사물이나 사실이 오늘날에 이르기까지 변화된 자취.
[歷任 역임] 두루 여러 관직을 거침.
[經歷 경력] ① 여러 가지 겪어 온 일들. ② 온갖 일을 겪어 지내 옴.
[來歷 내력] 겪어 온 자취.
[履歷書 이력서] 지금까지의 학업·직업 등의 경력을 적은 종이.
[前歷 전력] 현재에 이르기까지의 행적.
[學歷 학력] 학교를 다닌 경력.

4급 중학 한자
중 归 (guī)
영 return [ritə́:rn]

돌아갈 귀:

풀이 1 돌아가다. 돌아오다. 2 붙좇다. 3 시집가다.
부수 止(그칠지) 부
찾기 止4+⾂14=18획

글자뿌리 회의(會意) 문자. 쫓을 추(追)의 변형인 '⾂'에 비 추(帚: 婦(며느리 부)의 생략형)를 합친 자로, 고대에 처가에서 일정 기간 노동을 한 후 신부를 데리고 집으로 돌아간 데서 '돌아가다'의 뜻이 된 자.

[歸家 귀가] 집으로 돌아감.
[歸結 귀결] 끝을 맺음. 생각이나 의견의 결론을 맺음.
[歸京 귀경] 서울로 돌아옴.
[歸國 귀국] 외국에서 본국으로 돌아옴.
[歸路 귀로] 돌아가거나 돌아오는 길.
[歸省客 귀성객] 다른 고장에 있다가 부모를 뵈러 고향으로 돌아가는 사람들.
[歸順 귀순] 반항하려는 마음을 버리고 순순히 돌아서 따라오거나 복종함.
[歸鄕 귀향] 객지에서 고향으로 돌아감. 또는 돌아옴.
[歸化 귀화] 다른 나라의 국적을 얻어 그 나라의 국민이 됨.

6급 중학 한자

중 死 (sǐ)

영 die [dai]

죽을 사:

풀이 1 죽다. 죽이다. 죽음. 2 생기가 없다. 3 목숨을 걸다.

부수 歹(죽을사)부

찾기 歹⁴+匕²=6획

글자뿌리 회의(會意) 문자. 앙상한 뼈 알(歹)에 사람 인(人)을 합친 자로, 사람의 목숨이 다하여 앙상한 뼈로 변한다는 데서 '죽다'의 뜻이 된 자.

⇒ ⇒ 死

[死力 사력] 죽기를 무릅쓰고 쓰는 힘.

[死守 사수] 목숨을 걸고 지킴. 죽음으로써 지킴.

[死體 사체] 사람이나 동물 따위의 죽은 몸뚱이.

[死刑 사형] 죄를 지은 사람의 목숨을 끊는 가장 무거운 형벌.

[死活 사활] 삶과 죽음.

[九死一生 구사일생] 여러 차례 죽을 고비를 겪고 겨우 살아남.

[不死身 불사신] ① 어떤 고통이라도 견디어 내는 강한 신체. ② 어떤 어려움이나 실패에도 꺾이지 않고 이겨 내는 사람의 비유.

[戰死 전사] 전쟁터에서 싸우다가 죽음.

4급 고등 한자

중 残 (cán)

영 remain [riméin]

남을 잔

풀이 1 남다. 2 잔인하다. 3 멸하다.

부수 歹(죽을사)부

찾기 歹⁴+戔⁸=12획

글자뿌리 형성(形聲) 문자. 앙상한 뼈 알(歹〈뜻〉)에 해칠 잔(戔〈음〉)을 합친 자로, 戔(잔)은 토막토막 자르다의 뜻. '손상하다'의 뜻을 나타냄. 전하여, 남은 찌꺼기의 뜻도 나타냄.

[殘金 잔금] 쓰고 남은 돈.

[殘留 잔류] 남아서 처져 있음.

[殘雪 잔설] 녹다가 남은 눈.

[殘惡 잔악] 잔인하고 악독함.

[殘額 잔액] 나머지 돈의 액수.

[殘在 잔재] 남아 있음.

[同族相殘 동족상잔] 동족끼리 서로 싸우고 죽임.

4급 고등 한자

중 段 (duàn)

영 stair [stɛər]

층계 단

풀이 1 층계. 2 구분. 3 가지. 종류.

부수 殳(갖은등글월문)부

찾기 殳⁴+𠃊⁵=9획

글자뿌리 회의(會意) 문자. 殳(수)는 인공(人工)을 가함의 뜻. 𠃊(단)은 암석이나 벼랑에 구획을 지어 점차 높이 오를 수 있게 한 모양을 본뜸. 벼랑 따위에 손을 대어 오르내리기 편하게 한 '층층대', '구분'의 뜻을 나타냄.

[段階 단계] 일이 나아가는 과정.

[段落 단락] ① 결말. ② 글에서 내용상 일단 끊어지는 구획.

[階段 계단] 층층대.

[手段 수단] ① 일을 처리해 나가는 솜씨와 꾀. ② 목적을 이루기 위한 방법.

殺

4급Ⅱ 중학 한자

중 杀 (shā)

영 ❶kill [kil]
❷lessen [lésn]

❶죽일 살
❷감할 쇄ː

풀이 ❶ 1 죽이다. 2 없애다. ❷ 감하다. 덜다.

부수 殳(갖은등글월문)부

찾기 殳⁴+杀⁷=11획

고사성어

殺身成仁 (살신성인)

자신을 희생하여 인(仁)을 이룬다는 뜻으로, 옳은 일을 위해서라면 죽음도 두려워하지 않는 용감한 행동을 이르는 말.

고사 공자(孔子)는 인을 강조하면서 어떤 것이 인인가를 아는 것만으로는 무의미하고, 자신의 정신과 인(仁)을 하나로 통일하여 행동으로 실천하는 것이 중요하다고 가르쳤는데, "뜻이 높은 사람이나 어진 사람은 인(仁)을 어기면서 자기 삶을 구하지 않으며, 자기 몸을 희생하여 인을 이룬다."라고 강조하였다.

丿 乂 乂 杀 杀 杀 杀 殺 殺 殺 殺

글자뿌리 형성(形聲) 문자. 몽둥이 수(殳〈뜻〉)와 죽일 살(杀〈음〉)을 합친 자로, 몽둥이로 쳐서 희생물을 죽게 한다는 데서 '죽이다'의 뜻이 된 자.

⇒ ⇒ 殺

[殺氣 살기] 살인이라도 할 것 같은 무서운 분위기.
[殺伐 살벌] 분위기나 사람의 행동이 거칠고 무시무시함.
[殺身成仁 살신성인] 옳은 일을 위해 자기 몸을 희생함.
[殺人 살인] 사람을 죽임.
[殺害 살해] 남의 생명을 해침. 사람을 죽임.
[暗殺 암살] 아무도 모르게 사람을 죽임. 동 盜殺(도살).
[自殺 자살] 스스로 자기 생명을 끊음. 반 他殺(타살).
[殺到 쇄도] 한꺼번에 세차게 몰려듦.

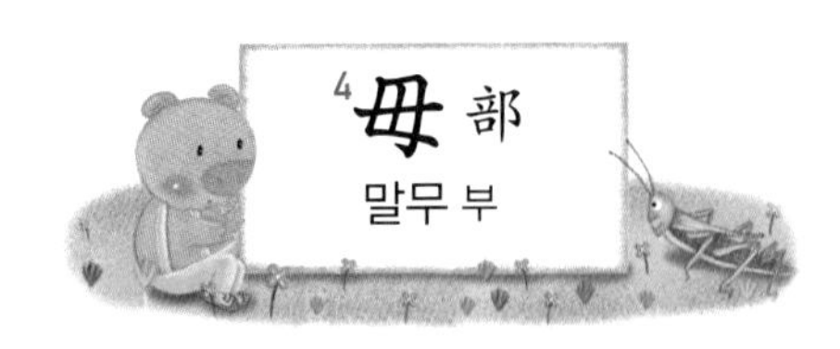

4 毋部 말무 부

母

8급 중학 한자
중 母 (mǔ)
영 mother [mʌ́ðər]

어미 모:

풀이 1 어머니. 어미. 2 모체. 근본.
부수 毋(말무)부
찾기 毋4+丶1=5획

𠃊 𠃋 母 母 母

글자뿌리 상형(象形) 문자. 여자가 두 팔로 아이를 안고서, 아이에게 젖을 먹이는 모양을 본뜬 글자로, '어머니'의 뜻이 된 자.

⇒ ⇒ 母

고사성어

孟母三遷之敎 (맹모삼천지교)

맹자의 어머니가 맹자를 제대로 교육하기 위하여 세 번이나 이사를 한 가르침이라는 말로, 교육에는 주위 환경이 중요하다는 뜻.

고사 맹자의 어머니는 처음에 공동묘지 근처에 살았는데, 맹자가 장사 지내는 흉내만 내는 것을 보고 이곳은 아이와 함께 살 곳이 못 된다 생각하여 시장 근처로 이사를 갔다. 그러자 이번에는 장사꾼들의 흉내를 내는 것이었다. 맹자의 어머니는 이곳도 아이와 함께 살 만한 곳이 아니라고 여겨 다시 서당 근처로 이사하였다. 그러자 이번에는 맹자가 절하는 법 등의 예의범절과 글 읽는 법 등을 흉내 내며 노는 것이었다. 그것을 본 맹자의 어머니는 이곳이야말로 아이와 함께 살 만한 곳이라 여기고 그곳에 머물러 살았다고 한다.

[母校 모교] 자기가 졸업한 학교. 자기의 출신 학교.
[母國 모국] 외국에 가 있을 때 자기 나라를 이르는 말.
[母女 모녀] 어머니와 딸.
[母性 모성] 여성이 어머니로서 가지는 근본적인 성질.
[母乳 모유] 어머니의 젖.
[母親 모친] 어머니. 반 父親(부친).
[老母 노모] 늙은 어머니.
[分母 분모] 분수에서 가로줄의 아래쪽에 있는 수.
[叔母 숙모] 작은어머니.

7급 중학 한자
중 每 (měi)
영 every [évriː]

매양 매(ː)

풀이 매양. 항상. 늘. 마다.
부수 毋(말무)부
찾기 毋4+𠂉3=7획

ノ 𠂉 𠃋 㑄 㑄 㑄 每

글자뿌리 형성(形聲) 문자. 싹 나올 철(𠂉: 艸의 변형〈뜻〉)에 어머니 모(母: 풍부하다는 뜻〈음〉)를 합친 자로, 풀의 싹이 잇달아 나온다는 데서 '매양'의 뜻.

[每年 매년] 해마다.
[每番 매번] 번번이. 매회.
[每事 매사] 일마다. 모든 일.
[每月 매월] 다달이. 달마다.
[每日 매일] 날마다. 하루하루.

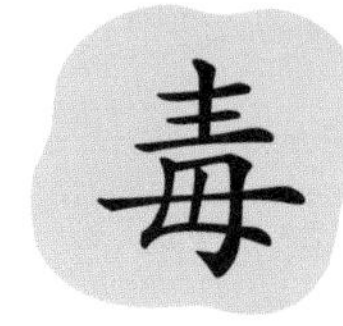

4급Ⅱ 고등 한자
중 毒 (dú)
영 poison [pɔ́izən]

독 독

풀이 1 독. 2 해치다.
부수 毋(말무)부
찾기 毋4+主4=8획

一 二 キ 丰 𡘋 𡘋 毒 毒

글자뿌리 회의(會意) 문자. 풀 철(屮)에 음란한 사람 애(毐)를 합친 자로, 屮(철)은 '풀', 毐(애)는 사람이 행실이 좋지 않다에서 사람을 해치는 풀의 뜻.

[毒感 독감] ① 지독한 감기. ② 유행성 감기.
[毒殺 독살] 독약을 먹여 죽임.
[毒舌 독설] 사납고 날카롭게 혀를 놀려 남을 해치는 말.

[毒藥 독약] 독성을 가진 약제.
[防毒面 방독면] 독가스·세균 따위에 의한 피해를 막기 위하여 얼굴에 덮어 쓰는 마스크.
[消毒 소독] 전염될 병균을 죽이는 일.
[惡毒 악독] 마음이 악하고 독살스러움.
[旅毒 여독] 먼 길에 지치고 시달리어 생긴 피로나 병.
[中毒 중독] 독성이 있는 물질을 접촉하여 기능 장애나 병적 증상을 나타내는 일.

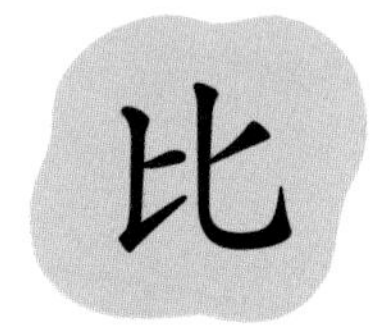

5급 중학 한자
중 比 (bǐ)
영 compare [kəmpέər]

견줄 비:

풀이 1 견주다. 비교하다. 2 나란하다. 나란히 하다.
부수 比(견줄비)부
찾기 比⁴=4획

ㅡ ㅌ ㅌ' 比

글자뿌리 회의(會意) 문자. 두 개의 비수 비(匕)를 합친 자로, 匕(비)는 오른쪽을 향한 사람 모양. 두 사람이 나란히 서 있는 모양을 본뜬 글자로 '견주다'의 뜻.

⇒ ⇒ 比

[比肩 비견] ① 어깨를 나란히 함. 나란히 섬. ② 서로 비슷함.
[比較 비교] 서로 견주어 봄.
[比例 비례] 어떤 수나 양이 변하는 만큼 다른 수나 양도 변하는 일.
[比率 비율] 어떤 수나 양에 대한 다른 수나 양의 비(比).

4급Ⅱ 중학 한자
중 毛 (máo)
영 hair [hεər]

터럭 모

풀이 1 털. 터럭. 2 가늘다. 작다. 가볍다. 3 풀.
부수 毛(터럭모)부
찾기 毛⁴=4획

ㅡ 二 三 毛

글자뿌리 상형(象形) 문자. 사람의 머리털, 혹은 짐승의 털 모양을 본뜬 글자.

⇒ ⇒ 毛

[毛根 모근] 살갗 안에 박힌 털의 뿌리 부분.

[毛髮 모발] 사람의 머리털.

[毛皮 모피] 털이 그대로 붙어 있는 짐승의 가죽. 털가죽.

[不毛地 불모지] 식물이 자라지 않는 거칠고 메마른 땅.

[二毛作 이모작] 한 해에 같은 땅에서 두 차례 곡식을 거두어들이는 것.

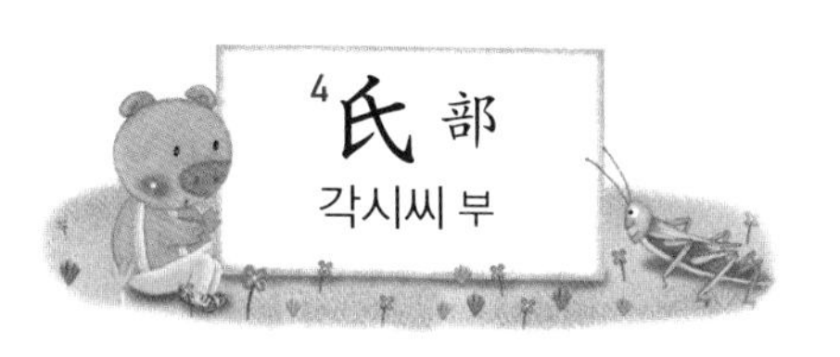

4급 중학 한자

중 氏 (shì)

영 family name

각시/성씨 씨

풀이 1 각시. 2 성씨.

부수 氏(각시씨)부

찾기 氏4=4획

글자뿌리 상형(象形) 문자. 허물어져 가는 벼랑, 또는 땅속의 나무뿌리가 지상으로 조금 나온 모양을 본뜬 글자로, 사람의 씨족이 나무뿌리처럼 뻗는다는 데서 '성씨(姓氏)'를 뜻함.

[氏族 씨족] 같은 조상을 가진 혈족.

[氏族社會 씨족사회] 씨족 제도를 바탕으로 성립된 원시 사회.

[無名氏 무명씨] 이름을 알지 못하는 사람을 높여 이르는 말.

8급 중학 한자

중 民 (mín)

영 people [pí:pl]

백성 민

풀이 백성.

부수 氏(각시씨)부

찾기 氏4+ㄱ1=5획

글자뿌리 지사(指事) 문자. 어머니를 뜻하는 '氏'에 사람을 뜻하는 '一'을 합쳐 여인이 낳은 모든 사람을 가리키는 글자로, '백성'을 뜻함.

[民間 민간] 보통 사람들의 사회.
[民權 민권] 국민의 권리.
[民生 민생] 국민의 생활.
[民俗 민속] 민간의 풍습이나 습관.
[住民 주민] 그 땅에 사는 사람.

기운 기

7급 중학 한자
중 气 (qì)
영 vigor [vígər]

풀이 1 기운. 힘. 2 숨. 3 기체. 4 기후.
부수 气(기운기)부
찾기 气⁴+米⁶=10획

글자뿌리 형성(形聲) 문자. 기운 기(气〈음〉)에 쌀 미(米〈뜻〉)를 합친 자로, 쌀로 밥을 지을 때 증기〔气〕가 올라가는 데서 '기체', '기운'을 뜻함.

⇒ ⇒ 氣

[氣力 기력] 활동을 해 나갈 수 있는 정신과 육체의 힘.
[氣象 기상] 대기 중에서 일어나는 비·눈·구름·기온 등의 여러 가지 현상.
[氣體 기체] 공기나 가스 등과 같이 일정한 모양과 부피가 없는 물질.
[氣合 기합] ① 정신과 힘을 신체에 나타내어 어떤 일을 하는 기세. 또는 그 때 지르는 소리. ② 군대나 단체 등에서 훈련 삼아 주는 벌.
[氣候 기후] 비가 오고, 맑고, 흐리고, 춥고, 덥고 하는 등의 모든 현상. 날씨.

물 수

8급 중학 한자
중 水 (shuǐ)
영 water [wɔ́ːtər]

풀이 1 물. 물을 긷다. 2 수성(水星). 별 이름. 3 고르다. 평평하게 하다.
부수 水(물수)부
찾기 水⁴=4획

글자뿌리 상형(象形) 문자. 물이 쉴 새 없이 흐르는 모양을 본뜬 글자.

⇒ ⇒ 水

[水鏡 수경] 물안경.
[水球 수구] 일곱 사람이 한 팀이 되어, 물속에서 공을 상대편의 골에 던져 넣어 점수 따기를 겨루는 경기.
[水道 수도] ① 물을 소독하여 가정이나 그 밖의 필요한 곳으로 보내 주는 시설. ② 물길.
[水路 수로] ① 물길. ② 뱃길.
[水星 수성] 태양계의 행성 가운데서 가장 작고, 태양에 가장 가까운 별.
[水深 수심] 물의 깊이.
[水溫 수온] 물의 온도.
[水平線 수평선] 바다와 하늘이 맞닿아 보이는 선.
[湖水 호수] 땅이 넓게 패어 물이 괸 곳으로, 못이나 늪보다 훨씬 크고 깊음.

5급 중학 한자
중 冰 (bīng)
영 ice [ais]

얼음 빙

풀이 얼음. 얼다.
부수 水(물수)부
찾기 水[4]+丶[1]=5획

亅 𠄌 氵 氺 氷

글자뿌리 회의(會意) 문자. 원자인 '冰'은 얼음 빙(冫)에 물 수(水)를 합친 자로, 물이 얼면 '얼음'이 된다는 뜻.

[氷菓 빙과] 얼음과자. 아이스크림. 아이스케이크.

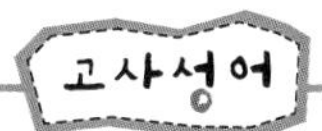

水清無大魚 (수청무대어)

물이 맑으면 큰 고기가 없다는 뜻으로, 물이 너무 맑으면 고기가 살지 못하는 것처럼 너무 똑똑하거나 까다로운 사람은 따르는 사람이나 가까운 벗이 없음을 이르는 말.

고사 중국 후한(後漢) 시대에 반초(班超)는 30년간 서역(西域)을 다스리면서 이름을 떨쳤다. 반초의 후임으로 임상(任尙)이란 사람이 임명되었는데, 임상은 서역으로 떠나기 전에 반초를 찾아와서 서역을 잘 다스릴 수 있겠는지를 물었다. 그러자 반초는, "자넨 성격이 너무 조급하고 결백해 그 점이 걱정되네. 물이 너무 맑으면 큰 물고기가 살지 못하는 법이니, 대범하게 처신하도록 하게나."라고 말하였다. 서역 땅에 부임한 임상은 반초의 말을 대수롭지 않게 생각하고 자기 생각대로 정치를 하다가 결국 이민족(異民族)들의 반감을 사게 되어 서역 땅을 전부 잃고 말았다고 한다.

[氷山 빙산] 남극이나 북극의 바다에 떠다니는 매우 큰 얼음덩이.

[氷雪 빙설] ① 얼음과 눈. ② 마음이 맑고 깨끗함을 비유하여 이르는 말.

[氷點 빙점] 물이 얼거나 얼음이 녹기 시작할 때의 온도. 곧, 0℃.

[製氷 제빙] 물을 얼려 얼음을 만드는 일.

6급 중학 한자

중 永 (yǒng)

영 eternal [itə́:rnəl]

길 영:

풀이 1 길다. 2 오래다.

부수 水(물수)부

찾기 水4+丶1=5획

글자뿌리 상형(象形) 문자. 여러 갈래로 흐르는 물줄기를 본뜬 글자로, 물줄기가 합쳐지고 갈라지며 멀리 흘러간다는 데서 '길다'의 뜻을 나타냄.

[永劫 영겁] 영원한 세월.

[永久 영구] 어떤 상태가 시간적으로 무한히 계속됨. ¶ 永久齒(영구치).

[永生 영생] 영원한 생명. 영원히 삶.

[永遠 영원] 한없이 오래 계속되어 끝이 없음.

[永住權 영주권] 일정한 자격을 갖춘 외국인에게 주는, 그 나라에서 계속 살 수 있는 권리.

4급Ⅱ 중학 한자

중 求 (qiú)

영 seek after

구할 구

풀이 1 구하다. 2 탐내다.

부수 水(물수)부

찾기 氺5(水)+亠2=7획

글자뿌리 상형(象形) 문자. 털가죽을 달아맨 모양을 본뜬 자로, 갖옷 구(裘)의 본자. 가죽 옷은 누구나 구하고 싶어한다는 데서 '구하다'의 뜻이 된 자.

[求道 구도] 진리나 종교적인 깨달음의 경지를 구함.

[求愛 구애] 이성에게 사랑을 구함.

[求人 구인] 일할 사람을 구함.

[求職 구직] 직장을 구함.

7급 중학 한자

중 江 (jiāng)

영 river [rívər]

강 강

풀이 강.

부수 水(물수)부

찾기 氵3(水)+工3=6획

丶 冫 氵 氵一 氵丁 江

글자뿌리 형성(形聲) 문자. 물 수(水〈뜻〉)에 장인 공(工〈음〉)을 합친 자로, 육지를 뚫고〔工: 관통한다는 뜻〕 흐르는 '큰 물'이라는 데서 '강'을 뜻함.

[江山 강산] ① 강과 산. ② 나라의 영토.

[江村 강촌] 강가에 있는 마을.

3급 중학 한자

중 汝 (rǔ)

영 you [juː]

너 여ː

풀이 너.

부수 水(물수)부

찾기 氵3(水)+女3=6획

丶 冫 氵 汃 汝 汝

글자뿌리 형성(形聲) 문자. 물 수(水〈뜻〉)에 계집 녀(女〈음〉)를 합친 자로, 원래는 강 이름으로 쓰였으나, 지금은 가차하여 이인칭 대명사 '너'로 쓰임.

[汝等 여등] 너희들.

5급 중학 한자

중 决 (jué)

영 decide [disáid]

결단할 결

풀이 1 결단하다. 2 끊다. 3 터지다.

부수 水(물수)부

찾기 氵3(水)+夬4=7획

丶 冫 氵 氵フ 氵コ 氵夬 決

글자뿌리 형성(形聲) 문자. 물 수(水〈뜻〉)에 터놓을 쾌(夬〈음〉)를 합친 자로, 홍수로 큰물이 지는 것을 막기 위해 상류 둑을 끊어 터놓는다〔夬〕는 데서 '끊다', '결단하다'의 뜻.

⇒ ⇒ 決

[決斷 결단] 딱 잘라 결정함.

[決死 결사] 죽기를 각오함.

[決算 결산] ① 일정한 기간 동안의 수입과 지출을 마감하여 계산함. 또는 그렇게 나온 계산. ② 일정한 기간 동안의 활동을 모아 정리하거나 마무리함. 또는 그런 활동.
[決勝 결승] 운동 경기 따위에서 최후의 승부를 정함. 또는 그 시합.
[決心 결심] 마음을 굳게 정함. 또는 그 정한 마음.
[決意 결의] 뜻을 정하고 마음을 굳게 먹음. 또는 그 마음.
[決戰 결전] 승부를 결정짓는 싸움.
[決定 결정] 행동이나 태도를 분명히 정함. 또는 그렇게 정해진 내용.
[決鬪 결투] ① 승패를 결정하기 위한 싸움. ② 원한 따위를 풀기 위해 일정한 조건과 형식을 두고 벌이는 싸움.
[決判 결판] 이기고 짐이나 옳고 그름을 가려 최후의 판정을 내림. 또는 그 일.
[可決 가결] 옳다고 인정하여 결정함.
[解決 해결] 일을 잘 처리하여 결말을 지음.

5급 인명 한자
중 汽 (qì)
영 steam [stiːm]

물끓는김 기

풀이 물이 끓어 생긴 김. 수증기.
부수 水(물수)부
찾기 氵3(水)+气4=7획

丶 冫 氵 氵 氵 汽 汽

글자뿌리 형성(形聲) 문자. 물 수(水〈뜻〉)에 기운 기(气〈음〉)를 합친 자로, 气(기)는 입김의 뜻. 물이 증발하여 마르다. 또, 그 김의 뜻을 나타냄.

[汽船 기선] 증기 기관의 작용으로 다니는 배.
[汽笛 기적] 기차·기선 따위에서 증기의 힘으로 내는 고동.
[汽車 기차] 증기의 힘으로 궤도 위를 달리는 차.

5급 중학 한자
중 法 (fǎ)
영 law [lɔː]

법 법

풀이 1 법. 2 방법. 본받다.
부수 水(물수)부
찾기 氵3(水)+去5=8획

丶 冫 氵 氵 汁 汢 法 法

글자뿌리 회의(會意) 문자. 본디 물 수(水)에 해태 치(廌: 옳고 그름을 가린다는 신령한 짐승) 밑에 버릴 거(去)를 합친 자로, 물이 흘러가듯 옳고 그름을 가려 악을 없애는 '법'을 뜻함. 생략하여 '法'으로 씀.

氺 厺 ⇒ 氵去 ⇒ 法

[法規 법규] 국민들의 권리와 의무를 정하여 활동을 제한하는 규정.
[法律 법률] 국민이 지켜야 할 법규.
[法院 법원] 사법권을 행사하는 국가 기관.
[法典 법전] 여러 종류의 법을 체계적으로 정리하여 엮은 책.
[法治國家 법치국가] 국민의 뜻에 따라 만든 법률에 의해 다스려지는 국가.
[拳法 권법] 정신 수양과 신체 단련을 위해 주먹을 놀리면서 하는 운동.
[文法 문법] 말의 구성 및 운용상의 규칙. 또는 그것을 연구하는 학문.
[方法 방법] 어떤 일을 하거나 목적을 이루기 위해 취하는 수단이나 방식.
[作法 작법] 글이나 시를 짓는 방법.
[話法 화법] 말하는 방법.

6급 중학 한자
중 油 (yóu)
영 oil [ɔil]

기름 유

풀이 기름.
부수 水(물수)부
찾기 氵3(水)+由5=8획

丶 冫 氵 氵 汩 汩 油 油

글자뿌리 형성(形聲) 문자. 물 수(水〈뜻〉)에 말미암을 유(由: 부드럽다, 미끈둥하다는 뜻〈음〉)를 합친 자로, 열매에서 짜낸 물은 미끈둥하다〔由〕는 데서 '기름'의 뜻이 된 자.

⇒ ⇒ 油

[油印物 유인물] 등사기나 프린터 따위를 이용하여 만든 인쇄물.
[油田 유전] 석유가 나는 곳.
[油脂 유지] 동물 또는 식물에서 채취한 기름.
[注油所 주유소] 자동차 따위에 경유나 휘발유 등 기름을 넣어 주는 곳.

4급 고등 한자
중 况 (kuàng)
영 condition [kəndíʃən]

상황 황ː

풀이 1 상황. 2 형편. 3 모양. 4 하물며.
부수 水(물수)부
찾기 氵3(水)+兄5=8획

丶 冫 氵 氵 沪 沪 沪 況

글자뿌리 형성(形聲) 문자. 물 수(水〈뜻〉)에 맏 형(兄〈음〉)을 합친 자로, 본뜻은 분명치 않지만, 樣(양)과 통하여, '모양·상황'의 뜻을 나타냄.

[況且 황차] 하물며.
[近況 근황] 요사이의 형편.
[狀況 상황] 어떤 일이 되어 가는 형편이나 모양.
[盛況 성황] 모임 따위에 많은 사람들이 모여 활기에 찬 분위기.
[實況 실황] 실제의 상황.
[情況 정황] 일의 사정과 상황.
[好況 호황] 상황이 좋음.

3급 중학 한자
중 泣 (qì)
영 weep [wi:p]

울 읍

풀이 울다.
부수 水(물수)부
찾기 氵3(水)+立5=8획

글자뿌리 형성(形聲) 문자. 물 수(水〈뜻〉)에다 설 립(立〈음〉)을 합친 자로, 눈물을 줄줄이 흘리며 흐느껴 운다는 데서 '울다'의 뜻이 된 자.

[感泣 감읍] 감동하여 욺.

6급 중학 한자
중 注 (zhù)
영 irrigate [írəgèit]

부을 주:

풀이 1 붓다. 물 대다. 2 뜻을 두다. 정신을 쏟다. 3 주를 달다.
부수 水(물수)부
찾기 氵3(水)+主5=8획

글자뿌리 형성(形聲) 문자. 물 수(水〈뜻〉)에 주인 주(主〈음〉)를 합친 자로, 물을 한 곳으로 흐르게〔主=住: 머물다〕 한다는 데서 '물을 대다'의 뜻.

[注力 주력] 힘을 들임. 힘을 기울임.
[注目 주목] ① 어떤 일에 특별히 관심을 가지고 자세히 봄. ② 한곳에다 시선을 모아 봄.
[注文 주문] ① 상품의 생산·수송 등을 요구하거나 청구함. ② 특별히 이렇게 저렇게 해 달라고 부탁함.
[注射 주사] 주사기를 통해 환자의 몸 안에 약물을 넣는 일.
[注視 주시] 관심을 가지고 주의를 집중하여 봄.
[注油 주유] 자동차에 기름을 넣음.
[注入 주입] ① 흘러 들어가도록 액체를 부어 넣음. ② 지식을 기계적으로 기억하거나 외게 하여 가르침. ¶注入式敎育(주입식 교육).
[注解 주해] 본문의 뜻을 알기 쉽게 풀이함. 또는 그 글.

4급 중학 한자
중 泉 (quán)
영 spring [spriŋ]

샘 천

풀이 샘.
부수 水(물수)부
찾기 水^{4}+白^{5}=9획

′ 亻 白 白 白 阜 阜 泉

글자뿌리 상형(象形) 문자. 땅속이나 바위 틈 등에서 물이 솟아 나와서 떨어지는 모양을 본뜬 글자로, 물의 근원인 '샘'을 뜻하게 됨.

 ⇒  ⇒ 泉

[溫泉 온천] 땅속으로 스며든 지하수가 땅속 깊은 곳에서 데워져 다시 땅 위로 솟아 나오는 물.
[黃泉 황천] 사람이 죽은 뒤에 그 혼령이 산다는 곳. 저승.

4급Ⅱ 중학 한자
중 治 (zhì)
영 govern [gʌ́vərn]

다스릴 치

풀이 1 다스리다. 2 병을 고치다.
부수 水(물수)부
찾기 氵^{3}(水)+台^{5}=8획

丶 丶 氵 氵 氵 汻 治 治

글자뿌리 형성(形聲) 문자. 물 수(水〈뜻〉)에 기쁠 이(台〈음〉)를 합친 자로, 台(이)는 司(사)와 통하여 다스리다의 뜻. 물을 다스린다는 데서 '다스리다'의 뜻.

⇒ ⇒ 治

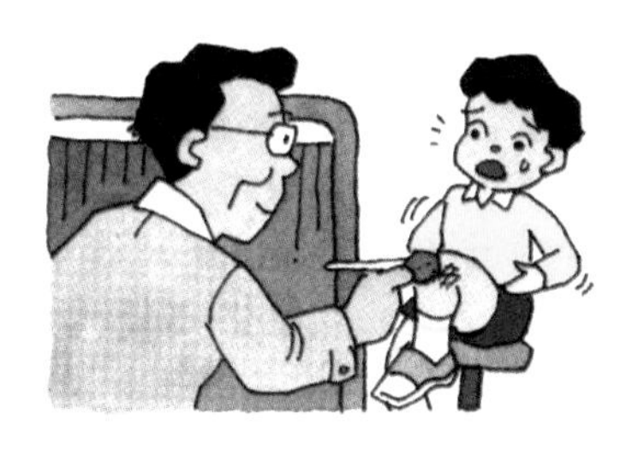

[治療 치료] 병이나 다친 데를 고치기 위하여 손을 씀.
[治安 치안] ① 잘 다스려 편안하게 함. ② 국가 사회의 안녕과 질서를 보전하고 지켜 감.
[民主政治 민주정치] 주권이 국민에게 있고, 국민의 의사에 따라 행하여지는 정치.
[自治 자치] ① 자기 일을 스스로 다스림. ② 지방 자치 단체가 국가로부터 위임받은 행정 업무를 행함.

3급Ⅱ 중학 한자
중 泰 (tài)
영 great [greit]

클 태

풀이 1 크다. 2 편안하다.
부수 水(물수)부
찾기 氺5(水)+𡗗5=10획

三 声 夫 夫 夫 泰 泰 泰

글자뿌리 형성(形聲) 문자. 큰 대(大〈음〉)에 들 공(廾〈뜻〉)과 물 수(水〈뜻〉)를 합친 자로, 물을 가득 부어 씻는다는 데서 '편하다'의 뜻. 또 太(태)와 통하여 '크다'의 뜻.

[泰山 태산] 높고 큰 산.
[泰然 태연] 놀랄 만한 일을 당하여도 흔들림이 없이 침착한 모양.
[泰平 태평] 몸이나 마음, 또는 집안이 평안함.

4급Ⅱ 중학 한자
중 波 (bō)
영 wave [weiv]

물결 파

풀이 1 물결. 2 진동하는 결.
부수 水(물수)부
찾기 氵3(水)+皮5=8획

` ˋ 氵 氵 氵 沪 波 波

글자뿌리 형성(形聲) 문자. 물 수(水〈뜻〉)에 가죽 피(皮: 기울어진다는 뜻〈음〉)를 합친 자로, 물의 움직임에 따라 수면이 기울어진다는 데서 '물결'을 뜻함.

⇒ ⇒ 波

[波高 파고] 물결의 높이.
[波及 파급] 어떤 일의 영향이 퍼져 멀리 미침.
[波動 파동] ① 물결의 움직임. ② 사회

고사성어

泰山北斗 (태산북두)

태산과 북두칠성이라는 뜻으로, 어떤 한 방면에서 모든 사람이 존경하는 인물을 이르는 말.

고사 당송 팔대가(唐宋八大家) 중의 한 사람이었던 한유(韓愈)는 두 살에 고아가 되었음에도 불구하고, 열심히 노력하여 25세에는 진사(進士)가 되었고, 나중에는 그 벼슬이 경조윤(京兆尹) 겸 어사대부(御史大夫)에까지 이르렀다. 그는 관직에 있을 때에 궁중의 여러 가지 폐단을 상소하여 황제의 노여움을 사기도 하였고, 〈중략〉 한때는 좌천되는 수모를 당하기도 하였다. 한유는 학문에서도 모범을 보였는데, 당서(唐書) '한유전(韓愈傳)'에는 "당나라가 일어난 이래, 한유는 육경(六經)의 글을 가지고 모든 학자들의 도사(導師)가 되었다. 그가 죽은 뒤에 그 학문이 점점 융성하여 학자들은 그를 태산북두(泰山北斗)를 우러러보는 것같이 존경하였다."는 기록이 있을 정도이다.

적으로 일어난 큰 변동.

[音波 음파] 소리로써 느껴지는 파동.

[電波 전파] 전자파 중 전기 통신용으로 알맞은 파장. 무선 통신·라디오 등에 쓰임.

[風波 풍파] ① 세찬 바람과 험한 물결. ② 세상살이의 어려움이나 고통.

[寒波 한파] 겨울철에 갑자기 닥치는 심한 추위.

[河口 하구] 바다 등으로 흘러 들어가는 강물의 어귀.

[河馬 하마] 하마과에 속하는 포유동물.

[河川 하천] 강과 내.

[山河 산하] 강과 산.

[運河 운하] 육지를 파서 배가 다닐 수 있게 만든 물길.

[銀河水 은하수] 맑게 갠 날 밤에 남북으로 길게 보이는 별의 무리.

5급 중학 한자

중 河 (hé)

영 river [rívər]

물 하

풀이 물. 강. 내.

부수 水(물수)부

찾기 氵3(水)+可5=8획

글자뿌리 형성(形聲) 문자. 물 수(水〈뜻〉)에 옳을 가(可: 굽이친다는 뜻〈음〉)를 합친 자로, 크게 굽이쳐 흐르는 물이라는 데서 '강', '물'을 뜻함. 원래는 중국의 황하(黃河)를 가리킴.

⇒ ⇒ 河

洞

7급 중학 한자

중 洞 (dòng)

영 ❶cave [keiv] ❷clear [kliər]

❶골 동ː

❷밝을 통ː

풀이 ❶ 1 골짜기. 2 동굴. 3 마을. 4 행정구역의 한 단위. ❷ 밝다. 꿰뚫다.

부수 水(물수)부

찾기 氵3(水)+同6=9획

글자뿌리 형성(形聲) 문자. 물 수(水〈뜻〉)에 같을 동(同: 관통한다는 뜻〈음〉)을 합친 자로, 원래는 물이 관통하여 흐른다는 뜻이었으나, 물로 움푹 팬 '골', 나아가 '마을'의 뜻이 된 자.

[洞里 동리] 동네. 마을. 부락.
[洞事務所 동사무소] 행정 구역의 하나인 동의 행정 사무를 맡아보는 곳.
[洞察 통찰] 사물의 이치를 환하게 앎.
[洗面器 세면기] 얼굴을 씻기 위한 물을 담는 그릇.
[洗手 세수] 물로 손이나 얼굴을 씻음.
[洗濯 세탁] 빨래. 빨래를 함.

5급 중학 한자
㊥ 洗 (xǐ)
㊓ wash [wɑʃ]

씻을 세:

풀이 1 씻다. 2 깨끗하다.
부수 水(물수)부
찾기 氵3(水)+先6=9획

글자뿌리 형성(形聲) 문자. 물 수(水〈뜻〉)에 먼저 선(先: '跣'의 생략형으로 맨발이라는 뜻〈음〉)을 합친 자로, 물로 손발을 씻는다는 데서 '씻다', '깨끗하다'의 뜻.

[洗腦 세뇌] 선전·계몽을 통하여 사람에게 새로운 사상을 주입시켜 거기에 물들게 함.
[洗鍊 세련] 갈고 다듬어 우아하고 고상하게 함.
[洗禮 세례] ① 기독교에서, 죄악을 씻고 새사람이 된다는 뜻으로 하는 의식. ② 한꺼번에 몰아치는 비난이나 공격.

派

4급 고등 한자
㊥ 派 (pài)
㊓ branch [bræntʃ]

갈래 파

풀이 1 갈래. 2 갈라지다. 3 보내다.
부수 水(물수)부
찾기 氵3(水)+𠂢6=9획

글자뿌리 형성(形聲) 문자. 물 수(水〈뜻〉)에 갈래 파(𠂢〈음〉)를 합친 자로, 𠂢(파)는 흐름이 갈라져 있는 모양을 본떠서, '지류', '갈라짐'의 뜻을 나타냄. 水(수)를 더하여 뜻을 분명히 함.

[派遣 파견] 임무를 주어 사람을 보냄.
[派兵 파병] 군대를 파견함.
[派生 파생] 사물이 본바탕으로부터 갈려 나와 생김.
[急派 급파] 급히 파견함.
[黨派 당파] 정치적 목적이나 주장을 같이하는 사람들끼리 모인 단체.
[特派 특파] 특별히 파견함.

6급 중학 한자
중 洋 (yáng)
영 ocean [óuʃən]

큰바다 양

풀이 1 큰 바다. 2 서양.
부수 水(물수)부
찾기 氵3(水)+羊6=9획

글자뿌리 형성(形聲) 문자. 물 수(水〈뜻〉)에 양 양(羊: 크고 넓다는 뜻〈음〉)을 합친 자로, 물이 크고 넓은 모양을 나타내어 물결이 출렁이는 '넓은 바다'를 뜻함.

[洋服 양복] 서양식의 옷.
[洋食 양식] 서양 음식.
[大洋 대양] 넓고 큰 바다.

7급 중학 한자
중 活 (huó)
영 live [liv]

살 활

풀이 1 살다. 2 생기가 있다. 3 응용하다.
부수 水(물수)부
찾기 氵3(水)+舌6=9획

글자뿌리 형성(形聲) 문자. 물 수(水〈뜻〉)에 입 막을 괄(舌=昏〈음〉)을 합친 자로, 막혔던 물이 터져 힘차게 흐르듯 활기가 있다는 데서 '살다'의 뜻.

[活氣 활기] ① 활동할 수 있는 힘. ② 활발한 기운.
[活動 활동] ① 기운차게 움직임. ② 어떤 일을 이루기 위하여 힘씀. 동 活躍(활약).
[活力 활력] 살아서 움직이는 힘. 생명력. 생활의 힘.
[活用 활용] 이리저리 잘 응용함. 변통하여 돌려씀.

3급Ⅱ 중학 한자
중 浪 (làng)
영 wave [weiv]

물결 랑(:)

풀이 1 물결. 2 방랑하다. 3 함부로. 4 터무니없다.
부수 水(물수)부

찾기 氵3(水)+良7=10획

글자뿌리 형성(形聲) 문자. 물 수(水〈뜻〉)에 어질 량(良〈음〉)을 합친 자로, 물이 맑게 찰랑거린다는 데서 '물결'의 뜻이 된 글자.

⇒ ⇒ 浪

[浪漫 낭만] 사물을 이성적이기보다는 감정적이며 달콤하게 느끼는 일.
[浪費 낭비] 시간·재물 등을 헛되이 함부로 씀.
[浪說 낭설] 터무니없는 헛소문. 뜬소문.
[放浪 방랑] 따로 정해 둔 거처가 없이 떠돌아다님.
[風浪 풍랑] ① 바람과 물결. ② 바람이 불어 일어나는 물결.

5급 중학 한자
㊥ 流 (liú)
㊢ flow [flou]

흐를 류

풀이 1 흐르다. 2 떠돌아다니다. 3 내치다. 귀양 보내다. 4 펴다. 5 품격. 계층.
부수 水(물수)부
찾기 氵3(水)+㐬7=10획

글자뿌리 형성(形聲) 문자. 물 수(水)에 깃발 류(㐬)를 합친 자로, 㐬(류)는 거꾸로 된 아이의 상형. 아이가 양수와 함께 흐르듯 순조롭게 태어난다는 데서 '흐르다'의 뜻이 된 자.

⇒ ⇒ 流

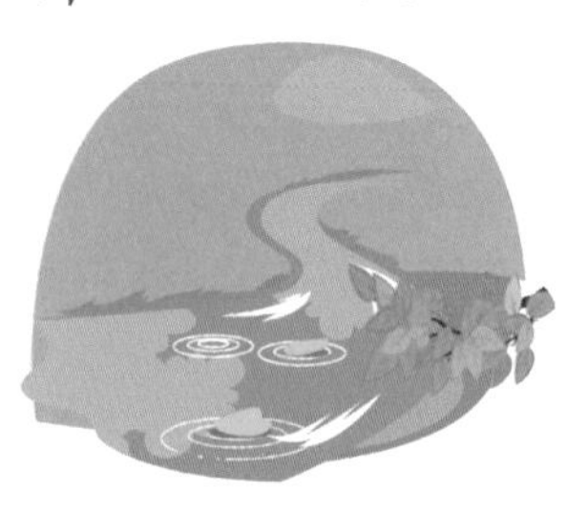

[流浪 유랑] 일정한 목적 없이 떠돌아다님.
[流配 유배] 죄인을 귀양 보냄. ¶ 流配地(유배지).
[流水 유수] 흐르는 물.
[流布 유포] 세상에 널리 퍼짐. 또는 세상에 널리 퍼뜨림.
[氣流 기류] 공기의 흐름.
[上流 상류] ① 강이나 내의 위쪽. ② 신분·지위·생활 정도가 높은 계층.

3급Ⅱ 중학 한자
㊥ 浮 (fú)
㊢ float [flout]

뜰 부

풀이 1 뜨다. 2 떠다니다. 3 가볍다.
부수 水(물수)부
찾기 氵3(水)+孚7=10획

글자뿌리 형성(形聲) 문자. 물 수(水〈뜻〉)에 덮을 부(孚〈음〉)를 합친 자로, 어떤 물건이 물 위에 가볍게 덮인다는 데서 물 위에 '뜨다'의 뜻.

[浮氣 부기] 부은 상태.
[浮浪 부랑] 일정한 주소·직업이 없이 떠돌아다님. ¶ 浮浪者(부랑자).
[浮流 부류] 떠서 흐름.
[浮上 부상] ① 물 위로 떠오름. ② 불우한 처지에 있던 사람이 갑자기 좋은 자리로 올라서는 일.
[浮生 부생] 덧없는 인생.
[浮說 부설] 근거 없는 소문. 뜬소문.

6급 중학 한자
중 消 (xiāo)
영 extinguish [ikstíŋgwiʃ]

사라질 소

풀이 1 사라지다. 2 쇠하여 줄어들다. 다하다. 3 물러나다. 4 거닐다.
부수 水(물수)부
찾기 氵3(水)+肖7=10획

丶 冫 氵 氵 氵 氵 消 消

글자뿌리 형성(形聲) 문자. 물 수(水〈뜻〉)에 쇠할 소(肖〈음〉)를 합친 자로, 물의 흐름이 점점 약해진다는 데서 '꺼지다', '사라지다'의 뜻.

⇒ ⇒ 消

[消却 소각] 지워서 없애 버림.
[消極的 소극적] 무슨 일에도 앞장서지 않는 태도나 남이 시키는 대로 따라서 하는 모양. 반 積極的(적극적).
[消費 소비] 돈이나 물품·시간·노력 등을 들이거나 써서 없앰.
[消風 소풍] 휴식 또는 자연 관찰을 위하여 야외로 나가는 일.
[消火 소화] 불을 끔.
[消化 소화] ① 먹은 음식물을 흡수될 수 있는 상태로 변화시키는 작용. ② 읽거나 들은 것을 잘 이해하여 자기 지식으로 만듦.

5급 중학 한자
중 浴 (yù)
영 bath [bæθ]

목욕할 욕

풀이 목욕하다. 목욕.
부수 水(물수)부
찾기 氵3(水)+谷7=10획

丶 冫 氵 氵 氵 浴 浴 浴

글자뿌리 형성(形聲) 문자. 물 수(水〈뜻〉)에 골짜기 곡(谷〈음〉)을 합친 자로, 골짜기에 흐르는 물에 들어가 씻는다는 데서

'목욕하다'의 뜻.

[浴客 욕객] ① 목욕하는 사람. ② 목욕하러 오는 손님.
[浴沂之樂 욕기지락] 제자와 같이 교외(郊外)에서 노는 즐거움.
[浴室 욕실] 목욕할 수 있도록 시설을 갖춘 방.
[沐浴 목욕] 온몸을 씻음.
[海水浴 해수욕] 바닷물에서 놀거나 수영하는 일.

7급 중학 한자
중 海 (hǎi)
영 sea [siː]

바다 해ː

풀이 바다.
부수 水(물수)부
찾기 氵3(水)+每7=10획

丶 氵 氵 氵 汇 洑 海 海 海

글자뿌리 형성(形聲) 문자. 물 수(水〈뜻〉)에 매양 매(每〈음〉)를 합친 자로, 每(매)는 어둡다는 뜻. 어둡고 깊은 물에서 '바다'를 뜻함.

水每 ⇒ 氵每 ⇒ 海

[海路 해로] 바닷길. 뱃길.
[海流 해류] 일정한 방향으로 움직이는 바닷물의 흐름.
[海邊 해변] 바닷가.

3급Ⅱ 중학 한자
중 凉 (liáng)
영 cool [kuːl]

서늘할 량

풀이 서늘하다. 쓸쓸하다.
부수 水(물수)부
찾기 氵3(水)+京8=11획

丶 氵 氵 氵 氵 氵 氵 氵 涼 涼 涼

글자뿌리 형성(形聲) 문자. 물 수(水〈뜻〉)에 높을 경(京＝良: 맑다는 뜻〈음〉)을 합친 자로, 맑은 물 또는 물가의 높은 언덕은 '서늘하다'는 뜻.

[涼風 양풍] ① 서늘한 바람. ② 북풍 또는 남서풍.
[納涼 납량] 한여름에 서늘한 곳에서 더위를 피함.
[淸涼飮料 청량음료] 콜라나 사이다 등 맛이 산뜻하면서 시원한 음료수.
[荒涼 황량] 황폐하여 거칠고 쓸쓸함.

3급Ⅱ 중학 한자
중 淑 (shū)
영 pure [pjuər]

맑을 숙

풀이 1 맑다. 2 착하다. 얌전하다.
부수 水(물수)부
찾기 氵3(水)+叔8=11획

丶 丷 氵 汁 汁 泩 沫 沫 洣 淑 淑

글자뿌리 형성(形聲) 문자. 물 수(水〈뜻〉)에 아재비 숙(叔: 寂의 생략형으로 고요하다는 뜻〈음〉)을 합친 자로, 잔잔하고 고요한 물이라는 데서 '맑다'의 뜻이 된 자.

[淑女 숙녀] 교양이 있고 예의와 품격을 갖춘 점잖은 여자.
[貞淑 정숙] 여자로서 몸가짐이 단정하고 마음씨가 고움.

4급Ⅱ 인명 한자
중 液 (yè)
영 extract [ikstrǽkt]

진 액

풀이 진. 즙.
부수 水(물수)부
찾기 氵3(水)+夜8=11획

丶 丷 氵 氵 汁 汸 汸 汸 液 液 液

글자뿌리 형성(形聲) 문자. 물 수(水〈뜻〉)에 밤 야(夜〈음〉)를 합친 자로, 夜(야)는 繹(역)과 통하여, 잇달아 이어지다의 뜻. 실을 당기듯이 이어지는 물, '즙'의 뜻을 나타냄.

[液狀 액상] 액체 상태.
[液汁 액즙] 즙.
[液體 액체] 일정한 부피는 가졌으나 일정한 형태를 가지지 못한 물질.
[液化 액화] 기체 또는 고체가 액체로 변함.
[樹液 수액] 나무껍질에서 분비되는 액.
[溶液 용액] 두 가지 이상의 물질이 녹아 섞여 있는 액체.
[體液 체액] 체내의 혈관 또는 조직의 사이를 채우고 있는 액체.
[血液 혈액] 피.

4급Ⅱ 중학 한자
중 深 (shēn)
영 deep [di:p]

깊을 심

풀이 1 깊다. 깊게 하다. 2 깊이.
부수 水(물수)부
찾기 氵3(水)+罙8=11획

丶 丷 氵 氵 汀 汀 泙 泙 浮 深 深

글자뿌리 형성(形聲) 문자. 물 수(水〈뜻〉)에 깊을 심(罙〈음〉)을 합친 자로, 물이 '깊다'는 뜻.

⇒ ⇒ 深

[深刻 심각] ① 깊이 새김. ② 정도가 아주 깊고 중대함.
[深思熟考 심사숙고] 깊이 잘 생각함.
[深夜 심야] 깊은 밤.
[深海 심해] 깊은 바다.
[水深 수심] 물의 깊이.

3급Ⅱ 중학 한자
중 净 (jìng)
영 clean [kli:n]

깨끗할 정

풀이 깨끗하다. 깨끗이 하다.
부수 水(물수)부
찾기 氵3(水)+爭8=11획

글자뿌리 형성(形聲) 문자. 물 수(水〈뜻〉)에 다툴 쟁(爭=淸: 맑다는 뜻〈음〉)을 합친 자로, 물이 맑고 '깨끗하다'는 뜻.

[淨潔 정결] 맑고 깨끗함.
[淨化 정화] 깨끗하게 함. ¶ 淨化槽(정화조).
[不淨 부정] 깨끗하지 못함.
[淸淨 청정] 맑고 깨끗함.

3급Ⅱ 중학 한자
중 浅 (qiǎn)
영 shallow [ʃǽlou]

얕을 천:

풀이 얕다.
부수 水(물수)부
찾기 氵3(水)+戔8=11획

글자뿌리 형성(形聲) 문자. 물 수(水〈뜻〉)에 적을 전(戔〈음〉)을 합친 자로, 물이 적어서 건널 수 있다는 데서 '얕다'는 뜻이 된 자.

[淺綠 천록] 엷은 초록색.
[淺薄 천박] 학문 또는 생각이 얕음.

6급 중학 한자
중 清 (qīng)
영 clear [kliər]

맑을 청

풀이 맑다. 깨끗하다.
부수 水(물수)부
찾기 氵3(水)+靑8=11획

丶 冫 氵 氵 氵 氵 汻 清
清 清 清

글자뿌리 형성(形聲) 문자. 물 수(水〈뜻〉)에 푸를 청(靑〈음〉)을 합친 자로, 물이 푸르게 보이면 '맑다', '깨끗하다'는 뜻.

[淸潔 청결] 맑고 깨끗함.
[淸廉潔白 청렴결백] 욕심이 없고 마음이 깨끗함.
[淸白吏 청백리] 행동이나 마음이 깨끗하고 재물을 탐내지 않는 관리.
[淸算 청산] 빚 따위를 셈하여 깨끗이 정리함.
[淸純 청순] 맑고 순박함.

4급 중학 한자
중 混 (hùn)
영 mix [miks]

섞을 혼ː

풀이 섞다. 섞이다.
부수 水(물수)부
찾기 氵3(水)+昆8=11획

丶 冫 氵 氵 氵 氵 氵 浧
浧 混 混

글자뿌리 형성(形聲) 문자. 물 수(水〈뜻〉)에 같을 곤(昆: 뭉친다는 뜻〈음〉)을 합친 자로, 여러 갈래의 물이 흘러 들어와 뭉친다는 데서 '섞이다'의 뜻.

[混沌 혼돈] 사물의 구별이 확실하지 않은 상태.
[混同 혼동] ① 뒤섞음. ② 잘못 판단함.
[混亂 혼란] 뒤범벅이 되어서 어지러움. 동 混雜(혼잡).
[混濁 혼탁] ① 맑지 아니하고 흐림. ② 정치·사회 등이 어지러움.
[混合 혼합] ① 뒤섞어서 한데 합함. ② 두 가지 이상의 물질이 화학적 결합을 하지 않고 섞임.
[混血 혼혈] 서로 인종이 다른 혈통이 섞임. 또는 그 혈통.

3급 중학 한자
중 渴 (kě)
영 thirsty [θə́ːrsti]

목마를 갈

풀이 목마르다.
부수 水(물수)부
찾기 氵3(水)+曷9=12획

丶 冫 氵 氵 氵 氵 氵 氵
渇 渇 渇 渴

글자뿌리 형성(形聲) 문자. 물 수(水〈뜻〉)에 어찌 갈(曷: 그치다의 뜻〈음〉)을 합친 자로, 물이 그쳐서 '목마르다'는 뜻.

[渴求 갈구] 몹시 애써 구함. 갈망하여 구함.
[渴望 갈망] 간절히 바람.
[渴症 갈증] 목이 몹시 말라서 자꾸 물을 찾는 증세.
[枯渴 고갈] 물·돈·물자 등이 마르거나 다하여 없어짐.

4급Ⅱ 중학 한자
㊥ 减 (jiǎn)
㊤ decrease [díːkriːs]

덜 감ː

풀이 덜다. 줄이다.
부수 水(물수)부
찾기 氵³(水)+咸⁹=12획

글자뿌리 형성(形聲) 문자. 물 수(水〈뜻〉)에 덜 감(咸〈음〉)을 합친 자로, 물이 점점 준다는 데서 '덜다', '줄어들다'의 뜻.

[減免 감면] 형벌·세금 따위를 적게 해 주거나 면제함.
[減員 감원] 사람 수를 줄임.
[節減 절감] 아끼어 줄임.
[增減 증감] 많아짐과 적어짐. 늘림과 줄임.

4급Ⅱ 고등 한자
㊥ 测 (cè)
㊤ measure [méʒər]

헤아릴 측

풀이 1 헤아리다. 2 재다. 3 알다.
부수 水(물수)부
찾기 氵³(水)+則⁹=12획

글자뿌리 형성(形聲) 문자. 물 수(水〈뜻〉)에 법칙 칙(則〈음〉)을 합친 자로, 則(칙)은 사람이 생활의 척도로 삼는 것, '규칙'의 뜻. 자로 물의 깊이를 재다의 뜻.

[測量 측량] 물건의 넓이·길이·높이·깊이·방향 등을 재어서 헤아림.
[測定 측정] 기계나 장치로 잼.
[計測 계측] 무게·길이·부피 등을 잼.
[觀測 관측] ① 자연현상의 변화를 관찰하고 측정함. ② 사정이나 형편 등을 미리 헤아림.

4급Ⅱ 고등 한자

중 港 (gǎng)

영 harbor [háːrbər]

항구 항ː

풀이 1 항구. 2 분류. 지류.

부수 水(물수)부

찾기 氵3(水)+巷9=12획

洪 洪 洪 港

글자뿌리 형성(形聲) 문자. 물 수(水〈뜻〉)에 거리 항(巷〈음〉)을 합친 자로, 巷(항)은 마을 안을 뚫고 나간 길의 뜻. 수상(水上)의 길의 뜻에서, '항구'의 뜻을 나타냄. 또, 큰 강에서 갈라져 나온, 배가 지날 수 있는 '지류(支流)'의 뜻을 나타냄.

[港口 항구] 배가 안전하게 드나들고 모이는 곳.

[港都 항도] 항구 도시.

[港灣 항만] 해안선이 육지 쪽으로 굽은 곳에 방파제·부두·잔교(棧橋)·창고·기중기 등의 시설을 한 수역.

[空港 공항] 항공 수송을 위하여 사용하는 공공용 비행장.

[密港 밀항] 법을 어기고 배나 비행기로 몰래 해외로 나감.

[入港 입항] 배가 항구로 들어옴.

湖

5급 중학 한자

중 湖 (hú)

영 lake [leik]

호수 호

풀이 호수.

부수 水(물수)부

찾기 氵3(水)+胡9=12획

湖 湖 湖 湖

글자뿌리 형성(形聲) 문자. 물 수(水〈뜻〉)에 멀 호(胡=巨〈음〉)를 합친 자로, 넓고 큰 물 곧 '호수'라는 뜻.

[湖畔 호반] 호숫가.

[湖水 호수] 큰 못.

3급Ⅱ 중학 한자

중 溪 (xī)

영 brook [bruk]

시내 계

풀이 시내.

부수 水(물수)부

찾기 氵3(水)+奚10=13획

글자뿌리 형성(形聲) 문자. 물 수(水〈뜻〉)에 어찌 해(奚: 골짜기라는 뜻〈음〉)를 합친 자로, 골짜기에서 흐르는 물은 '시내'라는 뜻.

[溪谷 계곡] 물이 흐르는 골짜기.
[碧溪水 벽계수] 푸른빛이 도는 맑고 깨끗한 시냇물.

6급 중학 한자
중 温 (wēn)
영 warm [wɔːrm]

따뜻할 온

풀이 1 따뜻하다. 2 부드럽다. 3 익히다.
부수 水(물수)부
찾기 氵3(水)+昷10=13획

글자뿌리 형성(形聲) 문자. 물 수(水〈뜻〉)에 온화할 온(昷〈음〉)을 합친 자로, 昷(온)은 따뜻하다의 뜻. 따뜻한 물이라는 데서 '따뜻하다'의 뜻이 된 자.

氺昷 ⇒ 氵昷 ⇒ 溫

[溫故知新 온고지신] 옛것을 익히고, 그것으로 미루어 새로운 것을 앎.
[溫暖 온난] 날씨가 따뜻함.
[溫度 온도] 덥고 찬 정도. 온도계가 나타내는 도수.
[溫床 온상] 사람의 힘으로 열을 가하여 식물을 빨리 자라게 하는 시설.
[溫順 온순] 마음이 부드럽고 순함. 동 柔順(유순).
[溫情 온정] 따뜻한 마음.
[三寒四溫 삼한사온] 겨울철에 한국·중국 등지에서 3일가량 추웠다가 다음

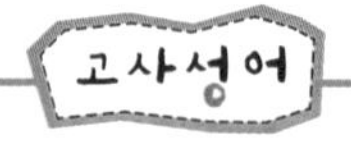

溫故知新 (온고지신)

옛것을 익히고 그것을 미루어서 새것을 안다는 뜻으로, 옛일을 연구하여 거기에서 새로운 지식이나 도리를 찾아냄을 이르는 말.

고사 공자(孔子)는 제자들에게,
"옛것을 익히고 미루어 새것을 아는 이라면 남의 스승이 될 만하다."라고 말했다고 한다. 즉, 옛것을 추구하는 사람은 대체로 새것을 알지 못하는데, 옛것을 잘 익혀서 매번 새로운 현실에 대처해 나가는 것이 끝이 없으므로 스승이 될 수 있는 것이다.

4 일가량은 따뜻한 날씨가 되풀이되는 현상.

4급 고등 한자

㊥ 源 (yuán)

㊎ source [sɔːrs]

근원 원

풀이 1 근원. 2 수원(水源).

부수 水(물수)부

찾기 氵3(水)+原10=13획

丶 冫 氵 氵厂 沥 沥 沪 沪 沪 沪 源 源 源

글자뿌리 형성(形聲) 문자. 물 수(水〈뜻〉)에 근원 원(原〈음〉)을 합친 자로, 原(원)은 '근원'의 뜻. 뒤에 原이 평평한 들의 뜻을 나타내게 되자, 水(수)를 덧붙여 '근원'의 뜻을 분명하게 하였음.

[源流 원류] 강이나 내의 본줄기.

[源泉 원천] ① 물이 솟아나는 근원. ② 어떤 사물이 생기거나 나는 근원.

[根源 근원] 근본이나 원인.

[起源 기원] 사물이 생긴 근원.

[本源 본원] 사물의 근본.

[語源 어원] 말이 생겨난 근원.

[資源 자원] 지하의 광물이나 임산물, 수산물 등과 같이 생산의 바탕이 되는 여러 가지 물자.

準

4급Ⅱ 고등 한자

㊥ 准 (zhǔn)

㊎ standard [stǽndərd]

준할 준

풀이 1 준하다. 2 법도. 표준. 3 평평하다. 고르다. 4 본받다. 5 바로잡다.

부수 水(물수)부

찾기 氵3(水)+隼10=13획

丶 冫 氵 氵 汁 汁 汴 汴 淮 淮 淮 準 準

글자뿌리 형성(形聲) 문자. 물 수(水〈뜻〉)에 송골매 준(隼〈음〉)을 합친 자로, 隼(준)은 '송골매'의 뜻. 송골매 모양을 한 수준기(水準器)의 뜻을 나타냄.

[準據 준거] 일정한 기준에 의거함.

[準決勝 준결승] 결승전에 올라가기 위하여 치르는 시합.

[準規 준규] 표준으로 삼아서 지켜야 할 규칙.

[準備 준비] 필요한 것을 미리 마련하여 갖춤.

[準則 준칙] 표준으로 삼아서 따라야 할 규칙.

[水準 수준] 사물의 가치나 질 따위의 기준이 되는 표준이나 정도.

[平準 평준] 사물을 균일하게 조정(調整)하는 일.

[標準 표준] 사물의 정도를 정하는 기준이나 목표.

4급Ⅱ 중학 한자

중 满 (mǎn)

영 full [ful]

찰 만(:)

풀이 1 차다. 가득하다. 2 풍족하다. 넉넉하다.

부수 水(물수)부

찾기 氵3(水)+㒼11=14획

글자뿌리 형성(形聲) 문자. 물 수(水〈뜻〉)에 평평할 만(㒼〈음〉)을 합친 자로, 물이 그릇에 가득 담겨 평평하게 차 있다는 데서 '차다', '가득하다'의 뜻.

[滿期 만기] 정한 기한이 다 됨. 기한이 참.

[滿喫 만끽] 실컷 먹음. 마음껏 채움.

[滿了 만료] 정하여진 기한이 다 차서 끝남.

[滿面 만면] 온 얼굴. 또는 온 얼굴에 가득 차 있음.

[滿員 만원] 정한 인원이 다 참. 사람이 꽉 차서 더 이상 들어갈 수가 없음.

[滿場一致 만장일치] 회의에 모인 여러 사람의 뜻이 모두 한결같음.

[滿足 만족] 마음에 흐뭇하여 모자람이 없음. 반 不滿(불만).

[圓滿 원만] ① 성격이 모나지 않고 두루 좋음. ② 마음에 흡족함.

4급Ⅱ 고등 한자

중 演 (yǎn)

영 extend [iksténd]

펼 연:

풀이 1 펴다. 2 흐르다. 3 부연하다.

부수 水(물수)부

찾기 氵3(水)+寅11=14획

글자뿌리 형성(形聲) 문자. 물 수(水〈뜻〉)에 공경할 인(寅〈음〉)을 합친 자로, 寅(인)은 '당기다'의 뜻. 물을 끌다의 뜻에서 일반적으로, 사물을 잡아 늘이다, 펴다의 뜻을 나타냄.

[演技 연기] 배우가 말이나 동작으로 맡은 배역을 표현하는 일.

[演說 연설] 여러 사람 앞에서 자기의 주의나 주장 또는 의견을 발표함.

[演奏 연주] 청중 앞에서 악기를 다루어 들려주는 일.

[演出 연출] 연출가가 배우를 움직여 각본을 무대 위에 표현하는 일.

[講演 강연] 청중 앞에서 강의 형식으로 이야기함.

[公演 공연] 연극·무용·음악 등을 관객이나 청중 앞에서 해 보이는 일.

[出演 출연] 연극·영화·연설·곡예 등을 하기 위해 무대나 연단에 나감.

5급 중학 한자

중 渔 (yú)

영 fishing [fíʃiŋ]

고기잡을 어

풀이 고기 잡다.

부수 水(물수)부

찾기 氵3(水)+魚11=14획

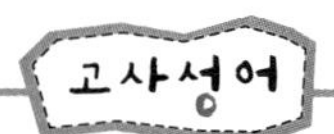

글자뿌리 형성(形聲) 문자. 물 수(水〈뜻〉)에 고기 어(魚〈음〉)를 합친 자로, 물속에 있는 '물고기를 잡는다'는 뜻.

[漁撈 어로] 물고기·조개·바닷말 등을 잡거나 채취함.

[漁父 어부] 물고기를 잡아서 팔아 생활하는 사람.

[漁父之利 어부지리] 도요새와 조개가 싸우고 있는 사이에 어부가 쉽게 둘을 다 잡았다는 뜻으로, 둘이 다투고 있는 사이에 엉뚱한 사람이 이익을 가로챔. 또는 그 이익.

漢

7급 중학 한자

중 汉 (hàn)

한수/한나라 한:

고사성어

漁父之利 (어부지리)

어부의 이익이라는 뜻으로, 서로 다투는 틈을 타서 제삼자가 애쓰지 않고 이익을 가로챔을 이르는 말.

고사 중국 전국 시대에 조(趙)나라가 침략하려는 것을 안 연(燕)나라의 소왕(昭王)은 소대(蘇代)를 사신으로 보냈다. 조나라의 혜문왕(惠文王)을 만난 소대는 "제가 역수(易水)를 지나다 보니, 조개가 입을 벌리고 볕을 쬐고 있는데, 도요새가 날아와 조개를 쪼았습니다. 그러자 조개가 입을 꽉 다물어 버렸습니다. 놀란 도요새는 '오늘도 내일도 비가 오지 않으면 넌 목이 말라 죽을 것이다.'라고 하였습니다. 그러자 조개도 '내가 오늘도 내일도 너를 꽉 물고 있으면 너야말로 굶어 죽게 될 거다.' 라고 하였습니다. 이렇게 둘이 한참 다투고 있을 때, 지나가던 어부가 힘들이지 않고 둘 다 잡아갔습니다. 연나라가 조개라면 조나라는 도요새입니다. 공연히 싸워 국력을 소모하면 저 강해진 진(秦)나라가 어부가 되어 이익을 독차지하게 될 것입니다." 라고 말했다. 혜문왕은 소대의 말을 알아듣고 연나라를 치려던 계획을 중단하였다고 한다.

풀이 1 한수. 물 이름. 2 한나라. 왕조 이름. 3 한족. 중국 민족. 4 사나이. 놈.

부수 水(물수)부

찾기 氵^{3}(水)+𦰩^{11}=14획

글자뿌리 형성(形聲) 문자. 물 수(水〈뜻〉)에 어려울 난(𦰩: 難의 생략형〈음〉)을 합친 자로, 양자강(揚子江)의 지류인 한수(漢水)를 뜻함.

氺 𦰩 ⇒ 氵𦰩 ⇒ 漢

[漢詩 한시] 한자로 된 시.
[漢字 한자] 중국의 글자.
[漢族 한족] 예로부터 중국 본토에서 살아온, 중국의 중심이 되는 민족.
[惡漢 악한] 몹시 나쁜 짓을 하는 사람.

4급Ⅱ 중학 한자
중 洁 (jié)
영 clean [kli:n]

깨끗할 결

풀이 깨끗하다. 깨끗이 하다.

부수 水(물수)부

찾기 氵^{3}(水)+絜^{12}=15획

글자뿌리 형성(形聲) 문자. 물 수(水〈뜻〉)에 깨끗이 할 결(絜〈음〉)을 합친 자로, 무엇이든 물로 빨면 깨끗해진다는 데서 '깨끗하다'의 뜻.

[潔白 결백] ① 깨끗하고 흼. ② 마음이 깨끗하고 허물이 없음.
[潔癖 결벽] ① 유달리 깨끗함을 좋아하는 성격. ② 부정한 것을 극단적으로 미워하는 성질.
[純潔 순결] 몸과 마음이 아주 깨끗함.
[精潔 정결] 깨끗하고 순수함.
[淸潔 청결] 맑고 깨끗함. 반 不潔(불결).

4급 고등 한자
중 潮 (cháo)
영 tide [taid]

밀물/조수 조

풀이 1 밀물. 2 조수. 3 바닷물.

부수 水(물수)부

찾기 氵^{3}(水)+朝^{12}=15획

글자뿌리 형성(形聲) 문자. 물 수(水〈뜻〉)에 아침 조(朝〈음〉)를 합친 자로, 朝(조)는 조수가 밀려드는 '아침'의 뜻. 水(수)를 붙여서, 특히 '아침 조수'의 뜻을 나타내는 글자.

[潮流 조류] ① 밀물과 썰물 때의 바닷물의 흐름. ② 한 시대의 유행.
[潮水 조수] 달의 인력에 의하여 주기적으로 들어왔다 나갔다 하는 바닷물.
[干潮 간조] 조수가 빠져 바다의 수면이 가장 낮게 된 상태.
[滿潮 만조] 가장 많이 들어왔을 때의 밀물.
[思潮 사조] 사상의 흐름.
[海潮 해조] 바닷물. 바다의 조수.

[激減 격감] 갑자기 줄거나 줄임.
[激動 격동] 급격히 움직임.
[激勵 격려] 마음이나 기운을 북돋워 힘쓰도록 함.
[激烈 격렬] 몹시 맹렬함.
[激昂 격앙] 몹시 흥분함.
[激鬪 격투] 격렬하게 싸움. 또는 그런 싸움.
[過激 과격] 지나치게 격렬함.
[急激 급격] 급하고 격렬함.

4급 고등 한자
종 激 (jī)
영 violent [váiələnt]

격할 격

풀이 1 격하다. 2 세차다. 3 빠르다. 4 부딪치다.
부수 水(물수)부
찾기 氵3(水)+敫13=16획

글자뿌리 형성(形聲) 문자. 물 수(水〈뜻〉)에 칠 교(敫〈음〉)를 합친 자로, 물이 바위 따위에 부딪쳐 물보라를 일으킨다는 뜻. 전하여, '맹렬하다'의 뜻.

4급Ⅱ 고등 한자
종 济 (jì)
영 pass over

건널 제:

풀이 1 건너다. 2 구제하다. 3 이루다. 4 그치다.
부수 水(물수)부
찾기 氵3(水)+齊14=17획

글자뿌리 형성(形聲) 문자. 물 수(水〈뜻〉)에 가지런할 제(齊〈음〉)를 합친 자로, 齊(제)는 '갖추어지다'의 뜻. 많은 것이 갖추어지다의 뜻. 또 齊(제)는 進(진)과 통하여, '나아가다'의 뜻. 강으로 나아가다, '건너다'의 뜻을 나타냄.

[濟民 제민] 백성을 구제함.
[濟世 제세] 세상을 구제함.
[濟世安民 제세안민] 세상을 구제하고 백성을 편안하게 함.
[經濟 경제] 인간의 생활에 필요한 물자를 만들고, 운반하고, 소비하는 모든 활동.
[救濟 구제] 어려운 처지에 있는 사람을 도와줌.
[未濟 미제] 일이 아직 끝나지 않음.

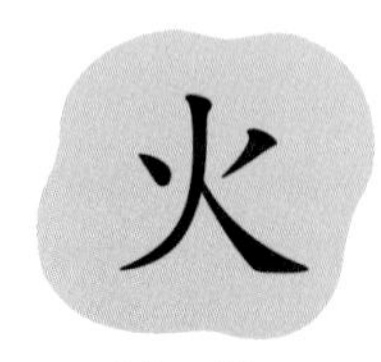

8급 중학 한자
중 火 (huǒ)
영 fire [faiər]

불 화(:)

풀이 1 불. 2 불사르다. 3 급하다.
부수 火(불화)부
찾기 火4=4획

丶 丷 少 火

글자뿌리 상형(象形) 문자. 불이 활활 타오르는 모양을 본뜬 글자.

[火急 화급] 대단히 급함.
[火器 화기] ① 화로 따위와 같은 불을 담는 그릇이나 기구. ② 총·대포 따위와 같이 화약의 힘으로 탄알을 쏘는 병기를 아울러 이르는 말.
[火力 화력] ① 불의 힘. ② 총포 등 무기의 위력.
[火山 화산] 땅속의 용암이 밖으로 내뿜어지는 곳이나 그 내뿜어진 것이 쌓여 이루어진 산.
[火傷 화상] 불에 덴 상처.
[火炎 화염] 불꽃.
[火因 화인] 화재의 원인.
[火刑 화형] 불에 태워 죽이는 형벌.
[燈火可親 등화가친] 가을밤은 등불을 가까이하여 글 읽기에 좋음.
[明若觀火 명약관화] 불을 보듯이 명백함.
[防火 방화] 화재를 미리 막음.
[放火 방화] 일부러 불을 지름. ¶ 放火罪(방화죄).
[引火 인화] 불이 붙음. 또는 불을 붙임.
[風前燈火 풍전등화] 바람 앞의 등불이라는 뜻으로, 매우 위태로운 처지.

灰

4급 인명 한자

중 灰 (huī)

영 ash [æʃ]

재 회

풀이 1 재. 2 석회.

부수 火(불화)부

찾기 火4+ナ2=6획

一 ナ 𠂇 𠂇 灰 灰

글자뿌리 회의(會意) 문자. 불 화(火)에 또 우(又)를 합친 자로, 又(우)는 '오른손'의 상형. 손으로 집을 수 있는 식은 불, '재'의 뜻을 나타냄.

[灰壁 회벽] 석회를 바른 벽.

[灰色 회색] 잿빛.

[石灰 석회] 생석회와 소석회의 총칭.

[洋灰 양회] 시멘트.

災

5급 고등 한자

중 灾 (zāi)

영 calamity [kəlǽməti]

재앙 재

풀이 1 재앙. 2 화재.

부수 火(불화)부

찾기 火4+巛3=7획

〈 巜 巛 巛 巛 災 災

글자뿌리 형성(形聲) 문자. 화재 재(巛〈음〉)에 불 화(火〈뜻〉)를 합친 자로, '巛(재)'는 둑을 쌓아 물의 흐름을 막는 모양. 냇물을 막아 물이 넘친다는 데서 '재앙'의 뜻을 나타냄.

[災難 재난] 뜻밖에 일어나는 불행한 일.

[災殃 재앙] 폭풍우·지진·홍수 따위로 말미암은 불행한 사고.

[災害 재해] 재앙으로 인한 피해.

[災禍 재화] 재앙과 화난(禍難).

[産災 산재] 산업 재해.

[水災 수재] 장마나 홍수로 인한 재난.

[天災 천재] 지진·가뭄·풍수해 등과 같이 자연현상으로 생기는 재앙.

[火災 화재] 불이 나는 재앙. 또는 불로 인한 재난.

炎

3급Ⅱ 중학 한자

중 炎 (yán)

영 flame [fleím]

불꽃 염

풀이 1 불꽃. 2 불타다. 3 덥다.

부수 火(불화)부

찾기 火4+火4=8획

丶 丷 丬 火 炎 炎 炎 炎

글자뿌리 회의(會意) 문자. 불 화(火)를 두 개 합하여 '불꽃'이 활활 타오름을 뜻함.

[炎涼 염량] 더움과 서늘함.
[炎暑 염서] 심한 더위.
[炎天 염천] 몹시 더운 날씨.
[鼻炎 비염] 코의 점막에 생기는 염증.
[中耳炎 중이염] 귀청의 속에 생기는 염증. 고열과 심한 통증이 일어남.
[暴炎 폭염] 매우 심한 더위.

[炭鑛 탄광] 석탄을 파내는 광산.
[炭素 탄소] 비금속성 화학 원소의 하나. 숯·석탄 등에 많이 들어 있음.
[炭水化物 탄수화물] 탄소·산소·수소의 화합물. 당류(糖類)·녹말·셀룰로오스로 존재함. 함수 탄소.
[木炭 목탄] 숯.
[石炭 석탄] 옛날 식물이 땅속 깊이 묻혀 생긴, 타기 쉬운 검정 고체. 연료나 화학 공업 재료로 쓰임.
[薪炭 신탄] 땔나무와 숯.

炭 숯 탄:

5급 고등 한자
중 炭 (tàn)
영 charcoal [tʃɑ́:kòul]

풀이 1 숯. 2 석탄.
부수 火(불화)부
찾기 火4+屵5=9획

丨 山 山 屵 屵 岸 炭 炭

글자뿌리 회의(會意) 문자. 벼랑 높을 알(屵)에 불 화(火)를 합친 자로, 屵(알)은 깎여 떨어져 나간 벼랑의 상형(象形). 벼랑에서 채굴한 '석탄'의 뜻.

烈 매울 렬

4급 중학 한자
중 烈 (liè)
영 fierce [fiərs]

풀이 1 맵다. 2 세차다. 사납다. 3 굳세다. 절개가 굳다.
부수 火(불화)부
찾기 灬4(火)+列6=10획

一 ア 歹 歹 列 列 烈 烈

글자뿌리 형성(形聲) 문자. 벌일 렬(列〈음〉)에 불화발(灬=火〈뜻〉)을 합친 자로, 불길이 여러 갈래로 번져〔列〕 '맵고', '세차게' 타오른다는 뜻.

[烈女 열녀] 절개가 굳은 여자. ¶ 烈女門(열녀문).
[烈士 열사] 나라를 위해 절개를 굳게 지킨 사람.
[烈風 열풍] 맹렬한 바람.
[強烈 강렬] 세차고 맹렬함.
[先烈 선열] 나라를 위해 목숨을 바친 열사. ¶ 殉國先烈(순국선열).
[熱烈 열렬] 주의 · 주장 · 실행 · 애정 등이 매우 맹렬함.
[壯烈 장렬] 씩씩하고 열렬함.
[忠烈 충렬] 충성스럽고 절의가 굳음. ¶ 忠烈祠(충렬사).

3급Ⅱ 중학 한자

㊥ 乌 (wū)

㊍ crow [krou]

풀이 1 까마귀. 2 검다.

부수 火(불화)부

찾기 灬4(火)+烏6=10획

丿 丨 卢 卢 卢 烏 烏 烏

글자뿌리 상형(象形) 문자. 까마귀의 형상을 본뜬 글자. 까마귀는 검기 때문에 멀리서는 눈을 알아볼 수 없으므로, 새 조(鳥)에서 한 획을 빼 '까마귀'를 뜻함.

[烏飛梨落 오비이락] 까마귀 날자 배 떨어진다는 뜻으로, 어떤 일이 공교롭게도 같은 때에 일어나 남의 의심을 받게 됨을 이르는 말.
[烏鵲橋 오작교] 칠월 칠석날에 견우와 직녀가 만날 수 있도록 까마귀와 까치가 은하수에 놓는다는 다리.

고사성어

烏合之衆 (오합지중)

까마귀 떼처럼 규율도 질서도 없는 군중을 이르는 말.

고사 중국의 전한(前漢) 말에 유수(劉秀)는 스스로 황제라 칭하던 왕망(王莽)의 군사를 물리치고 유현(劉玄)을 황제로 내세워 한나라를 회복했다. 그런데 왕망의 실정(失政)으로 인한 반란자 가운데 왕랑(王郞)이란 자가 성제의 아들 유자여(劉子輿)를 자처하며 군사를 모아 자신을 천자라 일컫는 사건이 발생했다. 이에 유수가 토벌에 나섰는데, 그의 덕망을 사모한 장수 경감(耿弇)이 유수에게로 가는 도중 수하의 두 장수가 왕랑에게로 가려 했다. 그러자 경감은 칼을 뽑아 들고 "왕랑이란 자는 원래 도적인데, 스스로 황제를 사칭하고 난을 일으켰다. 내가 장안에 가서 정예군으로 공격하면 왕랑의 군사 같은 오합지중을 꺾는 것은 썩은 나무를 꺾는 것과 같다. 너희가 도리를 저버리고 적과 한패가 된다면 얼마 가지 않아 일족이 죽음을 당하리라." 라고 말했다고 한다.

[烏竹軒 오죽헌] 강원도 강릉시에 있는 이율곡이 태어난 집. 보물 제165호.

[烏合之卒 오합지졸] 까마귀 떼처럼 아무 규율도 질서도 통일성도 없이 모여 있는 군대 또는 군중.

5급 중학 한자

중 无 (wú)

영 nothing [nʌ́θiŋ]

없을 무

풀이 없다.

부수 火(불화)부

찾기 灬4(火)+無8=12획

글자뿌리 회의(會意) 문자. 큰 대(𠂉=大)와 수풀을 뜻하는 '𣞤'에 불화발(灬)을 합친 자로, 큰 숲도 불이 나서 타 버리면 다 없어진다는 뜻.

[無故 무고] ① 아무런 까닭이 없음. ② 아무 탈 없음.

[無窮 무궁] 끝이 없음. ¶ 無窮無盡(무궁무진).

[無期限 무기한] 일정한 기한이 없음.

[無能 무능] 재능이나 능력이 없음.

[無禮 무례] 예의가 없음.

[無名氏 무명씨] 이름을 모르거나 드러내지 않은 사람.

[無分別 무분별] 사물의 옳고 그름을 분간할 힘이 없음.

[無爲 무위] ① 아무 일도 하지 않음. ¶ 無爲徒食(무위도식). ② 사람의 지혜나 힘을 더하지 아니함.

[無作爲 무작위] 어떤 일을 꾸미지 않고 우연에 따라 하는 일.

[無題 무제] ① 제목이 없음. ② 제목을 붙이지 아니한 예술 작품.

[無限定 무한정] 한정이 없음.

[百害無益 백해무익] 해롭기만 하고 조금도 이로울 것이 없음.

[眼下無人 안하무인] 교만하여 남을 업신여김.

[有備無患 유비무환] 미리미리 준비하면 근심할 것이 없음.

[前無後無 전무후무] 전에도 없었고 앞으로도 있을 수 없음.

[虛無 허무] ① 아무것도 없이 텅 빔. ② 덧없음.

7급 중학 한자

중 然 (rán)

영 so [sou]

그럴 연

풀이 1 그러하다. 옳다. 2 그러면. 그러하면.

부수 火(불화)부

찾기 灬4(火)+肰8=12획

丿 ク タ タ タ一 外 肰 肰
肰 肰 然 然

글자뿌리 형성(形聲) 문자. 개고기 연(肰〈음〉) 밑에 불화발(灬〈뜻〉)을 합친 자로, 고기를 불에 굽는다는 데서 불타다의 뜻이었으나, 뒤에 가차하여 '그러하다'의 뜻이 된 자.

⇒ ⇒ 然

[然後 연후] 그러한 뒤.
[果然 과연] 알고 보니 정말.
[當然 당연] 마땅히 그럴 것임.
[未然 미연] 아직 그렇게 되지 아니함.
[本然 본연] 본디 타고난 상태. 또는 그대로의 모습.
[偶然 우연] 뜻하지 않게 일어나는 것. 또는 그 일.
[隱然中 은연중] 남이 모르는 가운데.
[自然 자연] ① 사람의 힘을 더하지 아니한 상태. ② 지리적 또는 지질적 환경 조건.
[天然資源 천연자원] 천연적으로 존재하는 자원.
[泰然自若 태연자약] 태도가 예사롭고 천연스러움.
[必然 필연] 그리되는 수밖에 다른 도리가 없음.

4급Ⅱ 중학 한자
중 烟 (yān)
영 smoke [smouk]

연기 연

풀이 1 연기. 연기가 끼다. 2 그을음. 3 담배.

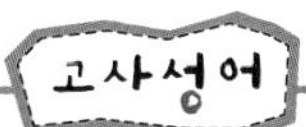

浩然之氣 (호연지기)

천지간에 충만하여 있는 바른 원기라는 뜻으로, 공명정대하여 조금도 부끄러울 것이 없는 도덕적 용기를 이르는 말.

[고사] 맹자(孟子)의 제자인 공손추(公孫丑)가 선생님의 부동심(不動心 : 움직이지 않는 마음)과 고자(告子)의 부동심의 차이점은 무엇이냐고 묻자, 맹자는 "고자는 납득이 가지 않는 말은 억지로 이해하려고 하지 말라고 하였는데, 이는 소극적이네. 나는 말을 알고 있으며〔知言〕 거기에다 호연지기를 기르고 있다네." 라고 말했다. 여기에서 지언(知言)이란 편협한 말, 음탕한 말, 간사한 말, 피하는 말을 가려낼 수 있는 밝음을 갖는 것이다. 또, 호연지기는 평온하고 너그러운 화기(和氣)를 말한다. 기(氣)는 매우 광대하고 강건하며, 올바르고 솔직한 것으로 이것을 해치지 않도록 기르면, 천지간에 넘쳐 우주 자연과 합일하는 경지이다.

부수 火(불화)부

찾기 火⁴+垔⁹=13획

글자뿌리 형성(形聲) 문자. 불 화(火〈뜻〉)에 향로의 모양을 가리키는 인(垔: 연기가 난다는 뜻〈음〉)을 합친 자로, 향로에 불을 붙이면 '연기'가 남을 뜻함.

[煙氣 연기] 무엇이 탈 때에 생기는 흐릿한 기체.

[煙幕 연막] ① 적에게 자기편의 행동을 숨기기 위해 피운 연기. ② 본마음을 숨기기 위한 말이나 행동.

[煙草 연초] 담배.

[禁煙 금연] ① 담배를 피우는 것을 금함. ② 담배를 끊음.

[吸煙 흡연] 담배를 피움.

5급 중학 한자

중 热 (rè)

영 hot [hat]

더울 열

풀이 1 덥다. 더위. 2 열. 3 몸 달다.

부수 火(불화)부

찾기 灬⁴(火)+埶¹¹=15획

글자뿌리 형성(形聲) 문자. 심을 예(埶: 藝의 생략형〈음〉)에 불화발(灬〈뜻〉)을 합친 자로, 불의 열기를 나타내어 '열', '덥다'의 뜻을 나타냄.

[熱帶 열대] ① 적도를 중심으로 남북 위도 각각 23°27′ 이내의 지역. ② 1년간 평균 기온이 20℃ 이상인 지대.

[熱量 열량] 열에너지의 양. 칼로리로 나타냄.

[熱望 열망] 열렬하게 바람.

[熱病 열병] 열이 심하게 나는 병.

[熱誠 열성] 열렬한 정성.

[熱心 열심] 어떤 일에 정신을 집중하여 힘씀.

[熱意 열의] 뜨거운 마음. 열렬한 성의.

[熱戰 열전] ① 무력에 의한 맹렬한 전쟁. ② 운동 경기 등의 맹렬한 싸움.

[熱情 열정] ① 열렬한 애정. ② 어떤 일에 열중하는 마음.

[熱中 열중] 한 가지 일에 정신을 쏟음.

[熱河日記 열하일기] 조선 정조 때 연암(燕巖) 박지원(朴趾源)이 사신을 따라 중국을 다녀와서 쓴 기행문.

[加熱 가열] 열을 가함.
[過熱 과열] ① 지나치게 뜨거워짐. ② 지나치게 활기를 띰.
[發熱 발열] ① 열이 남. 또는 열을 냄. ② 체온이 높아짐.
[以熱治熱 이열치열] 열로써 열을 다스린다는 뜻으로, 힘에는 힘으로 또는 강한 것에는 강한 것으로 상대함을 이름.
[地熱 지열] 땅속에 본디부터 있는 열.

4급Ⅱ 중학 한자
중 灯 (dēng)
영 lamp [læmp]

등 등

풀이 등. 등잔. 등불.
부수 火(불화)부
찾기 火^{4}+登^{12}=16획

글자뿌리 형성(形聲) 문자. 불 화(火〈뜻〉)에 오를 등(登: 굽이 높은 그릇〈음〉)을 합친 자로, 불을 켜는 기름 잔이란 데에서 '등잔', '등불'의 뜻이 됨.

[燈臺 등대] 밤중에 뱃길이나 위험한 곳을 알리려고 불을 켜 비추는 시설.
[燈油 등유] 등불을 켜는 데 쓰는 기름.
[燈盞 등잔] 기름을 담아서 등불을 켜는 그릇.
[燈燭 등촉] 등불과 촛불.
[燈下不明 등하불명] '등잔 밑이 어둡다'는 뜻으로, 가까이에 있는 것을 오히려 잘 모름을 이르는 말.
[燈火可親 등화가친] 가을밤은 등불을 가까이하여 글 읽기에 좋음.
[街路燈 가로등] 거리를 밝히기 위하여 설치한 등.
[觀燈 관등] 음력 4월 8일 밤에 등불을 달고 석가모니의 탄생을 기리는 일.
[色燈 색등] 빨강·파랑·노랑 따위의 빛깔로 비치는 등불.
[消燈 소등] 전등을 끔.
[屋外燈 옥외등] 집 밖에 켜는 전등.
[電燈 전등] 전기의 힘으로 빛을 내는 등불.
[走馬燈 주마등] ① 안쪽에 그림을 붙인 틀이 돌아가면서 바깥쪽에 그림이 비치게 만든 등. ② 사물이 덧없이 빨리 지나감을 비유하여 이르는 말.

4급 고등 한자
중 燃 (rán)
영 burn [bəːrn]

탈 연

풀이 1 타다. 2 사르다. 3 태우다.
부수 火(불화)부
찾기 火^{4}+然^{12}=16획

글자뿌리 형성(形聲) 문자. 이 자는 불 화(火〈뜻〉)에 그러할 연(然〈음〉)을 합친 자로, 然(연)은 '타다'의 뜻으로, 燃(연)의 원자(原字). 然(연)이 '그러나' 등의 뜻으로 쓰이게 되자, 火(화)를 붙여 구별하였음.

[燃料 연료] 열을 이용하기 위하여 태우는 재료.

[燃燒 연소] ① 불탐. ② 물질이 산화(酸化)할 때 빛과 열을 내는 현상.

[可燃性 가연성] 불에 탈 수 있는 성질.

[內燃 내연] 기관의 내부에서 연료가 폭발하여 연소함.

[不燃 불연] 타지 아니함.

4급 고등 한자

㊥ 营 (yíng)

㊀ manage [mǽnidʒ]

경영할 영

풀이 1 경영하다. 2 짓다. 3 계획하다.

부수 火(불화)부

찾기 火^{4} + 宮^{13} = 17획

글자뿌리 형성(形聲) 문자. 집 궁(宮〈뜻〉)에 등불 형(𤇾: 熒의 생략형〈음〉)을 합친 자로, 熒(형)은 밤에 진중(陣中)을 둘러싸고 밝히는 화톳불의 뜻. 宮(궁)은 방이 많은 가옥의 뜻. 주위에 화톳불을 피워 놓은 진영(陣營)의 뜻을 나타냄. 파생하여, '경영하다'의 뜻을 나타냄.

[營利 영리] 재산상의 이익을 꾀함.

[營業 영업] 영리를 목적으로 사업을 하는 일. 또 그 사업.

[經營 경영] 기업이나 사업을 관리하고 운영함.

[國營 국영] 나라에서 하는 경영.

[野營 야영] ① 휴양이나 훈련을 목적으로 야외에 천막을 쳐 놓고 하는 생활. ② 영외에 진영을 침.

[運營 운영] 어떤 조직이나 집단을 목적에 맞게 다스리고 이끌어 감.

[直營 직영] 본인이나 본사 등이 직접 관리하고 경영함.

4급 고등 한자

㊥ 爆 (bào)

㊀ explode [iksplóud]

불터질 폭

풀이 불 터지다. 폭발하다.

부수 火(불화)부

찾기 火^{4} + 暴^{15} = 19획

글자뿌리 형성(形聲) 문자. 불 화(火〈뜻〉)에 사나울 포(暴〈음〉)를 합친 자로, 暴(포)는 '거칠어지다'의 뜻. '불이 터지다'의 뜻을 나타냄.

[爆擊 폭격] 항공기가 폭탄을 떨어뜨려 어떤 목표물을 파괴하는 일.
[爆發 폭발] 불이 일어나며 갑작스럽게 터짐.
[爆音 폭음] 폭발할 때 나는 소리.
[爆竹 폭죽] 가는 대통에 불을 지르거나 화약을 재어 터뜨려서 소리가 나게 하는 물건.
[爆破 폭파] 폭발시켜 부숨.

5급 중학 한자
중 争 (zhēng)
영 quarrel [kwɔ́:rəl]

다툴 쟁

풀이 1 다투다. 다툼. 2 간하다.
부수 爪(손톱조)부
찾기 爫4+⺕4=8획

글자뿌리 회의(會意) 문자. 손톱 조(爪)에 오른손 우(⺕: 又의 변형)와 갈고리 궐(亅)을 합친 자로, 물건을 빼앗으려고 서로 잡아당기면서 '다툰다'는 뜻.

[爭議 쟁의] 의견 차이 때문에 서로 다툼. ¶勞動爭議(노동쟁의).
[爭點 쟁점] 논쟁·쟁송(爭訟)의 중심이 되는 중요한 점.
[競爭 경쟁] 같은 목적을 두고 서로 이기거나 앞서려고 다툼. ¶生存競爭(생존 경쟁).
[論爭 논쟁] 사리를 따져 말이나 글로 다툼.
[紛爭 분쟁] 어떤 말썽 때문에 서로 시끄럽게 다툼.
[言爭 언쟁] 말다툼.
[戰爭 전쟁] 국가와 국가 사이에 무력을 사용하여 싸움.
[鬪爭 투쟁] 어떤 목적을 이루려고 힘쓰거나 싸우는 일.

4급Ⅱ 중학 한자
중 为 (wéi)
영 do [du:]

할 위(:)

풀이 1 하다. 되다. 행위. 만들다. 짓다. 2 위하다. 하여금.

부수 爪(손톱조)부
찾기 爫⁴+爲⁸=12획

글자뿌리 상형(象形) 문자. 어미 원숭이가 앞발톱으로 머리를 긁는 모양을 본뜬 글자로, 원숭이는 앞발을 손같이 쓴다고 하여 '하다'의 뜻.

[爲國 위국] 나라를 위함. ¶ 爲國忠節(위국충절).
[爲民 위민] 백성을 위함.
[爲始 위시] 첫째 또는 대표로 삼음.
[爲人 위인] 사람의 됨됨이.
[爲主 위주] 주가 되는 것으로 삼음.
[當爲性 당위성] 마땅히 그렇게 해야 할 성질.
[所爲 소위] ① 하는 일. 하는 짓. ② 이른바.
[利敵行爲 이적행위] 적을 이롭게 하는 행위.
[人爲的 인위적] 사람이 일부러 한 모양이나 성질.

아비 부

8급 중학 한자
중 父 (fù)
영 father [fɑ́:ðər]

풀이 1 아비. 아버지. 2 연로한 사람의 경칭. 어르신네.
부수 父(아비부)부
찾기 父⁴=4획

글자뿌리 회의(會意) 문자. 오른손〔又〕에 매〔亅〕를 들고서 가족을 거느리고 가르친다는 데서 '아버지'를 뜻함.

⇒ ⇒ 父

[父系 부계] 아버지 쪽의 혈연 계통. 반 母系(모계).
[父權 부권] 아버지의 친권. 가장권.
[父女 부녀] 아버지와 딸.
[父子有親 부자유친] 오륜의 하나. 아버지와 아들은 서로 친밀하게 사랑해야 한다는 뜻.
[父慈子孝 부자자효] 부모는 자녀에게 자애롭고, 자녀는 부모에게 효도를 다함.
[父傳子傳 부전자전] 대대로 아버지가 아들에게 전함.
[父親 부친] 아버지. 반 母親(모친).
[家父長 가부장] 가족에 대하여 절대권을 가지는 사람.
[君師父一體 군사부일체] 임금과 스승과 아버지의 은혜는 같음을 이르는 말.
[叔父 숙부] 작은아버지.
[祖父母 조부모] 할아버지와 할머니.

[早失父母 조실부모] 어려서 부모를 잃음. 동 早喪父母(조상부모).
[曾祖父 증조부] 아버지의 할아버지.
[親父母 친부모] 자기를 낳아 준 아버지와 어머니.
[學父母 학부모] 학생의 아버지 · 어머니.

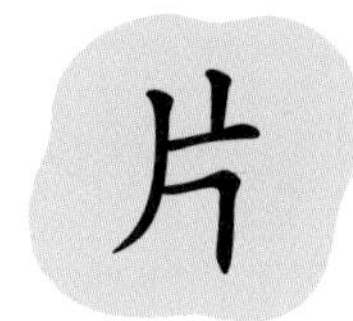

3급Ⅱ 중학 한자
중 片 (piàn)
영 splinter [splíntər]

조각 편(:)

풀이 1 조각. 2 쪽. 한쪽.
부수 片(조각편)부
찾기 片⁴=4획

글자뿌리 상형(象形) · 지사(指事) 문자. 나무 목(木=⽊)의 한가운데를 세로로 쪼개어 나눈 것 중 오른쪽 반의 모양을 본뜬 자로, '조각', '한쪽'의 뜻이 된 자.

⽊ ⇒ ⾮ ⇒ 片

[片道 편도] 가고 오는 길 중 어느 한쪽.
[片肉 편육] 얇게 썬 수육.
[片舟 편주] 작은 배. 조각배. ¶ 一葉片舟(일엽편주).
[片紙 편지] 소식이나 용건을 적어 보내는 글.
[片層雲 편층운] 조각조각 하늘에 떠 있는 구름.
[斷片 단편] 끊어지거나 쪼개진 조각. 일부분.
[一片丹心 일편단심] 한 조각의 붉은 마음이라는 뜻으로, 변치 않는 참된 마음을 이름.
[破片 파편] 깨어진 조각.

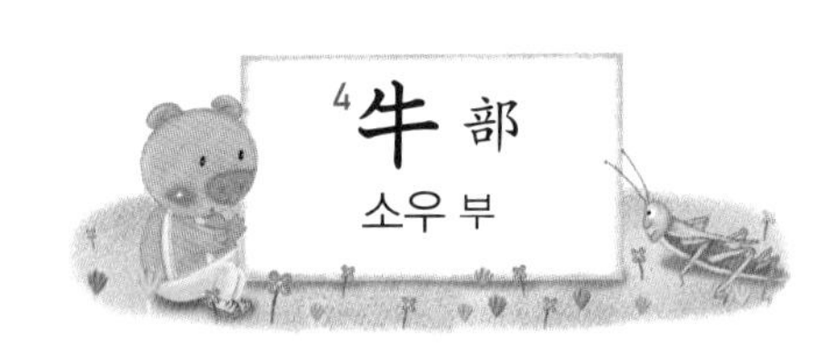

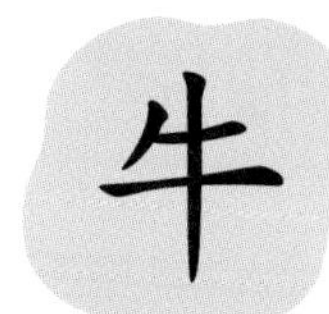

5급 중학 한자
중 牛 (niú)
영 ox [ɑks]

소 우

풀이 소.
부수 牛(소우)부
찾기 牛⁴=4획

글자뿌리 상형(象形) 문자. 소의 머리와 긴 뿔을 뒤에서 본 모양을 본뜬 글자.

⇒ ⇒ 牛

[牛角 우각] 쇠뿔.
[牛馬車 우마차] 소나 말이 끄는 수레.
[牛舍 우사] 외양간.
[牛市場 우시장] 소를 사고파는 곳.
[牛乳 우유] 소의 젖. 밀크.
[牛耳讀經 우이독경] '쇠귀에 경 읽기'라는 뜻으로, 아무리 가르쳐도 알아듣지 못함을 이르는 말.
[牛皮 우피] 쇠가죽.
[九牛一毛 구우일모] 매우 많은 것 가운데 극히 적은 수.

7급 중학 한자
중 物 (wù)
영 stuff [stʌf]

물건 물

풀이 1 물건. 만물. 2 사물. 일. 3 헤아리다. 살피다.
부수 牛(소우)부
찾기 牛4+勿4=8획

丿 𠂉 𠂇 牛 牜 牞 物 物 物

글자뿌리 형성(形聲) 문자. 소 우(牛〈뜻〉)에 말 물(勿: '얼룩'이라는 뜻이 있음〈음〉)을 합친 자로, 여러 가지 색깔을 한 소들이란 뜻. 전하여, 여러 가지 '잡다한 것'이란 데서 '물건'을 뜻함.

⇒ 牜勿 ⇒ 物

[物價指數 물가지수] 물가의 변동을 표시하는 통계 숫자.
[物理 물리] ① 사물을 이해하고 판단하는 힘. ② 사물의 이치. ③ 물리학.
[物望 물망] 여러 사람이 인정하고 우러러보는 명망.
[物色 물색] ① 물건의 빛깔. ② 쓸 만한 사람이나 물건을 찾거나 고름.
[物心兩面 물심양면] 물질적인 면과 정신적인 면.
[物議 물의] 여러 사람의 논의나 세상의 나쁜 평판.
[物情 물정] 세상의 이러저러한 실정이나 형편.
[物證 물증] 범죄의 물적 증거.
[見物生心 견물생심] 물건을 보면 갖고 싶은 욕심이 생김.
[禁物 금물] ① 매매나 사용을 금하는 물건. ② 해서는 안 되는 일.
[萬物 만물] 세상에 있는 모든 것.
[賣物 매물] 팔 물건.
[遺失物 유실물] 잃어버린 물건.
[財物 재물] 돈이나 값나가는 물건.
[特産物 특산물] 그 지방에서만 나는 독특한 산물.
[風物 풍물] ① 어떤 지방의 계절 특유의 구경거리나 산물. ② 농악에 쓰이는 모든 악기를 통틀어 이르는 말.

牧

4급Ⅱ 고등 한자
중 牧 (mù)
영 shepherd [ʃépərd]

칠 목

풀이 1 치다. 기르다. 2 목장.
부수 牛(소우)부
찾기 牛4+攵4=8획

글자뿌리 회의(會意) 문자. 소 우(牛)에 칠 복(攵=攴)을 합친 자로, 攴(복)은 채찍으로 치다의 뜻. 소를 기르는 사람의 뜻. 전하여, 백성을 기르는 장관(長官)의 뜻.

[牧歌 목가] 목동들이 부르는 노래.
[牧童 목동] 풀을 뜯기며 마소나 양을 치는 아이.
[牧民 목민] 백성을 다스림.
[牧畜 목축] 가축을 치는 일.
[放牧 방목] 가축을 놓아기르는 일.

6급 중학 한자
중 特 (tè)
영 special [spéʃəl]

특별할 특

풀이 1 특별하다. 2 홀로. 3 수소.
부수 牛(소우)부
찾기 牛4+寺6=10획

글자뿌리 형성(形聲) 문자. 소 우(牛〈뜻〉)에 관청 시(寺〈음〉)를 합친 자로, 관청에서 기르는 소는 몸이 크고 힘이 세어 다른 소에 비해 '특별하다'는 뜻.

⇒ ⇒ 特

[特權 특권] 일부의 사람만이 특별히 가지는 권리.
[特技 특기] 남보다 뛰어난 특별한 기능이나 기술.
[特別 특별] ① 보통보다 훨씬 뛰어남. ② 보통과 아주 다름.
[特報 특보] 특별히 알림. 또는 그 보도.
[特色 특색] 보통의 것과 다른 특별한 점. 동 特徵(특징).
[特選 특선] ① 재료 등을 특별히 고름. 또는 그렇게 고른 물건. ② 특히 우수하다고 뽑힌 작품.
[特約 특약] ① 특별한 조건을 붙인 약속. ② 특별한 편의나 이익이 있는 계약.
[特有 특유] 일정한 사물만이 특별히 갖추고 있음.
[特種 특종] 특별한 종류.
[特採 특채] 특별히 채용함.
[特許 특허] 특별히 허가함.
[特惠 특혜] 특별한 혜택.

[特效 특효] 특별한 효험.
[大書特筆 대서특필] 뚜렷이 드러나 보이게 큰 글자로 씀.
[獨特 독특] 견줄 만한 것이 없을 정도로 뛰어나거나 특별히 다름.

4급 중학 한자
㊥ 犬 (quǎn)
㊕ dog [dɔ(:)g]

개 견

풀이 개.
부수 犬(개견)부
찾기 犬4=4획

一 ナ 大 犬

글자뿌리 상형(象形) 문자. 개의 옆 모양을 본뜬 글자로서 '개'를 가리킴.

[犬公 견공] 개를 의인화하여 일컫는 말.
[犬馬之勞 견마지로] 개나 말의 수고로움이라는 뜻으로, 자기 자신의 노력을 겸손하게 이르는 말.
[猛犬 맹견] 몹시 사나운 개.
[名犬 명견] 이름난 개. 훌륭한 개.
[愛犬 애견] ① 개를 매우 사랑함. ② 귀여워하며 기르는 개.
[忠犬 충견] 충직한 개.

4급 고등 한자
㊥ 犯 (fàn)
㊕ commit [kəmít]

범할 범:

풀이 1 범하다. 2 침범하다. 3 범인. 4 범죄.
부수 犬(개견)부
찾기 犭3(犬)+㔾2=5획

丿 犭 犭 犯 犯

글자뿌리 형성(形聲) 문자. 개 견(犬〈뜻〉)에 병부절(㔾: 해치다의 뜻〈음〉)을 합친 자. 개가 사람을 해치다의 뜻에서 전하여 널리 해쳐 범하다의 뜻.

[犯法 범법] 법을 어김.
[犯罪 범죄] 죄를 지음.
[犯則金 범칙금] 규칙을 어겨 내는 돈.
[犯行 범행] 범죄 행위를 함.

[輕犯 경범] 가벼운 죄.
[共犯 공범] 여러 사람이 공모하여 행한 범죄. 또는 그 사람.
[防犯 방범] 범죄를 막음.

4급Ⅱ 고등 한자
중 状 (zhuàng)
영 ❶shape [ʃeip] ❷letter [létər]

❶형상 상
❷문서 장:

풀이 ❶ 1 형상. 모양. 2 형용하다. ❷ 1 문서. 2 편지.
부수 犬(개견)부
찾기 犬4 + 爿4 = 8획

丨 丬 丬 爿 爿 壯 狀 狀

글자뿌리 형성(形聲) 문자. 개 견(犬〈뜻〉)에 조각 장(爿〈음〉)을 합친 자로, 爿(장)은 像(상)과 통하여 '모습'의 뜻. 개의 여러 가지 모양의 뜻에서, 일반적으로 '모양'의 뜻을 나타냄.

[狀態 상태] 사물이나 현상이 처해 있는 형편이나 모양.
[狀況 상황] 일이 되어 가는 형편이나 모양.
[實狀 실상] 실제의 상태.
[形狀 형상] 물건의 생김새나 상태.
[答狀 답장] 회답하는 편지.
[賞狀 상장] 성적·업적 등을 칭찬하는 글을 적어 상으로 주는 문서.

3급Ⅱ 중학 한자
중 犹 (yóu)
영 rather [rǽðər]

오히려 유

풀이 1 오히려. 2 같다. 3 망설이다. 4 원숭이.
부수 犬(개견)부
찾기 犭3(犬)+酋9=12획

丿 犭 犭 犭 犭 犭 犭 犭 犭 犭 犭 猶

글자뿌리 형성(形聲) 문자. 개 견(犭=犬〈뜻〉)에 우두머리 추(酋〈음〉)를 합친 자로, 충직한 개가 못된 무리의 우두머리보다 '오히려' 낫다는 뜻.

[猶豫 유예] ① 시일을 미루거나 늦춤. ② 할까 말까 망설임.
[猶太人 유태인] 모세의 율법을 기초로 발달한 유대교를 믿는 민족.

5급 중학 한자
중 独 (dú)
영 alone [əlóun]

홀로 독

풀이 1 홀로. 2 외롭다.
부수 犬(개견)부

찾기 犭³(犬)+蜀¹³=16획

丿 犭 犭 犭 犭罒 犭罒 犭罒 犭罒
犭罒 獨 獨 獨 獨 獨 獨 獨

글자뿌리 형성(形聲) 문자. 개 견(犭=犬〈뜻〉)에 촉나라 촉(蜀: 다툰다는 뜻이 있음〈음〉)을 합친 자로, 개가 모이면 싸우므로 한 마리씩 떼어 놓아야 한다는 데서 '홀로'의 뜻이 된 자.

[獨斷 독단] 혼자서 판단하거나 결정함.
[獨立 독립] ① 남에게 의지하지 않고 혼자의 힘으로 해 나감. ② 다른 나라의 지배를 받지 않고 스스로 정치를 함. ¶ 獨立宣言(독립 선언).
[獨白 독백] ① 혼자서 중얼거림. ② 연극에서 배우가 혼자 말하는 대사.
[獨步的 독보적] 남이 도저히 따를 수 없을 정도로 홀로 뛰어난 모양.
[獨不將軍 독불장군] ① 혼자서는 장군이 되지 못한다는 뜻으로, 남과 협조해야 함을 이름. ② 자기 혼자 모든 일을 처리하는 사람.
[獨善 독선] 자기 혼자만이 옳다고 믿고 행동하는 일.
[獨身 독신] ① 형제나 자매가 없는 사람. ② 배우자가 없는 사람.
[獨也靑靑 독야청청] 홀로 푸르다는 뜻으로, 홀로 높은 절개를 지킴을 이르는 말.
[獨創 독창] 혼자의 힘으로 새롭고 독특한 것을 처음으로 만들어 내거나 고안해 냄. ¶ 獨創性(독창성).
[獨特 독특] 다른 것과 같지 않고 특별하게 다름.
[獨學 독학] 스승이 없이 혼자 힘으로 배움.
[孤獨 고독] ① 외로움. ② 부모 없는 어린아이와 자식 없는 늙은이를 이르는 말.
[單獨 단독] 혼자. 단 하나.
[無男獨女 무남독녀] 아들이 없는 집안의 외동딸.

8급 중학 한자
중 王 (wáng)
영 king [kiŋ]

임금 왕

풀이 1 임금. 으뜸. 2 임금 노릇을 하다.
부수 玉(구슬옥)부
찾기 王⁴=4획

一 二 干 王

글자뿌리 상형(象形) 문자. 도끼의 날을 세로로 한 모양을 본뜬 글자로, 무기를 사용하여 천하를 정복하였다는 데서 '군주', '임금'의 뜻이 된 자.

⇒ 王 ⇒ 王

[王國 왕국] ① 왕이 다스리는 나라. ② 하나의 큰 세력.

[王權 왕권] 임금의 권력.

[王道 왕도] 임금으로서 마땅히 지켜야 할 도리.

[王命 왕명] 임금의 명령.

[王位 왕위] 임금의 자리.

[王朝 왕조] 한 왕가가 다스리는 시대.

[國王 국왕] 나라의 임금.

[聖王 성왕] 너그럽고 훌륭한 임금. 동 聖君(성군).

[帝王 제왕] 황제와 국왕.

[天王星 천왕성] 태양에서 일곱 번째로 가까운 행성. 약 84년 걸려서 태양을 한 바퀴 돎.

4급Ⅱ 중학 한자

중 玉 (yù)

영 gem [dʒem]

구슬 옥

풀이 1 구슬. 옥. 2 아름답다. 사랑하다. 훌륭하다.

부수 玉(구슬옥)부

찾기 玉^{5}=5획

一 二 干 王 玉

글자뿌리 상형(象形) 문자. 옥돌 세 개를 꿴 모양〔王〕을 본뜬 글자로, 임금 왕(王)과 구별하기 위해서 점(丶) 하나를 더하여 쓰게 됨.

⇒ ⇒ 玉

[玉童子 옥동자] 옥같이 어여쁜 아들.

[玉色 옥색] 약간 파르스름한 빛깔.

[玉石 옥석] ① 옥과 돌. ② 좋은 것과 나쁜 것.

[玉體 옥체] ① 임금의 몸. ② 남의 몸을 높여 이름.

[玉篇 옥편] 한자의 음과 뜻을 풀어 엮은 책.

[玉皇上帝 옥황상제] 도가(道家)에서 말하는 하느님.

[金枝玉葉 금지옥엽] ① 금으로 된 가지와 옥으로 된 잎이라는 뜻으로, 임금의 자손이나 집안. ② 귀한 자손.

[白玉 백옥] 흰 빛깔의 옥. 흰 구슬.

4급 고등 한자

중 珍 (zhēn)

영 precious [préʃəs]

보배 진

풀이 1 보배. 2 맛있는 음식. 3 희귀하다.

부수 玉(구슬옥)부

찾기 王⁴(玉)+㐱⁵=9획

一 二 干 王 玐 玠 珍 珍

글자뿌리 형성(形聲) 문자. 구슬 옥(王=玉〈뜻〉)에 숱 많은 머리 진(㐱〈음〉)을 합친 자로, 㐱(진)은 塡(전)과 통하여, 밀도 높게 충실하다의 뜻. 귀중한 옥(玉)의 뜻을 나타내며, 파생하여 '진귀하다'의 뜻을 나타냄.

[珍貴 진귀] 보배롭고 귀중함.
[珍奇 진기] 희귀하고 기이함.
[珍味 진미] 음식의 썩 좋은 맛.
[珍羞 진수] 진귀한 음식.
[珍風景 진풍경] 구경거리가 될 만한 보기 드문 광경.
[山海珍味 산해진미] 산과 바다의 산물을 다 갖추어 아주 잘 차린 진귀한 음식이란 뜻으로, 온갖 귀한 재료로 만든 맛 좋은 음식.

班

6급 고등 한자
중 班 (bān)
영 share [ʃɛər]

나눌 반

풀이 1 나누다. 2 차례. 3 자리. 지위.
부수 玉(구슬옥)부
찾기 王⁴(玉)+玨⁶=10획

二 干 王 王 玎 玐 玬 班

글자뿌리 회의(會意) 문자. 쌍옥 각(玨)과 칼 도(刂)를 합친 자로, 玨(각)은 둘로 나눈 '옥'의 뜻. 칼로 쪼개어 천자가 제후(諸侯)에게 증표로 옥을 나누어 주다의 뜻에서, '나누다'의 뜻을 나타냄.

[班白 반백] 흑백이 반씩 섞인 머리털.
[班常 반상] 양반과 평민.
[班長 반장] 반을 대표하는 사람.
[分班 분반] 몇 개의 반으로 나눔.
[合班 합반] 반을 합침. 또는 합친 반.

6급 중학 한자
중 理 (lǐ)
영 regulate [régjəlèit]

다스릴 리:

풀이 1 다스리다. 2 이치. 도리. 3 깨닫다. 4 나뭇결.
부수 玉(구슬옥)부
찾기 王⁴(玉)+里⁷=11획

一 二 干 王 玎 玑 玔 玾 玾 理 理

글자뿌리 형성(形聲) 문자. 구슬 옥(王=

玉〈뜻〉에 마을 리(里: 결의 뜻〈음〉)를 합친 자로, 옥의 결에 따라 갈고 다듬는다는 데서 잘 '다스리다', '이치'의 뜻.

⇒ ⇒ 理

[理科 이과] 자연 과학의 이론과 현상을 연구하는 학과.

[理念 이념] 옳다고 생각하는 이상적인 생각.

[理論 이론] 어떤 사실에 대한 이치에 들어맞는 설명.

[理想鄕 이상향] 인간이 생각할 수 있는 완전한 세계.

[理性 이성] 사물의 이치를 논리적으로 생각하고 판단을 하는 능력.

[理解 이해] ① 사리를 분별하여 앎. ② 남의 마음이나 사정을 알아줌. ¶ 理解心(이해심).

[道理 도리] 마땅히 행하여야 할 바른 길.

[非理 비리] 이치에 어그러짐.

[修理 수리] 손보아 고침.

[倫理 윤리] 사람으로서 지켜야 할 도리와 규범.

[眞理 진리] ① 참된 이치. 참된 도리. ② 언제나 누구에게나 타당하다고 인정되는 지식.

[推理 추리] 알고 있는 사실을 바탕으로 미루어 생각함. ¶ 推理小說(추리 소설).

現 나타날 현:

6급 중학 한자

중 现 (xiàn)

영 appear [əpíər]

풀이 1 나타나다. 2 이제. 지금.

부수 玉(구슬옥)부

찾기 王[4](玉)+見[7]=11획

一 二 千 王 丑 玑 玑 玥 珇 珼 現

글자뿌리 형성(形聲) 문자. 구슬 옥(王=玉〈뜻〉)에 볼 견(見〈음〉)을 합친 자로, 구슬을 잘 갈고 닦으면 아름다운 빛깔이 '나타난다'는 뜻.

⇒ ⇒ 現

[現代 현대] 지금의 시대.

[現實 현실] 현재 나타나 있는 사실. 현재 실제로 있는 상태.

[現住所 현주소] 현재 살고 있는 곳의 주소.

[現行 현행] 현재 행하고 있음.

[實現性 실현성] 실제로 나타날 가능성.

[自我實現 자아실현] 자기의 가능성을 실현하는 일.

[再現 재현] 다시 나타남. 또는 나타냄.

[出現 출현] 나타남.

[表現 표현] 생각·감정 등을 드러내어 나타냄. ¶ 表現力(표현력).

6급 고등 한자

중 球 (qiú)

영 ball [bɔːl]

공 구

풀이 1 공. 둥근 물체. 2 옥.

부수 玉(구슬옥)부

찾기 王4(玉)+求7=11획

글자뿌리 형성(形聲) 문자. 구슬 옥(王=玉〈뜻〉)에 구할 구(求〈음〉)를 합친 자로, 求(구)는 한 점을 중심으로 하여 모이다의 뜻. 한 점을 중심으로 하여 둥글게 된 아름다운 옥의 뜻을 나타냄.

[球技 구기] 공을 사용하는 운동 경기.

[球形 구형] 공과 같이 둥근 모양.

[氣球 기구] 공기가 새지 않는 큰 주머니에 공기보다 가벼운 수소나 헬륨 따위를 넣어서 공중에 높이 띄우는 물건.

[足球 족구] 배구와 비슷한 규칙 아래, 발로 공을 차서 승부를 겨루는 구기.

4급 고등 한자

중 环 (huán)

영 ring [riŋ]

고리 환(ː)

풀이 1 고리. 2 돌다. 3 두르다. 4 구슬.

부수 玉(구슬옥)부

찾기 王4(玉)+睘13=17획

글자뿌리 형성(形聲) 문자. 구슬 옥(王=玉〈뜻〉)에 볼 경(睘〈음〉)을 합친 자로, 睘(경)은 '둥글다'의 뜻. 고리 모양의 둥근 구슬이란 뜻을 나타냄.

[環境 환경] ① 생물에게 영향을 주는 자연적 조건이나 사회적 상태. ② 생활하는 주위의 상태.

[環狀 환상] 고리처럼 둥근 모양.

[一環 일환] 전체로서 서로 밀접한 관계가 있는 사물의 한 부분.

[指環 지환] 가락지.

3급Ⅱ 중학 한자
중 瓦 (wǎ)
영 tile [tail]

기와 와:

풀이 1 기와. 2 질그릇.
부수 瓦(기와와)부
찾기 瓦5=5획

一 丆 丌 瓦 瓦

글자뿌리 상형(象形) 문자. 지붕을 인 기와가 나란히 겹쳐져 있는 모양을 본뜬 글자.

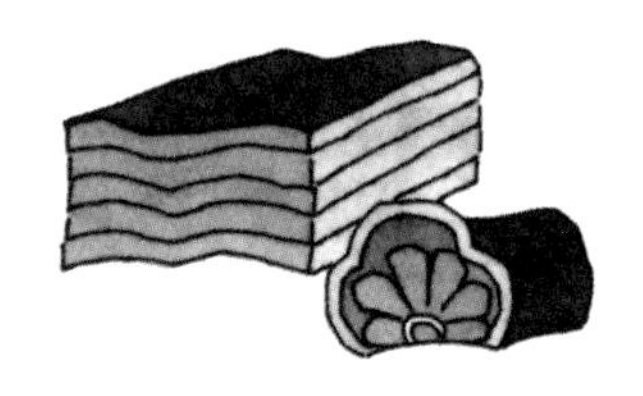

[瓦家 와가] 기와집.
[瓦器 와기] 질그릇.
[瓦當 와당] 기와의 마구리(막새와 내림새의 끝에 원형이나 반원형으로 되거나 좁고 긴 전이 붙어 있으며 무늬가 있는 부분).
[瓦師 와사] 기와를 만드는 사람.
[瓦解 와해] 기와가 깨지듯이 조직·계획 등이 무너져 흩어짐.

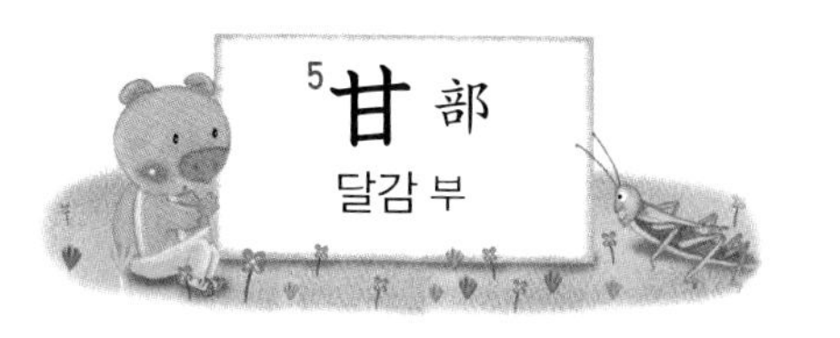

甘

4급 중학 한자
중 甘 (gān)
영 sweet [swi:t]

달 감

풀이 1 달다. 2 맛나다.
부수 甘(달감)부
찾기 甘5=5획

一 十 廾 廿 甘

글자뿌리 지사(指事) 문자. 입 구(口) 안에 점을 하나 찍어, 입안에 맛있는 음식이 들어 있다는 데서 '달다', '맛나다'의 뜻을 나타냄.

[甘露水 감로수] ① 깨끗하고 맛이 좋은 물. ② 설탕을 타서 끓인 물.
[甘味料 감미료] 설탕·사카린 등 단맛을 내기 위한 소미료.
[甘受 감수] ① 달게 받음. ② 주어진 것을 어쩔 수 없는 일이라고 생각하고 받아들임.
[甘言利說 감언이설] 남의 비위를 맞추는 달콤한 말과 이로운 조건을 내세워 꾀는 말.
[甘酒 감주] 단술.
[甘草 감초] ① 약재로 널리 쓰이는 콩과의 여러해살이풀. ② 어떤 일에나 빠지지 않고 한몫 끼어드는 사람. ¶ 藥房甘草(약방 감초).

[苦盡甘來 고진감래] 쓴 것이 다하면 단 것이 온다는 뜻으로, 고생 끝에 즐거움이 옴을 이르는 말.

심할 심

3급Ⅱ 중학 한자

㊥ 甚 (shèn)

㊰ extremely [ikstríːmli]

풀이 1 심하다. 2 더욱.

부수 甘(달감)부

찾기 甘5+匹4=9획

글자뿌리 회의(會意) 문자. 달 감(甘)에 짝 필(匹: 부부의 뜻)을 합친 자로, 부부가 함께 맛있는 음식을 먹는 일이 더없이 즐겁다는 데서 '더욱', '심하다'의 뜻.

[甚深 심심] 매우 깊음.
[甚至於 심지어] 심하다 못해 나중에는.
[極甚 극심] 극히 심함.
[滋甚 자심] 점점 더 심함.

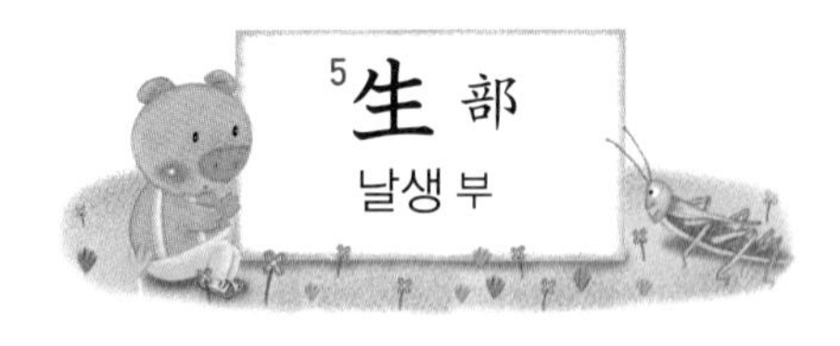

날 생

8급 중학 한자

㊥ 生 (shēng)

㊰ be born

풀이 1 나다. 낳다. 생기다. 2 살다. 삶. 3 자라다. 4 설다. 서투르다. 5 싱싱하다. 날것.

부수 生(날생)부

찾기 生5=5획

글자뿌리 상형(象形) 문자. 초목의 새싹이 땅 위로 솟아 나온 모양을 본뜬 글자.

[生家 생가] 어떤 사람이 태어난 집.
[生計 생계] 살림을 꾸려 나갈 방도나 형편.
[生年月日 생년월일] 태어난 해와 달과 날.
[生動感 생동감] 살아 움직이는 듯한 느낌.
[生老病死 생로병사] 불교에서 말하는 네 가지 고통. 곧, 태어나고, 늙고, 병들고, 죽는 일.
[生命 생명] ① 목숨. ② 사물의 중요한 점이나 유지 기간.
[生死 생사] 삶과 죽음.
[生産 생산] ① 인간의 생활에 필요한 물건을 만듦. ② 아이를 낳음. 동 出産(출산).
[生涯 생애] 살아 있는 동안. 일생 동안.
[生六臣 생육신] 조선 시대에, 세조가

단종으로부터 왕위를 빼앗자 벼슬을 버리고 지조를 지킨 여섯 신하. 이맹전(李孟專)·조여(趙旅)·원호(元昊)·김시습(金時習)·성담수(成聃壽)·남효온(南孝溫)을 이름.

[生存 생존] 살아 있음.

[生活 생활] ① 살아서 활동함. ② 생계를 유지하여 살아 나감. ¶一日生活圈(일일생활권).

[更生 갱생] ① 다시 살아남. ② 바른 삶을 되찾음.

[門下生 문하생] ① 스승의 집에 드나들면서 가르침을 받는 제자. ② 권세가 있는 집에 드나드는 사람.

[民生 민생] 국민의 생활.

[殺生 살생] 살아 있는 것을 죽임. ¶殺生有擇(살생유택).

[十長生 십장생] 죽지 아니하고 오래 산다는 열 가지. 곧, 해·산·물·돌·구름·소나무·불로초·거북·학·사슴을 일컬음.

[餘生 여생] 앞으로 남은 삶.

[留學生 유학생] 외국에 머물면서 공부하는 학생.

[利用厚生 이용후생] 편리한 기구 등을 잘 이용하여 생활을 윤택하게 함.

5급 중학 한자

중 产 (chǎn)

영 bear [bɛər]

낳을 산:

풀이 1 낳다. 2 생산하다.

부수 生(날생)부

찾기 生[5]+产[6]=11획

丶 亠 亠 立 立 产 产 产 彦 産 產

글자뿌리 형성(形聲) 문자. 선비 언(产: 彦의 생략형으로, '열다'의 뜻이 있음〈음〉)에 날 생(生〈뜻〉)을 합친 자로, 어머니의 태를 열어 아기를 '낳는다'는 뜻.

產 ⇒ 產 ⇒ 產

[產苦 산고] 아이를 낳을 때의 고통.

[產物 산물] ① 어떤 지방에서 생산되는 물건. ② 어떤 것에 의하여 생겨나는 사물이나 현상.

[產業 산업] 일상생활에 필요한 여러 가지 물건 등을 생산하는 사업.

[國產 국산] 자기 나라에서 생산함. 또는 그러한 물건.

[不動產 부동산] 땅이나 건물 등과 같이 움직여 옮길 수 없는 재산.

[所產 소산] ① 생산된 바. 이루어진 바. ② 어떤 지역에서 생산되는 온갖 물건.

[原產地 원산지] ① 원료·제품 등의 생산지. ② 동식물의 본디 난 땅.

[財產 재산] 경제적인 가치가 있는 재화와 자산의 총칭.

[增產 증산] 생산을 더 늘림.

[出產 출산] 아기를 낳음.

[破產 파산] 재산을 모두 잃어버림.

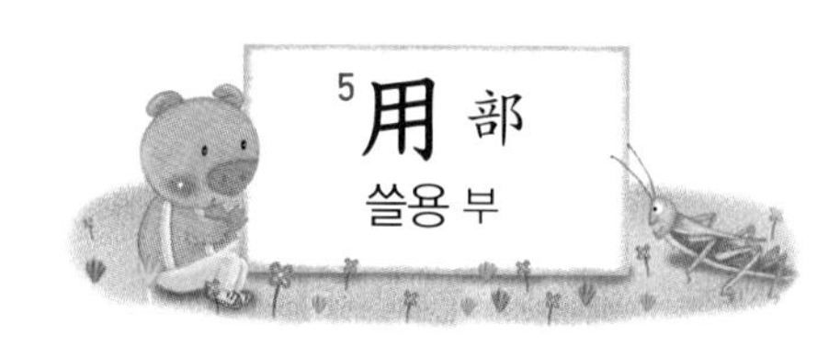

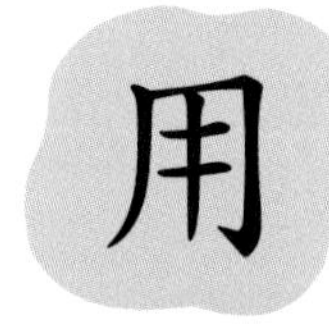

6급 중학 한자

중 用 (yòng)

영 use [ju:z]

쓸 용ː

풀이 1 쓰다. 쓰이다. 2 용도. 도구. 3 씀씀이.

부수 用(쓸용)부

찾기 用5=5획

丿 冂 月 月 用

글자뿌리 회의(會意) 문자. 점 복(卜)에 맞힐 중(中)을 합친 자로, 옛날에는 일을 결정할 때 점을 쳐서 맞아야 시행한 데서 '쓰다'의 뜻이 된 자.

[用途 용도] 쓰이는 곳.

[用務 용무] 볼일.

[用法 용법] 쓰는 방법.

[用語 용어] 사용하는 말.

[公用 공용] 공공의 목적으로 씀. 반 私用(사용).

[過用 과용] 너무 많이 씀. 지나치게 씀.

[信用 신용] 틀림없을 것으로 믿음.

[惡用 악용] 나쁘게 이용함.

[愛用 애용] 즐겨 사용함.

[誤用 오용] 잘못 씀.

[應用 응용] 원리나 지식 등을 실제에 활용함. ¶ 應用問題(응용문제).

[利用 이용] 이롭게 씀.

[引用 인용] 남의 말이나 글을 자신의 말이나 글 속에 넣어 씀.

[借用 차용] 빌려서 씀.

[採用 채용] ① 사람을 뽑아서 씀. ② 채택하여 씀.

[學用品 학용품] 학습에 필요한 물건.

[混用 혼용] ① 섞어서 씀. ② 잘못 혼동하여 씀.

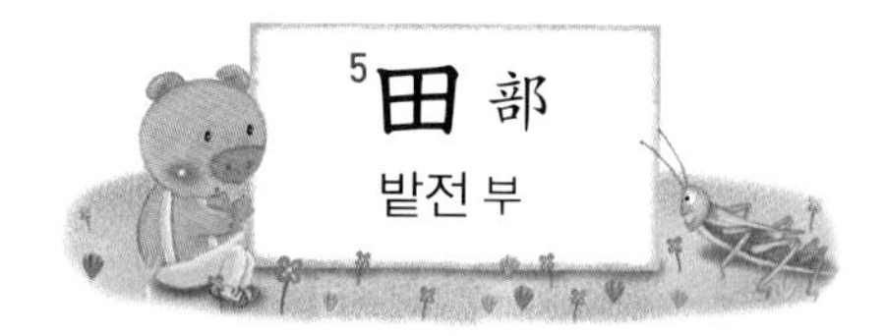

4급Ⅱ 중학 한자

중 田 (tián)

영 field [fi:ld]

밭 전

풀이 1 밭. 밭 갈다. 2 사냥하다.

부수 田(밭전)부

찾기 田5=5획

丨 冂 日 用 田

글자뿌리 상형(象形) 문자. 농토 주위의

경계와 그 속에 있는 논두렁길 모양을 본뜬 글자로, '밭'을 뜻함.

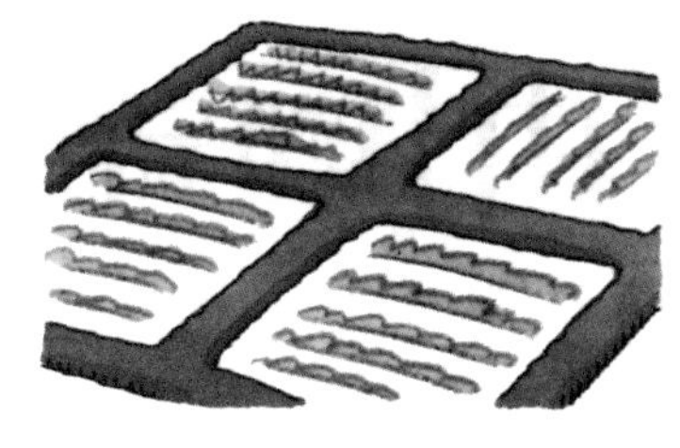

[田畓 전답] 논밭.
[田園 전원] 논밭과 동산. 곧, 시골이나 교외(郊外).
[田園都市 전원도시] 도시 생활의 편리한 점과 전원생활의 아름다움을 갖추어 교외에 건설한 도시.
[公田 공전] 국가 소유의 논밭. 반 私田(사전).
[我田引水 아전인수] '제 논에 물 대기'라는 뜻으로, 모든 일을 자기에게 이로운 대로만 하려고 함을 이르는 말.
[油田 유전] 석유가 땅속에 있거나 생산되는 곳.
[火田 화전] 산이나 들에 불을 지른 다음, 그 땅을 일구어 농사를 짓는 밭.

4급 중학 한자
중 甲 (jiǎ)
영 armor [ɑ́:rmər]

갑옷 갑

풀이 1 갑옷. 2 첫째 천간. 3 딱지. 껍데기. 4 첫째가다. 5 아무개.
부수 田(밭전)부
찾기 田5=5획

글자뿌리 상형(象形) 문자. 초목의 새싹이 껍질을 뒤집어쓰고 땅 위로 돋아 나오는 모양을 본뜬 자로, 그 겉껍질 모양이 갑옷과 같다는 데서 '갑옷'의 뜻이 된 자.

[甲骨文字 갑골문자] 거북의 등딱지나 짐승의 뼈에 새긴 중국 고대의 상형 문자.
[甲富 갑부] 첫째가는 부자.
[同甲 동갑] 같은 나이.
[六十甲子 육십갑자] 십간(十干)과 십이지(十二支)를 차례로 배합하여 60가지로 배열해 놓은 것.
[鐵甲 철갑] 쇠로 만든 갑옷.
[回甲 회갑] 예순한 살.

4급Ⅱ 중학 한자
중 申 (shēn)
영 monkey [mʌ́ŋki]

납 신

풀이 1 납. 아홉째 지지. ※ 납은 원숭이의 옛말. 2 펴다. 3 말하다. 아뢰다.
부수 田(밭전)부
찾기 田5=5획

글자뿌리 상형(象形) 문자. 줄달음치는 번개의 모양을 본뜬 글자로 '뻗다', '펴다'의 뜻을 나타냄.

[申告 신고] 해당 기관에 일정한 사실을 알리는 일. ¶ 出生申告(출생 신고).
[申聞鼓 신문고] 조선 태종 때, 대궐의 문루에 달아 놓고 백성들이 억울한 일을 호소할 때 치게 했던 북.
[申申當付 신신당부] 몇 번이고 되풀이하여 간절하게 하는 부탁.
[申請 신청] 어떤 일을 청함.
[甲申政變 갑신정변] 조선 고종 21년(1884년; 갑신년)에 김옥균(金玉均)·박영효(朴泳孝) 등의 개화당이 민씨 일파를 물리치고 혁신적인 정부를 세우기 위해 일으킨 정변.
[内申 내신] 내용을 공개하지 아니하고 보고함.

6급 중학 한자
중 由 (yóu)
영 cause [kɔ:z]

말미암을 유

풀이 1 말미암다. 2 까닭. 3 …에서부터. …에서. 4 지나다.
부수 田(밭전)부
찾기 田5=5획

丨 冂 冃 由 由

글자뿌리 상형(象形) 문자. 초목의 열매가 늘어져 매달린 모양을 본뜬 글자.

[由來 유래] 사물의 전해 내려온 내력.
[由緖 유서] ① 사물이 유래한 단서. ② 전하여 오는 까닭과 내력.
[經由 경유] 어떤 곳을 거쳐 지나감.
[事由 사유] 일의 까닭.
[緣由 연유] 까닭. 유래.
[理由 이유] 까닭. 사유.
[自由 자유] 남에게 구속받거나 무엇에 얽매이지 않고 자기 마음대로 행동함.

男

7급 중학 한자
중 男 (nán)
영 man [mæn]

사내 남

풀이 1 사내. 남자. 2 아들. 3 작위 이름. 남작.
부수 田(밭전)부
찾기 田5+力2=7획

丨 冂 冃 田 田 男 男

글자뿌리 회의(會意) 문자. 밭 전(田)에

힘 력(力)을 합친 자로, 밭에 나가서 힘써 일하는 '남자'를 뜻함.

[男女老少 남녀노소] 남자와 여자와 늙은이와 젊은이. 곧, 모든 사람.
[男妹 남매] 오누이.
[男兒一言重千金 남아일언중천금] 남자의 말 한 마디는 천금같이 값지고 무거움.
[男便 남편] 여자의 짝이 되어 사는 남자를 그 여자에 대하여 일컫는 말.
[長男 장남] 맏아들. 큰아들.
[好男 호남] ① 쾌활하고 씩씩한 남자. ② 미남자.

6급 중학 한자
중 界 (jiè)
영 boundary [báundəri]

지경 계:

풀이 1 지경. 한계. 범위. 2 둘레. 경계 안. 3 구분하다. 한정하다.
부수 田(밭전)부
찾기 田⁵+介⁴=9획

글자뿌리 형성(形聲) 문자. 밭 전(田〈뜻〉)에 끼일 개(介〈음〉)를 합친 자로, 밭과 밭 사이를 나누는 경계라는 데서 '지경'의 뜻을 지님.

[各界 각계] 사회의 여러 분야. ¶ 各界各層(각계각층).
[分界線 분계선] 서로 나뉜 두 지역의 경계가 되는 선.
[世界史 세계사] 세계 인류의 역사.
[視界 시계] 눈으로 바라볼 수 있는 범위. 동 視野(시야).
[外界人 외계인] 지구 밖의 다른 별에서 온 사람.
[財界 재계] 실업가나 금융업자의 사회.
[政界 정계] 정치에 관계되는 분야.
[第三世界 제삼세계] 제2차 세계 대전 후, 아시아·아프리카·라틴 아메리카의 개발 도상국을 일컬음.
[他界 타계] ① 다른 세계. 타인의 세계. ② 죽음.
[學界 학계] 학문이나 학자의 사회.

4급Ⅱ 중학 한자
중 留 (liú)
영 stay [stei]

머무를 류

풀이 1 머무르다. 묵다. 2 뒤지다. 늦다. 지체하다.

부수 田(밭전)부

찾기 田⁵+𠂎⁵=10획

글자뿌리 형성(形聲) 문자. 물 댈 유(𠂎: 丣〈음〉)에 밭 전(田〈뜻〉)을 합친 자로, 논밭에 있으면 그곳에 머물러 경작에 종사하게 되므로 전하여 널리 머무르다의 뜻이 된 자.

[留念 유념] 잊거나 소홀히 하지 않도록 마음에 깊이 새기고 생각함.

[留保 유보] 뒷날로 미룸. 멈추어 두고 보존함.

[留意 유의] 마음에 둠. ¶ 留意事項(유의 사항).

[留任 유임] 그 자리나 직위에 그대로 머물러 일을 맡아봄.

[留學 유학] 외국에 머물면서 공부함.

[抑留 억류] 억지로 붙잡아 둠.

[停留場 정류장] 승객이 타고 내릴 수 있도록 버스나 자동차 등이 멈추는 일정한 장소.

異

4급 중학 한자

중 异 (yì)

영 different [dífərənt]

다를 이ː

풀이 1 다르다. 2 이상하다.

부수 田(밭전)부

찾기 田⁵+共⁶=11획

글자뿌리 회의(會意) 문자. 줄 비(畀)에 두 손 공(廾)을 합친 자로, 두 손을 모아 물건을 나누어 줌을 나타내어, 그 마음씨가 남과 '다르다'는 뜻.

[異見 이견] 다른 의견.

[異口同聲 이구동성] 여러 사람의 말이 한결같음.

[異例 이례] 전에는 없었던 특별한 일.

[異變 이변] 전혀 예상하지 못한 사태.

[異性 이성] ① 성질이 다름. 또는 다른 성질. ② 남성 쪽에서 본 여성, 또는 여성 쪽에서 본 남성을 이르는 말.

[異議 이의] 남과 의견을 달리함. 또는 그 의견이나 주장.

[驚異 경이] 놀랍고 신기하게 여김.

[大同小異 대동소이] 거의 같고 조금 다름.

[相異 상이] 서로 다름.

[特異 특이] 특별히 다름.

4급 고등 한자

중 略 (lüè)

영 brief [bri:f]

간략할 / 약할 략

풀이 1 간략하다. 2 약하다. 생략하다. 3 다스리다.

부수 田(밭전)부

찾기 田⁵+各⁶=11획

丨 冂 日 田 田 田' 田ケ 畋
畋 略 略

글자뿌리 형성(形聲) 문자. 밭 전(田〈뜻〉)에 각각 각(各〈음〉)을 합친 자로, 田(전)은 농업 따위의 생산지의 뜻. 各(각)은 '이르다'의 뜻. 자신의 생산지(生産地)에 이르러 다스리다의 뜻이나, 남의 생산지에 들어가 침범하다의 뜻을 나타냄. 또 파생하여, 대충대충 대강만 빼앗다의 뜻에서 '생략하다'의 뜻을 나타냄.

[略圖 약도] 간단하게 줄여 주요한 것만 대충 그린 도면이나 지도.
[略歷 약력] 간단하게 적은 이력.
[略式 약식] 정식 순서를 생략한 방식.
[略字 약자] 글자의 획수를 줄여 간략하게 쓴 글자.
[計略 계략] 수단과 꾀.
[省略 생략] 줄이거나 뺌.
[戰略 전략] 전쟁을 전반적으로 이끌어 가는 방법이나 책략.

6급 중학 한자
중 番 (fān)
영 turn [təːrn]

차례 번

풀이 1 차례. 번. 번갈다. 2 횟수.
부수 田(밭전)부
찾기 田5 + 釆7 = 12획

一 ㄷ 㐅 立 平 平 釆 釆
釆 番 番 番

글자뿌리 상형(象形) 문자. 짐승의 발자국을 본뜬 글자. 釆(변)은 발가락을, 田(전)은 발바닥의 모양을 나타내며, 지나간 발자국이 번갈아 나 있다 하여 '차례'의 뜻이 된 자.

[番地 번지] 땅을 나누어서 매겨 놓은 번호.
[番號 번호] 차례를 나타내는 호수.
[單番 단번] 단 한 번. 한 차례. 단방.
[當番 당번] 어떤 일을 할 차례가 됨. 또는 그 사람. 반 非番(비번).
[順番 순번] 차례로 돌아오는 순서.

畫

6급 중학 한자
중 画 (huà)
영 ❶picture [píktʃər] ❷draw [drɔː]

❶그림 화ː ❷그을 획

풀이 ❶ 그림. 그리다. ❷ 1 긋다. 가르다. 2 꾀. 꾀하다. 3 획.
부수 田(밭전)부
찾기 田5 + 聿7 = 12획

ㄱ ㅋ ㅋ ㅋ 聿 聿 聿 書
書 書 畫 畫

글자뿌리 회의(會意) 문자. 붓 율(聿)에 그림 화(画: 밭의 경계선의 뜻)를 합친 자로, 붓으로 선을 그어 밭의 경계를 표시한다는 데서 '그리다', '긋다'의 뜻.

[畫家 화가] 그림 그리는 일을 전문으로 하는 사람.
[畫具 화구] 그림을 그리는 데 필요한 여러 가지 기구.
[畫廊 화랑] 그림 등 미술품을 전시하거나 파는 곳.
[畫報 화보] 그림이나 사진으로 엮은 인쇄물.
[畫室 화실] 화가가 작업하는 방.
[畫板 화판] 그림을 그릴 때 받치는 판.
[畫風 화풍] 그림을 그리는 경향. 또는 그림의 특징.
[漫畫 만화] 이야기를 그림으로 그려서 나타낸 것.
[原畫 원화] 복제한 그림에 대한 본디의 그림.
[靜物畫 정물화] 꽃·과일·화병 따위의 정물을 소재로 하여 그린 그림.
[肖像畫 초상화] 사람의 얼굴이나 모습을 그린 그림.
[畫數 획수] 글자 획의 수효.
[畫順 획순] 글자 획을 긋는 순서.

5급 중학 한자
중 当 (dāng)
영 suitable [sú:təbəl]

마땅 당

풀이 1 마땅. 마땅히. 2 당하다. 3 저당하다. 4 이. 그.
부수 田(밭전)부
찾기 田^{5}+尙^{8}=13획

畫龍點睛 (화룡점정)

용을 그릴 때 마지막으로 눈동자를 그려 넣는다는 뜻으로, 사물의 가장 긴요한 부분을 마치어 일을 완성시킴을 이르는 말.

고사 중국의 남북조 시대(南北朝時代) 양(梁)나라의 화가였던 장승요(張僧繇)는 인물화에 뛰어나 사찰의 벽화를 많이 그렸다. 어느 해, 그는 안락사(安樂寺)의 주지로부터 용을 그려 달라는 부탁을 받고 신중하게 그려 나가기 시작하였다. 생동감이 넘치는 쌍룡의 그림이었다. 그러나 이상하게도 눈동자가 그려져 있지 않았다. 사람들이 저마다 의아해하면서 어서 눈동자를 그려 넣으라고 하였다. 이에 하는 수 없이 쌍룡 중 한 마리에 눈동자를 그려 넣자 갑자기 번개가 번쩍하더니 천지를 뒤흔드는 뇌성과 함께 용이 벽을 깨고 하늘로 올라가 버렸다. 그래서 미처 눈동자를 그려 넣지 않은 한 마리의 용만이 그대로 남아 있었다고 한다.

글자뿌리 형성(形聲) 문자. 짝지을 상(尙: 서로 어울린다는 뜻〈음〉)에 밭 전(田〈뜻〉)을 합친 자로, 밭의 가치가 서로 어울린다는 데서 '마땅하다'의 뜻이 된 자.

[當局 당국] 어떤 일을 직접 담당함. 또는 그 기관.
[當代 당대] ① 그 시대. ② 지금 이 시대. ③ 사람의 한평생.
[當到 당도] 어떠한 곳이나 일에 이름.
[當落 당락] 당선과 낙선.
[當面 당면] ① 일이 바로 눈앞에 닥침. ② 얼굴을 대함. 동 對面(대면).
[當事者 당사자] 그 일에 직접 관계가 있는 사람.
[當選 당선] 선거나 심사 등에서 뽑힘.
[當然 당연] 마땅히 그러함.
[當初 당초] 일의 맨 처음.
[個當 개당] 한 개 한 개에.
[相當數 상당수] ① 어지간히 많은 수. ② 어떠한 기준에 상당하는 수.
[應當 응당] 으레. 당연히.
[適當 적당] 정도에 알맞음.
[正當化 정당화] 바르고 마땅하게 함.
[充當 충당] 보충하여 메움.
[合當 합당] 꼭 알맞음.

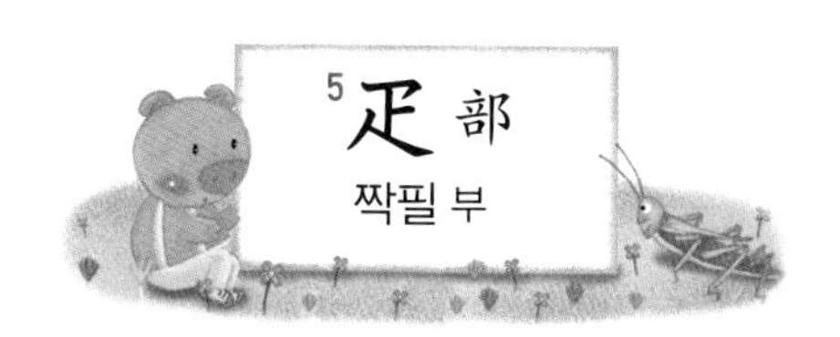

4급 고등 한자
중 疑 (yí)
영 doubt [daut]

의심할 의

풀이 1 의심하다. 2 두려워하다. 3 싫어하다.
부수 疋(짝필)부
찾기 疋^{5}+𠤕^{9}=14획

글자뿌리 형성(形聲) 문자. 아들 자(子〈뜻〉)와 그칠 지(止〈뜻〉)와 비수 비(匕〈뜻〉)와 화살 시(矢〈음〉)를 합친 자. 어린아이가 걸을 수 없어서 멈추어 서서 가지 못한다는 데서 '의심하다'의 뜻.

[疑懼 의구] 의심하여 두려워함.
[疑問 의문] 의심스럽게 생각함.
[疑心 의심] 확실히 알 수 없어서, 믿지 못하는 마음.

[疑案 의안] 진상(眞相)이 확실하지 아니한 사건이나 안건.
[疑異 의이] 의심하여 괴이하게 여김. 이상하게 여김.
[半信半疑 반신반의] 얼마쯤 믿으면서도 한편으로는 의심함.
[質疑 질의] 의심나거나 모르는 점을 물어서 밝힘.
[嫌疑 혐의] ① 꺼려 싫어함. ② 범죄를 저지른 사실이 있으리라는 의심.

6급 중학 한자
중 病 (bìng)
영 disease [dizí:z]

병 병:

풀이 1 병. 병들다. 앓다. 2 근심하다. 3 흠. 결점.
부수 疒(병질엄)부
찾기 疒5＋丙5＝10획

亠 广 疒 疒 疔 病 病 病

글자뿌리 형성(形聲) 문자. 병들어 누울 녁(疒〈뜻〉)에 남녘 병(丙＝竝〔나란할 병〕: 더한다는 뜻〈음〉)을 합친 자로, 병이 점점 심해진다는 데서 '병들다', '근심하다'의 뜻이 된 자.

⇒ ⇒ 病

[病看護 병간호] 병자를 잘 보살펴 주는 일.
[病苦 병고] 병으로 인한 괴로움.
[病理 병리] 병의 원인·발생·경과 등에 관한 이론. ¶病理學(병리학).
[病名 병명] 병의 이름.
[病席 병석] 환자가 누워 있는 자리.
[病勢 병세] 병의 상태나 형세.
[病院 병원] 병자를 진찰하고 치료하기 위해 설비해 놓은 건물.
[病患 병환] 윗사람의 병을 높여서 이르는 말.
[看病 간병] 환자를 보살핌.
[難治病 난치병] 고치기 어려운 병.
[問病 문병] 아픈 사람을 찾아보고 위로함. 병문안.
[發病 발병] 병이 생김.
[持病 지병] 잘 낫지 않아 늘 앓으면서 고통을 당하는 병.
[行旅病者 행려병자] 나그네로 떠돌아 다니다가 병이 들어 간호할 사람이 없는 사람.

4급 고등 한자
중 疲 (pí)
영 tired [taiərd]

피곤할 피

풀이 1 피곤하다. 2 지치다.

부수 疒(병질엄)부

찾기 疒5 + 皮5 = 10획

亠 广 疒 疒 疒 疒 疲 疲

글자뿌리 형성(形聲) 문자. 병들어 누울 녁(疒〈뜻〉)에 가죽 피(皮〈음〉)를 합친 자로, 皮(피)는 跛(피)와 통하여, '절룩거리다'의 뜻. '지쳐서 절룩거리다'의 뜻에서, '피로하다'의 뜻을 나타냄.

[疲困 피곤] 지쳐 고달픈 상태.
[疲勞 피로] 몸이나 정신이 지침.
[疲弊 피폐] 지치고 쇠약하여짐.

4급 고등 한자
중 痛 (tòng)
영 pain [pein]

아플 통:

풀이 1 아프다. 아파하다. 2 슬퍼하다. 3 심하다. 몹시.

부수 疒(병질엄)부

찾기 疒5 + 甬7 = 12획

丶 亠 广 广 疒 疒 疒 疒 痏 痏 痛 痛

글자뿌리 형성(形聲) 문자. 병들어 누울 녁(疒〈뜻〉)에 길 용(甬〈음〉)을 합친 자로, 甬(용)은 꿰뚫고 나가다의 뜻. 몸을 꿰뚫고 나가는 듯한 '아픔'의 뜻을 나타냄.

[痛切 통절] 뼈에 사무치게 절실함.
[痛症 통증] 아픈 증세.
[痛快 통쾌] 아주 유쾌함.
[痛歎 통탄] 몹시 탄식함.
[苦痛 고통] 괴로움과 아픔.
[悲痛 비통] 슬퍼서 마음이 매우 아픔.

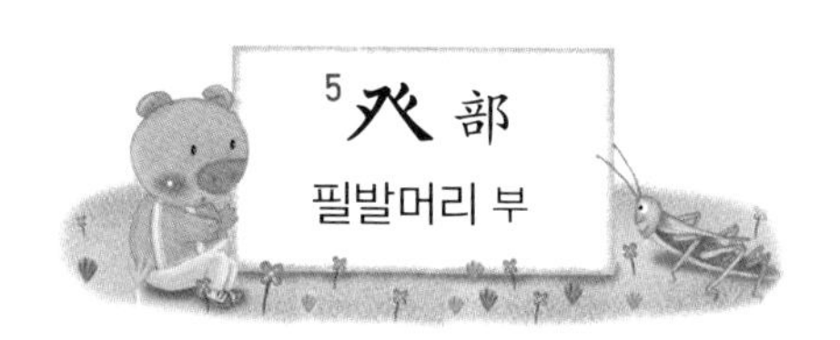

3급 중학 한자
중 癸 (guǐ)
영 north [nɔːrθ]

북방 / 열째천간 계

풀이 1 북방. 2 열째 천간.

부수 癶(필발머리)부

찾기 癶5 + 天4 = 9획

ノ ヌ 癶 癶 癶 癶 癸 癸 癸

글자뿌리 상형(象形) 문자. 칼날이 세 갈래로 갈라져 있어 어느 쪽이나 찌를 수 있는 창의 모양을 본뜬 글자. 가차하여 천간의 열째로 씀.

[癸方 계방] 24방위의 하나. 동쪽에서 북쪽에 가까운 방위.
[癸丑 계축] 육십갑자의 쉰째.

7급 중학 한자
중 登 (dēng)
영 climb [klaim]

오를 등

풀이 1 오르다. 2 올리다. 기재하다. 3 나아가다.
부수 癶(필발머리)부
찾기 癶5+豆7=12획

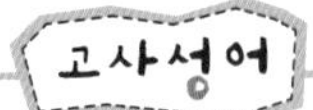

글자뿌리 형성(形聲) 문자. 걸을 발(癶〈뜻〉)에 제기 두(豆〈음〉)를 합친 자로, 두 발로 서서 높은 곳에다 제기를 올려놓는다는 데서 '오르다'의 뜻이 된 자.

[登校 등교] 학생이 학교에 감. 반 下校(하교).
[登極 등극] 임금의 자리에 오름.
[登記 등기] ① 공식적인 문서에 올려 적음. ② '등기 우편'의 준말.
[登錄 등록] 문서나 장부 등에 적어 올림.
[登山 등산] 산에 오름. 반 下山(하산).
[登用 등용] 인재를 뽑아 씀.
[登龍門 등용문] 출세의 어려운 관문을 비유하여 이르는 말.
[登場 등장] ① 배우 등이 무대에 나타남. ② 어떠한 일에 관련된 인물이 나타남.
[登頂 등정] 정상에 오름.

고사성어

登龍門 (등용문)

용문(龍門)에 오른다는 뜻으로, 입신출세의 관문을 이르는 말. 또는 운명을 결정짓는 중요한 시험을 비유해 이르는 말.

고사 용문은 중국의 황허(黃河) 강 상류에 있는 협곡으로 물살이 굉장히 빠르기 때문에 잉어도 여간해서는 오르지 못한다. 하지만 한번 오르기만 하면 용이 된다는 전설이 있다. 이에, 모든 어려움을 극복하고 입신출세의 길에 오르게 되는 것을 '용문에 오른다'고 말하고, 중국에서는 진사(進士) 시험에 합격하는 것이 출세의 첫걸음이라 하여 '등용문'이라 하였다 한다.

6급 중학 한자

중 发 (fā)

영 bloom [bluːm]

필 발

풀이 1 피다. 2 쏘다. 3 일어나다. 생기다. 4 떠나다. 5 일으키다. 6 나타나다. 드러내다. 들추다.

부수 癶(필발머리)부

찾기 癶⁵＋𤼽⁷＝12획

ㄱ ㄱ ㄱ' ㄱ'' 癶 癶 癶 癶 發 發 發 發

글자뿌리 형성(形聲) 문자. 짓밟을 발(癹〈음〉)에다 활 궁(弓〈뜻〉)을 합친 자로, 두 발로 풀밭을 힘 있게 딛고 서서 활을 쏜다는 데서 '쏘다', '피다'의 뜻.

[發見 발견] 알려지지 아니한 것을 먼저 찾아냄.

[發給 발급] 발행하여 줌.

[發端 발단] 어떤 일이 처음으로 벌어짐. 일이 벌어지게 된 이유.

[發達 발달] 점점 더 잘되어 더욱 완전한 형태에 이름.

[發賣 발매] 상품을 팖. 팔기 시작함.

[發明 발명] 아직까지는 없던 새로운 것을 만들거나 생각해 내는 일.

[發射 발사] 총포 등을 쏨.

[發言 발언] 의견을 말함. 또는 그 말.

[發育 발육] 몸이 발달하여 자라남.

[發展 발전] 보다 나은 상태로 되어 감.

[發行 발행] ① 책 등을 인쇄하여 펴냄. ② 화폐·증명서 등을 만들어 세상에 내놓음.

[滿發 만발] 많은 꽃이 한꺼번에 활짝 다 핌.

[百發百中 백발백중] ① 쏘기만 하면 어김없이 명중함. ② 예상 따위가 매번 들어맞음.

[摘發 적발] 숨겨진 사물을 들추어냄.

[出發 출발] ① 목적지를 향해 길을 떠남. ② 일의 시작.

[暴發 폭발] ① 갑자기 터짐. ② (어떤 일이) 별안간 벌어짐을 비유하여 이르는 말.

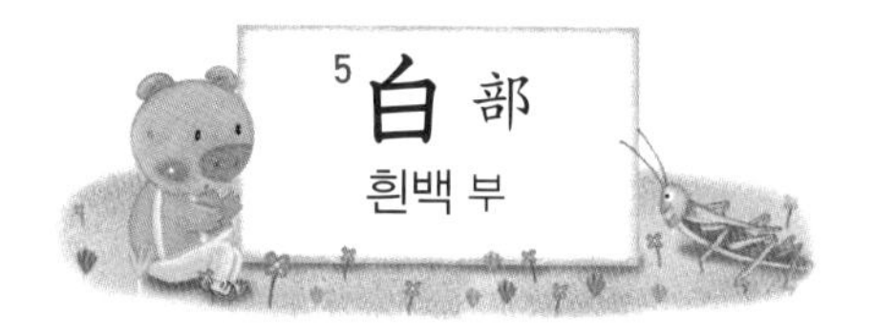

8급 중학 한자

중 白 (bái)

영 white [*h*wait]

흰 백

풀이 1 희다. 흰빛. 2 깨끗하다. 3 밝다. 4 아뢰다. 5 없다.

부수 白(흰백)부

찾기 白⁵＝5획

' ㄏ 白 白 白

글자뿌리 상형(象形) 문자. 햇빛이 위를 향해 비치는 모양을 본뜬 글자로 '희다', '깨끗하다'는 뜻을 나타냄.

⇒ ⇒ 白

[白色 백색] 흰 빛깔.
[白衣民族 백의민족] 예로부터 흰옷을 즐겨 입은 데서 우리 민족을 이름.
[白日夢 백일몽] 헛된 공상.
[白日場 백일장] ① 조선 시대 때에 시문을 짓는 시험. ② 글짓기 대회.
[白紙 백지] 흰 종이. 아무것도 쓰지 않은 종이.
[潔白 결백] 행동이나 마음이 깨끗하여 허물이 없음.
[告白 고백] 마음속에 숨기고 있는 것을 털어놓음.
[空白 공백] 텅 비어 아무것도 없음.
[明白 명백] 분명하고 뚜렷함.
[純白 순백] 순수하게 흼.
[餘白 여백] 그림이나 글씨 이외의 빈 부분.
[自白 자백] 자기 스스로 허물이나 죄를 고백함.
[黑白 흑백] ① 검은빛과 흰빛. ② 잘잘못. 옳고 그름. ¶ 黑白論理(흑백 논리).

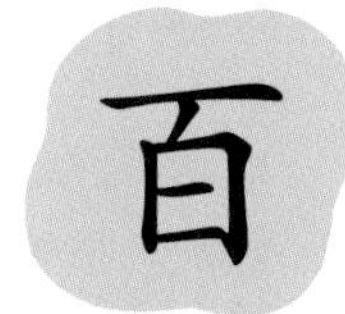

7급 중학 한자
㊥ 百 (bǎi)
㊢ hundred [hʌ́ndrəd]

일백 백

풀이 1 일백. 모든. 다수. 2 많다.
부수 白(흰백)부
찾기 白^{5}+一^{1}=6획

一 丆 丆 百 百 百

白眉 (백미)

흰 눈썹이라는 뜻으로, 여럿 가운데 가장 뛰어난 사람이나 물건을 이르는 말.

고사 중국 삼국 시대 촉(蜀)나라의 유비(劉備)에게는 마량(馬良)이라는 뛰어난 참모가 있었다. 그는 남쪽 국경 지대를 자주 침범하던 오랑캐를 촉나라에 복속시킬 정도로 정치적 수완과 재능이 뛰어났다. 마량의 형제들은 모두 다섯이었는데, 5형제가 모두 재주가 뛰어났으며, 특히 '읍참마속(泣斬馬謖)'이라 하여 제갈공명(諸葛孔明)이 눈물을 머금고 참해야 했던 사랑하는 장수 마속은 바로 그의 아우였다. 그러나 그중에서도 가장 뛰어난 이는 마량이었는데, 마량은 태어날 때부터 눈썹이 희어서 그 때문에 고을 사람들은 그를 백미(白眉)라 불렀다. 그때부터 엇비슷한 여럿 가운데 가장 뛰어난 사람을 '백미'라고 부르게 되었다고 한다.

글자뿌리 형성(形聲) 문자. 한 일(一〈뜻〉)에 흰 백(白〈음〉)을 합친 자로, 하나에서 시작하여 가장 많은 수인 '일백'을 뜻함.

[百科 백과] 온갖 학과. ¶ 百科事典(백과사전).

[百年大計 백년대계] 먼 장래를 내다보고 세우는 계획.

[百聞不如一見 백문불여일견] 백 번 듣는 것보다 실제로 한 번 보는 것이 더 나음.

[百方 백방] ① 여러 가지 방법. ② 여러 방면.

[百選 백선] 백 개를 가려 뽑음. ¶ 明詩百選(명시 백선).

[百姓 백성] 일반 국민을 예스럽게 이르는 말.

[百戰百勝 백전백승] 싸울 때마다 다 이김.

[百出 백출] 수없이 많이 나타남.

[百貨店 백화점] 온갖 상품을 부문별로 나누어 파는 대규모 판매점.

[五穀百果 오곡백과] 온갖 곡식과 여러 가지 과일.

的

5급 중학 한자

중 的 (dì, de)

영 target [tɑ́:rgit]

과녁 적

풀이 1 과녁. 목표. 2 확실하다. 3 형용사나 명사를 만드는 접미사.

부수 白(흰백)부

찾기 白^{5}+勺^{3}=8획

′ 亻 白 白 的 的 的

글자뿌리 형성(形聲) 문자. 흰 백(白〈뜻〉)에 조금 작(勺〈음〉)을 합친 자로, 흰 동그라미 판에 찍어 둔 작은 점을 향해 활을 쏜다는 데서 '과녁'의 뜻이 된 자.

고사성어

百年河清 (백년하청)

중국의 황허(黃河) 강이 늘 흐려 맑을 때가 없다는 뜻으로, 아무리 오랫동안 기다려도 소망하는 것이 이루어질 수 없음을 이르는 말.

고사 중국의 춘추 시대 때, 정(鄭)나라가 초(楚)나라의 침공을 받게 되자, 조정 대신들은 끝까지 싸워야 한다는 쪽과 화해를 주장하는 쪽으로 나뉘어 의견의 일치를 보지 못하고 있었다. 이때 대부인 자사(子駟)가 "황허 강의 흐린 물이 맑아지기를 기다린다 해도 인간의 짧은 수명으로는 아무래도 부족하다는 말이 있듯, 진(晉)나라의 원군을 기다린다는 것은 백년하청일 뿐이오." 라고 말했다 한다.

[的中 적중] 딱 들어맞음.
[的確 적확] 벗어남이 없이 정확함.
[感動的 감동적] 느끼어 마음이 움직일 만한 (것).
[公的 공적] 공공(公共)에 관한 (것). 반 私的(사적).
[對內的 대내적] 나라나 단체 등의 내부에 상관되는 (것). 반 對外的(대외적).
[目的 목적] 이루려는 목표나 방향.
[消極的 소극적] 수동적이고 활동적이 아닌 (것). 반 積極的(적극적).
[一律的 일률적] 사물의 상태나 방법 등이 한결같은 (것).
[靜的 정적] 움직임이라곤 없는 (것). 반 動的(동적).

3급 중학 한자
중 皆 (jiē)
영 all [ɔ:l]

다 개

풀이 1 다. 모두. 함께. 2 두루 미치다.
부수 白(흰백)부
찾기 白^5+比^4=9획

글자뿌리 회의(會意) 문자. 나란히 선다는 뜻의 견줄 비(比)와 말한다는 뜻의 흰 백(白)을 합친 자로, 여러 사람이 나란히 입을 모아 찬성한다는 데서 '다', '모두'의 뜻이 된 자.

[皆勤 개근] 일정 기간 동안 하루도 안 빠지고 출석함. ¶ 皆勤賞(개근상).
[皆兵 개병] 국민 모두가 병역의 의무를 지는 것.

3급Ⅱ 중학 한자
중 皇 (huáng)
영 emperor [émpərər]

임금 황

풀이 1 임금. 황제. 2 크다.
부수 白(흰백)부
찾기 白^5+王^4=9획

글자뿌리 회의(會意) 문자. 스스로 자(自〔시작〕)와 임금 왕(王), 또는 흰 백(白)에 임금 왕(王)을 합친 자로, 가장 오랜 왕의 뜻. 또는 태양의 아들로서 천명을 대신해서 인간을 다스리는 왕이 '황제'라는 뜻.

[皇國 황국] 황제의 나라.
[皇女 황녀] 황제의 딸.
[皇室 황실] 황제의 집안.
[皇帝 황제] 제왕. 임금.
[皇族 황족] 황제의 친족.
[皇太子 황태자] 황제의 자리를 이을 황제의 아들.

[教皇 교황] 가톨릭 교회에서, 가장 높은 성직자.

[天皇 천황] 일본에서, 그 임금을 일컫는 말.

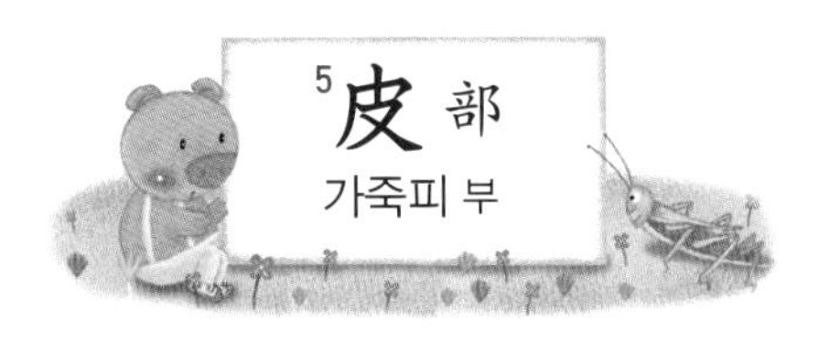

3급Ⅱ 중학 한자

㊥ 皮 (pí)

㊇ leather [léðər]

가죽 피

풀이 1 가죽. 2 껍질. 거죽.

부수 皮(가죽피)부

찾기 皮5=5획

글자뿌리 회의(會意) 문자. 손〔又〕으로 짐승 가죽을 벗기는 모양을 본뜬 글자.

[皮骨 피골] 살가죽과 뼈. ¶ 皮骨相接(피골상접).

[皮下 피하] 살가죽 밑. ¶ 皮下脂肪(피하 지방).

[毛皮 모피] 털가죽.

[外皮 외피] 겉껍질. 반 內皮(내피).

[鐵面皮 철면피] 뻔뻔스럽고 염치없는 사람.

[脫皮 탈피] ① 파충류·곤충류 따위가 허물을 벗는 일. ② 낡은 사고방식에서 벗어남.

[表皮 표피] 동식물의 표면을 덮고 있는 세포층.

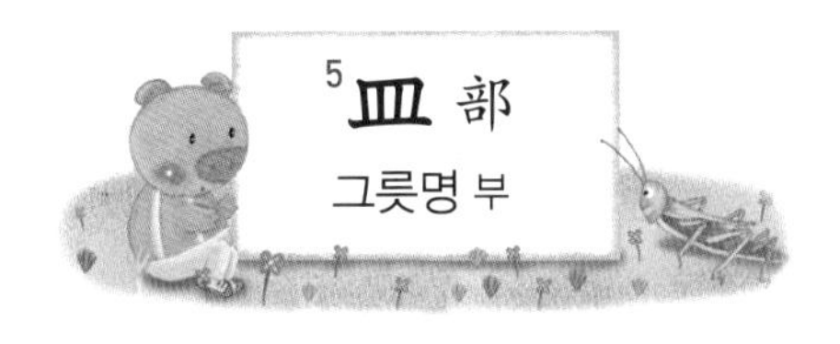

4급Ⅱ 중학 한자

㊥ 益 (yì)

㊇ increase [inkríːs]

더할 익

풀이 1 더하다. 보태다. 2 이익. 이롭다. 유익하다.

부수 皿(그릇명)부

찾기 皿5+氺5=10획

글자뿌리 회의(會意) 문자. 물 수(氺: 水의 변형)에 그릇 명(皿)을 합친 자로, 그릇 위로 물이 넘치고 있는 모양을 나타내어 '더하다', '넘치다'의 뜻.

[益鳥 익조] 농사에 해가 되는 벌레를

잡아먹는 이로운 새.
[公益 공익] 공공의 이익.
[權益 권익] 권리와 이익.
[無益 무익] 전혀 이로움이 없음. 반 有益(유익).
[損益 손익] 손해와 이익.
[實益 실익] 실제의 이익. 동 實利(실리).
[利益 이익] 유익하고 도움이 됨. 동 利得(이득).
[便益 편익] 편리하고 유익함.

4급Ⅱ 중학 한자
중 盛 (shèng)
영 thriving [θráiviŋ]

성할 성ː

풀이 1 성하다. 2 담다.
부수 皿(그릇명)부
찾기 皿[5]+成[7]=12획

丿 厂 万 成 成 成 成 成 盛 盛 盛 盛

글자뿌리 형성(形聲) 문자. 이룰 성(成: 쌓아 올린다는 뜻〈음〉)에 그릇 명(皿〈뜻〉)을 합친 자로, 그릇마다 괴어 놓은 음식을 나타내어 '성하다'의 뜻.

[盛大 성대] 성하고 큼.
[盛德 성덕] 크고 높은 덕.
[盛衰 성쇠] 성함과 쇠퇴함.
[盛業 성업] 사업이 썩 잘됨.
[盛行 성행] 매우 성하게 행하여짐.
[強盛 강성] 강하고 번성함.
[茂盛 무성] 나무·풀 등이 많이 나서 우거짐.
[全盛期 전성기] 한창 왕성한 시기.
[豐盛 풍성] 넉넉하고 많음.

4급 고등 한자
중 盗 (dào)
영 thief [θiːf]

도둑 도(ː)

풀이 1 도둑. 2 훔치다.
부수 皿(그릇명)부
찾기 皿[5]+次[7]=12획

丶 丶 冫 冫 次 次 次 次 盜 盜 盜 盜

글자뿌리 회의(會意) 문자. 침 연(次)에 그릇 명(皿)을 합친 자. 次(연)은 부러운 듯이 침을 흘리다의 뜻. 접시 속의 음식을 먹고 싶어 군침을 흘린다는 뜻에서, '훔치다'의 뜻을 나타냄.

[盜難 도난] 도둑을 맞는 재난.
[盜伐 도벌] 남의 산의 나무를 몰래 벰.
[盜用 도용] 훔쳐 씀.
[盜聽 도청] 몰래 엿들음.
[強盜 강도] 폭행이나 협박으로 남의 재물을 빼앗는 도둑.
[竊盜 절도] 남의 재물을 훔침.

4급 중학 한자

중 尽 (jìn)

영 exhaust [igzɔ́ːst]

다할 진:

풀이 다하다.

부수 皿(그릇명)부

찾기 皿5 + 肀9 = 14획

글자뿌리 회의(會意) 문자. 붓 율(聿)에 그릇 명(皿)을 합친 자로, 聿(율)은 솔을 손에 든 모양. 그릇 속을 솔로 털어서 비우는 데서 '다하다'의 뜻이 된 자.

[盡力 진력] 있는 힘을 다함.
[盡終日 진종일] 온종일. 하루 종일.
[極盡 극진] 그 이상 더할 수 없을 정도로 마음과 힘을 다함.
[賣盡 매진] 남김없이 모두 다 팔림.
[未盡 미진] 아직 하지 못함. 아직 충분하지 못함.
[消盡 소진] 다 써서 없어짐.
[打盡 타진] 모조리 잡음. ¶ 一網打盡(일망타진).
[脫盡 탈진] 기운이 다 빠져 없어짐.

4급 Ⅱ 고등 한자

중 监 (jiān)

영 oversee [òuvərsíː]

볼 감

풀이 1 보다. 살피다. 2 감옥. 3 감찰.

부수 皿(그릇명)부

찾기 皿5 + 臥9 = 14획

글자뿌리 회의(會意) 문자. 신하 신(臣)과 사람 인(人)과 그릇 명(皿)을 합친 자로, 臣(신)은 눈을 본뜬 것. 사람이 물이 들어 있는 동이를 들여다보는 모양에서, 거울에 비추어 보다의 뜻을 나타냄.

[監禁 감금] 자유를 구속하여 가둠.
[監査 감사] 감독하고 검사함.
[監修 감수] 책을 편찬하는 일을 감독함.
[監視 감시] 주의 깊게 지켜봄.
[收監 수감] 교도소에 가둠.
[出監 출감] 교도소에서 나옴.

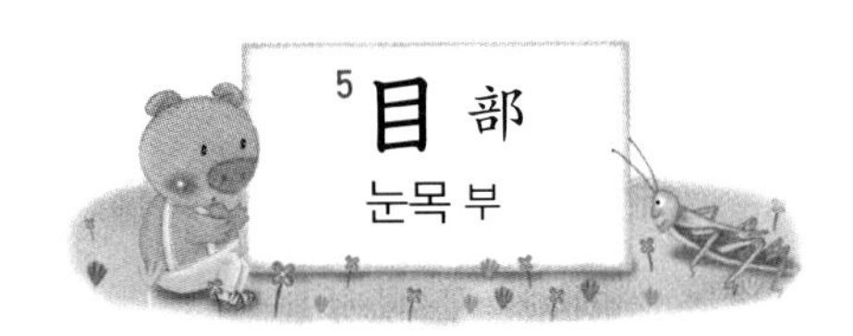

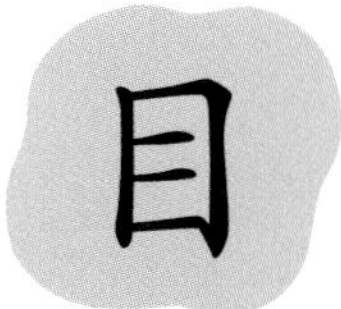

6급 중학 한자

중 目 (mù)

영 eye [ai]

눈 목

풀이 1 눈. 2 보다. 3 조목. 4 제목. 5 요점. 6 우두머리.

부수 目(눈목)부

찾기 目^{5}=5획

丨 冂 月 月 目

글자뿌리 상형(象形) 문자. 사람의 눈 모양을 본뜬 글자.

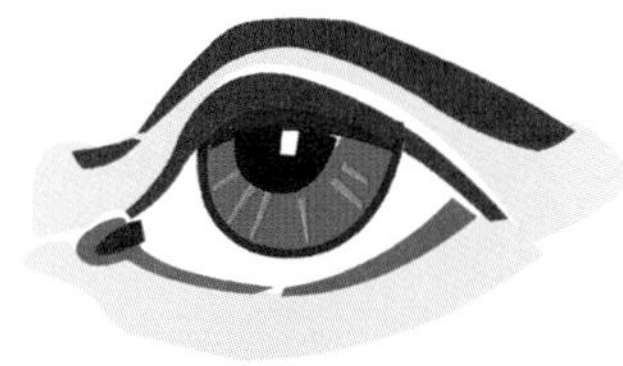

[目擊 목격] 직접 자기의 눈으로 봄.

[目禮 목례] 눈인사.

[目錄 목록] 어떤 물품의 이름을 일정한 차례로 적은 것.

[目不忍見 목불인견] 눈으로 차마 볼 수 없음.

[目的 목적] 일을 이루려 하는 목표. 도달하려고 하는 목표.

[目前 목전] 눈앞.

[目次 목차] 내용의 항목이나 제목을 차례차례로 배열한 것. 차례.

[目標 목표] 이루거나 도달하려는 대상이 되는 것.

[目下 목하] 바로 지금.

[曲目 곡목] ① 연주할 노래의 이름을 적어 놓은 목록. ② 노래의 이름.

[科目 과목] ① 사물을 분류한 조목. ② 학문의 구분. 교과를 나눈 영역.

[德目 덕목] 충·효·인·의 따위의 덕을 분류하는 명목.

[頭目 두목] 우두머리.

[面目 면목] ① 얼굴의 생김새. ② 남을 대하는 체면. ③ 일의 모양이나 상태.

[名目 명목] ① 겉으로 보이기 위해 붙인 이름. ② 이유. 핑계.

[耳目口鼻 이목구비] 귀·눈·입·코를 아울러 이름. 얼굴의 생김새.

[題目 제목] 작품 등의 내용을 보이거나 대표하는 이름.

[種目 종목] 종류의 이름.

[指目 지목] 사람이나 사물이 어떠하다고 가리키어 정함.

[眞面目 진면목] 본디 그대로의 참모습.

[品目 품목] 물건의 종류를 나타내는 이름.

7급 중학 한자

중 直 (zhí)

영 straight [streit]

곧을 직

풀이 1 곧다. 바르다. 2 바로. 3 번. 당직.

부수 目(눈목)부

찾기 目^{5}+𠃊^{3}=8획

一 十 𠂇 冇 冇 有 首 直

글자뿌리 회의(會意) 문자. 열 십(十) 밑에 눈 목(目)과 숨을 은(𠃊: 隱의 옛 글자)을 합친 자로, 여러 사람이 보면 바로 볼 수 있다는 데서 '바르다'의 뜻.

[直感 직감] 설명이나 증명을 거치지 않고 즉각적으로 판단한 느낌.
[直立 직립] 똑바로 섬. ¶ 直立步行(직립 보행).
[直面 직면] 어떤 일에 직접 부닥침.
[直線 직선] 곧은 선.
[直送 직송] 곧바로 보냄. 직접 부침.
[直視 직시] ① 똑바로 봄. ② 사물의 진실을 바로 봄.
[直言 직언] 자기가 믿는 대로 기탄없이 말함. 곧이곧대로 말함.
[直前 직전] 바로 앞. 일이 생기기 바로 전. 반 直後(직후).
[直接 직접] 중간에 다른 것을 거치지 않고 바로 접함. 반 間接(간접).
[直進 직진] 곧게 나아감.
[直通 직통] 두 지점 간에 장애가 없이 바로 통함.
[直後 직후] 바로 뒤.
[單刀直入 단도직입] 여러 말을 늘어놓지 않고 요점을 곧바로 말함.
[率直 솔직] 거짓이나 꾸밈없이 바르고 곧음.
[宿直 숙직] 관청·회사 등의 직장에서 밤에 잠을 자며 건물이나 시설물 따위를 지키는 일. 또는 그 사람.
[正直 정직] 거짓이나 꾸밈이 없이 마음이 바르고 곧음.
[忠直 충직] 충성스럽고 정직함.

볼 간

4급 중학 한자

중 看 (kàn)

영 see [siː]

풀이 1 보다. 2 지키다.

부수 目(눈목)부

찾기 目[5]+⺘[4]=9획

글자뿌리 회의(會意) 문자. 손 수(⺘: 手의 변형)에 눈 목(目)을 합친 자로, 눈 위에 손끝을 대고 '본다'는 뜻.

[看過 간과] 대충 보아 넘김.
[看病 간병] 병자를 보살핌.
[看守 간수] ① 보살피고 지킴. ② 교도소에서 죄수를 감독하는 사람. 또는 그 직책.
[看破 간파] 꿰뚫어 보아 알아차림.
[看護 간호] 환자나 노약자 등을 보살펴 돌봄.
[走馬看山 주마간산] 달리는 말 위에서 산천을 구경한다는 뜻으로, 겉만 대강 보고 지나침.

서로 상

5급 중학 한자

중 相 (xiāng)

영 mutual [mjúːtʃuəl]

풀이 1 서로. 2 보다. 3 돕다. 4 모습. 모양. 5 정승.

부수 目(눈목)부

찾기 目[5]+木[4]=9획

글자뿌리 회의(會意) 문자. 나무 목(木)에 눈 목(目)을 합친 자로, 나무에 올라 지세를 멀리 넓게 본다는 데서, '보다'의 뜻을 나타냄.

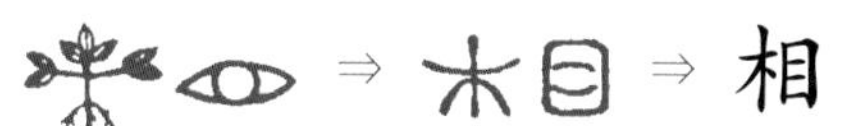

[相關 상관] ① 서로 관련을 가짐. ② 남의 일에 간섭함.
[相談 상담] 서로 의논함.
[相當 상당] 일정한 액수나 수치 따위에 해당함.
[相反 상반] 서로 반대됨.
[相逢 상봉] 서로 만남.
[相扶相助 상부상조] 서로서로 도움.
[相思 상사] 서로 생각함. 서로 그리워함. ¶ 相思病(상사병).
[相續 상속] 재산이나 권리 등을 물려주거나 물려받음.
[相殺 상쇄] 셈 따위를 서로 비김.
[相應 상응] 서로 알맞게 어울림.
[相議 상의] 서로 의논함.
[相通 상통] 서로 통함.
[相互 상호] 피차가 서로.
[觀相 관상] 사람의 생김새를 보고 그 사람의 성질이나 운명 따위를 판단하는 일.
[首相 수상] 내각의 우두머리.
[人相着衣 인상착의] 사람의 생김새와 옷차림.
[眞相 진상] 사물이나 현상의 참된 내용이나 형편.

6급 중학 한자
중 省 (❶xǐng, ❷shěng)
영 ❶watch [wɑtʃ]
❷remove [rimúːv]

❶살필 성
❷덜 생

풀이 ❶ 1 살피다. 보다. 2 관청. 3 성. ※ 중국의 지방 행정 구획. ❷ 덜다. 생략하다.
부수 目(눈목)부
찾기 目5+少4=9획

丨 小 少 少 省 省 省 省 省

글자뿌리 회의(會意) 문자. 적을 소(少)에 눈 목(目)을 합친 자로, 작은 것까지 자세히 '살핀다'는 뜻.

小 ⊖ ⇒ 丿目 ⇒ 省

[省墓 성묘] 조상의 산소를 찾아가서 인사를 드리고 돌봄.
[省察 성찰] 반성하여 살핌.
[省略 생략] 간단하게 줄이거나 뺌.
[歸省 귀성] 객지에서 고향으로 돌아가거나 돌아옴. ¶ 歸省客(귀성객).
[反省 반성] 스스로를 돌아봄.
[人事不省 인사불성] ① 정신을 잃어 의식이 없음. ② 사람으로서의 예절(禮節)을 차릴 줄 모름.
[自省 자성] 스스로 반성함.

3급Ⅱ 중학 한자

중 眠 (mián)

영 sleep [sli:p]

잘 면

풀이 자다. 쉬다.

부수 目(눈목)부

찾기 目5+民5=10획

글자뿌리 형성(形聲) 문자. 눈 목(目〈뜻〉)에 백성 민(民: 어둡다는 뜻이 있음〈음〉)을 합친 자로, 잘 때는 눈을 감는다〔民〕는 데서 '자다'의 뜻.

⇒ ⇒ 眠

[眠食 면식] 잠자는 일과 먹는 일. 동 寢食(침식).

[冬眠 동면] 뱀·개구리·곰 등의 동물이 겨울 동안 땅속·물속 등에서 활동을 멈추고 잠자는 상태로 봄을 기다리는 일. 겨울잠.

[不眠 불면] 잠을 자지 않음. 또는 잠을 자지 못함.

[睡眠 수면] 잠을 자는 일.

[熟眠 숙면] 깊이 잠이 듦.

[安眠 안면] 편히 잠.

[休眠 휴면] 쉬면서 아무런 활동도 하지 않음.

眞

4급Ⅱ 중학 한자

중 真 (zhēn)

영 true [tru:]

참 진

풀이 1 참. 진리. 진짜. 참으로. 2 초상. 사진.

부수 目(눈목)부

찾기 目5+匕5=10획

글자뿌리 회의(會意) 문자. 사람 인(匕=人)에 県(머리 수(首)를 거꾸로 쓴 모양)을 합친 글자로, 머리 전(顚)의 원자였다가, 믿을 신(信)과 통용되어 '참', '진리'를 뜻하게 됨.

[眞假 진가] 진짜와 가짜.

[眞價 진가] 참된 값어치.

[眞談 진담] 참된 말.

[眞理 진리] 참된 이치. 참된 도리.

[眞相 진상] 사물이나 현상의 거짓 없는 참된 모습.

[眞善美 진선미] 인간이 이상으로 삼는 참다움·착함·아름다움을 아울러 이르는 말.

[眞實 진실] ① 거짓 없는 사실. ② 거짓이 없이 바르고 참됨.

[眞心 진심] 참된 마음.

[眞摯 진지] 태도나 행동 따위가 참되고

착실함.
[眞紅 진홍] 새빨간 빛. 다홍색.
[寫眞 사진] 사진기로 물체의 형상을 찍은 것.
[純眞 순진] 마음이 순박하고 꾸밈이 없이 참됨.

4급Ⅱ 중학 한자
중 眼 (yǎn)
영 eye [ai]

눈 안:

풀이 1 눈. 2 고동. 요점. 3 구멍.
부수 目(눈목)부
찾기 目⁵+艮⁶=11획

글자뿌리 형성(形聲) 문자. 눈 목(目〈뜻〉)에 머물 간(艮〈음〉)을 합친 자로, 눈으로 볼 수 있는 범위는 일정한 한계에 머무른다는 데서 '눈'의 뜻.

⇒ ⇒ 眼

[眼鏡 안경] 눈을 보호하거나 시력을 돕기 위하여 눈에 쓰는 기구.
[眼科 안과] 눈에 관한 질병을 다루는 의학의 한 분과.
[眼目 안목] 사물을 보고 분별하는 힘.
[眼下無人 안하무인] 교만하여 남을 업신여김.
[近視眼 근시안] ① 먼 곳에 있는 것이 잘 보이지 않는 눈. ② 눈앞의 일에 사로잡혀 앞일을 바로 보지 못함.
[肉眼 육안] 맨눈.
[主眼點 주안점] 중점을 두어 살피는 점.
[着眼 착안] 어떤 일을 눈여겨보아 그 일을 해결할 기틀을 잡음.
[千里眼 천리안] 먼 곳의 일까지도 꿰뚫어 보는 능력.
[血眼 혈안] ① 핏발이 선 눈. ② 기를 쓰고 덤벼 잔뜩 독이 오른 눈.

4급Ⅱ 고등 한자
중 督 (dū)
영 supervise [sú:pərváiz]

감독할 독

풀이 1 감독하다. 2 살피다. 3 꾸짖다. 4 재촉하다. 5 우두머리.
부수 目(눈목)부
찾기 目⁵+叔⁸=13획

글자뿌리 형성(形聲) 문자. 눈 목(目〈뜻〉)에 아재비 숙(叔〈음〉)을 합친 자로, 叔(숙)은 中(중)과 통하여, 치우치지 않고 공정한 눈으로 단속하다의 뜻을 나타냄. 눈을 부릅뜨고 일하는 것을 살펴본다는 데서 '감독하다'의 뜻.

[督勵 독려] 감독하며 격려함.
[督戰 독전] 전투를 감독하고 독려함.
[督促 독촉] 빨리 하도록 재촉함.
[監督 감독] 잘못되지 않도록 살피어 단속함.
[提督 제독] 함대의 사령관.
[總督 총독] 관할 구역 안의 모든 정무·군무를 통할하는 직책.

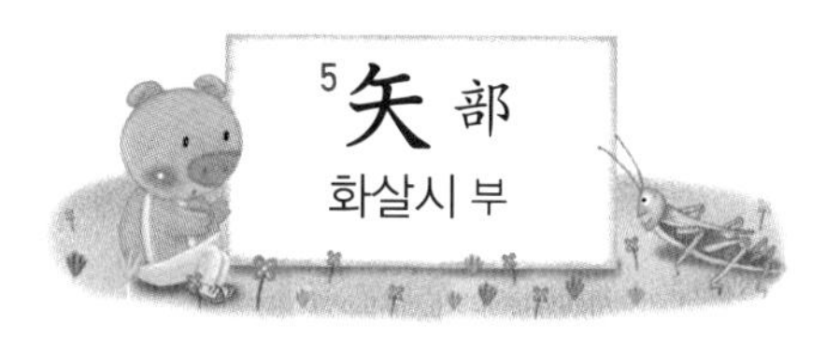

3급 중학 한자
중 矣 (yǐ)
영 particle [pɑ́ːrtikəl]

어조사 의

풀이 어조사. ※ 단정·결정·한정·의문·반어·영탄 등의 뜻을 나타냄.
부수 矢(화살시)부
찾기 矢5+厶2=7획

글자뿌리 형성(形聲) 문자. 써 이(厶: 以〔멈춘다〕의 변형〈음〉)에 화살 시(矢〈뜻〉)를 합친 자로, 화살이 날아가 무엇에 맞아 멈춘다는 뜻에서, '어조사'로 쓰이게 됨.

[萬事休矣 만사휴의] 모든 일이 헛수고로 돌아감을 이름.

5급 중학 한자
중 知 (zhī)
영 know [nou]

알 지

풀이 1 알다. 깨닫다. 분별하다. 2 알리다. 3 앎. 지식.
부수 矢(화살시)부
찾기 矢5+口3=8획

글자뿌리 회의(會意) 문자. 화살 시(矢)에 입 구(口)를 합친 자로, 사람의 말을 마치 화살처럼 빨리 알아듣는다는 데서 '알다', '깨닫다'의 뜻이 된 자.

[知能 지능] 지적인 능력. ¶ 知能指數(지능 지수).
[知性 지성] 인식 및 이해의 능력.
[知識 지식] ① 사물에 대한 인식이나 이해. ② 알고 있는 내용이나 사물.

[無知 무지] ① 아는 것이 없음. ② 어리석고 우악스러움.

[未知 미지] 아직 알지 못함. ¶ 未知數(미지수).

[親知 친지] 서로 잘 알고 친근하게 지내는 사람.

[探知 탐지] 더듬어 찾아내거나 알아냄.

[通知 통지] 기별하여 알림. ¶ 通知表(통지표).

6급 중학 한자

중 短 (duǎn)

영 short [ʃɔːrt]

짧을 단(ː)

풀이 1 짧다. 모자라다. 2 허물. 결점.

부수 矢(화살시)부

찾기 矢^{5}+豆^{7}=12획

ノ ㅗ ㄷ 乡 矢 矢 矢 知 知 知 短 短

글자뿌리 형성(形聲) 문자. 화살 시(矢〈뜻〉)에 콩 두(豆: 작다는 뜻이 있음〈음〉)를 합친 자로, 짧고 작은 화살이란 뜻에서, 다시 '짧다'의 뜻이 된 자.

⇒ ⇒ 短

[短期間 단기간] 짧은 기간. 반 長期間(장기간).

[短命 단명] 목숨이 짧음. 짧은 목숨.

[短時日 단시일] 짧은 시일.

[短信 단신] ① 짧게 쓴 편지. ② 짤막한 뉴스. 토막 소식.

[短點 단점] 모자라거나 흠이 되는 점.

[短縮 단축] 시간이나 거리 따위가 짧게 줄어듦. 또는 짧게 줄임.

[短篇 단편] 길이가 짧은 작품. ¶ 短篇小說(단편 소설).

[長短 장단] ① 길고 짧음. ② 장점과 단점.

6급 중학 한자

중 石 (shí)

영 stone [stoun]

돌 석

풀이 1 돌. 2 섬. ※ 열 말을 뜻함.

부수 石(돌석)부

찾기 石^{5}=5획

一 ア 不 石 石

글자뿌리 상형(象形) 문자. 언덕〔厂〕 아래에 굴러다니는 돌멩이〔口〕의 모양을 본뜬 글자로, '돌'을 나타냄.

⇒ ⇒ 石

[石工 석공] 돌을 다루어 여러 가지 물건을 만드는 사람.
[石材 석재] 토목이나 건축 및 비석·조각 등의 재료로 쓰이는 돌.
[石造 석조] 돌로 물건을 만드는 일. 또는 그 물건.
[落石 낙석] 돌이 떨어짐. 또는 그 돌.
[木石 목석] ① 나무와 돌. ② 아무 감정도 없는 사람.
[巖石 암석] 바위.
[一石二鳥 일석이조] 한 가지 일로 두 가지 이익을 얻음.
[電光石火 전광석화] ① 극히 짧은 시간. ② 아주 신속한 동작.
[定石 정석] 어떤 일을 처리할 때의 정해진 일정한 방식.
[齒石 치석] 이에 엉기어 붙은 단단한 물질.
[投石 투석] 돌을 던짐.
[化石 화석] 지질 시대의 동식물의 주검이나 흔적이 암석 속에 남아 있는 것.

4급Ⅱ 중학 한자
중 破 (pò)
영 break [breik]

깨뜨릴 파:

풀이 1 깨뜨리다. 깨어지다. 2 다하다. 3 쪼개다.
부수 石(돌석)부
찾기 石5+皮5=10획

글자뿌리 형성(形聲) 문자. 돌 석(石〈뜻〉)에 가죽 피(皮: 깨어진다는 뜻〈음〉)를 합친 자로, 돌의 거죽이 깨어진다는 데서 '깨뜨리다'의 뜻.

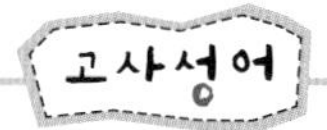

破竹之勢 (파죽지세)

대나무를 쪼개는 기세라는 뜻으로, 세력이 강대하여 큰 적을 거침없이 물리치고 쳐들어가는 기세를 이르는 말.

고사 중국의 진(晉)과 오(吳) 두 나라가 패권을 다투고 있을 때, 진나라의 무제(武帝)는 대군을 몰아 오나라의 정벌에 나섰다. 싸움은 이듬해 2월까지 계속되었으며 진나라 군대는 이미 무창(武昌)을 함락시킨 후였다. 이때에 어느 장수가 지금은 봄이라 강물이 불어날 터이니 일단 물러났다가 겨울에 다시 공격하자는 의견을 내었으나, 대장군인 두예(杜預)는 "지금 우리 군은 마치 대를 쪼갤 때와 같이 승세를 타고 있다. 둘째 마디, 셋째 마디를 쪼개 나가면 칼만 대도 저절로 쪼개지니, 힘들일 것도 없는 형편이다."라고 하며 반대하였다. 그리하여, 진나라 군사는 전투 태세를 다시 갖춘 뒤에 오나라의 수도 건업(建業)을 함락시켰다고 한다.

⇒ ⇒ 破

[破鏡 파경] 깨어진 거울, 즉 부부가 헤어지는 것을 이름. 이혼.
[破産 파산] 재산을 모두 잃고 망함.
[破損 파손] 깨어져 못 쓰게 됨. 또는 깨뜨려 못 쓰게 함.
[破竹之勢 파죽지세] 대를 쪼개는 기세라는 뜻으로, 맹렬한 기세를 이름.
[破紙 파지] 찢어지거나 글을 잘못 써서 못 쓰게 된 종이.
[破片 파편] 깨어진 조각.
[破婚 파혼] 약혼을 깨뜨림.
[大破 대파] ① 적을 크게 쳐부숨. ② 크게 부서짐.
[讀破 독파] 책을 끝까지 다 읽어 냄.
[走破 주파] 끝까지 달림.
[打破 타파] 비합리적인 규율이나 관습 따위를 깨뜨려 버림.

4급Ⅱ 인명 한자
중 炮 (pào)
영 cannon [kǽnən]

대포 포:

풀이 대포.
부수 石(돌석)부
찾기 石5＋包5＝10획

글자뿌리 형성(形聲) 문자. 돌 석(石〈뜻〉)에 쌀 포(包〈음〉)를 합친 자로, 돌을 쏘아 날리는 무기에서 '대포'의 뜻.

[砲兵 포병] 포 사격을 맡아 하는 군대나 군인.
[砲手 포수] 총으로 사냥하는 사람.
[空砲 공포] 소리만 나게 하는 총질.
[發砲 발포] 총이나 포를 쏨.
[祝砲 축포] 축하의 뜻으로 쏘는 공포.

4급Ⅱ 중학 한자
중 研 (yán)
영 polish [pɑ́liʃ]

갈 연:

풀이 1 갈다. 2 연구하다. 3 벼루.
부수 石(돌석)부
찾기 石5+幵6=11획

글자뿌리 형성(形聲) 문자. 돌 석(石〈뜻〉)

에 평평할 견(幵〈음〉)을 합친 자로, 돌을 반듯하게 갈고 닦는다는 데서 '갈다', 나아가 '연구하다'의 뜻.

[研究 연구] 어떤 일이나 사물에 대하여 깊이 있게 조사하고 생각함.
[研磨 연마] ① 돌이나 쇠붙이를 갈고 닦음. ② 학문이나 기술을 배우고 닦음.
[研修 연수] 연구하고 닦음.

4급 고등 한자
중 碑 (bēi)
영 monument [mánjəmənt]

비석 비

풀이 1 비석. 2 비문. 3 돌기둥.
부수 石(돌석)부
찾기 石[5]+卑[8]=13획

글자뿌리 형성(形聲) 문자. 돌 석(石〈뜻〉)에 낮을 비(卑〈음〉)를 합친 자로, 낮게 세워 놓은 돌의 뜻을 나타냄. 본디 해시계나 희생을 매어 두는 데 썼으나 뒤에 글자를 새겨 놓는 비석의 뜻으로 쓰임.

[碑閣 비각] 안에 비를 세워 놓은 집.
[碑面 비면] 글을 새긴 비석의 앞면.
[碑銘 비명] 비석에 새긴 글.
[碑文 비문] 비석에 새긴 글.
[碑石 비석] 돌로 만든 비.
[口碑 구비] 예로부터 말로 전해 내려온 것.
[記念碑 기념비] 어떠한 일이나 사람을 기념하기 위하여 세운 비.
[墓碑 묘비] 무덤 앞에 세우는 비석.

確

4급Ⅱ 고등 한자
중 确 (què)
영 certain [sə́ːrtən]

굳을 확

풀이 1 굳다. 2 단단하다. 3 확실하다.
부수 石(돌석)부
찾기 石[5]+隺[10]=15획

글자뿌리 형성(形聲) 문자. 돌 석(石〈뜻〉)에 두루미 학(隺〈음〉)을 합친 자로, 隺(학)은 硬(경)과 통하여, '단단하다'의 뜻. 단단한 돌의 뜻에서, '견고하다', '확실하다'의 뜻을 나타냄.

[確固 확고] 확실하고 견고함.
[確答 확답] 확실한 대답.
[確立 확립] 굳게 세움.
[確保 확보] 확실히 지님.
[確信 확신] 굳게 믿음.
[確實 확실] 틀림이 없음.
[確認 확인] 확실한가를 알아보거나 인정함. 또는 그러한 인정.
[明確 명확] 아주 분명하고 틀림없음.
[正確 정확] 바르고 확실함.

5급 중학 한자
중 亓 (shì)
영 exhibit [igzíbit]

보일 시:

풀이 1 보이다. 2 지시하다. 가르치다. 알리다.
부수 示(보일시)부
찾기 示5=5획

一 二 亍 亓 示

글자뿌리 상형(象形) 문자. 신을 제사 지내는 상의 모양, 또는 바쳐진 희생물 곧 짐승의 피가 떨어지는 모양을 본뜬 글자. '신령이 자리 잡는 곳', '신령'을 뜻하다가 신령은 인간에게 길흉을 알려 준다는 데서 '보이다'의 뜻.

[示達 시달] 상부에서 하부로 명령·통지 등을 전달함.
[示範 시범] 모범을 보임.
[示威 시위] 위력이나 기세를 드러내어 보임.
[教示 교시] 가르쳐 보임.
[明示 명시] 분명하게 나타내 보임.
[暗示 암시] 넌지시 알림. 또는 그 내용.
[展示 전시] 한곳에 늘어놓아 보임.
[指示 지시] ① 가리키어 보임. ② 일러서 시킴. 또는 그 내용.
[表示 표시] 알아차리도록 겉으로 드러내 보임.
[訓示 훈시] 주의 사항을 일러 주거나 가르쳐 타이름.

6급 고등 한자
중 社 (shè)
영 society [səsáiəti]

모일 사

풀이 1 모이다. 2 단체. 3 제사 지내다.
부수 示(보일시)부
찾기 示5+土3=8획

글자뿌리 회의(會意) 문자. 보일 시(示〈뜻〉)에 흙 토(土〈음〉)를 합친 자로, 土(토)는 농경 집단이 공동으로 제사 지내는 토지의 신의 뜻. 뒤에 '土'가 땅의 뜻으로 쓰임에 따라 示(시)를 더하여 구별함. 파생하여, 집단체도 '社(사)'라 이르게 됨.

[社交 사교] 사회적 활동을 통해 여러 사람이 모여서 서로 사귐.
[社内 사내] 회사의 안.
[社說 사설] 신문·잡지 등에 글쓴이의 의견이나 주장을 내세워 싣는 글.
[社長 사장] 회사의 우두머리.
[社會 사회] 같은 무리끼리 모여 이루는 집단.
[本社 본사] 지국이나 지사에 대하여 그 주가 되는 회사를 이르는 말.
[入社 입사] 회사에 들어가 사원이 됨.

귀신 신

6급 중학 한자
중 神 (shén)
영 God [gad]

풀이 1 귀신. 신. 신령. 2 정신. 3 영묘하다.
부수 示(보일시)부
찾기 示5+申5=10획

글자뿌리 형성(形聲) 문자. 보일 시(示〈뜻〉)에 펼 신(申〈음〉)을 합친 자로, 示는 신이나 제사에 관계가 있음을 나타냄. 신의 뜻을 펼쳐 인간에게 길흉화복을 내린다는 데서 '귀신', 나아가 '정신'의 뜻.

[神經 신경] ① 몸의 각 기관의 작용을 맡아보는 기관. ¶ 中樞神經(중추 신경). ② 사물을 느끼거나 생각하는 힘.
[神奇 신기] 아주 놀랍고 기이함.
[神童 신동] 재주와 지혜가 남달리 뛰어난 아이.
[神明 신명] 하늘과 땅의 신령. ¶ 天地神明(천지신명).
[神父 신부] 가톨릭교의 사제.
[神仙 신선] 도(道)를 닦아서 인간 세상을 떠나 사는 상상 속의 사람.
[神聖 신성] 거룩하고 성스러워 더럽힐 수 없음.
[神話 신화] 부족이나 민족의 신이나 영웅들에 대한 신성한 이야기.
[入神 입신] 기술이나 기예가 영묘한 경지에 이름.
[精神 정신] 마음이나 영혼.

7급 중학 한자

중 祖 (zǔ)

영 grandfather [grǽndfὰ:ðər]

조상 조

풀이 1 조상. 2 할아버지. 3 처음. 근본.

부수 示(보일시)부

찾기 示5+且5=10획

글자뿌리 형성(形聲) 문자. 보일 시(示〈뜻〉)에 쌓일 저(且〈음〉)를 합친 자로, 대대로 내려오면서 제사를 지낸다는 데서 '할아버지', '조상'의 뜻.

[祖國 조국] 조상 때부터 살아온 나라.
[祖父 조부] 할아버지.
[祖上 조상] 한 갈래의 핏줄을 받아 온 돌아가신 어른.
[高祖 고조] 할아버지의 할아버지. 고조할아버지.
[先祖 선조] 먼 윗대의 조상.
[始祖 시조] ① 가장 처음이 되는 조상. ② 학문이나 기술 따위를 맨 처음 시작한 사람.
[元祖 원조] ① 첫 대의 조상. ② 어떤 일을 처음으로 시작한 사람.
[曾祖父 증조부] 아버지의 할아버지.
[太祖 태조] 한 왕조를 일으킨 첫 임금.

4급 고등 한자

중 祕 (mì)

영 conceal [kənsí:l]

숨길 비:

풀이 1 숨기다. 2 신비하다. 3 비밀.

부수 示(보일시)부

찾기 示5+必5=10획

글자뿌리 형성(形聲) 문자. 보일 시(示〈뜻〉)에 반드시 필(必〈음〉)을 합친 자로, 必(필)은 閉(폐)와 통하여 '닫다'의 뜻. 닫혀진 신의 세계의 모양에서, '심오하여 알 수 없다', '숨기다'의 뜻을 나타냄.

[秘訣 비결] 숨겨 두고 혼자만 쓰는 썩 좋은 방법.
[秘密 비밀] ① 숨기어 다른 사람에게 공개하지 않는 일. ② 밝혀지지 않거나 알려지지 않은 내용.
[秘方 비방] ① 비밀한 방법. ② 세상에 알려지지 않은 약방문.
[秘法 비법] 비밀한 방법.
[秘話 비화] 세상에 알려지지 않은 숨은 이야기.
[極秘 극비] 매우 중요한 비밀.

[神祕 신비] 보통의 이론과 상식으로는 이해할 수 없을 만큼 신기하고 묘함.

5급 중학 한자

중 祝 (zhù)
영 celebrate [séləbrèit]

빌 축

풀이 1 빌다. 기원하다. 2 축하하다. 3 축문.

부수 示(보일시)부

찾기 示5+兄5=10획

글자뿌리 회의(會意) 문자. 보일 시(示)에 입 구(口)와 어진 사람 인(儿)을 합친 자로, 사람이 축문을 읽으며 신에게 빈다는 데서 '빌다'의 뜻.

[祝歌 축가] 축하하는 뜻으로 부르는 노래.

[祝文 축문] 제사 때 읽어 신명에게 고하는 글.

[祝杯 축배] 축하하는 뜻으로 마시는 술. 또는 그런 술잔.

[祝福 축복] 앞날의 행복을 빎. 또는 그 행복.

[祝辭 축사] 축하하는 뜻의 글이나 말.

[祝願 축원] 신이나 부처에게 소원을 이루어 주기를 빎.

[祝典 축전] 축하하는 의식이나 행사.

[祝電 축전] 축하의 전보.

[祝祭 축제] 축하하여 벌이는 큰 규모의 행사.

[祝賀 축하] 남의 경사를 기뻐하고 즐거워한다는 뜻으로 인사함. 또는 그 인사.

[慶祝 경축] 기쁘고 좋은 일을 축하함.

[自祝 자축] 스스로 축하함.

4급Ⅱ 중학 한자

중 祭 (jì)
영 sacrifice [sǽkrəfàis]

제사 제:

풀이 제사. 제사 지내다.

부수 示(보일시)부

찾기 示5+癶6=11획

글자뿌리 회의(會意) 문자. 고기 육(⺼: 肉과 같은 자)에 손 우(又=手)와 보일 시(示)를 합친 자로, 제단에 손으로 고기를 바치며 신에게 '제사' 지낸다는 뜻.

[祭禮 제례] 제사를 지내는 예법이나 예절.
[祭文 제문] 죽은 이를 애도하는 글.
[祭物 제물] ① 제사에 쓰는 음식. ② 희생물의 비유.
[祭祀 제사] 신령이나 죽은 사람의 넋에게 음식을 바쳐 정성을 나타내는 의식.
[祭主 제주] 제사를 주관하는 사람.
[祭天 제천] 하늘에 제사 지냄. ¶ 祭天儀式(제천 의식).
[司祭 사제] 천주교에서의 주교와 신부를 모두 이르는 말.
[前夜祭 전야제] 어떤 행사의 전날 밤에 벌이는 축제.

4급Ⅱ 고등 한자
중 票 (piào)
영 ticket [tíkit]

표 표

풀이 표. 쪽지.
부수 示(보일시)부
찾기 示5 + 覀6 = 11획

一 丆 覀 覀 覀 覀 覀 票

글자뿌리 회의(會意) 문자. 오를 선(䙴)의 생략형에 불 화(火)를 합친 자로, 불꽃이 튐의 뜻. 전하여 '표', '쪽지'의 뜻으로 쓰임.

[票決 표결] 투표로써 결정함.
[開票 개표] 투표의 결과를 검사함.
[得票 득표] 투표에서 찬성표를 얻음.
[暗票 암표] 뒷거래되는 표.

禁

4급Ⅱ 중학 한자
중 禁 (jìn)
영 forbid [fərbíd]

금할 금 :

풀이 1 금하다. 금지하다. 꺼리다. 2 대궐.
부수 示(보일시)부
찾기 示5+林8=13획

一 十 才 木 木 朩 村 林 林 林 埜 埜 禁 禁 禁

글자뿌리 형성(形聲) 문자. 수풀 림(林〈음〉)에 보일 시(示: 신을 뜻함〈뜻〉)를 합친 자로, 출입을 금지한 신성한 지역의 수풀이란 뜻으로 '금지'의 뜻.

林示 ⇒ 林示 ⇒ 禁

[禁忌 금기] 꺼리어 금하거나 피함.
[禁斷 금단] ① 어떤 행위를 하지 못하게 금함. ② 어떤 구역에 드나들지 못

하게 막음.
[禁物 금물] ① 매매나 사용을 금하는 물건. ② 해서는 안 되는 일.
[禁書 금서] 출판·판매·독서를 법적으로 금지한 책.
[禁食 금식] 일정 기간 동안 음식을 먹지 아니함.
[禁煙 금연] ① 담배 피우는 것을 금함. ② 담배를 끊음.
[禁慾 금욕] 욕구나 욕망 등을 억제함.
[禁止 금지] 금하여 못하게 함.
[監禁 감금] 가두어 둠.
[通禁 통금] 어떤 지역이나 특정한 시간에 사람·차 등이 지나다니는 것을 금지함. 통행금지.
[解禁 해금] 금지 명령을 풂.

5급 중학 한자
중 福 (fú)
영 blessing [blésiŋ]

복 복

풀이 복. 행복.
부수 示(보일시)부
찾기 示^{5}+畐^{9}=14획

글자뿌리 형성(形聲) 문자. 보일 시(示〈뜻〉)에 찰 복(畐〈음〉)을 합친 자로, 신에게 제사를 드리고 집안에 가득히 '복'을 받는다는 뜻.

[福利 복리] 행복과 이익.
[福音 복음] ① 기쁜 소식. ② 기독교에서, 그리스도의 가르침을 이르는 말.
[福祉 복지] 행복하게 살 수 있는 생활 환경. 행복한 삶.
[飮福 음복] 제사를 마치고 제사에 쓴 술이나 음식을 나누어 먹음.
[轉禍爲福 전화위복] 불행한 일이 바뀌어서 도리어 복(福)이 됨.
[祝福 축복] 복되기를 빎.
[幸福 행복] 모든 욕구가 충족되어 충분한 만족과 기쁨을 느끼는 상태.

6급 중학 한자
중 礼 (lǐ)
영 etiquette [étikèt]

예도 례:

풀이 1 예도. 예절. 2 절. 인사. 3 예물. 4 예우하다.
부수 示(보일시)부
찾기 示^{5}+豊^{13}=18획

글자뿌리 형성(形聲) 문자. 보일 시(示〈뜻〉)에 예도 례(豊: 禮의 옛 글자로, 제물을 담은 모양〈음〉)를 합친 자로, 신전에 제물을 차려 놓고 신에게 경의를 표한다는 데서 '예도', '예절'을 뜻함.

[禮物 예물] ① 사례의 뜻으로 주는 돈이나 물건. ② 결혼식에서 신랑과 신부가 주고받는 물건. ③ 신부의 첫인사를 받은 시부모가 신부에게 답례로 주는 물건.
[禮拜 예배] 신이나 부처 앞에 경배하는 의식.
[禮法 예법] 예의로 지켜야 할 규범.
[禮式 예식] 예법에 따라 행하는 의식.
[禮遇 예우] 예로써 정중히 대우함.
[禮義 예의] 사람이 지켜야 할 예절과 몸가짐.
[禮節 예절] 예의와 범절.
[敬禮 경례] 공경의 뜻을 나타내는 일. 또는 그 동작.
[無禮 무례] 예의가 없음.
[謝禮 사례] 고마운 뜻을 나타냄.
[終禮 종례] 학교에서 공부를 마친 뒤에, 담임교사와 학생이 모여서 나누는 인사. 반 朝禮(조례).
[婚禮 혼례] 혼인의 예절. 결혼식.

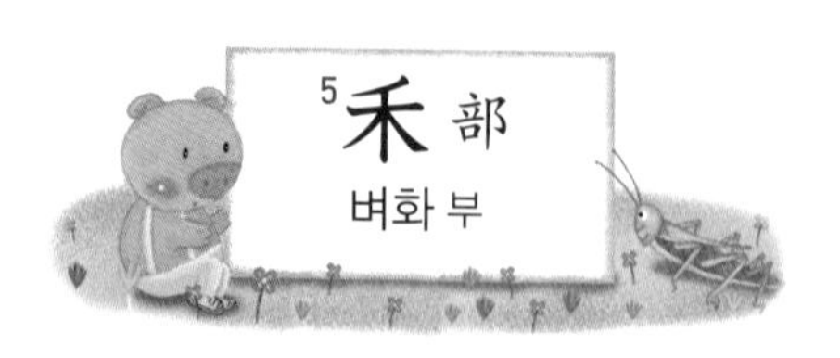

4급 중학 한자
중 私 (sī)
영 private [práivit]

사사 사

풀이 사사. 사사로운 일. 사사로이 하다.
부수 禾(벼화)부
찾기 禾5+厶2=7획

글자뿌리 형성(形聲) 문자. 벼 화(禾〈뜻〉)에 사사 사(厶: 私의 옛 글자〈음〉)를 합친 자로, 수확할 때 벼〔禾〕를 자기〔厶〕의 몫으로 한다는 데서 '사사로이 하다'의 뜻.

[私見 사견] 개인의 사사로운 의견.
[私談 사담] 개인적인 이야기. 사사로이 하는 이야기.
[私立 사립] 개인 또는 민간 단체가 공익 사업 기관을 설립하여 유지함.
[私服 사복] 제복이 아닌 보통 옷.
[私生活 사생활] 개인의 사사로운 생활.
[私設 사설] 개인이 설립함.
[私心 사심] 사사로운 마음. 사욕을 채우려는 마음.
[私慾 사욕] 자기의 이익만을 채우려는 욕심. ¶ 私利私慾(사리사욕).
[公私 공사] 공적인 일과 사사로운 일.

4급 중학 한자
중 秀 (xiù)
영 surpass [sərpǽs]

빼어날 수

풀이 빼어나다. 뛰어나다.
부수 禾(벼화)부
찾기 禾5+乃2=7획

丿 二 千 禾 禾 秀 秀

글자뿌리 회의(會意) 문자. 벼 화(禾)에 이에 내(乃: 늘어난다는 뜻)를 합친 자로, 벼가 잘 자라 늘어난 '이삭'이란 데서 '빼어나다'의 뜻.

[秀麗 수려] 빼어나게 아름다움.
[秀才 수재] 머리가 좋고 학문이나 재능이 뛰어난 사람.
[優秀 우수] 훌륭하여 뛰어남. ¶優秀性(우수성).
[俊秀 준수] 재주나 풍채 등이 뛰어남.

6급 중학 한자
중 科 (kē)
영 course [kɔːrs]

과목 과

풀이 1 과목. 조목. 2 품등. 3 법. 4 죄. 5 과거.
부수 禾(벼화)부
찾기 禾5+斗4=9획

丿 二 千 禾 禾 禾 科 科

글자뿌리 회의(會意) 문자. 벼 화(禾)에 말 두(斗)를 합친 자로, 곡식을 말로 되어서 분류한다는 데서 '과목', '품등'의 뜻이 된 자.

⇒ 科 ⇒ 科

[科客 과객] 과거(科擧)를 보러 오거나 보고 돌아가는 선비.
[科擧 과거] 옛날, 우리나라와 중국에서 관리를 뽑기 위해 실시하던 시험.
[科落 과락] 어떤 과목의 성적이 합격 기준에 미치지 못함.
[科目 과목] 학문의 구분. 교과를 나눈 구분.
[科學 과학] ① 보편적인 진리나 법칙의 발견을 목적으로 한 체계적인 지식. ② 자연계의 현상을 연구하는 학문.
[教科書 교과서] 학교에서 학생들을 가르치기 위해 쓰는 책.
[登科 등과] 과거에 급제함.
[理科 이과] 자연계의 사물과 현상을 연구하는 학과.
[學科 학과] 교수 및 연구의 편의상 구분한 학술의 분과.

7급 중학 한자
중 秋 (qiū)
영 autumn [ɔ́ːtəm]

가을 추

풀이 가을.
부수 禾(벼화)부
찾기 禾5+火4=9획

丿 二 千 禾 禾 禾' 秋 秋

글자뿌리 회의(會意) 문자. 벼 화(禾)에 불 화(火)를 합친 자로, 햇볕〔火〕을 받아 잘 익은 곡식을 거둬들인다는 데서 '가을'의 뜻.

⇒ ⇒ 秋

[秋季 추계] 가을철.
[秋穀 추곡] 가을에 수확하는 곡식.
[秋分 추분] 24절기의 하나. 낮과 밤의 길이가 같음.
[秋夕 추석] 우리나라 명절의 하나. 음력 8월 15일.
[秋收 추수] 가을에 익은 곡식을 거두어 들이는 일.
[晚秋 만추] 늦가을.
[春秋 춘추] ① 봄과 가을. ② 어른의 나이를 높여 이르는 말.
[春夏秋冬 춘하추동] 봄·여름·가을·겨울의 네 계절.

4급Ⅱ 중학 한자
중 移 (yí)
영 remove [rimúːv]

옮길 이

풀이 1 옮기다. 2 변하다. 바꾸다.
부수 禾(벼화)부
찾기 禾5+多6=11획

丿 二 千 禾 禾 禾' 移 移 移 移 移

글자뿌리 형성(形聲) 문자. 벼 화(禾〈뜻〉)에 많을 다(多: 迆〔비스듬히 갈 이〕의 뜻〈음〉)를 합친 자로, 못자리에서 자란 많은 모를 논에 옮겨 심는다는 데서 '옮기다'의 뜻이 된 자.

⇒ ⇒ 移

[移動 이동] 움직여 옮김.
[移民 이민] 다른 나라로 옮겨 가서 사는 일.
[移徙 이사] 사는 곳을 다른 곳으로 옮김.
[移植 이식] 옮겨 심음.
[移秧 이앙] 모내기. ¶ 移秧期(이앙기).
[移轉 이전] 장소나 주소, 권리 따위를 옮김.
[移住 이주] 딴 곳으로 옮겨 가서 삶.

4급Ⅱ 중학 한자
중 税 (shuì)
영 tax [tæks]

세금 세:

풀이 세금. 구실.
부수 禾(벼화)부
찾기 禾5+兌7=12획

글자뿌리 형성(形聲) 문자. 벼 화(禾〈뜻〉)에 바꿀 태(兌〈음〉)를 합친 자로, 벼를 수확하여 그 일부를 '세금'으로 바친다는 뜻.

⇒ ⇒ 稅

[稅金 세금] 국가나 지방 공공 단체에서 쓰는 비용을 마련하기 위해 국민으로부터 거두어들이는 돈. 동 租稅(조세).
[稅務 세무] 세금을 매기고 거두어들이는 일.
[課稅 과세] 세금을 매김.
[關稅 관세] 외국에서 들여오는 물건에 대하여 매기는 세금.
[國稅 국세] 국가의 경비로 쓰기 위하여 국민으로부터 받는 세금. 반 地方稅(지방세).
[免稅品 면세품] 세금이 면제되는 상품.
[脫稅 탈세] 내야 할 세금의 일부 또는 전부를 내지 않는 일.

程

4급Ⅱ 고등 한자
중 程 (chéng)
영 limit [límit]

한도/길 정

풀이 1 한도. 2 길. 3 법칙. 규정.
부수 禾(벼화)부
찾기 禾5+呈7=12획

글자뿌리 형성(形聲) 문자. 벼 화(禾〈뜻〉)에 나타날 정(呈〈음〉)을 합친 자로, 呈(정)은 '발돋움하다'의 뜻. 벼의 성장 상태의 뜻에서, '정도'의 뜻을 나타냄.

[程度 정도] ① 사물의 성질이나 가치를 양적 또는 질적으로 본 분량이나 수준. ② 알맞은 한도. ③ 그만큼의 분량.
[過程 과정] 일이 되어 가는 경로.
[路程 노정] ① 목적지까지의 거리 또는 시간. ② 거쳐 지나가는 길이나 과정.
[旅程 여정] 여행의 과정이나 일정.
[日程 일정] 그날에 할 일.
[長程 장정] 매우 먼 길.

種

5급 중학 한자
중 种 (zhǒng, zhòng)
영 seed [siːd]

씨 종(:)

풀이 1 씨. 씨앗. 2 심다. 3 종족. 4 종류.
부수 禾(벼화)부
찾기 禾5+重9=14획

글자뿌리 형성(形聲) 문자. 벼 화(禾〈뜻〉)에 무거울 중(重〈음〉)을 합친 자로, 물에 가라앉는 무거운 벼라는 데서 '씨앗'의 뜻이 된 자.

⇒ ⇒ 種

[種豚 종돈] 씨돼지.
[種類 종류] 사물의 상태, 성질 등을 어떤 기준에 따라 나눈 갈래.
[種目 종목] 종류에 따라 나눈 항목.
[種別 종별] 종류에 따라 나눔. 또는 그 구별.
[種子 종자] 씨.
[種族 종족] ① 조상이 같고, 언어·문화 따위도 같은 사회 집단. ② 같은 종류의 생물 전체.
[各種 각종] 여러 가지 종류. 갖가지.
[別種 별종] ① 다른 종류. ② 이상한 행동 따위를 보이는 별다른 종류. ③ 별스러운 사람.
[純種 순종] 딴 계통과 섞이지 않은 순수한 종(種).
[新種 신종] ① 새로운 종류. ② 새로 발견되거나, 새로이 만들어진 생물의 품종.
[土種 토종] 본디부터 그 땅에서 나는 종자.
[品種 품종] ① 물품의 종류. ② 가축·농작물 등의 종류를 성질이나 특징으로 나눈 명칭.

4급 고등 한자
중 称 (chēng)
영 call [kɔ:l]

일컬을 칭

풀이 1 일컫다. 부르다. 2 칭찬하다. 3 저울질하다.
부수 禾(벼화)부
찾기 禾^{5} + 爯^{9} = 14획

글자뿌리 형성(形聲) 문자. 벼 화(禾〈뜻〉)에 들 칭(爯〈음〉)을 합친 자로, 禾(화)는 '곡물'의 뜻. 爯(칭)은 저울로 물건을 달아 올리다의 뜻. 달아 올린 물건의 수효를 소리 내어 센다는 데서 '일컫다'의 뜻. 또한, 곡물을 저울로 들어 올리는 데서 '저울질하다'의 뜻을 나타냄.

[稱讚 칭찬] 좋은 점이나 착하고 훌륭한 일을 높이 평가함. 또는 그런 말.
[稱號 칭호] 어떤 뜻으로 일컫는 이름.
[別稱 별칭] 다르게 부르는 이름.
[愛稱 애칭] 본이름이 아닌 귀엽게 부르는 이름.
[指稱 지칭] 가리켜 일컬음.

4급 중학 한자
중 谷 (gǔ)
영 grain [grein]

곡식 곡

풀이 곡식.

부수 禾(벼화)부
찾기 禾5+殸10=15획

글자뿌리 형성(形聲) 문자. 벼 화(禾〈뜻〉)에 껍질 각(殸: 殼의 본자〈음〉)을 합친 자로, 벼와 같이 껍질로 싸여 있는 온갖 '곡식'을 뜻함.

⇒ ⇒ 穀

[穀氣 곡기] 곡식으로 된 음식의 적은 분량.
[穀類 곡류] 쌀·보리·밀 등의 곡식을 통틀어 이르는 말.
[穀倉 곡창] ① 곡식 창고. ② 곡식이 많이 나는 지방.
[米穀 미곡] 쌀을 비롯한 갖가지 곡식을 이르는 말.
[糧穀 양곡] 양식으로 쓸 수 있는 곡식.
[五穀 오곡] ① 쌀·보리·콩·조·기장의 다섯 가지 중요한 곡식. ② 곡식의 총칭.
[雜穀 잡곡] 쌀 이외의 모든 곡식.
[秋穀 추곡] 가을에 거두는 곡식. ¶ 秋穀收買(추곡 수매).
[脫穀 탈곡] ① 곡식의 낟알을 이삭에서 떨어냄. ② 곡식의 겉겨를 낟알에서 떨어냄.

積

4급 고등 한자
중 积 (jī)
영 heap up

쌓을 적

풀이 1 쌓다. 2 모으다. 3 적(積).
부수 禾(벼화)부
찾기 禾5+責11=16획

글자뿌리 형성(形聲) 문자. 벼 화(禾〈뜻〉)에 꾸짖을 책(責〈음〉)을 합친 자로, 責(책)은 재화(財貨)를 힘으로 구함의 뜻. '농작물을 구해 모으다', '축적하다', '쌓다'의 뜻을 나타냄.

[積極 적극] 사물에 대하여 긍정적이고 능동적으로 활동함.
[積金 적금] 은행 따위에 일정한 금액을 일정 기간 동안 낸 다음에 만기가 되면 이자와 함께 찾는 저금.
[積立 적립] 모아서 쌓아 둠.
[積善 적선] 착한 일을 많이 함.
[見積 견적] 어떤 일을 하는 데 필요한 비용 따위를 미리 어림잡아서 하는 계산.
[累積 누적] 포개져 쌓임. 또는 포개어 쌓음.
[蓄積 축적] 많이 쌓음. 많이 쌓은 것.

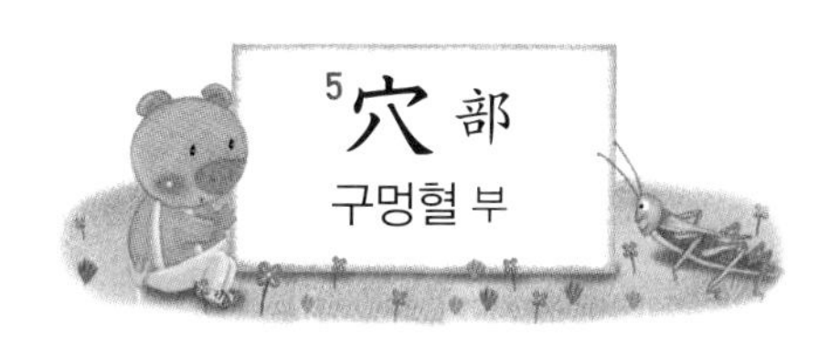

究

4급Ⅱ 중학 한자

중 究 (jiū)

영 research [risə́ːrtʃ]

연구할 구

풀이 1 연구하다. 궁구하다. 2 다하다.

부수 穴(구멍혈)부

찾기 穴5+九2=7획

글자뿌리 형성(形聲) 문자. 구멍 혈(穴〈뜻〉)에 아홉 구(九: 수의 끝을 뜻함〈음〉)를 합친 자로, 굴속 끝까지 들어가 밝혀낸다는 데서 '연구하다'의 뜻이 된 자.

[究竟 구경] 마지막에 이름. 마침내. 결국.

[究明 구명] 깊이 연구하여 밝힘.

[講究 강구] 좋은 방법을 궁리하여 찾아내거나 좋은 대책을 세움.

[研究 연구] 사물을 깊이 생각하거나 자세히 조사하여 어떤 이치나 사실을 밝혀냄. 또는 그 내용.

[探究 탐구] 진리나 법칙 따위를 파고들어 깊이 연구함.

[學究 학구] ① 학문을 깊이 연구함. ② 학문에만 열중하여 세상일을 모르는 사람을 빗대어 이르는 말.

空

7급 중학 한자

중 空 (kōng)

영 empty [émpti]

빌 공

풀이 1 비다. 2 하늘. 공중. 3 헛되다. 쓸데없다.

부수 穴(구멍혈)부

찾기 穴5+工3=8획

글자뿌리 형성(形聲) 문자. 구멍 혈(穴〈뜻〉)에 장인 공(工: 孔〔텅 빈 구멍 공〕의 뜻〈음〉)을 합친 자로, 속이 비어 있는 구멍이란 데서 '비다', '아무것도 없다', '쓸데없다'는 뜻이 된 자.

[空間 공간] ① 비어 있어 아무것도 없는 장소. ② 무한하게 퍼져 있는 빈 곳.

[空軍 공군] 공중 전투와 폭격 등의 임무를 맡은 군대.

[空氣 공기] 지구를 둘러싸고 있는 빛깔이나 냄새가 없는 투명한 기체.

[空白 공백] ① 글씨나 그림이 없는 빈 곳. ② 아무것도 없이 비어 있음. ③ 활동이나 업적이 없이 비어 있음.

[空想 공상] 현실적이지 못하거나 이루

어질 수 없는 헛된 생각.
[空席 공석] 비어 있는 자리 또는 지위.
[空日 공일] 일을 하지 않고 쉬는 날.
[空虛 공허] 속이 텅 빔. 아무것도 없음.
[領空 영공] 영토와 영해 위의 하늘.

6급 중학 한자
중 窗 (chuāng)
영 window [wíndou]

창 창

풀이 창. 창문.
부수 穴(구멍혈)부
찾기 穴5+悤6=11획

글자뿌리 형성(形聲) 문자. 구멍 혈(穴〈뜻〉)에 밝을 총(悤: 悤의 변형〈음〉)을 합친 자로, 벽에 구멍을 내어 밝은 빛을 받아들이게 한 것이 '창문'이라는 뜻.

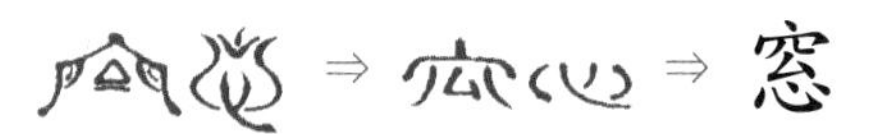

[窓口 창구] ① 창을 내거나 뚫어 놓은 곳. ② 사무실 따위에서 손님과 돈·물건 등을 주고받을 수 있게 창을 내거나 대(臺)를 만들어 놓은 곳.
[窓門 창문] 바람이나 빛이 들어올 수 있도록 벽이나 지붕에 낸 작은 문.
[窓戶紙 창호지] 문을 바르는 종이의 한 가지.
[同窓 동창] 같은 학교에서 공부한 사이. 또는 그런 사람.
[船窓 선창] 배의 창문.
[車窓 차창] 차의 창문.
[鐵窓 철창] ① 창살이 쇠로 만들어진 창문. ② 감옥을 일컫는 말.
[學窓 학창] 학문을 닦는 곳. 교실이나 학교를 일컫는 말.

4급 고등 한자
중 穷 (qióng)
영 exhausted [igzɔ́:stid]

다할/궁할 궁

풀이 1 다하다. 2 궁하다. 3 연구하다. 궁리하다.
부수 穴(구멍혈)부
찾기 穴5+躬10=15획

글자뿌리 형성(形聲) 문자. 구멍 혈(穴)에 몸 궁(躬)을 합친 자로, 躬(궁)은 身+呂. 身(신)은 임신으로 배가 부른 모양, 呂(려)는 등뼈의 모양으로 '몸'의 뜻. 사람의 몸이 구멍에 처박히다, 궁지에 빠지다의 뜻.

[窮究 궁구] 속속들이 파고들어 연구함.
[窮極 궁극] 어떤 과정의 마지막이나 막다른 끝.

[窮理 궁리] ① 사물의 이치를 깊이 연구함. ② 이리저리 따져 깊이 생각함.
[窮狀 궁상] 어렵고 궁한 상태.
[窮色 궁색] 곤궁한 기색.
[窮餘之策 궁여지책] 궁한 나머지 생각다 못해 내놓은 계책.
[窮地 궁지] 매우 곤란하고 어려운 일을 당한 처지.
[困窮 곤궁] ① 가난하고 살림이 구차함. ② 처지가 난처하고 딱함.
[無窮 무궁] 공간이나 시간이 끝이 없음.
[貧窮 빈궁] 가난하고 궁색함.

설 립

7급 중학 한자
중 立 (lì)
영 stand [stænd]

풀이 1 서다. 2 세우다.
부수 立(설립)부
찾기 立⁵=5획

丶 亠 亣 立 立

글자뿌리 상형(象形) 문자. 사람이 땅 위에 바로 서 있는 모양에서 '서다', '세우다'의 뜻이 된 자.

⇒ ⇒ 立

[立件 입건] 범죄 사실을 인정하여 사건을 성립시킴.
[立法 입법] 법률을 제정함.
[立證 입증] 증거를 내세워서 증명함.
[立志 입지] 뜻을 세움.
[國立 국립] 나라에서 세움.
[起立 기립] 일어섬.
[設立 설립] 조직이나 기관을 만들어 세움.
[樹立 수립] 국가·정부·제도·계획 등을 이룩하여 세움.
[自立 자립] 남에게 의지하거나, 남의 지배를 받지 않고 자기의 힘으로 해 나감.

글 장

6급 중학 한자
중 章 (zhāng)
영 sentence [séntəns]

풀이 1 글. 2 문채. 3 장. 4 나타나다. 5 도장.
부수 立(설립)부
찾기 立⁵+早⁶=11획

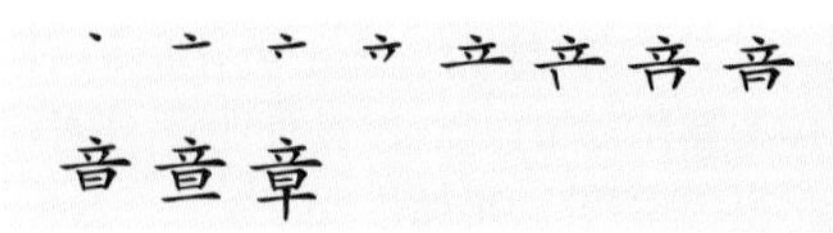

글자뿌리 회의(會意) 문자. 소리 음(音)에 열 십(十)을 합친 자로, 수가 십을 단위로 끊어지듯이 노래나 문장 등이 나누어지는 '악장', '장', '글'을 뜻함.

[文章 문장] 생각·느낌을 글로 나타낸 것.
[印章 인장] 도장.
[指章 지장] 손도장.
[體力章 체력장] 중·고등학교에서 학생들의 기초 체력을 향상시키기 위해 실시하는 체력 검사.
[勳章 훈장] 나라에 공을 세운 사람에게 주는 휘장.

6급 중학 한자
중 童 (tóng)
영 child [tʃaild]

아이 동(:)

풀이 아이. 어린이.
부수 立(설립)부
찾기 立5+里7=12획

글자뿌리 형성(形聲) 문자. 매울 신(立=辛: 문신하는 바늘 모양〈뜻〉)에 무거울 중(里: 重의 생략형〈음〉)을 합친 자로, 문신을 한 노예를 가리키다가 그들이 일반 어른의 머리 모양을 할 수 없었던 데서 '어린아이'를 뜻하게 됨.

[童詩 동시] 어린이가 짓거나 어린이를 위해 지은 시.
[童心 동심] 어린아이의 마음.
[童顔 동안] ① 어린아이의 얼굴. ② 나이보다 훨씬 젊어 보이는 얼굴.
[童謠 동요] 어린이의 정서를 표현한 정형시. 또는 거기에 가락을 붙인 노래.
[童子 동자] 사내아이.
[童話 동화] 어린이를 위해 동심을 바탕으로 지은 이야기.
[神童 신동] 재주와 지혜가 남달리 뛰어난 아이.
[兒童 아동] ① 어린아이. ② 초등학교에 다니는 나이의 어린아이.
[惡童 악동] ① 행실이 나쁜 아이. ② 장난꾸러기.
[玉童子 옥동자] 사내아이를 귀엽게 이르는 말.

4급Ⅱ 중학 한자
중 端 (duān)
영 end [end]

끝 단

풀이 1 끝. 가. 2 바르다. 단정하다. 3 실마리.

부수 立(설립)부

찾기 立⁵+耑⁹=14획

글자뿌리 형성(形聲) 문자. 설 립(立〈뜻〉)과 끝 단(耑〈음〉)을 합친 자로, 어린싹의 끝이 삐죽 내밀어 올라오는 모양에서 '끝', '실마리'의 뜻이 된 자.

[端緖 단서] ① 일의 시초. ② 어떤 사건이나 문제를 푸는 실마리.

[端役 단역] 연극이나 영화에서 비중이 작은 역. 또는 그 역을 맡은 사람.

[端午 단오] 우리나라 명절의 하나. 음력 5월 5일.

[端正 단정] 모습이나 몸가짐이 흐트러진 데 없이 얌전하고 깔끔함.

[極端 극단] ① 맨 끝. ② 일의 진행이 끝까지 미쳐 더 나아갈 수 없는 지경. ③ 한쪽으로 치우침.

[南端 남단] 남쪽 끝.

[末端 말단] 맨 끝. 맨 아래.

[發端 발단] 어떤 일이 벌어지게 된 실마리.

[上端 상단] 위쪽 끝.

5급 중학 한자

중 竞 (jìng)

영 compete [kəmpíːt]

다툴 경:

풀이 다투다. 겨루다.

부수 立(설립)부

찾기 立⁵+竸¹⁵=20획

글자뿌리 회의(會意) 문자. 다투어 말할 경(䛐: 誩의 변형)에 사람 인(儿: 人과 같은 자) 두 자를 합친 자로, 두 사람이 마주 서서 말로 다툰다는 데서 '다투다'의 뜻이 된 자.

[競技 경기] 운동이나 무예 등에서 기술·능력을 겨루어 승부를 가리는 일.

[競輪 경륜] 일정한 거리를 자전거로 달려 속도를 겨루는 경기.

[競馬 경마] 일정한 거리를 말을 타고 달려 속도를 겨루는 일.

[競賣 경매] 살 사람이 많은 경우, 그들을 서로 경쟁시켜 가장 높은 값을 부르는 사람에게 파는 일.

[競步 경보] 일정한 거리를 한쪽 발이 땅에서 떨어지기 전에 다른 발이 땅에 닿게 걸어서 빠르기를 겨루는 육상 경기의 한 가지.

[競爭 경쟁] 같은 목적에 관하여 서로 겨루어 다툼.

[競走 경주] 일정한 거리를 정하고 달려 빠르기를 겨룸.

ノ ⺅ ⺮ 𥫗 竹

글자뿌리 상형(象形) 문자. 대나무와 그 잎이 아래로 드리워진 모양을 본뜬 글자.

⇒ ⇒ 竹

竹

대 죽

4급Ⅱ 중학 한자

㊥ 竹 (zhú)

㊢ bamboo [bæmbú:]

풀이 대. 대나무.

부수 竹(대죽)부

찾기 竹6=6획

[竹刀 죽도] ① 대나무로 만든 칼. ② 검도 연습에 쓰이는 도구의 한 가지. 길고 두꺼운 네 개의 대쪽을 동여서 만듦.

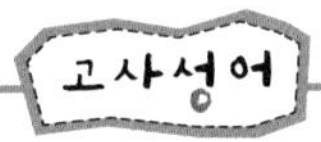

竹馬故友 (죽마고우)

대나무 말을 타고 놀던 옛 친구라는 뜻으로, 아주 어릴 때부터 가까이 지내며 자란 친구를 이르는 말.

[고사] 중국 진(秦)나라의 황제였던 간문제(簡文帝)는 촉(蜀) 땅을 정벌하고 차츰 세력을 펴더니, 이제는 마음대로 권세를 휘두르려는 환온(桓溫) 장군 때문에 늘 걱정이었다. 그러던 어느 날 간문제는 환온의 어릴 적 친구인 은호(殷浩)를 자기 밑에 둠으로써 환온을 견제해야겠다고 생각했다. 그래서 은호에게 양주 자사(揚州刺史)라는 벼슬을 내렸는데, 이로 인해 은호와 환온은 서로 사이가 나빠지게 되었다. 그 무렵 후조(後趙)의 왕인 석계룡(石季龍)이 죽어서 호족(胡族) 사이에 소란이 일자, 간문제는 이 기회에 중원(中原) 땅을 회복고자 은호를 중원 장군(中原將軍)에 임명하고 군사를 내주어 호족을 치게 했다. 은호는 위풍당당하게 출발했으나 그만 말에서 떨어져 제대로 싸우지도 못한 채 호족의 장수에게 크게 패하였다. 이 일을 기회로 환온은 은호를 멀리 귀양 보냈는데, 사람들이 은호를 용서해 주라고 권하자, 환온은 하는 수 없이 은호에게 안부 편지를 보냈다. 편지를 받은 은호는 몹시 기뻐서 답장을 썼는데, 막상 편지를 보낼 때는 깜빡 잊고 빈 봉투만 보내고 말았다. 빈 봉투만 받게 된 환온은 몹시 화를 내며 많은 사람들 앞에서 "은호는 어렸을 때 나와 함께 대나무 말을 타고 놀았던 옛 친구〔竹馬故友〕 사이였어. 내가 그 대나무 말을 집어 던질 적마다 그는 그것을 주워 오곤 했었지. 그러니 은호가 내 밑에서 머리를 숙여야 하는 것은 당연한 일이 아니겠는가." 라고 말했다. 환온은 은호를 끝까지 용서하지 않았고, 그 때문에 은호는 멀리 귀양 가서 외롭게 죽었다.

[竹馬故友 죽마고우] 어렸을 때부터 같이 놀며 자란 친한 벗.

[竹夫人 죽부인] 대오리로 길고 둥글게 엮어 만든 도구. 여름밤에 이것을 끼고 자면서 서늘한 기운을 취함.

4급Ⅱ 중학 한자

중 笑 (xiào)

영 laugh [læf]

웃음 소

풀이 웃음. 웃다.

부수 竹(대죽)부

찾기 竹⁶+夭⁴=10획

笑

글자뿌리 형성(形聲) 문자. 대 죽(竹〈뜻〉)에 굽을 요(夭〈음〉)를 합친 자로, 대나무가 바람에 휘어지며 스치는 소리가 나듯 사람이 몸을 굽혀 움직이며 '웃는다'는 뜻.

⇒ ⇒ 笑

[冷笑 냉소] 쌀쌀한 태도로 비웃음. 또는 그런 웃음.

[談笑 담소] 스스럼없이 웃으면서 이야기함. 또는 그런 이야기.

[失笑 실소] 저도 모르게 웃음이 터져 나옴. 또는 그 웃음.

[破顔大笑 파안대소] 즐거운 표정으로 활짝 웃음.

6급 중학 한자

중 第 (dì)

영 order [ɔ́ːrdər]

차례 제:

풀이 1 차례. 순서. 2 과거. 3 집.

부수 竹(대죽)부

찾기 竹⁶+弗⁵=11획

笃 第 第

글자뿌리 형성(形聲) 문자. 대 죽(竹〈뜻〉)에 아우 제(弟: 弟의 생략형, 사물을 정리하는 데는 순서가 있다는 뜻〈음〉)를 합친 자로, 죽간(竹簡)을 순서대로 늘어놓는다는 데서 '차례'의 뜻.

⇒ ⇒ 第

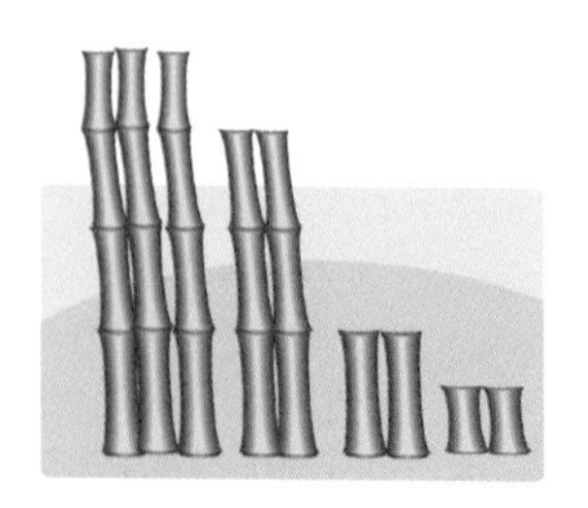

[第三世界 제삼세계] 제2차 세계 대전 후, 아시아·아프리카·라틴 아메리카의 개발 도상국들을 통틀어 일컫는 말.

[第三者 제삼자] 어떤 일에 직접 관계가 없는 사람.

[第一人者 제일인자] 어느 방면에서 견

줄 자가 없을 만큼 뛰어난 사람.
[及第 급제] ① 과거에 합격함. ② 시험에 합격함.

7급 중학 한자
중 答 (dá)
영 answer [ǽnsər]

대답 답

풀이 1 대답. 대답하다. 2 갚다.
부수 竹(대죽)부
찾기 竹6+合6=12획

글자뿌리 형성(形聲) 문자. 대 죽(竹〈뜻〉)에 모을 합(合: 대응한다는 뜻〈음〉)을 합친 자로, 옛날 대쪽에 써 보내온 편지에 대응하여 답을 보낸다는 데서 '대답'의 뜻이 된 자.

[答禮 답례] 남에게서 받은 예를 말·동작·물건 따위로 갚음.
[答辯 답변] 물음에 대하여 대답함.
[答辭 답사] 식장에서 환영사나 축사 등에 대하여 답함. 또는 그런 말.
[答案 답안] 문제에 대한 해답.
[對答 대답] ① 묻는 말에 답함. ② 부름에 응함.
[名答 명답] 질문에 꼭 맞게 잘한 대답.
[問答 문답] ① 물음과 대답. ② 서로 묻고 대답함.
[報答 보답] 남의 은혜나 호의를 갚음.
[誤答 오답] 잘못된 대답을 함. 또는 그 대답.
[應答 응답] 물음이나 부름에 응하여 대답함.
[正答 정답] 옳은 답.
[解答 해답] 어려운 일이나 문제를 풀어서 밝히거나 답함. 또는 그 답.
[回答 회답] 물음이나 편지에 대답함.

6급 중학 한자
중 等 (děng)
영 party [pá:rti]

무리 등:

풀이 1 무리. 들. 2 가지런하다. 같다. 3 등급. 4 기다리다.
부수 竹(대죽)부
찾기 竹6+寺6=12획

글자뿌리 회의(會意) 문자. 대 죽(竹)에 관청 시(寺)를 합친 자로, 옛날 관청에서 대쪽에 쓴 서류를 같은 것끼리 정리한다는 데서 '같은 것', '무리'의 뜻.

[等高線 등고선] 지도 등에서 표준 해면으로부터 같은 높이에 있는 지점들을 연결한 곡선.

[等級 등급] 값·품질·성적 따위의 높고 낮음이나 좋고 나쁨의 차이를 여러 층으로 나누어 놓은 차례.

[等分 등분] 수나 양을 똑같게 둘 또는 그 이상으로 갈라 나눔.

[等數 등수] 등급에 따라 정한 차례.

[等差 등차] 등급의 차이.

[等閑視 등한시] 마음에 두지 않고 대수롭지 않게 보아 넘김.

[均等 균등] 수량이나 상태 등이 차별 없이 고름.

[對等 대등] 낫고 못함이 없이 서로 비슷함.

[同等 동등] 자격이나 수준·입장·정도 등이 같음.

[平等 평등] 권리·의무·자격 등이 차별 없이 동등함.

4급 인명 한자

중 筋 (jīn)

영 muscle [mʌ́səl]

힘줄 근

풀이 1 힘줄. 2 힘. 기운.

부수 竹(대죽)부

찾기 竹⁶+肋⁶=12획

글자뿌리 회의(會意) 문자. 고기 육(月:肉)과 힘 력(力)과 대 죽(竹)의 합자로, 살 속에서 근육에 힘을 담게 하며, 특히 대나무에서 볼 수 있는 섬유 줄기 같은 것으로 이루어졌다는 데서 '힘줄'을 뜻함.

[筋骨 근골] 근육과 뼈대.

[筋力 근력] 근육의 힘.

[筋肉 근육] 힘줄과 살.

[鐵筋 철근] 콘크리트 속에 엮어 넣는 가늘고 긴 철재.

5급 중학 한자

중 笔 (bǐ)

영 writing brush

붓 필

풀이 1 붓. 2 글씨. 글.

부수 竹(대죽)부

찾기 竹⁶+聿⁶=12획

글자뿌리 회의(會意) 문자. 대 죽(竹)에 붓 율(聿)을 합친 자로, '聿'만으로 붓을 뜻하나, 후에 대나무로 붓대를 만들어 쓰면서 '竹'을 위에다 붙였음.

⇒ ⇒ 筆

[筆耕 필경] 붓으로 밭을 간다는 뜻으로, 글이나 글씨를 써서 생계를 꾸려 나감을 이르는 말.
[筆記 필기] ① 글씨를 씀. ② 강의·연설 등의 내용을 받아쓰는 일.
[筆名 필명] ① 글이나 글씨로 떨친 명성. ② 작가가 작품을 발표할 때에 쓰는, 본명 이외의 이름.
[筆順 필순] 한자 같은 글씨를 쓸 때 획을 긋는 순서.
[筆者 필자] 글 또는 글씨를 쓴 사람. 또는 쓰고 있거나 쓸 사람.
[筆體 필체] 글씨를 써 놓은 모양. 글씨체.
[加筆 가필] 글이나 그림의 일부를 붓을 대어 지우거나 보태거나 하여 고침.
[達筆 달필] 능숙하게 잘 쓰는 글씨. 또는 그런 글씨를 쓰는 사람.
[大書特筆 대서특필] 뚜렷이 드러나게 큰 글자로 씀.
[惡筆 악필] ① 잘 쓰지 못한 글씨. ② 품질이 좋지 않은 붓.
[執筆 집필] 직접 글을 씀.
[親筆 친필] 손수 쓴 글씨.

7급 중학 한자
중 筭 (suàn)
영 count [kaunt]

셈 산:

풀이 1 셈. 셈하다. 2 산가지.
부수 竹(대죽)부
찾기 竹⁶+昇⁸=14획

글자뿌리 회의(會意) 문자. 대 죽(竹)에 갖출 구(昇: 具의 변형)를 합친 자로, 본뜻은 '세다'임. '竹'은 대나무로 만든 산가지를 뜻하며, '昇'는 수가 갖추어진다는 뜻으로, 합하여 '셈'을 뜻함.

⇒ ⇒ 算

[算出 산출] 계산해 냄.
[加算 가산] 더하여 셈함.
[決算 결산] 수입과 지출을 마감하여 계산함.
[計算 계산] ① 수를 헤아림. ② 주어진 수나 식에 따라 수치를 구함.
[勝算 승산] 이길 가망.
[暗算 암산] 필기도구나 계산기를 이용하지 않고 머릿속에서 계산함.
[誤算 오산] ① 잘못 셈함. 또는 그 셈.

② 잘못된 추측이나 예상.

[利害打算 이해타산] 이익과 손해를 이모저모 따져 봄.

[合算 합산] 합하여 셈함.

4급 고등 한자

중 管 (guǎn)

영 pipe [paip]

대롱/주관할 관

풀이 1 대롱. 2 주관하다. 3 피리. 4 붓대.

부수 竹(대죽)부

찾기 竹⁶+官⁸=14획

글자뿌리 형성(形聲) 문자. 대 죽(竹〈뜻〉)에 마을 관(官〈음〉)을 합친 자로, 官(관)은 貫(관)과 통하여 '꿰뚫다'의 뜻. '대의 관(管), 대롱, 피리'의 뜻을 나타냄.

[管內 관내] 관할 구역의 안.

[管理 관리] ① 어떤 일을 맡아 처리함. ② 시설이나 물건의 유지·개량 따위의 일을 맡아 함.

[保管 보관] 물건을 맡아서 간직하고 관리함.

[所管 소관] 맡아 관리하는 바.

[血管 혈관] 핏줄.

5급 중학 한자

중 节 (jié)

영 joint [dʒɔint]

마디 절

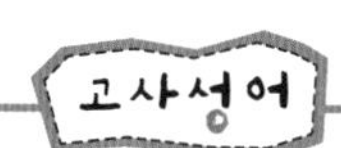

管鮑之交 (관포지교)

관중과 포숙아의 사귐이라는 뜻으로, 매우 우정이 돈독한 친구 사이를 이르는 말.

고사 중국 춘추 시대 제(齊)나라 사람이었던 관중(管仲)과 포숙아(鮑叔牙)는 둘도 없는 친구 사이였다. 뒷날 관중은 "내가 젊어서 가난할 때에 포숙아와 장사를 한 적이 있었는데 이득은 항상 내가 더 많이 차지했지만, 그는 한 번도 나를 욕심쟁이라고 욕하지 않았다. 내가 어렵다는 사실을 알았기 때문이다. 또, 그를 위해 한 일이 잘못되어 그를 더욱 궁지에 빠뜨린 적이 있었지만, 나를 어리석은 놈이라 여기지 않았다. 일이란 뜻대로 되지 않을 때도 있다는 것을 알았기 때문이다. 또, 전쟁 때에는 몇 번이고 패하여 도망친 일이 있었으나 비겁하다고 하지 않았다. 나에게 늙은 어머니가 계시다는 것을 알았기 때문이다. 나를 낳아 주신 분은 부모님이지만, 나를 알아준 사람은 포숙아였다."라며 포숙아를 그리워했다.

풀이 1 마디. 토막. 2 예절. 3 절개. 4 절제하다. 5 계절.

부수 竹(대죽)부

찾기 竹6+卽9=15획

글자뿌리 형성(形聲) 문자. 대 죽(竹〈뜻〉)에 나아갈 즉(卽〈음〉)을 합친 자로, 대나무〔竹〕가 자라 감〔卽〕에 따라 '마디'가 생긴다는 뜻. 마디가 일정하게 생기므로 '절개'의 뜻도 있음.

⇒ ⇒ 節

[節氣 절기] 한 해를 24등분 하여 나타낸 계절의 구분. 입춘·우수·경칩 따위.

[節度 절도] 말이나 행동 등을 정도에 알맞게 하는 규칙적인 한도.

[節約 절약] 함부로 쓰지 않고 꼭 필요한 데에만 써서 아낌.

[節電 절전] 전기를 아껴 씀.

[節制 절제] 정도를 넘지 않게 알맞게 조절하여 제한함.

[節次 절차] 일을 치르는 데 거쳐야 하는 차례와 방법.

[曲節 곡절] 곡조의 마디.

[關節 관절] 뼈와 뼈가 서로 맞닿아 연결되어 있는 부분.

[變節 변절] 절개나 소신을 지키지 않고 바꿈.

[守節 수절] 절의 또는 정절을 지킴.

[時節 시절] ① 일정한 시기나 때. ② 계절. ③ 세상의 형편.

[忠節 충절] 충성스러운 절개.

4급 고등 한자

중 范 (fàn)

영 law [lɔː]

법 범ː

풀이 1 법. 본보기. 2 한계.

부수 竹(대죽)부

찾기 竹6+軛9=15획

글자뿌리 형성(形聲) 문자. 수레 거(車〈뜻〉)에 법 범(笵〈음〉)을 합친 자로, 笵(범)은 '본보기'의 뜻. 수레〔車〕를 만들기 위한 모형(模型)의 뜻에서, '본보기'의 뜻을 나타냄.

[範圍 범위] ① 테두리가 정해진 구역. ② 일정한 한계.

[範疇 범주] 같은 성질을 가진 부류나 범위.

[規範 규범] 마땅히 따르고 지켜야 할 가치 판단의 기준.

[模範 모범] 본받아 배울 만한 본보기.

[師範 사범] 모든 행동과 학덕이 남의 스승이 될 만한 모범.

[示範 시범] 모범을 보임.

[典範 전범] 본보기가 되는 모범.

4급 중학 한자

㊥ 篇 (piān)

㊎ book [buk]

책 편

풀이 1 책. 2 편. ※ 책의 내용을 나누거나 시문을 세는 단위.

부수 竹(대죽)부

찾기 竹6+扁9=15획

글자뿌리 형성(形聲) 문자. 대 죽(竹〈뜻〉)에 현판 편(扁〈음〉)을 합친 자로, 대쪽에 글을 써서 가죽으로 꿰어 엮은 죽간, 곧 '책'의 뜻.

[短篇 단편] ① 소설·영화 등에서 길이가 짧은 작품. ② 단편 소설.

[玉篇 옥편] 한자를 모아 부수와 획수에 따라 배열하고, 그 음과 뜻을 풀이한 책. 자전(字典).

[長篇 장편] ① 구수(句數)에 제한이 없는 한시체(漢詩體). ② 소설·영화 따위에서 내용이 긴 작품. ③ 장편 소설.

[前篇 전편] 두 편으로 나뉜 책이나 영화 등의 앞쪽 편.

4급Ⅱ 고등 한자

㊥ 筑 (zhù)

㊎ build [bild]

쌓을 축

풀이 1 쌓다. 2 다지다. 3 짓다. 4 건축물.

부수 竹(대죽)부

찾기 竹6+巩10=16획

글자뿌리 형성(形聲) 문자. 나무 목(木〈뜻〉)에 주울 축(筑〈음〉)을 합친 자로, 竹(죽)은 篤(독)과 통하여, '두껍다'의 뜻. 공이 따위의 연장을 손에 잡고 돋운 흙을 두껍게 다져 '단단히 하다', '쌓다', '짓다'의 뜻을 나타냄.

[築臺 축대] 높이 쌓아 올린 대나 터.

[築造 축조] 쌓아 만듦.

[改築 개축] 건축물이 낡거나 허물어져서 새로 짓거나 고쳐 쌓음.

[新築 신축] 새로 건축함.

[增築 증축] 이미 지어져 있는 집 따위를 더 늘려 지음.

4급 고등 한자

㊥ 简 (jiǎn)

㊎ split bamboo

대쪽/간략할 간(:)

풀이 1 대쪽. 2 간략하다. 3 편지. 4 문서.

부수 竹(대죽)부

찾기 竹6+間12=18획

글자뿌리 형성(形聲) 문자. 대 죽(竹〈뜻〉)에 사이 간(間〈음〉)을 합친 자로, 間(간)은 '틈새'의 뜻. 대오리를 엮어 문자(文字)를 쓰는 대쪽의 뜻. 엮으면 틈이 생기므로, 間(간)을 쓰게 됨.

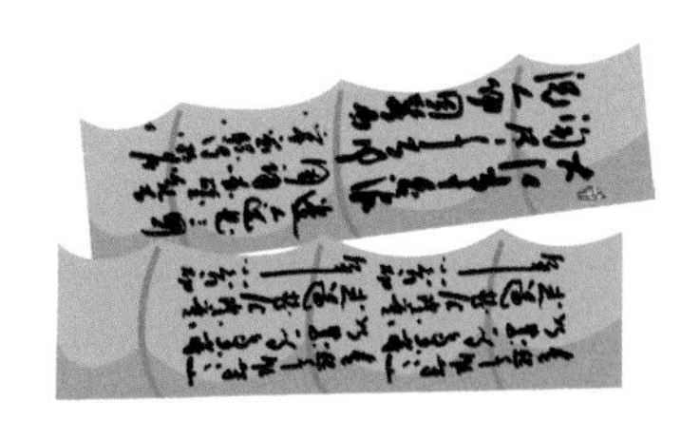

[簡潔 간결] ① 간단하고 깔끔함. ② 간단하면서도 짜임새가 있음.
[簡單 간단] 간략하고 단순함.
[簡略 간략] 간단하고 짤막함.
[簡素 간소] 간략하고 소박함.
[簡易 간이] 간단하고 편리함.
[簡便 간편] 간단하고 편리함.

4급 고등 한자
중 籍 (jí)
영 register [rédʒəstər]

문서 적

풀이 1 문서. 2 서적. 3 호적.
부수 竹(대죽)부
찾기 竹6＋耤14＝20획

글자뿌리 형성(形聲) 문자. 대 죽(竹〈뜻〉)에 빌릴 적(耤〈음〉)을 합친 자로, 耤(적)은 藉(적)과 통하여, 풀을 엮은 '깔개'의 뜻. 대를 깔개처럼 엮어 짠 대쪽, '문서'의 뜻을 나타냄.

[籍田 적전] 임금이 직접 경작하여 그 곡식으로 제사 지내던 논밭.
[國籍 국적] 한 나라의 국민이 되는 자격.
[史籍 사적] 역사적 사실을 기록한 책.
[移籍 이적] ① 다른 소속으로 옮김. ② 운동선수가 소속 팀에서 다른 팀으로 옮기는 일.
[除籍 제적] 호적·학적·당적 등에서 이름을 지워 버림.

6급 중학 한자
중 米 (mǐ)
영 rice [rais]

쌀 미

풀이 쌀.

부수 米(쌀미)부

찾기 米⁶=6획

丶 丷 丬 半 米 米

글자뿌리 상형(象形) 문자. 벼 화(十: 禾의 생략형)에다 낟알이 흩어져 있는 모양〔⁚⁚〕을 그려 '쌀', '낟알'을 뜻함.

[米穀 미곡] 쌀을 비롯한 갖가지 곡식을 이르는 말.

[米飮 미음] 쌀에 물을 붓고 푹 끓여서 체로 걸러낸 걸쭉한 음식.

[白米 백미] 희게 찧은 멥쌀. 흰쌀.

[節米 절미] 쌀을 절약함.

[精米所 정미소] 기계를 이용하여 쌀을 찧는 곳.

4급 고등 한자

중 粉 (fěn)

영 powder [páudər]

가루 분(:)

풀이 1 가루. 2 분. 3 빻다.

부수 米(쌀미)부

찾기 米⁶+分⁴=10획

丷 丬 半 米 米 粉 粉 粉

글자뿌리 형성(形聲) 문자. 쌀 미(米〈뜻〉)에 나눌 분(分〈음〉)을 합친 자로, 分(분)은 '가르다'의 뜻. 쌀을 빻아 가른 것, '가루'의 뜻을 나타냄.

[粉末 분말] 가루.

[粉食 분식] 밀가루 따위의 가루로 만든 음식.

[粉筆 분필] 칠판에 글씨를 쓰는 데 사용하는 필기구.

[粉紅 분홍] 흰빛이 섞인 엷은 붉은색.

[穀粉 곡분] 곡물을 갈아서 만든 가루.

[製粉 제분] 빻아서 가루로 만듦.

精

4급Ⅱ 중학 한자

중 精 (jīng)

영 refined [rifáind]

정할 정

풀이 1 정하다. 깨끗하다. 2 찧다. 3 정신. 4 정성스럽다. 5 자세하다. 6 익숙하다. 7 날래다.

부수 米(쌀미)부

찾기 米⁶+靑⁸=14획

丶 丷 丬 半 米 米 米 米 米 粁 粁 精 精 精

글자뿌리 형성(形聲) 문자. 쌀 미(米〈뜻〉)

에 푸를 청(靑: 淸의 생략자〈음〉)을 합친 자로, 깨끗이 씻거나 찧은 쌀이라는 데서 '깨끗하다'의 뜻이 된 자.

⇒ ⇒ 精

[精潔 정결] 순수하고 깨끗함.
[精巧 정교] 솜씨나 기술이 정밀하고 교묘함.
[精氣 정기] ① 생명의 근본이 되는 힘. ② 정신과 기력.
[精讀 정독] 뜻을 새겨 가며 자세히 읽음.
[精力 정력] ① 심신의 활동력. ② 남자의 성적(性的) 능력.
[精密 정밀] ① 가늘고 촘촘함. ② 빈틈이 없이 아주 자세하고 치밀함.
[精選 정선] 좋은 것을 공을 들여 잘 골라 뽑음.
[精誠 정성] 참되고 성실한 마음.
[精神 정신] ① 마음이나 영혼. ② 마음의 자세나 태도.
[精進 정진] ① 힘써 나아감. ② 몸을 깨끗이 하고 마음을 가다듬음.
[精通 정통] 사물에 대하여 정확하고 자세히 앎.
[受精 수정] 암수의 생식 세포가 하나로 합쳐지는 현상.

4급 고등 한자
중 粮 (liáng)
영 food [fuːd]

양식 량

풀이 양식. 먹이. 식량.
부수 米(쌀미)부

찾기 米^{6} + 量^{12} = 18획

글자뿌리 형성(形聲) 문자. 쌀 미(米〈뜻〉)에 양 량(量〈음〉)을 합친 자로, 量(량)은 '헤아리다, 되다, 재다'의 뜻. 저울에 달거나 되로 되어서 거두어들이는 쌀, '식량'의 뜻.

[糧穀 양곡] 양식으로 사용하는 곡식.
[糧食 양식] ① 살아가는 데 필요한 먹을거리. ② 지식·물질·사상 등의 원천이 되는 것.
[軍糧 군량] 군대의 양식.
[食糧 식량] 먹을 양식.

4급 고등 한자
중 系 (xì)
영 connect [kənékt]

이어맬 계:

풀이 1 이어 매다. 2 혈통. 핏줄.

부수 糸(실사)부

찾기 糸⁶+ノ¹=7획

글자뿌리 상형(象形) 문자. 이어져 있는 실을 손으로 거는 모양을 본뜸. '걸다', '잇다', '매다'의 뜻을 나타냄.

[系譜 계보] ① 조상 때부터의 혈통과 집안의 역사를 적은 책. ② 혈연관계 및 학풍·사조(思潮) 따위가 계승되어 온 연속성.

[系列 계열] 서로 유사한 계통이나 조직.

[系統 계통] 체계에 따라 관련된 부분들의 통일된 조직.

[家系 가계] 한 집안의 계통.

[直系 직계] 계통을 직접 이어받음.

[體系 체계] 여러 요소나 부분이 짜임새를 갖추어 이어진 통일된 전체.

5급 중학 한자

중 约 (yuē)

영 about [əbáut]

맺을 약

풀이 1 맺다. 약속하다. 2 대략. 대개. 3 간추리다.

부수 糸(실사)부

찾기 糸⁶+勺³=9획

글자뿌리 형성(形聲) 문자. 실 사(糸〈뜻〉)에 잔질할 작(勺〈음〉)을 합친 자로, 실로 작은 매듭을 지어 맺는다는 데서 '맺다', '약속하다'의 뜻이 된 자.

⇒ ⇒ 約

[約分 약분] 분수의 분자와 분모를 공약수로 나누어 간단하게 하는 일.

[約束 약속] 앞으로의 일에 대하여 다른 사람과 서로 다짐하여 정함.

[約定 약정] 어떤 일을 약속하여 정함.

[約婚 약혼] 결혼하기로 약속함.

[公約 공약] 어떤 일에 대해 국민에게 실행할 것을 약속함. ¶ 選擧公約(선거공약).

[期約 기약] 때를 정하여 약속함.

[先約 선약] 먼저 약속함. 또는 그 약속.

[言約 언약] 말로 약속함. 또는 그 약속.

[要約 요약] 말이나 글의 요점을 잡아서 추려냄.

[節約 절약] 함부로 쓰지 않고 꼭 필요한 데에만 씀. 아껴 씀.

[集約 집약] 한데 모아서 요약함.

[特約 특약] ① 특별한 조건을 붙인 약속. ② 특별한 편의나 이익이 있는 계약.

[協約 협약] 협의한 뒤 맺은 약속.

4급 중학 한자

중 红 (hóng)

영 red [red]

붉을 홍

풀이 1 붉다. 붉은색. 2 연지.

부수 糸(실사)부

찾기 糸⁶+工³=9획

글자뿌리 형성(形聲) 문자. 실 사(糸〈뜻〉)에 장인 공(工〈음〉)을 합친 자로, 실에 붉은 물감을 들여 만들었다는 데서 일반적으로 '붉다'의 뜻을 나타냄.

[紅東白西 홍동백서] 제사 지낼 때 제물(祭物)을 차리는 격식의 하나로, 붉은 과실은 동쪽에, 흰 과실은 서쪽에 놓아야 함을 이르는 말.

[紅顔 홍안] 젊어서 혈색이 좋은 얼굴.

[紅葉 홍엽] 붉은 잎. 또는 붉게 물든 단풍잎.

[紅玉 홍옥] ① 루비. ② 사과 품종의 하나. 겉껍질이 유난히 붉음.

[朱紅 주홍] 붉은빛을 띤 주황색. 주홍빛. 주홍색.

[眞紅 진홍] 짙고 산뜻한 붉은색. 다홍.

4급 고등 한자

중 纪 (jì)

영 principle [prínsəpəl]

벼리 기

풀이 1 벼리. 2 실마리. 단서. 3 세월. 해. 4 법. 규율.

부수 糸(실사)부

찾기 糸⁶+己³=9획

ㄥ 幺 幺 糸 糸 糹 紀 紀

고사성어

紅一點 (홍일점)

여럿 가운데 돋보이는 하나라는 뜻으로, 많은 남자들 틈에 끼어 있는 오직 하나뿐인 여자를 이르는 말.

고사 당송 팔대가(唐宋八大家) 중의 한 사람이었던 왕안석(王安石)이 지은, 온통 녹색이 우거진 가운데 피어 있는 빨간 꽃 한 송이의 아름다움과 예쁨은 춘색의 으뜸이라고 추어올린 다음의 시에서 나온 말이다.

만록 총중(萬綠叢中)에 홍일점(紅一點) 있도다.
사람을 움직이게 하는 춘색(春色)은 많은들 무엇하리.

글자뿌리 형성(形聲) 문자. 실 사(糸〈뜻〉)에 몸 기(己〈음〉)를 합친 자로, 己(기)는 실패를 본뜬 모양. 실마리를 찾아 가르다의 뜻을 나타냄. 파생(派生)하여, '법도', '규칙'의 뜻을 나타냄.

[紀綱 기강] 규율과 법도.
[紀元 기원] 연대를 계산하는 데 기준이 되는 해.
[紀律 기율] 행위의 표준이 될 만한 질서.
[紀行 기행] 여행에서 보고 듣고 느끼고 겪은 것을 기록한 글.
[世紀 세기] ① 시대 또는 연대. ② 서력에 100년을 단위로 하여 연대를 세는 말.
[風紀 풍기] 풍속과 도덕에 대한 기율.

4급Ⅱ 중학 한자
중 素 (sù)
영 white [*h*wait]

흴/본디 소(:)

풀이 1 희다. 2 본디. 3 바탕. 4 질박하다.
부수 糸(실사)부
찾기 糸⁶+主⁴=10획

= ㅕ 主 主 孝 孝 素 素

글자뿌리 회의(會意) 문자. 드리울 수(主: 垂의 변형)에 실 사(糸)를 합친 자로, 고치에서 뽑은 명주실이 한 줄씩 늘어져 있는 것이 희다는 데서 '희다'의 뜻이 된 자. 흰색은 모든 색의 바탕이 되므로 '본디', '바탕'의 뜻도 있음.

⇒ ⇒ 素

[素朴 소박] 꾸밈이나 거짓이 없이 수수함.
[素服 소복] 하얗게 차려입은 옷. 흔히 상복으로 입음.
[素養 소양] 평소에 닦아 쌓은 교양.
[素材 소재] ① 어떤 것을 만드는 데 바탕이 되는 재료. ② 예술 작품의 재료가 되는 모든 대상.
[素質 소질] 날 때부터 가지고 있는 성질. 또는 타고난 능력이나 기질.
[素行 소행] 평소의 행실.
[色素 색소] 물체의 색깔이 나타나도록 해 주는 성분.
[葉綠素 엽록소] 식물의 세포인 엽록체 속에 들어 있는 녹색의 색소.
[要素 요소] 어떤 일에 꼭 필요한 성분이나 근본적인 조건.
[平素 평소] 특별한 일이 없는 보통 때. 평상시.
[活力素 활력소] 활동의 힘이 되는 본바탕.

4급 고등 한자
중 纳 (nà)
영 receive [risíːv]

들일 납

풀이 1 들이다. 받다. 2 바치다.
부수 糸(실사)부
찾기 糸⁶＋內⁴＝10획

𠃋 幺 幺 糸 糸 糿 糿 納

글자뿌리 형성(形聲) 문자. 실 사(糸〈뜻〉)에 안 내(內〈음〉)를 합친 자로, 內(내)는 '들이다'의 뜻. 물에 넣은 실의 뜻을 나타냈으나, 흔히 '들이다'의 뜻으로 쓰임.

[納得 납득] 남의 말이나 행동, 형편 등을 잘 알아차려 이해함.
[納稅 납세] 나라에 세금을 냄.
[納入 납입] 세금·공과금 따위를 냄.
[納品 납품] 주문받은 물품을 가져다 줌.
[未納 미납] 아직 내지 못했거나 안 냄.
[完納 완납] 남김없이 전부 납부함.

4급Ⅱ 중학 한자
중 纯 (chún)
영 pure [pjuər]

순수할 순

풀이 1 순수하다. 2 천진하다. 3 실. 4 오로지.
부수 糸(실사)부
찾기 糸⁶+屯⁴=10획

𠃋 幺 糸 糸 糸 糸 糸 純

글자뿌리 형성(形聲) 문자. 실 사(糸〈뜻〉)에 진 칠 둔(屯: 순수하다는 뜻〈음〉)을 합친 자로, 누이지 않은 '명주실'을 뜻하고 그런 실은 아무 색이 없어 '순수하다'는 뜻을 나타냄.

⇒ ⇒ 純

[純潔 순결] 몸과 마음이 아주 깨끗함.
[純金 순금] 다른 금속이 섞이지 않은 순수한 금.
[純度 순도] 품질의 순수한 정도.
[純綿 순면] 면사만으로 짠 직물.
[純毛 순모] 다른 것이 전혀 섞이지 않은 순수한 모직물이나 털실.
[純白 순백] ① 다른 색이 섞이지 않은 순수한 흰색. ② 티 없이 맑고 깨끗함.
[純利益 순이익] 총이익에서 총비용을 빼고 남은 순전한 이익.
[純全 순전] 순수하고 완전함.
[純情 순정] 순수한 감정이나 애정.
[純種 순종] 딴 계통과 섞이지 않은 순수한 종(種).
[純眞 순진] 마음이 꾸밈이 없고 순박함.
[純化 순화] 불순한 것을 제거하여 순수하게 함.
[單純 단순] 복잡하지 않고 간단함. ¶ 單純勞動(단순 노동).
[不純 불순] 순수하지 못함.
[淸純 청순] 깨끗하고 순수함.

6급 고등 한자
중 级 (jí)
영 class [klæs]

등급 급

풀이 1 등급. 2 차례.

부수 糸(실사)부

찾기 糸⁶+及⁴=10획

글자뿌리 형성(形聲) 문자. 실 사(糸〈뜻〉)에 미칠 급(及〈음〉)을 합친 자로, 及은 '따라붙다'의 뜻. 앞의 실에 이어서 다음의 실이 따라붙듯이 순서, 등급이 있음의 뜻을 나타낸 글자.

[級友 급우] 같은 학급에서 함께 공부하는 친구.

[級訓 급훈] 학급의 교육 목표를 나타낸 가르침.

[高級 고급] ① 높은 계급이나 등급. ② 품질·수준 따위가 높음.

[留級 유급] 학교나 직장에서 진급하지 못하고 그대로 남음.

[進級 진급] 등급·계급·학년 따위가 올라감.

종이 지

7급 중학 한자

중 纸 (zhǐ)

영 paper [péipər]

풀이 종이.

부수 糸(실사)부

찾기 糸⁶+氏⁴=10획

글자뿌리 형성(形聲) 문자. 실 사(糸〈뜻〉)에 평평할 지(氏〈음〉)를 합친 자로, 나무의 섬유를 납작하게 눌러 만든 것이 '종이'라는 뜻.

[紙面 지면] ① 종이의 겉면. ② 신문·잡지 등의 기사가 실린 종이의 면.

[紙質 지질] 종이의 품질.

[紙筆墨 지필묵] 종이와 붓과 먹을 아울러 이르는 말.

[更紙 갱지] 면이 좀 거칠고 빛깔이 약간 거무스름한 종이. 시험지·신문지 따위로 씀.

[別紙 별지] 서류나 편지 등에 따로 적어 덧붙이는 종이.

[本紙 본지] ① 신문이나 문서 따위의 주되는 부분의 지면. ② 자기와 관련된 신문사의 신문.

[色紙 색지] 여러 가지 색깔로 물들인 종이. 색종이.

[用紙 용지] 어떤 일에 쓰이는 종이.

[全紙 전지] 자르지 않은 종이. 제지 공장에서 만들어 낸 크기 그대로의 종이.

[製紙 제지] 종이를 만듦.

[破紙 파지] ① 찢어진 종이. ② 인쇄나 제본 등의 과정에서 손상되어 못 쓰게

된 종이.
[便紙 편지] 소식을 전하거나 용건을 적어 보내는 글.
[表紙 표지] 책의 겉장.

4급Ⅱ 중학 한자
중 细 (xì)
영 thin [θin]

가늘 세:

풀이 1 가늘다. 잘다. 2 세밀하다. 자세하다.
부수 糸(실사)부
찾기 糸⁶+田⁵=11획

ㄥ 幺 幺 糸 糸 糸 紃 紅
紐 細 細

글자뿌리 형성(形聲) 문자. 실 사(糸〈뜻〉)에 정수리 신(田=囟〈음〉)을 합친 자로, 고치에서 나온 '가느다란 실'이라는 데서 '가늘다'의 뜻.

[細工 세공] 섬세한 잔손이 많이 가는 정밀한 수공(手工).
[細菌 세균] 생물 중에서 가장 미세하고 가장 하등에 속하는 미생물. 박테리아.
[細密 세밀] 꼼꼼하고 자세함.
[細部 세부] 자세한 부분.
[細分 세분] 여럿으로 잘게 나누거나 자세하게 분류함.
[細心 세심] 자그마한 일에도 꼼꼼하게 주의를 기울여 빈틈이 없음.
[細則 세칙] 기본이 되는 규칙을 다시 나눠서 자세하게 만든 규칙.
[明細書 명세서] 물품이나 금액 등의 내용을 자세히 적은 문서.
[銀細工 은세공] 은을 재료로 한 세공. 또는 그 제품.
[竹細工 죽세공] 대를 재료로 하는 세공. 또는 그 제품.

4급 고등 한자
중 组 (zǔ)
영 set up

짤 조

풀이 1 짜다. 2 끈.
부수 糸(실사)부
찾기 糸⁶+且⁵=11획

ㄥ 幺 幺 糸 糸 糸 糿 紅
紐 組 組

글자뿌리 형성(形聲) 문자. 실 사(糸〈뜻〉)에 도마 조(且〈음〉)를 합친 자로, 且(조)는 수북이 쌓아 올린 제물의 상형. '실을 겹쳐 포개다', '짜다'의 뜻을 나타냄.

[組立 조립] 여러 부품을 하나의 구조물로 짜 맞춤.
[組織 조직] ① 짜서 이루거나 얽어서 만듦. ② 특정 목적을 달성하기 위해 여러 개체나 요소를 모아 체계적인 집단을 이룸. 또는 그 집단. ③ 동일한 기능과 구조를 가진 세포의 집단.
[組合 조합] 여럿을 모아 합하여 한 덩이가 되게 함.

5급 중학 한자
중 终 (zhōng)
영 end [end]

마칠 종

풀이 1 마치다. 끝내다. 2 죽다. 3 끝. 마지막. 4 마침내.
부수 糸(실사)부
찾기 糸⁶+冬⁵=11획

終 終 終

글자뿌리 형성(形聲) 문자. 실 사(糸〈뜻〉)에 겨울 동(冬: 거둔다는 뜻〈음〉)을 합친 자. 본디는 실의 양 끝을 동여맨 모양을 본뜬 자로, 실의 끝맺음, 끝이라는 데서 '마치다', '끝내다'의 뜻이 된 자.

[終講 종강] 한 학기의 강의를 끝마침.
[終結 종결] 일을 끝냄.
[終局 종국] 일의 마지막. 끝판.
[終乃 종내] 끝끝내. 필경에.
[終禮 종례] 학교에서, 하루 일과를 마친 뒤에 선생님과 학생들이 교실에 모여서 나누는 인사. 주의 사항이나 지시 사항을 전달함.
[終了 종료] 어떤 행동이나 일을 끝마침.
[終末 종말] 계속된 일이나 현상의 맨 끝.
[終身 종신] ① 한평생을 마침. ② 죽을 때까지의 동안.
[終身刑 종신형] 죄수를 교도소에 죽을 때까지 가두어 두는 형벌.
[終日 종일] 아침부터 저녁까지. 하루 동안. 온종일.
[終章 종장] 시조나 노래의 마지막 장.
[終戰 종전] 전쟁이 끝남. 또는 전쟁을 끝냄.
[自初至終 자초지종] 처음부터 끝까지의 과정.
[最終 최종] 맨 나중. 마지막.

5급 중학 한자
중 结 (jié)
영 tie [tai]

맺을 결

풀이 1 맺다. 2 끝맺다. 마치다. 3 엉기다.
부수 糸(실사)부
찾기 糸⁶+吉⁶=12획

結 結 結 結

글자뿌리 형성(形聲) 문자. 실 사(糸〈뜻〉)와 길할 길(吉: 졸라맨다는 뜻〈음〉)을 합친 자로, 끊어진 실을 졸라맨다는 데서 '맺다'의 뜻이 된 자.

[結果 결과] 어떠한 원인으로 말미암아 생긴 일의 끝. 반 原因(원인).
[結句 결구] 문장·편지 등에서 끝을 맺는 글귀.
[結局 결국] 드디어는. 나중에는.
[結論 결론] 말이나 글의 끝맺는 부분.
[結末 결말] 일을 맺는 끝.
[結成 결성] 모임이나 단체를 짜서 만드는 것.
[結實 결실] ① 열매를 맺음. 또는 그런 열매. ② 일의 결과가 잘 맺어짐. 또는 그런 성과.
[結集 결집] 한데 모여 뭉침. 또는 한데 모아 뭉침.
[結合 결합] 둘 이상의 것이 서로 관계를 맺고 합쳐서 하나로 됨.
[結婚 결혼] 남녀가 정식으로 부부 관계를 맺음.
[連結 연결] 서로 이어서 맺음. 반 分離(분리).
[完結 완결] 완전하게 끝마침.
[直結 직결] 바로 이어짐. 직접 관계됨.

5급 중학 한자
중 给 (gěi)
영 give [giv]

줄 급

풀이 1 주다. 2 넉넉하다. 3 대다. 공급하다.
부수 糸(실사)부
찾기 糸6+合6=12획

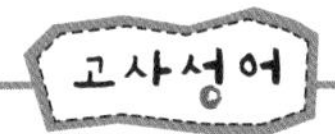

結草報恩 (결초보은)

풀을 매어 은혜를 갚는다는 뜻으로, 죽어 혼령이 되어도 은혜를 잊지 않고 갚음을 이르는 말.

고사 중국의 춘추 시대(春秋時代)에 진(晉)나라의 위무자(魏武子)가 평소에 아들에게 자기가 죽거든 서모(庶母)를 개가시키라 해 놓고, 죽을 무렵에는 그와 반대로 순장(殉葬)을 시키라 했다. 아버지가 돌아가시자 아들 과(顆)는 아버지가 평소에 한 말을 따라 서모를 개가시켰다. 후에 과가 전쟁에 나가 진(秦)나라의 두회(杜回)와 싸우다 위태롭게 되었을 때, 그 서모의 아버지의 넋이 적군의 앞길에 풀을 맺잡아 매어 두회가 걸려 넘어지게 하여 사로잡게 했다고 한다.

글자뿌리 형성(形聲) 문자. 실 사(糸〈뜻〉)에 합할 합(合〈음〉)을 합친 자로, 실을 모아 줄을 잇듯이 모자라는 물건을 넉넉히 댄다는 데서 '주다', '대다'의 뜻이 된 자.

[給料 급료] 회사 따위에서, 일한 사람에게 그 대가로 주는 돈.
[給仕 급사] 관청·회사 등에서 잔심부름을 시키기 위해 부리는 사람.
[給水 급수] 물을 공급함. 또는 그 물.
[給食 급식] 식사를 공급함. 또는 그 식사.
[供給 공급] ① 필요에 따라서 물품을 대어 줌. ② 바꾸거나 팔 목적으로 시장에다 상품을 내놓음.
[月給 월급] 일한 대가로 다달이 받는 일정한 돈.
[自給自足 자급자족] 자기에게 필요한 것을 자기 힘으로 마련하여 씀.
[支給 지급] 돈이나 물품 따위를 정해진 몫만큼 내어 줌.

4급 중학 한자
중 丝 (sī)
영 thread [θred]

실 사

풀이 실.
부수 糸(실사)부
찾기 糸6+糸6=12획

글자뿌리 상형(象形) 문자. 실 사(糸)에 실 사(糸)를 합친 자로, 명주실을 꼬아 놓은 실타래가 겹쳐진 모양을 본뜬 글자.

⇒ ⇒ 絲

[絹絲 견사] 비단을 짜는 명주실.
[金絲 금사] 금실.
[銀絲 은사] 은실.
[鐵絲 철사] 쇠로 만든 가는 줄.

4급Ⅱ 중학 한자
중 绝 (jué)
영 cut [kʌt]

끊을 절

풀이 1 끊다. 끊어지다. 2 으뜸. 뛰어나다.
부수 糸(실사)부
찾기 糸6+色6=12획

글자뿌리 회의(會意) 문자. 실 사(糸)에 칼 도(ク=刀)와 마디 절(巴=卩)을 합친

자로, 실의 매듭을 칼로 '끊는다'는 뜻.

[絶景 절경] 더할 나위 없이 아름다운 경치.

[絶交 절교] 교제를 끊음.

[絶叫 절규] 있는 힘을 다해 부르짖음.

[絶望 절망] 희망이 끊어짐. 희망을 끊어 버림. 또는 그런 상태.

[絶妙 절묘] 비할 데 없이 교묘함.

[絶世佳人 절세가인] 이 세상에서는 견줄 사람이 없을 정도로 뛰어나게 아름다운 여자.

[絶頂 절정] ① 산의 맨 꼭대기. ② 어떤 일의 진행이나 상태가 최고에 이른 때.

[絶讚 절찬] 더할 나위 없는 칭찬.

[絶好 절호] 시기나 기회가 더없이 좋음.

[根絶 근절] 어떤 일이 다시 일어나지 못하도록 뿌리째 없애 버림.

[氣絶 기절] 놀람·충격 따위로 한동안 정신을 잃음.

[斷絶 단절] ① 어떤 교류나 관계를 끊음. ② 흐름이 연속되지 않음.

[謝絶 사절] 요구나 제의를 사양하고 받지 아니함.

[義絶 의절] ① 맺었던 의를 끊음. ② 친구나 친척 사이에 정을 끊음.

統

4급Ⅱ 중학 한자

㊥ 统 (tǒng)

㊐ govern [gʌ́vərn]

거느릴 통:

풀이 1 거느리다. 2 계통. 줄기. 3 합치다. 4 모두.

부수 糸(실사)부

찾기 糸⁶+充⁶=12획

글자뿌리 형성(形聲) 문자. 실 사(糸〈뜻〉)에 채울 충(充: 긴 줄기의 뜻〈음〉)을 합친 자로, 누에고치에서 뽑아낸 한 줄기의 긴 실이라는 데서 '계통', '거느리다'의 뜻이 된 글자.

⇒ ⇒ 統

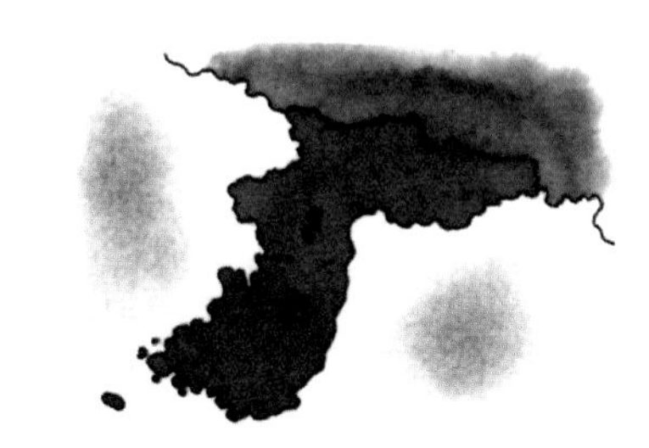

[統計 통계] ① 한데 몰아서 어림잡아 셈함. ② 여러 사실을 종합적으로 정리하여, 알아보기 쉽게 일정한 방식에 따라 숫자로 나타낸 것.

[統率 통솔] 조직 또는 사람들을 전체적으로 거느려 다스림.

[統帥權 통수권] 한 나라의 병력을 지휘 통솔하는 권한.

[統一 통일] ① 두 개 이상의 것을 합쳐

서 하나의 조직·체계로 만듦. ② 서로 관련되어 떨어질 수 없게 함.

[統治 통치] 나라나 지역을 도맡아서 다스림.

[統合 통합] 모두 합쳐 하나로 모음.

[系統 계통] ① 체계에 따라 관련된 부분들의 통일적 조직. ② 일정한 분야나 부문. ③ 하나의 공통적인 것에서 갈라져 나온 갈래.

[大統領 대통령] 국가를 대표하는 국가의 원수.

[傳統 전통] 역사적으로 이어 온 문화적 유산.

[體統 체통] 지체나 신분에 알맞은 체면.

[血統 혈통] 같은 핏줄의 계통.

4급Ⅱ 중학 한자

중 经 (jīng)

영 pass [pæs]

지날/글 경

풀이 **1 지나다. 2 글. 경서. 경전. 3 날. 날실. 4 법. 도리. 5 다스리다.**

부수 糸(실사)부

찾기 糸⁶+巠⁷=13획

글자뿌리 형성(形聲) 문자. 실 사(糸〈뜻〉)에 물줄기 경(巠〈음〉)을 합친 자로, 실이 물줄기처럼 서 있는 모양을 한 날줄에 씨줄이 지나야 천이 된다는 데서 '지나다', '날실'의 뜻이 된 자.

巠 ⇒ 糸巠 ⇒ 經

[經過 경과] ① 시간이나 때가 지남. ② 일이 되어 가는 과정.

[經歷 경력] 여러 가지 일을 겪어 지내옴. 또 그 여러 가지 일들.

[經路 경로] ① 지나는 길. ② 일이 되어 가는 순서나 방법.

[經理 경리] 물자의 관리나 금전 출납 등을 맡아보는 사무. 또는 그것을 처리하는 부서나 사람.

[經由 경유] 어떤 곳을 거쳐서 지남.

[經濟 경제] ① 사람들이 생활에 필요한 물건을 생산하고, 또 그것을 쓰는 데 관계되는 모든 활동. ② 돈·재물·시간 등을 절약함.

[經驗 경험] 실제로 보고 듣고 겪는 일. 또는 그 과정에서 얻는 지식이나 기능.

[無神經 무신경] ① 감각 등이 둔함. ② 어떤 자극이나 치욕에도 반응이 없음.

[佛經 불경] 불교의 경전.

[聖經 성경] ① 각 종교에서 그 종교의 가르침의 중심이 되는 책. 기독교의 성서, 불교의 팔만대장경, 유교의 사서오경, 회교의 코란 등. ② 기독교의 경전.

[神經 신경] ① 뇌의 명령을 몸의 각 부분에 전하고, 몸에서 느낀 자극을 뇌에 전하는 일을 하는 실 모양의 기관. ②

어떤 일에 대한 느낌이나 생각.
[牛耳讀經 우이독경] 쇠귀에 경 읽기.
[月經 월경] 성숙한 여성의 자궁에서 정기적으로 며칠 동안 출혈하는 현상.

6급 중학 한자
중 绿 (lǜ)
영 green [griːn]

푸를 록

풀이 푸르다. 초록빛.
부수 糸(실사)부
찾기 糸⁶+彔⁸=14획

글자뿌리 형성(形聲) 문자. 실 사(糸〈뜻〉)에 맑을 록(彔: 淥의 생략형으로 물이 맑다는 뜻〈음〉)을 합친 자로, 맑은 색, 곧 초록빛의 실이라는 데서 '푸르다'의 뜻.

[綠豆 녹두] 콩과의 한해살이 식물. 씨는 팥보다 작고 녹색임.
[綠色 녹색] 파랑과 노랑의 중간색. 초록색.
[綠十字 녹십자] 녹색으로 십자 모양을 나타낸 표지. 재해로부터의 안전을 상징함.
[綠陰 녹음] 푸른 잎이 우거진 나무나 수풀. 또는 그 나무의 그늘.
[綠地 녹지] 나무와 풀이 푸르게 자란 땅.
[常綠樹 상록수] 나뭇잎이 사철 푸른 나무. 늘푸른나무.
[新綠 신록] 초여름에 새로이 나온 잎들이 띤 연한 초록빛.
[葉綠素 엽록소] 식물의 세포인 엽록체 속에 들어 있는 녹색의 색소.

5급 중학 한자
중 练 (liàn)
영 practice [prǽktis]

익힐 련ː

풀이 1 익히다. 단련하다. 2 가리다.
부수 糸(실사)부
찾기 糸⁶+柬⁹=15획

글자뿌리 형성(形聲) 문자. 실 사(糸〈뜻〉)에 분별할 간(柬〈음〉)을 합친 자로, 잿물에 삶아 깨끗이 다듬은 누인 명주라는 데서 '익히다', '가리다'의 뜻.

[練習 연습] 익숙하도록 몇 번이나 되풀이하여 익힘.

[未練 미련] 깨끗이 잊지 못하고 끌리는 데가 남아 있는 마음.

[洗練 세련] 지식·기술 등을 갈고 다듬어 어색하거나 서투른 데가 없게 함.

[調練師 조련사] 동물에게 재주를 가르치고 훈련시키는 사람.

[訓練 훈련] 어떠한 능력이나 기술을 몸에 붙게 하기 위하여 되풀이해서 연습하는 일.

4급 고등 한자

중 缘 (yuán)

영 affinity [əfínəti]

인연 연

풀이 1 인연. 2 연분. 3 인하다. 4 가선. 가장자리.

부수 糸(실사)부

찾기 糸⁶ + 彖⁹ = 15획

글자뿌리 형성(形聲) 문자. 실 사(糸〈뜻〉)에 판단할 단(彖〈음〉)을 합친 자로, 彖(단)은 轉(전)과 통하여, '두르다'의 뜻. 옷 가장자리에 두른 가선을 실로 꿰맨다는 데서 '가선', '인연'의 뜻을 나타냄.

[緣故 연고] ① 일의 까닭. ② 혈통·법률·정분 따위로 맺어진 관계.

[緣分 연분] ① 하늘에서 마련한 인연. ② 부부가 되는 인연.

[緣由 연유] 까닭.

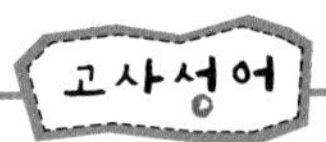

緣木求魚 (연목구어)

나무에 올라가서 물고기를 잡으려고 한다는 뜻으로, 불가능한 일을 무리하게 하려 함을 이르는 말.

고사 중국 전국 시대(戰國時代)에 맹자(孟子)는 자신의 이상인 왕도 정치(王道政治)를 실현하기 위하여 여러 제후들을 찾아다녔다. 그러다 제(齊)나라에 이르러 선왕(宣王)을 만났을 때, 선왕은 싸움을 일으켜 천하를 주름잡고 싶은 큰 꿈을 갖고 있었지만, 왕도 정치를 말하는 맹자 앞에서 부끄러워 자기의 뜻을 분명히 얘기하지 못하고 머뭇거렸다. 맹자는 "무력으로 땅을 넓히고, 오랑캐를 복종시키려는 것은 나무에 올라 물고기를 구하는 것〔緣木求魚〕보다 더 무리한 일입니다. 나무에 올라가 물고기를 구하는 것은 물고기를 구하지 못할 뿐, 재난은 남기지 않습니다. 그러나, 왕께서 하시고자 하는 일은 백성을 괴롭히고 나라를 망하게 하는 재앙을 부를 것입니다" 라고 말했다고 한다.

[事緣 사연] 일의 사정과 까닭.
[因緣 인연] ① 사람들 사이에 맺어지는 관계. ② 어떤 사물과 관계되는 연줄.
[血緣 혈연] 같은 핏줄로 이어진 인연.

6급 중학 한자
중 线 (xiàn)
영 line [lain]

줄 선

풀이 줄. 금. 실.
부수 糸(실사)부
찾기 糸⁶+泉⁹=15획

글자뿌리 형성(形聲) 문자. 실 사(糸〈뜻〉)에 샘 천(泉: 가늘게 잇는다는 뜻〈음〉)을 합친 자로, 가느다란 '실'이라는 데서 '줄'의 뜻이 된 자.

⇒ ⇒ 線

[線路 선로] 열차나 전차의 바퀴가 굴러갈 수 있도록 땅에 깔아 놓은 철길.
[光線 광선] 빛. 빛의 줄기.
[路線 노선] ① 버스나 기차, 항공기 등이 정해 놓고 다니도록 되어 있는 길. ② 개인이나 조직, 단체 등의 일정한 활동 방침.
[伏線 복선] 소설·희곡 등에서 나중에 있을 사건에 대하여 미리 넌지시 비쳐 두는 기법.
[死線 사선] 죽을 고비.
[一線 일선] ① 일을 실행하는 데에서 맨 앞장. ② 적과 가장 가까운 곳.
[前線 전선] ① 적과 마주 대하고 있는 맨 앞의 지역. ② 따뜻한 공기와 찬 공기의 경계면이 땅과 닿는 곳.
[戰線 전선] 전쟁에서 직접 전투가 벌어지는 지역.
[電線 전선] 전원과 전기 기기를 이어서 전기가 흐르도록 하는 데 쓰이는 선. 전깃줄.
[直線 직선] ① 곧은 선. ② 두 점 사이를 가장 짧은 거리로 이은 선.
[車線 차선] 도로에서 자동차 한 대씩만 지나갈 수 있도록 그어 둔 선.
[脫線 탈선] ① 기차·전차 등이 선로를 벗어남. ② 말이나 행동이 나쁜 방향으로 빗나감.
[合線 합선] 양전기와 음전기의 두 선이 고장으로 한데 접속되는 일.
[混線 혼선] ① 전신이나 전화 등에서 신호나 통화가 뒤섞여 엉클어짐. ② 말이나 일 따위를 서로 다르게 파악해서 혼란이 생김.

縮

4급 고등 한자
중 缩 (suō)
영 shrink [ʃriŋk]

줄일 축

풀이 1 줄이다. 2 오그라들다. 3 모자라다.

부수 糸(실사)부

찾기 糸^{6}+宿^{11}=17획

글자뿌리 형성(形聲) 문자. 실 사(糸〈뜻〉)에 묵을 숙(宿〈음〉)을 합친 자로, 宿(숙)은 肅(숙)과 통하여, 두려워서 움츠러들다의 뜻. 실이 오그라들다의 뜻을 나타냄.

[縮小 축소] 줄여서 작게 만듦.

[短縮 단축] 시간이나 거리가 짧게 줄어듦. 또는 그렇게 줄임.

[收縮 수축] 줄거나 오그라듦.

[伸縮 신축] 늘어나고 줄어듦.

[壓縮 압축] 물질 따위에 압력을 가해 부피를 줄임.

4급Ⅱ 고등 한자

중 总 (zǒng)

영 all [ɔ:l]

다 총:

풀이 1 다. 모두. 2 거느리다. 3 모으다. 합하다. 4 총각.

부수 糸(실사)부

찾기 糸^{6}+悤^{11}=17획

글자뿌리 형성(形聲) 문자. 실 사(糸〈뜻〉)에 바쁠 총(悤〈음〉)을 합친 자로, 悤(총)은 束(속)과 통하여, '묶다', '다발 짓다'의 뜻. 많은 실·머리털 따위를 묶다의 뜻에서, '총괄하다', '통솔하다', '다', '모두'의 뜻을 나타냄.

[總角 총각] ① 결혼하지 않은 성년 남자. ② 여자와 성적 관계가 한 번도 없는 남자. 숫총각.

[總計 총계] 수량 전체를 한데 통틀어서 계산함. 또 그 계산.

[總括 총괄] ① 통틀어 하나로 묶음. ② 요점을 모아서 한 개의 개념을 만듦.

[總局 총국] 어떤 구역 안의 모든 지국(支局)을 관할하고 지휘하면서 본사와 사무적 연락을 하는 곳.

[總動員 총동원] 필요한 모든 사람·물자를 모으는 일.

[總力 총력] 전체의 모든 힘.

[總務 총무] 기관이나 단체의 전체적인 사무. 또는 그 사무를 맡아보는 사람.

[總長 총장] ① 전체 사무를 관리하는 최고 행정 책임 직위. 또는 그 직위에 있는 사람. ② 대학교의 최고 책임자.

[總體 총체] 있는 것을 모두 하나로 합친 전부 또는 전체.

4급 고등 한자
중 绩 (jì)
영 weave [wiːv]

길쌈 적

풀이 1 길쌈. 2 공. 공적. 3 일. 사업.
부수 糸(실사)부
찾기 糸^{6}+責^{11}=17획

글자뿌리 형성(形聲) 문자. 실 사(糸〈뜻〉)에 꾸짖을 책(責〈음〉)을 합친 자로, 責(책)은 積(적)과 통하여 '쌓다'의 뜻. '실을 쌓아서 포개다', '길쌈하다'의 뜻을 나타냄.

[功績 공적] 공로의 실적.
[實績 실적] 실제의 업적 또는 공적.
[業績 업적] 사업이나 연구 따위에서 세운 공적.
[治績 치적] 잘 다스린 공적. 정치상의 공적.

4급 고등 한자
중 织 (zhī)
영 weave [wiːv]

짤 직

풀이 1 짜다. 2 만들다. 3 직물.
부수 糸(실사)부
찾기 糸^{6}+戠^{12}=18획

글자뿌리 형성(形聲) 문자. 실 사(糸〈뜻〉)에 무기 이름 직(戠〈음〉)을 합친 자로, 창〔戈〕으로 소리〔音〕와 표시를 남기듯, 실〔糸〕로 무늬를 남기며 옷감을 짠다는 뜻.

[織物 직물] 실을 직기에 걸어 짠 물건을 통틀어 이르는 말.
[織造 직조] 피륙을 짜는 일.
[毛織 모직] 털실로 짠 피륙.
[紡織 방직] 기계를 이용하여 실을 뽑아서 피륙을 짜는 일.

4급 고등 한자
중 继 (jì)
영 succeed [səksíːd]

이을 계ː

풀이 1 잇다. 2 이어 나가다. 3 이어받다.
부수 糸(실사)부
찾기 糸^{6}+㡭^{14}=20획

글자뿌리 형성(形聲) 문자. 실 사(糸〈뜻〉)에 이을 계(㡭〈음〉)를 합친 자로, 실을 잇는다는 뜻을 나타냄.

[繼起 계기] 잇따라 일어남.
[繼母 계모] 아버지의 재혼으로 생긴 새어머니. 의붓어머니.
[繼續 계속] 끊이지 않고 이어 나감.
[繼承 계승] 물려받아 이어 나감.
[繼走 계주] 이어달리기.
[引繼 인계] 일이나 물건을 넘겨주거나 이어받음.
[中繼 중계] ① 중간에서 이어 줌. ② 중계방송.

4급Ⅱ 중학 한자
중 续 (xù)
영 continue [kəntínju:]

이을 속

풀이 잇다. 계속하다.
부수 糸(실사)부
찾기 糸⁶+賣¹⁵=21획

글자뿌리 형성(形聲) 문자. 실 사(糸〈뜻〉)에 팔 육(賣: '이을 속(屬)'의 뜻〈음〉)을 합친 자로, 끊긴 실을 잇는다 하여 '잇다'의 뜻이 된 자.

[續報 속보] 앞의 보도에 잇대어 알림. 또는 그 보도.
[續出 속출] 잇달아 나옴.
[續行 속행] 계속하여 행함.
[繼續 계속] ① 끊이지 않고 이어 나감. ② 끊어졌던 일을 다시 이어 나감.
[勤續 근속] 한 곳에서 계속 근무함.
[相續 상속] 재산에 관한 권리·의무를 물려주거나 물려받음.
[手續 수속] 어떤 일을 행하는 데 거쳐야 할 과정이나 단계.
[連續 연속] 끊이지 아니하고 죽 이어지거나 지속함.
[接續 접속] 서로 맞대서 이음.
[持續 지속] 유지하여 계속함.

缺

4급Ⅱ 고등 한자
중 缺 (quē)
영 deficient [difíʃənt]

이지러질 결

풀이 1 이지러지다. 2 없다. 3 모자라다. 부족하다. 4 빠지다.
부수 缶(장군부)부
찾기 缶⁶+夬⁴=10획

글자뿌리 형성(形聲) 문자. 장군 부(缶〈뜻〉)에 깍지 결(夬〈음〉)을 합친 자로, 缶(부)는 '항아리'의 뜻, 夬(결)은 '후벼내다'의 뜻. 항아리의 일부가 깨져서, '이지러지다'의 뜻을 나타냄.

[缺格 결격] 자격을 갖추지 못함.
[缺禮 결례] 예의를 갖추지 못함.
[缺席 결석] 출석하지 않음.
[缺員 결원] 정원에 차지 않고 모자람.
[缺點 결점] 잘못되거나 모자라는 점.
[缺陷 결함] 부족하거나 불완전하여 흠이 되는 부분.
[補缺 보결] ① 결원이 생겼을 때 그 빈 자리를 채움. ② 결점을 고쳐서 보충함.

5급 중학 한자
중 罪 (zuì)
영 sin [sin]

허물 죄:

풀이 허물. 죄.
부수 网(그물망)부

찾기 罒5(网)+非8=13획

글자뿌리 회의(會意) 문자. 그물 망(罒: 网의 변형〈뜻〉) 밑에 아닐 비(非〈음〉)를 합친 자로, 법의 그물에 걸려들 만큼 잘못된 짓은 '죄'라는 뜻.

⇒ ⇒ 罪

[罪名 죄명] 죄의 이름.
[罪囚 죄수] 옥에 갇힌 죄인.
[罪惡 죄악] 죄가 될 만한 나쁜 짓.
[免罪 면죄] 지은 죄를 면함. 또는 면하여 줌.
[無罪 무죄] 아무 잘못이나 죄가 없음.
[犯罪 범죄] 법규를 어기고 저지른 잘못.
[謝罪 사죄] 자신이 지은 죄나 잘못에 대하여 용서를 빎.
[有罪 유죄] 죄가 있음. 반 無罪(무죄).
[重罪 중죄] 무거운 죄. 큰 죄.

4급Ⅱ 고등 한자
중 置 (zhì)
영 place [pleis]

둘 치:

풀이 1 두다. 놓다. 2 베풀다. 3 버리다.
부수 网(그물망)부
찾기 罒5(网)＋直8＝13획

글자뿌리 형성(形聲) 문자. 그물 망(罒〈뜻〉)에 곧을 직(直〈음〉)을 합친 자로, 直(직)은 '곧다'의 뜻. 그물을 곧게 쳐서 세워 두다의 뜻에서, '두다', '놓다', '세우다'의 뜻을 나타냄.

[置簿 치부] ① 금전·물품의 출납을 기록함. ② 마음속으로 그렇다고 여김.
[置重 치중] 어떤 일에 특히 중점을 둠.
[置換 치환] 바꾸어 놓음.
[放置 방치] 내버려 둠.
[備置 비치] 마련하여 갖추어 둠.
[設置 설치] 만들어서 둠.
[處置 처치] ① 일을 감당하여 처리함. ② 처리하여 없애거나 죽여 버림.

4급Ⅱ 고등 한자
㊥ 罚 (fá)
㊎ punish [pʌ́niʃ]

벌할 벌

풀이 벌하다. 벌주다. 벌.
부수 网(그물망)부
찾기 罒5(网)＋詈9＝14획

글자뿌리 회의(會意) 문자. 꾸짖을 리(詈)에 칼 도(刀)를 합친 자로, 날붙이를 들이대고 '꾸짖다', '책(責)하다', '벌하다'의 뜻을 나타냄.

[罰金 벌금] ① 규약을 위반했을 때에 벌로 내게 하는 돈. ② 범죄의 처벌로 부과하는 돈.
[罰酒 벌주] 벌로 먹이는 술.
[罰則 벌칙] 법규를 어긴 행위에 대한 처벌을 정해 놓은 규칙.
[信賞必罰 신상필벌] 공이 있는 자에게는 반드시 상을 주고, 죄가 있는 자에게는 반드시 벌을 줌. 곧, 상벌을 공정하고 엄중하게 함.
[重罰 중벌] 무거운 징벌.
[天罰 천벌] 하늘이 주는 벌.

4급Ⅱ 고등 한자
㊥ 罗 (luó)
㊎ spread [spred]

벌일 라

풀이 1 벌이다. 2 그물. 3 늘어서다.
부수 网(그물망)부
찾기 罒5(网)+維14=19획

글자뿌리 회의(會意) 문자. 그물 망(罒)에 맬 유(維)를 합친 자로, 网(망)은 그물의 상형, 維(유)는 새를 잡아매다의 뜻. 음형상(音形上)으로는 列(렬)·連(련)과 통하여, '벌여 놓은 그물', '늘어세우다', '연잇다'의 뜻을 나타냄.

[羅網 나망] 새그물.
[羅紗 나사] 양복감으로 쓰이는 두꺼운 모직물.
[羅列 나열] ① 죽 벌여 놓음. ② 나란히 줄을 지음.
[綾羅 능라] 두꺼운 비단과 얇은 비단.
[網羅 망라] 물고기 그물과 새그물. 널리 구하여 모두 받아들임의 뜻.

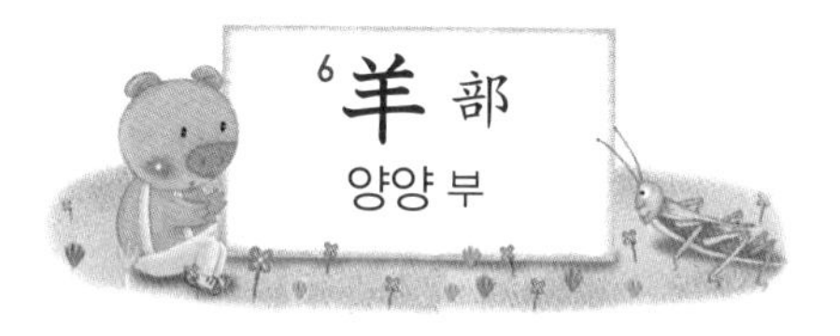

4급Ⅱ 중학 한자
중 羊 (yáng)
영 sheep [ʃiːp]

양 양

풀이 양.
부수 羊(양양)부
찾기 羊6=6획

羊頭狗肉 (양두구육)

양의 머리를 내걸고 개고기를 판다는 뜻으로, 겉은 훌륭하지만 그 속은 변변치 않음을 이르는 말.

[고사] 중국 춘추 시대(春秋時代) 제(齊)나라의 영공(靈公)은 여자에게 남자 옷을 입혀 놓고 즐기는 이상한 버릇이 있었다. 이 이상한 취미는 백성들 사이에서도 유행이 되었다. 조정에서는 이를 못하게 엄명(嚴命)을 내렸으나, 이 풍조가 사라지지 않자, 영공은 명재상인 안자(晏子)에게 그 이유를 물었다. 그러자 안자는 "전하께서는 궁중의 여자들에게는 남장을 요구하시면서 백성들에게는 금지하고 계시옵니다. 문 앞에는 양의 머리를 걸어 놓고 안에서는 개고기를 파는 것과 다름이 없사옵니다. 궁중의 여자들에게 남장을 못 하도록 명하시오소서. 그러면 백성들 사이에도 그런 풍조가 사라질 것이옵니다."라고 하였다. 안자의 말대로 궁중에서도 남장을 금하자, 한 달도 못 되어 남장하는 여자들을 찾아볼 수 없게 되었다고 한다.

丶 丷 䒑 兰 兰 羊

글자뿌리 상형(象形) 문자. 뿔 달린 양의 머리 모양을 본떠 만든 글자.

[羊毛 양모] 양의 털. 모직물의 원료가 됨. 양털.
[羊皮 양피] 양의 가죽. 양가죽.
[白羊 백양] 흰 양.

[美觀 미관] 아름답고 훌륭한 풍경.
[美男 미남] 얼굴이 잘생긴 남자.
[美談 미담] 사람을 감동시킬 만한 아름다운 이야기.
[美德 미덕] 아름답고 갸륵한 덕행.
[美麗 미려] 아름답고 고움.
[美貌 미모] 아름다운 얼굴 모습.
[美術 미술] 공간 및 시각의 미를 표현하는 예술. 그림·조각·공예·건축 따위를 일컬음.
[美食 미식] 좋은 음식. 또는 그런 음식을 먹음.
[美容 미용] 용모를 아름답게 단장하는 일.
[美人 미인] 용모가 아름다운 여자.
[美風 미풍] 아름다운 풍속.
[美化 미화] 아름답게 꾸미는 일. ¶ 環境美化(환경 미화).

6급 중학 한자
중 美 (měi)
영 beautiful [bjúːtəfəl]

아름다울 미(:)

풀이 1 아름답다. 곱다. 2 맛나다. 3 좋다. 훌륭하다.
부수 羊(양양)부
찾기 羊⁶+大³=9획

丷 䒑 兰 兰 羊 美 美 美

글자뿌리 회의(會意) 문자. 양 양(羊)에 큰 대(大)를 합친 자로, 크고 살찐 양이라는 데서 '아름답다'의 뜻.

⇒ ⇒ 美

5급 중학 한자
중 着 (zháo, zhuó)
영 attach [ətǽtʃ]

붙을 착

풀이 1 붙다. 붙이다. 2 입다. 신다. 쓰다. 3 다다르다. 4 손대다.
부수 羊(양양)부
찾기 羊⁶+目⁶=12획

丶 丷 䒑 兰 羊 羊 羊 羊 着 着 着 着

글자뿌리 형성(形聲) 문자. 본디는 지을 저(著)의 속자. 양 양(羊=艹〈뜻〉)에 눈 목(目=者〔사람 자〕〈음〉)을 합친 자로, '著'

와 구별하여 '입다', '붙다'의 뜻으로 쓰이게 된 글자.

⇒ ⇒ 着

[着陸 착륙] 비행기가 땅 위에 내림.
[到着 도착] 목적지에 다다름.
[密着 밀착] 빈틈없이 단단히 붙음.
[愛着 애착] 몹시 사랑하고 아끼는 마음에 떨어지지 않음. 또는 그런 마음.
[人相着衣 인상착의] 사람의 생김새와 옷차림.
[接着 접착] 끈기 있게 붙음.

4급Ⅱ 중학 한자
중 义 (yì)
영 right [rait]

옳을 의:

풀이 1 옳다. 바르다. 2 뜻. 3 의리.
부수 羊(양양)부
찾기 羊6+我7=13획

글자뿌리 회의(會意) 문자. 양 양(羊)에나 아(我)를 합친 자로, 착한 양처럼 자기를 희생하고 순종한다는 데서 '옳다', '의리'의 뜻이 된 자.

⇒ ⇒ 義

[義擧 의거] 옳은 일을 위하여 의로운 일을 도모함.
[義理 의리] ① 사람으로서 지켜야 할 도리. ② 사람과의 관계에서 지켜야 할 바른 도리.
[義兵 의병] 외적의 침입을 물리치기 위하여 백성들이 스스로 조직한 군대.
[義死 의사] 의를 위해 죽음.
[不義 불의] 의리·도리·정의에 어긋남.
[正義 정의] ① 진리에 맞는 올바른 도리. ② 바른 의의.
[定義 정의] 뜻을 명백히 밝혀 규정함. 또는 그 뜻.

4급 고등 한자
중 群 (qún)
영 flock [flɑk]

무리 군

풀이 1 무리. 떼. 2 많다. 여럿. 3 모이다.
부수 羊(양양)부
찾기 羊6+君7=13획

글자뿌리 형성(形聲) 문자. 양 양(羊〈뜻〉)에 임금 군(君〈음〉)을 합친 자로, 君(군)은 昆(곤)과 통하여 '떼 지어 모이다', '무리 짓다'의 뜻. 떼 지은 양(羊)의 뜻에서, '무리', '떼'의 뜻을 나타냄.

[群落 군락] 모여 사는 많은 부락.

[群舞 군무] 여럿이 무리를 지어 춤을 춤. 또는 그 춤.

[群小 군소] 규모가 크지 않은 여럿. 한 떼의 자잘한 것들.

[群臣 군신] 뭇 신하들.

[群衆 군중] ① 한곳에 떼 지어 있는 사람의 무리. ② 수많은 사람.

[群集 군집] 사람이나 생물 들이 한군데 많이 모임.

6급 중학 한자

중 习 (xí)

영 study [stʌ́di]

익힐 습

풀이 1 익히다. 배우다. 2 익숙하다. 3 버릇. 습관.

부수 羽(깃우)부

찾기 羽⁶+白⁵=11획

글자뿌리 회의(會意) 문자. 깃 우(羽)에 흰 백(白)을 합친 자로, 새가 날갯죽지 밑

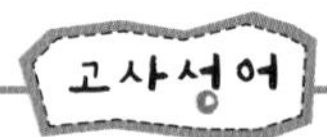

群鷄一鶴 (군계일학)

닭의 무리 가운데 있는 한 마리의 학이라는 뜻으로, 평범한 사람들 가운데서 뛰어난 사람을 이르는 말.

고사 중국의 진(晉)나라 때, 숲 속에서 시를 읊고 고상한 이야기만 나누며 살던 일곱 명의 선비가 있었는데, 이들을 일컬어 죽림칠현(竹林七賢)이라 하였다. 그런데 이들 중 혜강이 억울한 누명을 쓰고 어린 아들 혜소(嵇紹)를 남기고 죽었다. 혜소는 어머니를 모시고 근신하며 지내고 있었는데, 산도(山濤)가 무제(武帝)에게 혜소를 비서랑(祕書郞)으로 등용할 것을 아뢰었다. 그러자 무제는 한 계급 위인 비서승(祕書丞)으로 등용했다. 혜소가 처음으로 뤄양(洛陽)에 들어오자 어떤 사람이 왕융에게, "어제 사람들 틈에 끼어서 혜소를 보니 참 훌륭하더군요. 구름처럼 몰려 있는 사람들 속에서 걸어오는 모습이 마치 무리 지어 있는 닭 가운데의 한 마리 학 같았습니다." 라고 하였다.

의 흰 털이 보이도록 날갯짓을 하며 나는 것을 '익히다', '배우다'의 뜻.

[習慣 습관] 버릇.
[習得 습득] 배워서 자기 것으로 함.
[習性 습성] ① 버릇이 되어 버린 성질. ② 어떤 동물이 지니고 있는 그 종(種) 특유의 성질.
[習作 습작] 시·소설·그림 따위에서, 연습으로 작품을 만듦. 또는 그 작품.
[慣習 관습] 어느 일정한 사회 내부에서 오랫동안 지켜 내려와 일반적으로 안정되고 습관화되어 온 규범이나 생활 방식.
[教習 교습] 가르쳐서 익히게 함. ¶ 教習所(교습소).
[復習 복습] 배운 것을 다시 익혀 공부함.
[實習 실습] 배운 기술 따위를 실지로 해 보거나 실물을 가지고 익힘.
[自習 자습] 가르쳐 주는 사람 없이 혼자서 공부하여 익힘.
[風習 풍습] 풍속과 습관.
[學習 학습] 배워서 익힘.

7급 중학 한자
중 老 (lǎo)
영 old [ould]

늙을 로:

풀이 1 늙다. 2 늙은이. 3 익숙하다.
부수 老(늙을로)부
찾기 老⁶=6획

글자뿌리 상형(象形) 문자. 머리가 길고 허리가 굽은 노인이 지팡이를 짚고 서 있는 모양을 본뜬 글자.

⇒ ⇒ 老

[老年 노년] 나이 들어 늙은 때. 또는 늙은 나이.
[老鍊 노련] 오랜 경험으로 일에 익숙하고 능함.
[老齡 노령] 늙은 나이.
[老妄 노망] 늙어서 망령을 부림. 또는 그 망령.
[老弱者 노약자] 늙거나 약한 사람.
[老人 노인] 나이가 들어 늙은 사람. 늙은이.
[老婆心 노파심] 늙은 여자의 마음이라는 뜻으로, 남의 일을 지나치게 걱정하는 마음.

[老患 노환] 늙어서 드는 병.
[養老 양로] 노인을 편히 지낼 수 있게 보살펴 모심. ¶ 養老院(양로원).

5급 중학 한자
중 考 (kǎo)
영 think [θiŋk]

생각할 고(ː)

풀이 1 생각하다. 상고하다. 2 아버지.
부수 老(늙을로)부
찾기 耂4(老)+丂2=6획

一 十 土 耂 耂 考

글자뿌리 형성(形聲) 문자. 늙을 로(耂=老〈뜻〉)와 굽을 고(丂〈음〉)를 합친 자로, 노인은 깊이 생각하여 일을 잘 한다는 데서 '생각하다', '상고하다'의 뜻이 된 자.

[考古學 고고학] 유적이나 유물 등을 통해 고대 인류의 생활이나 문화 따위를 연구하는 학문.
[考慮 고려] 깊이 생각해 봄.
[考査 고사] ① 자세히 생각하고 조사함. ② 학생들의 학업 성적을 평가하는 시험. ¶ 學力考査(학력고사).
[考試 고시] 어떤 자격이나 면허를 주기 위해 시행하는 시험.
[考案 고안] 새로운 물건이나 방법을 연구하여 생각해 냄.
[考察 고찰] 깊이 생각하고 연구함.
[詳考 상고] 자세히 검토함.
[參考 참고] ① 도움이 될 만한 자료로 삼음. ② 살펴서 생각함.

6급 중학 한자
중 者 (zhě)
영 person [pə́ːrsən]

사람 자

풀이 1 사람. 놈. 2 것. 곳.
부수 老(늙을로)부
찾기 耂4(老)+白5=9획

一 十 土 耂 耂 者 者 者

글자뿌리 형성(形聲) 문자. 스스로 자(白=自의 생략형〈뜻〉)에 기장 서(黍〈음〉)를 합친 글자. 또는 장작이 타는 모양〔耂〕과 그릇〔白〕을 합쳐 '찌다', '덥다'는 뜻으로, '찔 자(煮)', '더울 서(暑)'의 본자였으나 '사람', '것'의 뜻으로 쓰이게 됨.

⇒ ⇒ 者

[記者 기자] 신문·잡지·방송 등의 기사

(記事)를 취재하고 쓰는 사람.

[讀者 독자] 책이나 신문 따위를 읽는 사람.

[使者 사자] ① 명령이나 부탁을 받고 심부름을 하는 사람. ② 저승사자.

[一人者 일인자] 어느 방면에서 견줄 자가 없을 만큼 뛰어난 사람.

[著者 저자] 책이나 글을 쓴 사람.

[賢者 현자] 어질고 총명하여 성인(聖人)에 버금가는 사람. 동 賢人(현인).

3급 중학 한자

중 而 (ér)

영 and [ənd]

말이을 이

풀이 1 말 잇다. 또. 2 어조사.

부수 而(말이을이)부

찾기 而⁶=6획

글자뿌리 상형(象形) 문자. 인중(人中)을 따라 입의 위아래로 난 수염을 본뜬 글자. 문장을 연결하는 어조사로 쓰임.

[而立 이립] '三十而立'에서 온 말로, 나이 30세를 이름.

[似而非 사이비] 겉은 같아 보이나 실제로는 완전히 다름. 또는 그런 것. ¶似而非記者(사이비 기자).

3급Ⅱ 중학 한자

중 耕 (gēng)

영 plow [plau]

밭갈 경

풀이 밭을 갈다.

부수 耒(쟁기뢰)부

찾기 耒⁶+井⁴=10획

글자뿌리 회의(會意) 문자. 쟁기 뢰(耒)에 우물 정(井: 이랑의 모양)을 합친 자로, 쟁기로 '밭을 간다'는 뜻.

[耕耘機 경운기] 동력을 이용해 논밭을 갈아 일구는 기계.

[耕作 경작] 땅을 갈아서 농사를 지음.

[晝耕夜讀 주경야독] 낮에는 농사를 짓고 밤에는 글을 읽는다는 뜻으로, '어려운 여건에서도 꿋꿋이 공부함'을 이르는 말.

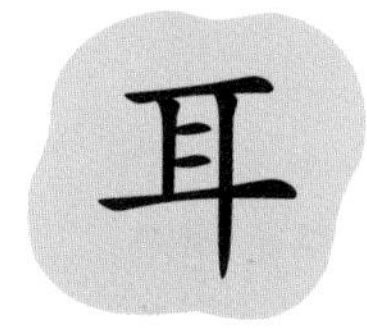

5급 중학 한자
중 耳 (ěr)
영 ear [iər]

귀 이:

풀이 귀.
부수 耳(귀이)부
찾기 耳6=6획

글자뿌리 상형(象形) 문자. 사람의 귀 모양을 본떠 '귀'를 뜻함.

⇒ ⇒ 耳

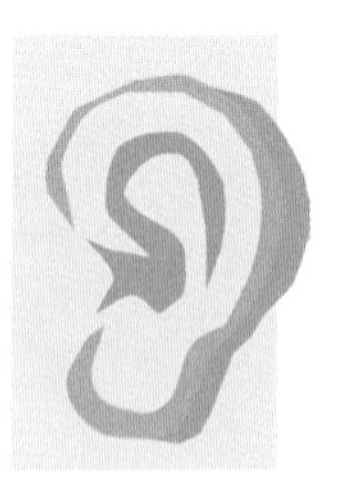

[耳目 이목] ① 귀와 눈. ② 주의와 관심. ③ 귀와 눈을 중심으로 한 얼굴 생김새.

[耳目口鼻 이목구비] ① 귀·눈·입·코. ② 귀·눈·입·코를 중심으로 한 얼굴의 생김새.

[耳鼻咽喉科 이비인후과] 귀·코·목구멍의 질병 치료를 전문으로 하는 의학의 한 분야. 또는 그 병원.

[耳順 이순] 나이 '60세'를 이르는 말.
※ 공자(孔子)가 60세가 되어서 만물의 이치를 알게 되어 남의 말을 듣는 대로 이해할 수 있게 되었다는 '六十而耳順(육십이이순)'에서 온 말.

4급Ⅱ 중학 한자
중 圣 (shèng)
영 saint [seint]

성인 성:

풀이 1 성인(聖人). 2 성스럽다. 3 뛰어나다. 4 거룩하다.
부수 耳(귀이)부
찾기 耳6 + 呈7 = 13획

一 丅 下 F E 耳 耳 耵
耶 耶 聖 聖 聖

글자뿌리 형성(形聲) 문자. 귀 이(耳〈뜻〉)에 드러날 정(呈〈음〉)을 합친 자로, 사람의 말을 귀로 들으면 그 사람의 덕(德)이 드러난다는 데서 '성인', '성스럽다'의 뜻이 된 자.

耳 ⇒ 口王 ⇒ 聖

[聖歌 성가] 하나님의 은혜 따위를 칭송하는 노래.

[聖堂 성당] 천주교의 교회당.

[聖域 성역] 함부로 침범할 수 없는 신성한 곳.

[聖恩 성은] 임금의 큰 은혜.

[聖人 성인] 지혜와 덕이 뛰어나 길이 우러러 본받을 만한 사람.

[聖地 성지] ① 종교적으로 신성시하는 장소. ② 종교적인 유적이 있는 곳.
[神聖 신성] 거룩하고 고결하여 더럽힐 수 없음.

6급 중학 한자
중 闻 (wén)
영 hear [hiər]

들을 문(:)

풀이 1 듣다. 2 들리다. 3 알리다. 4 소문.
부수 耳(귀이)부
찾기 耳6+門8=14획

글자뿌리 형성(形聲) 문자. 문 문(門〈음〉)에 귀 이(耳〈뜻〉)를 합친 자로, 문 앞에서 사람이 하는 말을 귀로 듣는다는 데서 '듣다', '소문'의 뜻이 됨.

[見聞 견문] ① 보고 들음. ② 보고 들어서 얻은 지식. ¶ 見聞錄(견문록).
[今時初聞 금시초문] 바로 지금 처음으로 들음.
[所聞 소문] 사람들의 입에 오르내려 전하여 들리는 말.
[新聞 신문] 사건이나 화제에 따른 보도·논평 등을 신속하게 널리 전달하기 위한 정기 간행물.
[風聞 풍문] 바람결에 들리는 소문.
[後聞 후문] 어떤 일에 대한 뒷말.

4급Ⅱ 중학 한자
중 声 (shēng)
영 voice [vɔis]

소리 성

풀이 1 소리. 목소리. 2 풍류 소리. 노래. 3 이름. 명예.
부수 耳(귀이)부
찾기 耳6+殸11=17획

글자뿌리 형성(形聲) 문자. 귀 이(耳)에 경쇠 경(殸=磬)을 합친 자로, 귀에 들리는 경쇠 소리라는 데서 '소리'의 뜻이 됨.

[聲量 성량] 사람이 낼 수 있는 소리의 크기나 강한 정도.
[聲明 성명] 자기의 입장·견해 따위를

공개적으로 발표함. 또는 그 입장이나 견해. ¶ 聲明書(성명서).

[聲樂 성악] 사람의 목소리로 하는 음악. ¶ 聲樂家(성악가).

[聲優 성우] 목소리로만 연기하는 배우.

[聲援 성원] ① 소리쳐서 응원함. ② 일이 잘되도록 격려하거나 도와줌.

[名聲 명성] 세상에 널리 퍼져 평판이 높은 이름.

[發聲 발성] 목소리를 냄. 또는 그 목소리.

[音聲 음성] 사람의 말소리나 목소리.

[歎聲 탄성] ① 탄식하여 내는 소리. ② 감탄하는 소리.

[歡呼聲 환호성] 기뻐서 크게 부르짖는 소리.

4급Ⅱ 고등 한자
중 职 (zhí)
영 official duty

직분 직

풀이 1 직분. 2 벼슬. 3 일. 4 맡다.
부수 耳(귀이)부
찾기 耳6 + 戠12 = 18획

一 丅 FE 耳 耳' 耳' 耳' 耳' 聍 聍 聕 聕 聕 職 職 職

글자뿌리 형성(形聲) 문자. 귀 이(耳〈뜻〉)에 무기 이름 직(戠〈음〉)을 합친 자로, 戠(직)은 識(식)과 통하여, 다른 것과 구별해서 알다의 뜻. 耳(이)는 들어서 밝히 판별하다의 뜻. 미세한 곳까지 잘 판별하다의 뜻에서, 세부까지 잘 알아서 힘쓰는 '일', '직분'의 뜻을 나타냄.

[職權 직권] 직무상의 권한.

[職分 직분] ① 직무상의 본분. ② 마땅히 해야 할 본분.

[職位 직위] 직무상의 자리나 계급.

[職場 직장] 공장·회사와 같이 각자가 보수를 받고 맡은 일을 하는 일터.

[官職 관직] 관리가 국가로부터 위임받은 일정한 직무나 직책.

[復職 복직] 물러났던 일자리에 다시 돌아감.

[失職 실직] 직업을 잃어버림.

[休職 휴직] 일정 기간 동안 직무를 쉼.

4급 중학 한자
중 听 (tīng)
영 listen [lísən]

들을 청

풀이 1 듣다. 2 판결하다.
부수 耳(귀이)부
찾기 耳6 + 𢛳16 = 22획

一 丅 F F E 耳 耳 耳 耳 耳 耳一 耳+ 耳+ 聽 聽 聽 聽 聽 聽 聽 聽 聽

글자뿌리 형성(形聲) 문자. 귀 이(耳〈뜻〉)에 내밀 정(壬〈음〉)과 큰 덕(悳)을 합친 자로, 귀를 기울여 덕이 있는 소리를 잘 들어야 한다는 뜻.

[聽覺 청각] 귀로 소리를 느끼는 감각.
[聽力 청력] 귀로 소리를 듣는 힘.
[聽衆 청중] 설교·강연·음악 등을 듣는 사람들.
[聽診器 청진기] 환자의 몸 안에서 나는 소리를 듣는 진찰 기구.
[聽取 청취] 의견·방송·보고 따위를 들음.
[傾聽 경청] 귀를 기울여 들음.
[公聽會 공청회] 나라에서 중요한 일을 결정하기 전에 일의 관련자들에게 의견을 들어 보는 공개적인 모임.
[盜聽 도청] 남의 말이나 전화 내용 등을 훔쳐 들음. ¶ 盜聽裝置(도청 장치).
[視聽 시청] 눈으로 보고 귀로 들음. ¶ 視聽者(시청자).

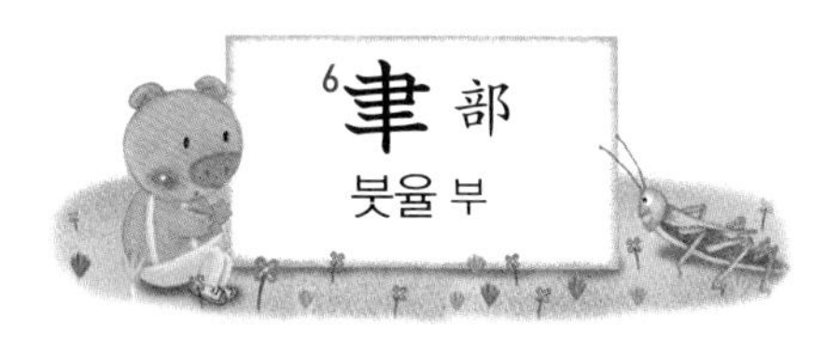

4급 고등 한자
㊥ 肃 (sù)
㊀ respectful [rispéktfəl]

엄숙할 숙

풀이 1 엄숙하다. 2 삼가다. 3 공경하다.
부수 聿(붓율)부
찾기 肀⁴(聿)+𣶒⁹=13획

㇆ ⺕ ⺕ 肀 肀 肀 肀 肀 肀 肃 肃 肃 肅 肅

글자뿌리 회의(會意) 문자. 붓 율(聿)에 못 연(𣶒)을 합친 자로, 聿(율)은 삿대를 손에 든 모양을 형상화한 것. 𣶒(연)은 '못'의 뜻. 못에서 삿대질하는 모습에서, '두려워하며 삼가다'의 뜻을 나타냄.

[肅然 숙연] 고요하고 엄숙함.
[肅淸 숙청] 조직 내의 반대파들을 없앰.
[嚴肅 엄숙] 장엄하고 정숙함.
[自肅 자숙] 자신의 행동을 스스로 조심함.
[靜肅 정숙] 조용하고 엄숙함.

4급Ⅱ 중학 한자
㊥ 肉 (ròu)
㊀ meat [mi:t]

고기 육

풀이 1 고기. 살. 2 몸. 3 혈연.

부수 肉(고기육)부
찾기 肉⁶ = 6획

글자뿌리 상형(象形) 문자. 잘라 낸 고깃덩어리의 모양을 본뜬 글자로, '고기', '살', '몸'의 뜻.

[肉類 육류] 먹을 수 있는 짐승의 고기를 모두 이르는 말.
[肉水 육수] 고기를 삶아 낸 물.
[肉食 육식] 짐승의 고기를 먹음. 또는 그 음식. 반 菜食(채식).
[肉眼 육안] 안경·현미경 등을 이용하지 않고 직접 보는 맨눈.
[肉體 육체] 사람의 몸. 반 靈魂(영혼).
[筋肉 근육] 힘줄과 살.
[獸肉 수육] 사람이 먹을 수 있는 짐승의 고기.
[精肉店 정육점] 쇠고기·돼지고기 등을 파는 가게.

기를 육

7급 중학 한자
중 育 (yù)
영 bring up

풀이 1 기르다. 2 낳다.
부수 肉(고기육)부
찾기 月⁴(肉) + 𠫓⁴ = 8획

글자뿌리 회의(會意) 문자. 고기 육(月=肉)에 '𠫓(子의 거꾸로 된 모양)'을 합친 자로, 아기가 태어날 때 어머니의 배 안에서 거꾸로 나온다는 데서 '낳다'를 뜻하다가 '기르다'의 뜻이 됨.

[育苗 육묘] 모나 묘목을 기름.
[育成 육성] 길러서 자라게 함.
[育兒 육아] 어린아이를 기름.
[育英 육영] 영재를 가르쳐 기름. ¶ 育英事業(육영 사업).
[教育 교육] 지식·기술 등을 가르치며 인격을 길러 줌.
[發育 발육] 생물체가 발달하여 크게 자람.
[保育 보육] 어린아이들을 돌보아 기름. ¶ 保育院(보육원).
[養育 양육] 어린아이를 보살펴 자라게 함.
[體育 체육] ① 건강한 몸과 운동 능력을 기르는 교육. ② 일정한 운동을 통해 신체를 단련시키는 일.
[訓育 훈육] 품성·도덕 따위를 가르쳐 기름.

背

4급Ⅱ 고등 한자
중 背 (bèi)
영 back [bæk]

등 배:

풀이 1 등. 2 뒤. 3 등지다. 배반하다.
부수 肉(고기육)부
찾기 月[4](肉) + 北[5] = 9획

글자뿌리 형성(形聲) 문자. 고기 육(月=肉〈뜻〉)에 달아날 배(北〈음〉)를 합친 자로, 北(배)는 사람의 등쪽, 북쪽의 뜻. 몸뚱이 중의 '등', '등지다', '배반하다'의 뜻을 나타냄.

[背景 배경] ① 뒤쪽의 경치. ② 뒤를 돌보아 주는 힘. ③ 시간적·공간적·사회적인 주위 여건이나 환경.
[背反 배반] 믿음과 의리를 저버리고 돌아섬.
[背信 배신] 신의를 저버림.
[二律背反 이율배반] 두 가지 규율이 서로 반대된다는 뜻으로, 서로 모순되어 양립할 수 없는 일.

胞

4급 고등 한자
중 胞 (bāo)
영 cell [sel]

세포 포(:)

풀이 1 세포. 2 배. 3 태의.
부수 肉(고기육)부
찾기 月[4](肉) + 包[5] = 9획

고사성어

背水之陣 (배수지진)

강물을 등지고 친 진이라는 뜻으로, 목숨을 걸고 싸우는 것을 비유해 이르는 말.

고사 중국의 한(漢)나라 장수였던 한신(韓信)이 조(趙)나라로 진격하자, 조나라 왕은 급히 20만 군사를 정형(井陘)의 좁은 어귀에 집결시켜 견고한 방어선을 쳤다. 그리고 강물을 등에 지고 진을 친 한나라 군대를 향해 공격을 시작하였다. 여러 차례 서로 밀고 밀리고 한 끝에 작전대로 한나라 군대가 후퇴하여 강가에 있던 부대에 합류하자 조나라 군대는 맹렬히 추격해 왔다. 그 틈을 타서 숨어 있던 기병대가 조나라의 성을 점령하여 한나라 깃발을 내걸었다. 그 후에 싸움에 이긴 축하 잔치가 열린 자리에서 한신의 부하 장수들이 강물을 등지고 진을 치는 배수진은 어떤 법이냐고 묻자, 한신은 이는 자기를 죽을 자리에 몰아넣어 삶을 얻는 법을 응용한 것이라고 말했다 한다.

글자뿌리 형성(形聲) 문자. 고기 육(月=肉〈뜻〉)에 쌀 포(包〈음〉)를 합친 글자. 包(포)는 아이를 밴 모양을 형상화한 것. 태아를 싸는 막, '태의(胎衣)'의 뜻을 나타냄.

[胞衣 포의] 태아를 싸고 있는 막(膜)과 태반(胎盤).
[胞子 포자] 식물이 무성 생식을 하기 위하여 형성하는 생식 세포. 홀씨.
[僑胞 교포] 외국에 살고 있는 동포.
[同胞 동포] ① 한 부모에게서 태어난 형제자매. ② 한 나라 또는 한 민족에 속하는 사람을 이르는 말.
[細胞 세포] 생물체를 구성하는 가장 기본적인 단위.

5급 중학 한자
중 能 (néng)
영 able [éibəl]

능할 능

풀이 1 능하다. 능히 하다. 2 능력. 재능.
부수 肉(고기육)부
찾기 月4(肉)+⺋6=10획

글자뿌리 회의(會意) 문자. 곰의 모양을 본뜬 곰 웅(熊)의 본자로, ⺋(짐승의 발)와 고기 육(月=肉)을 바탕으로 사사 사(厶=私)를 합친 글자로 가차하여 '능하다'의 뜻이 된 자.

⇒ ⇒ 能

[能力 능력] 어떤 일을 해낼 수 있는 힘.
[能率 능률] 일정한 시간이나 조건에서 해낼 수 있는 일의 분량이나 비율.
[能事 능사] ① 자기에게 알맞아 잘 해낼 수 있는 일. ② 잘하는 일.
[能通 능통] 어떤 일에 환히 통달함.
[可能 가능] 할 수 있거나 될 수 있음.
[技能 기능] 기술상의 재능.
[萬能 만능] 모든 일에 능통하거나 모든

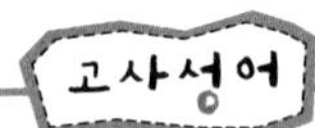

能書不擇筆 (능서불택필)

글씨를 잘 쓰는 사람은 붓을 가리지 않음.

고사 중국의 당(唐)나라 때 서도(書道)의 대가인 저수량(褚遂良)은 평소 좋은 붓과 먹이 없으면 글씨를 쓰려고 하지 않았다. 어느 날 그 저수량이 서도의 대가인 우세남(虞世南)에게 자신의 글씨와 구양순(歐陽詢)의 글씨 중에 누구의 글씨가 더 나은가를 물었다. 그러자 우세남은 "순은 아무 종이에나 글씨를 썼다고 하며, 어떤 붓으로도 마음먹은 대로 쓸 수 있었다 하네. 그러나 그대는 아직 종이와 붓에 구애받고 있으니 순을 따를 수는 없네."라고 말했다고 한다.

일을 다 할 수 있음.
[無能 무능] 능력이나 재능이 없음.
[本能 본능] ① 선천적으로 하게 되어 있는 동작이나 운동. ② 선천적으로 가지고 있는 감정이나 충동.
[性能 성능] 어떤 물건이 지니고 있는 성질과 기능.
[藝能 예능] 음악·미술·연극·영화 등에 관련된 능력을 모두 일컫는 말.
[才能 재능] 재주와 능력.
[知能 지능] 사물을 알고 바르게 판단하는 능력. ¶ 知能指數(지능 지수).
[效能 효능] 효험을 나타내는 능력.

4급Ⅱ 고등 한자
중 脉 (mài)
영 pulse [pʌls]

줄기 맥

풀이 1 줄기. 2 맥. 혈관.
부수 肉(고기육)부
찾기 月4(肉) + 𠂢6 = 10획

丿 月 月´ 𣍃 𣍃 脈 脈 脈

글자뿌리 회의(會意) 문자. 고기 육(月=肉)에 갈래 파(𠂢)를 합친 자로, 𠂢(파)는 지류(支流)의 뜻. 몸 안을 흐르는 핏줄의 뜻을 나타냄.

[脈絡 맥락] ① 혈관이 서로 이어져 있는 계통. ② 사물이 서로 연결되어 있는 관계나 흐름.
[脈搏 맥박] 심장이 오므라졌다 펴졌다 하는 운동에 따라 뛰는 맥.
[動脈 동맥] 심장으로부터 몸의 각 부분으로 피를 보내는 핏줄.
[文脈 문맥] 문장의 앞뒤 연결.
[人脈 인맥] 정계·재계·학계 등에서 형성된 사람들의 유대 관계.
[診脈 진맥] 맥을 짚어 병을 진찰함.

3급Ⅱ 중학 한자
중 胸 (xiōng)
영 breast [brest]

가슴 흉

풀이 1 가슴. 2 마음.
부수 肉(고기육)부
찾기 月4(肉) + 匈6 = 10획

丿 月 月´ 肑 肑 肑 胸 胸

글자뿌리 형성(形聲) 문자. 고기 육(月=肉〈뜻〉)에 가슴 흉(匈: 가슴의 뜻〈음〉)을 합친 자로, 몸〔月〕에서 허파를 감싸고 있는 곳은 '가슴'이라는 뜻.

[胸膈 흉격] 마음속. 가슴속. 심중.
[胸骨 흉골] 앞가슴 한가운데의 뼈.
[胸襟 흉금] 마음속에 숨은 생각.
[胸背 흉배] 가슴과 등.
[胸部 흉부] 가슴 부분.
[胸像 흉상] 사람의 가슴 윗부분까지만 나타낸 그림이나 조각.
[胸中 흉중] 마음속에 품고 있는 생각.

3급Ⅱ 중학 한자
중 脚 (jiǎo)
영 leg [leg]

다리 각

풀이 다리. 종아리.
부수 肉(고기육)부
찾기 月^{4}(肉)+却^{7}=11획

丿 刀 月 月 月一 月十 月土 月去
肚 肚卩 脚

글자뿌리 형성(形聲) 문자. 고기 육(月=肉〈뜻〉)에 물러갈 각(却〈음〉)을 합친 자로, 뒤로 물러갈 때 굽혀지는 것은 '다리'라는 뜻.

[脚光 각광] ① 무대의 앞쪽에서 배우를 비추어 주는 불빛. ② 사회적 관심이나 흥미.
[脚氣病 각기병] 다리가 붓고 숨이 가쁘며 몸이 나른하게 되는 병. 비타민 비원(B_1)의 부족으로 생김.
[脚本 각본] 연극이나 영화에서 줄거리나 무대 장치·배우의 동작과 하는 말 따위를 적어 놓은 글. 또는 그 책자.
[脚色 각색] 소설이나 사건의 내용을 연극이나 영화의 각본이 되게 고쳐 쓰는 일.
[脚線美 각선미] 여자의 다리의 곡선이 보여 주는 아름다움.
[脚註 각주] 본문 아래쪽에 붙인 풀이.
[失脚 실각] ① 발을 헛디딤. ② 실패하여 지위나 설 자리를 잃음.
[立脚 입각] 어떤 사실이나 주장에 근거를 두어 그 입장에 섬.
[行脚 행각] 여기저기 돌아다님.

脫

4급 중학 한자
중 脱 (tuō)
영 take off

벗을 탈

풀이 1 벗다. 2 빠지다.
부수 肉(고기육)부
찾기 月^{4}(肉)+兌^{7}=11획

丿 刀 月 月 月' 月丷 月丷 月㕣
月㕣 月兑 脫

글자뿌리 형성(形聲) 문자. 고기 육(月=肉〈뜻〉)에 바꿀 태(兌〈음〉)를 합친 자로, 벌레가 허물을 벗고 몸을 바꾼다는 데서 '벗다', '빠지다'의 뜻이 된 자.

[脫稿 탈고] 원고를 다 씀.
[脫穀 탈곡] 이삭에서 낟알을 떨어냄.
[脫落 탈락] 어떤 범위에 들지 못하고 떨어져 나가거나 빠짐.
[脫法 탈법] 법망을 교묘하게 뚫거나 빠져나감.
[脫色 탈색] ① 천 따위에 들인 색깔을 뺌. ② 색이 바래어 없어짐.
[脫線 탈선] ① 기차·전차 등이 선로에서 벗어남. ② 말이나 행동이 나쁜 방향으로 빗나감.
[脫稅 탈세] 납세자가 납세액의 전부 또는 일부를 내지 않음.
[脫衣室 탈의실] 옷을 벗거나 갈아입는 방.
[脫盡 탈진] 기운이 다 빠짐.
[脫出 탈출] 어떤 상황이나 구속에서 빠져나옴.
[脫退 탈퇴] 관계하던 일이나 단체에서 관계를 끊고 나옴.

4급 고등 한자

중 肠 (cháng)

영 intestines [intéstins]

창자 장

풀이 1 창자. 2 마음.

부수 肉(고기육)부

찾기 月⁴(肉)＋昜⁹＝13획

丿 刀 月 月 月' 月ㄱ 月ㄱ' 月日
月旦 月旦 腸 腸 腸

글자뿌리 형성(形聲) 문자. 고기 육(月=肉〈뜻〉)에 볕 양(昜〈음〉)을 합친 자로, 昜(양)은 '늘어나다'의 뜻. 길게 구불구불한 '대장(大腸)', '소장', '창자'의 뜻을 나타냄.

[九折羊腸 구절양장] 아홉 번 꺾어진 양의 창자라는 뜻으로, 꼬불꼬불한 험한 산길, 또는 세상이 복잡하여 살아가기 어려움을 이르는 말.

[斷腸 단장] 몹시 슬퍼 창자가 끊어지는 듯함.

[大腸 대장] 큰창자.

[小腸 소장] 작은창자.

[心腸 심장] 마음의 속내.

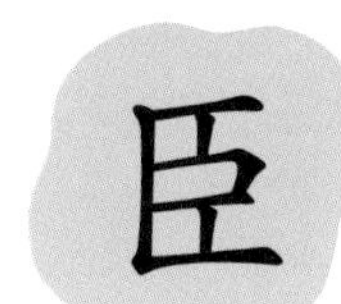

5급 중학 한자

중 臣 (chén)

영 subject [sʌ́bdʒikt]

신하 신

풀이 1 신하. 2 신. ※ 신하가 임금 앞에서 자신을 일컫는 말.

부수 臣(신하신)부

찾기 臣⁶＝6획

고사성어

斷腸 (단장)

창자가 끊어질 듯한 슬픔을 이르는 말.

[고사] 중국 진(晉)나라 때의 실력자 환온(桓溫)이 촉(蜀)나라를 향해 가던 도중에 그를 따르던 종자(從者)가 원숭이 새끼 한 마리를 붙잡아서 배에 실었다. 이를 본 어미 원숭이가 강을 따라서 계속 배를 쫓아왔다. 그러다 배가 강가에 도착했을 때는 200리가 훨씬 넘는 거리를 지나온 뒤였다. 강기슭에 배가 닿자 어미 원숭이는 배 위에 뛰어올랐으나, 그만 죽고 말았다. 그 어미 원숭이의 배를 갈라 보니 어찌나 슬퍼했던지 창자가 여러 토막으로 끊어져 있었다고 한다.

一 丅 ⺂ 臣

글자뿌리 상형(象形) 문자. 본디 아래쪽을 향하여 크게 뜬 사람의 눈 모양을 본뜬 글자로 '신하'의 뜻.

[臣等 신등] 임금에 대한 신하들의 일인칭 복수 대명사.

[臣下 신하] 임금을 섬기는 벼슬아치.

[家臣 가신] 정승의 집안일을 맡아보던 사람.

[功臣 공신] 나라에 공로가 있는 신하.

[君臣有義 군신유의] 삼강오륜의 하나. 임금과 신하 사이에는 의리가 있어야 함을 이름.

[忠臣 충신] 충성스러운 신하.

3급 중학 한자

㊥ 卧 (wò)

㊐ lie down

누울 와:

풀이 1 눕다. 2 쉬다.

부수 臣(신하신)부

찾기 臣^{6} + 人^{2} = 8획

一 丅 ⺂ 臣 臥

글자뿌리 회의(會意) 문자. 신하 신(臣)에 사람 인(人)을 합친 자로, 사람이 넙죽 엎드리고 쉬고 있음을 나타내어 '눕다', '쉬다'의 뜻이 된 자.

[臥病 와병] 병에 걸림. 병으로 누워 있음.

臥薪嘗膽 (와신상담)

섶에 누워 자고, 쓸개를 맛본다는 뜻으로, 원수를 갚기 위해 때를 기다리며 온갖 고난을 참고 견딤을 이르는 말.

[고사] 월(越)나라 왕 구천(勾踐)과 싸우다 상처를 입은 오(吳)나라 왕 합려(闔閭)는 상처가 악화되어 죽게 되자, 태자인 부차(夫差)에게 월나라에 반드시 복수하라는 유언을 남겼다. 그 이후, 부차는 밤마다 편안한 이부자리를 마다하고 섶 위에 누워 복수를 다짐했다. 월나라 왕 구천이 이를 알고 두렵게 여겨 먼저 공격하였으나, 그만 패하여 오나라 왕의 신하가 된다는 조건으로 항복하였다. 그 후, 구천은 옆에 쓸개를 놓고, 항상 그 쓴맛을 맛보면서 항복한 지난날의 치욕을 씻을 날을 기다렸다. 그러다가, 오나라 왕 부차가 나라를 비운 틈을 타서 오나라를 공격하여 굴복시키고 말았다. 구천은 부차를 귀양 보냈으나, 부차는 스스로 목매어 죽었다고 한다.

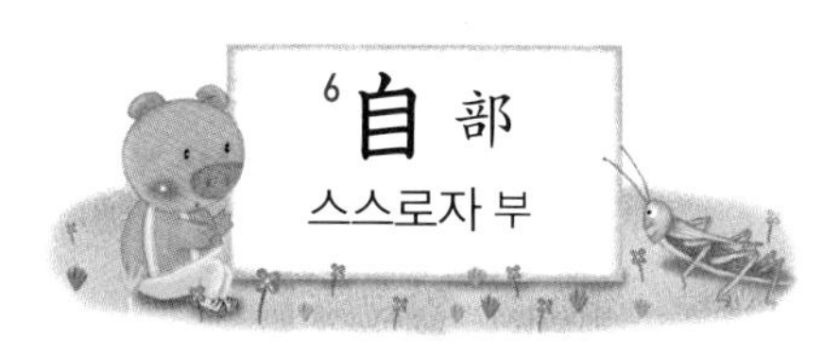

7급 중학 한자

중 自 (zì)

영 oneself [wʌnsélf]

스스로 자

풀이 1 스스로. 몸소. 2 몸. 자기. 3 저절로. 4 …부터.

부수 自(스스로자)부

찾기 自⁶=6획

丿 亻 ⺆ 白 自 自

글자뿌리 상형(象形) 문자. 사람의 코 모양을 본뜬 글자로, 손가락으로 코를 가리켜 자기를 나타내므로 '스스로'의 뜻이 된 글자.

[自家 자가] ① 자기의 집. ② 자기.
[自覺 자각] 스스로 깨달음.
[自國 자국] 자기 나라. 반 他國(타국).
[自己 자기] 그 사람 자신.
[自力 자력] 스스로의 힘.
[自立 자립] 남의 힘에 의지하지 않고 스스로 행동할 수 있는 지위에 섬.
[自滅 자멸] 스스로 망치거나 멸망하게 함.
[自負心 자부심] 자기나 자기와 관련된 것의 가치나 능력을 믿는 마음.
[自殺 자살] 자기 스스로 목숨을 끊음. 반 他殺(타살).
[自習 자습] 혼자 힘으로 배워 익힘.
[自信 자신] 무엇을 할 수 있다고 스스로 믿음. 또는 그렇게 믿는 마음.
[自然 자연] ① 스스로 존재하거나 저절로 이루어지는 모든 존재나 상태. ② 사람의 힘을 더하지 않은 천연의 환경.
[自由 자유] 억압이나 간섭을 받지 않고 자기 생각대로 행동할 수 있는 상태.
[自主 자주] 남에게 의지하거나 간섭을 받지 않고 스스로의 힘으로 행동함.
[自責 자책] 스스로 뉘우치고 꾸짖음.
[自祝 자축] 스스로 축하함.
[自畫像 자화상] 자기가 그린 자기의 초상화.

4급Ⅱ 중학 한자

중 至 (zhì)

영 reach [riːtʃ]

이를 지

풀이 1 이르다. 닿다. 미치다. 2 지극하다.

부수 至(이를지)부
찾기 至⁶=6획

一 ㄷ 𠫔 𠫓 至 至

글자뿌리 상형(象形) 문자. 새가 땅을 향하여 내려앉는 모양을 본뜬 글자로, 새가 땅에 '이르다', '미치다'의 뜻.

⇒ ⇒ 至

[至極 지극] 더할 수 없이 극진함.
[至當 지당] 지극히 마땅함.
[至毒 지독] ① 매우 앙칼지고 모짊. ② 상태나 정도가 매우 심함.
[至上 지상] 가장 높은 위.
[至誠 지성] 지극한 정성.
[至嚴 지엄] 지극히 엄함.
[至賤 지천] ① 매우 천함. ② 너무 많아 귀하지 않음. 매우 흔함.
[自初至終 자초지종] 처음부터 끝까지의 과정.

5급 중학 한자
중 致 (zhì)
영 reach [riːtʃ]

이를 치:

풀이 1 이르다. 다하다. 2 이루다. 3 주다. 드리다.
부수 至(이를지)부
찾기 至⁶+夊⁴=10획

𠫔 𠫓 至 至 到 致 致 致

글자뿌리 형성(形聲) 문자. 본디는 이를 지(至〈뜻〉)에 뒤져올 치(夊〈음〉)를 합친 자로, 목표에 '이르다'의 뜻.

[致命傷 치명상] 목숨이 위험할 정도의 큰 상처.
[致死 치사] 죽음에 이르게 함. ¶ 致死量(치사량).
[景致 경치] 자연의 아름다운 모습.
[極致 극치] 더할 수 없는 최고의 상태.
[理致 이치] 사물이나 현상의 정당한 조리. 도리에 맞는 취지.
[一致 일치] 서로 어긋나지 않고 꼭 들어맞음. ¶ 滿場一致(만장일치).
[才致 재치] 눈치 빠른 재주.

4급 중학 한자
중 与 (yǔ)
영 give [giv]

더불/줄 여:

풀이 1 더불다. 더불어 하다. 2 참여하다. 3 주다.
부수 臼(절구구)부

찾기 臼^{7}(臼)+⿱与八^{7}=14획

글자뿌리 형성(形聲) 문자. 마주들 여(舁〈음〉) 안에 줄 여(与: 牙의 변형〈뜻〉)를 합친 자로, 물건을 함께 맞들어 올려 준다는 데서 '더불다', '주다'의 뜻이 된 자.

[與件 여건] 어떤 일을 시작하려 할 때 미리 주어진 조건.
[與黨 여당] 정권을 잡고 있는 정당. 반 野黨(야당).
[與否 여부] 그러함과 그렇지 않음. ¶ 生死與否(생사 여부).
[關與 관여] 관계하여 참여함.
[給與 급여] 돈이나 물품을 줌. 또는 그 돈이나 물품.
[貸與 대여] 빌려 줌.
[賞與 상여] 회사 등에서 사원의 업적·공헌도를 감안하여 매월의 급여와는 별도로 돈을 줌. 또는 그 돈. ¶ 賞與金(상여금).
[授與 수여] 증서·상장 따위를 줌.
[參與 참여] 참가하여 관계함.

4급Ⅱ 중학 한자
중 兴 (xīng)
영 rise [raiz]

일 흥(:)

풀이 1 일다. 일어나다. 2 성하다. 일으키다. 3 흥겹다.
부수 臼(절구구)부
찾기 臼^{7}(臼)+⿱同八^{9}=16획

글자뿌리 회의(會意) 문자. 마주들 여(舁) 안에 같을 동(同)을 합친 자로, 힘을 합하여 함께 들어 올리면 무슨 일이든 쉽다는 데서 '일다', '흥겹다'는 뜻이 된 자.

⇒ ⇒ 興

[興亡 흥망] 잘되어 일어남과 못되어 없어짐.
[興味 흥미] 흥을 느끼는 재미.
[興奮 흥분] 신경에 어떤 자극을 받아서 감정이 북받쳐 일어남.
[興行 흥행] 관람료를 받고서 연극·영화·서커스 등을 구경시키는 일.
[感興 감흥] 깊이 느껴 일어나는 흥취.
[餘興 여흥] 어떤 모임·연회 등에서 흥을 돋우기 위해 곁들이는 춤·노래·장기 자랑 따위.
[卽興劇 즉흥극] 별다른 준비 없이 그 자리의 분위기에 따라 연출하는 극.

5급 중학 한자
중 旧 (jiù)
영 old [ould]

예 구:

풀이 1 예. 옛. 2 오래다. 오래.
부수 臼(절구구)부
찾기 臼^{6}+萑^{12}=18획

글자뿌리 형성(形聲) 문자. 물억새 환(萑〈뜻〉)에 절구 구(臼〈음〉)를 합친 자로, 새〔隹: 새 추〕들은 옛날부터 풀〔艹=艸〕을 주워다 절구 같은 둥지를 만들었다는 데서 '오래다', '옛'의 뜻.

[舊官 구관] 새로 온 벼슬아치에 대하여 앞서 그 자리에 있었던 벼슬아치.
[舊面 구면] 전부터 서로 알고 있는 사람.
[舊習 구습] 예로부터 내려오는 낡은 관습이나 풍습.
[舊式 구식] 옛 방식이나 형식. 반 新式(신식).
[舊態依然 구태의연] 조금도 변한 것이 없이 옛 모양 그대로임.
[復舊 복구] 손실 이전의 상태로 돌아가게 함.
[親舊 친구] 가깝게 오래 사귄 사람.

혀 설

4급 중학 한자
중 舌 (shé)
영 tongue [tʌŋ]

풀이 1 혀. 2 말.
부수 舌(혀설)부
찾기 舌⁶ =6획

ノ 二 千 千 舌 舌

글자뿌리 상형(象形) 문자. 입에서 내민 혀의 모양을 형상화하여 '혀'의 뜻을 나타낸 글자.

[舌音 설음] 혀끝과 잇몸 사이에서 나는 소리. 혓소리.
[舌戰 설전] 말로 옳고 그름을 가리는 다툼. 말다툼.
[口舌 구설] 시비하거나 헐뜯는 말.
[毒舌 독설] 모질고 독하게 남을 해치거나 비방하는 말.

집 사

4급Ⅱ 중학 한자
중 舍 (shè)
영 house [haus]

풀이 1 집. 2 쉬다.
부수 舌(혀설)부
찾기 舌⁶+人²=8획

ノ 人 亼 亼 仐 仐 舍 舍

글자뿌리 회의(會意) 문자. 지붕〔人〕이 있는 집과 기둥〔干〕 아래 쉬는 장소〔口〕

를 나타내어 '집'을 뜻하고, 집은 쉬는 곳이라는 데서 '쉬다'의 뜻이 된 자.

[舍監 사감] 기숙사에서 기숙생들의 생활을 감독하는 사람.
[舍廊 사랑] 바깥주인이 거처하며 손님을 대접하는 곳.
[舍宅 사택] 기업체나 기관에서 직원들을 위해 지은 살림집.
[官舍 관사] 관청에서 관리가 살도록 마련한 집.
[寄宿舍 기숙사] 학교나 회사에서 학생이나 사원의 숙식을 위해 제공하는 시설.

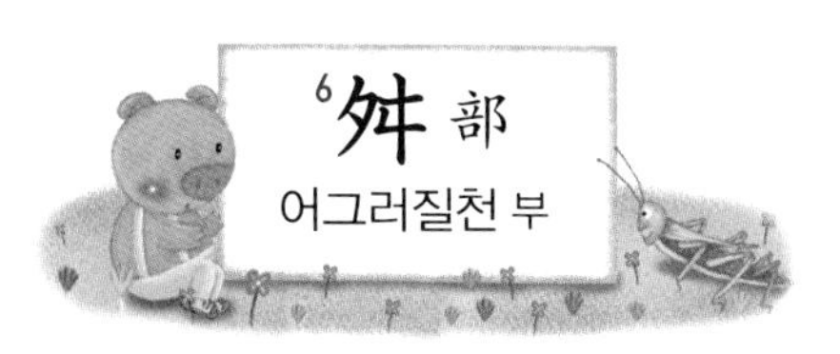

4급 중학 한자
중 舞 (wǔ)
영 dance [dæns]

춤출 무:

풀이 춤추다. 춤.
부수 舛(어그러질천)부
찾기 舛⁶+無⁸=14획

글자뿌리 형성(形聲) 문자. 없을 무(無: 無의 변형〈음〉)에 어그러질 천(舛〈뜻〉)을 합친 자로, 등지거나 발을 엇갈아 가며 춤을 춘다는 뜻.

[舞曲 무곡] 춤을 추기 위하여 작곡된 곡을 통틀어 이르는 말.
[舞臺 무대] 연극이나 춤, 노래 등을 공연하기 위하여 높게 만들어 놓은 단.
[舞蹈會 무도회] 여러 사람이 모여서 춤을 추는 모임.
[舞踊 무용] 음악에 맞추어서 몸을 움직여 감정을 나타내는 예술.
[舞姬 무희] 춤추는 여자.
[歌舞 가무] 춤과 노래.

航

4급Ⅱ 고등 한자
중 航 (háng)
영 sail [seil]

배 항:

풀이 1 배. 선박. 2 건너다. 3 날다.
부수 舟(배주)부
찾기 舟⁶+亢⁴=10획

글자뿌리 형성(形聲) 문자. 배 주(舟〈뜻〉)

에 목 항(亢〈음〉)을 합친 자로, 亢(항)은 行(행)과 통하여, '가다'의 뜻. 배로 가다의 뜻을 나타냄.

[航空 항공] 비행기로 공중을 날아다님.
[航路 항로] ① 뱃길. ② 항공로.
[航海 항해] 배를 타고 바다 위를 다님.
[缺航 결항] 정기적으로 운항하는 비행기나 배가 운항을 거름.
[運航 운항] 배나 비행기가 항로를 따라 다님.
[就航 취항] 배나 비행기가 항로에 오름. 또는 그 항로를 다님.

배 선

5급 중학 한자
중 船 (chuán)
영 ship [ʃip]

풀이 배.
부수 舟(배주)부
찾기 舟^{6}+㕣^{5}=11획

′ 丿 月 月 月 舟 舟 舡 舡 船 船

글자뿌리 형성(形聲) 문자. 배 주(舟〈뜻〉)에 물 따라 내려갈 연(㕣〈음〉)을 합친 자로, 바다나 강을 건너다니는 '배'의 뜻.

⇒ ⇒ 船

[船舶 선박] 규모가 큰 배.
[船室 선실] 배 안에 마련한 승객의 방.
[船員 선원] 선박의 승무원.
[船長 선장] 선박의 최고 책임자.
[船積 선적] 선박에 화물을 실음.
[船主 선주] 배의 주인.
[汽船 기선] 증기 기관의 힘으로 움직이는 배의 총칭.
[商船 상선] 상업적인 목적으로 쓰는 선박.
[乘船 승선] 배를 탐.
[造船所 조선소] 배를 만드는 곳.

어질 량

5급 중학 한자
중 良 (liáng)
영 good [gud]

풀이 1 어질다. 2 좋다.
부수 艮(그칠간)부
찾기 艮^{6}+丶^{1}=7획

글자뿌리 상형(象形) 문자. 키나 체로 곡식을 가려 내는 모양을 본뜬 글자로, 가려 낸 것은 좋다는 데서 '좋다', '어질다'는 뜻이 된 자.

⇒ 㫐 ⇒ 良

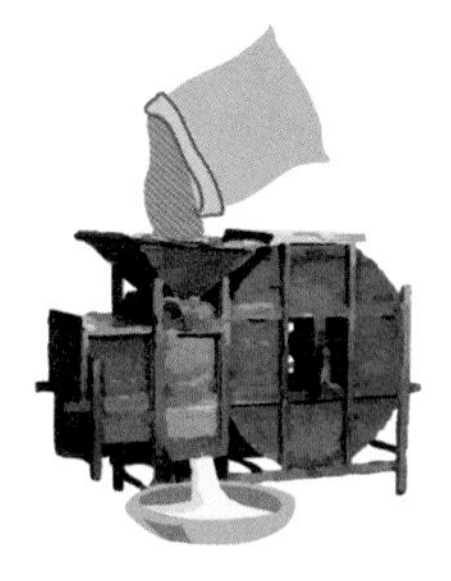

[良民 양민] 선량한 백성.
[良書 양서] 좋은 책. 유익(有益)한 책.
[良俗 양속] 좋은 풍속. ¶ 美風良俗(미풍양속).
[良順 양순] 어질고 순함.
[良心 양심] 자기의 행위에 대해 옳고 그름과 선악의 판단을 내리는 도덕적 의식.
[良質 양질] 좋은 바탕이나 품질.
[良妻 양처] 어질고 착한 아내. ¶ 賢母良妻(현모양처).
[良好 양호] 매우 좋음.
[改良 개량] 나쁜 점을 고쳐서 좋게 함.
[善良 선량] 착하고 어짊.
[優良 우량] 품질이나 상태가 좋음. ¶ 優良兒(우량아).

빛 색

7급 중학 한자
㊥ 色 (sè)
㊖ color [kʌ́lər]

고사성어

良藥苦口 (양약고구)

좋은 약은 입에 쓰다는 뜻으로, 충언은 귀에는 거슬리지만 자신에게는 이롭다는 말.

고사 항우(項羽)를 물리친 유방(劉邦)은 진나라 왕궁으로 입성하였다. 호화로운 궁궐에 산더미같이 쌓인 금은보화, 꽃같이 아름다운 후궁들에 둘러싸인 유방은, 그 화려함에 홀려 해야 할 일은 생각지도 않고 왕궁에 그대로 머물러 있으려 하였다. 이에 용장 번쾌(樊噲)가 천하 통일을 위해 속히 이곳을 떠나 적당한 곳에 진을 치고 항우의 공격에 대비해야 한다고 간했으나, 유방은 들으려 하지 않았다. 그러자 이번에는 장량(張良)이 "충성된 말은 귀에 거슬리나 자신을 위하는 것이며, 좋은 약은 입에는 쓰나 병에는 효력이 있습니다. 부디 번쾌의 충성된 말에 따르도록 하소서."라고 말했다. 이 말에 유방은 크게 뉘우치고 왕궁을 떠나 패상(覇上)에 진을 쳤다고 한다.

풀이 1 빛. 빛깔. 색깔. 2 낯빛.

부수 色(빛색)부

찾기 色⁶=6획

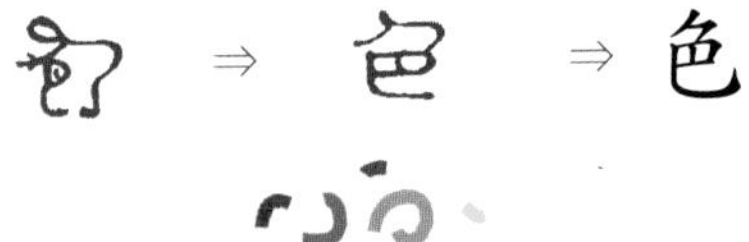

글자뿌리 회의(會意) 문자. 사람 인(⺈=人)과 마디 절(巴=卩)을 합친 자로, 사람의 마음이 얼굴에 나타난 것이 부절(符節)과 같다는 데서 '낯빛'을 뜻하고, 나아가 '빛깔'을 뜻함.

[色感 색감] ① 빛깔에서 받는 느낌. ② 색에 대한 감각.

[色盲 색맹] 빛깔을 구별하지 못하는 상태. 또는 그런 사람.

[色相 색상] 빨강·파랑 등 사람의 눈으로 느낄 수 있는 색의 특성.

[色鉛筆 색연필] 심에 광물질 물감을 섞어 색이 나게 만든 연필.

[色調 색조] ① 색깔의 강하고 약함. 짙고 옅음의 정도. ② 색깔의 조화.

[古色 고색] ① 낡은 빛깔. ② 예스러운 모양이나 경치.

[白色 백색] 흰 빛깔. 흰색.

[死色 사색] 죽은 사람과 같은 창백한 얼굴빛.

[染色 염색] 염료를 써서 실이나 천에 물을 들임.

花 꽃 화

7급 중학 한자

중 花 (huā)

영 flower [fláuər]

풀이 1 꽃. 2 아름답다.

부수 艸(초두)부

찾기 ⺾⁴(艸)+化⁴=8획

글자뿌리 형성(形聲) 문자. 초두(⺾〈뜻〉) 밑에 될 화(化〈음〉)를 합친 자로, 새싹이 돋아 나와 꽃이 된다는 데서, '꽃'을 뜻함.

[花壇 화단] 꽃을 심기 위해 흙을 한층 높게 하여 꾸민 꽃밭.

[花郞 화랑] 신라 시대에 있었던 청소년 수양 단체. 또는 그 단체의 중심인물.

[花郞道 화랑도] 신라 때, 화랑이 지켜야 했던 도리.

[花盆 화분] 화초를 심어 가꾸는 그릇.

[花顔 화안] 꽃처럼 아름다운 여자의 얼굴. 미인을 이르는 말.
[花朝 화조] ① 꽃이 피는 아침. ② 음력 2월 15일을 달리 이르는 말.
[花天月地 화천월지] 꽃 피고 달 밝은 봄밤의 경치.
[花草 화초] 꽃이 피는 풀과 나무. 또는 관상용의 모든 식물.
[花環 화환] 축하하거나 애도하는 뜻으로 보내는, 꽃으로 꾸민 큰 고리 모양의 물건.
[開花 개화] 꽃이 핌.
[落花 낙화] 꽃이 떨어짐. 떨어진 꽃.
[野生花 야생화] 들꽃.
[造花 조화] 종이나 헝겊, 비닐 등으로 만든 꽃.
[弔花 조화] 남의 죽음을 슬퍼하는 뜻으로 바치는 꽃.

6급 중학 한자
중 苦 (kǔ)
영 bitter [bítər]

쓸 고

풀이 1 쓰다. 2 괴롭다.
부수 艸(초두)부
찾기 艹4(艸)+古5=9획

丶 十 艹 艹 艹 苎 苦 苦

글자뿌리 형성(形聲) 문자. 초두(艹〈뜻〉) 밑에 예 고(古: 쓰라리다의 뜻〈음〉)를 합친 자로, 쓰디쓴 풀이라는 데서 '쓰다', '괴롭다'의 뜻.

艸十 ⇒ 艸口 ⇒ 苦

[苦難 고난] 괴로움과 어려움.
[苦惱 고뇌] 몹시 괴로워하고 번뇌함. 또는 그 괴로움과 번뇌.
[苦待 고대] 몹시 기다림.
[苦樂 고락] 괴로움과 즐거움.
[苦悶 고민] 마음속으로 괴로워하고 애를 태움.
[苦杯 고배] ① 쓴 술이 든 잔. ② 쓰라린 경험.
[苦生 고생] 어렵고 고된 일을 겪음. 또는 그런 일이나 생활.
[苦戰 고전] 힘들고 어렵게 싸움. 또는 그 싸움.
[苦痛 고통] 괴로움과 아픔.
[勞苦 노고] 수고하고 애씀.
[病苦 병고] 병으로 인해 받는 괴로움.

3급Ⅱ 중학 한자
중 茂 (mào)
영 flourish [flə́ːriʃ]

무성할 무:

풀이 무성하다. 우거지다.
부수 艸(초두)부
찾기 艹4(艸)+戊5=9획

丶 十 艹 艹 艹 茂 茂 茂

글자뿌리 형성(形聲) 문자. 초두(艹〈뜻〉)

밑에 다섯째 천간 무(戊: 뒤덮는다는 뜻 〈음〉)를 합친 자로, 풀이 뒤덮여서 '우거지다'의 뜻.

[茂盛 무성] 나무나 풀이 우거짐.

3급Ⅱ 중학 한자

중 若 (ruò)

영 like [laik]

❶같을 약

❷반야 야

풀이 ❶ 1 같다. 2 만약. ❷ 반야(般若).

부수 艸(초두)부

찾기 艹4(艸)+右5=9획

丶 十 ⺾ 艹 艹 芢 若 若

글자뿌리 회의(會意) 문자. 초두(艹) 밑에 오른쪽 우(右)를 합친 자로, 오른손으로 비슷비슷한 야채를 가려서 '같은' 것을 고른다는 뜻.

[若干 약간] 얼마 안 됨. 얼마쯤.

[萬若 만약] 혹시 있을지도 모르는 뜻밖의 경우. 만일.

[自若 자약] 큰일을 당하고도 아무렇지 않은 듯 침착함. ¶ 泰然自若(태연자약).

6급 중학 한자

중 英 (yīng)

영 corolla [kərálə]

꽃부리 영

풀이 1 꽃부리. 꽃. 2 빼어나다. 3 꽃답다. 아름답다.

부수 艸(초두)부

찾기 艹4(艸)+央5=9획

傍若無人 (방약무인)

뭇사람 앞에서도 주변에 사람이 없는 것같이 말이나 행동을 마음대로 함을 이르는 말.

고사 중국의 전국 시대(戰國時代) 말엽, 위(衛)나라에 형가(荊軻)라는 사람이 살았다. 그는 평소 나랏일에 관심이 많아 독서도 많이 하고 검술 연습도 많이 했으나 뜻대로 되지 않자, 여러 나라를 두루 돌아다니며 호걸스럽게 지냈다. 그러던 그가 언젠가 연(燕)나라로 갔을 때, 축(筑)의 명수인 고점리(高漸離)와 사귀게 되었는데, 그들은 매일 술을 마시며 어울려 다니다가 얼큰해지면 거리에서 고점리는 축을 연주하고, 형가는 노래를 불렀다. 그러다가 감정이 격해지면 소리 내어 울기도 하였는데, 마치 옆에 사람이 없는 것같이 했다고 한다.

丶 十 廾 艹 芇 苎 英 英

글자뿌리 형성(形聲) 문자. 초두(艹〈뜻〉) 밑에 가운데 앙(央〈음〉)을 합친 자로, 아름다운 풀꽃의 한가운데를 나타내어 '꽃부리'를 뜻하며, 꽃부리처럼 빛난다 하여 '빼어나다'의 뜻.

⇒ ⇒ 英

[英傑 영걸] 용기와 재주가 뛰어난 인물. 영웅호걸.

[英敏 영민] 영특하고 민첩함.

[英語 영어] 영국의 언어. 영국·미국 등에서 쓰는 말.

[英譯 영역] 영어로 번역함.

[英雄 영웅] 용기와 재능과 지혜가 뛰어나 한 세상을 이끌 만한 사람.

[英才 영재] 뛰어난 재주. 또는 그런 사람. ¶ 英才敎育(영재 교육).

7급 중학 한자

중 草 (cǎo)

영 grass [græs]

풀 초

풀이 1 풀. 2 거칠다. 3 초하다. 4 시작하다.

부수 艸(초두)부

찾기 艹4(艸)+早6=10획

丶 十 廾 艹 芇 苜 莒 草

글자뿌리 형성(形聲) 문자. 초두(艹〈뜻〉) 밑에 일찍 조(早〈음〉)를 합친 자로, 이른 봄이면 일찍 싹이 돋아나는 것은 '풀'이라는 뜻.

⇒ ⇒ 草

[草家 초가] 짚으로 이엉을 엮어 지붕을 얹은 집.

[草稿 초고] 시나 글의 맨 처음 적은 원고.

[草根木皮 초근목피] ① 풀뿌리와 나무껍질이란 뜻으로, 맛이나 영양이 없는 거친 음식의 비유. ② 한약재로 쓰이는 물건을 이르는 말.

[草綠色 초록색] 파랑과 노랑의 중간색.

[草木 초목] 풀과 나무를 아울러 이르는 말.

[草食動物 초식동물] 풀을 뜯어 먹고 사는 소·말·기린·사슴 따위의 동물.

[草案 초안] 어떤 글을 짓기 위해 줄거리를 짠 글.

[草原 초원] 풀로 덮인 들판.

[伐草 벌초] 무덤의 잡초를 베어서 깨끗이 함.

[藥草 약초] 약이 되는 풀.

[雜草 잡초] 저절로 나서 자라는 여러 가지 풀. 잡풀.

[除草 제초] 잡초를 뽑아 없앰.

莫

3급Ⅱ 중학 한자

중 莫 (mò)

영 ❶not [nɑt] ❷grow dark

❶없을 막
❷저물 모ː

풀이 ❶ 1 없다. 2 말다. 3 아니다. 4 크다. 아득하다. ❷ 저물다.

부수 艸(초두)부

찾기 艹4(艸)+莫7=11획

글자뿌리 회의(會意) 문자. 저물 모(暮)의 원자. 풀숲을 뜻하는 茻(茻: 초두 두 개) 밑에 날 일(日)을 합친 자로, 해가 초원에 진다는 데서 '저물다', '없다', '아니다'의 뜻이 된 자.

[莫強 막강] 더할 수 없을 만큼 강함.
[莫大 막대] 더할 수 없이 많거나 큼.
[莫上莫下 막상막하] 서로의 실력이 비슷하여 잘하고 못하고를 가리기 어려운 상태.
[莫重 막중] 더없이 중요함.

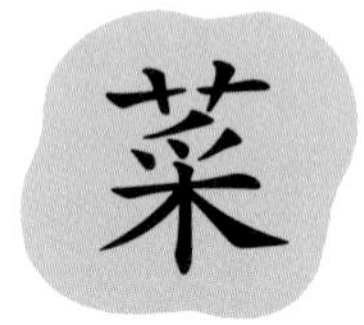

3급Ⅱ 중학 한자

중 菜 (cài)

영 vegetable [védʒətəbəl]

나물 채ː

풀이 나물.

부수 艸(초두)부

찾기 艹4(艸)+采8=12획

글자뿌리 형성(形聲) 문자. 초두(艹〈뜻〉) 밑에 캘 채(采〈음〉)를 합친 자로, 캐서 먹을 수 있는 풀은 '나물'이라는 뜻.

[菜蔬 채소] 밭에 가꾸어 먹을 수 있는 온갖 푸성귀.
[菜食 채식] 주로 채소·과일 따위의 식물성 음식만 먹음. 반 肉食(육식).
[山菜 산채] 산에서 나는 나물. 산나물.
[野菜 야채] ① 들에서 자라나는 나물. ② 채소.

4급 중학 한자

중 华 (huá)

영 shine [ʃain]

빛날 화

풀이 1 빛나다. 빛. 화려하다. 2 꽃. 3 번성하다.

부수 艸(초두)부

찾기 艹4(艸)+華8=12획

글자뿌리 회의(會意) 문자. 초두(艹) 밑에 드리울 수(𠂹: 垂의 변형)를 합친 자로, 풀과 꽃이 많이 피어 늘어진 모양에서 '빛나다', '화려하다'의 뜻이 된 자.

[華僑 화교] 외국에 사는 중국 사람.
[華麗 화려] ① 빛이 나고 아름다움. ② 어떤 일이나 생활 따위가 호화롭고 사

치스러움.
[華奢 화사] 밝고 아름다움.
[華燭 화촉] 빛깔을 들인 밀초. 주로, 혼례 의식에 쓰인 데서 혼례를 이름.
[繁華 번화] 매우 번성하고 화려함. ¶ 繁華街(번화가).
[榮華 영화] 몸이 귀하게 되어 이름이 세상에 빛남.
[豪華 호화] 사치스럽고 아주 화려함.

5급 중학 한자
중 落 (luò)
영 fall [fɔːl]

떨어질 락

풀이 1 떨어지다. 2 마을. 3 비로소.
부수 艸(초두)부
찾기 ++⁴(艸)+洛⁹=13획

글자뿌리 형성(形聲) 문자. 초두(++〈뜻〉) 밑에 물 이름 락(洛: 내려온다는 뜻〈음〉)을 합친 자로, 풀과 나무의 잎이 시들어 떨어진다는 데서 '떨어지다'의 뜻.

[落膽 낙담] 일이 뜻대로 되지 않아 마음이 몹시 상함.
[落馬 낙마] 말에서 떨어짐.
[落望 낙망] 희망을 잃음.
[落書 낙서] 글씨나 그림 따위를 아무 데나 함부로 쓰거나 그림. 또는 그 글씨나 그림.
[落成式 낙성식] 건축물의 공사를 끝낸 것을 축하하는 행사.
[落心 낙심] 바라던 일이 이루어지지 않아 마음이 상함.
[落第 낙제] 시험이나 검사에 떨어짐.
[落鄕 낙향] 시골이나 고향으로 내려감.
[落花 낙화] 꽃이 떨어짐. 또는 그 꽃.
[沒落 몰락] ① 재물·세력 따위가 쇠하여 보잘것없이 됨. ② 멸망하여 없어짐.
[部落 부락] 시골에서 여러 살림집들이 모여 이룬 마을.
[墮落 타락] 바른길에서 벗어나 나쁜 길로 빠짐.
[下落 하락] 값이나 등급 따위가 떨어짐.

8급 중학 한자
중 万 (wàn)
영 ten thousand

일만 만ː

풀이 1 일만. 2 '수의 많음'을 나타내는 말.
부수 艸(초두)부
찾기 ++⁴(艸)+禺⁹=13획

글자뿌리 상형(象形) 문자. 본디는 집게나

꼬리를 번쩍 든 전갈의 모양을 본뜬 글자로, 그 음을 빌려 '일만'이란 수를 나타내는 데 씀.

[萬感 만감] 온갖 느낌.
[萬頃蒼波 만경창파] 한없이 넓고 푸른 바다.
[萬古 만고] 끝이 없이 아주 긴 세월.
[萬國 만국] 세계의 모든 나라. ¶ 萬國旗(만국기).
[萬金 만금] 아주 많은 돈.
[萬能 만능] 온갖 것에 다 능통함.
[萬物 만물] 세상에 있는 모든 것.
[萬民 만민] 모든 백성. 모든 사람.
[萬病通治 만병통치] 한 가지 처방으로 온갖 병을 다 치료함.
[萬事亨通 만사형통] 모든 일이 뜻대로 다 잘됨.
[萬歲 만세] 축하할 때나 환호할 때 두 손을 높이 들면서 외치는 소리.
[萬壽無疆 만수무강] 아무런 탈 없이 아주 오래 삶.
[萬有引力 만유인력] 모든 물체 사이에서 일어나는 서로 끌어당기는 힘. 중력.
[萬一 만일] 혹시 그런 일이 있을 경우. 만에 하나. 동 萬若(만약).
[萬全 만전] ① 아주 완전함. ② 아주 안전함.

5급 중학 한자
중 叶 (yè)
영 leaf [li:f]

잎 엽

풀이 1 잎. 잎사귀. 2 세대. 시대.
부수 艸(초두)부
찾기 艹^{4}(艸)+枼^{9}=13획

글자뿌리 형성(形聲) 문자. 초두(艹〈뜻〉) 밑에 얇을 엽(枼〈음〉)을 합친 자로, 풀과 나무에 달려 있는 얇은 '잎'을 뜻함.

[葉綠素 엽록소] 식물의 세포 속에 있는 녹색의 색소.
[葉書 엽서] 편지를 적어 보내는 봉투 없는 카드.
[葉錢 엽전] 놋쇠로 둥글게 만든 옛날 동전. 가운데에 네모난 구멍이 있음.
[葉茶 엽차] 차나무의 어린잎을 달여서 만든 차.
[枯葉 고엽] 마른 잎.
[落葉 낙엽] ① 나뭇잎이 떨어짐. ② 시들어 떨어진 나뭇잎.
[末葉 말엽] 어떤 시기를 셋으로 나눌 때의 끝 무렵.
[中葉 중엽] 어떤 시기를 셋으로 나눌 때의 중간 무렵.

著

3급Ⅱ 중학 한자

중 著 (zhù)

영 manifest [mǽnəfèst]

나타날 저:

풀이 1 나타나다. 뚜렷하다. 2 글을 짓다.

부수 艸(초두)부

찾기 ++4(艸)+者9=13획

글자뿌리 형성(形聲) 문자. 초두(++〈뜻〉) 밑에 사람 자(者〈음〉)를 합친 자로, 본디 글자는 '箸'인데, 대나무〔竹〕로 된 것〔者〕에 글자를 적었다는 데서 '글을 짓다', '나타나다'의 뜻이 된 자.

[著名 저명] 세상에 이름이 널리 알려져 있음.

[著書 저서] 책을 지음. 또는 그 책.

[著述 저술] 글이나 책을 지음. 또는 그 글이나 책. ¶ 著述家(저술가).

[著者 저자] 글이나 책을 지은 사람.

[著作 저작] 책이나 작품 따위를 지음. 또는 그 책이나 작품. ¶ 著作權(저작권).

[共著 공저] 책을 두 사람 이상이 함께 지음. 또는 그러한 책.

[顯著 현저] 분명하게 나타남. 뚜렷함.

4급Ⅱ 고등 한자

중 蓄 (xù)

영 store [stɔːr]

모을 축

풀이 1 모으다. 2 쌓다. 쌓아 두다. 3 두다. 4 감추다.

부수 艸(초두)부

찾기 ++4(艸)+畜10=14획

글자뿌리 형성(形聲) 문자. 풀 초(艸〈뜻〉)에 쌓을 축(畜〈음〉)을 합친 자로, 畜(축)은 길러서 모으다의 뜻. 艸(초)를 붙여, 저장한 채소의 뜻에서, '모으다'의 뜻을 나타냄.

[蓄財 축재] 돈이나 재물을 모아 쌓음.

[蓄積 축적] 자금·지식·경험 따위를 모아서 쌓아 둠. 또는 모아서 쌓은 것.

[備蓄 비축] 만약의 경우를 대비하여 미리 모아 둠.

[貯蓄 저축] 아껴서 모아 둠.

6급 중학 한자

중 药 (yào)

영 drug [drʌg]

약 약

풀이 약.

부수 艸(초두)부

찾기 ++4(艸)+樂15=19획

글자뿌리 형성(形聲) 문자. 초두(艹〈뜻〉) 밑에 즐거울 락(樂〈음〉)을 합친 자로, 병을 고쳐 즐겁게 해 주는 것은 풀의 뿌리나 잎이라는 데서 '약'의 뜻.

[藥局 약국] 약사가 약을 조제하거나 파는 곳.
[藥物 약물] 약이 되는 물질.
[藥師 약사] 면허를 받아 전문적으로 약을 짓거나 파는 사람.
[藥水 약수] 약효가 있는 샘물. 약물.
[藥材 약재] 약을 짓는 데 쓰이는 재료.
[藥效 약효] 약의 효험.
[毒藥 독약] 독이 있는 약.
[醫藥 의약] ① 병을 고치는 데 쓰이는 약. ② 의술과 약품.
[齒藥 치약] 이를 닦는 데 쓰는 약.
[丸藥 환약] 알약.

4급Ⅱ 중학 한자
중 艺 (yì)
영 art [ɑːrt]

재주 예:

풀이 재주. 재능.
부수 艸(초두)부
찾기 艹4(艸)+埶15=19획

글자뿌리 회의(會意) 문자. 원자는 埶. 초두(艹) 밑에 심을 예(埶: 땅에 씨를 뿌린다는 뜻)와 이를 운(云)을 합친 자로, 초목을 심어서 잘 가꾸려면 솜씨가 있어야 하므로 '재주'를 뜻하다가, 주로 글재주를 이른다는 데서 '云'을 덧붙이게 된 자.

[藝能 예능] 연극·영화·음악·미술 등의 예술과 관련된 능력을 통틀어 이르는 말.
[藝名 예명] 예술가나 예능인이 본이름 외에 쓰는 이름.
[藝術 예술] 문학·미술·음악·연극 등 아름다움을 찾고 표현하려는 인간의 활동. 또는 그 작품.
[工藝 공예] 기능과 장식을 조화시켜 직물·염직·칠기·도자기 따위의 일상생활에 필요한 물건을 만드는 일.
[技藝 기예] 예술로 승화될 정도로 갈고 닦은 기술이나 재주.
[武藝 무예] 활쏘기나 칼 쓰기, 태권도

등 무술에 관한 재주.

[文藝 문예] ① 문학과 예술. ② 시·소설·희곡·수필과 같이 말과 글로써 아름다움을 표현하는 예술.

3급Ⅱ 중학 한자

중 虎 (hǔ)

영 tiger [táigər]

범 호(ː)

풀이 범. 호랑이.

부수 虍(범호)부

찾기 虍⁶+儿²=8획

丨 ⺊ 广 卢 卢 虍 虎 虎

글자뿌리 상형(象形) 문자. 범이 어슬렁거리며 걷는 모양을 본뜬 글자.

[虎視眈眈 호시탐탐] 범이 눈을 부릅뜨고 먹이를 노려본다는 뜻으로, 남의 것을 빼앗기 위해 형세를 살피며 기회를 노림.

[虎皮 호피] 범의 털가죽.

[猛虎 맹호] 사나운 범.

4급Ⅱ 중학 한자

중 处 (chù, chǔ)

영 place [pleis]

곳 처ː

畫虎類狗 (화호유구)

범을 그린 것이 개 비슷하게 되었다는 뜻으로, 소양이 없는 사람이 호걸의 풍도를 흉내 내다가 경박한 사람이 됨을 이르는 말.

고사 '화호유구'라는 이 말은 중국 후한(後漢) 때에 장군 마원(馬援)이 지금의 인도차이나 반도에 있던 교지(交趾) 정벌에 나섰을 때 원정 중에 그의 조카들에게 띄운 다음과 같은 편지 가운데 한 말에 연유한다. 즉, "너희들이 남의 허물에 대해 듣는 것은 좋으나 먼저 말을 해서는 안 된다. (중략) 두계량(杜季量)은 호쾌하고 의협심이 많아 남의 근심을 함께 걱정해 주고, 남의 즐거움 또한 같이 즐거워해 준다. 나는 그를 좋아하여 소중히 여기지만 너희에게 본받으라 권하고 싶지는 않다. 두계량의 흉내를 내다가 혹시나 이루지 못하면 경박한 사람이 될 테니까. 마치 범을 그린 것이 자칫 개 비슷하게 되는 것과 같기 때문이다."라고 했다고 한다.

풀이 1 곳. 2 살다. 머무르다. 3 처리하다.
부수 虍(범호)부
찾기 虍⁶+処⁵=11획

丨 ㅏ 卢 卢 卢 虍 虍 虎 虎 虏 處

글자뿌리 회의(會意) 문자. 안석 궤(几)에 천천히 걸을 쇠(夊)를 합친 '処'가 본자로, 걸음(夊)을 멈추고 걸상(几)에 앉아 쉬는 '곳'이란 뜻. 여기에 虍(居〔살 거〕의 뜻)를 더하여 살고 있는 '곳'의 뜻.

[處決 처결] 결정하여 처리함.
[處女 처녀] ① 결혼하지 않은 성년 여자. ② 숫처녀. ③ 일이나 행동을 처음으로 함. ¶ 處女出戰(처녀 출전).
[處斷 처단] 결단하여 처치함.
[處理 처리] 정리하여 치우거나 마무리 지음.
[處方 처방] ① 일의 처리 방법. ② 병에 따른 약의 조제 방법.
[處罰 처벌] 형벌에 처함. 또는 그 벌.
[處分 처분] ① 처리하여 치움. ② 어떻게 처리할 것인가에 대해 지시하거나 결정함. 또는 그런 지시나 결정.
[處世 처세] 남과 사귀며 살아가는 일.
[處身 처신] 세상을 살아감에 있어서의 몸가짐이나 행동.
[處遇 처우] 조처하여 대우함. 또는 그런 대우.
[處地 처지] 처해 있는 형편이나 사정.
[處刑 처형] ① 형벌에 처함. ② 사형에 처함.
[居處 거처] 한군데 자리잡고 삶. 또는 그 장소.
[難處 난처] 처신하기 곤란함.
[傷處 상처] 몸의 다친 자리.

虛 빌 허

4급Ⅱ 중학 한자
중 虚 (xū)
영 empty [émpti]

풀이 1 비다. 2 헛되다. 3 공허하다. 4 구멍. 틈.
부수 虍(범호)부
찾기 虍⁶+业⁶=12획

丨 ㅏ 卢 卢 卢 虍 虍 虍 虚 虚 虚 虛

글자뿌리 형성(形聲) 문자. 범 호(虍〈음〉) 밑에 언덕 구(业: 丘의 변형〈뜻〉)를 합친 자로, 범을 잡으려고 언덕에 파 놓은 함정에 아무것도 걸려든 것이 없다는 데서 '비다', '헛되다'의 뜻.

[虛空 허공] 텅 빈 공중.
[虛構 허구] 사실이 아닌 것을 사실인 양 꾸며서 만듦.
[虛飢 허기] 굶어서 배가 고픈 느낌.
[虛禮虛飾 허례허식] 실속이나 정성 없이 겉만 번드르르하게 꾸밈. 또는 그런 예절이나 법식.
[虛妄 허망] ① 거짓이 많아 믿음성이 없음. ② 어이없고 허무함.

[虛無 허무] ① 아무것도 없이 텅 빔. ② 무가치하고 무의미하게 느껴져 허전하고 쓸쓸함.
[虛費 허비] 헛되이 씀.
[虛事 허사] 쓸데없이 한 노력. 헛일.
[虛送 허송] 시간을 헛되이 보냄.
[虛弱 허약] 힘이나 기운이 없고 약함.
[虛僞 허위] 거짓을 진실처럼 꾸민 것.
[謙虛 겸허] 겸손하고 삼가는 태도가 있음.
[空虛 공허] ① 속이 텅 빔. ② 실속 없이 헛됨.

6급 중학 한자
㊥ 号 (hào)
㊎ shout [ʃaut]

이름 호(ː)

풀이 1 이름. 2 부르짖다. 3 부르다. 4 부호. 5 차례.
부수 虍(범호)부
찾기 虍⁶+号⁷=13획

글자뿌리 형성(形聲) 문자. 이름 호(号〈음〉)에 범 호(虎〈뜻〉)를 합친 자로, 범의 울음소리〔号〕같이 우렁차게 '부르짖는다'는 뜻.

[號令 호령] ① 지휘하여 명령함. 또는 그 명령. ② 큰 소리로 꾸짖음.
[號外 호외] 아주 중대한 사건이 있을 때 임시로 발행하는 신문이나 잡지.
[口號 구호] 요구나 주장을 분명히 전하기 위하여 간결하게 표현한 문구.
[國號 국호] 나라의 이름.
[記號 기호] 어떤 뜻을 나타내기 위한 문자나 부호.
[番號 번호] 차례를 나타내는 숫자.
[符號 부호] 어떤 뜻을 나타내는 기호.
[信號 신호] 일정한 부호·표지·소리·동작 따위로 내용이나 정보를 전달하거나 지시를 함. 또는 그런 부호.

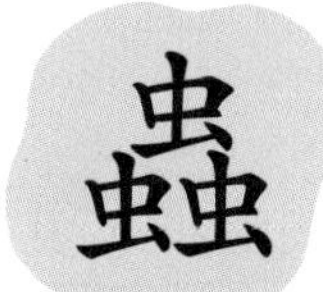

4급Ⅱ 중학 한자
㊥ 虫 (chóng)
㊎ worm [wəːrm]

벌레 충

풀이 벌레.
부수 虫(벌레충)부
찾기 虫⁶+䖵¹²=18획

글자뿌리 회의(會意) 문자. 벌레 충(虫) 셋을 합친 자로, '벌레'를 뜻함.

[蟲齒 충치] 세균 따위로 인해 벌레가 파먹은 것처럼 상한 이. 또는 그런 질환.
[昆蟲 곤충] 벌레.
[寄生蟲 기생충] 다른 생물에 붙어 양분을 빼앗아 먹고 사는 벌레.
[成蟲 성충] 자라서 생식 능력을 지니게 된 곤충.
[幼蟲 유충] 알에서 깨어 아직 성충이 안된 벌레. 애벌레.
[害蟲 해충] 사람이나 농작물에 해를 끼치는 벌레.

4급Ⅱ 중학 한자
㊥ 血 (xuè, xiě)
㊢ blood [blʌd]

피 혈

풀이 피.
부수 血(피혈)부
찾기 血⁶=6획

글자뿌리 상형(象形) 문자. 삐침 별(丿)에 그릇 명(皿)을 합친 자로, 짐승의 피를 그릇에 담아〔丿〕 신에게 바쳤다는 데서 '피'를 뜻하게 된 자.

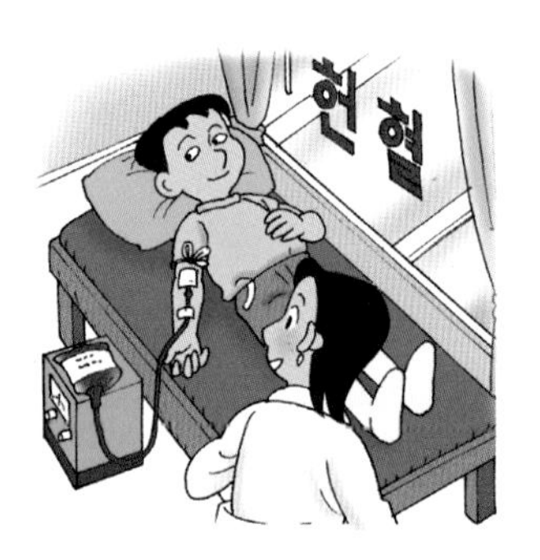

[血管 혈관] 피가 흐르는 관.
[血氣 혈기] ① 힘을 쓰고 활동하게 하는 원기. ② 흥분하기 쉽거나 왕성한 의기.
[血色 혈색] 살갗에 나타나는 핏기.
[血眼 혈안] 기를 쓰고 덤벼서 핏발이 선 눈.
[血壓 혈압] 혈관 속으로 흐르는 피의 압력.
[血液 혈액] 피.
[血緣 혈연] 같은 핏줄로 이어진 인연.
[血肉 혈육] ① 피와 살. ② 자기가 낳은 자식. ③ 부모·자식·형제·자매.
[血族 혈족] 한 조상에서 갈라져 나온 친족.
[血統 혈통] 같은 핏줄로 이어진 계통.
[輸血 수혈] 중환자나 출혈이 심한 사람의 혈관에 건강한 사람의 피를 넣는 일.
[流血 유혈] 피를 흘림. 또는 흐르는 피.

[止血 지혈] 흐르는 피가 멈춤. 또는 흐르는 피를 멎게 함.

[出血 출혈] ① 피가 혈관 밖으로 나옴. ② 희생이나 손실을 비유한 말.

4급Ⅱ 중학 한자

중 众 (zhòng)

영 crowd [kraud]

무리 중ː

풀이 1 무리. 2 많다.

부수 血(피혈)부

찾기 血^{6}+㐺^{6}=12획

丿 𠂉 𦉭 𦉭 皿 血 血 𧖧 𧖧 𧖧 衆 衆

글자뿌리 회의(會意) 문자. 눈 목(血=目)에 많은 사람을 뜻하는 '㐺'을 합친 자로, 많은 사람이 모여 본다는 데서 '무리'를 뜻함.

⇒ ⇒ 衆

[衆論 중론] 여러 사람의 의견.

[衆生 중생] 불교에서, 부처의 구제 대상이 되는 인간 및 그 밖의 모든 생물을 이르는 말.

[公衆 공중] 사회의 대부분의 사람. ¶ 公衆道德(공중도덕).

[觀衆 관중] 공연이나 운동 경기 따위를 구경하는 사람들.

[群衆 군중] 한곳에 모인 많은 사람들의 무리.

[大衆 대중] 한 사회의 대다수를 이루는 사람들.

[民衆 민중] 국가나 사회를 이루고 있는 다수의 일반 국민.

고사성어

衆寡不敵 (중과부적)

적은 수효로 많은 수효를 대적하지 못한다는 뜻.

고사 중국 전국 시대(戰國時代)에 맹자(孟子)가 자신의 능력을 돌아보지 않고 천하를 차지하려고 무모한 계획을 세우는 제(齊)나라 선왕(宣王)에게 "작은 나라는 결코 큰 나라를 이길 수 없고, 소수(少數)는 다수(多數)를 대적하지 못하며[衆寡不敵], 약자는 강자에게 지게 되어 있습니다. 지금 1천 리 사방(四方)에는 아홉 개의 나라가 있으며, 제나라도 그중 한 나라인데 한 나라가 다른 여덟 나라를 복종시킨다는 것은 작은 나라인 추(鄒)나라가 큰 나라인 초(楚)나라를 이기려는 것과 무엇이 다르겠습니까? 하지만 왕도에 의해 백성들이 기꺼이 따르게 하신다면, 모두 전하의 덕(德)에 굴복할 것이고, 천하는 전하의 것이 될 것입니다."라고 말한 데서 온 말.

行

6급 중학 한자

중 行 (❶xíng, ❷háng)

영 ❶go [gou] ❷row [rou]

❶다닐 행(:) ❷항렬 항

풀이 ❶ 1 다니다. 걷다. 2 행하다. ❷ 항렬.

부수 行(다닐행)부

찾기 行⁶=6획

글자뿌리 상형(象形) 문자. 사방으로 통하는 십자로의 모양을 본뜬 글자. 사람이 걸어 다니는 곳이기 때문에 '가다', '다니다'의 뜻이 된 자.

[行軍 행군] 군대가 줄을 지어 먼 거리를 이동함.

[行動 행동] 몸을 움직여 무엇을 함. 또는 그 일.

[行樂 행락] 즐겁게 놂.

[行列 행렬] ① 여럿이 줄지어 감. 또는 그런 줄. ② 숫자나 문자를 사각형으로 배열한 것.

[行方 행방] 간 곳이나 방향. ¶ 行方不明(행방불명).

[行事 행사] 일을 시행함. 또는 그 일.

[行商 행상] 돌아다니며 장사함. 또는 그 장사.

[行實 행실] 평소에 하는 행동.

[行爲 행위] 사람이 하는 행동.

[行人 행인] 길을 가는 사람.

[行進 행진] 여러 사람이 줄을 지어 앞으로 나아감.

[行態 행태] 하는 짓과 몸가짐. 행동하는 모양.

[行列 항렬] 같은 혈족간의 촌수를 나타내는 계열.

[苦行 고행] 수행을 쌓기 위하여 견디기 어려운 고통스러운 일을 행하는 것.

[德行 덕행] 어질고 너그러운 행실.

[步行 보행] 걸어서 다님.

[善行 선행] 착한 행동.

[旅行 여행] 볼일이나 구경할 목적으로 다른 고장이나 다른 나라에 가는 일.

6급 고등 한자

중 术 (shù)

영 artifice [ɑ́ːrtəfis]

재주 술

풀이 1 재주. 2 기술. 3 술수. 꾀. 방법.

부수 行(다닐행)부

찾기 行⁶+朮⁵=11획

글자뿌리 형성(形聲) 문자. 다닐 행(行〈뜻〉)에 차조 출(朮〈음〉)을 합친 자로, 朮(출)은 '계속하다'의 뜻. 어떤 행위를 계속해 나가기 위한 길. '방법', '재주'의 뜻을 나타냄.

[術數 술수] 어떤 일을 꾸미는 꾀나 방법. 동 術策(술책).
[術策 술책] 어떤 일을 도모하려는 꾀나 방법. 동 術數(술수).
[算術 산술] 일상생활에 실제로 사용할 수 있는 수와 양의 간단한 성질 및 셈을 다루는 수학적 계산 방법.
[手術 수술] 몸의 일부를 째거나 도려내거나 하여 병을 고치는 일.
[心術 심술] ① 온당하지 않게 고집을 부리는 마음. ② 남을 골리기 좋아하거나 남이 잘못되는 것을 좋아하는 마음.
[學術 학술] 학문의 방법이나 이론.
[話術 화술] 말재주. 말하는 기교.

글자뿌리 형성(形聲) 문자. 다닐 행(行〈뜻〉)에 홀 규(圭〈음〉)를 합친 자로, 사람이 다니는 길이 여러 갈래로 갈라졌다는 데서 '거리'를 뜻함.

⇒ ⇒ 街

[街道 가도] 곧고 넓은 길.
[街頭 가두] 도시의 길거리.
[街路燈 가로등] 큰 도로나 주택가의 골목길을 밝히기 위해 길가를 따라 높게 달아 놓은 전등.
[街路樹 가로수] 길의 양쪽 가에 줄지어 나란히 심은 나무.
[市街 시가] 도시의 큰 길거리. ¶ 市街行進(시가행진).

4급Ⅱ 중학 한자
중 街 (jiē)
영 street [striːt]

거리 가(ː)

풀이 거리. 한길.
부수 行(다닐행)부
찾기 行⁶+圭⁶=12획

衛

4급Ⅱ 고등 한자
중 卫 (wèi)
영 guard [gɑːrd]

지킬 위

풀이 1 지키다. 2 막다. 3 방비. 4 나라 이름.
부수 行(다닐행)부
찾기 行⁶+韋⁹=15획

글자뿌리 형성(形聲) 문자. 다닐 행(行〈뜻〉)에 가죽 위(韋〈음〉)를 합친 자로, 韋(위)는 어떤 장소 아래위에 발을 놓는 모양으로, 궁궐 등의 주위를 돌다의 뜻에서, '지키다'의 뜻을 나타냄.

[衛生 위생] 건강의 보전과 증진을 꾀하고 질병의 예방 치료에 힘쓰는 일.
[衛戍 위수] 군대가 어떤 지역에 오래 주둔하여 지킴.
[防衛 방위] 적의 공격을 막아서 지킴.
[自衛 자위] 스스로 막아 지킴.
[護衛 호위] 곁에서 보호하여 지킴.

6급 중학 한자
㊥ 衣 (yī)
㊕ clothes [klouðz]

옷 의

풀이 1 옷. 윗옷. 2 옷을 입다.
부수 衣(옷의)부
찾기 衣⁶=6획

글자뿌리 상형(象形) 문자. 사람이 옷을 입고 깃을 여민 모양을 본뜬 글자.

[衣類 의류] 옷 종류의 총칭.
[衣服 의복] 옷.
[衣裳 의상] ① 겉에 입는 옷. ② 배우나 무용수가 연기할 때 입는 옷.
[衣生活 의생활] 옷과 관련된 생활.
[衣食住 의식주] 사람이 살아가는 데 필요한 세 가지 요소. 곧, 옷·음식·집.
[錦衣還鄕 금의환향] 출세를 하여 고향으로 돌아옴을 이르는 말.
[白衣 백의] ① 흰옷. ¶ 白衣民族(백의민족). ② 벼슬이 없는 선비.
[脫衣 탈의] 옷을 벗음. ¶ 脫衣室(탈의실). 반 着衣(착의).

6급 중학 한자
㊥ 表 (biǎo)
㊕ surface [sə́ːrfis]

겉 표

풀이 1 겉. 거죽. 바깥. 2 나타내다. 3 뛰어나다.
부수 衣(옷의)부

찾기 衣(𧘇5)+丰3=8획

一 二 丰 丰 丰 表 表 表

글자뿌리 회의(會意) 문자. 털 모(丰: 毛의 변형)에 옷 의(衣)를 합친 자로, 털로 만든 옷은 그 털이 겉으로 드러나게 입는다는 데서 '겉', '드러나다'의 뜻.

[表決 표결] 회의에서 안건에 대하여 찬성과 반대의 의사를 표시하여 결정함.
[表記 표기] 적어서 나타냄. 또는 그런 기록.
[表面 표면] 거죽으로 드러난 면. 겉쪽.
[表明 표명] 드러내 놓고 명백히 함.
[表示 표시] 겉으로 드러내어 보임.
[表情 표정] 마음속의 감정이나 정서 따위의 심리 상태가 겉으로 드러남. 또는 그런 모습.
[表紙 표지] 책의 맨 앞뒤 겉장.
[表現 표현] 자기의 느낌이나 생각을 겉으로 드러내어 나타냄.
[公表 공표] 공개적으로 발표함.
[代表 대표] ① 전체의 상태나 성질을 어느 하나로 잘 나타냄. 또는 그런 것. ② 여러 사람을 대신하여 어떠한 일에 책임을 지는 사람.
[發表 발표] 어떤 사실이나 작품, 일의 결과 등을 세상에 드러내어 널리 알림.

裝

4급 고등 한자
중 装 (zhuāng)
영 decorate [dékərèit]

꾸밀 장

풀이 1 꾸미다. 2 치장하다. 3 옷. 4 행장.
부수 衣(옷의)부
찾기 衣6+壯7=13획

丨 丬 丬 丬 壯 壯 壯 壯
壯 裝 裝 裝 裝

글자뿌리 형성(形聲) 문자. 옷 의(衣〈뜻〉)에 왕성할 장(壯〈음〉)을 합친 자로, 壯(장)은 倉(창)과 통하여, '넣다', '싸다', '감추다'의 뜻. 의복으로 '몸을 싸다', '차리다', '꾸미다'의 뜻을 나타냄.

[裝備 장비] ① 갖추어 차림. 또는 그 장치와 설비. ② 군대의 전투력을 이루는 무기·장치·설비.
[裝飾 장식] ① 치장함. ② 꾸밈새. ③ 그릇·가구 따위에 쇠붙이 따위로 여러 모양을 만들어 다는 데 쓰는 물건.
[裝着 장착] 의복·기구·장비 따위를 붙이거나 착용함.
[裝置 장치] ① 기계나 설비 따위를 설치함. 또는 그 설치한 것. ② 어떤 일을 잘 해내기 위해 마련한 제도·규칙 따위.
[假裝 가장] 일부러 거짓 태도를 꾸밈.

[包裝 포장] ① 물건을 싸거나 꾸림. ② 겉으로만 그럴듯하게 꾸밈.

[行裝 행장] 여행할 때 쓰는 물건과 차림.

製 지을 제:

4급Ⅱ 중학 한자

중 制 (zhì)

영 make [meik]

풀이 1 짓다. 만들다. 2 마르다.

부수 衣(옷의)부

찾기 衣⁶+制⁸=14획

글자뿌리 형성(形聲) 문자. 마를 제(制〈음〉) 밑에 옷 의(衣〈뜻〉)를 합친 자로, 옷감을 마름질한다는 데서 '마르다', '짓다'의 뜻이 된 자.

⇒ ⇒ 製

[製菓 제과] 과자나 빵을 만듦. ¶ 製菓店(제과점).

[製鍊 제련] 광석을 용광로에 녹여서 함유된 금속을 분리하여 뽑아냄.

[製藥 제약] 약을 만듦.

[製作 제작] 물건이나 작품을 만듦. ¶ 製作陣(제작진).

[製造 제조] 공장에서 큰 규모로 물건을 만들어 냄.

[製品 제품] 원료를 이용하여 물건을 만듦. 또는 그렇게 만든 물건. ¶ 新製品(신제품).

[外製 외제] 다른 나라에서 만든 물건.

複 겹칠 복

4급 고등 한자

중 复 (fù)

영 double [dʌ́bəl]

풀이 1 겹치다. 2 거듭되다. 3 겹옷. 겹.

부수 衣(옷의)부

찾기 衤⁵(衣)+复⁹=14획

글자뿌리 형성(形聲) 문자. 옷 의(衣〈뜻〉)에 돌아갈 복(复〈음〉)을 합친 자로, 复(복)은 본디의 길을 되돌아가다, 겹치다의 뜻. '겹옷'의 뜻에서, 일반적으로 '겹치다'의 뜻을 나타냄.

[複利 복리] 이자에 다시 이자가 붙는 계산법.

[複寫 복사] 원본을 베낌.

[複數 복수] 둘 이상의 수.

[複式 복식] 둘 이상으로 겹치는 방식.

[複雜 복잡] 일이나 물건의 갈피가 겹치고 뒤섞여 있음.

[複製 복제] 본디의 것을 그대로 본떠서 똑같이 만듦.

[複合 복합] 두 가지 이상이 하나로 합쳐짐.

[重複 중복] 거듭하거나 겹침.

8급 중학 한자
중 西 (xī)
영 west [west]

서녘 서

풀이 서녘. 서쪽.
부수 襾(덮을아)부
찾기 襾6=6획

글자뿌리 상형(象形) 문자. 해 질 녘에 새가 둥지로 돌아와 앉은 모양을 본뜬 자로, 새가 둥지로 돌아올 때는 서쪽으로 해가 질 때이므로 '서쪽'의 뜻.

⇒ ⇒ 西

[西歐 서구] ① 서양을 이루는 유럽과 북아메리카를 이르는 말. ② 서부 유럽.
[西紀 서기] 예수가 탄생한 해를 원년(元年)으로 삼는 서양의 기원. 기원후.
[西方 서방] ① 서쪽. 서쪽 방향. ② 서유럽 여러 나라를 이르는 말.
[西山 서산] 서쪽 산.
[西洋 서양] 동양 사람이 유럽과 미국 등의 여러 나라를 이르는 말. 반 東洋(동양).
[西風 서풍] 서쪽에서 불어오는 바람. 반 東風(동풍).
[西學 서학] 서양의 학문.
[東西 동서] ① 동쪽과 서쪽. ② 동양과 서양.

5급 중학 한자
중 要 (yào)
영 important [impɔ́:rtənt]

요긴할 요(ː)

풀이 1 요긴하다. 중요하다. 2 구하다. 원하다. 3 반드시.
부수 襾(덮을아)부
찾기 襾6+女3=9획

글자뿌리 상형(象形) 문자. 사람이 두 손으로 허리를 꼭 누르고 있는 모양을 본뜬 글자로, '허리'를 뜻하다가 허리는 중요하다는 데서 '중요하다'의 뜻이 된 자.

⇒ ⇒ 要

[要求 요구] 필요하여 달라고 청함.
[要緊 요긴] 꼭 필요하고 중요함. 동 緊要(긴요).
[要領 요령] ① 사물의 요긴하고 으뜸되는 줄거리. ② 경험에서 얻은 묘한 이치. ③ 일을 대충 해 넘기는 잔꾀.
[要望 요망] 어떤 일이 꼭 이루어지기를 간절히 바람.
[要塞 요새] 튼튼히 만든 군사상의 중요한 방어 시설.
[要素 요소] 어떤 일에 꼭 필요한 부분, 또는 근본적인 조건.
[要約 요약] 요점을 잡아 간추림.
[要員 요원] 어떤 일을 하는 데 꼭 필요한 인원.
[要請 요청] 필요한 일을 해 달라고 부탁함. 또는 그런 부탁.
[強要 강요] 억지로 또는 강제로 요구함.
[需要 수요] 필요한 것을 일정한 가격으로 사려고 하는 욕구. 반 供給(공급).
[主要 주요] 주되고 중요함.
[重要 중요] 귀중하고 요긴함.

5급 중학 한자

중 见 (❶jiàn, ❷xiàn)

영 ❶see [siː] ❷visit [vízit]

❶볼 견ː
❷뵈올 현ː

풀이 ❶ 1 보다. 보이다. 2 의견. 생각. ❷ 뵙다.

부수 見(볼견)부

찾기 見7=7획

글자뿌리 회의(會意) 문자. 눈 목(目)에 사람 인(儿=人)을 합친 자로, 사람이 눈을 움직인다는 데서 '보다'의 뜻.

⇒ ⇒ 見

[見聞 견문] ① 보고 들음. ② 보고 들어서 얻은 지식.
[見物生心 견물생심] 물건을 보면 그것을 갖고 싶은 욕심이 생김.
[見本 견본] 전체 상품의 품질 등을 알리기 위해 본보기로 보이는 물건.
[見習 견습] 남이 하는 기술을 보면서 익힘. ¶ 見習工(견습공).
[見識 견식] 견문과 학식.
[見學 견학] 실지로 가서 눈으로 보고 배움.
[高見 고견] ① 뛰어난 의견. ② 다른 사람의 의견을 높여 이르는 말.
[所見 소견] 사람이나 사물의 현상을 보고 가지는 바의 의견이나 생각.
[意見 의견] 어떤 대상에 대한 생각이나 견해.
[謁見 알현] 지위나 신분이 높은 사람을 찾아뵘.

規

5급 고등 한자
중 规 (guī)
영 rule [ru:l]

법 규

풀이 1 법. 규칙. 2 꾀. 3 바로잡다.
부수 見(볼견)부
찾기 見[7]+夫[4]=11획

一 二 扌 夫 夫l 知 知 担
担 規 規

글자뿌리 회의(會意) 문자. 사내 부(夫)에 볼 견(見)을 합친 자로, 훌륭한 사람의 견식은 올바르다는 뜻에서 '법', '규칙'의 뜻이 됨.

[規格 규격] ① 일정한 규정에 들어맞는 격식. ② 제품의 크기·모양·성능·품질 등의 일정한 표준.
[規模 규모] 사물이나 현상의 크기나 범위.
[規範 규범] 마땅히 따르고 지켜야 할 가치 판단의 기준.
[規定 규정] 규칙으로 정한 것.
[規則 규칙] 여러 사람이 지키기로 정한 법칙.
[法規 법규] 법률상의 규정.
[新規 신규] ① 새로운 규정. ② 새로이 하는 일.

視

4급Ⅱ 중학 한자
중 视 (shì)
영 look at

볼 시:

풀이 보다. 살피다.
부수 見(볼견)부
찾기 見[7]+示[5]=12획

一 二 亍 亓 示 礻 祁 祁
袒 視 視 視

글자뿌리 형성(形聲) 문자. 보일 시(示〈음〉)와 볼 견(見〈뜻〉)을 합친 자로, 신에게 바치는 제사상은 잘 살펴야 한다는 데서 '보다', '살피다'의 뜻.

⇒ ⇒ 視

[視覺 시각] 물체의 모양이나 빛깔 등을 분간하는 감각.
[視界 시계] 시력이 미치는 범위. 동 視野(시야).
[視力 시력] 물체를 보는 눈의 능력.
[視線 시선] ① 눈이 가는 길이나 눈의 방향. ② 주의 또는 관심.
[視野 시야] 시력이 미치는 범위.
[視察 시찰] 실지로 돌아다니며 사정을 살펴봄.
[視聽覺 시청각] 시각과 청각을 아울러 이르는 말.
[監視 감시] 감독하여 살펴봄.
[輕視 경시] 가볍게 보거나 업신여김. 깔봄. 반 重視(중시).
[巡視 순시] 돌아다니면서 살펴봄.
[直視 직시] 사물의 진실을 바로 봄.

親

6급 중학 한자
중 亲 (qīn)
영 intimate [íntəmit]

친할 친

풀이 1 친하다. 가깝다. 2 어버이. 3 친척. 4 몸소.
부수 見(볼견)부
찾기 見[7]+亲[9]=16획

丶 亠 亣 立 立 辛 辛 亲 亲 亲 親 親 親 親 親 親

글자뿌리 형성(形聲) 문자. 볼 견(見〈뜻〉)에 나무 포기져 나올 친(亲〈음〉)을 합친 자로, 나무의 포기처럼 많은 자식들을 보살핀다는 데서 '어버이', '친하다'의 뜻.

[親舊 친구] 오래 두고 가깝게 사귄 벗.
[親權 친권] 부모가 미성년인 자식에 대하여 가지는 신분상·재산상의 권리와 의무.
[親近 친근] 사이가 아주 가깝고 정이 두터움.
[親睦 친목] 서로 친하여 화목함.
[親密 친밀] 사이가 매우 친하고 가까움.
[親善 친선] 서로 친밀하고 사이가 좋음. ¶ 親善競技(친선 경기).
[親切 친절] 남에게 매우 고분고분하고 정답게 대함.
[親知 친지] 서로 잘 알고 친하게 지내는 사람.
[近親 근친] 가까운 친척.
[兩親 양친] 아버지와 어머니.
[宗親 종친] ① 임금의 친족. ② 촌수가 가까운 겨레붙이.

4급 고등 한자
중 觉 (jué)
영 realize [rí:əlàiz]

깨달을 각

풀이 1 깨닫다. 2 느낌. 감각. 3 터득하다.
부수 見(볼견)부
찾기 見[7]+𦥯[13]=20획

覺 覺 覺 覺 覺 覺 覺 覺 覺 覺 覺 覺 覺 覺 覺 覺

글자뿌리 형성(形聲) 문자. 볼 견(見〈뜻〉)에 배울 학(學〈음〉)을 합친 자로, 배워서 확실히 보이다의 뜻에서, '깨닫다', '깨다', '분명히 드러나다'의 뜻을 나타냄.

[覺書 각서] 약속을 지키겠다는 내용을 적은 문서.
[覺醒 각성] ① 깨어 정신을 차림. ② 잘못을 깨달아 앎.
[覺悟 각오] 앞으로 닥쳐올 일에 대한 마음의 준비.
[發覺 발각] 숨겼던 일이 드러남.
[先覺 선각] 남보다 앞서서 사물이나 세상일을 깨달음.
[自覺 자각] 자기의 결점이나 능력, 책임 따위를 스스로 깨달음.
[知覺 지각] 알아서 깨달음. 또는 그러한 능력.

覽

볼 람

4급 고등 한자

중 览 (lǎn)

영 inspect [inspékt]

풀이 1 보다. 2 전망하다. 3 받다.

부수 見(볼견)부

찾기 見7+監14=21획

글자뿌리 형성(形聲) 문자. 볼 견(見〈뜻〉)에 볼 감(監〈음〉)을 합친 자로, 監(감)은 '비추어 보다'의 뜻. 見(견)을 덧붙여 '보다'의 뜻을 나타냄.

[觀覽 관람] 연극·영화·운동 경기·예술품 따위를 구경함. ¶觀覽客(관람객).

[回覽 회람] 여러 사람이 차례로 돌려 가면서 봄.

볼 관

5급 중학 한자

중 观 (guān)

영 look [luk]

풀이 1 보다. 2 생각. 관점. 견해.

부수 見(볼견)부

찾기 見7+雚18=25획

글자뿌리 형성(形聲) 문자. 볼 견(見〈뜻〉)에 황새 관(雚: 돌아다님의 뜻〈음〉)을 합친 자로, 황새가 여기저기 잘 살펴본다는 데서 '보다', '관찰하다'의 뜻.

⇒ ⇒ 觀

[觀光 관광] 다른 나라나 고장의 경치나 풍속 등을 구경함.

[觀望 관망] 형편이나 분위기 따위를 넌지시 바라봄.

[觀相 관상] 사람의 얼굴을 보고 그 성질이나 운명을 판단하는 일.

[觀察 관찰] 주의하여 자세히 살펴봄.

[樂觀 낙관] 인생이나 앞일을 희망적으로 봄. 반 悲觀(비관).

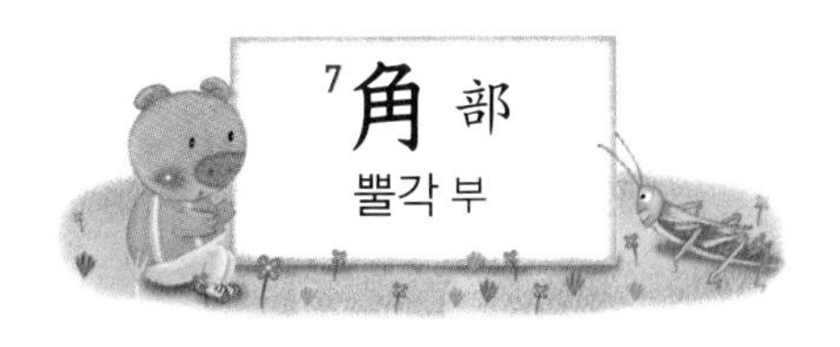

6급 중학 한자
중 角 (jiǎo)
영 horn [hɔːrn]

뿔 각

풀이 1 뿔. 2 각도. 3 다투다. 겨루다. 4 모. 모나다.

부수 角(뿔각)부

찾기 角[7]=7획

글자뿌리 상형(象形) 문자. 짐승의 뿔을 본뜬 자로, '뿔'을 뜻함. 또, 뿔은 뾰족하다는 데서 '모나다', '모'의 뜻도 됨.

[角度 각도] ① 한 점에서 갈려 나간 두 직선의 벌어진 정도. ¶ 角度器(각도기). ② 생각의 방향이나 관점.

[角木 각목] 모가 진 나무.

[角逐 각축] 서로 이기려고 다투며 덤벼듦.

[鹿角 녹각] 사슴의 뿔.

[四角形 사각형] 네 개의 꼭짓점을 이루고 네 개의 선분으로 둘러싸인 평면 도형.

[總角 총각] 장가들 나이에 아직 장가들지 않은 남자.

解

4급Ⅱ 중학 한자
중 解 (jiě)
영 explain [iksplέin]

풀 해:

풀이 1 풀다. 풀어지다. 2 가르다. 해부하다. 3 흩어지다.

부수 角(뿔각)부

찾기 角[7]+ 𢍺[6]=13획

글자뿌리 회의(會意) 문자. 뿔 각(角)에 칼 도(刀)와 소 우(牛)를 합친 자로, 소를 잡아 칼로 뿔과 살을 가른다는 데서 '가르다', '풀다'의 뜻.

[解渴 해갈] ① 목마름을 풂. ② 비가 내려 가뭄에서 벗어남.

[解決 해결] 얽힌 일을 풀어서 처리함. 문제를 풀어서 결말을 지음.

[解讀 해독] 알기 어려운 글이나 암호 등을 풀어서 읽음.

[解明 해명] 까닭이나 내용을 풀어서 밝힘.

[解夢 해몽] 꿈의 내용을 풀어서 좋고 나쁨을 판단함.
[解放 해방] 구속이나 억압에서 벗어나서 자유롭게 됨.
[解釋 해석] 문장이나 사물의 뜻을 이해하고 설명함. 또는 그 내용.
[解說 해설] 알기 쉽게 풀어서 설명함. 또는 그런 글이나 책.
[解任 해임] 맡은 일이나 자리에서 물러나게 함.
[見解 견해] 사물이나 현상에 대한 생각이나 의견.
[曲解 곡해] 사실과 어긋나게 잘못 이해함. 또는 그 이해.
[分解 분해] 한 덩이를 이루고 있는 것을 그 구성 요소로 나눔.
[諒解 양해] 사정을 헤아려 너그러이 받아들임.
[理解 이해] ① 말이나 글의 뜻을 깨쳐 앎. ② 사리를 분별하여 앎.

6급 중학 한자
중 言 (yán)
영 words [wəːrdz]

말씀 언

풀이 1 말씀. 말. 2 말하다.
부수 言(말씀언)부
찾기 言7=7획

丶 亠 亠 亖 亖 言 言

글자뿌리 회의(會意) 문자. 매울 신(⺷: 辛의 변형, 날붙이의 뜻)에 입 구(口)를 합친 자로, 생각한 것을 찌를 듯이 입으로 나타낸다는 데서 '말씀', '말하다'의 뜻.

言 ⇒ 言 ⇒ 言

[言動 언동] ① 말과 행동. ② 말하고 행동함.
[言論 언론] 말과 글로 뜻이나 생각을 발표하는 일.
[言文 언문] 말과 글.
[言辯 언변] 말을 잘하는 재주나 솜씨.
[言語 언어] 생각이나 느낌을 나타내는 데 쓰는 음성·문자 따위의 수단.
[言爭 언쟁] 말다툼.
[言行 언행] 말과 행동. ¶ 言行一致(언행일치).
[甘言利說 감언이설] 달콤한 말과 이로운 조건을 내세워 꾀는 말.
[公言 공언] 여러 사람 앞에서 공개하여 하는 말.
[名言 명언] ① 이치에 맞는 훌륭한 말. ② 널리 알려진 유명한 말.
[方言 방언] 사투리.
[豫言 예언] 미래의 일을 미리 알거나 짐작하여 말함. 또는 그 말.
[傳言 전언] 말을 전함. 또는 그 말.

6급 중학 한자

중 计 (jì)

영 count [kaunt]

셀 계:

풀이 1 세다. 셈하다. 2 셈. 계산. 3 꾀하다. 꾀.

부수 言(말씀언)부

찾기 言7+十2=9획

글자뿌리 회의(會意) 문자. 말씀 언(言)에 열 십(十)을 합친 자로, 많은 것을 모아 수효를 말한다는 데서 '세다', '꾀하다'의 뜻이 된 자.

[計略 계략] 어떤 일을 이루기 위한 꾀나 수단.

[計量器 계량기] 수량을 헤아리거나 부피·무게를 재는 데 쓰이는 기구.

[計算 계산] 수를 헤아림.

[計劃 계획] 앞으로 할 일의 방법·절차 등을 미리 헤아려 작정함. 또는 그 내용.

[家計 가계] 집안 살림을 꾸려 가는 계산이나 계획. ¶ 家計簿(가계부).

[生計 생계] 살아갈 방도.

[設計 설계] 건축 공사나 기계 제작 등에 대한 계획. ¶ 設計圖(설계도).

[合計 합계] 한데 합하여 셈함. 또는 그 수량.

記

7급 중학 한자

중 记 (jì)

영 record [rikɔ́ːrd]

기록할 기

풀이 1 기록하다. 적다. 2 기억하다.

부수 言(말씀언)부

찾기 言7+己3=10획

글자뿌리 형성(形聲) 문자. 말씀 언(言〈뜻〉)에 적을 기(己: 紀의 본자〈음〉)를 합친 자로, 말을 '기록하다', '적다'의 뜻.

[記念 기념] 오래도록 기억하여 잊지 아니함.

[記錄 기록] ① 후일에 남길 목적으로 적음. 또는 그런 글. ② 운동 경기 따위에서의 성적이나 결과를 수치로 나타냄. 또는 지금까지의 최고 성적.

[記名 기명] 이름을 적음.

[記事 기사] 신문·잡지 등에서 어떤 사실을 알리는 글.

[記憶 기억] 머릿속에 간직하여 잊지 아니함.
[記入 기입] 적어 넣음.
[記者 기자] 신문사·잡지사·방송국 등에서 취재하거나 기사를 쓰는 사람.
[明記 명기] 분명히 밝혀 적음.
[速記 속기] ① 빨리 적음. ② 남의 말을 기호로 빠르게 받아 적는 일. 또는 그 기록.
[暗記 암기] 외워서 잊지 아니함.
[日記 일기] 그날그날 겪은 일이나 생각, 느낌 따위를 적는 기록.
[傳記 전기] 어떤 사람의 삶과 한 일을 적은 기록. ¶ 偉人傳記(위인 전기).
[筆記 필기] 강의·연설 따위의 내용을 받아 적음.

6급 중학 한자
중 讠川 (xùn)
영 instruct [instrʌ́kt]

가르칠 훈ː

풀이 1 가르치다. 훈계하다. 2 뜻을 새기다. 3 훈. 뜻.
부수 言(말씀언)부
찾기 言⁷+川³=10획

丶 亠 亖 言 言 訁 訓 訓

글자뿌리 형성(形聲) 문자. 말씀 언(言〈뜻〉)에 내 천(川: 順〔좇을 순〕의 뜻〈음〉)을 합친 자로, 냇물이 순리에 따라 흐르듯이 도리를 좇도록 말로 일깨운다는 데서 '가르치다', '훈계하다'의 뜻이 된 자.

⇒ 言川 ⇒ 訓

[訓戒 훈계] 타일러 주의를 줌.
[訓讀 훈독] 한자의 뜻을 새겨 읽음.
[訓練 훈련] 어떠한 능력이나 기술을 익히기 위하여 되풀이해 연습함.
[訓民正音 훈민정음] 백성을 가르치는 바른 소리라는 뜻으로, 세종 대왕이 만든 우리나라 글자. 한글.
[訓示 훈시] 아랫사람에게 주의 사항을 일러 줌.
[訓話 훈화] 훈시하는 말.
[家訓 가훈] 집안의 조상이나 어른이 자손들에게 주는 가르침.
[敎訓 교훈] 행동이나 생활에 지침이 될 만한 것을 가르침. 또는 그런 가르침.

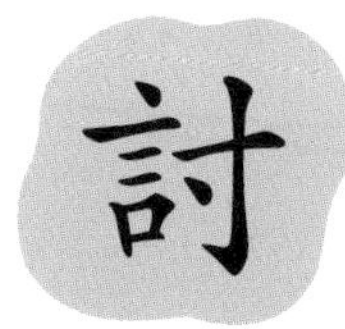

4급 고등 한자
중 讨 (tǎo)
영 suppress [səprés]

칠 토(ː)

풀이 1 치다. 공격하다. 2 찾다. 구하다. 3 다스리다.
부수 言(말씀언)부
찾기 言⁷+寸³=10획

亠 亖 言 言 言 訁 討 討

글자뿌리 회의(會意) 문자. 말씀 언(言)

에 마디 촌(寸)을 합친 자로, 법에 의하여 어지러움을 바르게 다스린다는 데서 '치다', '다스리다'의 뜻이 된 자.

[討論 토론] 어떤 논제를 둘러싸고 여러 사람이 각각 의견을 말하며 논의함.
[討伐 토벌] 쳐 없앰.
[討議 토의] 어떤 문제에 대한 각자의 의견을 내놓고 검토하고 협의함.
[檢討 검토] 어떤 사실이나 내용을 분석하여 따져 봄.

4급Ⅱ 중학 한자
중 访 (fǎng)
영 visit [vízit]

찾을 방:

풀이 1 찾다. 2 묻다.
부수 言(말씀언)부
찾기 言[7]+方[4]=11획

글자뿌리 형성(形聲) 문자. 말씀 언(言〈뜻〉)에 모 방(方: 旁〔널리 방〕의 뜻〈음〉)을 합친 자로, 좋은 말씀〔言〕을 듣기 위하여 널리〔方〕 사람을 찾아간다는 데서 '찾다', '묻다'의 뜻.

⇒ ⇒ 訪

[訪問 방문] 어떤 사람이나 장소를 찾아가서 만나거나 봄.
[來訪 내방] 만나기 위해 찾아옴.
[探訪 탐방] ① 어떤 사실이나 소식을 알아내기 위해 사람이나 장소를 찾아감. ② 명승고적 등을 구경하기 위해 찾아감.

4급Ⅱ 중학 한자
중 设 (shè)
영 establish [istǽbliʃ]

베풀 설

풀이 1 베풀다. 세우다. 2 가령. 설령.
부수 言(말씀언)부
찾기 言[7]+殳[4]=11획

글자뿌리 회의(會意) 문자. 말씀 언(言)에 몽둥이 수(殳: 시킨다는 뜻)를 합친 자로, 말로 지시하여 일을 시킨다는 데서 '베풀다'의 뜻이 된 자.

⇒ ⇒ 設

[設令 설령] 가정으로 말해서. 동 設使(설사).

[設立 설립] 기관이나 조직을 만들어 세움.

[設問 설문] 조사나 통계 자료를 위해 문제나 질문을 만들어 물음. 또는 그 문제나 질문.

[設備 설비] 어떤 일을 하는 데 필요한 것을 베풀어 갖춤. 또는 그런 시설.

[設定 설정] 새로이 마련하여 정함.

[設置 설치] 어떤 목적에 쓰기 위하여 기관·설비 등을 만들어서 두는 일.

[開設 개설] 설비나 제도 따위를 새로 마련하고 그에 관한 일을 시작함.

[建設 건설] 건물이나 시설물 따위를 새로 만들어 세움.

[公設 공설] 국가나 공공 단체에서 세움. 반 私設(사설).

[施設 시설] 건물·기계·장치 따위를 만들어 놓음. 또는 그 설비.

5급 중학 한자

중 许 (xǔ)

영 allow [əláu]

허락할 허

풀이 1 허락하다. 2 매우.

부수 言(말씀언)부

찾기 言^{7}+午^{4}=11획

글자뿌리 형성(形聲) 문자. 말씀 언(言〈뜻〉)에 공이 저(午: 杵의 생략자〈음〉)를 합친 자로, 떡메로 떡을 칠 때 내려쳐도 좋다고 소리로 신호를 한다는 데서 '허락하다'의 뜻이 된 자.

⇒ ⇒ 許

[許可 허가] 그렇게 해도 된다고 허락함.

[許諾 허락] 청하는 바를 들어줌.

[許容 허용] 허락하여 용납함.

[官許 관허] 정부에서 허가함.

[免許 면허] 특정한 일을 특정한 사람에게만 허가해 주는 처분. 또는 그 자격.

4급 고등 한자

중 评 (píng)

영 comment [kάment]

평할 평:

풀이 평하다.

부수 言(말씀언)부

찾기 言^{7}+平^{5}=12획

글자뿌리 형성(形聲) 문자. 말씀 언(言〈뜻〉)에 평평할 평(平〈음〉)을 합친 자로, 사물을 공평하게 평가하여 논하다, 또는 그 논하는 말이란 뜻을 나타냄.

[評價 평가] 사물의 가치나 수준 따위를 따져서 정함. 또는 그 가치나 수준.
[評論 평론] 사물의 좋고 나쁨이나 가치 등을 비평하여 논함. 또는 그런 글.
[定評 정평] 모든 사람이 다 같이 인정하는 평판.
[總評 총평] 총체적인 평가나 비평.
[品評 품평] 물건이나 작품의 좋고 나쁨과 가치를 평가함.
[好評 호평] 좋게 평함. 또는 그런 평판이나 평가.

4급Ⅱ 중학 한자
중 诗 (shī)
영 poetry [póuitri]

시 시

풀이 시.
부수 言(말씀언)부
찾기 言⁷+寺⁶=13획

글자뿌리 형성(形聲) 문자. 말씀 언(言〈뜻〉)에 관청 시(寺〈음〉)를 합친 자로, 일정한 규칙〔寺〕에 따라 말〔言〕로 나타낸 것이 '시'라는 뜻.

⇒ ⇒ 詩

[詩心 시심] 시를 읊거나 짓고 싶어지는 마음.
[詩人 시인] 시를 전문적으로 짓는 사람.
[抒情詩 서정시] 개인적인 느낌이나 감정을 주관적으로 표현한 시. 반 敍事詩(서사시).
[祝詩 축시] 축하하는 시.

4급Ⅱ 중학 한자
중 试 (shì)
영 test [test]

시험 시(:)

풀이 시험. 시험하다.
부수 言(말씀언)부
찾기 言⁷+式⁶=13획

글자뿌리 형성(形聲) 문자. 말씀 언(言〈뜻〉)에 법 식(式: 쓴다는 뜻〈음〉)을 합친 자로, 일정한 방식에 따라 물어보아〔言〕 관리로 쓴다〔式〕는 데서 '시험'의 뜻.

⇒ ⇒ 試

[試金石 시금석] ① 귀금속의 순도를 알아보는 데 쓰이는 돌. ② 어떤 것의 가치나 능력 등을 평가하는 데 기준이 될 만한 것.

[試圖 시도] 무엇을 이루어 보려고 계획하거나 행동함.

[試乘 시승] 자동차 따위를 시험 삼아 타 봄.

[試食 시식] 음식의 맛을 보기 위해 시험 삼아 먹어 봄.

[試飮 시음] 술·음료수 등을 맛보기 위하여 시험 삼아 마셔 보는 일.

[試合 시합] 서로 재주를 겨루어 승부를 다툼.

[試驗 시험] ① 학력·실력·재능의 정도를 일정한 절차에 따라 검사하고 평가하는 일. ② 사물의 성질이나 성능 따위를 알아보는 일. ③ 사람의 됨됨이를 알기 위해 떠보는 일.

[應試 응시] 시험을 봄.

말씀 화

7급 중학 한자

중 话 (huà)

영 talk [tɔːk]

풀이 말씀. 이야기.

부수 言(말씀언)부

찾기 言⁷+舌⁶=13획

글자뿌리 형성(形聲) 문자. 말씀 언(言〈뜻〉)에 혀 설(舌〈음〉)을 합친 자로, 혀를 놀려 줄줄이 말한다는 데서 '말씀', '이야기'의 뜻이 된 자.

⇒ ⇒ 話

[話法 화법] ① 말하는 방법. ② 문장에서 남의 말을 인용하여 나타내는 방법.

[話術 화술] 말을 잘하는 능력.

[話題 화제] ① 이야기의 제목. ② 이야깃거리.

[談話 담화] ① 서로 이야기를 주고받음. ② 단체나 개인이 어떤 문제에 대한 의견이나 태도를 밝히는 말.

[對話 대화] 마주 대하고 이야기를 주고받음. 또는 그 이야기.

[童話 동화] 어린이를 위하여 동심(童心)을 바탕으로 만든 이야기.

[神話 신화] 역사가 생기기 이전의 전설로서, 신을 중심으로 한 이야기.

[實話 실화] 실제로 있는 이야기. 또는 실제로 있었던 이야기.

[通話 통화] 전화로 말을 주고받음.

[會話 회화] ① 서로 만나서 이야기함. 또는 그런 이야기. ② 외국어로 이야기를 나눔. 또는 그런 이야기.

5급 중학 한자

중 说 (❶shuō, ❷shuì)

영 ❶speak [spiːk] ❷soothe [suːð]

❶말씀 설 ❷달랠 세ː

풀이 ❶ 1 말씀. 말. 2 말하다. ❷ 달래다.

부수 言(말씀언)부

찾기 言⁷+兌⁷=14획

글자뿌리 형성(形聲) 문자. 말씀 언(言〈뜻〉)에 바꿀 태(兌〈음〉)를 합친 자로, 말을 주고받아 기쁘게 한다는 데서 '말씀', '달래다'의 뜻.

[說敎 설교] ① 종교의 가르침을 설명함. 또는 그런 설명. ② 단단히 타일러 가르침. 또는 그런 가르침.

[說得 설득] 상대방이 이쪽의 말을 따르도록 여러 가지로 깨우쳐 말함.

[說明 설명] 알기 쉽게 풀어서 밝힘. 또는 그런 말.

[說法 설법] 불교의 교리를 설명하여 가르침.

[說往說來 설왕설래] 서로 말을 주고받으며 옥신각신함.

[說話 설화] 전해져 내려오는 신화나 전설, 민담 같은 옛이야기.

[浪說 낭설] 터무니없는 헛소문.

[論說 논설] 의견이나 주장을 조리 있게 말함. 또는 그 글. ¶論說文(논설문).

[小說 소설] 사실이나 작가의 상상력에 따라 허구적으로 이야기를 꾸며 낸 산문체의 문학 양식.

[語不成說 어불성설] 말이 조금도 사리에 맞지 않음.

[力說 역설] 자신의 뜻을 힘써 말함. 힘을 들여 주장함.

[傳說 전설] 옛날부터 민간에서 전하여 내려오는 말이나 이야기.

[學說 학설] 학자가 오랫동안의 연구를 통해 얻은 학문상의 주장이나 체계.

[遊說 유세] 각처로 돌아다니면서 자기 또는 자기가 소속한 당의 의견·주장을 선전함.

4급 고등 한자

중 志 (zhì)

영 record [rékərd]

기록할 지

풀이 1 기록하다. 2 기억하다. 3 외다. 4 표지.

부수 言(말씀언)부

찾기 言⁷+志⁷=14획

丶 亠 亠 亠 言 言 言 訁
計 計 誌 誌 誌 誌

글자뿌리 형성(形聲) 문자. 말씀 언(言〈뜻〉)에 뜻 지(志〈음〉)를 합친 자로, 志(지)는 마음이 작용하다의 뜻. 마음이 움직여 말을 글로 써서 남기다, '기록하다'의 뜻을 나타냄.

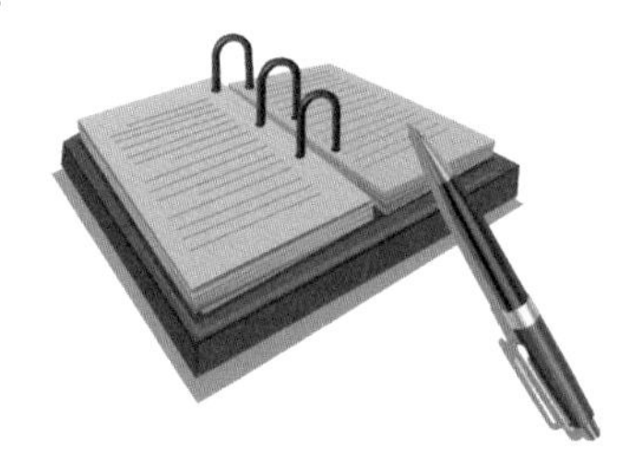

[誌面 지면] 잡지에서 글이나 사진이 실리는 종이의 면.
[校誌 교지] 학생들이 교내에서 편집·발행하는 잡지.
[日誌 일지] 그날그날의 일을 적은 기록. 또는 그런 책.

에 이룰 성(成〈음〉)을 합친 자로, 말을 행동으로 이룬다는 데서 '정성'을 뜻함.

⇒ 言成 ⇒ 誠

[誠金 성금] 정성을 담아 내는 돈.
[誠實 성실] 거짓이 없고 정성스러움.
[誠心 성심] 정성스러운 마음.
[誠意 성의] 참되고 정성스러운 뜻.
[精誠 정성] 온갖 성의를 다하려는 참되고 성실한 마음.
[忠誠 충성] 진정에서 우러나오는 정성. 임금이나 나라를 위한 지극한 마음.
[孝誠 효성] 마음을 다해 부모를 섬기는 정성.

4급Ⅱ 중학 한자
중 诚 (chéng)
영 sincerity [sinsérəti]

정성 성

풀이 1 정성. 2 진실.
부수 言(말씀언)부
찾기 言[7]+成[7]=14획

丶 亠 亠 亠 言 言 言 訁
訂 訂 訪 誠 誠 誠

글자뿌리 형성(形聲) 문자. 말씀 언(言〈뜻〉)

語

7급 중학 한자
중 语 (yǔ)
영 words [wə́:rdz]

말씀 어:

풀이 1 말씀. 말하다. 2 알리다.
부수 言(말씀언)부
찾기 言[7]+吾[7]=14획

丶 亠 亠 亠 言 言 言 訁
訂 語 語 語 語 語

글자뿌리 형성(形聲) 문자. 말씀 언(言〈뜻〉)

에 나 오(吾〈음〉)를 합친 자로, 나의 의견을 말한다는 데서 '말씀', '말하다', '알리다'의 뜻.

⇒ ⇒ 語

[語感 어감] 말소리나 말투의 차이에 따라 말이 주는 느낌.
[語源 어원] 말이 생긴 근원.
[語調 어조] 말의 가락.
[語學 어학] 언어를 연구하는 학문.
[古語 고어] 옛말.
[國語 국어] 한 나라의 국민이 쓰는 말.
[論語 논어] 공자(孔子)의 언행이나 제자들과의 문답 등을 모아서 엮은 책.
[單語 단어] 분리하여 자립적으로 쓸 수 있는 말이나 이에 준하는 말. 또는 그 말의 뒤에 붙어 문법적 기능을 나타내는 말. 낱말.
[英語 영어] 영국의 언어. 미국·영국 등에서 쓰는 말.
[外國語 외국어] 외국의 언어.
[外來語 외래어] 외국에서 들어온 말이 마치 국어처럼 쓰이는 단어.

4급Ⅱ 중학 한자
중 误 (wù)
영 mistake [mistéik]

그르칠 오:

풀이 1 그르치다. 잘못하다. 틀리다. 2 잘못.
부수 言(말씀언)부
찾기 言7+吳7=14획

글자뿌리 형성(形聲) 문자. 말씀 언(言〈뜻〉)에 큰소리칠 오(吳: 어긋난다는 뜻〈음〉)를 합친 자로, 큰소리는 어긋난 말이 많다는 데서 '그르치다'의 뜻.

⇒ ⇒ 誤

[誤記 오기] 잘못 기록함. 또는 그 기록.
[誤報 오보] 그릇되게 보도함. 또는 그릇된 보도.
[誤算 오산] ① 잘못 계산함. 또는 그 계산. ② 추측이나 예상을 잘못함. 또는 그런 추측이나 예상.
[誤譯 오역] 잘못 번역함. 또는 잘못된 번역.
[誤診 오진] 병을 잘못 진단함. 또는 그릇된 진단.
[誤解 오해] 사실과 다르게 잘못 알거나 이해함. 또는 그릇된 이해.
[過誤 과오] 잘못이나 허물.

4급Ⅱ 중학 한자
중 认 (rèn)
영 recognize [rékəgnàiz]

알 인

풀이 1 알다. 인정하다. 인식하다. 2 허가하다. 허락하다.
부수 言(말씀언)부

찾기 言7+忍7=14획

丶 亠 亠 亠 亠 言 言 訒 訒 訒 訒 認 認 認

글자뿌리 형성(形聲) 문자. 말씀 언(言〈뜻〉)에 참을 인(忍〈음〉)을 합친 자로, 남의 말을 참고 새겨듣는다는 데서 그 내용을 '알다', '인정하다'의 뜻.

⇒ ⇒ 認

[認可 인가] 어떤 일을 인정하여 허락함. 동 認許(인허).
[認識 인식] 사물을 분별하고 판단하여 앎.
[認定 인정] 옳거나 확실하다고 여김.
[公認 공인] 국가나 사회 단체가 어떤 행위나 물건에 대해 인정함.
[否認 부인] 인정하지 않음.
[承認 승인] 옳다고 인정하거나 마땅하다고 받아들임.
[是認 시인] 옳거나 그렇다고 인정함.

5급 중학 한자
중 课 (kè)
영 examine [igzǽmin]

공부할 / 과정 과(:)

풀이 1 공부하다. 2 과정. 3 매기다. 부과하다. 4 과목. 5 부서. 6 시험하다.
부수 言(말씀언)부
찾기 言7+果8=15획

丶 亠 亠 亠 亠 言 言 言 訂 訂 訶 誤 課 課 課

글자뿌리 형성(形聲) 문자. 말씀 언(言〈뜻〉)에 열매 과(果〈음〉)를 합친 자로, 일을 한 결과를 말한다는 데서 '공부하다', '시험하다'의 뜻이 된 자.

[課稅 과세] 세금을 매김.
[課業 과업] 꼭 해야 할 일이나 임무.
[課外 과외] ① 정해진 교과 과정 외의 비공식적인 수업. ② 정해진 근무 시간 밖.
[課題 과제] 맡겨진 일이나 문제.
[賦課 부과] ① 세금이나 그 밖의 돈을 매기어 부담하게 함. ② 어떤 책임을 부담하여 맡도록 함.
[日課 일과] ① 날마다 정해 놓고 규칙적으로 하는 일정한 일. ② 하루 동안 배워야 하는 학과 과정.

5급 중학 한자
중 谈 (tán)
영 talk [tɔːk]

말씀 담

풀이 1 말씀. 이야기. 2 이야기하다. 3 농담하다.
부수 言(말씀언)부
찾기 言7+炎8=15획

丶 亠 亠 亠 亠 言 言 言 訁 訃 訡 談 談 談 談

글자뿌리 형성(形聲) 문자. 말씀 언(言〈뜻〉)에 불꽃 염(炎: 淡〔담박할 담〕의 뜻〈음〉)을 합친 자로, 불가에 앉아 담담하게 하는 말이라는 데서 '말씀', '이야기', '이야기하다'의 뜻.

⇒ ⇒ 談

[談笑 담소] 웃으면서 이야기를 나눔. 또는 그런 이야기.

[談判 담판] 서로 맞서는 양쪽이 의논하여 옳고 그름을 가리거나 결말을 지음.

[怪談 괴담] 괴상한 이야기.

[弄談 농담] 실없이 놀리거나 장난으로 하는 말.

[美談 미담] 사람을 감동시킬 만한 아름다운 이야기.

[會談 회담] 어떤 문제를 가지고 관련된 사람들이 한자리에 모여 토의함. 또는 그 토의.

4급Ⅱ 중학 한자

㊥ 论 (lùn)

㊕ discuss [diskʌ́s]

논할 론

풀이 1 논하다. 2 말하다. 3 견해. 의견.

부수 言(말씀언)부

찾기 言[7]+侖[8]=15획

丶 亠 亠 亠 言 言 言 訁 訃 訃 訃 訡 訡 論 論

글자뿌리 형성(形聲) 문자. 말씀 언(言〈뜻〉)에 생각할 륜(侖: 倫〔차례 륜〕의 뜻〈음〉)을 합친 자로, 자기의 뜻을 조리 있게 말한다는 데서 '논하다', '말하다'의 뜻.

⇒ ⇒ 論

[論據 논거] 논리나 이론의 근거.

[論難 논란] 여럿이 다른 주장을 내며 다툼.

[論文 논문] 어떤 주제에 관하여 연구한 결과 등을 발표하는 글.

[論說 논설] 어떤 주제에 관하여 의견이나 주장을 조리 있게 말함. 또는 그 글. ¶ 論說委員(논설위원).

[論述 논술] 자기의 의견을 논리적으로 서술함. 또는 그런 서술. ¶ 論述考査(논술 고사).

[論爭 논쟁] 서로 다른 의견을 가진 사람들이 말이나 글로 논하여 다툼.

[論評 논평] 어떤 글이나 사건, 말 따위에 대하여 논하여 비평함.

[輿論 여론] 세상 사람의 공통된 의견이나 논의. ¶ 輿論調査(여론 조사).

[理論 이론] 사물의 이치나 지식 따위를 해명하기 위해 논리 정연하게 일반화하여 하나의 체계로 이루어 놓은 것.

誰

3급 중학 한자

㊥ 谁 (shéi)

㊞ who [huː]

누구 수

풀이 누구.

부수 言(말씀언)부

찾기 言7+隹8=15획

글자뿌리 형성(形聲) 문자. 말씀 언(言〈뜻〉)에 새 추(隹〈음〉)를 합친 자로, 隹(추)는 누구냐고 묻는 소리. 누구냐고 묻다에서 '누구'의 뜻이 된 자.

調

5급 중학 한자

㊥ 调 (tiáo, diào)

㊞ adjust [ədʒʌ́st]

고를 조

풀이 1 고르다. 2 어울리다. 맞다. 3 살피다. 4 가락.

부수 言(말씀언)부

찾기 言7+周8=15획

글자뿌리 형성(形聲) 문자. 말씀 언(言〈뜻〉)에 두루 주(周〈음〉)를 합친 자로, 말과 행동이 두루 미치게 한다는 데서 '고르다'의 뜻이 된 자.

⇒ ⇒ 調

[調査 조사] 일이나 물건 등에 대한 내용을 명확히 알기 위하여 찾아보거나 자세히 살펴봄.

[調節 조절] 사물의 상태를 알맞게 조정하거나 균형이 잘 잡혀 어울리도록 함.

[調和 조화] 서로 잘 어울림.

[強調 강조] 어떤 부분을 특별히 강하게 주장하거나 두드러지게 함.

[曲調 곡조] ① 음악이나 가사의 가락. ② 곡이나 노래의 수를 세는 단위.

[協調 협조] 힘을 합하여 서로 조화를 이룸.

請

4급Ⅱ 중학 한자

㊥ 请 (qǐng)

㊞ request [rikwést]

청할 청

풀이 1 청하다. 2 묻다.

부수 言(말씀언)부

찾기 言7+青8=15획

글자뿌리 형성(形聲) 문자. 말씀 언(言〈뜻〉)에 푸를 청(靑〈음〉)을 합친 자로, 청년이 반색하는 눈빛으로 부탁한다는 데서 '청하다'의 뜻이 된 자.

[請求 청구] 무엇을 내놓거나 주기를 요구함.
[請願 청원] ① 청하고 바람. ② 이떤 손해의 구제나 일의 허가 등을 관공서나 공공 단체에 청하는 일.
[申請 신청] 단체나 기관에 어떤 일이나 물건을 알려 청구함.
[要請 요청] 필요한 물건이나 일을 부탁함. 또는 그런 부탁.

3급Ⅱ 중학 한자
중 诸 (zhū)
영 all [ɔ:l]

모두 제

풀이 모두. 모든. 여러.
부수 言(말씀언)부
찾기 言[7]+者[9]=16획

글자뿌리 형성(形聲) 문자. 말씀 언(言〈뜻〉)에 사람 자(者: 많다는 뜻〈음〉)를 합친 자로, 여러 사람이 모이면 말이 많다는 데서 '모두', '여러'의 뜻이 된 자.

[諸君 제군] 여러 명의 아랫사람을 조금 높여 이르는 말.
[諸島 제도] 모든 섬. 또는 여러 섬.
[諸侯 제후] 봉건 시대에 일정한 영토 내에서 백성을 지배하던 사람.

4급Ⅱ 중학 한자
중 讲 (jiǎng)
영 explain [ikspléin]

욀 강:

풀이 1 외다. 익히다. 2 설명하다.
부수 言(말씀언)부
찾기 言[7]+冓[10]=17획

글자뿌리 형성(形聲) 문자. 말씀 언(言〈뜻〉)에 재목 어긋매껴 쌓을 구(冓〈음〉)를 합친 자로, 목재를 쌓듯이 말한다는 데서 '외다'의 뜻이 된 자.

[講究 강구] 좋은 대책과 방법을 찾으려고 노력함. 좋은 대책을 세움.

[講論 강론] 학술이나 종교 등에 관한 어떤 문제를 설명하거나 토론함.

[講師 강사] ① 학교나 학원 등에서 특정한 과목을 시간 단위로 맡아 가르치는 사람. ② 강습회·연설회 등에서 강의나 연설을 하는 사람.

[講習 강습] 일정한 기간 동안 여러 사람에게 학문이나 기술을 가르침. ¶料理講習(요리 강습).

[講演 강연] 일정한 주제를 가지고 청중 앞에서 연설을 함. 또는 그 연설.

[講義 강의] 학문이나 기술의 내용을 설명하여 가르침.

[講和 강화] 서로 전쟁 중이던 나라끼리 전쟁을 멈추고 조약을 맺어 평화로운 상태로 돌아가는 일.

[受講 수강] 강습이나 강의를 받음. ¶受講申請(수강 신청).

4급Ⅱ 고등 한자

중 谣 (yáo)

영 ballad [bǽləd]

노래 요

풀이 1 노래. 2 소문.

부수 言(말씀언)부

찾기 言[7]+䍃[10]=17획

글자뿌리 형성(形聲) 문자. 말씀 언(言〈뜻〉)에 항아리 요(䍃〈음〉)를 합친 자로, 䍃(요)는 본래는 䚻(요)로 '노래하다'의 뜻. 거기에 다시 '言'을 붙임.

[謠言 요언] 뜬소문.

[歌謠 가요] ① 민요·동요·속요·유행가 등의 노래를 통틀어 이르는 말. ② 널리 대중이 즐겨 부르는 노래. 대중가요.

[農謠 농요] 농부들이 농사일을 하면서 부르는 속요.

[童謠 동요] 어린이들을 위하여 동심을 바탕으로 지은 노래.

[民謠 민요] 민중 속에서 오랫동안 전해 내려온 노래를 통틀어 이르는 말.

[俗謠 속요] 민간에 널리 떠도는 속된 노래.

謝

4급Ⅱ 중학 한자

중 谢 (xiè)

영 thank [θæŋk]

사례할 사:

풀이 1 사례하다. 2 사양하다. 거절하다. 3 빌다. 사죄하다.

부수 言(말씀언)부

찾기 言[7]+射[10]=17획

글자뿌리 형성(形聲) 문자. 말씀 언(言〈뜻〉)에 쏠 사(射: 赦〔놓아줄 사〕의 뜻〈음〉)를 합친 자로, 용서하여 놓아주는 말이라는 데서 '사례하다', '감사하다'의 뜻.

[謝過 사과] 잘못을 인정하고 용서를 빎.
[謝禮 사례] 언행이나 물품으로 상대에게 고마운 뜻을 나타내는 일.
[謝意 사의] ① 감사하는 뜻. ② 사과하는 뜻.
[謝絶 사절] 요구나 제의를 받아들이지 않고 거절하여 물리침.
[謝罪 사죄] 지은 죄나 잘못에 대해 용서를 빎.
[感謝 감사] ① 고마움을 나타내는 인사. ② 고맙게 여김. 또는 그런 마음.

5급 중학 한자
중 识 (❶shí, ❷zhì)
영 ❶recognize
❷record

❶알 식
❷기록할 지

풀이 ❶ 1 알다. 식견(識見). 2 분별하다.
❷ 기록하다. 적다.
부수 言(말씀언)부
찾기 言7+戠12=19획

글자뿌리 형성(形聲) 문자. 말씀 언(言〈뜻〉)에 찰흙 직(戠: 분별한다는 뜻〈음〉)을 합친 자로, 말〔言〕과 소리〔音〕를 찰흙 벽에 창칼〔戈〕로 새겨 적는다는 데서 '기록하다', '적다'를 뜻하고, 또 그것을 보고 알게 된다는 데서 '알다', '분별하다'의 뜻.

[識見 식견] 사물을 올바르게 판단할 수 있는 능력.
[識別 식별] 분별하여 알아봄.
[識字憂患 식자우환] 학식이 있는 것이 도리어 근심이 된다는 말.
[沒常識 몰상식] 상식에 벗어나고 사리 판단에 어두움.
[良識 양식] 뛰어난 식견이나 건전한 판단력.
[知識 지식] 배우거나 실천을 통해 알고 있는 내용.
[標識 표지] 다른 것과 구별하는 데 필요한 표시나 특징.

4급 중학 한자
중 证 (zhèng)
영 evidence [évidəns]

증거 증

풀이 1 증거. 2 증명하다.
부수 言(말씀언)부
찾기 言7+登12=19획

글자뿌리 형성(形聲) 문자. 말씀 언(言〈뜻〉)에 오를 등(登: 澄〔맑을 징〕의 생략자〈음〉)을 합친 자로, 말끔히 말한다는 데서 '증거', '증명하다'의 뜻이 된 자.

[證據 증거] 어떤 사실을 증명할 만한 근거.
[證明 증명] 어떤 일에 대해 증거를 들어 밝히는 일.
[證書 증서] 어떤 사실을 밝혀 주는 문서. 증거가 되는 문서.
[證言 증언] 어떤 사실을 증명함. 또는 그런 말.
[證人 증인] 어떤 사실을 증명하는 사람.

4급Ⅱ 고등 한자
중 警 (jǐng)
영 be cautious

깨우칠 경:

풀이 1 깨우치다. 2 경계하다. 조심하다. 3 경보.
부수 言(말씀언)부
찾기 言⁷+敬¹³=20획

글자뿌리 형성(形聲) 문자. 말씀 언(言〈뜻〉)에 삼갈 경(敬〈음〉)을 합친 자로, 敬(경)은 '경계하다'의 뜻. '경계하여 말하다', '깨우치다'의 뜻을 나타냄.

[警戒 경계] ① 뜻밖의 사고가 생기지 않도록 주의하고 살핌. ② 잘못된 행동이나 일을 하지 않도록 타일러 주의시킴.
[警告 경고] 조심하라고 경계하여 이름.
[警報 경보] 태풍이나 공습 따위의 위험을 알리는 일정한 신호.
[警備 경비] 도난·재난·적의 침략 따위를 미리 살펴 지킴. 또는 지키는 사람.
[警護 경호] 경계하여 보호함.
[巡警 순경] 경찰 공무원 계급의 하나.

4급Ⅱ 중학 한자
중 议 (yì)
영 discuss [diskʌ́s]

의논할 의(:)

풀이 의논하다.
부수 言(말씀언)부
찾기 言⁷+義¹³=20획

글자뿌리 형성(形聲) 문자. 말씀 언(言〈뜻〉)

에 옳을 의(義〈음〉)를 합친 자로, 옳은 일을 위해 말을 주고받는다는 데서 '의논하다'의 뜻이 된 자.

[議決 의결] 어떤 일을 서로 의논하여 결정함. 또는 그런 결정.
[議論 의논] 어떤 일에 대하여 서로 의견을 주고받음.
[議員 의원] 국회나 의회를 구성하고 의결권(議決權)을 가진 사람.
[議會 의회] 선거로 뽑힌 의원으로 조직되어 국민의 의사를 대변하여 중요한 국가 작용에 참여하는 기관.
[建議 건의] 의견이나 희망을 내놓음. 또는 그 의견이나 희망.
[論議 논의] 서로 의견을 내놓고 토의함. 또는 그런 토의.
[抗議 항의] 어떤 일을 옳지 않게 여겨 반대의 뜻을 강하게 주장함.

4급Ⅱ 고등 한자
중 护 (hù)
영 guard [gɑːrd]

도울 호:

풀이 1 돕다. 2 보호하다. 3 통솔하다.
부수 言(말씀언)부
찾기 言^{7}+蒦^{14}=21획

丶 亠 亠 言 言 言 言 言 訁 訁 訁 詳 詳 詳 詳 詳 詳 詳 護 護 護

글자뿌리 형성(形聲) 문자. 말씀 언(言〈뜻〉)에 잴 획(蒦〈음〉)을 합친 자로, 蒦(획)은 '잡다', '붙들다'의 뜻. '말로 붙잡다', '돕다', '보호하다'의 뜻을 나타냄.

[護國 호국] 나라를 보호하고 지킴.
[護身 호신] 몸을 보호함.
[看護 간호] 환자나 노약자 등을 보살펴 돌봄.
[救護 구호] 재난 따위로 어려움에 처한 사람들을 도와 보호함.
[防護 방호] 위험 따위를 막고 보호함.
[守護 수호] 지키고 보호함.
[擁護 옹호] 두둔하고 편들어 지켜 줌.

6급 중학 한자
중 读 (❶dú, ❷dòu)
영 ❶read [riːd]
❷punctuation

❶읽을 독
❷구절 두

풀이 ❶ 읽다. ❷ 구절. 구두(句讀).
부수 言(말씀언)부
찾기 言^{7}+賣^{15}=22획

글자뿌리 형성(形聲) 문자. 말씀 언(言〈뜻〉)에 팔 육(賣: 물건을 팔러 다닌다는 뜻〈음〉)

을 합친 자로, 구두점을 찍으며 소리 내어 글을 '읽는다'는 뜻.

[讀書 독서] 책을 읽음.
[讀者 독자] 책·신문·잡지 등을 읽는 사람.
[讀破 독파] 많은 분량의 책이나 글을 처음부터 끝까지 다 읽음.
[讀解 독해] 글을 읽고 그 내용과 뜻을 이해함.
[朗讀 낭독] 소리 내어 읽음.
[多讀 다독] 많이 읽음.
[愛讀 애독] 즐겨 읽음.

5급 중학 한자
중 变 (biàn)
영 change [tʃeindʒ]

변할 변:

풀이 1 변하다. 2 고치다. 3 재앙. 변고.
부수 言(말씀언)부
찾기 言[7]+䜌[16]=23획

글자뿌리 형성(形聲) 문자. 뒤엉킬 련(䜌)에 등글월 문(攵)을 합친 자로, 뒤엉키거나 뒤틀린 것을 억지로〔攵〕 고친다는 데서 '변하다'의 뜻이 된 자.

[變更 변경] 바꾸어서 다르게 고침.
[變德 변덕] 이랬다저랬다 잘 변하는 태도나 성질.
[變動 변동] 바뀌어 달라짐.
[變節 변절] 절개나 지조를 지키지 않고 바꿈.
[變造 변조] 딴 것으로 바꾸어 만듦.
[變化 변화] 사물의 모양이나 성질, 상태 등이 변하여 달라짐.
[異變 이변] 예상하지 못했던 사태나 괴이한 변고.

3급Ⅱ 중학 한자
중 让 (ràng)
영 humble [hʌ́mbəl]

사양할 양:

풀이 사양하다. 겸손하다.
부수 言(말씀언)부
찾기 言[7]+襄[17]=24획

글자뿌리 형성(形聲) 문자. 말씀 언(言〈뜻〉)

에 물리칠 양(褱: 攘의 생략자)을 합친 자로, 말로 물리친다는 데서 '사양하다'의 뜻.

[讓渡 양도] 재산이나 물건을 남에게 넘겨줌.
[讓步 양보] 어떤 것을 사양하여 남에게 미루어 줌.
[謙讓 겸양] 겸손히 사양하거나 양보함.
[辭讓 사양] 겸손하게 거절하고 받지 않거나 응하지 않음.

[讚歌 찬가] 찬미하거나 찬양하는 노래.
[讚美 찬미] 칭송하고 기림.
[讚辭 찬사] 칭찬하거나 찬양하는 글이나 말.
[讚揚 찬양] 아름답고 훌륭함을 기리고 드러냄.
[過讚 과찬] 지나치게 칭찬함. 또는 그런 칭찬.
[極讚 극찬] 몹시 칭찬함. 또는 그런 칭찬.

4급 고등 한자
중 赞 (zàn)
영 praise [preiz]

기릴 찬:

풀이 1 기리다. 2 칭찬하다. 3 돕다.
부수 言(말씀언)부
찾기 言7+贊19=26획

글자뿌리 형성(形聲) 문자. 말씀 언(言〈뜻〉)에 도울 찬(贊〈음〉)을 합친 자로, 더 잘하도록 도와 이끌어 주는 말을 한다. 즉, '기리다', '칭찬하다'의 뜻을 나타냄.

3급Ⅱ 중학 한자
중 谷 (gǔ)
영 valley [vǽli]

골 곡

풀이 골. 골짜기.
부수 谷(골곡)부
찾기 谷7=7획

글자뿌리 회의(會意) 문자. 샘물이 절반쯤 솟아 나온 모양〔仌〕과 샘물이 솟아 나오는 구멍〔口〕을 합친 자로, 샘물이 솟아나는 산과 산 사이의 '골짜기'를 뜻함.

⇒ ⇒ 谷

[谷水 곡수] 골짜기에 흐르는 물.

[溪谷 계곡] 물이 흐르는 골짜기.
[進退維谷 진퇴유곡] 나아가도 물러나도 골짜기란 뜻으로, 이러지도 저러지도 못하고 꼼짝할 수 없는 상황을 이르는 말.
[峽谷 협곡] 험하고 좁은 골짜기.

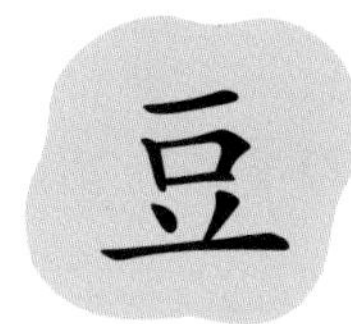

豆 콩 두

4급Ⅱ 중학 한자
중 豆 (dòu)
영 bean [biːn]

풀이 1 콩. 2 제기.
부수 豆(콩두)부
찾기 豆7=7획

一 丆 FF 戸 戸 豆 豆

글자뿌리 상형(象形) 문자. 고기를 담은 굽이 높은 제기(祭器) 모양을 본뜬 글자로 '콩'의 뜻.

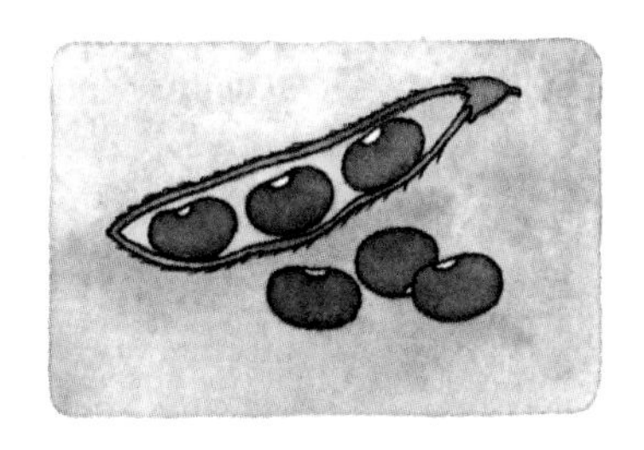

[豆腐 두부] 물에 불린 콩을 갈아 짜낸 콩물을 끓인 후 간수를 넣어 만든 식품의 한 가지.
[豆乳 두유] 물에 불린 콩을 갈아 물을 붓고 끓인 후 걸러서 만든 우유 같은 액체.
[豆油 두유] 콩기름.
[大豆 대두] 콩.

豐 풍년 풍

4급Ⅱ 중학 한자
중 丰 (fēng)
영 abundant [əbʌ́ndənt]

풀이 1 풍년. 2 풍성하다. 넉넉하다. 3 풍년들다.
부수 豆(콩두)부
찾기 豆7+𠁣11=18획

(필순) 豐

글자뿌리 상형(象形) 문자. 제사에 쓰는 그릇〔豆〕에 음식이 가득히 담겨 있는〔𠁣〕 모양을 본뜬 자로, '풍년', '풍성하다'의 뜻을 나타냄.

[豐年 풍년] 농사가 잘된 해. 반 凶年(흉년).

[豐滿 풍만] ① 넉넉하게 가득 참. ② 몸에 살이 보기 좋게 많음.
[豐富 풍부] 넉넉하고 많음.
[豐盛 풍성] 넉넉하고 많음.
[豐饒 풍요] 매우 많아서 넉넉함.
[豐作 풍작] 풍년이 들어 농작물의 수확이 여느 해보다 많음. 또는 그렇게 지은 농사.
[豐足 풍족] 매우 넉넉하여 모자람이 없음.
[時和年豐 시화연풍] 나라가 태평하고 풍년이 듦.

4급 고등 한자
중 象 (xiàng)
영 elephant [éləfənt]

코끼리 상

풀이 1 코끼리. 2 모양. 3 본뜨다.
부수 豕(돼지시)부
찾기 豕^{7}+⺈^{5}=12획

글자뿌리 상형(象形) 문자. 긴 코의 코끼리 모양을 본떠, '코끼리'의 뜻을 나타냄. 또 相(상)과 통하여, '모양', '모습'의 뜻도 나타냄.

[象牙 상아] 입 밖으로 길게 뻗은 코끼리의 엄니.
[象徵 상징] 추상적인 개념이나 사물을 구체적인 사물로 나타냄. 또는 그렇게 나타낸 기호·표지·물건 따위.
[象形 상형] 사물의 형상을 본뜸.
[氣象 기상] 구름·바람·비·눈 등 대기 중에서 일어나는 모든 현상.
[對象 대상] 어떤 일의 상대 또는 목표나 목적이 되는 것.
[印象 인상] 어떤 대상에 대해서 마음에 새겨지는 느낌.
[現象 현상] 눈앞에 나타나 보이는 사물의 모양과 상태.

4급 고등 한자
중 豫 (yù)
영 beforehand [bifɔ́ːrhæ̀nd]

미리 예:

풀이 1 미리. 2 기뻐하다. 3 머뭇거리다. 4 참여하다.
부수 豕(돼지시)부
찾기 豕^{7}+予⺈^{9}=16획

글자뿌리 형성(形聲) 문자. 코끼리 상(象〈뜻〉)에 줄 여(予〈음〉)를 합친 자로, 象(상)은 몸집이 크고 성질이 순한 동물인 코끼리의 상형. 予(여)는 심신이 모두 편안하게 즐기다의 뜻. 전하여, '여유를 갖고 대비하다', '미리'의 뜻을 나타냄.

[豫感 예감] 어떤 일을 사전에 암시적으로 또는 육감으로 미리 느낌.

[豫告 예고] 미리 일러서 알게 함.

[豫買 예매] 물건을 받기 전에 미리 값을 치르고 삼.

[豫報 예보] 앞으로 일어날 일을 미리 알림. 또는 그런 보도. ¶ 日氣豫報(일기 예보).

[豫備 예비] 미리 마련하거나 갖추어 놓음.

[豫算 예산] 필요한 비용 따위를 미리 헤아려 계산함. 또는 그 비용.

[豫想 예상] 어떤 일을 직접 대하기 전에 미리 생각해 둠. 또는 그런 내용.

[豫示 예시] 미리 보이거나 알림.

[豫約 예약] 미리 약속함. 또는 미리 정한 약속.

[豫定 예정] 미리 정하거나 예상함.

3급 중학 한자

㊥ 贝 (bèi)

㊣ shell [ʃel]

조개 패:

풀이 1 조개. 2 돈. 패물.

부수 貝(조개패)부

찾기 貝⁷=7획

글자뿌리 상형(象形) 문자. 둘로 갈라지는 조개의 모양을 본뜬 자로, 옛날에는 조개를 화폐로 사용한 까닭에 '돈', '재물'의 뜻으로도 쓰임.

[貝物 패물] 산호나 호박, 수정 등으로 만든 장신구를 통틀어 이르는 말.

[魚貝類 어패류] 식품으로 쓰이는 생선과 조개 종류를 통틀어 이르는 말.

3급 Ⅱ 중학 한자

㊥ 贞 (zhēn)

㊣ chaste [tʃeist]

곧을 정

풀이 곧다. 바르다.

부수 貝(조개패)부

찾기 貝7+卜2=9획

글자뿌리 회의(會意) 문자. 점 복(卜)에 조개 패(貝)를 합친 자로, 신께 제물을 바쳐 점을 칠 때는 마음이 곧아야 한다는 데서 '곧다', '바르다'의 뜻이 된 자.

[貞潔 정결] 정조가 굳고 행실이 깨끗함.

[貞操 정조] ① 여자의 곧은 절개. ② 이성 관계에서 순결을 지키는 일.

4급 고등 한자

중 负 (fù)

영 bear [bεər]

질 부:

풀이 1 지다. 등에 없다. 2 업다. 3 짐. 4 빚.

부수 貝(조개패)부

찾기 貝7+人2=9획

글자뿌리 회의(會意) 문자. 사람 인(人)에 조개 패(貝)를 합친 자로, 패(貝)는 재물의 뜻. 사람이 재물을 등에 지고 나른다는 데서 '지다', '업다'의 뜻이 된 자.

[負擔 부담] 어떤 의무나 책임을 짐.

[負傷 부상] 몸을 다침.

[勝負 승부] 이김과 짐.

[請負 청부] 어떤 일을 책임지고 완성하는 대가로 보수를 받기로 하고 떠맡음.

5급 중학 한자

중 财 (cái)

영 wealth [welθ]

재물 재

풀이 재물.

부수 貝(조개패)부

찾기 貝7+才3=10획

글자뿌리 형성(形聲) 문자. 조개 패(貝〈뜻〉)에 재주 재(才: 재료의 뜻〈음〉)를 합친 자로, 살아가는 데 재료가 되는 패물이라는 데서 '재물'의 뜻이 된 자.

[財力 재력] 재물의 힘. 또는 재산상의 능력.

[財物 재물] 돈이나 그 밖의 값나가는 모든 물건.

[財産 재산] 개인이나 단체가 소유하는 재물.

[財運 재운] 재물을 얻거나 모을 운수.
[私財 사재] 개인의 재산.

4급Ⅱ 중학 한자
중 贫 (pín)
영 poor [puər]

가난할 빈

풀이 1 가난하다. 가난. 2 모자라다.
부수 貝(조개패)부
찾기 貝[7]+分[4]=11획

글자뿌리 형성(形聲) 문자. 나눌 분(分〈음〉)에 조개 패(貝〈뜻〉)를 합친 자로, 재물이 흩어져 나누어진다는 데서 '가난하다'의 뜻이 된 자.

[貧困 빈곤] 가난하여 살기 어려움.
[貧民 빈민] 가난한 사람.
[貧弱 빈약] ① 가난하고 힘이 없음. ② 형태나 내용이 보잘것없음.
[貧血 빈혈] 혈액 속의 적혈구나 혈색소가 줄어드는 현상.
[極貧 극빈] 몹시 가난함.
[淸貧 청빈] 재물 욕심이 없어서 살림이 가난함.

5급 중학 한자
중 责 (zé)
영 scold [skould]

꾸짖을 책

풀이 1 꾸짖다. 나무라다. 2 책임. 3 재촉하다. 4 구하다.
부수 貝(조개패)부
찾기 貝[7]+主[4]=11획

글자뿌리 형성(形聲) 문자. 가시 자(主: 朿의 변형〈음〉)에 조개 패(貝〈뜻〉)를 합친 자로, 돈을 갚으라고 가시로 찌르듯 한다는 데서 '꾸짖다'의 뜻이 된 자.

[責望 책망] 잘못을 꾸짖거나 나무람.
[責任 책임] ① 맡아서 해야 할 임무나 의무. ② 어떤 일의 결과에 대해 지는

의무나 부담.
[問責 문책] 잘못을 캐묻고 꾸짖음.
[重責 중책] 중요한 책임.

4급Ⅱ 중학 한자
중 货 (huò)
영 goods [gudz]

재물 화:

풀이 1 재물. 재화. 화폐. 2 물건. 물품.
부수 貝(조개패)부
찾기 貝7+化4=11획

글자뿌리 형성(形聲) 문자. 조개 패(貝〈뜻〉)에 될 화(化〈음〉)를 합친 자로, 돈이 되는 물건이라는 데서 '재물'의 뜻.

[貨物 화물] 운반할 수 있는 재화나 물품. ¶ 貨物車(화물차).
[金銀寶貨 금은보화] 금·은·옥·진주 등의 매우 귀중한 물건.
[外貨 외화] 외국 돈.

5급 중학 한자
중 贵 (guì)
영 noble [nóubəl]

귀할 귀:

풀이 1 귀하다. 귀하게 여기다. 2 값이 비싸다.
부수 貝(조개패)부
찾기 貝7+𡗗5=12획

글자뿌리 형성(形聲) 문자. 조개 패(貝〈뜻〉)에 잠깐 유(𡗗: 臾의 변형. 높이 올린다는 뜻〈음〉)를 합친 자로, 가치가 높다는 데서 '귀하다'의 뜻이 된 자.

[貴公子 귀공자] ① 귀한 집안에 태어난 젊은 남자. ② 용모가 뛰어나고 품위가 있는 남자.
[貴婦人 귀부인] 신분이 높거나 재산이 많은 집안의 부인.
[貴賓 귀빈] 귀한 손님.
[貴族 귀족] 가문이나 신분이 높아 정치적·사회적 특권을 가진 계층. 또는 그런 사람.
[貴重 귀중] 귀하고 중요함.

[貴下 귀하] ① 상대방을 높여 이름 대신 부르는 말. ② 편지에서, 상대방을 높이기 위하여 상대방 이름 뒤에 쓰는 말.
[高貴 고귀] ① 인품이나 지위가 높고 귀함. ② 훌륭하고 귀중함.
[富貴 부귀] 재산이 많고 지위가 높음. ¶ 富貴榮華(부귀영화).
[尊貴 존귀] 지위나 신분이 높고 귀함.

5급 고등 한자
중 费 (fèi)
영 spend [spend]

쓸 비:

풀이 1 쓰다. 2 소모하다. 3 비용.
부수 貝(조개패)부
찾기 貝⁷+弗⁵=12획

글자뿌리 형성(形聲) 문자. 조개 패(貝〈뜻〉)에 아닐 불(弗〈음〉)을 합친 자로, 弗은 '뿌리다'의 뜻으로, 재화(財貨)를 흩뿌린다는 데서 '쓰다'의 뜻이 된 자.

[費用 비용] 어떤 일을 하는 데 드는 돈.
[經費 경비] 어떤 일을 하는 데 드는 비용. ¶ 旅行經費(여행 경비).
[浪費 낭비] 재물·시간 따위를 헛되이 헤프게 씀.
[消費 소비] 재화·노력·시간 등을 들이거나 써서 없앰.
[自費 자비] 필요한 비용을 자기가 부담하는 것. 또는 그 비용.

5급 중학 한자
중 买 (mǎi)
영 buy [bai]

살 매:

풀이 사다. 물건을 사다.
부수 貝(조개패)부
찾기 貝⁷+罒⁵=12획

글자뿌리 회의(會意) 문자. 조개 패(貝)에 그물 망(罒=网)을 합친 자로, 돈을 주고 물건을 사 모은다는 데서 '사다'의 뜻을 나타냄.

[買收 매수] ① 물건을 사들임. ② 금품 따위로 남의 마음을 사서 자기편으로

만듦.
[買入 매입] 물품을 사들임.
[購買 구매] 물건을 삼. 반 販賣(판매).
[賣買 매매] 물건을 사고팖.

5급 중학 한자
중 贮 (zhù)
영 store up

쌓을 저:

풀이 1 쌓다. 저장하다. 2 저축하다.
부수 貝(조개패)부
찾기 貝7+宁5=12획

글자뿌리 형성(形聲) 문자. 조개 패(貝〈뜻〉)에 쌓을 저(宁: 저장한다는 뜻〈음〉)를 합친 자로, 재물을 저장한다는 데서 '쌓다', '저장하다'의 뜻이 된 자.

[貯金 저금] ① 돈을 모아 둠. 또는 그 돈. ② 은행 따위에 돈을 맡김. 또는 그 돈.
[貯水池 저수지] 상수도·수력 발전 또는 논밭에 물을 대기 위하여 강물이나 냇물을 끌어 들여 모아 둔 큰 못.
[貯藏 저장] 물건을 모아서 간수함.
[貯蓄 저축] 절약해 모아 둠.

賀

3급Ⅱ 중학 한자
중 贺 (hè)
영 congratulate [kəngrǽtʃəlèit]

하례할 하:

풀이 하례하다. 축하하다.
부수 貝(조개패)부
찾기 貝7+加5=12획

글자뿌리 형성(形聲) 문자. 조개 패(貝〈뜻〉)에 더할 가(加〈음〉)를 합친 자로, 기쁜 일에 물건을 보내어 축하하는 마음을 전한다는 데서 '축하하다'의 뜻이 된 자.

⇒ ⇒ 賀

[賀客 하객] 결혼식 등에 축하해 주기 위하여 온 손님.
[賀禮 하례] 축하하여 예를 차림.
[年賀狀 연하장] 새해를 축하하는 글이나 그림이 있는 편지.
[祝賀 축하] 남의 좋은 일에 기쁘고 즐겁다는 뜻으로 인사함. 또는 그 인사.

4급 고등 한자
중 资 (zī)
영 property [prάpərti]

재물 자

풀이 1 재물. 2 자본. 3 바탕.
부수 貝(조개패)부
찾기 貝7+次6=13획

丶 冫 冫 冫 次 次 次 资

资 资 資 資 資

글자뿌리 형성(形聲) 문자. 조개 패(貝〈뜻〉)에 버금 차(次〈음〉)를 합친 자로, 次(차)는 겉을 꾸미지 않은 편안한 자세의 사람의 상형. 본디 가지고 있는 '재물', '밑천'의 뜻이나 '바탕'의 뜻을 나타냄.

[資格 자격] ① 일정한 신분이나 지위. ② 어떤 신분이나 지위를 얻는 데 필요한 조건.
[資金 자금] ① 사업을 경영하는 데 쓰는 돈. ② 특정한 목적에 쓰는 돈.
[資料 자료] 일의 바탕이 되는 재료.
[資質 자질] ① 타고난 성품이나 소질. ② 일에 대한 능력이나 실력의 정도.
[出資 출자] 어떤 일에 쓰일 자금을 냄.
[投資 투자] 이익을 얻기 위하여 어떤 일이나 사업에 자본을 대거나 시간이나 정성을 쏟음.

4급 고등 한자
중 贼 (zéi)
영 thief [θi:f]

도둑 적

풀이 1 도둑. 2 역적. 3 해치다.
부수 貝(조개패)부
찾기 貝[7]+戎[6]=13획

丨 冂 冃 月 目 貝 貝 貝

貝 貝 賊 賊 賊

글자뿌리 형성(形聲) 문자. 창 과(戈〈뜻〉)에 법칙 칙(則〈음〉)을 합친 자로, 창으로 사람을 상처 낸다는 데서 '도둑', '역적'의 뜻이 된 자.

[賊反荷杖 적반하장] 도둑이 매를 든다는 뜻으로, 잘못한 사람이 아무 잘못도 없는 사람을 나무람을 이르는 말.
[盜賊 도적] 도둑.
[馬賊 마적] 말을 타고 떼를 지어 다니는 도둑.
[逆賊 역적] 자기 나라나 임금에게 반역한 사람.

5급 중학 한자
중 卖 (mài)
영 sell [sel]

팔 매(:)

풀이 팔다. 내다 팔다.
부수 貝(조개패)부
찾기 貝[7]+𡈼[8]=15획

一 十 士 士 声 声 声 声

声 声 賣 賣 賣 賣 賣

글자뿌리 회의(會意) 문자. 살 매(買)에 날 출(士=出의 약자)을 합친 자로, 본디 산다는 뜻이었던 '買'에 나간다는 뜻인 '士'을 더하여 물건을 '내다 팔다'의 뜻이 된 자.

[賣國奴 매국노] 자기의 이익을 위해 제 나라를 팔아먹는 사람.
[賣店 매점] 물건을 파는 작은 가게.
[賣盡 매진] 다 팔려 물건이 없음.
[競賣 경매] 서로 경쟁을 시켜 가장 비싸게 사겠다는 사람에게 팖.
[薄利多賣 박리다매] 물건의 이익을 적게 보고 많이 팔아 이문을 남기는 일.
[販賣 판매] 상품을 팖. 반 購買(구매).

상줄 상

5급 중학 한자
중 赏 (shǎng)
영 reward [riwɔ́ːrd]

풀이 1 상 주다. 상. 2 칭찬하다. 3 즐기다.
부수 貝(조개패)부
찾기 貝[7]+尙[8]=15획

글자뿌리 형성(形聲) 문자. 조개 패(貝〈뜻〉)에 숭상할 상(尙〈음〉)을 합친 자로, 공을 세우거나 좋은 일을 한 사람을 높이기 위하여 주는 물건이라는 데서 '상 주다'의 뜻이 된 자.

[賞金 상금] 상으로 주는 돈.
[賞罰 상벌] 잘하는 것에는 상을 주고, 잘못한 것에는 벌을 주는 일.
[賞與金 상여금] 정해진 급료 이외에 업적이나 공헌도에 따라 상으로 주는 돈. 보너스(bonus).
[賞狀 상장] 상을 주는 뜻을 적어서 주는 증서.
[賞品 상품] 상(賞)으로 주는 물품.
[鑑賞 감상] 예술 작품을 이해하며 즐기고 평가함. ¶ 音樂鑑賞(음악 감상).
[受賞 수상] 상을 받음.
[懸賞 현상] 상품이나 상금을 내걸고 무엇을 모집하거나 사람을 찾음. ¶ 懸賞金(현상금).

바탕 질

5급 중학 한자
중 质 (zhí)
영 tendency [téndənsi]

풀이 1 바탕. 근본. 2 모양. 3 바르다. 4 볼모. 저당 잡히다. 5 묻다.

부수 貝(조개패)부

찾기 貝[7]+斦[8]=15획

글자뿌리 형성(形聲) 문자. 조개 패(貝〈뜻〉)에 도끼 은(斦: 무게를 잰다는 뜻〈음〉)을 합친 자로, 물건〔貝〕의 무게를 잰다는 데서 '저당'의 뜻이 되고 다시 '바탕'의 뜻이 된 자.

[質量 질량] 물체가 갖는 고유의 역학적인 양.

[質問 질문] 모르거나 의심나는 점을 물음.

[質疑 질의] 의심나는 것을 물음.

[質責 질책] 잘못을 꾸짖어서 바로잡음.

[氣質 기질] ① 기력과 체질. ② 개인의 성격적 소질.

[物質 물질] ① 물체를 이루는 본바탕. ② 물체 형성 요소의 하나로, 공간을 차지하고 질량을 갖는 것.

[性質 성질] ① 사람이 지닌 마음의 본바탕. ② 사물·현상이 본디부터 가지고 있는 고유한 특성.

[素質 소질] 본디부터 가지고 있는 성질. 또는 타고난 능력이나 기질.

[資質 자질] ① 타고난 성품이나 소질. ② 일에 대한 능력이나 실력의 정도.

[品質 품질] 물건의 좋고 나쁜 성질이나 바탕.

4급Ⅱ 중학 한자

중 贤 (xián)

영 virtuous [vəːrtʃuəs]

어질 현

풀이 1 어질다. 착하다. 2 현인(賢人). 3 남을 높이는 말.

부수 貝(조개패)부

찾기 貝[7]+臤[8]=15획

글자뿌리 형성(形聲) 문자. 조개 패(貝〈뜻〉)에 굳을 견(臤: 堅의 생략자〈음〉)을 합친 자로, 재물을 남에게 나누어 준다는 데서 '어질다'의 뜻.

[賢明 현명] 마음이 어질고 슬기로워 사물의 이치에 밝음.

[賢母良妻 현모양처] 자식에게는 어진 어머니인 동시에 남편에게는 착한 아내. 양처현모.

[賢人 현인] 성인(聖人) 다음갈 만큼 어질고 현명한 사람.

[聖賢 성현] 성인과 현인.

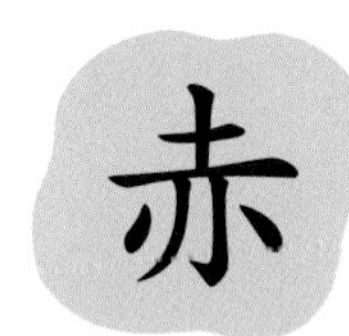

5급 중학 한자

중 赤 (chì)

영 red [red]

붉을 적

풀이 1 붉다. 붉은빛. 2 비다. 아무것도 없다. 3 벌거벗다.

부수 赤(붉을적)부

찾기 赤7=7획

一 十 土 𡗗 赤 赤 赤

글자뿌리 회의(會意) 문자. 큰 대(大)에 불 화(火)를 합친 자로, 타오르는 큰 불의 빛깔이 붉다는 데서 '붉다'의 뜻이 된 자.

[赤褐色 적갈색] 붉은빛을 띤 갈색.

[赤裸裸 적나라] 숨김없이 있는 그대로 드러냄.

[赤道 적도] 지구의 중심을 통하는 지축에 직각인 평면이 지표와 교차된 선. 위도의 기준이 됨.

[赤色 적색] 붉은 빛깔.

[赤信號 적신호] ① 건널목 등에서 차나 사람에게 멈추어 서라는 신호. ② 위험하다는 신호나 조짐.

[赤字 적자] ① 붉은 글씨. ② 수입보다 지출이 많아서 생기는 결손액.

[赤血球 적혈구] 혈구의 한 가지. 골수에서 생산되며, 산소를 운반하는 헤모글로빈이 있음.

4급Ⅱ 중학 한자

중 走 (zǒu)

영 run [rʌn]

달릴 주

풀이 1 달리다. 2 달아나다. 도망치다.

부수 走(달릴주)부

찾기 走7=7획

一 十 土 丰 丰 走 走

글자뿌리 회의(會意) 문자. 큰 대(土: 大의 변형)에 다리를 뜻하는 그칠 지(𣥂=止)를 합친 자로, 다리를 크게 벌리며 뛰어간다는 데서 '달리다', '달아나다'의 뜻.

⇒ ⇒ 走

[走力 주력] 달리는 힘.
[走馬看山 주마간산] 달리는 말에서 산을 본다는 뜻으로, 자세히 보지 않고 대강대강 보고 지나침을 이르는 말.
[走者 주자] ① 경주하는 사람. ② 야구에서, 아웃되지 않고 누(壘)에 나가 있는 사람.
[走破 주파] 쉬지 않고 끝까지 달림.
[競走 경주] 사람·차량·동물 따위가 일정한 거리를 달려 빠르기를 겨루는 일. 또는 그런 경기.
[逃走 도주] 달아남.
[疾走 질주] 빨리 달림.
[脫走 탈주] 몰래 빠져나와 달아남.
[敗走 패주] 싸움에서 지고 달아남.

起

4급Ⅱ 중학 한자
중 起 (qǐ)
영 rise [raiz]

일어날 기

풀이 1 일어나다. 일어서다. 2 일으키다. 시작하다.
부수 走(달릴주)부
찾기 走[7]+己[3]=10획

一 十 土 丰 丰 走 走 起 起 起

글자뿌리 형성(形聲) 문자. 달아날 주(走〈뜻〉)에 몸 기(己〈음〉)를 합친 자로, 사람이 조심스럽게 무릎을 구부렸다 일어선다는 뜻을 나타냄.

⇒ ⇒ 起

[起居 기거] 일정한 곳에서 일상생활을 함. 또는 그 생활.
[起動 기동] 몸을 일으켜서 움직임.
[起立 기립] 일어섬.
[起伏 기복] ① 지세가 높아졌다 낮아졌다 함. ② 세력이나 기세가 강해졌다 약해졌다 함.
[起用 기용] 어떤 사람을 중요한 자리에 뽑아 올려 씀.
[起源 기원] 어떤 일이나 물건이 처음으로 생김. 또는 그 생긴 근원.
[起因 기인] 일이 일어나는 원인이 됨. 또는 그 원인.
[起點 기점] 어떤 것이 처음으로 일어나거나 시작되는 곳.
[起寢 기침] 잠자리에서 일어남.

趣

4급 고등 한자
중 趣 (qù)
영 intention [inténʃən]

뜻 취:

풀이 1 뜻. 2 풍취. 3 달리다. 4 향하다.
부수 走(달릴주)부
찾기 走[7]+取[8]=15획

一 十 土 丰 丰 走 走 走 赶 赶 赶 趄 趣 趣 趣

글자뿌리 형성(形聲) 문자. 달릴 주(走〈뜻〉)에 취할 취(取〈음〉)를 합친 자로, 取(취)는 速(속)과 통하여, '빠르다'의 뜻. 전하여, '풍취 · 멋 · 의미'의 뜻을 나타낸 자.

[趣味 취미] ① 전문적으로 하는 것이 아니라 즐기기 위해 하는 일. ② 감흥을 느껴 마음이 당기는 멋.
[趣旨 취지] 어떤 일의 근본이 되는 목적이나 긴요한 뜻.
[趣向 취향] 하고 싶은 마음이 생기는 방향. 또는 그런 경향.
[情趣 정취] 깊은 정서와 좋은 감정을 자아내는 흥취.
[興趣 흥취] 즐거운 멋과 취미.

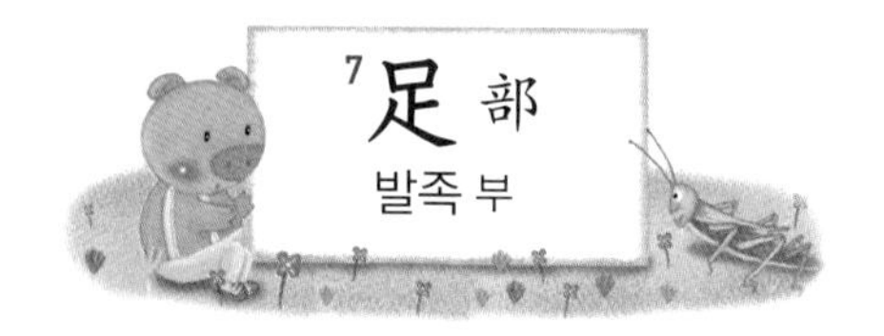

7급 중학 한자
중 足 (zú)
영 foot [fut]

발 족

풀이 1 발. 2 족하다. 넉넉하다.
부수 足(발족)부
찾기 足7=7획

글자뿌리 상형(象形) 문자. 무릎〔口〕과 정강이에서 발끝〔止〕까지를 본뜬 글자로, '발'을 뜻함.

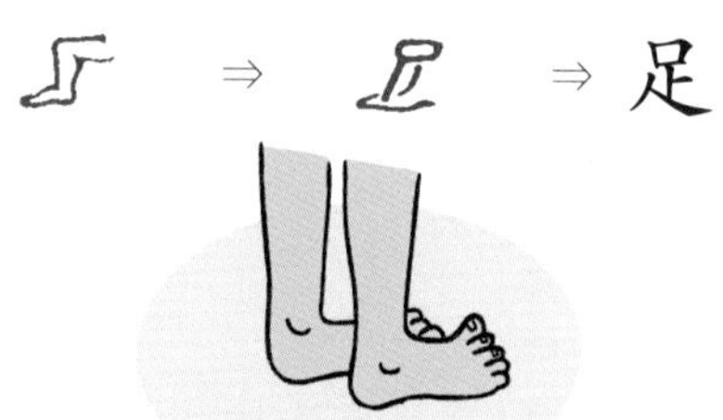

고사성어

蛇足 (사족)

뱀의 발이라는 뜻으로, 쓸데없는 군짓을 하다가 도리어 실패함을 이르는 말.

고사 중국 초(楚)나라의 회왕(懷王)은 소양(昭陽)에게 명하여 위(魏)나라를 정벌하고 나서, 제(齊)나라까지 공격하려 하였다. 이를 알게 된 제나라의 민왕(湣王)은 때마침 진(秦)나라에서 사신으로 와 있던 진진(陳軫)과 상의하였다. 진진은 민왕을 안심시킨 후에, 즉시 초나라로 가서 소양을 만나 이렇게 말했다.

"옛날에 어떤 사람이 하인들에게 큰 잔에 담긴 술을 주었는데, 여럿이 마시기엔 부족하므로 땅에 뱀을 먼저 그린 사람이 마시기로 했습니다. 잠시 후 한 사람이 자기는 발까지 그렸는데도 벌써 다 그렸다며 술잔을 들고 일어서자, 다른 사람이 자신의 뱀을 다 그려 놓고 '이 사람아, 뱀에 무슨 발이 있어?' 하고는 잔을 빼앗아 마셔 버렸습니다. 공께서 만일 패하기라도 한다면 죽음을 면하기 어려울 뿐 아니라 관직도 잃게 될 것입니다. 이제 싸움은 그만두시고 제나라에 은혜를 베푸십시오." 이 말을 들은 소양은 그의 말이 옳다고 여겨 철수하였다고 한다.

[足鎖 족쇄] ① 죄인의 발목에 채우던 쇠사슬. ② 자유를 구속하는 대상의 비유.
[滿足 만족] ① 마음에 모자람이 없이 흡족함. ② 충분하고 넉넉함.
[手足 수족] ① 손과 발. ② 자기 손과 발처럼 마음대로 부리는 사람.
[充足 충족] ① 일정한 분량을 채워 모자람이 없게 함. ② 넉넉하여 모자람이 없음.
[豐足 풍족] 매우 넉넉하여 부족함이 없음.

6급 중학 한자
중 路 (lù)
영 road [roud]

길 로:

풀이 길.
부수 足(발족)부
찾기 足⁷+各⁶=13획

글자뿌리 회의(會意) 문자. 발 족(足)에 각각 각(各: 이르다의 뜻)을 합친 자로, 발길이 이어져 다니는 '길'이라는 뜻.

⇒ ⇒ 路

[路面 노면] 길의 표면. 길바닥.
[路上 노상] ① 길의 표면. ② 길거리나 길 위. ¶ 路上強盜(노상강도).
[路線 노선] ① 버스·항공기·기차 등이 정해 놓고 다니도록 되어 있는 길. ② 개인이나 단체 등의 일정한 활동 방침.
[路資 노자] 먼 길을 떠나 오가는 데 드는 돈.
[街路樹 가로수] 길의 양쪽 가에 줄지어 나란히 심은 나무.
[歸路 귀로] 돌아가거나 돌아오는 길.
[岐路 기로] 갈림길.
[大路 대로] 큰길.
[道路 도로] 사람이나 차가 다니는 비교적 넓은 길.
[末路 말로] ① 일생의 마지막 무렵. ② 망해 가는 마지막 무렵의 모습.
[陸路 육로] 뭍으로 난 길.
[進路 진로] 앞으로 나아갈 길.
[通路 통로] ① 통해서 다닐 수 있는 트인 길. ② 의사소통이나 거래가 이루어지는 길.

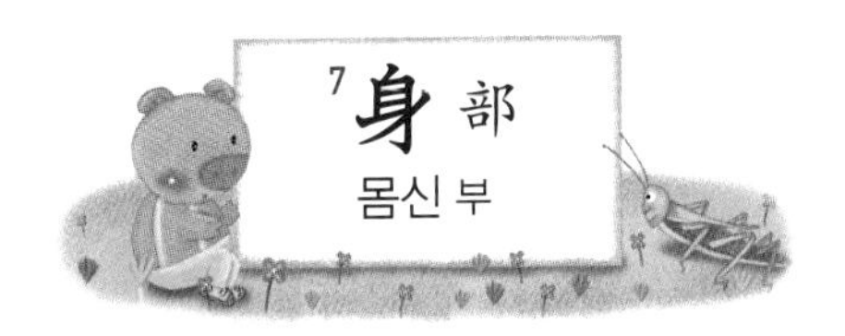

6급 중학 한자
중 身 (shēn)
영 body [bɑ́di]

몸 신

풀이 1 몸. 2 아이를 배다. 임신하다.

부수 身(몸신)부

찾기 身7=7획

丿 亻 亇 自 自 身 身

글자뿌리 상형(象形) 문자. 사람이 아이를 밴 모양을 본떠 만든 글자로 '임신하다'의 뜻을 나타내다가 '몸'을 뜻하게 된 자.

[身邊 신변] 몸과 몸의 주변.

[身病 신병] 몸에 지닌 병.

[身分 신분] ① 개인의 사회적 지위나 계급. ② 사람의 법률상의 지위나 자격.

[身世 신세] ① 자기가 처해 있는 처지나 형편. ② 남에게 도움을 받거나 괴로움을 끼치는 일.

[身手 신수] ① 용모와 풍채. ② 얼굴에 나타나는 건강 상태의 밝은 기운.

[身元 신원] 개인의 출생이나 출신 및 경력 등에 관한 자료.

[身長 신장] 몸의 길이. 키.

[身體 신체] 사람의 몸.

[單身 단신] 혼자 몸.

[心身 심신] 마음과 몸.

[自身 자신] 그 사람의 몸 또는 바로 그 사람.

[全身 전신] 온몸.

[出身 출신] ① 출생 당시 가정이 속해 있던 사회적 신분. ② 어떤 지역이나 학교, 직업 따위에서 규정되는 사회적 신분 관계.

7급 중학 한자

중 车 (chē)

영 cart [kɑːrt]

수레 거·차

풀이 1 수레. 2 차.

부수 車(수레거)부

찾기 車7=7획

一 厂 冂 百 亘 亘 車

글자뿌리 상형(象形) 문자. 수레의 모양을 본뜬 글자로, '수레'를 뜻함.

⇒ 車 ⇒ 車

[車庫 차고] 차를 넣어 두는 창고.

[車道 차도] 차가 다니는 길. 찻길.

[車輛 차량] 도로나 선로 위를 달리는 모든 차를 통틀어 이르는 말.

[車費 차비] 차를 타는 데 드는 비용.

[車票 차표] 차를 타기 위해 돈을 내고 사는 표.

[客車 객차] 손님을 태우는 찻간.

[馬車 마차] 말이 끄는 수레.

[乘車 승차] 차를 탐.
[自動車 자동차] 엔진의 힘으로 도로 위를 달리게 만든 차.
[貨車 화차] 화물을 실어 나르는 열차.
[人力車 인력거] 사람을 태우고 사람이 끄는 수레.
[停車場 정거장] 열차나 버스를 세워 짐을 싣고 내리거나 손님이 타고 내릴 수 있도록 하는 곳.

8급 중학 한자
중 军 (jūn)
영 military [míliteri]

군사 군

풀이 1 군사. 2 진 치다.
부수 車(수레거)부
찾기 車[7]+冖[2]=9획

글자뿌리 회의(會意) 문자. 수레 거(車)에 쌀 포(冖=勹의 변형)를 합친 자로, 전차로 둘러싸고 진영을 치거나 싸우는 군사라는 데서 '군사', '진 치다'의 뜻.

[軍歌 군가] 군대의 사기를 돋우기 위하여 부르는 노래.
[軍警 군경] 군대와 경찰.
[軍紀 군기] 군대를 지휘하고 감독하기 위한 규율.
[軍旗 군기] 군의 각 단위 부대를 나타내는 깃발.
[軍隊 군대] 일정한 규율과 질서 아래 조직된 군인의 집단.
[軍法 군법] 군대의 군인을 다스리기 위하여 만든 법률.
[軍服 군복] 군인들의 옷.
[軍士 군사] 장교의 지휘를 받는 군인. 병사.
[軍人 군인] 군대의 장교와 사병을 통틀어 이르는 말.
[軍艦 군함] 해군에 소속하여 해상 전투 시에 쓰이는 큰 배.
[軍港 군항] 해군 함정의 근거지로 특수한 설비를 갖추어 놓은 항구.
[空軍 공군] 하늘에서 싸우는 군대.
[大軍 대군] 병사가 많은 군대. ¶ 百萬大軍(백만 대군).
[我軍 아군] 우리 편의 군대. 반 敵軍(적군).
[陸軍 육군] 육지에서 싸우는 군대.
[海軍 해군] 바다에서 싸우는 군대.

5급 중학 한자
중 轻 (qīng)
영 light [lait]

가벼울 경

풀이 1 가볍다. 2 가볍게 여기다. 업신여기다. 3 경솔하다.

부수 車(수레거)부

찾기 車⁷+巠⁷=14획

글자뿌리 형성(形聲) 문자. 수레 거(車〈뜻〉)에 빠를 경(巠: 徑의 생략자〈음〉)을 합친 자로, 빨리 달리는 수레를 뜻하다가 '가볍다'의 뜻이 된 자.

[輕減 경감] 부담이나 고통을 덜어서 가볍게 함.

[輕擧妄動 경거망동] 찬찬히 생각해 보지도 않고 경솔하게 행동함. 또는 그런 행동.

[輕工業 경공업] 비교적 가벼운 공산품이나 일상생활에 쓰이는 제품을 생산하는 공업.

[輕妄 경망] 행동이나 말이 가볍고 방정맞음.

[輕蔑 경멸] 깔보아 업신여김.

[輕薄 경박] 말이나 행동이 신중하지 못하고 가벼움.

[輕傷 경상] 가벼운 상처.

[輕率 경솔] 말이나 행동이 조심성이 없고 가벼움.

[輕視 경시] 가볍게 봄. 깔봄.

[輕快 경쾌] 마음이 홀가분하고 상쾌함.

輪

4급 고등 한자

중 轮 (lún)

영 wheel [*h*wiːl]

바퀴 륜

풀이 1 바퀴. 2 둘레. 3 돌다.

부수 車(수레거)부

찾기 車⁷+侖⁸=15획

글자뿌리 형성(形聲) 문자. 수레 거(車〈뜻〉)에 생각할 륜(侖〈음〉)을 합친 자로, 侖(륜)은 정리되어 있다의 뜻. 바퀴통에 바퀴살이 가지런히 있는 모양에서, '바퀴'의 뜻을 나타냄.

[輪廓 윤곽] ① 일이나 사건의 대체적인 줄거리. ② 사물의 테두리나 모습.

[輪番 윤번] ① 번을 돌아가며 차례로 드는 것. ② 돌아가는 차례.

[輪作 윤작] 같은 땅에 여러 가지 농작물을 해마다 바꾸어 심는 일.

[輪廻 윤회] 불교(佛敎)에서, 생명이 있는 모든 만물이 세상에서 죽었다가 다시 태어나기를 되풀이하는 일.

[競輪 경륜] 자전거로 하는 경기.

[年輪 연륜] ① 나이테. ② 여러 해 쌓은 경력.

4급 고등 한자
중 转 (zhuǎn)
영 roll [roul]

구를 전:

풀이 1 구르다. 2 옮기다. 3 넘어지다.
부수 車(수레거)부
찾기 車7+專11=18획

글자뿌리 형성(形聲) 문자. 수레 거(車〈뜻〉)에 오로지 전(專〈음〉)을 합친 자로, 專(전)은 실을 실패에 감다의 뜻. 수레가 '구르다', '돌다'의 뜻을 나타냄.

[轉勤 전근] 직장을 옮김.
[轉落 전락] 굴러 떨어짐.
[轉業 전업] 직업을 바꿈.
[反轉 반전] ① 반대 방향으로 구름. ② 일의 형세가 뒤바뀜.
[心機一轉 심기일전] 어떤 동기에 의하여 이제까지 먹었던 마음을 바꿈.
[逆轉 역전] 형세가 뒤집힘.
[回轉 회전] 빙빙 돌아서 구름.

3급 중학 한자
중 辛 (xīn)
영 hot [hat]

매울 신

풀이 1 맵다. 2 고생하다. 괴롭다. 3 여덟째 천간.
부수 辛(매울신)부
찾기 辛7=7획

轉禍爲福 (전화위복)

화가 바뀌어 오히려 복이 된다는 뜻으로, 아무리 불행한 일을 당하더라도 자신이 강한 의지를 가지고 노력하면 불행을 행복으로 만들 수 있다는 말.

고사 중국 전국 시대(戰國時代)에 유세객(遊說客)으로 이름을 날렸던 소진(蘇秦)이 "옛날에 일을 잘 처리해 나갔던 사람은 화를 바꾸어 복이 되게 했고〔轉禍爲福〕, 전쟁에서 패했을 때도 오히려 그것을 공(功)으로 만들었다."라고 한 데서 유래한 말. 강한 의지를 가지고 힘쓰면 재앙도 기회로 바꾸어 놓을 수 있다는 말이다.

글자뿌리 상형(象形) 문자. 옛날에 노예의 이마에 문신을 하던 바늘의 모양을 본떠 '괴롭다', '맵다'를 뜻함.

[辛苦 신고] 어려운 일을 당하여 몹시 애씀. 또는 그 고생.

[辛辣 신랄] ① 맛이 몹시 쓰고 매움. ② 매우 날카롭고 매서움.

[辛酸 신산] ① 맛이 맵고 심. ② 세상살이가 힘들고 고생스러움.

[千辛萬苦 천신만고] 천 가지 매운 것과 만 가지 쓴 것이라는 뜻으로, 온갖 어려움을 겪으며 심하게 고생함을 이르는 말.

4급 고등 한자

㊥ 辞 (cí)

㊒ speech [spiːtʃ]

말씀 사

풀이 1 말씀. 2 사퇴하다. 3 사양하다.

부수 辛(매울신)부

찾기 辛7+𤔔12=19획

글자뿌리 회의(會意) 문자. 매울 신(辛)에 다스릴 란(𤔔)을 합친 자로, 𤔔(란)은 실을 아래위로 손을 대고 있는 모양으로, 뒤섞이다와 다스리다의 두 가지 뜻. 辛(신)은 죄의 뜻. 죄를 다스려 명백하게 하는 일, 즉 재판에서의 진술을 뜻한다는 데서, '말'의 뜻을 나타냄.

[辭書 사서] 사전(辭典).

[辭說 사설] 잔소리나 푸념을 길게 늘어놓음. 또는 그 잔소리나 푸념.

[辭讓 사양] 겸손한 태도로 받지 않거나 응하지 않음. 또는 남에게 양보함.

[辭任 사임] 맡아보던 일자리를 그만두고 물러남.

[辭職 사직] 맡은 직책에서 물러남.

[不辭 불사] 마다하지 않음.

4급 고등 한자

㊥ 辩 (biàn)

㊒ eloquent [éləkwənt]

말씀 변ː

풀이 1 말씀. 2 말을 잘하다. 3 논쟁하다.

부수 辛(매울신)부

찾기 辛7+辞14=21획

글자뿌리 형성(形聲) 문자. 말씀 언(言〈뜻〉)에 송사할 변(辡〈음〉)을 합친 자로, 辡(변)은 나누다의 뜻. 말로 일의 도리를 가려 밝힌다는 데서, '말씀'을 뜻함.

[辯論 변론] 옳고 그름을 따짐.
[辯護 변호] 남을 위하여 변명하여 도움.
[達辯 달변] 매우 능란한 말솜씨.

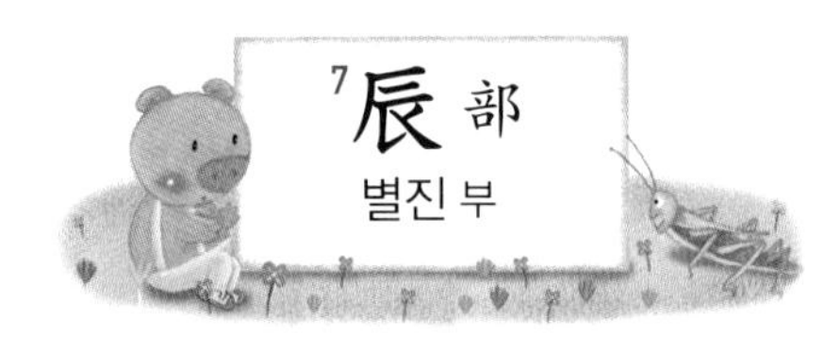

3급Ⅱ 중학 한자
중 辰 (chén)
영 ❶star [stɑːr] ❷time [taim]

❶별 진
❷때 신

풀이 ❶ 1 별. 별 이름. 2 다섯째 지지(地支). ※ 십이지의 다섯 번째로, 동물로는 용, 달〔月〕로는 3월, 시간은 오전 7시~9시. ❷ 1 때. 날. 2 아침. 새벽.
부수 辰(별진)부
찾기 辰⁷=7획

글자뿌리 상형(象形) 문자. 조개가 껍데기를 벌리고 발을 내놓은 모양을 본뜬 자로, 음을 빌려 십이지의 다섯째 지지로 씀. 조가비가 농사일로 쓰였던 데서 농사에 관한 문자를 이룸.

[辰韓 진한] 삼한(三韓)의 하나. 경상도 동북부에 있던 나라로 뒤에 신라가 이를 통일함.
[生辰 생신] 어른의 생일(生日)을 높여 이르는 말.
[日月星辰 일월성신] 해와 달과 별.

7급 중학 한자
중 农 (nóng)
영 farming [fάːrmiŋ]

농사 농

풀이 1 농사. 농사짓다. 2 농부.
부수 辰(별진)부
찾기 辰⁷+曲⁶=13획

글자뿌리 회의(會意) 문자. 밭 전(曲: 田의 변형)에 별 진(辰)을 합친 자로, 辰(진)은 토지를 경작하는 데 쓰는 기구. 밭을 가는 '농부'를 뜻하기도 하고, 농부가 하는 일이란 데서 '농사'를 뜻하기도 함.

⇒ 辰 ⇒ 農

[農耕 농경] 논밭을 갊.
[農具 농구] 농사에 쓰는 기구.
[農林 농림] 농업과 임업.
[農民 농민] 농사짓는 사람.
[農夫 농부] 농사를 지어서 생활하는 사람. 농사꾼.
[農事 농사] 논밭을 갈고 가꾸는 일.
[農業 농업] 농사짓는 직업.
[勸農 권농] 농사를 장려함.
[富農 부농] 부유한 농가나 농민. 반 貧農(빈농).

6급 중학 한자
중 近 (jìn)
영 near [niər]

가까울 근:

풀이 가깝다.
부수 辵(책받침)부
찾기 辶4(辵)+斤4=8획

글자뿌리 형성(形聲) 문자. 무게 근(斤〈음〉)에 쉬엄쉬엄 갈 착(辶=辵〈뜻〉)을 합친 자로, 斤(근)은 나무를 베는 도끼. 가까운 주위를 고르게 하다에서 '가깝다'의 뜻이 된 자.

[近間 근간] ① 요사이. 요즈음. 동 近來(근래). ② 가까운 장래.
[近郊 근교] 가까운 교외.
[近似 근사] ① 기준에 가깝거나 아주 비슷함. ② 그럴싸하게 좋음.
[近視 근시] 먼 데에 있는 것을 선명하게 보지 못하는 일. 또는 그런 눈. 반 遠視(원시).
[近接 근접] 가까워짐. 가까이 닿음.
[近處 근처] 가까운 곳.
[近海 근해] 육지에서 가까운 바다.
[近況 근황] 요즈음의 상황.
[遠近 원근] 멀고 가까움. 또는 먼 곳과 가까운 곳.
[接近 접근] 가까이 다가감. 바싹 다가붙음.
[最近 최근] ① 지난 지 얼마 안 되는 날. 요즘. ② 장소나 위치, 거리 따위가 가장 가까움.
[親近 친근] 사귀어서 두터워진 정으로 인해 매우 가까움.

4급 중학 한자
중 迎 (yíng)
영 welcome [wélkəm]

맞을 영

풀이 맞이하다. 마중하다.

부수 辵(책받침)부

찾기 辶4(辵)+卬4=8획

글자뿌리 형성(形聲) 문자. 높을 앙(卬〈음〉)에 쉬엄쉬엄 갈 착(辶=辵〈뜻〉)을 합친 자로, 길에 나가서 오는 사람을 공손히 우러러 '맞이한다'는 뜻.

[迎賓 영빈] 귀한 손님을 맞이함. 손님을 맞음.

[迎新 영신] ① 새해를 맞음. ¶ 送舊迎新(송구영신). ② 새로운 것을 맞아들임.

[迎接 영접] 손님을 맞아 접대함.

[歡迎 환영] 기쁘게 맞음.

4급Ⅱ 중학 한자

중 送 (sòng)

영 send [send]

보낼 송:

풀이 보내다.

부수 辵(책받침)부

찾기 辶4(辵)+关6=10획

글자뿌리 회의(會意) 문자. 전송할 잉(关: 媵의 생략형)에 쉬엄쉬엄 갈 착(辶)을 합친 자로, 떠나는 사람을 전송한다는 데서 '보내다'의 뜻.

[送舊迎新 송구영신] 묵은해를 보내고 새해를 맞음.

[送別 송별] 사람을 떠나보내는 일.

[送還 송환] 도로 돌려보냄.

[發送 발송] 물건이나 우편물 따위를 부치는 일.

[輸送 수송] 차·선박·비행기 따위로 짐이나 사람 등을 실어 보냄.

[電送 전송] 사진 따위를 전류나 전파를 이용하여 먼 곳으로 보냄.

[護送 호송] ① 보호하여 보냄. ② 죄인 따위를 감시하면서 데려감.

[後送 후송] ① 후방으로 보냄. ② 나중에 보냄.

4급Ⅱ 중학 한자

중 逆 (nì)

영 oppose [əpóuz]

거스를 역

풀이 거스르다. 배반하다.

부수 辵(책받침)부

찾기 辶4(辵)+屰6=10획

글자뿌리 형성(形聲) 문자. 거스를 역(屰: 사람이 거꾸로 선 모양〈음〉)에 쉬엄쉬엄 갈 착(辶〈뜻〉)을 합친 자로, 길을 거꾸로 거슬러 간다는 데서 '거스르다'의 뜻이 된 자.

⇒ ⇒ 逆

[逆境 역경] 일이 뜻대로 되지 않는 불운한 처지나 환경.

[逆流 역류] ① 물이 거슬러 흐름. 또는 그 물. ② 흐름을 거슬러 올라감.

[逆說 역설] 언뜻 보기에는 진리에 어긋나는 것 같으나, 사실은 그 속에 일종의 진리를 품고 있는 말.

[逆襲 역습] 적의 공격을 받고 있던 편이 거꾸로 공격하는 일.

[逆轉 역전] 형세가 뒤집혀짐.

[逆風 역풍] 자기가 가고 있는 방향에서 마주 불어오는 바람.

[拒逆 거역] 윗사람의 뜻이나 명령을 어기어 거스름.

[反逆 반역] 배반하여 돌아섬.

3급Ⅱ 중학 한자

중 追 (zhuī)

영 pursue [pərsúː]

쫓을/따를 추

풀이 1 쫓다. 2 따르다. 좇다.

부수 辵(책받침)부

찾기 辶⁴(辵)+自⁶=10획

丿 亻 户 户 自 ⻌自 ⻌自 追

글자뿌리 형성(形聲) 문자. 퇴(𠂤: 隨〔따를 수〕의 뜻〈음〉)에 쉬엄쉬엄 갈 착(辶〈뜻〉)을 합친 자로, 뒤를 따라간다는 데서 '쫓는다', '따르다'는 뜻.

⇒ ⇒ 追

[追加 추가] 나중에 더하여 보탬.

[追擊 추격] 도망가는 적을 뒤쫓아 가면서 공격함.

[追求 추구] 목적한 것을 이루고자 끝까지 좇아 구함.

[追慕 추모] 죽은 사람을 생각하고 그리워함.

[追放 추방] ① 잘못된 것이나 나쁜 것을 그 사회에서 몰아냄. ② 쓸모없는 사람을 그 직장이나 직위에서 쫓아내거나 몰아냄.

[追憶 추억] 이미 지나간 일이나 가 버린 사람을 돌이켜 생각함. 또는 그 생각.

[追從 추종] ① 뒤를 따름. ② 아첨하여 좇음.

[追後 추후] 일이 지나간 뒤. 나중.

4급 고등 한자

중 逃 (táo)

영 escape [iskéip]

도망할 도

풀이 1 도망하다. 달아나다. 2 피하다. 3 떠나다.

부수 辵(책받침)부

찾기 辶⁴(辵)+兆⁶=10획

丿 丬 丬 兆 兆 逃 逃 逃

글자뿌리 형성(形聲) 문자. 쉬엄쉬엄 갈 착(⻍〈뜻〉)에 점 조(兆〈음〉)를 합친 자로, 兆(조)는 점칠 때 나타나는 갈라진 금을 본뜬 것으로, 튀어 갈라지다의 뜻. '나아가다'의 뜻인 辵(착)을 덧붙여서, '갈라져 떠나다', '도망하다'의 뜻을 나타냄.

[逃亡 도망] 피하여 달아남.
[逃走 도주] 달아남.
[逃避 도피] 도망하여 피함.

4급Ⅱ 중학 한자
중 退 (tuì)
영 retreat [ritríːt]

물러날 퇴ː

풀이 1 물러나다. 2 물리치다. 3 바래다.
부수 辵(책받침)부
찾기 ⻍[4](辵)+艮[6]=10획

ㄱ ㅋ ㅋ 㫐 㫐 艮 退 退

글자뿌리 회의(會意) 문자. 날 일(日)과 뒤져올 치(夂=夊)에 쉬엄쉬엄 갈 착(⻍)을 합친 자로, 해가 차츰차츰 저물어 간다는 데서 '물러나다'의 뜻이 됨.

⇒ ⇒ 退

[退却 퇴각] 전투 따위에 져서 뒤로 물러남.
[退勤 퇴근] 직장에서 근무 시간을 마치고 나옴.
[退步 퇴보] ① 뒤로 물러섬. ② 재주·능력 등이 전보다 못하게 됨.
[退社 퇴사] 회사를 그만두고 물러남.
[退色 퇴색] 빛이 바램.
[退院 퇴원] 입원했던 환자가 건강을 회복하고 병원에서 나옴. 반 入院(입원).
[退任 퇴임] 임무에서 물러남.
[退職 퇴직] 현직에서 물러남. 직장을 그만둠.
[退治 퇴치] 물리쳐 없애 버림. ¶ 文盲退治(문맹 퇴치).
[退學 퇴학] 학생이 졸업 전에, 다니고 있던 학교를 그만둠.
[減退 감퇴] 기세나 체력 따위가 줄어 약해짐.
[辭退 사퇴] ① 사양하여 받아들이지 않음. ② 어떤 직책이나 지위에서 물러나는 것.
[早退 조퇴] 직장이나 학교에서, 끝나는 시간이 되기 전에 일찍 돌아감.
[進退 진퇴] ① 나아감과 물러섬. ② 직위나 자리에서 머물러 있음과 물러남.
[後退 후퇴] 뒤로 물러감.

4급Ⅱ 중학 한자
중 连 (lián)
영 connect [kənékt]

이을 련

풀이 잇다. 연속하다.
부수 辵(책받침)부
찾기 辶⁴(辵)+車⁷=11획

글자뿌리 회의(會意) 문자. 수레 거(車)에 쉬엄쉬엄 갈 착(辶)을 합친 자로, 여러 대의 수레가 잇달아 달린다는 데서 '잇다', '이어지다'의 뜻이 된 자.

⇒ 車辵 ⇒ 連

[連結 연결] 서로 이어서 맺음. 반 分離(분리).
[連續 연속] 끊이지 않고 죽 이음. 또는 이어짐.
[連鎖 연쇄] ① 여러 개를 연결하는 사슬. ② 서로 연이어 맺음. ¶ 連鎖反應(연쇄 반응).
[連勝 연승] 싸움이나 경기에서 잇달아 이김.
[連日 연일] ① 여러 날을 계속함. ② 매일. 날마다.
[連載 연재] 신문이나 잡지 따위에, 소설이나 기사, 논문, 만화 따위를 여러 회로 나누어 계속해서 싣는 일. ¶ 連載小說(연재소설).
[連打 연타] 연속하여 때리거나 침.
[連敗 연패] 싸움이나 시합 따위에서 연달아 짐. 반 連勝(연승).

3급Ⅱ 중학 한자
중 逢 (féng)
영 meet [miːt]

만날 봉

풀이 만나다.
부수 辵(책받침)부
찾기 辶⁴(辵)+夆⁷=11획

글자뿌리 형성(形聲) 문자. 만날 봉(夆〈음〉)에 쉬엄쉬엄 갈 착(辶〈뜻〉)을 합친 자로, 길을 가다가 만난다는 데서 '만나다'의 뜻.

[逢變 봉변] ① 남에게 모욕을 당함. ② 뜻밖에 화를 입음.
[相逢 상봉] 서로 만남.

6급 중학 한자
중 速 (sù)
영 quick [kwik]

빠를 속

풀이 빠르다.
부수 辵(책받침)부
찾기 辶⁴(辵)+束⁷=11획

글자뿌리 형성(形聲) 문자. 쉬엄쉬엄 갈 착(辶〈뜻〉)에 묶을 속(束: 促〔재촉 촉〕의 뜻〈음〉)을 합친 자로, 나무를 묶듯이 맺은 약속을 지키기 위해 서둘러 간다는 데서 '빠르다'의 뜻이 된 자.

[速決 속결] 빨리 끝을 맺음. 빨리 결정함. ¶ 速戰速決(속전속결).
[速攻 속공] 재빨리 공격함.
[速記 속기] 남의 말을 기호를 이용하여 빠르게 받아 적는 일. 또는 그 기술.
[速力 속력] 빠르기.
[速成 속성] 빨리 일을 이룸. ¶ 速成栽培(속성 재배).
[速行 속행] ① 빨리 감. ② 빨리 실행함.
[加速 가속] 속도가 점점 빨라짐. 또는 빨라진 그 속도.
[急速 급속] ① 몹시 급함. ② 몹시 빠름.
[迅速 신속] 매우 날쌔고 빠름.
[快速 쾌속] 자동차나 선박 등의 속도가 매우 빠름.

4급Ⅱ 중학 한자
중 造 (zào)
영 make [meik]

지을 조:

풀이 짓다. 만들다.
부수 辵(책받침)부
찾기 辶4(辵)+告7=11획

글자뿌리 형성(形聲) 문자. 쉬엄쉬엄 갈 착(辶〈뜻〉)에 알릴 고(告〈음〉)를 합친 자로, 해야 할 일을 남에게 알리기 위해 나아간다는 뜻임. 나아가 일을 이루기 위해 '짓다', '만들다'의 뜻이 된 자.

[造物主 조물주] 천지 만물을 만들고 다스리는 신.
[造成 조성] 만들어서 이루어 냄.
[造語 조어] 새로 말을 만듦. 또는 그 말.
[造作 조작] ① 물건을 만듦. ② 일부러 무엇과 비슷하게 만듦. 또는 일을 꾸며 만듦.
[造化 조화] 만물을 창조하고 기르는 대자연의 이치.
[造花 조화] 종이나 천 따위로 만든 꽃.
[改造 개조] 고쳐 다시 만듦.
[模造 모조] 본떠서 만듦. 또는 그러한 물품. ¶ 模造品(모조품).
[人造 인조] 사람이 만듦. 천연물과 비슷하게 인공으로 만듦. 또는 그 물건.

6급 중학 한자

중 通 (tōng)

영 pass through

통할 통

풀이 1 통하다. 2 내왕하다. 다니다. 3 알리다.

부수 辵(책받침)부

찾기 辶⁴(辵)+甬⁷=11획

一 ㄱ 乛 乃 乃 月 甬 甬 涌 诵 通

글자뿌리 형성(形聲) 문자. 길 용(甬: 洞〔꿰뚫을 통〕의 뜻〈음〉)에 쉬엄쉬엄 갈 착(辶〈뜻〉)을 합친 자로, 골목길은 큰길로 곧장 뚫려 있다는 데서 '통하다'의 뜻.

⇒ ⇒ 通

[通過 통과] ① 어떤 곳이나 때를 거쳐 지나감. ② 회의에서 의논하여 결정됨. ③ 검사나 시험 따위에 합격함.

[通念 통념] 사회에 널리 통하는 일반적인 생각.

[通達 통달] 막힘이 없이 환히 앎.

[通路 통로] 통해서 다닐 수 있게 트인 길.

[通報 통보] 통지하여 보고함. 또는 그 보고.

[通常 통상] 특별한 것이 없이 예사임.

[通俗 통속] ① 세상에 널리 통하는 일반적인 풍속. ② 일반 대중이 쉽게 알 수 있는, 전문적이지 않은 일.

[通信 통신] 우편·전화·전신 따위로 정보나 소식을 전함.

[通用 통용] 널리 두루 쓰임.

[通知 통지] 기별하여 알림.

[通風 통풍] 바람을 통하게 함.

[通學 통학] 자기 집에서 학교에 다니며 공부함.

[通行 통행] 길로 통하여 다님. 내왕. ¶ 右側通行(우측통행).

[通貨 통화] 한 사회에서 통용되는 돈.

[通話 통화] 전화로 말을 주고받음.

[開通 개통] 다리·항로·전신·전화 따위가 완성되거나 이어져 처음으로 이용할 수 있게 됨.

[不通 불통] ① 교통이나 통신 따위가 막혀 연락이 되지 아니함. ② 의사가 통하지 아니함.

[亨通 형통] 모든 일이 뜻대로 잘되어 감. ¶ 萬事亨通(만사형통).

4급Ⅱ 중학 한자

중 进 (jìn)

영 advance [ædvǽns]

나아갈 진:

풀이 1 나아가다. 2 오르다. 3 나아지다.

부수 辵(책받침)부

찾기 辶⁴(辵)+隹⁸=12획

丿 亻 亻 亻 仹 佇 隹 隹 `隹 㸚隹 㸚隹 進

글자뿌리 회의(會意) 문자. 새 추(隹)에 쉬엄쉬엄 갈 착(辶=辵)을 합친 자로, 辵(착)은 길을 가다의 뜻. 쉬던 새가 나아간다는 데서 '나아가다'의 뜻.

⇒ ⇒ 進

[進級 진급] 등급·계급·학년 따위가 올라감.
[進度 진도] 일이 진행되는 속도. 또는 그 정도.
[進步 진보] 점점 잘되어 나감.
[進上 진상] 지방에서 나는 귀한 물건을 윗사람이나 임금에게 바침.
[進入 진입] 향하여 들어감.
[進展 진전] 진보하고 발전함.
[進出 진출] 어떤 방면으로 나섬.
[進退兩難 진퇴양난] 나아갈 수도 물러날 수도 없음.
[進學 진학] ① 학문의 길에 나아가 배움. ② 상급 학교에 들어감.
[進化 진화] ① 사물(事物)이 차차 더 나은 방향으로 되어 감. ② 생물이 오랫동안에 걸쳐 조금씩 변화하여 보다 복잡하고 우수한 종류의 것으로 되어 가는 일.
[急進 급진] ① 앞으로 급하게 나아감. ② 목적이나 이상 따위를 급히 실현하고자 변혁을 서두름.
[漸進 점진] 차례를 따라 차차 나아감. 조금씩 나아감.
[精進 정진] ① 정성을 다하여 노력함. ② 몸을 깨끗이 하고 마음을 가다듬음.
[行進 행진] 여럿이 줄을 지어 앞으로 나아감.
[後進 후진] ① 사회 등에 뒤늦게 나아감. 또는 그런 사람. ② 후배. ③ 문화의 발달이 뒤떨어짐. ④ 차 등이 뒤쪽으로 나아감.

5급 인명 한자
중 周 (zhōu)
영 week [wi:k]

주일 주

풀이 1 주일. 2 일주. 3 돌다. 4 둘레.
부수 辵(책받침)부
찾기 辶^{4}(辵)+周^{8}=12획

丿 冂 月 円 用 用 周 周
周 调 调 週

글자뿌리 형성(形聲) 문자. 쉬엄쉬엄 갈 착(辶〈뜻〉)에 두루 주(周〈음〉)를 합친 자로, 두루 돌아다닌다는 데서 전하여, '돌다'의 뜻을 나타냄.

[週刊 주간] 일주일을 단위로 한 번씩 발행하는 간행물.
[週期 주기] 한 바퀴를 도는 기간.

[週年 주년] 한 해를 단위로 돌아오는 그날을 세는 단위.
[週末 주말] 한 주일의 끝.
[週番 주번] 한 주마다 차례를 바꾸어서 하는 근무. 또는 그 근무를 하는 사람.
[週報 주보] 한 주마다 소식을 알리는 신문이나 잡지.
[今週 금주] 이번 주일.
[每週 매주] 각 주. 또는 주마다.

5급 중학 한자
중 过 (guò)
영 pass by

지날 과:

풀이 **1 지나다. 지나치다. 2 실수. 실수하다. 3 죄. 허물.**
부수 辵(책받침)부
찾기 辶^{4}(辵)+咼^{9}=13획

글자뿌리 형성(形聲) 문자. 입 비뚤어질 와·괘(咼〈음〉)에 쉬엄쉬엄 갈 착(辶〈뜻〉)을 합친 자로, 말이 비뚤어지게 나간다는 데서 '지나다', '허물'을 뜻함.

⇒ ⇒ 過

[過去 과거] 지나간 때.
[過多 과다] 지나치게 많음.
[過渡 과도] 한 단계에서 다음 단계로 넘어가거나 바뀌어 가는 도중.
[過半數 과반수] 반(半)이 넘는 수. 절반 이상의 수.
[過分 과분] 분수에 넘침. 신분에 알맞지 아니함.
[過小評價 과소평가] 실제보다 낮게 또는 나쁘게 평가함.
[過飮 과음] 술을 지나치게 마심. 너무 많이 마심.
[過讚 과찬] 지나치게 칭찬함. 또는 과분한 칭찬.
[經過 경과] ① 시간이 지나감. ② 어떤 곳이나 단계를 거침. ③ 시간이 지남에

過猶不及 (과유불급)

지나침은 미치지 못한 것과 같다는 말.

고사 자공(子貢)이 스승 공자(孔子)에게 자장(子張)과 자하(子夏) 중에 누가 더 현명한가를 물었더니, 공자는 "자장은 지나치고, 자하는 미치지 못하느니라."라고 대답하였다. 이에 자공이 "그렇다면 자장이 더 나은 것입니까?" 하고 다시 묻자, 공자는 "지나침은 미치지 못한 것과 같으니 다 도리에 맞지 않느니라."라고 말했다고 한다.

따라 진행하고 변화하는 상태.

[罪過 죄과] 죄가 될 만한 허물. 그릇된 허물.

達

4급Ⅱ 중학 한자

중 达 (dá)

영 reach to

통달할 달

풀이 1 통달하다. 깨닫다. 2 이르다. 3 나타나다. 출세하다. 4 능숙하다. 5 이루다.

부수 辵(책받침)부

찾기 辶4(辵)+幸9=13획

一 十 土 𡈽 𡉉 幸 幸 𡍮 𡎺 𡐓 達

글자뿌리 형성(形聲) 문자. 새끼 양 달(羍=牽의 변형〈음〉)에 쉬엄쉬엄 갈 착(辶〈뜻〉)을 합친 자로, 새끼 양이 어미 양을 찾아 간다는 데서, '이르다'의 뜻이 된 자.

⇒ ⇒ 達

[達觀 달관] ① 사물에 대하여 통달한 식견. ② 세속을 벗어난 높은 견식.

[達辯 달변] 말이 능숙함. 매우 능란한 말솜씨.

[達筆 달필] 글씨나 글을 잘 쓰는 일. 또는 그러한 글씨나 글.

[到達 도달] 정한 곳이나 어떤 수준에 이르러 다다름.

[配達 배달] 우편물이나 물품 등을 가져다가 전해 주는 일.

[速達 속달] ① 속히 배달함. ② '속달 우편'의 준말.

[熟達 숙달] 익숙하고 통달함.

[示達 시달] 상급 기관에서 하급 기관 등에 지시 사항이나 주의 사항 따위를 전달함. 또는 그 전달.

[傳達 전달] 어떤 물건을 전하여 어느 곳에 이르게 함.

道

7급 중학 한자

중 道 (dào)

영 way [wei]

길 도:

풀이 1 길. 2 도리. 3 도. ※ 행정 구역의 한 단위.

부수 辵(책받침)부

찾기 辶4(辵)+首9=13획

丶 丷 䒑 𦍌 𦍍 首 首 首 首 道 道 道 道

글자뿌리 형성(形聲) 문자. 머리 수(首〈음〉)에 쉬엄쉬엄 갈 착(辶〈뜻〉)을 합친 자로, 首(수)는 사람의 뜻. 사람이 마땅히 걸어가야 할 길, 곧 도덕적인 '길'을 뜻하다가 사람이 왕래하는 '길'의 뜻이 된 자.

⇒ ⇒ 道

[道德 도덕] 사람으로서 반드시 행해야 할 바른 도리와 행동.
[道理 도리] ① 사람이 지켜야 하는 바른 길. ② 마땅한 방법이나 길.
[道通 도통] 사물의 깊은 이치를 깨달아 잘 앎.
[步道 보도] 사람이 걸어 다니는 길.
[報道 보도] 신문이나 방송으로 새 소식을 널리 알림. 또는 그 소식.
[修道 수도] 도를 닦으며 수양을 쌓는 일.
[孝道 효도] 어버이를 잘 섬김. 또는 그 도리.

4급 중학 한자
중 遇 (yù)
영 meet [mi:t]

만날 우:

풀이 1 만나다. 2 상대하다. 맞서다. 3 대접하다.
부수 辵(책받침)부
찾기 辶4(辵)+禺9=13획

글자뿌리 형성(形聲) 문자. 마침 우(禺: 偶의 생략자〈음〉)에 쉬엄쉬엄 갈 착(辶〈뜻〉)을 합친 자로, 길을 가다가 우연히 생각지 않은 사람을 만난다는 데서, '만나다'의 뜻이 된 자.

[待遇 대우] 예의를 갖춰 대함.
[禮遇 예우] 예의를 지켜 정중히 대우함.

6급 중학 한자
중 运 (yún)
영 turn round

옮길 운:

풀이 1 옮기다. 2 움직이다. 3 운전하다. 4 운수.
부수 辵(책받침)부
찾기 辶4(辵)+軍9=13획

글자뿌리 형성(形聲) 문자. 군사 군(軍〈음〉)에 쉬엄쉬엄 갈 착(辶〈뜻〉)을 합친 자로, 병사가 이동하기 위해 전차와 함께 간다는 데서 '옮기다', '움직이다'의 뜻이 된 자.

⇒ 運

[運動 운동] ① 건강을 위해서 몸을 움

직이는 일. ② 돌아다니며 활동함. ③ 물체가 시간이 지남에 따라 위치를 바꾸는 일.
[運命 운명] 사람을 둘러싸고 다가오는 좋은 일과 나쁜 일.
[運搬 운반] 물건을 나름.
[運輸 운수] 사람이나 물건을 차나 배로 실어 나르는 일.
[運賃 운임] 운반하는 삯.
[運轉 운전] 기계나 자동차 등을 조종하여 달리게 함.
[運航 운항] 배 또는 항공기가 정해진 항로를 따라 오고 감.
[運行 운행] ① 운전하며 다님. ② 천체가 궤도를 따라 운동함.
[不運 불운] 운수가 좋지 않음.
[天運 천운] 하늘이 정한 운.
[幸運 행운] 좋은 운수. 행복한 운수.

4급 중학 한자
중 遊 (yóu)
영 play [plei]

놀 유

풀이 1 놀다. 즐기다. 2 여행하다.
부수 辵(책받침)부
찾기 辶4(辵)+斿9=13획

丶 亠 方 方 方 方 斿 斿 斿 游 游 游 遊

글자뿌리 형성(形聲) 문자. 깃발 유(斿〈음〉)에 쉬엄쉬엄 갈 착(辶〈뜻〉)을 합친 자로, 아이들이 깃발을 들고 서로 어울려 다닌다는 데서 '놀다'의 뜻.

[遊覽 유람] 여기저기 돌아다니며 구경함. ¶ 遊覽船(유람선).
[遊牧 유목] 일정한 거처를 정하지 않고 물과 목초를 따라 소·양·말 등의 가축을 몰고 다니며 하는 목축.
[遊說 유세] 각처로 돌아다니면서 자기 또는 자기가 소속한 정당 등의 주장을 선전함.
[遊戲 유희] 즐겁게 놂.

6급 중학 한자
중 远 (yuǎn)
영 far [fɑːr]

멀 원:

풀이 1 멀다. 멀리하다. 2 심오하다. 깊다.
부수 辵(책받침)부
찾기 辶4(辵)+袁10=14획

一 十 土 土 吉 吉 声 声 袁 袁 袁 遠 遠 遠

글자뿌리 형성(形聲) 문자. 옷이 길 원(袁〈음〉)에 쉬엄쉬엄 갈 착(辶〈뜻〉)을 합친 자로, 옷이 긴 것처럼 가야 할 길이 아득하다는 데서 '멀다'의 뜻이 된 자.

⇒ ⇒ 遠

[遠景 원경] 멀리 보이는 경치. 또는 먼 데서 보는 경치.
[遠近 원근] 멀고 가까움. 또는 먼 곳과 가까운 곳.
[遠大 원대] 생각이나 계획이 깊고 큼.
[遠視 원시] 먼 곳은 잘 보이나 가까운 곳은 잘 보이지 않는 눈.
[遠心力 원심력] 물체가 돌아갈 때 중심으로부터 떨어져 나가려고 하는 힘.
[遠洋漁業 원양어업] 잡은 물고기를 오래 간수할 수 있는 냉장·냉동 시설과 가공 시설을 갖춘 큰 배로 먼바다에 나가 고기잡이를 하는 일.
[遠因 원인] 관련이 멀고 간접적인 원인.
[遠征 원정] ① 먼 곳으로 적을 치러 감. ② 운동 경기를 하러 먼 곳으로 감.
[深遠 심원] 생각·사상·뜻 따위가 매우 깊음.
[永遠 영원] ① 세월이 끝없이 길고 오램. ② 시간을 초월하여 존재하는 일. 시간에 좌우되지 않는 존재.

맞을 적

4급 중학 한자
중 适 (shì)
영 suit [su:t]

풀이 1 맞다. 마땅하다. 2 즐기다. 3 가다.
부수 辵(책받침)부
찾기 辶4(辵)+啇11=15획

丶 亠 亠 宀 产 产 产 啇 啇 啇 啇 `啇 谪 谪 適

글자뿌리 형성(形聲) 문자. 밑동 적(啇: 곧바르다는 뜻〈음〉)에 쉬엄쉬엄 갈 착(辶〈뜻〉)을 합친 자로, 앞으로 곧바로 쉬엄쉬엄 간다는 데서 '가다', '맞다'의 뜻.

⇒ ⇒ 適

[適格 적격] 알맞은 자격.
[適當 적당] 알맞게 적합함.
[適用 적용] 알맞게 이용하거나 맞추어 씀.
[適應 적응] 일정한 조건이나 환경에 익숙해져 어울림.
[適者生存 적자생존] 생존 경쟁의 세계에서 외계의 상태나 변화에 적합하거나 잘 적응하는 것만이 살아남고, 그렇지 못한 것은 사라지는 일.
[適材適所 적재적소] 적당한 인재를 적당한 자리에 씀.
[適正 적정] 알맞고 바름. ¶ 適正價格(적정 가격).
[適中 적중] 넘치거나 모자람이 없이 꼭 알맞음.
[適合 적합] 꼭 들어맞음. 합당함.

가릴 선:

5급 중학 한자
중 选 (xuǎn)
영 select [silékt]

풀이 가리다. 뽑다.

부수 辵(책받침)부

찾기 辶⁴(辵)+巽¹²=16획

글자뿌리 형성(形聲) 문자. 가지런할 손(巽〈음〉)에 쉬엄쉬엄 갈 착(辶〈뜻〉)을 합친 자로, 巽(손)은 대 위에 활을 나란히 놓은 모양. 신에게 제사를 지내러 갈 사람을 가려 뽑는다는 데서 '가리다', '뽑다'의 뜻.

[選擧 선거] 일정한 조직이나 집단에서 그 대표자나 임원을 투표 등의 방법으로 뽑음.

[選拔 선발] 여럿 가운데서 추려 뽑음.

[選別 선별] 가려서 고르거나 추려 냄.

[選手 선수] 운동 기량이나 기술이 뛰어나 여럿 중에서 대표로 뽑힌 사람.

[選用 선용] 여럿 가운데서 골라서 씀.

[選擇 선택] 골라서 뽑음.

[落選 낙선] ① 선거에서 떨어짐. ② 작품의 심사나 선발 대회 등에서 뽑히지 않음.

[當選 당선] ① 선거에서 뽑힘. ② 출품작 따위가 심사에 통과하여 뽑힘.

[精選 정선] 공을 들여 좋은 것을 골라 뽑음.

遺

4급 중학 한자

중 遗 (yí)

영 remain [riméin]

남길 유

풀이 1 남기다. 남다. 2 끼치다. 3 버리다. 잃다.

부수 辵(책받침)부

찾기 辶⁴(辵)+貴¹²=16획

글자뿌리 형성(形聲) 문자. 귀할 귀(貴〈음〉)에 쉬엄쉬엄 갈 착(辶〈뜻〉)을 합친 자로, 길을 가다가 귀한 물건을 떨어뜨려 잃어버린다는 데서 '남기다', '잃다'의 뜻이 된 자.

[遺憾 유감] 마음에 차지 않아서 매우 섭섭함.

[遺棄 유기] 돌보지 않고 내버림.

[遺物 유물] 옛사람이 남긴 물건.

[遺腹子 유복자] 어머니의 배 속에 있을 때 아버지를 여의고 태어난 자식.

[遺産 유산] 죽은 사람이 남겨 놓은 재산.

[遺言 유언] 사람이 죽을 때, 마지막으로 남기는 말.

[遺跡 유적] 남아 있는 역사의 자취.

[遺傳 유전] 어버이의 체질, 형상, 성격 등의 형질이 자손에게 전해지는 일.
[遺族 유족] 죽은 사람의 뒤에 남아 있는 가족.

避 피할 피

4급 고등 한자
중 避 (bì)
영 avoid [əvɔ́id]

풀이 1 피하다. 2 숨다.
부수 辵(책받침)부
찾기 辶4(辵)+辟13=17획

글자뿌리 형성(形聲) 문자. 쉬엄쉬엄 갈 착(辶〈뜻〉)에 물리칠 벽(辟〈음〉)을 합친 자로, 辟(벽)은 옆으로 비키다의 뜻. '옆으로 나아가다', '피하다'의 뜻을 나타냄.

[避難 피난] 재난을 피해 옮겨 감.
[避暑 피서] 여름철에 서늘한 곳으로 자리를 옮겨 더위를 피함.
[避身 피신] 위험을 피하여 몸을 숨김.
[忌避 기피] 꺼리거나 싫어하여 피함.
[待避 대피] 위험이나 피해를 당하지 않도록 일시적으로 피함.
[回避 회피] ① 몸을 피하여 만나지 않음. ② 꾀를 부려 책임을 지지 않음.

邊 가 변

4급Ⅱ 고등 한자
중 边 (biān)
영 border [bɔ́ːrdər]

풀이 1 가. 가장자리. 2 변방. 3 옆. 곁. 4 끝.
부수 辵(책받침)부
찾기 辶4(辵)+㝑15=19획

글자뿌리 형성(形聲) 문자. 쉬엄쉬엄 갈 착(辶〈뜻〉)에 보이지 않을 면(㝑〈음〉)을 합친 자로, 㝑(면)은 코의 양옆의 뜻. 중심에서 벗어난 부분을 가리키는 데서, '가', '가장자리'의 뜻을 나타냄.

[邊境 변경] 나라의 경계가 되는 곳.
[邊利 변리] 돈을 빌려 쓰고 내는 이자.
[邊方 변방] ① 나라의 경계가 되는 변두리 땅. ② 가장자리가 되는 쪽.
[街路邊 가로변] 도시의 큰길가.
[江邊 강변] 강가.
[多邊化 다변화] 일의 방법이나 양상이

다양하고 복잡해짐.

[底邊 저변] ① 사물의 밑바닥을 이루는 부분. ② '밑변'의 구용어.

[海邊 해변] 바닷가.

7급 중학 한자

중 邑 (yì)

영 town [taun]

고을 읍

풀이 1 고을. 마을. 2 영지.

부수 邑(고을읍)부

찾기 邑⁷=7획

글자뿌리 회의(會意) 문자. 둘러쌀 위(囗: 圍의 옛 글자)에 병부 절(巴=卩: 사람이 무릎을 꿇은 모양)을 합친 자로, 일정한 경계 안에 사람들이 모여 산다는 데서 '마을', '고을'을 뜻함.

[邑內 읍내] 읍의 구역 안.

[都邑 도읍] 서울.

郡

6급 중학 한자

중 郡 (jùn)

영 county [káunti]

고을 군

풀이 1 고을. 2 관청.

부수 邑(고을읍)부

찾기 阝³(邑)+君⁷=10획

글자뿌리 형성(形聲) 문자. 임금 군(君〈음〉)에 고을 읍(阝=邑〈뜻〉)을 합친 자로, 임금이 백성을 다스리기 쉽도록 나눠진 마을이라는 데서 지방 행정 구획의 하나인 '군'을 뜻함.

[郡守 군수] 군의 행정을 맡아보는 책임자.

[郡廳 군청] 군의 일을 맡아보는 관청.

3급Ⅱ 중학 한자

중 郎 (láng)

영 man [mæn]

사내 랑

풀이 1 사내. 2 남편.

부수 邑(고을읍)부

찾기 阝3(邑)+良7=10획

글자뿌리 형성(形聲) 문자. 어질 량(良〈음〉)에 고을 읍(阝=邑〈뜻〉)을 합친 자로, 중국 주나라 때 노(魯)나라의 땅 이름으로, 이 마을의 젊은이를 낭군이라 부른 데서 유래하여 '사내'를 뜻함.

[郎君 낭군] 아내가 자기 남편을 정답게 일컫는 말.

[花郎 화랑] 신라 시대, 청소년으로 조직되었던 민간 수양 단체. 또는 그 중심인물. 나라의 기둥을 길러내는 데 이바지하였음.

6급 중학 한자

중 部 (bù)

영 lead [li:d]

떼 부

풀이 1 떼. 무리. 2 거느리다. 3 나누다. 가르다. 4 마을.

부수 邑(고을읍)부

찾기 阝3(邑)+咅8=11획

글자뿌리 형성(形聲) 문자. 가를 부(咅〈음〉)에 고을 읍(阝=邑〈뜻〉)을 합친 자로, 중앙에서 다스리기 편하게 여러 고을로 가른다는 데서 '나누다'의 뜻.

⇒ ⇒ 部

[部隊 부대] ① 일정한 규모의 군대 조직. ② 한데 모여 행동을 같이하는 무리.

[部落 부락] 도시 이외의 지역에서 여러 민가들이 모여 이룬 마을. 촌락.

[部類 부류] 종류에 따라 나누어 놓은 갈래.

[部門 부문] 일정한 기준에 따라 갈라놓은 부분.

[部分 부분] 전체를 몇 개로 나눈 것의 하나.

[部族 부족] 원시 사회에서 같은 조상 아래 공통된 언어와 종교 등을 가진, 씨족보다 큰 공동체. ¶ 部族社會(부족 사회).

[部下 부하] 남의 밑에 딸려서 그의 명령에 따라 움직이는 사람.

[幹部 간부] 회사나 단체 등 조직의 중심이 되는 지도적인 위치에 있는 인물.

[內部 내부] ① 사물의 안쪽 부분. ② 어떤 조직에 속하는 범위의 안.

[外部 외부] ① 사물의 바깥 부분. ② 단체나 조직의 밖.

[下部 하부] ① 아래쪽 부분. ② 하급의 기관. 또는 그 사람.

4급 고등 한자

중 邮 (yóu)

영 mail [meil]

우편 우

풀이 1 우편. 2 역말. 3 역참.

부수 邑(고을읍)부

찾기 阝^{3}(邑)+垂^{8}=11획

글자뿌리 회의(會意) 문자. 고을 읍(邑)에 늘어질 수(垂)를 합친 자로, 垂(수)는 나라의 경계가 되는 땅끝, 변경의 뜻. 변경 땅에 설치된 문서 전달을 위한 숙소라는 데서 '역참'의 뜻을 나타냄.

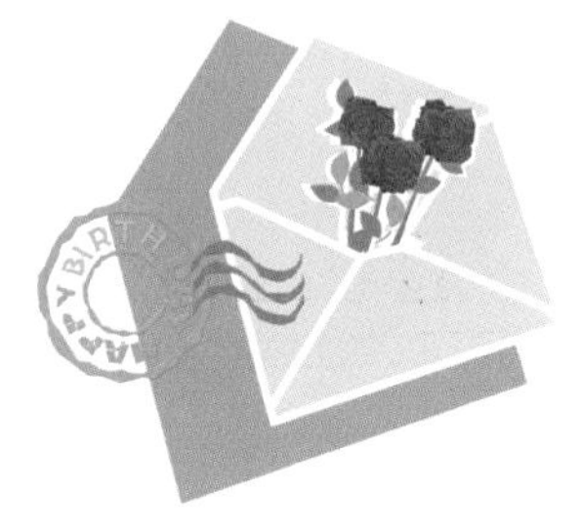

[郵送 우송] 물건이나 편지를 우편으로 보냄.

[郵遞局 우체국] 우편·전신 업무 따위를 맡아보는 공공 기관.

[郵便 우편] 편지나 소포 따위를 받거나 보내는 업무.

[郵票 우표] 우편 요금을 낸 표시로 우편물에 붙이는 증표.

5급 중학 한자

중 都 (dōu)

영 capital [kǽpitl]

도읍 도

풀이 1 도읍. 서울. 도회지. 2 모두.

부수 邑(고을읍)부

찾기 阝^{3}(邑)+者^{9}=12획

글자뿌리 형성(形聲) 문자. 사람 자(者: 모은다는 뜻이 있음〈음〉)에 고을 읍(阝=邑〈뜻〉)을 합친 자로, 고을 중에서 사람이나 갖가지 물건이 많이 모이는 곳이라는 데서 '도읍', '도회지'의 뜻.

⇒ ⇒ 都

[都心 도심] 도시의 중심.

[都邑 도읍] 서울.

[都合 도합] 모두 한데 합한 셈.

[都會 도회] 사람이 많이 모여 사는 번화한 곳.

[古都 고도] 옛 도읍.

[大都市 대도시] 지역이 넓고 인구가 많으며 대체로 정치적·경제적·문화적 활동의 중심이 되는 도시.

[首都 수도] 한 나라의 중앙 정부가 있는 도시.

4급Ⅱ 중학 한자

중 乡 (xiāng)

영 country [kʌ́ntri]

시골 향

풀이 1 시골. 2 고향. 3 고장.
부수 邑(고을읍)부
찾기 阝3(邑)+皀10=13획

乡 乡 乡 乡ʹ 乡ʹ 乡卩 乡卩 乡卩 乡卩 乡卩 乡卩ʹ 乡卩阝 鄕

글자뿌리 회의(會意) 문자. '㚇'에 밥 고소할 향(皀)을 합친 자로, '㚇'은 두 사람이 마주 앉은 모양. 음식을 가운데에 놓고 여러 사람이 어울려 먹는다는 데서 '고향', '시골'의 뜻이 된 자.

⇒ ⇒ 鄕

[鄕愁 향수] 고향을 그리워하는 마음이나 시름.
[鄕土 향토] 시골. 고향 땅. ¶鄕土色(향토색).
[故鄕 고향] ① 자기가 태어나서 자란 곳. ② 조상 때부터 대대로 살아온 곳.
[歸鄕 귀향] 고향으로 돌아가거나 돌아옴.
[望鄕 망향] 고향을 그리워함. ¶望鄕歌(망향가).

닭 유

3급 중학 한자
중 酉 (yǒu)
영 cock [kak]

풀이 닭. 열째 지지. ※ 십이지의 열째로, 동물로는 닭, 달〔月〕로는 음력 8월, 시간은 오후 5시~7시.
부수 酉(닭유)부
찾기 酉7=7획

一 丆 万 丙 两 西 酉

글자뿌리 상형(象形) 문자. 본디 술병의 모양을 본뜬 글자로 '술'의 뜻. 뒤에 술은 酒(주)로 바뀌고 酉(유)는 십이지의 열째 지지인 '닭'의 뜻으로 쓰임.

[酉年 유년] 닭해.
[酉時 유시] 오후 5시에서 7시 사이.

술 주(ː)

4급 중학 한자
중 酒 (jiǔ)
영 wine [wain]

풀이 술.
부수 酉(닭유)부
찾기 酉7+氵3=10획

氵 氵 氵 氵 汀 沪 沂 洒 酒 酒

글자뿌리 형성(形聲) 문자. 물 수(氵=水〈뜻〉)에 닭 유(酉〈음〉)를 합친 자로, 술병에 담겨진 물이라는 데서 '술'의 뜻.

⇒ ⇒ 酒

[酒客 주객] 술을 즐겨 마시는 사람.
[酒店 주점] 술집.
[酒酊 주정] 술에 취하여 정신없이 함부로 하는 말이나 짓.
[禁酒 금주] ① 술을 못 마시게 함. ② 술을 끊음.
[洋酒 양주] 서양에서 들어온 술. 또는 서양의 양조법에 따라 빚은 술.
[飮酒 음주] 술을 마심.
[濁酒 탁주] 막걸리.

4급Ⅱ 고등 한자
중 配 (pèi)
영 share [ʃɛər]

나눌/짝 배ː

풀이 1 나누다. 2 짝. 짝짓다. 3 귀양 보내다.
부수 酉(닭유)부
찾기 酉7+己3=10획

一 丅 襾 两 酉 酉ㄱ 酉ㄱ 配

글자뿌리 회의(會意) 문자. 닭 유(酉)에 몸 기(己)를 합친 자로, 酉(유)는 술 단지의 뜻. 己(기)는 사람의 상형. 사람이 술 단지를 놓고 마주 앉아 술을 따라 준다는 데서, '나누다', '짝을 이루다'의 뜻을 나타냄.

[配給 배급] 나누어 줌.
[配達 배달] 물건을 가져다 나누어 돌림.
[配慮 배려] 이리저리 마음을 씀. 근심하고 걱정함.
[配分 배분] 몫몫이 나누어 줌.
[配列 배열] 일정한 차례나 간격으로 벌여 놓음.
[分配 분배] 몫몫이 평등하게 나눔.

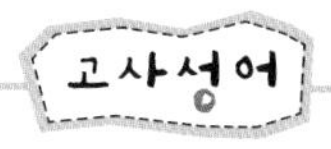

酒池肉林 (주지육림)

술로 연못을 채우고 고기로 숲을 이룬다는 뜻으로, 호화스럽게 차려 놓고 흥청망청하는 술잔치를 이르는 말.

고사 폭군으로 알려진 고대 중국의 하(夏)나라 걸왕(桀王)은 유시씨국(有施氏國)에서 바친 미녀 말희(妺喜)에게 빠져 보석과 상아로 궁전을 짓고 옥으로 침대를 만들어 그곳에서 밤을 지냈다. 또한, 궁중에 큰 못을 파서 술을 쏟아 붓고, 연못가에는 고기를 산더미같이 쌓아 놓았다. 왕이 말희와 함께 술로 된 못〔酒池〕에서 뱃놀이를 할 때는 전국에서 모은 삼천 명의 미소녀들이 연못가에서 춤을 추었다. 그러다가 북소리가 나면 못으로 달려가 술을 마시고 고기를 뜯어 먹으며 호사스럽게 놀았다. 이런 생활을 계속하던 걸왕은 결국 은나라 탕왕에게 멸망하고 말았다.

6급 중학 한자

중 医 (yī)

영 doctor [dάktər]

의원 의

풀이 1 의원. 의사. 2 치료하다.

부수 酉(닭유)부

찾기 酉7+殹11=18획

글자뿌리 형성(形聲) 문자. 앓는 소리 예(殹〈음〉)에 닭 유(酉〈뜻〉)를 합친 자로, 신음 소리를 내며 힘겨워하는 환자에게 약술을 먹여 병을 고치는 사람이라는 데서 '의사'를 뜻함.

[醫療 의료] 의술로 병을 고치는 일.

[醫師 의사] 병든 사람의 진찰과 치료를 직업으로 하는 사람.

[醫術 의술] 병을 고치는 기술. 의학에 관한 기술.

[醫院 의원] 병자를 치료하는 특별한 시설을 갖추고 진료를 하는 곳.

[名醫 명의] 병을 잘 고치는 이름난 의사.

[韓醫師 한의사] 한방의 의술을 전문으로 하는 사람.

7급 중학 한자

중 里 (lĭ)

영 village [vílidʒ]

마을 리:

풀이 마을.

부수 里(마을리)부

찾기 里7=7획

글자뿌리 회의(會意) 문자. 밭 전(田)에 흙 토(土)를 합친 자로, 밭이 있고 토지가 있어서 사람이 살 수 있는 곳이라는 데서 '마을'의 뜻이 된 자.

[里數 이수] 거리를 리(里)의 단위로 나타낸 수.

[里長 이장] 행정 구역의 하나인 이(里)의 사무를 맡아보는 사람.

[洞里 동리] 동네. 마을.

[海里 해리] 바다 위의 거리를 나타내는

단위. 1해리는 약 1,852m.
[鄕里 향리] 태어나서 자라난 고향. 고향 마을.

7급 중학 한자
중 重 (zhòng)
영 heavy [hévi]

무거울 중:

풀이 1 무겁다. 2 소중하게 여기다. 3 거듭하다. 겹치다.
부수 里(마을리)부
찾기 里⁷+亠²=9획

글자뿌리 형성(形聲) 문자. 날 정(壬: 사람이 땅에 선 모양〈뜻〉)에 동녘 동(東: 등짐의 모양〈음〉)을 합친 자로, 짐이 무겁다는 데서 '무겁다'의 뜻.

⇒ ⇒ 重

[重大 중대] 매우 중요함.
[重力 중력] 지구가 표면의 물체를 지구 중심 쪽으로 잡아당기는 힘.
[重傷 중상] 심한 부상.
[重視 중시] 중요하게 여김.
[重要 중요] 귀중하고 요긴함.
[重態 중태] 병이 몹시 위급한 상태.
[重患者 중환자] 큰 병을 앓는 환자.
[重厚 중후] 태도가 정중하고 견실함.
[貴重 귀중] 매우 소중함.
[嚴重 엄중] ① 엄격하고 정중함. ② 몹시 엄함.
[危重 위중] 병세가 무겁고 위태로움.
[自重 자중] ① 자기 스스로를 소중하게 여김. ② 품위를 지켜 몸가짐을 삼감.

6급 중학 한자
중 野 (yě)
영 field [fiːld]

들 야:

풀이 1 들. 2 민간. 3 질박하다. 촌스럽다.
부수 里(마을리)부
찾기 里⁷+予⁴=11획

글자뿌리 형성(形聲) 문자. 마을 리(里〈뜻〉)에 줄 여(予〈음〉)를 합친 자로, 予(여)는 떼어 놓다의 뜻. 마을에서 떨어진 넓은 곳이라는 데서 '들판'의 뜻.

⇒ ⇒ 野

[野黨 야당] 현재 정권에 가담하고 있지 않은 정당.
[野蠻 야만] ① 문화가 미개한 상태. 또는 그 종족. ② 도의심이 없고 예의를 모름.
[野望 야망] 커다란 희망이나 바람.
[野生 야생] 산이나 들에서 저절로 나서 자람. 또는 그런 생물.
[野獸 야수] 산이나 들에서 자라 사람에게 길이 들지 않은 사나운 짐승. 야생의 동물.
[野營 야영] ① 야외에 천막을 치고 잠. ② 군대가 산이나 들판에 진영을 침. 또는 그 진영.
[野外 야외] 들판. 교외.
[野菜 야채] 식용하는 채소류.
[曠野 광야] 넓은 들.
[分野 분야] 사물을 어떤 기준에 따라 구분한 각각의 영역 또는 범위.
[林野 임야] 나무가 들어서 있는 넓은 땅. 숲과 벌판.
[平野 평야] 넓게 펼쳐진 들.
[荒野 황야] 버려두어 거친 들판.

5급 중학 한자
중 量 (liáng)
영 measure [méʒər]

헤아릴 량

풀이 1 헤아리다. 2 양. 용량. 분량.
부수 里(마을리)부
찾기 里⁷+日⁵=12획

量

글자뿌리 상형(象形) 문자. 곡물을 넣는 주머니 위에 깔때기를 댄 모양을 본뜬 자로, 분량을 되다의 뜻. 무게를 밝힌다는 데서 '헤아리다', '양'의 뜻.

⇒ ⇒ 量

[計量 계량] 분량이나 무게 따위를 잼.
[度量 도량] ① 넓은 마음과 깊은 생각. ② 길이를 재는 자와 양을 되는 되.
[分量 분량] 무게·부피·수량 등의 많고 적음과 크고 작은 정도.
[雅量 아량] 깊고 너그러운 마음씨.
[測量 측량] 땅 위의 여러 곳의 높이·크기·위치·각도·거리·방향 따위를 재어 표시함. 또는 그 작업.

8급 중학 한자
중 金 (jīn)
영 ❶metal [métl]
❷family name

❶쇠 금
❷성 김

풀이 ❶ 쇠. 금. 돈. ❷ 성(姓).
부수 金(쇠금)부
찾기 金^{8}=8획

글자뿌리 형성(形聲) 문자. 이제 금(亼: 今의 생략형〈음〉)에 흙 토(土〈뜻〉)를 합치고 양쪽에 두 점(丷: 광석을 나타냄)을 찍어서 만든 글자로, 금속이 땅속에 묻혀 있다는 데서 '쇠', '금'을 뜻하게 된 자.

[金塊 금괴] 금덩이.
[金權 금권] 돈의 위력. 재산의 힘.
[金利 금리] 빌려 준 돈이나 예금 따위에 붙는 이자.
[金髮 금발] 황금색의 머리털.
[金屬 금속] 쇠붙이.
[金言 금언] 깊은 교훈을 담고 있는 짤막한 말.
[金銀 금은] 금과 은.
[公金 공금] ① 국가나 공공 단체의 소유로 되어 있는 돈. ② 단체나 회사의 돈.
[募金 모금] 어떤 일을 도와줄 목적으로 여러 사람으로부터 돈을 거두어들임.
[罰金 벌금] 규칙 위반에 대한 벌로 내게 하는 돈.
[賞金 상금] 상으로 주는 돈.
[稅金 세금] 국가나 지방 공공 단체가 필요한 경비를 마련하기 위하여 국민으로부터 거두어들이는 돈.
[貯金 저금] 돈을 금융 기관에 맡기거나 저금통에 모아 둠. 또는 그 돈.
[現金 현금] ① 현재 가지고 있는 돈. ② 어음이나 수표 등에 대하여 실제로 쓰는 화폐를 이르는 말.

4급 중학 한자
중 针 (zhēn)
영 needle [ní:dl]

바늘 침(:)

풀이 1 바늘. 2 침. 3 바느질. 바느질하다. 꿰매다.
부수 金(쇠금)부
찾기 金^{8}+十^{2}=10획

글자뿌리 형성(形聲) 문자. 쇠 금(金〈뜻〉)에 열 십(十: 본래는 구멍이 있는 바늘의 모양〈음〉)을 합친 자로, 쇠로 만든 바늘이라는 데서 '바늘', '바느질'을 뜻함.

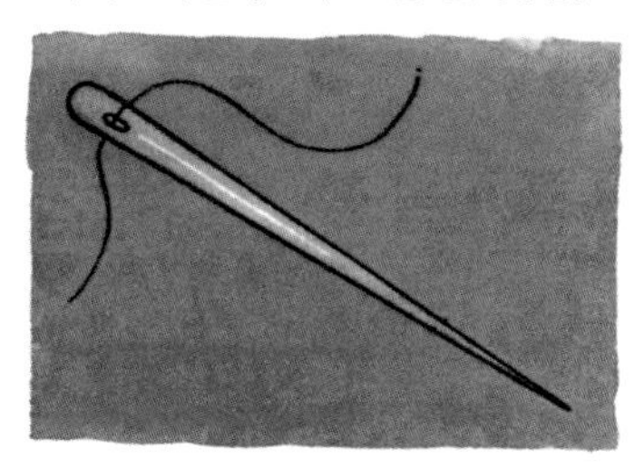

[針母 침모] 삯바느질을 하는 여자.
[針線 침선] ① 바늘과 실. ② 바느질.
[針術 침술] 침으로 병을 고치는 의술.
[針葉樹 침엽수] 소나무나 잣나무와 같이 잎이 바늘처럼 생긴 나무를 통틀어 이르는 말.

[方針 방침] 어떤 일을 처리해 나가는 계획과 방향.
[時針 시침] 시계에서, 시간을 가리키는 짧은 바늘.
[指針 지침] 생활이나 행동의 방법·방향 따위를 가리키는 길잡이.

4급 고등 한자
중 铅 (qiān)
영 lead [led]

납 연

풀이 1 납. 2 분.
부수 金(쇠금)부
찾기 金⁸+㕣⁵=13획

丿 𠆢 亼 亼 仐 仐 佘 金
金 釒 鉛 鉛 鉛

글자뿌리 형성(形聲) 문자. 쇠 금(金〈뜻〉)에 수렁 연(㕣〈음〉)을 합친 자로, 습기를 따라 검푸른 분이 생기는 쇠붙이라는 데서, '납'의 뜻을 나타냄.

[鉛粉 연분] 백분(白粉). 흰 가루로 된 화장품.
[鉛筆 연필] 필기도구의 하나.
[黑鉛 흑연] 탄소로만 이루어진 광물의 하나.

6급 중학 한자
중 银 (yín)
영 silver [sílvər]

은 은

풀이 1 은. 2 은빛. 3 돈.
부수 金(쇠금)부
찾기 金⁸+艮⁶=14획

丿 𠆢 亼 亼 仐 仐 佘 金
釕 釕 鈩 鉀 鉀 銀

글자뿌리 형성(形聲) 문자. 쇠 금(金〈뜻〉)에 한정할 간(艮〈음〉)을 합친 자로, 눈에 띄는 쇠붙이, 또는 희고 깨끗한 금속에서 '은'의 뜻.

⇒ ⇒ 銀

[銀塊 은괴] 은 덩어리.
[銀髮 은발] ① 하얗게 센 머리. 흰머리. ② 은빛의 머리털.
[銀粧刀 은장도] 칼집과 칼자루를 은으로 꾸민 장식용 칼.
[銀河水 은하수] 맑게 갠 날 밤에 흰구름 같이 남북으로 길게 보이는 별의 무리.
[銀杏 은행] 은행나무의 열매.
[銀婚式 은혼식] 서양의 풍속으로, 결혼한 지 25주년이 되는 날을 기념하고 축하하는 의식.
[銀貨 은화] 은으로 만든 돈.

銃

4급Ⅱ 고등 한자

중 铳 (chòng)

영 gun [gʌn]

총 총

풀이 총.

부수 金(쇠금)부

찾기 金⁸+充⁶=14획

글자뿌리 형성(形聲) 문자. 쇠 금(金〈뜻〉)에 채울 충(充〈음〉)을 합친 자로, 화약과 탄알을 재어서 쏘는 '총'의 뜻을 나타냄.

[銃劍 총검] ① 총과 칼. ② 총 끝에 꽂는 칼.
[銃擊 총격] 총을 쏨.
[銃口 총구] 총구멍. 총부리.
[銃器 총기] 소총이나 권총 따위의 무기의 총칭.
[銃殺 총살] 총으로 쏘아 죽임.
[銃傷 총상] 총에 맞아 다친 상처.
[銃聲 총성] 총소리.
[銃彈 총탄] 총알.
[銃砲 총포] ① 총. ② 총과 대포의 총칭.
[小銃 소총] 개인 휴대용 전투 화기의 하나.

銅

4급Ⅱ 고등 한자

중 铜 (tóng)

영 copper [kɑ́pər]

구리 동

풀이 구리.

부수 金(쇠금)부

찾기 金⁸+同⁶=14획

글자뿌리 형성(形聲) 문자. 쇠 금(金〈뜻〉)에 한가지 동(同〈음〉)을 합친 자로, 同(동)은 원기둥 모양의 기구를 본뜬 것. '同'을 만드는 금속, 곧 '구리'의 뜻을 나타냄.

[銅像 동상] 구리로 만든 사람이나 동물의 형상.
[銅錢 동전] 구리로 만든 돈.
[銅版 동판] 구리 조각에 새긴 인쇄 원판.
[金銅 금동] 도금하거나 금박 씌운 구리.
[靑銅 청동] 구리와 주석의 합금.

錢

4급 중학 한자

중 钱 (qián)

영 money [mʌ́ni]

돈 전:

풀이 돈.
부수 金(쇠금)부
찾기 金8+戔8=16획

丿 人 亼 亼 牟 余 金 金
金' 金' 金' 金' 錢 錢 錢 錢

글자뿌리 형성(形聲) 문자. 쇠 금(金〈뜻〉)에 깎을 잔(戔: 剗의 생략형〈음〉)을 합친 자로, 쇠를 깎아 만든 '가래'를 뜻하다가, 가래 모양의 돈을 쓴 데서 '돈'을 뜻함.

[金錢 금전] ① 쇠붙이로 만든 돈. ② 돈. 화폐. ③ 금화.
[銅錢 동전] 구리로 만든 돈.
[本錢 본전] ① 밑천으로 들인 돈. ② 이자를 붙이지 않은 본디의 액수.
[換錢 환전] 서로 종류가 다른 화폐와 화폐를 교환하는 일.

[錄音 녹음] 레코드나 테이프 따위에 소리를 기록함. 또는 그런 소리.
[錄畫 녹화] 사물의 움직임이나 모습 따위를 필름·비디오테이프 등에 처리해 담아 둠.
[登錄 등록] 문서에 올려 실음.
[收錄 수록] 모아서 기록함.
[實錄 실록] ① 사실을 있는 그대로 적은 기록. ② 임금이 재위한 동안의 사실을 적은 기록.
[語錄 어록] 위인이나 유명인의 말들을 모은 기록. 또는 그 책.

4급Ⅱ 고등 한자
중 录 (lù)
영 record [rékərd]

기록할 록

풀이 기록하다. 적다.
부수 金(쇠금)부
찾기 金8+彔8=16획

丿 人 亼 亼 牟 余 金 金
金' 金' 金' 鈴 鈴 鈴 錄 錄

글자뿌리 형성(形聲) 문자. 쇠 금(金〈뜻〉)에 근본 록(彔〈음〉)을 합친 자로, 彔(록)은 파서 새기다의 뜻. 중요한 일을 금속에 새긴다는 데서 '기록하다'의 뜻을 나타냄.

4급 고등 한자
중 镜 (jìng)
영 mirror [mírər]

거울 경:

풀이 1 거울. 2 모범. 본보기. 3 안경.
부수 金(쇠금)부
찾기 金8+竟11=19획

人 亼 牟 余 金 金' 金' 金'
金' 金' 金' 鏡 鏡 鏡 鏡 鏡

글자뿌리 형성(形聲) 문자. 쇠 금(金〈뜻〉)에 끝날 경(竟〈음〉)을 합친 자로, 竟(경)

은 景(경)과 통하여, 물건의 모양으로 생긴 그늘의 뜻. 모양을 비추어 내는 구리라는 데서 '거울'의 뜻을 나타냄.

[鏡臺 경대] 큰 거울이 달린 화장대.
[望遠鏡 망원경] 멀리 있는 물체를 볼 수 있게 만든 기구.
[明鏡 명경] 맑은 거울.
[眼鏡 안경] 눈을 보호하거나 시력을 돕기 위해 쓰는 기구.

[鐘閣 종각] 큰 종을 매달아 놓은 누각.
[鐘樓 종루] 종을 달아 두는 누각.
[鐘乳石 종유석] 석회 동굴 천장에 고드름처럼 달려 있는 돌. 돌고드름.
[警鐘 경종] ① 비상사태나 위험 등을 알리기 위해 치는 종. ② 세상을 경계하기 위한 주의나 충고.
[晩鐘 만종] 저녁 무렵에 절이나 교회 등에서 치는 종.
[打鐘 타종] 종을 침.

4급 중학 한자
중 钟 (zhōng)
영 bell [bel]

쇠북 종

풀이 쇠북. 종.
부수 金(쇠금)부
찾기 金[8]+童[12]=20획

丿 𠆢 𠆢 𠂉 伞 全 余 金 金丶 金亠 金立 金立 金音 金音 金音 鐘 鐘 鐘 鐘 鐘

글자뿌리 형성(形聲) 문자. 쇠 금(金〈뜻〉)에 아이 동(童: 撞〔칠 당〕의 생략자〈음〉)을 합친 자로, 쇠를 치면 북처럼 소리가 난다는 데서 '쇠북', '종'의 뜻이 된 자.

5급 중학 한자
중 铁 (tiě)
영 iron [áiərn]

쇠 철

풀이 1 쇠. 2 굳고 변하지 않음.
부수 金(쇠금)부
찾기 金[8]+戴[13]=21획

丿 𠆢 𠆢 𠂉 伞 全 余 金 金 金 金 金 金 金 金 金 金 金 鐵 鐵 鐵

글자뿌리 형성(形聲) 문자. 쇠 금(金〈뜻〉)에 날카로울 철(戴〈음〉)을 합친 자로, 예리한 물건을 만들 수 있는 것이라는 데서 '쇠'를 뜻함.

[鐵甲 철갑] 쇠로 만든 갑옷.
[鐵甲船 철갑선] 쇠로 겉 부분을 싸서 만든, 전쟁에 쓰는 배.
[鐵鋼 철강] 무쇠와 강철(鋼鐵).
[鐵工 철공] 쇠를 다루어 기구를 만듦. 또는 그 사람.
[鐵橋 철교] ① 쇠붙이로 만들어 놓은 다리. ② 철도가 지나는 다리.
[鐵道 철도] 선로 위로 열차를 운행하여 사람과 사물을 운반하는 교통 운수 시설. 철길. 철로.
[鐵網 철망] 철사로 얽어 만든 그물.
[鐵面皮 철면피] 쇠로 만든 낯가죽이라는 뜻으로, 염치없고 뻔뻔스러운 사람을 이르는 말.
[鐵帽 철모] 전투할 때 쓰는 쇠로 만든 모자.
[鐵門 철문] 쇠로 만든 문.
[鐵絲 철사] 쇠로 만든 가는 줄.
[鐵條網 철조망] 들어오지 못하도록 가시철사를 둘러놓은 울타리.
[鐵窓 철창] ① 쇠로 창살을 만든 창문. ② 감옥을 비유하여 이르는 말.
[鐵則 철칙] 변경하거나 어길 수 없는 엄격한 규칙. 절대적인 규칙.
[鋼鐵 강철] ① 열처리로 단단하게 만든 쇠. ② 아주 단단하고 굳셈을 비유하는 말.
[古鐵 고철] 낡은 쇠. 헌쇠.
[製鐵 제철] 철광석을 제련하여 무쇠를 뽑음.

4급 고등 한자
중 矿 (kuàng)
영 ore [ɔːr]

쇳돌 광:

풀이 1 쇳돌. 2 광석.
부수 金(쇠금)부
찾기 金^{8}+廣^{15}=23획

丿 人 𠆢 亼 全 全 余 金
金` 金亠 金广 金庐 金庐 金庐 金庐 金庐
鑛 鑛 鑛 鑛 鑛 鑛 鑛

글자뿌리 형성(形聲) 문자. 쇠 금(金〈뜻〉)에 넓을 광(廣〈음〉)을 합친 자로, 돌 속에 널리 포함되어 있는 쇠라는 데서 '쇳돌'을 나타냄.

[鑛脈 광맥] 광물의 줄기.
[鑛物 광물] 천연으로 나며, 땅속에 있는 철·금·은 따위의 물질.
[鑛夫 광부] 광물을 캐는 일꾼.
[鑛山 광산] 광물을 캐내는 곳.
[炭鑛 탄광] 석탄을 캐내는 광산.

8급 중학 한자

중 长 (cháng)

영 long [lɔːŋ]

길 장(ː)

풀이 1 길다. 길이. 2 낫다. 3 자라다. 4 맏이. 5 어른. 6 우두머리.

부수 長(길장)부

찾기 長⁸=8획

글자뿌리 상형(象形) 문자. 머리와 수염이 길고 허리가 구부러진 노인이 지팡이를 짚은 모양을 본뜬 글자.

[長久 장구] 길고 오램.
[長技 장기] 가장 잘하는 재주. 특별히 뛰어난 재주.
[長短 장단] ① 길고 짧음. ② 좋은 점과 나쁜 점.
[長文 장문] 긴 글.
[長髮 장발] 길게 기른 머리털. 또는 그런 사람.
[長蛇陣 장사진] ① 많은 사람들이 줄을 지어 길게 늘어선 모양을 이르는 말. ② 옛날, 전투 대형의 하나.
[長成 장성] 자라서 어른이 됨. 또는 성장함.
[長壽 장수] 오래 삶.
[長幼有序 장유유서] 오륜의 하나로, 나이가 많은 사람과 적은 사람 사이에는 지켜야 할 차례가 있음을 이르는 말.
[長子 장자] 맏아들.
[長指 장지] 가운뎃손가락.
[長風 장풍] 먼 데서 불어오는 바람. 또는 먼 곳까지 불어 가는 큰 바람.
[家長 가장] 집안의 어른.
[生長 생장] ① 태어나 자람. ② 풀·나무 따위가 자라서 크게 됨.
[身長 신장] 사람의 키.

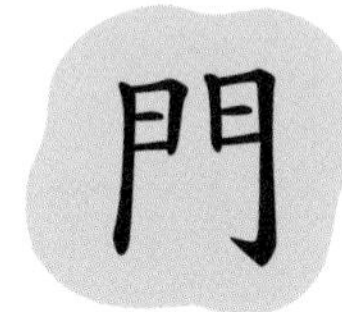

8급 중학 한자

중 门 (mén)

영 gate [geit]

문 문

풀이 1 문. 2 집안. 3 지체.

부수 門(문문)부

찾기 門⁸=8획

글자뿌리 상형(象形) 문자. 두 개의 문짝이 닫혀 있는 모양을 본뜬 글자로, '문'을 뜻함.

[門閥 문벌] 대대로 내려오는 그 집안의 신분과 지위.

[門外漢 문외한] 그 일에 관계하지 아니하는 사람. 또는 그 분야에 전문이 아닌 사람.

[門前乞食 문전걸식] 이 집 저 집 돌아다니며 빌어먹음.

[門前成市 문전성시] 찾아오는 사람이 많음을 이르는 말.

[門下生 문하생] 스승 밑에서 가르침을 받는 제자.

[家門 가문] ① 가족 또는 가까운 일가로 이루어진 공동체. ② 대대로 이어 오는 그 집안의 사회적 지위.

[名門 명문] ① 훌륭한 가문. ② 이름난 좋은 학교.

[入門 입문] ① 스승을 따라서 그 제자가 됨. ② 어떤 학문을 배우려고 처음 들어감. 또는 그 과정.

4급 중학 한자

중 闭 (bì)

영 close [klouz]

닫을 폐ː

풀이 1 닫다. 마치다. 2 막다.

부수 門(문문)부

찾기 門⁸+才³=11획

門 閂 閉

글자뿌리 회의(會意) 문자. 문 문(門)에 바탕 재(才)를 합친 자로, 才(재)는 문을 닫고 빗장을 건 모양. 문에 빗장을 걸어 잠갔다는 데서 '닫다'의 뜻이 된 자.

門 才 ⇒ 門 才 ⇒ 閉

[閉幕 폐막] 연극을 끝내고 막을 내림. 또는 어떤 큰 행사 따위가 다 끝남.

[閉店 폐점] 가게 문을 닫음.

[開閉 개폐] 열고 닫는 일.

7급 중학 한자

중 间 (jiān)

영 gap [gæp]

사이 간(ː)

풀이 1 사이. 틈. 2 때. 동안. 3 이간하다. 엿보다.

부수 門(문문)부

찾기 門⁸+日⁴=12획

門 閁 間 間

글자뿌리 회의(會意) 문자. 문 문(門)에 날 일(日: 月의 변형)을 합친 자로, 문틈으로 달빛이 스며든다는 데서 '사이', '틈'의 뜻이 된 자.

[間間 간간] 이따금. 틈틈이. 사이사이.
[間隔 간격] ① 물건 사이의 거리. ② 시간적으로 떨어진 사이.
[間食 간식] 끼니와 끼니 사이에 음식을 먹음. 또는 그 음식.
[間接 간접] 바로 대하지 않고 중간에 다른 것을 통하여 연결되는 관계. 반 直接(직접).
[間紙 간지] 책장 사이에 넣는 종이.
[間諜 간첩] 적지에 들어가서 적의 기밀을 몰래 알아내는 사람. 스파이.
[間或 간혹] 이따금. 어쩌다가.
[空間 공간] ① 아무것도 없이 비어 있는 곳. ② 모든 방향으로 끝없이 펼쳐져 있는 빈 곳.
[民間 민간] 일반 서민의 사회. 일반 국민들.
[山間 산간] 산과 산 사이. 산골짜기가 많은 곳.
[世間 세간] 사람들이 살아가는 곳. 세상(世上).
[離間 이간] 두 사람이나 나라 따위의 사이를 서로 멀어지게 함.
[巷間 항간] 일반 민중들 사이. 보통 사람들 사이.

開

6급 중학 한자
중 开 (kāi)
영 open [óupən]

열 개

풀이 1 열다. 열리다. 2 피다. 3 풀다.
부수 門(문문)부
찾기 門8+开4=12획

丨 𠃍 𠃌 户 𠁣 門 門 門 閂 閂 開 開

글자뿌리 형성(形聲) 문자. 문 문(門〈뜻〉)에 평탄할 견(幵: 두 손으로 빗장을 드는 모양〈음〉)을 합친 자로, 빗장을 지른 문을 양손으로 연다는 데서 '열다'의 뜻.

⇒ ⇒ 開

[開講 개강] 강의를 시작함.
[開校 개교] 새로 학교를 세우고 운영을 시작함.
[開國 개국] ① 새로이 나라를 세우는 일. ② 외국과의 국교를 시작함. 반 鎖國(쇄국).
[開放 개방] ① 문을 활짝 열어 놓음. ② 제한이나 차별 따위를 두지 않고, 자유로이 드나들거나 이용할 수 있게 함.
[開封 개봉] ① 봉한 것을 엶. ② 새로운 영화를 처음으로 상영함.

[開業 개업] 사업이나 영업을 시작함.
[開拓 개척] ① 산야나 황무지 등의 거친 땅을 일구어 논밭을 만듦. ② 새로운 분야에 처음으로 손을 대어 발전시킴.
[開通 개통] 처음으로 낸 길이나 다리의 통행을 시작함.
[開票 개표] 투표함을 열어서 투표의 결과를 조사함.
[公開 공개] 여러 사람에게 널리 보임.
[打開 타개] 얽히거나 막혀 있는 일을 잘 처리함.

4급 중학 한자
중 闲 (xián)
영 leisure [líːʒər]

한가할 한

풀이 1 한가하다. 2 막다.
부수 門(문문)부
찾기 門8+木4=12획

글자뿌리 회의(會意) 문자. 문 문(門)에 나무 목(木)을 합친 자로, 문에 나무를 가로질러 출입을 막으니 '한가하다'는 뜻.

[閑暇 한가] 별로 할 일이 없어 바쁘지 않고 여유가 있음.
[閑談 한담] ① 심심풀이로 이야기를 주고받음. 또는 그 이야기. ② 그다지 중요하지 않은 이야기.
[閑散 한산] ① 일이 없어 한가함. ② 붐비지 않고 한적하여 조금은 쓸쓸함.
[農閑期 농한기] 농사일이 바쁘지 않은 시기.
[等閑視 등한시] 마음에 두지 않고 예사로 여김.

5급 중학 한자
중 关 (guān)
영 relate [riléit]

관계할 관

풀이 1 관계하다. 2 문빗장. 3 잠그다. 4 관문. 관.
부수 門(문문)부
찾기 門8+𢇇11=19획

글자뿌리 형성(形聲) 문자. 문 문(門〈뜻〉)에 북에 실 꿸 관(𢇇 : 貫〔꿸 관〕의 뜻〈음〉)을 합친 자로, 빗장을 질러 문을 닫아건다는 데서 '잠그다', '빗장'의 뜻.

[關係 관계] ① 둘 이상이 서로 관련을 맺음. 또는 그런 관련. ② 어떤 방면이나 영역에 관련을 맺고 있음. 또는 그 방면이나 영역.
[關聯 관련] 서로 관계를 맺어 매여 있음. 또는 그 관계.

[關門 관문] ① 국경이나 요새의 성문. ② 중요한 길목이나 반드시 거쳐야 할 과정.
[關稅 관세] 외국에서 들여오는 물건에 대하여 매기는 세금.
[關心 관심] 마음이 끌려 흥미를 가짐.
[關與 관여] 어떤 일에 관계하여 참여함. 간여(干與).
[關節 관절] 뼈와 뼈가 서로 움직일 수 있게 연결되어 있는 부분.
[相關 상관] 서로 관련을 가짐. 또는 그 관련.

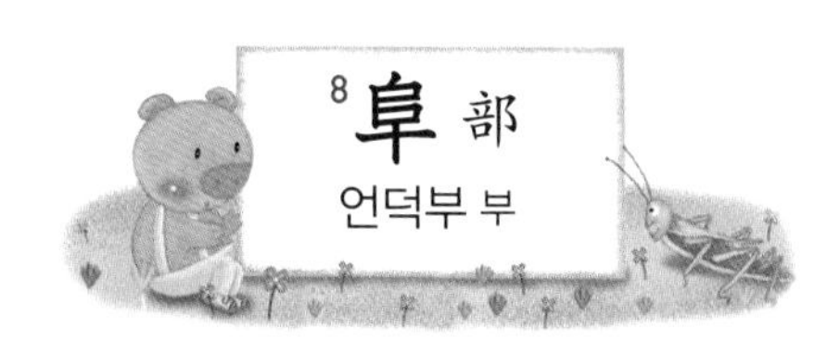

4급Ⅱ 중학 한자
중 防 (fáng)
영 protect [prətékt]

막을 방

풀이 1 막다. 2 둑.
부수 阜(언덕부)부
찾기 阝3(阜)+方4=7획

글자뿌리 형성(形聲) 문자. 언덕 부(阝: 阜의 변형〈뜻〉)에 헤살 놓을 방(方: 妨의 생략자〈음〉)을 합친 자로, 물이 흐르는 것을 막은 둑이라는 데서 '막다'의 뜻.

[防腐劑 방부제] 소금·알코올 등 물건을 썩지 않게 하는 약.
[防水 방수] 물이 넘쳐흐르거나 스며드는 것을 막음.
[防衛 방위] 적의 공격을 막아 지킴. 또는 그 일.
[防波堤 방파제] 거친 파도를 막기 위하여 쌓은 둑.
[防寒 방한] 추위를 막음.
[國防 국방] 외적으로부터 나라를 지킴.
[豫防 예방] 무슨 일이나 탈이 나기 전에 미리 막음. ¶豫防注射(예방 주사).

4급Ⅱ 중학 한자
중 限 (xiàn)
영 limit [límit]

한할 한:

풀이 한하다. 한정하다.
부수 阜(언덕부)부
찾기 阝3(阜)+艮6=9획

글자뿌리 형성(形聲) 문자. 언덕 부(阝: 阜의 변형〈뜻〉)에 그칠 간(艮〈음〉)을 합친 자로, 언덕 끝 낭떠러지까지 왔으니 더는 갈 곳이 없다는 데서 '한정되다'의 뜻이 된 글자.

⇒ ⇒ 限

[限界 한계] 사물의 정하여 놓은 범위나 경계.

[限度 한도] 일정하게 정하여 놓은 정도. 그 이상 넘을 수 없는 범위.

[限定 한정] 수량이나 범위를 제한하여 정함.

[權限 권한] 어떤 사람이나 기관의 권리나 권력이 미치는 범위.

[極限 극한] 사물이 더 이상은 나아갈 수 없는 한계. 사물의 끝 닿는 데.

[期限 기한] ① 미리 정해 놓은 일정한 시기. ② 어느 때까지를 기약함.

[上限線 상한선] 더 이상 올라갈 수 없는 한계선.

[年限 연한] 정해진 기한.

[制限 제한] 정해진 한계. 한계를 정함.

[最大限 최대한] 가장 큰 한도. 반 最小限(최소한).

4급 중학 한자

중 降 (❶jiàng, ❷xiáng)

영 ❶fall [fɔːl] ❷surrender

❶내릴 강ː
❷항복할 항

풀이 ❶ 내리다. ❷ 항복하다.

부수 阜(언덕부)부

찾기 阝³(阜)+夅⁶=9획

글자뿌리 회의(會意) 문자. 언덕 부(阝: 阜의 변형〈뜻〉)에 내릴 강(夅〈음〉)을 합친 자로, 언덕에서 '내려오다'의 뜻. 나아가 언덕에서 내려와 '항복하다'의 뜻.

⇒ ⇒ 降

[降等 강등] 등급이나 계급이 내려감. 또는 등급이나 계급을 낮춤.

[降雪量 강설량] 일정한 곳에 일정한 동안 내린 눈의 분량.

[降水量 강수량] 지상에 내린 비·우박·눈이 녹은 물 등을 합쳐 계산하여 깊이를 단위로 나타낸 양.

[降雨量 강우량] 일정한 기간 동안 일정한 곳에 내린 비의 분량.

[急降下 급강하] 위에서 아래로 갑자기 내려감.

[昇降機 승강기] 동력으로 사람이나 짐을 위아래로 나르는 기계. 엘리베이터(elevator).

[降伏 항복] 적이나 상대편에게 져서 굴복함.

4급 고등 한자

중 阵 (zhèn)

영 encamp [enkǽmp]

진칠 진

풀이 1 진 치다. 2 진. 줄. 3 싸움. 4 한바탕.

부수 阜(언덕부)부

찾기 阝³(阜)+車⁷=10획

ㇰ 3 阝 阝 陌 陌 陌 陣

글자뿌리 형성(形聲) 문자. 본디 敶(진)으로, 칠 복(攵〈뜻〉)에 늘어놓을 진(陳〈음〉)을 합친 자. 陳(진)은 또, 阝(阜)+木+申〔音〕. 申(신)은 '뻗다'의 뜻. 똑바로 뻗은 대열(隊列)의 뜻을 나타냄. 뒤에, '攵(복)'이 생략되고 '木+申'이 '車(차)'로 변형되어, '陣'의 자형이 됨.

[陣頭 진두] 배치한 군의 선두.

[陣營 진영] ① 군대가 진을 친 곳. ② 서로 대립되는 세력의 어느 한쪽.

[陣痛 진통] ① 애를 낳을 때 주기적으로 반복되는 배의 통증. ② 일이 되어 갈 무렵에 겪는 어려움의 비유.

院 집 원

5급 고등 한자

㊥ 院 (yuàn)

㊎ house [haus]

풀이 1 집. 2 담. 뜰. 3 관청.

부수 阜(언덕부)부

찾기 阝3(阜)+完7=10획

ㇰ 3 阝 阝 阝 阝 阝 院

글자뿌리 형성(形聲) 문자. 언덕 부(阝(阜)〈뜻〉)에 완전할 완(完〈음〉)을 합친 자로, 完(완)은 垣(원)과 통하여, 집 둘레의 '토담'의 뜻. 견고한 담으로 둘러싸인 '집'의 뜻을 나타냄.

[院內 원내] '원(院)' 자가 붙은 각종 기관의 내부.

[院生 원생] 학원 같은 곳에서 배우는 사람.

[院長 원장] '원(院)' 자가 붙은 기관의 대표자.

[法院 법원] 사법권을 행사하는 국가 기관.

[病院 병원] 병든 사람을 진찰·치료하는 데에 필요한 설비를 갖추어 놓은 곳.

[入院 입원] 병을 고치려고 병원에 들어가 일정한 기간 머묾.

除 덜 제

4급Ⅱ 중학 한자

㊥ 除 (chú)

㊎ subtract [səbtrǽkt]

풀이 1 덜다. 버리다. 2 나눗셈.

부수 阜(언덕부)부

찾기 阝3(阜)+余7=10획

ㇰ 3 阝 阝 阝 阝 陉 除 除

글자뿌리 형성(形聲) 문자. 언덕 부(阝

(阜)〈뜻〉)에 남을 여(余: 舍〔집 사〕의 뜻〈음〉)를 합친 자로, 집〔舍〕의 계단〔阝〕, 즉 '섬돌'을 뜻하다가 '덜다', '버리다'의 뜻이 된 자.

⇒ ⇒ 除

[除去 제거] 없애 버림.
[除名 제명] 명단에서 이름을 빼어서 구성원 자격을 박탈함.
[除夜 제야] 섣달 그믐날 밤.
[排除 배제] 받아들이지 않고 제외함.
[削除 삭제] ① 깎아서 없애 버림. ② 지워 버림.
[掃除 소제] 쓸고 닦아서 깨끗이 함. 청소.

5급 중학 한자
중 陆 (lù)
영 land [lænd]

묻 륙

풀이 뭍. 육지.
부수 阜(언덕부)부
찾기 阝3(阜)+坴8=11획

글자뿌리 회의(會意) 문자. 언덕 부(阝(阜)〈뜻〉)에 흙더미를 뜻하는 륙(坴〈음〉)을 합친 자로, 흙이 연이어 쌓여 있는 언덕은 '뭍'이라는 뜻.

⇒ ⇒ 陸

[陸橋 육교] 큰길을 건너기 위하여 공중으로 건너질러 놓은 다리.
[陸軍 육군] 주로 땅에서의 공격과 방어의 임무를 맡은 군대.
[陸路 육로] 육지의 길.
[陸上競技 육상경기] 달리기·던지기·뛰기를 기본 동작으로 하여 땅 위에서 행해지는 여러 가지 운동 경기를 통틀어 이르는 말.
[陸地 육지] 물에 잠기지 않은 지구 표면. 땅.
[大陸 대륙] 지구 상의 커다란 육지.
[上陸 상륙] 배에서 내려 육지에 오름.
[着陸 착륙] 비행기가 땅 위에 내림.

4급Ⅱ 중학 한자
중 阴 (yīn)
영 shade [ʃeid]

그늘 음

풀이 1 그늘. 2 음기. 음지. 3 흐리다. 4 몰래.
부수 阜(언덕부)부
찾기 阝3(阜)+侌8=11획

陰 (stroke order)

글자뿌리 형성(形聲) 문자. 언덕 부(阝(阜)〈뜻〉)에 그늘 음(侌〈음〉)을 합친 자로, 언덕에 가려서 햇빛이 들지 않는 곳이라는 데서 '그늘'을 뜻함.

[陰刻 음각] 평면에 그림이나 글씨를 움푹하게 파내어 새김. 또는 그런 조각. 오목새김.

[陰德 음덕] 숨은 덕행. 남 앞에 드러내지 않고 베푼 덕행.

[陰曆 음력] 달이 차고 이지러짐을 표준으로 하여 만든 역법.

[陰謀 음모] 남 모르게 꾸미는 나쁜 꾀.

[陰散 음산] ① 날씨가 매우 흐리고 으스스함. ② 분위기가 을씨년스럽고 썰렁함.

[陰數 음수] 0보다 작은 수. 반 陽數(양수).

[陰地 음지] 볕이 들지 않는 곳. 응달.

[陰沈 음침] ① 성질이 명랑하지 못하고 엉큼함. ② 날씨가 흐리고 컴컴함. ③ 분위기가 어둡고 스산함.

[陰凶 음흉] 마음이 음침하고 흉악함.

[光陰 광음] 햇빛과 그늘이라는 뜻으로, 시간 또는 세월을 이름.

[綠陰 녹음] 푸른 잎이 우거진 나무나 수풀. 또는 그 그늘.

[寸陰 촌음] 매우 짧은 시간.

陽

6급 중학 한자

중 阳 (yáng)

영 sunlight [sʌ́nlàit]

볕 양

풀이 1 볕. 햇빛. 양지. 2 양기.

부수 阜(언덕부)부

찾기 阝3(阜)+昜9=12획

陽 (stroke order)

글자뿌리 형성(形聲) 문자. 언덕 부(阝(阜)〈뜻〉)에 볕 양(昜: 陽의 원자〈음〉)을 합친 자로, 해가 밝게 비추는 언덕이라는 데서 '햇빛'을 뜻함.

⇒ ⇒ 陽

[陽刻 양각] 평면에 글자나 그림 등을 도드라지게 새김. 또는 그런 조각. 돋을새김.

[陽曆 양력] 지구가 태양의 주위를 한 바퀴 도는 데 걸리는 시간(365일)을 기준으로 하여 만든 역법.

[陽地 양지] 햇빛이 바로 드는 곳.

[夕陽 석양] ① 저녁때의 햇빛. 저녁 해. ② 노년(老年)을 비유하여 이르는 말.

[太陽 태양] ① 태양계의 중심을 이루는 별. ② 매우 소중하거나 희망을 주는 존재.

階

4급 고등 한자

중 阶 (jiē)

영 stair [stɛər]

섬돌 계

풀이 1 섬돌. 2 층계. 계단. 3 차례.

부수 阜(언덕부)부

찾기 阝3(阜)+皆9=12획

글자뿌리 형성(形聲) 문자. 언덕 부(阝(阜)〈뜻〉)에 다 개(皆〈음〉)를 합친 자로, 皆(개)는 '나란히 늘어서다'의 뜻. 나란히 늘어선 '섬돌'의 뜻을 나타냄.

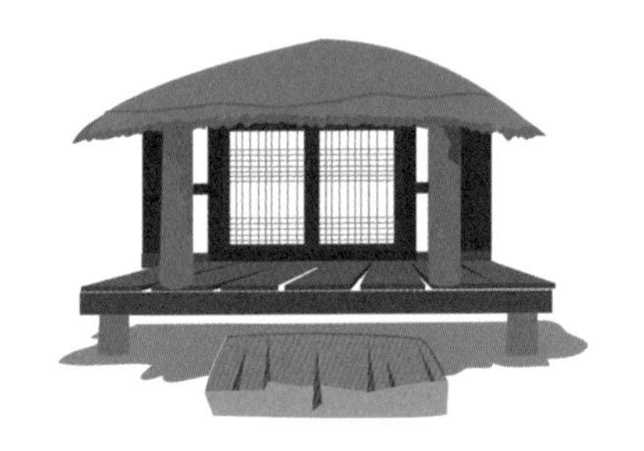

[階級 계급] 지위·관직 등의 등급.

[階段 계단] 건물이나 비탈에 만든 층층대.

[階名 계명] 음계의 이름. 계이름.

[階層 계층] 사회를 형성하는 여러 사람들의 층.

[段階 단계] 일의 차례를 따라 나아가는 과정.

[位階 위계] 지위나 계층의 등급.

[音階 음계] 일정한 음정의 순서로 음을 차례로 늘어놓은 것.

[層階 층계] 층 사이에 만들어 놓은 계단.

4급Ⅱ 고등 한자

중 队 (duì)

영 band [bænd]

무리 대

풀이 1 무리. 떼. 2 (군대의) 대오.

부수 阜(언덕부)부

찾기 阝3(阜)+㒸9=12획

글자뿌리 형성(形聲) 문자. 언덕 부(阝(阜)〈뜻〉)에 따를 수(㒸〈음〉)를 합친 자로, 멧돼지들이 언덕을 이리저리 떼를 지어 돌아다닌다는 데서 '무리', '떼', '대열'의 뜻을 나타냄.

[隊列 대열] 줄을 지어 늘어선 행렬.

[隊伍 대오] ① 군대 행렬의 줄. ② 편성된 대열.

[隊員 대원] 부대나 집단을 이루고 있는 사람.

[隊長 대장] 부대의 우두머리.

[部隊 부대] 군대 조직을 일반적으로 이르는 말.

[先發隊 선발대] 먼저 출발하는 부대 또는 무리.

[入隊 입대] 군대에 들어감.

[橫隊 횡대] 가로로 늘어선 줄.

4급Ⅱ 고등 한자

중 障 (zhàng)

영 obstruct [əbstrʌ́kt]

막을 장

풀이 1 막다. 2 장애.

부수 阜(언덕부)부

찾기 阝³(阜)+章¹¹=14획

글자뿌리 형성(形聲) 문자. 언덕 부(阝(阜)〈뜻〉)에 글 장(章〈음〉)을 합친 자로, 章(장)은 倉(창)과 통하여, 보이지 않게 하다의 뜻. '가려서 막다, 지장이 있다'의 뜻을 나타냄.

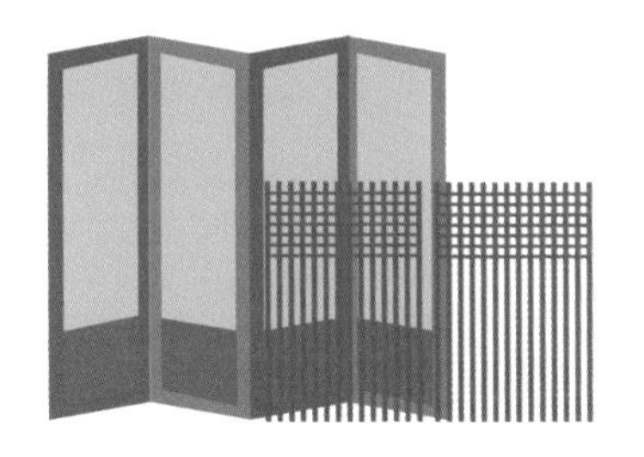

[障壁 장벽] ① 가려 막은 벽. ② 장애가 되거나 극복하기 어려운 것.

[障礙 장애] ① 어떤 일의 진행을 가로막아 거치적거리는 것. ② 신체 기능에 결함이 있는 상태.

[障害 장해] 하고자 하는 일을 막아서 방해함. 또는 그런 것.

[故障 고장] 기계나 설비 따위의 기능에 이상이 생기는 일.

[保障 보장] 어떤 일이 어려움 없이 이루어지도록 조건을 마련하여 보호하거나 뒷받침함.

[支障 지장] 일의 진행에 거치적거리거나 방해가 되는 장애.

4급Ⅱ 고등 한자

중 际 (jì)

영 the time when

즈음/가 제:

풀이 1 즈음. 2 가. 변두리. 3 사이. 4 때. 5 사귀다.

부수 阜(언덕부)부

찾기 阝³(阜)+祭¹¹=14획

글자뿌리 형성(形聲) 문자. 언덕 부(阝(阜)〈뜻〉)에 제사 제(祭〈음〉)를 합친 자로, 祭(제)는 叉(차)와 통하여 손가락 사이에 무엇을 끼워 섞이게 하다의 뜻. 언덕과 언덕이 만나는 경계, 하늘과 땅이 만나는 끝 등의 뜻을 나타냄.

[際涯 제애] 끝이 닿은 곳.

[際會 제회] ① 좋은 때를 당하여 만남. ② 임금과 신하 사이의 뜻이 잘 맞음.

[交際 교제] 서로 사귀어 가까이 지냄.

[國際 국제] 나라 사이에 관계됨. ¶ 國際空港(국제공항).

[實際 실제] 사실의 경우나 형편.

[此際 차제] 때마침 주어진 기회.

4급 고등 한자
중 险 (xiǎn)
영 steep [stiːp]

험할 험:

풀이 1 험하다. 2 어렵다.
부수 阜(언덕부)부
찾기 阝3(阜)+僉13=16획

글자뿌리 형성(形聲) 문자. 언덕 부(阝(阜)〈뜻〉)에 여러 첨(僉〈음〉)을 합친 자로, 僉(첨)은 檢(검)과 통하여, '엄하게 잡도리하다'의 뜻. 깎아지른 듯이 서 있는 험한 산, '험하다'의 뜻을 나타냄.

[險難 험난] ① 지세가 위험하고 다니기 어려움. ② 험하여 고생스러움.
[險談 험담] 남을 헐뜯어서 나쁘게 말함. 또는 그런 말.
[險惡 험악] ① 지세·기후·형세 등이 험하고 나쁨. ② 태도·생김새·성질 따위가 흉악함.
[冒險 모험] 위험을 무릅씀.
[保險 보험] 담당 회사와 일정한 계약에 따라 돈을 적립하여 두었다가 재해나 사고 등에 대하여 보상을 받는 일.
[危險 위험] 해로움이나 손실이 생길 우려가 있음.

4급 고등 한자
중 隐 (yǐn)
영 hide [haid]

숨을 은

풀이 1 숨다. 숨기다. 2 점치다. 3 가엾어하다.
부수 阜(언덕부)부
찾기 阝3(阜)+㥯14=17획

글자뿌리 형성(形聲) 문자. 언덕 부(阝(阜)〈뜻〉)에 삼갈 은(㥯〈음〉)을 합친 자로, 언덕에 가려서 보이지 않다의 뜻. '숨다', '가리다'의 뜻을 나타냄.

[隱居 은거] 세상을 피하여 숨어서 삶.
[隱匿 은닉] 물건이나 범인을 감춤.
[隱密 은밀] 숨어 있어서 겉으로 나타나지 않음.
[隱士 은사] 세상을 피하여 벼슬하지 않고 숨어 사는 선비.
[隱身 은신] 몸을 숨김.
[隱退 은퇴] 하는 일에서 물러나 한가하게 삶.
[惻隱 측은] 가엾고 불쌍함.

雄

5급 중학 한자

중 雄 (xióng)

영 male [meil]

수컷 웅

풀이 1 수컷. 2 굳세다. 씩씩하다. 3 뛰어나다.

부수 隹(새추)부

찾기 隹[8]+厷[4]=12획

글자뿌리 형성(形聲) 문자. 넓을 굉(厷: 宏의 생략형〈음〉)에 새 추(隹〈뜻〉)를 합친 자로, 새 가운데 날개가 넓은 것은 '수컷'이라는 데서, 모든 생물의 '수컷'을 통틀어 뜻하게 됨.

[雄猛 웅맹] 뛰어나게 용맹함.

[雄辯 웅변] 힘차고 거침없이 조리 있게 잘하는 말.

[雄壯 웅장] 규모 따위가 거대하고 성대함. 동 雄大(웅대).

[英雄 영웅] 지혜와 재능이 뛰어나고 용맹하여 위대한 일을 해내는 사람.

[雌雄 자웅] ① 암컷과 수컷. ② 승패·우열·강약 등을 비유하는 말.

6급 중학 한자

중 集 (jí)

영 gather [gǽðər]

모을 집

풀이 모으다. 모이다.

부수 隹(새추)부

찾기 隹[8]+木[4]=12획

글자뿌리 회의(會意) 문자. 새 추(隹)에 나무 목(木)을 합친 자로, 많은 새가 나무 위에 앉아 있다는 데서 '모으다'의 뜻.

⇒ 集

[集結 집결] 한곳에 모임. 또는 모음.

[集計 집계] 한데 모아서 계산함. 또는 그 계산.

[集大成 집대성] 여러 가지를 모아 하나로 크게 완성함.

[集配 집배] 배달할 우편물을 한군데로 모아서 주소지로 배달함. ¶集配員(집배원).

[集散 집산] 모여듦과 흩어짐.

[集中 집중] ① 한군데로 모이거나 모음. ② 한 가지 일에 모든 힘을 쏟아부음.

[集會 집회] 어떠한 목적으로 여러 사람이 모임. 또, 그 모임.

[募集 모집] 조건에 알맞은 사람이나 작품·물품 따위를 널리 구하여 모음.

[選集 선집] 작품을 골라 한데 모은 책.

[蒐集 수집] 취미나 연구를 위해 자료나 물건 등을 찾아서 모음.

[詩集 시집] 여러 편의 시를 모아 엮은 책.

[全集 전집] 같은 종류의 책을 모아 한 질로 출판한 책. ¶世界名作全集(세계명작 전집).

3급 중학 한자

중 虽 (suī)

영 even if

비록 수

풀이 비록.

부수 隹(새추)부

찾기 隹⁸+虽⁹=17획

글자뿌리 형성(形聲) 문자. 벌레 충(虫〈뜻〉)에 오직 유(唯〈음〉)를 합친 자로, 본디는 큰 도마뱀을 뜻함. 음을 빌어 '비록'의 뜻으로 쓰임.

雜

4급 고등 한자

중 杂 (zá)

영 mixed [mikst]

섞일 잡

풀이 1 섞이다. 2 어수선하다. 3 함께.

부수 隹(새추)부

찾기 隹⁸+𧘇¹⁰=18획

글자뿌리 형성(形聲) 문자. 옷 의(衣〈뜻〉)에 모을 집(集〈음〉)을 합친 자로, 集(집)은 '모이다'의 뜻. 여러 색깔의 옷의 모임, '섞임'의 뜻을 나타냄.

[雜穀 잡곡] 쌀 이외의 다른 여러 가지 곡식.

[雜技 잡기] ① 자질구레한 기예. ② 투전·골패 등의 잡된 노름.

[雜念 잡념] 여러 가지 잡스러운 생각.

[雜多 잡다] 잡스러운 여러 가지가 마구 뒤섞여 있음.

[雜談 잡담] 일정한 주제 없이 쓸데없이 지껄이는 말.

[雜費 잡비] 자질구레하게 쓰이는 돈.

[雜種 잡종] 여러 가지가 뒤섞인 종류.

[煩雜 번잡] 번거롭게 뒤섞여 어수선함.

[錯雜 착잡] 뒤섞이어 어수선함.

難

4급Ⅱ 중학 한자
중 难 (nán, nàn)
영 difficult [dífikʌ̀lt]

어려울 난(:)

풀이 1 어렵다. 2 고생하다. 3 나무라다. 4 난리.
부수 隹(새추)부
찾기 隹[8]+菓[11]=19획

글자뿌리 형성(形聲) 문자. 진흙 근(菓=堇의 변형〈음〉)에 새 추(隹〈뜻〉)를 합친 자로, 새가 진흙에 빠져 헤어 나오기 어렵다는 데서 '어렵다'의 뜻이 된 자.

[難關 난관] 일을 해 나가면서 만나는 어려운 고비.
[難局 난국] 일을 처리하기가 어려운 상황이나 판국.
[難色 난색] 꺼리거나 어려워하는 기색. 난처한 기색.
[難易度 난이도] 학습 · 운동 · 기술 등의 쉽고 어려운 정도.
[難處 난처] 이럴 수도 없고 저럴 수도 없어 처신이 곤란함.
[難治 난치] 병이나 버릇 따위를 고치기 어려움.
[難解 난해] ① 뜻을 이해하기 어려움. ② 풀거나 해결하기가 어려움.
[苦難 고난] 괴로움과 어려움.
[論難 논란] 서로 의견을 내며 다툼.
[非難 비난] 다른 사람의 잘못이나 결점을 책잡아서 나쁘게 말함.
[災難 재난] 뜻밖에 일어난 불행한 일.

離

4급 고등 한자
중 离 (lí)
영 leave [li:v]

떠날 리:

풀이 1 떠나다. 2 떨어지다. 3 떼어 놓다.
부수 隹(새추)부
찾기 隹[8]+离[11]=19획

글자뿌리 형성(形聲) 문자. 새 추(隹〈뜻〉)에 떠날 리(离〈음〉)를 합친 자로, 본디 '꾀꼬리'의 뜻을 나타냈으나, 列(렬) · 刺(자)와 통하여, 칼집을 내어 떼다의 뜻을 나타낸 글자.

[離陸 이륙] 비행기가 날기 위해 땅 위에서 떠오름.
[離別 이별] 서로 갈리어 떨어짐. 헤어짐.
[離脫 이탈] 어떠한 범위나 대열 따위에서 벗어남.
[離婚 이혼] 부부가 혼인 관계를 끊고 서로 갈라짐.
[亂離 난리] ① 재해나 큰 사고 따위로

사회 질서가 어지러워진 상태. ② 전쟁이나 병란. ③ 작은 소동.
[分離 분리] 서로 나뉘어서 떨어지거나 떨어지게 함.

5급 중학 한자
중 雨 (yǔ)
영 rain [rein]

비 우:

풀이 비. 비가 오다.
부수 雨(비우)부
찾기 雨⁸=8획

글자뿌리 상형(象形) 문자. 하늘〔一〕을 덮은 구름〔巾〕 사이로 물방울이 떨어지는 모양을 본뜬 글자로, '비'를 뜻함.

⇒ ⇒ 雨

[雨期 우기] 일 년 중 비가 많이 오는 시기. 반 乾期(건기).
[雨備 우비] 비를 맞지 않도록 가리는 여러 가지 물건. 우산·비옷 따위.
[雨傘 우산] 펴고 접을 수 있게 만들어 비가 올 때 손에 들고 머리 위에 받쳐서 비를 가리는 도구.
[雨衣 우의] 비 올 때 덧입는 겉옷. 비옷.
[雨天 우천] ① 비가 오는 날씨. ② 비 내리는 하늘.
[雨後竹筍 우후죽순] 비 온 뒤에 돋아나는 죽순이라는 뜻으로, 어떤 일이 한 때 많이 생겨남을 비유하여 이르는 말.
[測雨器 측우기] 조선 세종 때 장영실이 발명한 것으로 비 온 분량을 재는 세계 최초의 기구.
[暴雨 폭우] 갑자기 세차게 많이 쏟아지는 비.

6급 중학 한자
중 雪 (xuě)
영 snow [snou]

눈 설

풀이 1 눈. 2 씻다.
부수 雨(비우)부
찾기 雨⁸+⺕³=11획

雪雪雪

글자뿌리 회의(會意) 문자. 비 우(雨)에 비 혜(⺕: 彗의 생략형)를 합친 자로, 비가 얼어서 내리는 눈은 빗자루로 쓸게 된다는 데서 '눈'을 뜻함.

⇒ ⇒ 雪

[雪景 설경] 눈이 내리거나 쌓인 경치. 눈에 덮인 경치.
[雪上加霜 설상가상] 눈 위에 서리가 내린다는 뜻으로, 난처한 일이나 불행한 일이 잇따라 일어남을 이르는 말.
[雪夜 설야] 눈이 내리는 밤.
[雪辱 설욕] 부끄러움을 씻음. 욕됨을 씻음.
[降雪 강설] 눈이 내림. 또는 내린 눈.
[大雪 대설] ① 아주 많이 내리는 눈. ¶ 大雪注意報(대설 주의보). ② 이십사절기의 하나. 12월 7일경.
[白雪 백설] 하얀 눈.
[嚴冬雪寒 엄동설한] 눈 내리는 깊은 겨울의 심한 추위.
[積雪 적설] 쌓여 있는 눈.
[暴雪 폭설] 갑자기 많이 내리는 눈.

5급 중학 한자
중 云 (yún)
영 cloud [klaud]

구름 운

풀이 구름.
부수 雨(비우)부
찾기 雨[8]+云[4]=12획

글자뿌리 형성(形聲) 문자. 비 우(雨〈뜻〉)에 구름 운(云: 雲의 원자〈음〉)을 합친 자로, 구름〔云〕은 비〔雨〕를 내리게 한다는 데서 '구름'을 뜻하게 된 글자.

螢雪之功 (형설지공)

반딧불과 눈빛으로 공부한 공이라는 뜻으로, 어려운 처지에서 갖은 고생을 하면서 꾸준히 공부하여 얻은 보람을 이르는 말.

고사 중국의 춘추 시대 동진(東晉)에 차윤(車胤)이라는 선비가 있었는데, 그는 어려서부터 책 읽기를 즐겨 온갖 책을 두루 읽었다. 그러나 기름을 구하지 못할 만큼 집안이 가난하였다. 그래서, 차윤은 궁리 끝에 여름이 되면 깨끗한 비단 주머니를 만들어 그 속에 반딧불이를 잡아 넣고 밤에는 그 불빛으로 글을 읽었다. 차윤은 훗날 그 벼슬이 상서랑(尙書郎)에 이르렀다고 한다. 그 후로 책 읽는 방 창문을 형창(螢窓)이라 하게 되었다. 한편 같은 시대에 손강(孫康)이라는 선비가 있었는데, 그 또한 집안 형편이 어려워 겨울밤에는 눈빛을 불빛 삼아 부지런히 책을 읽었다. 그 결과 훗날 벼슬이 어사대부(御史大夫)에까지 이르렀다고 한다. 책상을 설안(雪案)이라 함은 여기에서 유래한 것이다.

[雲霧 운무] 구름과 안개.
[雲集 운집] 구름처럼 모인다는 뜻으로, 많은 사람이 모여듦을 이름.
[白雲 백운] 흰 구름.
[戰雲 전운] 전쟁이 일어나려는 험악한 형세.
[靑雲 청운] ① 푸른 빛깔의 구름. ② 높은 명예나 벼슬을 이르는 말.
[風雲兒 풍운아] 좋은 기운을 타서 세상에 두각을 나타내는 사람.

7급 중학 한자
중 电 (diàn)
영 lightning [láitniŋ]

번개 전:

풀이 1 번개. 2 전기.
부수 雨(비우)부
찾기 雨8+电5=13획

글자뿌리 형성(形聲) 문자. 비 우(雨〈뜻〉)에 펼 신(电: 申의 변형〈음〉)을 합친 자로, 申(신)은 번개를 본뜬 모양. 비가 올 때 번쩍이는 빛을 내는 것은 '번개'라는 뜻.

[電球 전구] 전기가 흐르면 밝은 빛을 내도록 만든 것.
[電氣 전기] 빛과 열을 내고 여러 가지 기계를 움직이게 하는 것.
[電燈 전등] 전기를 이용하여 빛을 내는 등.
[電流 전류] 전기의 흐름.
[電報 전보] 전신으로 소식을 보내거나 받는 통신이나 통보.
[電線 전선] 전원과 전기 기기를 이어서 전기가 흐르도록 하는 선. 전깃줄.
[電送 전송] 사진 등을 전류 또는 전파를 이용하여 멀리 떨어진 곳에 보냄.
[電信 전신] 전류나 전파를 이용하여 문자나 부호를 주고받는 통신.
[電車 전차] 전기의 힘을 이용하여 궤도 위를 다니는 차.
[電話 전화] ① 전화기로 말을 주고받음. ② '전화기'의 준말.
[感電 감전] 전기가 몸에 통하여 충격을 받음.
[漏電 누전] 전기가 전선 밖으로 새어 흐름.
[發電所 발전소] 수력·화력·원자력 따위로 발전기를 돌려 전기를 일으키는 시설을 갖춘 곳.
[祝電 축전] 축하의 뜻을 나타낸 전보.
[充電 충전] 축전지 등에 전기 에너지를 채우는 일.

霜

3급Ⅱ 중학 한자

㊥ 霜 (shuāng)

㊌ frost [frɔːst]

서리 상

풀이 서리.

부수 雨(비우)부

찾기 雨⁸+相⁹=17획

글자뿌리 형성(形聲) 문자. 비 우(雨〈뜻〉)에 서로 상(相: 喪〔망할 상〕의 뜻〈음〉)을 합친 자로, 초목을 시들게 하는 것이 '서리'라는 뜻.

[霜菊 상국] 서리가 내릴 때에 피는 국화.

[霜露 상로] 서리와 이슬.

[霜葉 상엽] 서리를 맞아 붉게 물든 잎사귀.

[霜害 상해] 서리로 인한 피해.

[風霜 풍상] ① 바람과 서리. ② 많이 겪은 세상의 어려움과 고통을 비유하여 이르는 말.

3급Ⅱ 중학 한자

㊥ 露 (lù)

㊌ dew [djuː]

이슬 로(ː)

풀이 1 이슬. 2 드러나다. 나타나다.

부수 雨(비우)부

찾기 雨⁸+路¹²=20획

글자뿌리 형성(形聲) 문자. 비 우(雨〈뜻〉)에 길 로(路〈음〉)를 합친 자로, 길가 풀잎에 흔히 맺혀 있는 빗방울 같은 것은 '이슬'이라는 뜻.

[露骨的 노골적] 있는 그대로 숨김없이 드러내는 것.

[露宿 노숙] 한데서 잠을 잠.

[露店 노점] 길가의 한데에 물건을 벌여 놓은 가게.

[露天 노천] 위아래나 주변을 덮거나 가리지 않은 곳. 한데. ¶ 露天劇場(노천극장).

8급 중학 한자

㊥ 青 (qīng)

㊌ blue [bluː]

푸를 청

풀이 1 푸르다. 2 젊다.
부수 靑(푸를청)부
찾기 靑[8]=8획

一 二 十 丰 丰 青 青 青

글자뿌리 형성(形聲) 문자. 붉을 단(円: 丹의 변형. 샘 속에서 얻어지는 색소〈뜻〉)에 날 생(土: 生의 변형. 눈이 트는 모양으로 풀빛〈음〉)을 합친 자로, 푸른 색소(色素)라는 데서 '푸르다'의 뜻.

⇒ ⇒ 青

[青年 청년] 청춘기에 있는 젊은 사람. 주로 남자를 말함.
[青山流水 청산유수] 막힘없이 말을 잘 함을 비유하여 이르는 말.
[青色 청색] 파란색.
[青雲 청운] ① 푸른 빛깔의 구름. ② 높은 명예나 벼슬을 이르는 말.
[青瓷 청자] 푸른 빛깔의 자기.
[青天霹靂 청천벽력] 맑은 하늘에 날벼락이라는 뜻으로, 뜻밖에 일어난 큰 변고나 사건을 비유하는 말.
[青春 청춘] 새싹이 돋아나는 봄철이라는 뜻으로, 20세 안팎의 젊은 나이 또는 그런 시절을 이르는 말.
[丹青 단청] 궁궐·절 등의 벽이나 기둥·천장 등에 여러 가지 고운 빛깔로 그림과 무늬를 그림. 또는 그 그림.

4급 중학 한자
㊥ 静 (jìng)
㊀ quiet [kwáiət]

고요할 정

풀이 고요하다. 조용하다.
부수 靑(푸를청)부
찾기 靑[8]+爭[8]=16획

一 二 十 丰 丰 青 青 青 青′ 青″ 青⺈ 青⺈ 靜 靜 靜 靜

글자뿌리 형성(形聲) 문자. 푸를 청(青: 靖

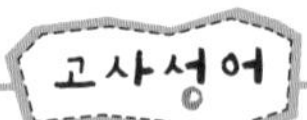

青出於藍 (청출어람)

쪽에서 뽑아낸 푸른 물감이 쪽보다 더 푸르다는 뜻으로, 제자가 스승보다 더 뛰어남을 이르는 말.

고사 중국 전국 시대(戰國時代)의 사상가인 순자(荀子)는 "배움은 계속 노력해야 하며 멈추지 말아야 한다. 푸른 물감은 쪽에서 나오지만 쪽빛보다도 더 푸르다〔青出於藍而青於藍〕."라고 하였는데, 이 말은 학문의 깊이가 스승보다 더 뛰어난 제자가 있을 수 있음을 이르는 말이다.

〔다스릴 정〕의 뜻〈음〉에 다툴 쟁(爭〈뜻〉)을 합친 자로, 다투는 것을 말리면 편안해진다는 데서 '조용하다'는 뜻.

[靜物畫 정물화] 꽃·과일·그릇 등 움직이지 않는 것을 배치하여 놓고 그린 그림.
[靜肅 정숙] 고요하고 엄숙함.
[靜寂 정적] 아무 소리 없이 고요함.
[靜電氣 정전기] 마찰한 물체가 띠는, 이동하지 않는 전기.
[靜坐 정좌] 마음을 가라앉히고 몸을 바르게 하여 조용히 앉음.
[靜止 정지] 움직이지 않고 조용히 멈추어 있음.
[動靜 동정] ① 움직임과 정지. ② 움직임·사태·현상 등이 진행되는 상태나 형편.
[安靜 안정] 육체적 또는 정신적으로 편안하고 고요함.

4급Ⅱ 중학 한자
중 非 (fēi)
영 not [nɑt]

아닐 비(:)

풀이 1 아니다. 2 어긋나다. 3 나무라다.
부수 非(아닐비)부
찾기 非8=8획

글자뿌리 상형(象形) 문자. 새가 날다가 내릴 때 날개를 좌우로 벌린 모양을 본떠 만든 글자. 양쪽 날개가 좌우에서 서로 등지고 있는 모양을 하고 있어 '어긋나다'의 뜻을 나타내며, 훗날 '아니다'의 뜻으로 변함.

[非難 비난] 남의 잘못이나 결점을 책잡아서 나쁘게 말함.
[非理 비리] 도리에 맞지 않고, 이치에 어그러짐.
[非賣品 비매품] 팔지 아니하는 물품.
[非命 비명] 제명대로 다 살지 못하고 죽음.
[非夢似夢 비몽사몽] 완전히 잠이 들지도 깨어나지도 않은 어렴풋한 상태.
[非武裝 비무장] 전쟁·전투를 하기 위한 무기 따위의 장비를 갖추지 않음.
[非凡 비범] 평범하지 아니함. 보통이 아니고 매우 뛰어남.
[非常 비상] ① 예사롭지 않음. ② 평범하지 않고 뛰어남. ③뜻밖의 긴급한 사태.
[非正常 비정상] 정상이 아님.
[非行 비행] 잘못되거나 그릇된 행위.
[是非 시비] ① 옳고 그름. ② 옳고 그름을 따지는 말다툼.

7급 중학 한자

중 面 (miàn)

영 face [feis]

낯 면:

풀이 1 낯. 얼굴. 2 탈. 가면. 3 만나다. 4 면. 겉쪽.

부수 面(낯면)부

찾기 面9=9획

글자뿌리 상형(象形) 문자. 목 또는 코〔自〕 둘레에 얼굴의 윤곽〔口〕을 그려 '얼굴'을 뜻함.

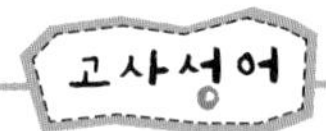

[面談 면담] 서로 만나서 이야기함.

[面刀 면도] 얼굴에 난 잔털이나 수염을 깎는 일.

[面目 면목] ① 얼굴의 생김새. ② 체면. 명예. ③ 사람이나 사물의 겉모습.

[面接 면접] ① 서로 대면하여 만나 봄. ② 사람을 직접 만나서 평가하는 시험. 면접시험.

[假面 가면] ① 나무·종이·흙 따위로 사람이나 짐승의 얼굴 모양을 본떠서 만든 물건. 탈. ② 거짓으로 꾸미는 태도나 모습.

[對面 대면] 서로 마주 보고 대함.

[方面 방면] ① 어떠한 장소나 지역이 있는 방향. ② 어떤 분야.

[水面 수면] 물의 표면.

[表面 표면] 거죽으로 드러난 면. 겉쪽.

고사성어

白面書生 (백면서생)

글만 읽어 세상일에는 경험이 없는 젊은이를 이르는 말.

고사 중국의 남북조 시대(南北朝時代)에, 송(宋)나라 오(吳) 땅에 살았던 심경지(沈慶之)라는 사람은 어렸을 때부터 큰 뜻을 품고 무예를 갈고 닦았다. 공적을 쌓아 인정받은 그는 문제(文帝)가 즉위하자, 변경 방위의 책임자가 되었다. 얼마 후 문제는 문관들과 심경지를 불러 놓고 북쪽을 칠 계획에 대하여 의논하게 했는데, 그때 심경지는 "폐하, 가정에서 밭 가는 일은 농부에게 맡기고 바느질은 아낙네에게 맡기듯이 국가의 일도 전문가에게 맡기셔야 하옵니다. 그런데 폐하께서는 어찌하여 백면서생(白面書生)과 북쪽을 칠 계획을 논의하시려 하옵니까?" 라며 반대했다. 그러나 문제는 심경지의 의견은 듣지 않고 문관들의 의견을 받아들여 출병(出兵)했다가 크게 패하고 말았다.

革

4급 중학 한자
중 革 (gé)
영 leather [léðər]

가죽 혁

풀이 1 가죽. 2 고치다. 바꾸다.
부수 革(가죽혁)부
찾기 革⁹=9획

一 廿 廿 廿 芇 芇 芇 革

글자뿌리 상형(象形) 문자. 머리부터 꼬리까지 벗긴 짐승 가죽을 본뜬 것으로 '가죽'의 뜻을 나타냄. 또 改(개)와 통하여 '고치다'의 뜻도 나타냄.

[革帶 혁대] 가죽으로 만든 띠.
[革命 혁명] 어떤 사회적 분야에서, 기존의 관습·양식·이념 따위를 근본적으로 바꾸는 일.
[革新 혁신] 개혁하여 새롭게 함.
[改革 개혁] 새롭게 뜯어고침.
[沿革 연혁] 사물이 변천해 온 내력.
[皮革 피혁] 날가죽과 무두질한 가죽의 총칭.

韓

8급 중학 한자
중 韩 (hán)
영 Korea [kərí:ə]

나라이름/한국 한(:)

풀이 1 나라 이름. 2 한국.
부수 韋(다룸가죽위)부
찾기 韋⁹+卓⁸=17획

一 十 古 古 亩 亩 卓 卓' 卓' 韓 韓 韓 韓 韓 韓 韓

글자뿌리 형성(形聲) 문자. 우물 난간 한(卓 : 倝의 생략형〈음〉)에 에울 위(韋〈뜻〉)를 합친 자로, '우물 난간', '우물가'를 나타내다가 '나라 이름'이 됨.

[韓服 한복] 우리나라 고유의 옷.
[大韓民國 대한민국] 우리나라의 공식적인 이름.
[三韓 삼한] 삼국 시대 이전에 우리나라 남쪽에 위치해 있었던 마한·진한·변한의 세 나라.

6급 중학 한자
㊥ 音 (yīn)
㊖ sound [saund]

소리 음

풀이 1 소리. 2 음악.
부수 音(소리음)부
찾기 音⁹=9획

丶 亠 亣 立 产 音 音 音

글자뿌리 지사(指事) 문자. 말씀 언(言)의 '口' 안에 '一'을 그어 말〔言〕 속에 가락〔一〕이 있다는 데서 '소리'의 뜻.

[音階 음계] 일정한 음정의 순서로 음을 차례대로 늘어놓은 것.
[音聲 음성] 사람의 목소리나 말소리.
[音樂 음악] 박자·가락·음성 따위를 갖가지 형식으로 조합하여 목소리나 악기로 나타내는 예술.
[音程 음정] 높이가 다른 두 음 사이의 간격.
[音響 음향] 소리와 그 울림.
[高音 고음] 높은 음.
[防音 방음] 소리가 안으로 들어오는 것을 막거나 안에서 밖으로 나가는 것을 막음.
[訃音 부음] 사람이 죽었다는 것을 알리는 말이나 글.
[低音 저음] 낮은 음.
[和音 화음] 음악에서 높낮이가 다른 둘 이상의 소리가 동시에 울렸을 때의 어울리는 소리.

3급Ⅱ 중학 한자
㊥ 顶 (dǐng)
㊖ summit [sʌ́mit]

정수리 정

풀이 1 정수리. 2 꼭대기.
부수 頁(머리혈)부
찾기 頁⁹+丁²=11획

一 丁 丁 丁 丁 丁 丁 丁 頂 頂 頂

글자뿌리 형성(形聲) 문자. 장정 정(丁〈음〉)에 머리 혈(頁〈뜻〉)을 합친 자로, 나무못〔丁〕의 대가리처럼 머리의 꼭대기라는 데서 '정수리'의 뜻.

[頂上 정상] ① 산 위의 맨 꼭대기. ② 그 이상 더없는 최고의 상태.
[絶頂 절정] ① 산의 맨 꼭대기. ② 사물의 진행이나 상태 따위가 최고에 이른 상태. 또는 그러한 경지.

須

3급 중학 한자
중 须 (xū)
영 should [ʃud]

모름지기 수

풀이 1 모름지기. 2 수염. 3 필요하다.
부수 頁(머리혈)부
찾기 頁⁹+彡³=12획

글자뿌리 회의(會意) 문자. 터럭 삼(彡)에 머리 혈(頁)을 합친 자로, 남자의 얼굴에 난 터럭, 곧 '수염'을 뜻하고, 나아가서 '모름지기'의 뜻이 된 자.

[必須 필수] 꼭 있어야 하거나 해야 함. ¶ 必須科目(필수 과목).

順

5급 중학 한자
중 顺 (shùn)
영 docile [dɑ́səl]

순할 순:

풀이 1 순하다. 2 좇다. 따르다. 3 차례.
부수 頁(머리혈)부
찾기 頁⁹+川³=12획

글자뿌리 형성(形聲) 문자. 내 천(川〈음〉)에 머리 혈(頁〈뜻〉)을 합친 자로, 냇물처럼 순리에 따른다는 데서 '순하다'의 뜻.

⇒ ⇒ 順

[順理 순리] ① 도리나 이치에 순종함. ② 마땅한 이치나 도리.
[順番 순번] ① 차례대로 돌아가는 번. 또는 그런 순서. ② 순서대로 매겨지는 번호.
[順序 순서] 정해 놓은 차례.
[順調 순조] 일이 아무 탈 없이 잘되어 가는 상태.
[順從 순종] 순순히 따름.
[順風 순풍] ① 순하게 불어오는 바람. ② 배가 가는 쪽으로 부는 바람.
[式順 식순] 의식을 진행하는 순서.
[溫順 온순] 성질이나 마음씨가 부드럽고 순함.
[柔順 유순] 성질이 부드럽고 온순함.

4급 고등 한자
중 颂 (sòng)
영 praise [preiz]

기릴/칭송할 송:

풀이 1 기리다. 2 칭송하다.
부수 頁(머리혈)부
찾기 頁⁹+公⁴=13획

글자뿌리 형성(形聲) 문자. 머리 혈(頁〈뜻〉)에 공 공(公〈음〉)을 합친 자로, 頁(혈)은 머리 부분을 꾸민 제사 담당자의 모양을 본뜸. 公(공)은 제사터인 광장의 뜻. 무악(舞樂)을 벌여서 제사 지내다의 뜻에서, '기리다', '칭송하다'의 뜻을 나타냄.

[頌歌 송가] 공덕을 기리는 노래.
[頌德 송덕] 공덕을 기림.
[頌辭 송사] 공덕을 기리는 말.
[頌祝 송축] 경사를 기리고 축하함.
[讚頌 찬송] ① 미덕을 기리고 칭찬함. ② 하나님의 은혜를 기리고 찬양함.
[稱頌 칭송] 칭찬하여 일컬음.

5급 중학 한자
중 领 (lǐng)
영 command [kəmǽnd]

거느릴 령

풀이 1 거느리다. 2 다스리다. 3 받다. 4 우두머리. 5 목덜미. 6 옷깃.
부수 頁(머리혈)부
찾기 頁^{9}+令^{5}=14획

글자뿌리 형성(形聲) 문자. 하여금 령(令: 잇는다는 뜻〈음〉)에 머리 혈(頁〈뜻〉)을 합친 자로, 머리와 몸을 잇는 '목〔목덜미〕'의 뜻에서, '옷깃', '우두머리'를 뜻하게 됨.

⇒ ⇒ 領

[領空 영공] 영해와 영토 위의 하늘로, 그 나라의 주권이 미치는 범위.
[領收 영수] 돈이나 물건 따위를 받아들임. ¶ 領收證(영수증).
[領域 영역] ① 한 나라의 주권이 미치는 범위. ② 활동·효과·기능·관심 따위가 미치는 일정한 범위.
[領土 영토] 한 나라의 통치권이 미치는 구역.
[大統領 대통령] 공화국에서 정부의 최고 책임자로 국가를 대표하는 원수.
[首領 수령] 한 당파나 무리의 우두머리.

6급 중학 한자
중 头 (tóu)
영 head [hed]

머리 두

풀이 1 머리. 2 우두머리.
부수 頁(머리혈)부
찾기 頁^{9}+豆^{7}=16획

一 丆 丙 丙 豆 豆 豆 豆
豇 豇 頭 頭 頭 頭 頭 頭

글자뿌리 형성(形聲) 문자. 콩 두(豆: 똑바로 선다는 뜻〈음〉)에 머리 혈(頁〈뜻〉)을 합친 자로, 목 위에 곧추서 있는 것이 '머리'라는 뜻.

⇒ ⇒ 頭

[頭角 두각] ① 짐승의 머리에 난 뿔. ② 뛰어난 학식이나 재능을 이르는 말.

[頭巾 두건] 헝겊 따위로 만들어서 머리에 쓰는 물건.

[頭腦 두뇌] ① 뇌(腦). ② 사물의 이치를 슬기롭게 판단하는 힘. ③ 지식 수준이 높은 사람.

[頭領 두령] 무리의 우두머리.

[頭目 두목] 패거리의 우두머리.

[頭髮 두발] 머리에 난 털. 머리털.

[頭緖 두서] 말이나 일의 차례나 갈피.

[頭痛 두통] 머리가 아픔. 또는 그 증세.

[街頭 가두] 시가지의 길거리. ¶ 街頭演說(가두연설).

[口頭 구두] 마주 대하여 입으로 하는 말. ¶ 口頭契約(구두 계약).

[沒頭 몰두] 어떤 일에 온 정신을 다 기울여 열중함.

[先頭 선두] 대열이나 행렬, 활동 따위에서 맨 앞.

顔

3급Ⅱ 중학 한자

중 颜 (yán)

영 face [feis]

낯 안ː

풀이 1 낯. 얼굴. 2 낯빛. 3 색채.

부수 頁(머리혈)부

찾기 頁^{9}+彦^{9}=18획

丶 亠 亡 立 立 产 产 彦
彦 彦 彦 顔 顔 顔 顔 顔

글자뿌리 형성(形聲) 문자. 선비 언(彦〈음〉)에 머리 혈(頁〈뜻〉)을 합친 자로, 원래 이마가 아름다운 선비를 뜻하다가 '얼굴'의 뜻이 된 자.

[顔料 안료] 도료·화장품 따위를 만들거나 착색제로 쓰이는 색채가 있는 미세한 가루.

[顔面 안면] ① 얼굴. ② 서로 얼굴을 알 만한 친분.

[顔色 안색] 얼굴에 나타나는 표정이나 빛깔. 얼굴빛.

[童顔 동안] ① 어린아이의 얼굴. ② 나이 든 사람의 젊어 보이는 얼굴.

[洗顔 세안] 얼굴을 씻음.

[破顔大笑 파안대소] 즐거운 표정으로 활짝 웃음.

[厚顔無恥 후안무치] 뻔뻔스럽고 부끄러움이 없음.

6급 중학 한자
중 题 (tí)
영 title [táitl]

제목 제

풀이 1 제목. 표제. 2 이마. 3 글제. 품평.
부수 頁(머리혈)부
찾기 頁⁹+是⁹=18획

글자뿌리 형성(形聲) 문자. 이 시(是: 넓다는 뜻〈음〉)에 머리 혈(頁〈뜻〉)을 합친 자로, 넓은〔是〕 이마〔頁〕를 뜻하다가, 책의 '표제', '제목'의 뜻이 된 자.

[題目 제목] 글·강연·공연·작품 따위에서 그것을 대표하거나 내용을 보이기 위해 붙이는 이름.
[題材 제재] 예술 작품이나 학술 연구의 바탕이 되는 재료.
[命題 명제] ① 글에 제목을 정함. 또는 그 제목. ② 논리적인 판단을 언어나 기호로 나타낸 것.
[問題 문제] ① 해답을 필요로 하는 물음. ② 연구하거나 해결해야 할 사항. ③ 성가신 일이나 논쟁거리.
[議題 의제] 회의에서 의논할 문제.
[主題 주제] ① 대화·연구 따위에서 중심이 되는 문제. ② 예술 작품에서 작가가 나타내는 중심이 되는 생각.

額

4급 고등 한자
중 额 (é)
영 forehead [fɔ́(:)rid]

이마 액

풀이 1 이마. 2 머릿수. 3 현판. 4 편액(扁額).
부수 頁(머리혈)부
찾기 頁⁹+客⁹=18획

글자뿌리 형성(形聲) 문자. 머리 혈(頁〈뜻〉)에 나그네 객(客〈음〉)을 합친 자로, 客(객)은 넓다의 뜻. 얼굴에서 넓은 곳, '이마'의 뜻을 나타냄.

[額面 액면] ① 화폐·유가 증권 따위의 앞면. ② 말이나 글로 표현된 사실이나 겉으로 드러난 모습.
[額數 액수] 돈의 머릿수.
[額子 액자] 그림이나 사진 따위를 끼우는 틀.
[巨額 거액] 매우 많은 액수의 돈.
[高額 고액] 많은 액수.
[金額 금액] 돈의 액수.
[差額 차액] 어떤 액수에서 다른 어떤 액수를 뺀 나머지 액수.
[總額 총액] 전체의 액수.

類

5급 고등 한자
중 类 (lèi)
영 class [klæs]

무리 류(:)

풀이 1 무리. 2 비슷하다. 3 나누다.
부수 頁(머리혈)부
찾기 頁^{9}+类^{10}=19획

글자뿌리 회의(會意) 문자. 개 견(犬)과 쌀 미(米)와 머리 혈(頁)을 합친 자로, 犬(견)은 '개', 米(미)는 '쌀알', 頁(혈)은 '머리'의 뜻. 비슷한 개들이 모여 있다, 떼 지은 무리라는 데서, '비슷하다', '무리'의 뜻을 나타냄.

[類例 유례] 같거나 비슷한 예.
[類別 유별] 같은 종류끼리 나누어 구별함.
[類似 유사] 서로 비슷함.
[類推 유추] 서로 비슷한 점을 이용하여 같은 조건의 다른 사물을 미루어 헤아리는 일.
[同類 동류] 같은 종류나 부류.
[部類 부류] 서로 구별되는 특성에 따라 나누어 놓은 갈래.
[分類 분류] 종류별로 가름.
[種類 종류] 사물의 부문을 기준에 따라 나누는 갈래.

願

5급 중학 한자
중 愿 (yuàn)
영 wish [wiʃ]

원할 원:

풀이 1 원하다. 바라다. 2 소원. 소망.
부수 頁(머리혈)부
찾기 頁^{9}+原^{10}=19획

글자뿌리 형성(形聲) 문자. 근원 원(原〈음〉)에 머리 혈(頁〈뜻〉)을 합친 자로, 생각하게 되는 근원은 머리라는 데서 '바라다', '원하다'의 뜻이 된 자.

⇒ ⇒ 願

[願書 원서] 청원하거나 지원하는 내용을 쓴 서류.
[祈願 기원] 바라는 일이 이루어지기를 빎.
[民願 민원] 주민이 행정 기관에 대하여 원하는 바를 요구하는 일.
[所願 소원] 바라고 원함. 또는 바라고 원하는 일.
[哀願 애원] 소원이나 요구를 들어 달라고 애처롭게 사정하여 간절히 바람.
[念願 염원] 늘 생각하고 간절히 바람.

4급 고등 한자
중 显 (xiǎn)
영 appear [əpíər]

나타날 현:

풀이 1 나타나다. 2 높다. 3 귀하다. 4 밝다.
부수 頁(머리혈)부
찾기 頁⁹+㬎¹⁴=23획

글자뿌리 형성(形聲) 문자. 밝을 현(㬎〈음〉)에 머리 혈(頁〈뜻〉)을 합친 자로, 㬎(현)은 태양 밑에서의 '실'의 뜻. 머리에 감은 아름다운 장식물의 뜻에서, '나타나다', '밝다'의 뜻을 나타냄.

[顯達 현달] 벼슬과 명망이 높아져 이름이 세상에 드러남.
[顯名 현명] 이름이 세상에 드러남.
[顯微鏡 현미경] 눈으로 볼 수 없을 만큼 작은 물체를 확대해서 보는 기구.
[顯著 현저] 뚜렷이 드러남.
[顯現 현현] 뚜렷이 나타나거나 나타냄.
[發顯 발현] 속에 있거나 숨은 것이 밖으로 나타남.

6급 중학 한자
중 风 (fēng)
영 wind [wind]

바람 풍

풀이 1 바람. 2 바람이 불다. 바람을 쐬다. 3 풍속.
부수 風(바람풍)부
찾기 風⁹=9획

글자뿌리 형성(形聲) 문자. 무릇 범(凡〈음〉)에 벌레 충(虫〈뜻〉)을 합친 자로, 무릇 공기의 움직임에 따라 벌레들이 생겨난다는 데서 '바람'을 뜻함.

[風景 풍경] ① 산이나 들, 강, 바다 따위 자연의 아름다운 모습. 경치. ② 어떤 정경이나 상황.
[風光 풍광] ① 풍경. 경치. ② 사람의 용모와 품격.

[風浪 풍랑] ① 바람과 물결. ② 바람이 불어 일어나는 물결. ③ 혼란과 시련.
[風力 풍력] 바람의 세기.
[風流 풍류] 멋스럽고 풍치가 있는 일. 또는 그렇게 노는 일.
[風聞 풍문] 바람처럼 떠도는 소문.
[風俗 풍속] ① 예로부터 그 사회에 전해 오는 생활 전반에 걸친 습관 따위. ② 그 시대의 유행과 습관.
[風前燈火 풍전등화] 바람 앞의 등불이라는 뜻으로, 사물이 매우 위태로운 처지에 놓여 있음을 비유해 이르는 말.
[風潮 풍조] ① 바람에 따라 흐르는 조수(潮水). ② 시대에 따라 변하는 세태.
[風采 풍채] 드러나 보이는 사람의 체격이나 겉모양.
[風土 풍토] ① 어떤 지역의 기후와 토지의 상태. ② 어떤 일의 바탕이 되는 제도나 조건.
[風波 풍파] ① 세찬 바람과 험한 물결. ② 세상살이의 어려움이나 고통.
[風向 풍향] 바람이 불어오는 방향. ¶ 風向計(풍향계).
[家風 가풍] 한 집안에 전하여 내려오는 풍습이나 범절.
[強風 강풍] 세차게 부는 바람. 센바람.
[美風 미풍] 아름다운 풍속.
[微風 미풍] 솔솔 부는 약한 바람.
[順風 순풍] ① 순하게 불어오는 바람. ② 배가 가는 쪽으로 부는 바람.
[暴風 폭풍] 몹시 세차게 부는 바람.

4급Ⅱ 중학 한자
중 飞 (fēi)
영 fly [flai]

날 비

풀이 1 날다. 2 빠르다. 3 높다.
부수 飛(날비) 부
찾기 飛9=9획

風樹之歎 (풍수지탄)

풍수(風樹)는 〈시경(詩經)〉의 해설서인 '한시외전(韓詩外傳)'에

樹欲靜而風不止
子欲養而親不待

'나무가 고요하고자 하나 바람이 그치지 않고,
자식이 봉양하려 하나 어버이가 기다려 주지 않는다.'
라고 하여 돌아가신 어버이를 생각하는 마음을 나타낸 데서 유래한 말로, 자식이 부모에게 효도를 다하려고 해도 이미 부모는 돌아가신 뒤라서 그 뜻을 이룰 수 없음을 한탄하여 이르는 말.

글자뿌리 상형(象形) 문자. 양쪽 날개를 펼치고 하늘을 날고 있는 새의 모양을 본뜬 글자로 '날다'의 뜻.

[飛報 비보] 매우 빨리 보고함. 또는 그런 보고.

[飛躍 비약] ① 나는 듯이 높이 뛰어오름. ② 급속히 발전하거나 향상됨. ③ 밟아야 할 단계나 순서를 거치지 않고 앞으로 나아감.

[飛行 비행] 하늘을 날아다님.

[飛虎 비호] 나는 듯이 빠르게 달리는 범.

[雄飛 웅비] 기운차고 용기 있게 활동함.

7급 중학 한자

㊥ 食 (shí)

㊎ eat [iːt]

밥/먹을 식

풀이 1 밥. 2 먹다.

부수 食(밥식)부

찾기 食⁹=9획

人 亼 今 今 今 食 食 食

글자뿌리 회의(會意) 문자. 모을 집(亼: 集의 본자)에 밥을 뜻하는 흡(艮=皀)을 합친 자로, 밥알을 모아 그릇에 담은 '밥'이라는 데서 '먹다'의 뜻도 됨.

[食口 식구] 한집에 살며 끼니를 같이하는 사람.

[食器 식기] 음식을 담는 그릇.

[食堂 식당] ① 식사하기에 편리하도록 설비하여 놓은 방. ② 음식을 만들어 파는 가게.

[食率 식솔] 한 집안에 딸린 식구.

[食慾 식욕] 음식을 먹고 싶어 하는 욕망.

[食前 식전] ① 밥을 먹기 전. ② 아침밥을 먹기 전. 곧, 이른 아침.

[食卓 식탁] 음식을 차려 놓고 둘러앉아 먹게 만든 탁자.

[食後 식후] 밥을 먹은 뒤.

3급Ⅱ 중학 한자

㊥ 饭 (fàn)

㊎ boiled rice

밥 반

풀이 1 밥. 2 먹다.
부수 食(밥식)부
찾기 食[9]+反[4]=13획

글자뿌리 형성(形聲) 문자. 밥 식(食〈뜻〉)에 뒤칠 반(反〈음〉)을 합친 자로, 씹어 이리저리 뒤치며 먹는 것이라는 데서, '밥'의 뜻이 된 자.

[飯酒 반주] 밥 먹을 때 곁들여서 한두 잔 마시는 술.
[飯饌 반찬] 밥을 먹을 때 곁들여 먹는 온갖 음식.
[白飯 백반] ① 흰밥. 쌀밥. ② 음식점에서, 흰밥에 국과 반찬을 곁들여 파는 한 상의 음식.

6급 중학 한자
중 饮 (yǐn)
영 drink [driŋk]

마실 음(ː)

풀이 1 마시다. 2 마실 것.
부수 食(밥식)부
찾기 食[9]+欠[4]=13획

글자뿌리 형성(形聲) 문자. 밥 식(食〈뜻〉)에 하품 흠(欠〈음〉)을 합친 자로, 하품을 할 때처럼 입을 벌리고 먹는다는 데서 '마시다'의 뜻이 된 자.

⇒ ⇒ 飮

[飮毒 음독] 독약을 먹음.
[飮料 음료] 마시는 것을 통틀어 이르는 말. 술·청량음료 따위.
[飮福 음복] 제사를 지내고 나서 제사에 썼던 음식물을 나누어 먹음.
[飮食 음식] 사람이 먹을 수 있도록 만든 것. ¶ 飮食店(음식점).
[飮酒 음주] 술을 마심.
[過飮 과음] 술 따위를 지나치게 마심. 너무 많이 마심.
[米飮 미음] 쌀 등을 푹 끓여 체에 걸러 낸 걸쭉한 음식.
[試飮 시음] 술이나 음료수의 맛을 알기 위해 시험 삼아 마심.
[暴飮 폭음] 술을 한꺼번에 아주 많이 마심.

5급 중학 한자
중 养 (yǎng)
영 nourish [nə́ːriʃ]

기를 양ː

풀이 1 기르다. 2 봉양하다.
부수 食(밥식)부
찾기 食[9]+羊[6]=15획

글자뿌리 형성(形聲) 문자. 양 양(羊〈음〉)에 밥 식(食〈뜻〉)을 합친 자로, 양에게 먹이를 주어 살지게 키운다는 데서 '기르다'의 뜻.

[養鷄 양계] 닭을 기름. 또는 그 닭.
[養女 양녀] 데려다가 기른 딸.
[養豚 양돈] 돼지를 기름. 또는 그 돼지.
[養分 양분] 영양이 되는 성분.
[養成 양성] ① 교육·훈련 등으로 인재를 길러 냄. ② 실력 따위를 기름.
[養育 양육] 아이를 보살펴 자라게 함.
[養子 양자] 아들 없는 집에서 대를 잇기 위해, 데려다가 기른 아들. 양아들.
[教養 교양] 사회생활이나 학식을 바탕으로 이루어지는 품행과 문화에 대한 지식.
[培養 배양] ① 식물을 가꾸어 기름. ② 인격·역량·사상 따위가 발전하도록 가르치고 키움. ③ 미생물이나 동식물 조직의 일부를 인공적으로 길러 증식시킴.
[奉養 봉양] 부모나 조부모 같은 웃어른을 받들어 모심.
[扶養 부양] 생활 능력이 없는 사람의 생활을 돌봄.
[修養 수양] 몸과 마음을 단련하여 품성·지식·도덕을 높은 경지로 끌어올림.

4급Ⅱ 중학 한자
중 余 (yú)
영 remain [riméin]

남을 여

풀이 1 남다. 2 나머지. 3 그 밖의 것.
부수 食(밥식)부
찾기 食[9]+余[7]=16획

글자뿌리 형성(形聲) 문자. 밥 식(食〈뜻〉)에 남을 여(余〈음〉)를 합친 자로, 먹을 음식이 풍족하다는 데서 '남다'의 뜻.

[餘力 여력] 어떤 일에 주력하고 아직 남아 있는 힘.
[餘白 여백] 글씨나 그림이 있는 종이 따위에서 하얗게 남아 있는 빈 자리.
[餘分 여분] 어떤 한도에 차고 남은 부분. 나머지.
[餘生 여생] 앞으로 남은 생애.
[餘韻 여운] 일이 끝난 뒤에도 가시지 않고 남은 느낌이나 정취.
[餘裕 여유] ① 경제적·정신적·시간적으로 넉넉하여 남음이 있음. ② 성급하지 않고 너그럽게 생각하는 마음.
[餘興 여흥] ① 모임이나 연회가 끝난 후에 흥을 돋우기 위하여 곁들이는 춤·노래·장기 자랑 따위. ② 놀이 끝에 남아 있는 흥.

5급 중학 한자

중 首 (shǒu)

영 head [hed]

머리 수

풀이 1 머리. 2 우두머리. 3 첫째. 처음. 4 자백하다.

부수 首(머리수)부

찾기 首9=9획

丷 䒑 䒑 䒑 产 肖 首 首 首

글자뿌리 상형(象形) 문자. 얼굴 위에 머리털이 난 사람의 머리 모양을 본뜬 글자.

 ⇒  ⇒ 

[首肯 수긍] 옳다고 인정함.

[首都 수도] 한 나라의 중앙 정부가 있는 도시.

[首相 수상] 내각의 최고 직위.

[首席 수석] 등급이나 직위의 맨 윗자리.

[首弟子 수제자] 여러 제자들 중에서 가장 뛰어난 제자.

[自首 자수] 범인이 스스로 범죄 사실을 수사 기관에 신고하는 일.

4급Ⅱ 중학 한자

중 香 (xiāng)

영 fragrance [fréigrəns]

향기 향

풀이 1 향기. 향내. 2 향기롭다.

부수 香(향기향)부

찾기 香9=9획

丿 二 千 禾 禾 香 香 香 香

글자뿌리 회의(會意) 문자. 기장 서(禾: 黍)에 달 감(日: 甘의 변형)을 합친 자로, 옛날에 풍년을 빌기 위해 기장으로 술과 떡을 만들었는데, 기장을 맛있게 익혔을 때 나는 향기로운 냄새라는 데서 '향기'를 뜻함.

[香氣 향기] 좋은 느낌을 주는 냄새.

[香爐 향로] 향을 피우는 데 쓰는 자그마한 화로.

[香料 향료] 향기를 내는 데 쓰는 물질.
[香水 향수] 향료를 용해시켜 만든 액체 화장품의 한 가지.
[香辛料 향신료] 음식물에 매운맛이나 향기를 풍기게 하는, 고추·후추·겨자·마늘·파 따위의 조미료.
[芳香 방향] 꽃다운 향내. ¶ 芳香劑(방향제).

말 마:

5급 중학 한자
중 马 (mǎ)
영 horse [hɔːrs]

풀이 말.
부수 馬(말마)부
찾기 馬[10]=10획

글자뿌리 상형(象形) 문자. 말의 머리, 갈기와 꼬리, 네 다리를 본뜬 글자.

[馬夫 마부] 말을 부려 마차나 수레를 모는 사람.
[馬車 마차] 말이 끄는 수레.
[馬牌 마패] 관리가 지방으로 출장 갈 때 역에 있는 말을 쓸 수 있다는 증표

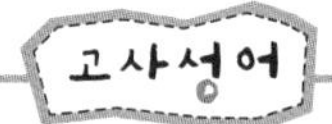

고사성어

馬耳東風 (마이동풍)

말의 귀에 스쳐 가는 동풍이란 뜻으로, 남의 말을 귀담아듣지 않음을 이르는 말.

고사 중국 당(唐)나라 때의 시인 왕십이(王十二)가 이백(李白)에게 〈추운 밤에 홀로 술잔을 기울이다가 느낀 바 있어서〉라는 시를 써 보내자, 이백도 〈왕십이가 추운 밤에 홀로 술잔을 기울인 데 대하여〉라는 답시(答詩)를 써 보냈는데, 이 시의 내용은 대략 이러하다.

오래 산다 해도 백 년을 못 산다/이 끝없는 생각을 술로나 씻어 버릴까/자네는 특이한 재주도 없으니/천자의 사랑도 받지 못할 것이고/멀리 북쪽 변방에 나아가서/오랑캐를 무찌르고 큰 공을 세워/높은 벼슬에 오를 그런 자격도 없어/우리가 할 수 있는 것은/햇볕 들지 않는 북쪽 창 앞에서/시를 읊고 부(賦)를 짓는 것 정도다/그 밖의 천 마디 말들은 한 잔의 술만 한 가치도 없다/세상 사람들은 이 말을 듣고 모두 머리를 가로젓는다/마치 동풍(東風)이 말의 귀〔馬耳〕를 스쳐 가는 것처럼.

로 쓰던 구리로 만든 둥근 패.

[競馬 경마] 말을 타고 달려 빠르기를 겨루는 경기. ¶競馬場(경마장).

[騎馬 기마] 말을 탐. 또는 타는 말.

[名馬 명마] 매우 우수한 말.

[木馬 목마] 어린아이들이 타고 놀 수 있게 나무로 만든 장난감 말.

4급Ⅱ 고등 한자

중 验 (yàn)

영 examine [igzǽmin]

시험 험:

풀이 1 시험. 시험하다. 2 증험. 3 보람.

부수 馬(말마)부

찾기 馬[10]+僉[13]=23획

글자뿌리 형성(形聲) 문자. 말 마(馬〈뜻〉)에 여러 첨(僉〈음〉)을 합친 자로, 僉(첨)은 많은 사람이 같은 진실을 말하다의 뜻. 증거의 뜻이나, '조사', '시험하다'의 뜻을 나타냄.

[經驗 경험] 자신이 실제로 해 보거나 겪어 봄. 또는 거기서 얻은 지식이나 기능.

[受驗 수험] 시험을 치름.

[實驗 실험] ① 실제로 해 봄. ② 이론이나 현상을 관찰하고 측정함. ③ 새로운 방법이나 형식을 사용해 봄.

[體驗 체험] 자기가 실제로 경험함.

[效驗 효험] 일의 좋은 보람. 또는 어떤 작용의 결과.

4급 중학 한자

중 惊 (jīng)

영 surprise [sərpráiz]

놀랄 경

풀이 놀라다. 놀래다.

부수 馬(말마)부

찾기 馬[10]+敬[13]=23획

글자뿌리 형성(形聲) 문자. 공경할 경(敬: 몸을 움츠린다는 뜻〈음〉)에 말 마(馬〈뜻〉)를 합친 자로, 말이 경계한다는 데서 '놀라다'의 뜻.

[驚氣 경기] 어린아이가 갑자기 의식을 잃고 경련을 일으키는 병.

[驚愕 경악] 소스라치게 깜짝 놀람.

[驚異 경이] 놀랍고 신기하게 여김.

[驚歎 경탄] 몹시 놀라며 감탄함.

[大驚失色 대경실색] 몹시 놀라 얼굴빛이 하얗게 변함.

4급 중학 한자
중 骨 (gǔ)
영 bone [boun]

뼈 골

풀이 뼈.
부수 骨(뼈골) 부
찾기 骨[10]=10획

글자뿌리 회의(會意) 문자. 살 발라낼 과(冎: 관절의 모양)와 육달 월(月: 肉)을 합친 자로, 고기에서 살을 발라내면 뼈만 남는다는 데서 '뼈'의 뜻이 된 자.

⇒ ⇒ 骨

[骨格 골격] ① 동물의 체형을 이루고 몸을 지탱하는 뼈. ② 기본이 되는 틀이나 줄거리.
[骨董品 골동품] ① 오래되었거나 희귀한 물건이나 미술품. ② 오래되었을 뿐 가치가 없고, 쓸모도 없이 된 물건.
[骨盤 골반] 척추동물의 허리 부분을 이루며, 하복부의 내장을 떠받치고 있는 깔때기 모양의 뼈.
[骨髓 골수] ① 뼈의 속에 차 있는 황색의 연한 조직. 골. ② 요점이나 골자.
[骨肉 골육] ① 뼈와 살. ② 핏줄이 같은 사람.
[骨肉相殘 골육상잔] 가까운 혈족끼리 서로 해치고 죽임.
[骨子 골자] 일이나 말의 요점이나 핵심.
[骨折 골절] 뼈가 부러짐.
[氣骨 기골] ① 기혈(氣血)과 뼈대. 또는 기백과 골격. ② 건장하고 튼튼한 체격.
[弱骨 약골] ① 몸이 약한 사람. ② 약한 골격.
[皮骨相接 피골상접] 살갗과 뼈가 맞붙을 정도로 몹시 마름.

6급 중학 한자
중 体 (tǐ)
영 body [bádi]

몸 체

풀이 1 몸. 신체. 2 바탕. 3 모양. 4 물건. 물질.
부수 骨(뼈골) 부
찾기 骨[10]+豊[13]=23획

글자뿌리 형성(形聲) 문자. 뼈 골(骨〈뜻〉)에 예도 례(豊: 禮의 옛 글자. 第〔차례 제〕의 뜻〈음〉)를 합친 자로, 몸을 이루는 뼈대라는 데서 '몸'을 뜻함.

[體感 체감] 몸으로 감각을 느낌.
[體格 체격] ① 몸의 골격. ② 근육·골격·영양 상태로 나타나는 몸의 생김새.
[體得 체득] 몸소 체험하여 알게 됨.
[體力 체력] 육체적 활동을 할 수 있는 몸의 힘. 또는 건강 장애에 대한 몸의 저항 능력.
[體育 체육] 몸의 성장과 발달을 촉진하고 운동 능력이나 건전한 생활을 영위하는 태도 등을 기르기 위한 교육.
[體重 체중] 몸의 무게. 몸무게.
[體質 체질] 날 때부터 지니고 있는 몸의 생리적 성질이나 건강상의 특질.
[體臭 체취] ① 몸에서 풍기는 냄새. ② 어떤 개인이나 작품에서 풍겨 나오는 특유의 느낌.
[體驗 체험] 자기가 직접 경험함. 또는 그 경험.
[個體 개체] ① 따로따로 떨어진 낱낱의 물체. ② 하나의 생물로서 완전한 기능을 갖는 최소의 단위.
[物體 물체] ① 구체적인 형태를 가지고 있는 것. ② 공간의 일부분을 차지하고 있으며, 감각으로 그 모양과 크기를 알 수 있는 것.
[書體 서체] 글씨체.
[身體 신체] 사람의 몸.
[全體 전체] 어떤 대상의 모든 부분. 비 전부.
[天體 천체] 우주에 존재하는 모든 물체.

6급 중학 한자
중 高 (gāo)
영 high [hái]

높을 고

풀이 1 높다. 2 높아지다. 쌓이다.
부수 高(높을고)부
찾기 高10=10획

글자뿌리 상형(象形) 문자. 높이 솟은 누대나 망루와 그곳으로 들어가는 입구를 본뜬 글자로, 누대는 출입문보다 높은 곳에 있다는 데서 '높다'의 뜻.

⇒ ⇒ 高

[高價 고가] 값이 비쌈. 비싼 가격.
[高潔 고결] 성품이 고상하고 순결함.
[高山 고산] 높은 산.

[高尙 고상] 품위나 몸가짐이 속되지 않고 훌륭함.
[高僧 고승] ① 학식이나 덕망이 높은 승려. ② 지위가 높은 승려.
[高額 고액] 많은 액수.
[高原 고원] 주위의 지형보다 지대가 높은 곳에 있는 넓은 벌판.
[高低 고저] 높음과 낮음. 높낮이.
[高下 고하] ① 나이의 많음과 적음. ② 신분이나 지위의 높음과 낮음. ③ 값의 비쌈과 쌈. ④ 품질이나 내용의 좋음과 나쁨.
[崇高 숭고] 뜻이 높고 고상함.

4급 고등 한자
㊥ 发 (fà)
㊒ hair [hɛər]

터럭 발

풀이 1 터럭. 2 머리털.
부수 髟(터럭발)부
찾기 髟10+犮5=15획

글자뿌리 형성(形聲) 문자. 터럭 발(髟〈뜻〉)에 달릴 발(犮〈음〉)을 합친 자로, 犮(발)은 '제거하다'의 뜻. 지나치게 길게 자라면 가위로 베어 버려야 하는 '머리털'의 뜻을 나타냄.

[髮膚 발부] 머리털과 피부.
[假髮 가발] 머리털 따위로 머리 모양을 만들어 쓰거나 붙이는 가짜 머리.
[頭髮 두발] 머리털.
[毛髮 모발] 사람의 머리털.
[削髮 삭발] 머리를 박박 깎음. 또는 그 머리.

4급 고등 한자
㊥ 斗 (dòu)
㊒ fight [fait]

싸움 투

풀이 1 싸움. 2 싸우다.
부수 鬥(싸울투)부
찾기 鬥10+斲10=20획

글자뿌리 형성(形聲) 문자. 싸울 투(鬥〈뜻〉)에 斲(깎을 착〈음〉)을 합친 자로, 斲(착)은 '깎다'의 뜻. 鬥(투)는 사람이 싸우는 모양의 상형. '다투어 싸우다'의 뜻을 나타냄.

[鬪病 투병] 병을 고치려고 병과 싸움.
[鬪爭 투쟁] 어떤 대상을 이기거나 극복하기 위한 싸움.
[鬪志 투지] 싸우고자 하는 굳센 마음.
[健鬪 건투] 의지를 굽히지 않고 씩씩하고 용감하게 싸움.
[格鬪 격투] 서로 맞붙어 치고받고 격렬하게 싸움.
[死鬪 사투] 죽을힘을 다하여 싸움.

5급 중학 한자
중 鱼 (yú)
영 fish [fiʃ]

물고기 어

풀이 물고기. 고기.
부수 魚(물고기어)부
찾기 魚[11]=11획

丿 𠂊 𠂊 各 各 角 角 魚 魚 魚 魚

글자뿌리 상형(象形) 문자. 물고기의 머리·배·꼬리 모양을 본뜬 글자로, 아래의 '灬'는 불을 뜻하는 것이 아니라 꼬리지느러미를 나타냄.

[魚頭肉尾 어두육미] 물고기는 대가리 쪽이, 짐승의 고기는 꼬리 쪽이 맛있다는 말.

고사성어

水魚之交 (수어지교)

물과 물고기의 사귐이라는 뜻으로, 임금과 신하 또는 부부 사이처럼 매우 친하여 서로 떨어질 수 없는 관계를 이르는 말.

고사 중국 촉(蜀)나라의 유비(劉備)가 제갈공명(諸葛孔明)의 재주에 감동하여 20세나 어린 그를 스승으로 모실 뿐 아니라 먹고 자는 것까지 함께 하자, 관우(關羽)와 장비(張飛)가 강한 불만을 표하였다. 그러나 유비는 "나에게 제갈공명이 소중한 것은 마치 물고기에게 물이 없어서는 안되는 것과 같다."라고 말했다고 한다.

[魚物 어물] 생선 또는 생선을 가공하여 말린 것.

[魚缸 어항] 물고기를 기르는 데 쓰는 유리 항아리.

[乾魚物 건어물] 생선·조개류 따위를 말린 식품.

[養魚場 양어장] 물고기를 길러서 번식시키는 곳.

[釣魚 조어] 물고기를 낚음.

5급 중학 한자

중 鲜 (xiān)

영 fine [fain]

고울 선

풀이 1 곱다. 깨끗하다. 2 신선하다. 새롭다. 3 생선.

부수 魚(물고기어)부

찾기 魚[11]+羊[6]=17획

글자뿌리 형성(形聲) 문자. 물고기 어(魚〈뜻〉)에 양 노린내 날 선(羊: 羴의 생략자〈음〉)을 합친 자로, 양고기처럼 맛있고 싱싱한 물고기라는 뜻에서, '신선하다', '곱다'의 뜻으로 쓰임.

[鮮明 선명] 산뜻하고 뚜렷함.

[鮮血 선혈] 상하지 않은 신선한 피.

[生鮮 생선] 말리거나 소금에 절이지 않은, 물에서 잡은 그대로의 물고기.

[新鮮 신선] ① 채소·생선 등이 싱싱함. ② 새롭고 산뜻함.

4급Ⅱ 중학 한자

중 鸟 (niǎo)

영 bird [bəːrd]

새 조

풀이 새.

부수 鳥(새조)부

찾기 鳥[11]=11획

글자뿌리 상형(象形) 문자. 꽁지가 긴 새의 모양을 본뜬 글자.

[鳥瞰圖 조감도] 높은 곳에서 아래를 내려다본 것처럼 그린 그림.

[鳥足之血 조족지혈] 새 발의 피라는 뜻으로, 아주 적은 분량을 비유하여 이르는 말.

[吉鳥 길조] 사람에게 좋은 일이 생길 것을 미리 알려 준다는 새.

[白鳥 백조] 오릿과의 물새로, 몸의 빛깔이 희고 부리는 노란색, 다리는 검은색임. 고니.

[不死鳥 불사조] ① 영원히 죽지 않는다는 전설의 새처럼 어떤 어려움에도 굴하지 않고 이겨 내는 사람을 비유함. ② 500년마다 스스로 쌓은 제단의 불에 타 죽고는 그 재 속에서 다시 태어난다는 새.

[益鳥 익조] 농사에 해가 되는 벌레를 잡아먹는 이로운 새. 반 害鳥(해조).

4급 중학 한자

중 鸣 (míng)

영 chirp [tʃəːrp]

울 명

풀이 울다. 새가 울다.

부수 鳥(새조)부

찾기 鳥^{11}+口^{3}=14획

글자뿌리 회의(會意) 문자. 입 구(口)에 새 조(鳥)를 합친 자로, 새가 입을 벌려 지저귄다는 데서 '울다'의 뜻.

[悲鳴 비명] 몹시 놀라거나 괴롭거나 다급할 때에 지르는 외마디 소리.

[自鳴鼓 자명고] 적이 쳐들어오면 저절로 울렸다는 전설적인 북. 호동 왕자와 낙랑 공주 이야기로 많이 알려짐.

[自鳴鐘 자명종] 미리 정해 놓은 시각이 되면 저절로 울려서 시간을 알려 주는 시계.

鷄

4급 중학 한자

중 鸡 (jī)

영 cock [kak]

닭 계

풀이 닭.

부수 鳥(새조)부

찾기 鳥^{11}+奚^{10}=21획

글자뿌리 형성(形聲) 문자. 어찌 해(奚: 경계한다는 뜻〈음〉)에 새 조(鳥〈뜻〉)를 합친 자로, 새벽을 알리는 새라는 데서 '닭'을 뜻하는 자.

[鷄卵 계란] 닭이 낳은 알. 달걀.

[養鷄場 양계장] 설비를 갖추어 놓고 닭을 기르는 곳.

4급Ⅱ 고등 한자
중 丽 (lì)
영 beautiful [bjúːtəfəl]

고울 려

풀이 1 곱다. 아름답다. 2 빛나다. 3 짝.
부수 鹿(사슴록)부
찾기 鹿[11]+丽[8]=19획

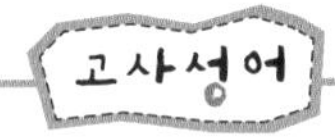

글자뿌리 상형(象形) 문자. 아름다운 뿔이 가지런히 난 사슴의 모양을 본떠 '곱다'의 뜻을 나타냄.

[麗句 여구] 아름다운 글귀.
[美麗 미려] 아름답고 고움.

3급Ⅱ 중학 한자
중 麦 (mài)
영 barley [báːrli]

보리 맥

풀이 보리.
부수 麥(보리맥)부
찾기 麥[11]=11획

고사성어

鷄口牛後 (계구우후)

닭의 부리는 되어도 소의 꼬리는 되지 말라는 뜻으로, 큰 단체의 꼴찌보다는 작은 단체의 우두머리가 되는 것이 낫다는 말.

[고사] 중국 전국 시대(戰國時代)의 유세객(遊說客)이었던 소진(蘇秦)은 전국 칠웅(戰國七雄) 중에서 가장 강한 나라였던 진(秦)나라를 뺀 나머지 여섯 나라를 돌면서, "전하, 여섯 나라가 굳게 뭉치면 각기 독립국이 될 수 있사오나 뭉치지 않으면 여섯 나라는 모두 진나라의 속국이 되고 말 것이옵니다. 옛날 속담에도 '닭의 부리는 될지언정 소의 꼬리는 되지 말라'는 말이 있사옵니다. 통촉하시옵소서."라고 하며, 여섯 나라가 힘을 합쳐 진나라에 대항할 것을 주장했다. 소진의 이 말에 여섯 나라 왕들은 동맹을 맺고 소진을 여섯 나라의 재상으로 삼게 되었다. 소진은 비록 작기는 하지만 닭의 부리가 되느냐, 크다고 해서 소의 꼬리가 되느냐, 다시 말해서 독립을 하느냐, 아니면 속국이 되느냐를 놓고 유세를 했던 것이다.

글자뿌리 회의(會意) 문자. 까끄라기가 있는 곡식의 이삭을 뜻하는 올 래(來: 麥의 원자)에 뒤져올 치(夊)를 합친 자로, 다른 곡식과는 달리 가을에 씨 뿌리고 여름에 추수하는 '보리'를 뜻함.

[麥飯 맥반] 보리밥.
[麥芽 맥아] 엿기름.
[麥酒 맥주] 보리와 홉(hop)을 섞어서 발효시킨 술.

黃

6급 중학 한자
중 黄 (huáng)
영 yellow [jélou]

누를 황

풀이 누렇다.
부수 黃(누를황)부
찾기 黃[12]=12획

글자뿌리 형성(形聲) 문자. 빛 광(炗: 光의 옛 글자〈음〉)에 밭 전(田〈뜻〉)을 합친 자로, 밭의 빛깔이 황토색이라는 데서 '누렇다'의 뜻이 된 자.

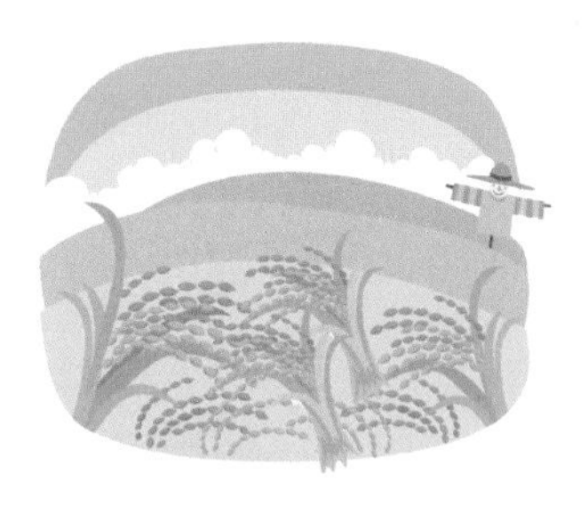

[黃金 황금] ① 누런빛의 금. ② 돈이나 재물. ③ 귀중하고 가치 있는 것.
[黃金萬能 황금만능] 돈이면 무슨 일이든지 마음대로 할 수 있음을 이르는 말.
[黃泉 황천] 저승.
[黃昏 황혼] ① 해가 져서 어둑어둑할 무렵. 또는 그때의 어스름한 빛. ② 한창 때가 지나 쇠퇴하여 종말에 이른 상태.

5급 중학 한자
중 黑 (hēi)
영 black [blæk]

검을 흑

풀이 검다. 어둡다.
부수 黑(검을흑)부
찾기 黑[12]=12획

글자뿌리 상형(象形) 문자. 불꽃〔灬=炎〕이 굴뚝〔𡆸〕에서 내뿜어지는 모양을 본뜬 자로, 굴뚝이 거멓게 그을려 있다는 데서 '검다'의 뜻.

[黑白 흑백] ① 검은색과 흰색. ② 옳음과 그름.
[黑色 흑색] 검은색.
[黑心 흑심] 음흉하고 부정한 욕심이 많은 마음.
[黑鉛 흑연] 연필의 심 등에 쓰이는 탄소로 된 광물.
[黑人 흑인] 흑색 인종에 속하는 사람.

4급 고등 한자
중 点 (diǎn)
영 dot [dat]

점 점(:)

풀이 1 점. 2 켜다. 3 조사하다. 4 점수.
부수 黑(검을흑)부
찾기 黑^{12}+占^{5}=17획

글자뿌리 형성(形聲) 문자. 검을 흑(黑〈뜻〉)에 점칠 점(占〈음〉)을 합친 자로, 占(점)은 특정한 장소를 차지하다의 뜻. 작고 검은 '점'의 뜻을 나타냄.

[點檢 점검] 낱낱이 검사함.
[點燈 점등] 등에 불을 켬.
[點字 점자] 점으로 만들어 손가락으로 더듬어 읽도록 만든 시각 장애인용 문자.
[點綴 점철] 관련 있는 상황·사실 따위가 서로 이어짐.
[點火 점화] 불을 켜거나 붙임.
[缺點 결점] 잘못되거나 모자란 점.
[採點 채점] 시험 답안의 점수를 매김.
[虛點 허점] 불충분하거나 허술한 점.

4급Ⅱ 고등 한자
중 党 (dǎng)
영 party [pάːrti]

무리 당

풀이 1 무리. 2 마을. 3 기울다. 4 아부하다.
부수 黑(검을흑)부
찾기 黑^{12}+尙^{8}=20획

글자뿌리 형성(形聲) 문자. 검을 흑(黑〈뜻〉)에 오히려 상(尙〈음〉)을 합친 자로, 尙(상)은 堂(당)과 통하여, 한 지붕 아래 모인 무리의 뜻을 나타냄.

[黨員 당원] ① 정당에 가입해서 구성원이 된 사람. ② 당파를 이룬 사람.
[黨爭 당쟁] 당파를 이루어 서로 싸움.
[黨派 당파] 주의·주장·이해를 같이하는 사람들이 뭉쳐 이룬 단체나 모임.
[作黨 작당] 무리를 이룸.
[政黨 정당] 정치 이상의 실현을 위해 정치 권력의 참여를 목적으로 하는 정치 단체.

5급 중학 한자
중 鼻 (bí)
영 nose [nouz]

코 비:

풀이 코.
부수 鼻(코비)부
찾기 鼻14=14획

글자뿌리 형성(形聲) 문자. 코의 모양을 본뜬 '自〈뜻〉'와 음을 나타내는 줄 비(畀〈음〉)를 합친 글자로 '코'를 뜻하는 자.

[鼻孔 비공] 콧구멍.
[鼻炎 비염] 코의 점막에 생기는 염증.
[鼻音 비음] 콧소리.
[耳目口鼻 이목구비] 귀·눈·입·코를 중심으로 한 얼굴의 생김새.

4급Ⅱ 중학 한자
중 齿 (chǐ)
영 tooth [tu:θ]

이 치

풀이 1 이. 2 나이.
부수 齒(이치)부
찾기 齒15=15획

丨 ㅏ 止 歫 歬 歭 歮 歯
齿 齿 齿 齿 齿 齒 齒

글자뿌리 형성(形聲) 문자. 이가 아래위에 박힌 모양〔𠚕〈뜻〉〕에 그칠 지(止: '나란히'의 뜻〈음〉)를 합친 자로, '이'의 뜻.

[齒科 치과] 이를 전문으로 치료하거나 연구하는 의학의 한 분과.

[齒石 치석] 이의 표면에 엉기어 붙은 단단한 물질.

[齒痛 치통] 이가 아픈 증세.

[乳齒 유치] 젖먹이 때 나서 아직 갈지 않은 이. 젖니.

[義齒 의치] 만들어 박은 가짜 이.

[蟲齒 충치] 세균 따위로 인해 벌레가 파먹은 것처럼 상한 이. 또는 그런 질환.

龍

용 룡

4급 고등 한자

중 龙 (lóng)

영 dragon [drǽgən]

풀이 용.

부수 龍(용룡)부

찾기 龍[16]=16획

丶 亠 亣 立 产 音 音
音 音 音 音 龍 龍 龍 龍

글자뿌리 상형(象形) 문자. 머리 부분에 '辛(신)' 자 모양의 장식이 있는 뱀을 본떠 '용'의 뜻을 나타냄.

[龍宮 용궁] 전설에서, 바닷속에 있다고 하는 용왕의 궁전.

[龍頭蛇尾 용두사미] 용의 머리와 뱀의 꼬리라는 뜻으로, 크게 시작했다가 흐지부지 끝나는 것을 비유하는 말.

[龍馬 용마] ① 모양이 용같이 생겼다는 상상의 말. ② 아주 잘 달리는 말.

[龍床 용상] 임금이 앉는 자리.

[龍顔 용안] 임금의 얼굴을 높여서 이르는 말.

[龍王 용왕] 바다에 살며 비와 물을 맡아보는 용궁의 임금.

[龍虎相搏 용호상박] 용과 범이 서로 싸운다는 뜻으로, 강자끼리 승부를 겨룸을 이르는 말.

[登龍門 등용문] 잉어가 용문에 오르면 용이 된다는 뜻으로, 입신출세의 관문을 이르는 말.

[臥龍 와룡] ① 도사리고 누워 있는 용. ② 초야에 묻혀 있는 큰 인물의 비유.

부 록

고 사 성 어

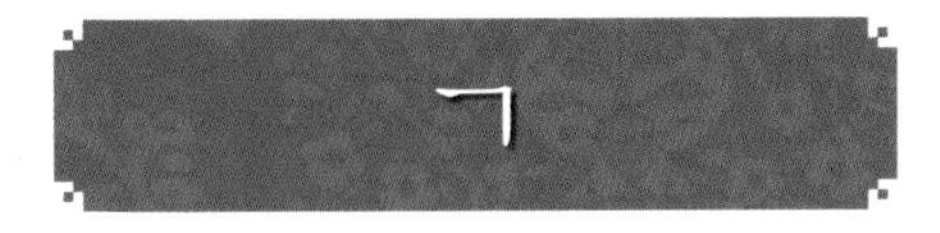

ㄱ

呵呵大笑 [가가대소]
너무 우스워서 소리를 내어 크게 웃음.

街談巷說 [가담항설]
거리나 항간에 떠도는 소문. 뜬소문.

苛斂誅求 [가렴주구]
세금 따위를 가혹하게 거두어들이고 무리하게 백성의 재물을 빼앗음.

佳人薄命 [가인박명]
용모가 너무 빼어난 여자는 수명이 짧다는 말.

苛政猛於虎 [가정맹어호]
가혹한 정치는 호랑이보다 더 사납다는 뜻으로, 가혹한 정치가 끼치는 해독을 맹수에 비유하여 표현한 말.
고사 중국의 춘추 시대(春秋時代) 말엽에는 나라마다 기강이 어지러워져 있었다. 노(魯)나라도 예외는 아니어서 대부(大夫)인 계손자(季孫子) 같은 자는 백성들로부터 가혹하게 거둬들인 세금으로 엄청난 부(富)를 누리고 있었다. 어느 날, 공자(孔子)가 제자들과 함께 수레를 타고 여행을 하다가 태산(泰山) 근처에 이르렀는데, 깊은 산속 어디선가 여인의 울음소리가 들려왔다. 자세히 들어 보니 울음소리는 앞쪽 무덤 가에서 들려오고 있었다. 그것을 이상히 여긴 일행이 수레를 그쪽으로 급히 몰아가서 울고 있는 사연을 알아보았더니, 그녀는 "이곳은 참으로 무서운 곳이랍니다. 얼마 전에는 시아버님께서 호랑이에게 물려 가셨고, 이젠 제 남편과 자식까지 모두 물려 죽었어요."라고 대답했다. 그렇게 무서운 이곳을 왜 떠나지 않느냐고 묻자, 그녀는 "그래도 여기는 가혹한 세금에 시달릴 걱정이 없기 때문이에요."라고 대답했다. 이 말을 들은 공자는 "가혹한 정치는 호랑이보다 더 사나운 것이니라."라고 제자들에게 말하였다고 한다.

家和萬事成 [가화만사성]
집안이 화목하면 모든 일이 잘되어 간다는 말.

刻骨難忘 [각골난망]
입은 은혜에 대한 고마운 마음이 뼈에 깊이 새겨져 잊기가 어려움.

刻舟求劍 [각주구검] ☞ p. 70
배에 위치를 새겨 놓고 칼을 찾는다는 뜻으로, 상황이나 시대가 변해 가는데, 낡은 생각만 하는 어리석음을 이르는 말.
고사 중국의 전국 시대(戰國時代)에 초(楚)나라 사람들이 배로 양쯔 강을 건너는데, 그 사람 중에는 칼 한 자루를 소중히 지니고 다니는 젊은이가 함께 타고 있었다. 그런데, 배가 강의 중간쯤에 이르렀을 때, 그 젊은이가 그만 실수로 칼을 강물에 빠뜨리고 말았다. 순식간에 칼은 강물 속으로 가라앉아 버렸다. 그러자 젊은이는 허리춤에서 단검을 꺼내어 칼을 빠뜨린 바로 그 자리의 뱃전에다 금을 그어 표시를 하는 것이었다. 그러고는 자신의 행동을 이상하게 여기는 사람들의 기색을 알아차리기라도 한 듯이, "내가 칼을 떨어뜨린 곳이 바로 여기니까 다시 찾을 수 있을 것이오."라고 혼자 중얼거렸다. 얼마 후 배가 맞은편에 가 닿자, 그 젊은이는 표시해 둔 뱃전 아래 물속으로 뛰어들었다. 그러나 칼이 그곳에 있을 리 없었으므로, 사람들이 모두 그 어리석음을 비웃었다고 한다.

艱難辛苦 [간난신고]

고되고 어렵고 맵고 쓰다는 뜻으로, 갖은 고초를 다 겪음을 이르는 말.

肝膽相照 [간담상조]

간과 쓸개를 서로 꺼내어 보인다는 뜻으로, 서로 속마음을 터놓고 숨김이 없이 사귐을 이르는 말.

고사 중국 당(唐)나라 때의 문인(文人)인 유종원(柳宗元)이 유주 자사(柳州刺史)로 임명되었는데, 마침 유몽득(柳夢得)도 파주 자사(播州刺史)로 임명되리라는 소식이 전해졌다. 이 말을 들은 유종원은 "파주는 멀고 험한 땅이라 양친이 생존해 계신 유몽득 같은 사람이 살 만한 곳이 못 되오. 어떻게 할지 몰라 난처해하고 있는 것을 차마 볼 수가 없으니, 내가 그를 대신해서 파주로 갈 것을 지원해야겠소."라고 말했다. 진실한 우정을 나눌 수 있는 친구를 매우 존경하던 유명한 문인인 한유(韓愈)는 이 말을 전해 듣고는 "사람은 어려움에 처했을 때에 비로소 참다운 절의(節義)가 나타나는 법이다. 아무 일 없이 편안한 때는 술이나 마시며 지낸다. 흰소리 치기도 하고 억지웃음도 웃는다. 서로 양보하며 손을 마주 잡고 간과 쓸개를 꺼내어 보이며 서로 배신하지 말자고 한다. 그러나 일단 털끝만 한 이해관계라도 생기면, 눈을 부릅뜨고 친한 사이가 아닌 것 같은 얼굴을 한다."라고 말했다고 한다.

感慨無量 [감개무량]

마음속에서 배어 나오는 감동이나 느낌이 끝이 없음. 또는 그 감동이나 느낌.

甘言利說 [감언이설]

남의 비위에 맞도록 꾸민 달콤한 말과 이로운 조건을 내세워서 그럴듯하게 꾀는 말.

感之德之 [감지덕지]

분에 넘치는 것 같아 매우 고맙게 여기는 모양.

甘呑苦吐 [감탄고토]

달면 삼키고 쓰면 뱉는다는 뜻으로, 사리의 옳고 그름에 관계없이 자기에게 이로우면 하고, 불리하면 하지 않는 이기적인 태도를 이르는 말.

甲男乙女 [갑남을녀]

갑이라는 남자와 을이라는 여자란 뜻으로, 평범한 사람들을 이르는 말.

甲論乙駁 [갑론을박]
갑이 논하면 을이 반박한다는 뜻으로, 서로 자기 의견을 주장하며 논함. 또, 말다툼이 되어 논의가 통일되지 않음.

改過遷善 [개과천선]
지난 허물을 뉘우쳐 고치고, 바른 생활을 함.

蓋世之才 [개세지재]
온 세상을 뒤덮을 만한 재주. 또는 그런 재주를 가진 사람.

去官留犢 [거관유독]
벼슬에서 물러날 때 송아지를 두고 간다는 말로, 관리의 청렴함을 일컫는 말.

去頭截尾 [거두절미]
머리와 꼬리를 잘라 버린다는 뜻으로, 앞뒤의 쓸데없는 잔소리를 빼어 버리고 사실의 요점만 간단히 말한다는 뜻.

居安思危 [거안사위]
편안하게 살 때에는 늘 위태롭게 될 경우를 생각함.

格物致知 [격물치지]
실제 사물의 이치를 연구하여 지식을 완전하게 함.

隔世之感 [격세지감]
몰라보게 변하여 아주 딴 세상이 된 것 같은 느낌.

牽強附會 [견강부회]
사리에 맞지 않는 말을 억지로 끌어다 붙여 자기에게 유리하도록 함.

見利思義 [견리사의]
눈앞의 이익을 보면 먼저 의리에 합당한지를 생각함.

犬馬之勞 [견마지로]
개나 말의 하찮은 수고라는 뜻으로, 윗사람 또는 임금이나 나라에 충성을 다하는 자신의 노력을 낮추어 말할 때 쓰는 말.

見物生心 [견물생심]
물건을 보면 그것을 가지고 싶은 욕심이 생김을 이르는 말.

犬猿之間 [견원지간]
개와 원숭이의 사이라는 뜻으로, 매우 사이가 나쁜 관계를 비유적으로 이르는 말.

堅忍不拔 [견인불발]
굳게 참고 견뎌 마음이 흔들리지 않음.

結者解之 [결자해지]
맺은 사람이 풀어야 한다는 뜻으로, 자기가 저지른 일은 자기가 해결해야 한다는 말.

結草報恩 [결초보은] ☞ p. 443
풀을 매어 은혜를 갚는다는 뜻으로, 죽어 혼령이 되어도 은혜를 잊지 않고 갚음을 이르는 말.
고사 중국의 춘추 시대(春秋時代)에 진(晉)나라의 위무자(魏武子)가 평소에 아들에게 자기가 죽거든 서모(庶母)를 개가시키라 해 놓고, 죽을 무렵에는 그와 반대로 순장(殉葬)을 시키라 했다. 아버지가 돌아가시자 아들 과(顆)는 아버지가 평소에 한 말을 따라 서모를 개가시켰다. 후에 과가 전쟁에 나가 진(秦)나라의 두회(杜回)와 싸우다 후퇴하여 위태롭게 되었을 때, 그 서모의 아버지의 넋이 적군의 앞길에 풀을 맞잡아 매어 두회가 걸려 넘어지게 하여 사로잡게 했다고 한다.

輕擧妄動 [경거망동]
도리나 사정을 생각지 않고 경솔하게 함부로 행동함.

傾國之色 [경국지색] ☞ p. 48
나라 안에 으뜸가는 미인. 임금이 반하여 나라가 기울어지는 것에도 신경 쓰지 않을 만한 뛰어난 미인.
고사 중국 한(漢)나라의 무제(武帝) 때에 이연년(李延年)이라는 궁중 가수가 있었는데, 노래와 춤에 재능이 뛰어나 무제의 총애를 한몸에 받았다. 그가 어느 날 무제 앞에서 춤을 추며 '북방에 가인(佳人) 있어 / 둘도 없는 절세미인 / 한 번 눈길에 성이 기울고 / 두 번 눈길엔 나라 기우네 / 어찌 나라가 기욺[傾國]을 모르리요마는 / 가인은 다시 얻기 어려워라.' 는 노래를 불렀다. 이 노래를 듣고 난 무제는 과연 그러한 여인이 어디 있을까 하고 탄식하였는데, 이연년의 누이동생이 빼어난 미인이라는 소문을 전해 듣게 되었다. 그래서 즉시 이연년의 누이동생을 불러들였는데, 과연 빼어난 미인인데다 춤도 잘 추었다. 무제는 이내 그 미모에 빠지고 말았다고 한다.

驚天動地 [경천동지]
하늘을 놀라게 하고 땅을 뒤흔든다는 뜻으로, 세상을 몹시 놀라게 함을 이르는 말.

敬天愛人 [경천애인]
하늘을 공경하고 사람을 사랑함.

鷄口牛後 [계구우후] ☞ p. 618
닭의 부리는 되어도 소의 꼬리는 되지 말라는 뜻으로, 큰 단체의 꼴찌보다는 작은 단체의 우두머리가 되라는 말.
고사 중국 전국 시대(戰國時代)에는 나름대로 학문과 처세술을 익힌 다음 여러 나라를 두루 찾아다니며 자신의 뜻을 펴기 위해 정치적 견해를 주장하는 유세객(遊說客)들이 많았다. 인재 등용 시험이 따로 없었던 당시에는 이런 식으로 인재를 발탁했었다. 소진(蘇秦)도 그들 가운데 한 사람이었다. 소진은 당시의 전국 칠웅(戰國七雄:전국 시대의 강한 일곱 나라) 중에서 가장 강한 나라였던 진(秦)나라를 뺀 나머지 여섯 나라를 돌면서, "전하, 여섯 나라가 굳게 뭉치면 각기 독립국이 될 수 있사오나 뭉치지 않으면 여섯 나라는 모두 진나라의 속국이 되고 말 것이옵니다. 옛날 속담에도 '닭의 부리는 될지언정 소의 꼬리는 되지 말라' 는 말이 있사옵니다. 통촉하시옵소서."라고 하며, 여섯 나라가 힘을 합쳐 진나라에 대항할 것을 주장했다. 소진의 이 말에 여섯 나라 왕들은 모두 귀를 기울였고, 그래서 동맹을 맺고 소진을 여섯 나라의 재상으로 삼게 되었다. 소진은 비록 작기는 하지만 닭의 부리가 되느냐, 크다고 해서 소의 꼬리가 되느냐, 다시 말해서 독립을 하느냐, 아니면 속국이 되느냐를 놓고 유세를 했던 것이다.

鷄卵有骨 [계란유골] ☞ p. 89

계란에도 뼈가 있다는 뜻으로, 늘 일이 안되는 사람이 모처럼 좋은 기회를 만났으나 역시 잘 안됨을 비유하여 이르는 말.

고사 조선 초기의 대신이었던 황희(黃喜)는 청렴결백하여 높은 벼슬에 있으면서도 집이 몹시 가난하였다. 이를 안타깝게 여긴 임금은 하루 동안 남대문으로 들어오는 모든 상품을 황희의 집으로 보내라고 명령하였다. 그러나 이날 따라 종일 비가 와서 아무것도 들어오는 물건이 없었다. 그런데 다저녁때가 되자 달걀 한 꾸러미가 들어왔으나 그나마 삶아 놓고 보니 모두 곯아서 먹을 수가 없었다고 한다.

鷄肋 [계륵]

닭의 갈비뼈라는 뜻으로, 그다지 가치는 없지만 버리기는 아까운 물건임을 이르는 말.

고사 중국의 삼국 시대 촉한(蜀漢)의 유비(劉備)가 한중(韓中)을 점령하자, 위(魏)나라의 조조(曹操)가 곧 반격해 왔다. 하지만, 몇 달 동안 계속되는 싸움에 군량미는 떨어지고 도망가는 군사가 계속 늘어나자 조조는 '계륵(鷄肋)'이라는 명령을 내렸다. 조조의 알 수 없는 명령에 모든 장수들이 당황하여 갈피를 못 잡고 있는데, 양수(楊修)라는 은어를 잘 푸는 장수만은 부리나케 서울 장안으로 돌아갈 준비를 했다. 이에 사람들이 이상히 여겨 까닭을 묻자, 양수는 "닭의 갈비는 먹고자 하면 먹을 것이 없고, 버리고자 하면 아까운 것인데, 한중을 이것에 비유하였으니 왕은 곧 돌아갈 것을 결정하신 것이지요."라고 말했다. 그 말대로 조조는 곧 위나라 전군에게 한중에서 철수하라는 명령을 내렸다고 한다.

孤軍奮鬪 [고군분투]

수가 적고 도와줄 우군이 없는 외로운 군대가 강한 적과 힘껏 싸운다는 뜻으로, 적은 인원의 약한 힘으로 남의 도움도 없이 힘에 겨운 일을 함을 이르는 말.

高臺廣室 [고대광실]

매우 크고 좋은 집.

孤立無援 [고립무원]

고립되어 도움을 받을 데가 없음.

姑息之計 [고식지계]

당장 편한 것만을 택하는 꾀나 방법이라는 뜻으로, 한때의 안정을 얻기 위해 임시로 둘러맞추어 처리하거나 이리저리 꾸며 내는 계책을 이르는 말.

苦肉之策 [고육지책]

자기 몸을 상해 가면서까지 꾸며 내는 계책이라는 뜻으로, 어려운 상태를 벗어나기 위해 어쩔 수 없이 꾸며 내는 계책을 이르는 말.

孤掌難鳴 [고장난명]

외손뼉만으로는 소리가 울리지 않는다는 뜻으로, 혼자만의 힘으로는 어떤 일을 이루기 어려움을 이르는 말.

苦盡甘來 [고진감래]

쓴 것이 다하고 단 것이 온다는 뜻으로, 고생 끝에 즐거움이 옴을 이르는 말.

曲學阿世 [곡학아세] ☞ p. 288

바른길에서 벗어난 학문으로 세상 사람에게 아첨함을 이르는 말.

고사 중국 전한(前漢) 시대 경제(景帝)는 시인으로 유명한 원고(轅固)를 박사(博士)로 등용하였는데, 그는 90세의 늙은 나이였음에도 강직한 성품을 그대로 지니고 있어 바른말 잘하기로 유명하였다. 그 때문에 가짜 선비들은 갖은 이유를 대며 등용을 적극적으로 반대하였다. 그러나 경제는 그들의 만류를 뿌리치고 원고를 등용하였다. 이때 원고와 함께 등용된 사람으로 공손홍(公孫弘)이라는 학자가 있었는데, 그도 또한 늘 바른 소리만 하고 다른 중신들과 타협할 줄 모르는 원고를 달가워하지 않았다. 그러나 원고는 아랑곳하지 않고 "요즘 학문하는 도리는 어지러워지고, 속된 학설이 유행하고 있는데, 이대로 두면 학문의 전통은 마침내 요사한 학설에 눌려 그 자취를 감추게 될 것이네. 다행히 그대는 젊고 학문을 게을리 하지 않는 선비라고 들었네. 부디 올바른 학문을 열심히 배워 세상에 널리 알리도록 하게. 절대로 자기가 옳다고 믿는 학설을 굽혀 세상의 속된 자들에게 아첨하는 일이 없길 바라네."라고 공손홍에게 충고의 말을 했다. 이 말에 감복한 공손홍은 자신의 무례함을 사죄한 뒤에 원고의 제자가 되었다고 한다.

骨肉相殘 [골육상잔]

가까운 친족끼리 서로 해치고 죽이고 함. 곧, 부자·형제 또는 동족간의 싸움.

空手來空手去 [공수래공수거]

빈손으로 왔다가 빈손으로 간다는 뜻으로, 사람이 세상에 태어났다가 허무하게 죽음을 이르는 말.

空中樓閣 [공중누각]

공중에 누각을 짓는 것처럼 아무런 근거나 토대가 없는 터무니없는 사물이나 생각을 이르는 말.

公平無私 [공평무사]

어느 쪽에도 치우치지 않아 공평(公平)하고 사사(私事)로움이 없음.

誇大妄想 [과대망상]

자기의 현재 상태를 턱없이 과장하여 사실인 것처럼 믿는 일. 또는 그런 생각.

過猶不及 [과유불급] ☞ p. 554

정도가 지나침은 미치지 못한 것과 같다는 말.

고사 자공(子貢)이 스승 공자(孔子)에게 자장(子張)과 자하(子夏) 중에 누가 더 현명한가를 물었더니, 공자는 "자장은 지나치고, 자하는 미치지 못하느니라."라고 대답하였다. 이에 자공이 "그렇다면 자장이 더 나은 것입니까?"라고 다시 묻자, 공자는 "지나침은 미치지 못한 것과 같으니 다 도리에 맞지 않느니라."라고 말했다고 한다.

瓜田不納履 [과전불납리]

남의 오이밭에서는 신을 고쳐 신지 않는다는 뜻으로, 오해받기 쉬운 일은 하지도 말라는 말.

고사 중국 제(齊)나라의 위왕(威王)은 간신인 주파호(周破胡)만을 너무 신임한 나머지 나라를 잘못 다스렸다. 이를 보다 못한 위왕의 후궁 우희(虞姬)는 현명하고 덕이 있는 북곽 선생(北郭先生)을 등용해 나라를 바로잡을 것을 간했다. 이 말을 전해 들은 주파호는 도리어 우희와 북곽 선생 사이가 수상쩍다고 모함하였다. 이를 믿은 위왕이 우희를 잡아들여 캐묻자, 우희는 "소첩은 지금 간사한 무리들로부터 모함을 받고 있을 뿐 결백하옵니다. 만약 죄가 있다면 오이밭에서 신을 고쳐 신지 않고, 자두나무 아래에서는 갓을 고쳐 쓰지 않는다는 가르침에 따르지 않아 의심받을 수 있는 행위를 한 것뿐이옵니다. 하오나, 소첩이 설사 죽임을 당하게 될지라도 더 이상 변명하지 않겠습니다. 다시 한 번 말씀드리지만 주파호에게 나랏일을 맡기심은 나라의 장래를 매우 위태롭게 하는 일입니다."라고 아뢰었다. 이런 우희의 간곡한 충언을 들은 위왕은 그제서야 자신의 어리석음을 깨닫고 간신 아대부(阿大夫)와 주파호를 멀리하고 바른 정치를 펴서, 제나라를 잘 다스렸다고 한다.

管鮑之交 [관포지교] ☞ p. 430

관중과 포숙아의 사귐이라는 뜻으로, 매우 우정이 돈독한 친구 사이를 이르는 말.

[고사] 중국 춘추 시대 제(齊)나라 사람이었던 관중(管仲)과 포숙아(鮑叔牙)는 둘도 없는 친구 사이였다. 그러나 그들은 그들이 모시고 있던 공자(公子)들의 왕권 다툼으로 본의 아니게 정치적인 적이 되기도 하였는데, 관중은 포숙아가 모시는 공자인 소백(小白)을 죽이려 한 적도 있었다. 그러다가 소백이 승리하여 제환공(齊桓工)이 되자, 관중은 죽임을 당하게 되었다. 이때 포숙아는 환공에게 간청하여 오히려 관중에게 높은 벼슬을 주도록 하였다. 뒷날 관중은 "내가 젊어서 가난할 때에 포숙아와 장사를 한 적이 있었는데 이득은 항상 내가 더 많이 차지했지만, 그는 한 번도 나를 욕심쟁이라고 욕하지 않았다. 내가 어렵다는 사실을 알았기 때문이다. 또, 그를 위해 한 일이 잘못되어 그를 더욱 궁지에 빠뜨린 적이 있었지만, 나를 어리석은 놈이라 여기지 않았다. 일이란 뜻대로 되지 않을 때도 있다는 것을 알았기 때문이다. 또, 전쟁 때에는 몇 번이고 패하여 도망친 일이 있었으나, 비겁하다고 하지 않았다. 나에게 늙은 어머니가 계시다는 것을 알았기 때문이다. 나를 낳아 주신 분은 부모님이지만, 나를 알아준 사람은 포숙아였다."라며 포숙아를 그리워했다고 한다.

刮目相對 [괄목상대]

눈을 비비고 상대방을 본다는 뜻으로, 남의 학식이 부쩍 향상된 것을 경탄하여 이르는 말.

[고사] 중국의 삼국 시대에 오(吳)나라 사람인 여몽(呂蒙)은 큰 뜻을 품고 열심히 무예를 닦아 훌륭한 장수가 되었지만, 어려서 집이 가난하여 제대로 글공부를 하지 못한 것을 늘 후회하였다. 그러다 오나라를 일으킨 손권(孫權)의 권유로 글공부를 시작한 여몽은 몇 해 뒤에는 큰 학자들로부터도 그 학식을 인정받기에 이르렀다. 어느 날 노숙(魯肅)이 여몽을 찾아와서 국정을 의논하다가 그의 학식이 넓고 깊음에 감탄하자, 여몽은 "사람이 사흘 동안 헤어졌다가 다시 만나게 되면 마땅히 괄목상대해야 하는 법입니다."라고 말했다고

한다.

矯角殺牛 [교각살우]
소의 뿔을 바로잡으려다가 소를 죽인다는 뜻으로, 결점이나 흠을 고치려다가 그 방법이나 정도가 지나쳐 도리어 일을 그르침을 이르는 말.

巧言令色 [교언영색]
남의 환심을 사려고 교묘히 꾸며서 하는 말과 아첨하는 얼굴빛.

教學相長 [교학상장]
남을 가르치는 것이나 스승한테서 배우는 것은 모두 자기 공부에 도움이 된다는 말.

九曲肝腸 [구곡간장]
아홉 번 구부러진 창자라는 뜻으로, 깊은 마음속 또는 시름이 쌓인 마음속을 비유해 이르는 말.

口蜜腹劍 [구밀복검] ☞ p. 97
입으로는 꿀 같은 말을 하지만 배 속에는 칼이 들어 있다는 뜻으로, 말로는 친한 척하지만, 속으로는 해칠 생각을 가지고 있음을 이르는 말.
고사 중국의 당(唐)나라 현종(玄宗) 때에 후궁의 힘을 빌려 재상의 자리에까지 오른 이임보(李林甫)라는 사람이 있었다. 그는 황제의 뜻이라면 무조건 따르며 아첨하는 한편, 바른말을 하는 충신을 미워하여 무슨 구실을 붙여서라도 그들을 죽이거나 멀리 귀양 보냈다. 그러한 그가 조정의 책임자로 있었으니 황제 곁에 충신이 남아 있을 리가 없었다. 당시의 사람들은 모두 이임보를 두려워하여, "이임보는 입으로는 꿀 같은 말을 하지만, 그 배 속에는 칼이 들어 있다."라고 말했다고 한다.

九死一生 [구사일생]
여러 차례 죽을 고비를 넘기고 겨우 살아남.

口尙乳臭 [구상유취]
입에서 아직 젖내가 난다는 뜻으로, 말이나 하는 짓이 아직 어림을 이르는 말.

九牛一毛 [구우일모] ☞ p. 14
아홉 마리 소 가운데 박힌 터럭 한 개라는 뜻으로, 많은 것 가운데에서 가장 하찮은 것임을 이르는 말.
고사 중국 전한(前漢)의 무제(武帝) 때 흉노족이 자주 변경을 침범하여 변경의 백성들을 괴롭혔다. 무제는 그 흉노족을 토벌하기 위해 이릉(李陵)을 별동대로 파견했는데, 이릉은 흉노에게 패하게 되자 투항하여 후한 대접을 받았다. 이 소식을 들은 무제가 몹시 노여워하며 그 일족을 몰살하려 하였으나, 아무도 이릉을 변호하는 사람이 없었다. 이때 사마천(司馬遷)이 이릉이 적은 군사로 얼마나 노력하였는지를 설명하며, 오히려 최선을 다한 공을 천하에 알려야 한다고 그를 두둔하였다. 이에 무제는 사마천에게 생식기를 없애는 궁형(宮刑)을 내려 벌하였는데, 사마천은 이를 몹시 치욕스럽게 여겨, "세상 사람들은 내가 궁형을 받는 일 따위는 아홉 마리나 되는 소[九牛]가 터럭 하나[一毛]를 잃는 정도로밖에 느끼지 않을 것이다."라고 한탄하였다. 그러나 그는 그 치욕을 참고 견디면서 마침내 중국

내에서 가장 많이 읽힌 불후의 역사서 '사기(史記)'를 지었다고 한다.

九折羊腸 [구절양장]
아홉 번 꼬부라진 양의 창자라는 뜻으로, 꼬불꼬불하고 험한 산길을 이르는 말.

群鷄一鶴 [군계일학] ☞ p. 458
무리 지어 있는 닭 가운데 있는 한 마리의 학이라는 뜻으로, 평범한 사람 가운데의 뛰어난 사람을 이르는 말.
고사 중국의 진(晉)나라 때, 인생이란 허무한 것이라며 대나무 숲 속에 숨어 살면서 시(詩)를 읊고 고상한 이야기만 나누며 살았던 일곱 명의 선비가 있었는데, 이들을 일컬어 죽림칠현(竹林七賢)이라 하였다. 산도(山濤)와 혜강(嵇康), 왕융(王戎) 등은 이 죽림칠현의 일원들이었다. 그런데 이들 중 혜강이 억울한 누명을 쓰고 어린 아들 혜소(嵇紹)를 남기고 죽게 되었다. 아버지를 여읜 혜소는 어머니를 모시고 근신하며 지내고 있었는데, 산도가 무제(武帝)에게 혜소가 춘추 시대(春秋時代) 진(晉)나라 대부(大夫)인 극결(郤缺)에 뒤지지 않는다며 비서랑(祕書郞)으로 등용할 것을 아뢰었다. 그러자 산도를 굳게 믿고 있던 무제는 혜소를 비서랑보다 한 계급 위인 비서승(祕書丞)으로 등용했다. 혜소가 처음으로 뤄양(洛陽)에 들어오자 어떤 사람이 왕융에게, "어제 사람들 틈에 끼어서 혜소를 보니 참 훌륭하더군요. 구름처럼 몰려 있는 사람들 속에서 걸어오는 모습이 마치 무리 지어 있는 닭 가운데의 한 마리 학 같았습니다."라고 말하였다고 한다.

君臣有義 [군신유의]
임금과 신하 사이의 도리는 의리에 있음을 일컫는 말.

君子三樂 [군자삼락]
군자에게는 세 가지의 낙이 있다는 말로, 여기서 말하는 세 가지 낙이란 첫째는 부모님이 다 살아 계시고 형제가 무고한 것이고, 둘째는 하늘과 사람에게 부끄러워할 것이 없는 것이며, 셋째는 천하의 영재를 얻어서 교육하는 것을 이름.

窮餘之策 [궁여지책]
궁한 나머지 생각다 못해 짜낸 계책.

權謀術數 [권모술수]
목적을 달성하기 위해서 수단과 방법을 가리지 않고 때와 형편에 따라 능란하게 대처하는 모략이나 술책.

勸善懲惡 [권선징악]
착한 일을 권장하고, 악한 일을 징계함.

捲土重來 [권토중래]
① 땅을 말아 일으킬 것 같은 기세로 다시 온다는 뜻으로, 한 번 패하였으나 세력을 회복하여 다시 쳐들어옴을 이르는 말. ② 한 번 실패한 뒤에 힘을 가다듬어 다시 착수함을 이르는 말.

極惡無道 [극악무도]
더할 나위 없이 악하고 도리에 완전히 어긋남.

近墨者黑 [근묵자흑]
먹을 가까이하면 검어진다는 뜻으로,

나쁜 사람과 가까이 사귀게 되면 그 악에 빠지기 쉬움을 이르는 말.

金科玉條 [금과옥조]
금이나 옥처럼 귀중히 여겨 꼭 지켜야 할 법률이나 규칙을 이르는 말.

金蘭之交 [금란지교]
친구 사이의 매우 두터운 정을 이르는 말.

錦上添花 [금상첨화]
비단 위에 꽃을 더한다는 뜻으로, 좋은 것 위에 또 좋은 것이 더하여짐을 이르는 말.

今昔之感 [금석지감]
옛날과 지금의 차이가 매우 심함을 보고 생기는 느낌.

今始初聞 [금시초문]
바로 지금 처음으로 들음.

錦衣還鄕 [금의환향]
비단옷을 입고 고향으로 돌아온다는 뜻으로, 출세를 하여 고향으로 돌아옴을 이르는 말.

金枝玉葉 [금지옥엽]
금으로 된 나뭇가지와 옥으로 만든 잎이라는 뜻으로, ① 임금의 자손이나 집안을 높여 이르는 말. ② 귀한 자손을 소중히 여겨 이르는 말.

氣高萬丈 [기고만장]
① 일이 뜻대로 잘되어 뽐내는 기세가 대단함. ② 펄펄 뛸 만큼 몹시 화가 남.

起死回生 [기사회생]
중병이나 위기 때문에 죽을 뻔하다가 다시 살아남.

奇想天外 [기상천외]
보통 사람은 생각지도 못할 기발하고 엉뚱한 생각.

杞憂 [기우]
쓸데없는 걱정이나 무익한 근심을 이르는 말.
고사 중국의 주(周)나라 때에, 기(杞)나라에 어떤 사람이 만일 하늘이 무너져 내리면 어쩌나 하는 걱정으로 제대로 먹지도 자지도 못하며 지내고 있었다. 이를 딱하게 여긴 친구가 "하늘은 공기가 싸여 있을 뿐이어서 무너질 일이 없다."라고 말하자, 그는 이번에는 해나 달, 별들이 떨어질 것을 걱정하였다. 그래서 친구가 해나 달, 별들 역시 공기 가운데서 빛을 내고 있는 것으로, 만일에 떨어진다 해도 맞아서 다치는 일은 없을 것이라고 다시 타일렀다. 그러자 그는, "그럼 땅이 꺼진다면 어쩌겠나?"라고 걱정스러운 듯이 말했다. 이에 친구가 "땅이란 흙덩이가 쌓인 것일 뿐이며 사방에 꽉 차 있으니 무너질 리가 있겠나. 쓸데없는 염려 말게."라고 말해 주자, 그 사람은 비로소 안심하고 크게 기뻐하였다고 한다.

氣盡脈盡 [기진맥진]
기운과 정력을 다 써서 힘이 없어짐.

騎虎之勢 [기호지세]
호랑이를 타고 달리는 형세라는 뜻으로, 이미 시작한 일을 중도에서 그만둘

수 없는 경우를 비유하여 이르는 말.

落落長松 [낙락장송]
가지가 아래로 축축 늘어져 있는 키 큰 소나무.

落花流水 [낙화유수]
① 떨어지는 꽃과 흐르는 물이라는 뜻으로, 가는 봄의 경치를 이르는 말. ② 남녀가 서로 그리워함을 이르는 말.

難攻不落 [난공불락]
공격하기가 어려워 좀처럼 함락되지 않음.

難兄難弟 [난형난제]
누구를 형이라 하고 누구를 아우라 하기가 어렵다는 뜻으로, 두 사물이 다 훌륭하여 낫고 못함을 구분하기 어려움을 비유한 말.

南柯一夢 [남가일몽] ☞ p. 86
남쪽 가지에서의 꿈이라는 뜻으로, 덧없는 꿈이나 한때의 헛된 부귀영화를 이르는 말.

고사 중국의 당나라 덕종(德宗) 때, 순우분(淳于棼)이라는 사람이 있었다. 하루는 그가 자기 집 남쪽에 있는 오래된 느티나무 밑에서 잠이 들었는데, 꿈에 두 사자(使者)가 나타나 괴안국(槐安國) 왕의 명령으로 모시러 왔다고 말했다. 순우분이 그들을 따라 느티나무 구멍 속으로 들어갔더니, 왕이 그를 반갑게 맞아 태수로 삼고 잘 다스리지 못해 어지러워진 남가군(南柯郡)을 다스려 줄 것을 부탁해 왔다. 그래서 그가 남가군에서 20년간 어진 정치를 베풀고 서울로 돌아오자 이를 시기한 왕이 그를 옥에 가두었다. 바로 그때 잠을 깨어 보니 꿈이었다. 잠을 깬 순우분은 하도 이상한 꿈이라 느티나무 밑을 파 보았다. 그랬더니, 큰 구멍 속에 개미떼가 있었다. 거기가 괴안국의 서울이고, 왕개미는 국왕이었던 것이다.

男負女戴 [남부여대]
남자는 짐을 짊어지고 여자는 짐을 이었다는 뜻으로, 재난을 당한 사람들이 살 곳을 찾아 돌아다님을 이르는 말.

囊中之錐 [낭중지추] ☞ p. 9
주머니 속에 있는 송곳이란 뜻으로, 송곳이 그 예리한 끝으로 주머니를 뚫고 나오듯이, 재능이 뛰어난 사람은 어디서나 그 재능이 드러나게 된다는 말.

고사 중국 전국 시대 말엽, 조(趙)나라의 재상이었던 평원군(平原君)이 왕의 명령으로 초(楚)나라에 구원군을 청하러 가게 되었는데, 20명의 수행원 가운데 19명은 쉽게 뽑았으나, 나머지 한 명을 뽑지 못하고 고민하고 있었다. 이때 식객(食客)이 된 지 3년이 되었다는 모수(毛遂)라는 사람이 자신을 수행원으로 데려가 줄 것을 청했다. 이에 평원군이 "재능이 뛰어난 사람은 마치 주머니 속에 있는 송곳이 예리한 끝으로 주머니를 뚫고 나오듯이 남의 눈에 드러나는 법인데, 내 집에 온 지 3년이나 되었다는 그대는 단 한 번도 이름이 드러난 일이 없지 않소?"라고 되물었다.

그러자 모수는 “대감께서 이제까지 저를 단 한 번도 주머니 속에 넣어 주시지 않았기 때문입니다. 하지만 이번에 주머니 속에 넣어 주신다면 끝뿐이 아니라 자루까지 드러내 보이겠습니다.” 라고 대답하였다. 그의 재치 있는 대답에 만족한 평원군은 모수를 수행원으로 뽑았고, 초나라에 도착한 평원군은 모수의 활약 덕분에 국빈(國賓) 대접을 받으며 지냈고, 구원군도 얻을 수 있었다고 한다.

內憂外患 [내우외환]
나라 안팎의 근심 걱정을 이르는 말.

內柔外剛 [내유외강]
겉으로는 강해 보이나 속은 부드럽고 순함.

老萊之戲 [노래지희]
노래자의 재롱이란 뜻으로, 늙어서도 부모를 기쁘게 함을 이르는 말.
고사 중국의 춘추 시대(春秋時代)에 초(楚)나라에 살던 노래자(老萊子)라는 효자는 나이 70세에도 무늬 있는 옷을 입고 어린애처럼 재롱을 부려서 늙은 부모를 위안했다고 한다.

勞心焦思 [노심초사]
애쓰고 속을 태움을 이르는 말.

綠衣紅裳 [녹의홍상]
연두색 저고리와 다홍치마라는 뜻으로, 젊은 여자의 곱게 꾸민 옷차림을 이르는 말.

論功行賞 [논공행상]
공적의 크고 작음에 따라 그에 알맞은 상을 줌.

累卵之危 [누란지위]
달걀을 쌓아 놓은 것처럼 매우 위태로운 형세를 이르는 말.
고사 중국의 전국 시대에는 제후들을 찾아다니며 유세하는 유세객(遊說客)들이 많았는데, 위(魏)나라의 범수(范雎)도 그들 가운데의 한 사람이었다. 그는 모시던 사람의 노여움을 사서 도망다니다가 장록(張祿)이라는 가명으로 정안평(鄭安平)의 집에 숨어 지내던 중에 정안평의 소개로 진(秦)나라의 사신 왕계(王稽)를 만나게 되었다. 왕계는 진나라의 소양왕(昭襄王)에게 장록 선생은 뛰어난 외교가인데 진나라의 정치가 ‘달걀을 쌓아 놓은 것같이 위태롭다’고 한다면서 장록을 써 줄 것을 청하였다 한다.

能書不擇筆 [능서불택필] ☞ p. 468
글씨를 잘 쓰는 사람은 붓을 가리지 않음.
고사 중국의 당(唐)나라 때 서도(書道)의 대가인 저수량(褚遂良)은 평소 좋은 붓과 먹이 없으면 글씨를 쓰려고 하지 않았다. 어느 날 그 저수량이 서도의 대가인 우세남(虞世南)에게 자신의 글씨와 구양순(歐陽詢)의 글씨 중에 누구의 글씨가 더 나은가를 물었다. 그러자 우세남은 “순은 아무 종이에나 글씨를 썼다고 하며, 어떤 붓으로도 마음먹은 대로 쓸 수 있었다 하네. 그러나 그대는 아직 종이와 붓에 구애받고 있으니 순을 따를 수는 없네.”라고 말했다고 한다.

ㄷ

多多益善 [다다익선] ☞ p. 138

많으면 많을수록 더욱 좋음을 이르는 말.

고사 오랜 맞수인 항우(項羽)를 무찌르고 마침내 천하를 통일한 한(漢)나라의 고조(高祖) 유방(劉邦)은 천하를 통일하기 위해 그때까지 함께 싸워 온 부하 장수들이 두려워졌다. 그들은 모두 그들 나름대로 큰 뜻을 펴 보려는 야심을 가지고 있었기 때문이었다. 그중에서도 초왕(楚王)으로 봉해진 한신(韓信)의 인물됨에 위협을 느낀 고조는, 항우의 장수를 숨겨 준 옛일을 핑계 삼아서 한신을 회음후(淮陰侯)로 강등시켰다. 어느 날, 고조는 한신과 여러 장수들의 통솔력에 대하여 이야기하다가 한신에게 "나와 같은 사람은 대체 몇만 명의 군사를 거느릴 수 있겠소?"라고 물었다. 한신은 "폐하께서는 한 10만 정도일 것이옵니다."라고 아뢰었다. 이에 유방이 "그렇다면 그대는 몇 명이나 거느릴 수 있는 재목이라 생각하오?" 하고 묻자, 한신은 "신은 군사가 많으면 많을수록 좋습니다."라고 대답했다. 그 대답을 의아하게 여긴 고조가 "그럼, 어찌하여 내 밑에서 장수 노릇을 하였소?"하고 묻자, 한신은 "폐하께서는 장수의 장수 되실 인품을 갖추고 계시오나, 신은 병사의 장수 될 그릇밖에는 되지 못하기 때문입니다. 또 폐하의 힘은 하늘에서 내려 준 것이니, 사람의 힘으로 어찌할 수는 없습니다."라고 말했다고 한다.

多事多難 [다사다난]

여러 가지로 일이 많기도 하고 어려움도 많음.

多才多能 [다재다능]

재주가 많고 능력이 풍부함.

斷機之戒 [단기지계] ☞ p. 272

베틀의 실을 끊은 훈계라는 뜻으로, 학문을 중도에서 그만두는 것은 마치 짜던 베틀의 실을 끊어 버리는 것과 같이 아무런 이득이 없다는 말.

고사 맹자(孟子)가 어려서 학문을 닦는 도중에 그만두고 집으로 돌아오자, 어머니가 짜고 있던 베의 날을 끊으며, 학문을 중도에서 그만두는 것도 이와 같다고 훈계하였다고 한다.

單刀直入 [단도직입]

혼자서 한 자루의 칼을 휘두르며 곧장 적진으로 쳐들어간다는 뜻으로, 여러 말을 늘어놓지 않고 곧바로 요점을 말함을 이르는 말.

斷腸 [단장] ☞ p. 471

창자가 끊어질 듯한 슬픔을 이르는 말.

고사 중국 진(晉)나라 때의 실력자 환온(桓溫)이 촉(蜀)나라를 향해 가던 도중에 그를 따르던 종자(從者)가 원숭이 새끼 한 마리를 붙잡아서 배에 실었다. 그러자 어미 원숭이가 강을 따라서 계속 배를 쫓아왔다. 그러다 배가 강가에 도착했을 때는 200리가 훨씬 넘는 거리를 지나온 뒤였다. 배가 강가에 도착하자마자 어미 원숭이는 배 위에 뛰어올랐는데, 그만 죽고 말았다. 그 어미 원숭이의 배를 갈라 보니 어찌나 슬퍼했던지 창자가 여러 토막으로 끊어져 있었다고 한다.

大驚失色 [대경실색]

몹시 놀라 얼굴빛이 하얗게 질림.

大器晩成 [대기만성] ☞ p. 140

큰 그릇은 늦게 이루어진다는 뜻으로, 크게 될 사람은 늦게 성공한다는 말.

고사 중국의 위(魏)나라에 최염(崔琰)이라는 장군이 있었는데, 그는 훌륭한 기품을 지니고 있어 무제(武帝:조조)의 신임이 매우 두터웠다. 그의 사촌 동생 중에 임(林)이라는 사람이 있었는데, 그는 젊어서는 별로 이루어 놓은 것이 없었기 때문에 그 누구의 주의도 끌지 못했다. 하지만 최염만은 그의 사람됨을 꿰뚫어 보고는 늘 "큰 종이나 솥을 쉽게 만들지 못하는 것과 마찬가지로 큰 인재도 쉽게 이루어지지 않는 법이네. 임은 대기만성형의 사람이니 후일에는 반드시 큰 인물이 될 것이야." 라고 말하며, 그를 아끼고 도와주었다. 과연 뒷날에 임은 삼공(三公)이 되어 천자(天子)를 모시는 자리에 오르게 되었다고 한다.

代代孫孫 [대대손손]

오래도록 이어 내려오는 여러 대.

大同小異 [대동소이]

거의 같고 조금만 다름. 미세한 부분은 다르지만 전체적으로는 비슷하여 큰 차이가 없음.

大聲痛哭 [대성통곡]

큰 소리로 목 놓아 슬피 욺.

大義名分 [대의명분]

① 사람이 마땅히 지켜야 할 중대한 도리와 명분. ② 합당한 구실이나 정당한 명분.

度外視 [도외시] ☞ p. 200

안중에 두지 않고 무시함을 이르는 말.

고사 중국의 후한(後漢)을 세운 유수(劉秀)는 여러 반란군을 무찌르고 부하들의 추천으로 황제가 되었는데, 그가 황제가 된 뒤에도 천하 통일을 위한 싸움은 여전히 계속되고 있었다. 그러나 제(齊) 땅과 강회(江淮) 땅이 평정되자 중원(中原)은 차츰 유수에게 항복해 왔다. 그러나 벽지인 진(秦) 땅에 거점을 두고 있던 외효(隗囂)와 역시 산간 지방인 성도(成都)에 거점을 두고 있던 공손술(公孫述) 두 사람만은 항복해 오지 않았다. 중신들은 계속 이 두 사람을 토벌할 것을 주장했으나 유수는, "이미 중원은 평정되었으니 그 두 사람은 안중에 둘 것도 없소 [度外視]."라고 말했다 한다.

桃園結義 [도원결의]

복숭아 동산에서 의형제를 맺는다는 뜻으로, 의형제를 맺음을 이르는 말.

고사 중국의 후한(後漢) 말기, 황건적(黃巾賊)의 난으로 천하가 시끄럽던 어느 날, 길을 가던 유비(劉備)는 황건적 토벌을 위해 군사를 모집한다는 내용의 방을 보게 되었다. 유비는 그 방을 보면서 28살의 나이에 아무것도 이루어 놓은 것이 없는 자신의 처지를 한탄하고 있었다. 그러다 "천하를 위해 일할 생각은 하지 않고 한숨이나 내쉬다니……."하는 큰 소리에 놀라 뒤를 돌아보자, 키가 크고 눈에서는 서기가 나는 건장한 남자가 서 있었다. 유비가 이름을 물어보자, 그 사내는 자신을 장비(張飛)라 소개하며 자신은 천하 호걸들과 교제하기를 좋아한다고 말했다. 두 사람은 곧 힘을 합쳐 황건적을 토벌하기로 뜻을 모으고 근처 주막으로 들어갔다. 이때 또 한 사나이가 들어왔다. 키는 장비보다 크고 수염의 길이는 50cm나 됐으며, 붉은 얼굴에 눈은 째져 있었다. 유비와 장비는 곧 그와 합석했다. 그는 자신의 이름은 관우(關羽)인데 악질인 호족(豪族)을 죽이고 고향을 떠났다며 지금부터는 황건적 토벌에 나설 생각이라고 말했다. 세 사람은 마음을 털어놓으며 술을 마시다가 가까이에 있는 유비의 집으로 함께 갔는데, 유비가 "우리 집 뒤뜰에는 복숭아 동산 [桃園]이 있는데, 지금 꽃이 만발하였소. 우리 내일 아침 그곳에서 천지신명에게 제사를 지내고 의형제를 맺읍시다."하고 제의했다. 관우와 장비도 흔쾌히 동의했다. 이튿날 아침에 세 사람은 복숭아 동산에서 천지신명께 제사를 지낸 다음 의형제를 맺었다. 나이순으로 유비가 큰형, 관우가 둘째, 장비가 막내가 되었다. 그리고 용사(勇士) 3백여 명을 모아 이들을 데리고 황건적 토벌에 나섰다. 후일 유비는 촉한(蜀漢)을 세워 위(魏)나라·오(吳)나라와 함께 천하를 셋으로 나누었다 한다.

塗炭 [도탄]

진구렁에 빠지고 숯불에 탄다는 뜻으로, 생활이 몹시 곤란하고 고통스러움을 이르는 말.

獨不將軍 [독불장군]

① 혼자서는 장군이 될 수 없다는 뜻으로, 남과 의논하고 협조하여야 함을 이르는 말. ② 저 혼자 잘난 척하며 뽐내다가 남에게 따돌림을 당해 외톨이가 된 사람을 이르는 말.

獨也青青 [독야청청]

홀로 푸르다는 뜻으로, 홀로 높은 절개를 드러냄을 이르는 말.

東家食西家宿 [동가식서가숙] ☞ p. 301

동쪽 집에서 먹고 서쪽 집에서 잔다는 뜻으로, 먹을 곳도 없고 잘 곳도 없어 떠돌아다니며 이 집 저 집에서 얻어먹고 지내는 일, 또는 그러한 사람을 이르는 말. 탐욕스러운 사람을 비유해 이르기도 함.

고사 옛날, 중국의 제(齊)나라에 살던 한 여자가 동쪽 집은 부유하기는 하지만 못생긴 남자이고, 서쪽 집은 잘생기기는 했지만 가난한데 너는 어느 쪽 집으로 시집가겠느냐라는 어머니의 물음에 '동가식서가숙'이라고 대답했다고 한다.

同價紅裳 [동가홍상]

같은 값이면 다홍치마라는 뜻으로, 같은 값이면 품질이 좋은 것을 택한다는 말.

同苦同樂 [동고동락]

괴로움도 즐거움도 함께함.

同名異人 [동명이인]

이름은 같지만 사람은 다름. 또, 이름은 같으나 다른 사람.

東問西答 [동문서답]

동쪽을 묻는데 서쪽을 대답한다는 뜻으로, 묻는 말에는 어울리지 않는 엉뚱한 대답을 이르는 말.

同病相憐 [동병상련] ☞ p. 102

같은 병을 앓는 사람끼리 불쌍히 여긴다는 뜻으로, 고난을 같이 겪는 사람은 서로 불쌍히 여겨 동정하고 돕는다는 말.

고사 중국 전국 시대 초(楚)나라 평왕(平王) 때에, 오자서(伍子胥)는 소부(少溥)의 벼슬에 있던 비무기(費無忌)의 모함으로 아버지와 형을 잃고, 오(吳)나라로 도망쳤다. 그는 복수할 날만을 기다리던 중에 왕위(王位)를 노리던 공자(公子) 광(光)을 만나 당시 오나라의 왕이었던 요(僚)를 죽이고 공자 광을 오왕의 자리에 앉혔다. 공자 광은 왕위에 오르자 자신을 합려(闔閭)라 칭하고 오자서를 중요한 자리에 임명하여 나랏일을 그와 의논했다. 그해에 백비(伯嚭)란 사람도 초나라에서 비무기의 모함으로 할아버지가 죽임을 당하자 오나라로 도망쳐 왔다. 합려는 백비를 불쌍히 여겨 대부(大夫)의 자리에 오르게 했는데, 물론 오자서의 역할이 컸다. 그 사실을 안 오나라 대부 피리(被離)는 백비의 인상이 나쁘다며 그를 추천했던 오자서에게 항의했다. 그러자 오자서는 "초나라에 대한 원한은 나나 백비나 꼭 같소이다. 그대는 동병상련(同病相憐)이란 말도 들어 보지 못하시었소? 사람이란 누구나 자기와 비슷한 처지에 놓여 있는 사람을 동정하며 같이 슬퍼하게 마련이지요."라고 대답했다. 오자서와 백비는 힘을 합하여 합려를 도와 9년간 노력한 끝에 초나라를 공격하여 소왕(昭王)의 항복을 받아 냄으로써 지난날의 원수를 갚을 수 있었다 한다.

東奔西走 [동분서주]

동으로 서로 분주하다는 뜻으로, 이리저리 바쁘게 돌아다님을 이르는 말.

同牀異夢 [동상이몽]

같은 침상에서 다른 꿈을 꾼다는 뜻으로, 겉으로는 같이 행동하면서 속으로는 각각 다른 생각을 함을 이르는 말.

東西古今 [동서고금]

동양과 서양, 옛날과 지금을 통틀어 이르는 말.

杜門不出 [두문불출]

문을 닫아 걸고 나가지 않음. 곧, 집 안에 틀어박혀 밖에 나다니지 아니함.

得意揚揚 [득의양양]

뜻을 이루어 우쭐거리며 뽐냄.

登龍門 [등용문] ☞ p. 390

용문(龍門)에 오른다는 뜻으로, 입신출세의 관문을 이르는 말. 또는 운명을 결정짓는 중요한 시험을 비유해 이르는 말.

고사 용문은 중국의 황허(黃河) 강 상류에 있는 협곡으로 물살이 굉장히 빠르기 때문에 잉어도 여간해서는 오르지 못한다. 하지만 한번 오르기만 하면 용이 된다는 전설이 있다. 이에, 모든 어려움을 극복하고 입신출세의 길에 오르게 되는 것을 '용문에 오른다'고 말하고, 중국에서는 진사(進士) 시험에 합격하는 것이 출세의 첫걸음이라 하여

'등용문' 이라 하였다 한다.

燈下不明 [등하불명]
등잔 밑이 어둡다는 뜻으로, 가까운 데 있는 것을 도리어 잘 모름을 비유해 이르는 말.

燈火可親 [등화가친]
등불과 친할 만하다는 뜻으로, 가을밤은 서늘하고 상쾌하므로 등불을 가까이 하여 글 읽기에 좋음을 이르는 말.

ㅁ

馬耳東風 [마이동풍] ☞ p. 610
말의 귀에 스쳐 가는 동풍이란 뜻으로, 남의 말을 귀담아듣지 않음을 이르는 말.
고사 중국 당(唐)나라 때의 시인 이백(李白)에게 같은 시대를 살다 간 시인인 왕십이(王十二)가 시를 써 보낸 일이 있었는데, 그 시의 제목은 '추운 밤에 홀로 술잔을 기울이다가 느낀 바 있어서' 였다. 이 시에 답하여 이백도 '왕십이가 추운 밤에 홀로 술잔을 기울인데 대하여' 라는 답시(答詩)를 써서 보냈다. 이 시에서 이백은 자기네 시인들이 좋은 시를 짓는다 해도 이 세상 사람들은 그것을 알아주지 않는다며 울분을 터뜨렸는데, 그 시의 내용은 대략 이러했다.
오래 산다 해도 백 년을 못 산다 / 이 끝없는 생각을 술로나 씻어 버릴까 / 자네는 특이한 재주도 없으니 / 천자의 사랑도 받지 못할 것이고 / 멀리 북쪽 변방에 나아가서 / 오랑캐를 무찌르고 큰 공을 세워 / 높은 벼슬에 오를 그런 자격도 없어 / 우리가 할 수 있는 것은 / 햇볕 들지 않는 북쪽 창 앞에서 / 시를 읊고 부(賦)를 짓는 것 정도다 / 그 밖의 천 마디 말들은 한 잔의 술만한 가치도 없다 / 세상 사람들은 이 말을 듣고 모두 머리를 가로젓는다 / 마치 동풍(東風)이 말의 귀[馬耳]를 스쳐 가는 것처럼.

莫無可奈 [막무가내]
융통성이 없고 고집이 세어 도무지 어찌할 수 없음.

莫上莫下 [막상막하]
낫고 못함을 가리기 어려울 정도로 차이가 거의 없음.

莫逆之友 [막역지우]
서로 스스럼없는 친구. 즉, 허물없이 지내는 사이좋은 친구.

萬頃蒼波 [만경창파]
한없이 넓고 푸른 바다.

萬古不變 [만고불변]
오랜 세월을 두고 변하지 않음.

萬事休矣 [만사휴의]
모든 일이 헛수고로 돌아감.

萬壽無疆 [만수무강]
아무 탈 없이 오래 삶. 윗사람의 건강을 빌 때 쓰는 말.

滿身瘡痍 [만신창이]

①온몸이 상처투성이가 됨. ②일이 아주 엉망이 됨.

亡國之音 [망국지음] ☞ p. 20
나라를 망치는 음악이라는 뜻으로, 저속하고 잡스러운 음악을 일컫는 말.
고사 춘추 시대(春秋時代)에 위(衛)나라의 영공(靈公)이 진(晉)나라로 가다가 복수(濮水)라는 강가에서 기이한 음악 소리를 듣고 진나라에 도착했다. 영공이 진나라의 평공(平公)에게 이 곡을 자랑하자, 진나라의 악사인 사광(師曠)이 깜짝 놀라며 음악을 중단시키고 말했다. "복수란 곳은 은나라의 주왕(紂王)의 악사 사연(師延)이 자살한 곳입니다. 그 곡은 망국지음이니 연주하지 마소서."하고 극구 말렸다 한다.

罔極之恩 [망극지은]
임금이나 부모의 한없는 은혜.

茫茫大海 [망망대해]
한없이 넓고 큰 바다.

茫然自失 [망연자실]
멍하니 정신이 나간 듯함.

忙中閑 [망중한]
바쁜 가운데 생기는 한가한 때.

孟母三遷之敎 [맹모삼천지교] ☞ p. 326
맹자의 어머니가 맹자를 제대로 교육하기 위하여 세 번이나 이사를 한 가르침이라는 말로, 교육에는 주위 환경이 중요하다는 뜻.
고사 맹자의 어머니는 처음에 공동묘지 근처에 살았는데, 맹자가 장사 지내는 흉내만 내는 것을 보고 이곳은 아이와 함께 살 곳이 못 된다 생각하여 시장 근처로 이사를 갔다. 그러자 이번에는 장사꾼들의 흉내를 내는 것이었다. 맹자의 어머니는 이곳도 아이와 함께 살 만한 곳이 아니라고 여겨 다시 서당 근처로 이사하였다. 그러자 이번에는 맹자가 절하는 법 등의 예의범절과 글 읽는 법 등을 흉내 내며 노는 것이었다. 그것을 본 맹자의 어머니는 이곳이야말로 아이와 함께 살 만한 곳이라 여기고 그곳에 머물러 살았다고 한다.

面從腹背 [면종복배]
겉으로는 복종하는 체하면서 속으로는 배반한다는 뜻.

滅私奉公 [멸사봉공]
개인의 욕심을 버리고 공공의 이익을 위해 힘씀.

明鏡止水 [명경지수] ☞ p. 277
맑은 거울과 고요한 물이라는 뜻으로, 잔잔한 물처럼 맑고 고요한 심경을 이르는 말.
고사 중국의 춘추 시대(春秋時代) 노(魯)나라에 왕태(王駘)라는 덕망이 아주 높은 사람이 있었는데, 그는 공자(孔子)와 맞먹을 만큼 많은 제자들을 모아 놓고 가르쳤다. 그것을 늘 불만스럽게 여기던 공자의 제자인 상계(常季)가 하루는 "저 자는 무슨 재주가 있기에 남들로부터 존경을 받는 겁니까?" 하고 공자에게 물었다. 공자는 "그것은 다름이 아니라 그분의 마음이 조용하기 때문이지. 사람들이 거울 대신 비춰 볼 수 있는 물이 있는데 그 물이란 흐르는 물이 아니라 가만히 정지해 있는 물이니라."라고 대답했다. 상계는 스승인 공자의 말을 듣고서 왕태의 인물됨에 대해 깨달은 바가 있었으나, 그래도 아직 석연치 못한 점이 남아 있어서 공자에게 "그러면 많은 사람들이 그분을 우러르는 것은 무슨 까닭에서입니까?" 하고 다시 물었다. 그러자 공자는 "그것은 어떤 것을 보든, 흔들리지 않는 그분의 평온한 마음 때문이다. 사람이 자기의 모습을 물 위에 비춰 보려고 할 때는 조용히 고여서 정지되어 있는 물을 거울로 삼지 않더냐. 이처럼 언제나 흔들리지 않는 마음을 보전하는 자만이, 다른 사람에게도 마음의 평안함을 안겨 줄 수 있는 법이니라."라고 대답하였다고 한다.

名實相符 [명실상부]
이름과 실상이 서로 들어맞음.

明若觀火 [명약관화]
불을 보듯이 분명함. 더 말할 나위 없이 명백함을 이르는 말.

矛盾 [모순]
창과 방패라는 뜻으로, 말이나 일의 앞뒤가 서로 맞지 않음을 이르는 말.
고사 중국의 각지에서 많은 영웅들이 세력을 펴고 있던 전국 시대에 무기를 팔던 한 초(楚)나라 사람이 자기가 파는 방패는 견고하여 꿰뚫을 수 있는 창이 없다고 자랑하고, 또 자신의 창은 끝이 날카롭고 단단하여 천하에 어떤 물건이라도 뚫을 수 있다고 하였다. 이 말을 듣고 있던 한 사람이 당신이 가지고 있는 창으로 당신이 파는 방패를 찌르면 어떻게 되겠느냐고 묻자, 그 사람이 대답하지 못하였다고 한다.

目不識丁 [목불식정]
'丁' 자를 보고도 그것이 고무래인 줄을 알아보지 못한다는 뜻으로, 글자를 전혀 모름. 또는 그러한 사람을 비유해 이르는 말.

目不忍見 [목불인견]
몹시 딱하거나 참혹하여 눈으로 차마 볼 수 없음.

無骨好人 [무골호인]
뼈 없이 좋은 사람. 줏대가 없고 아주 순하여 남의 비위를 두루 맞추는 사람.

無窮無盡 [무궁무진]
한이 없고 끝이 없음.

武陵桃源 [무릉도원] ☞ p. 321
무릉의 복숭아 근원이란 뜻으로, 이 세상과 따로 떨어진 별천지, 즉 이상향(理想鄕)을 이르는 말.
고사 옛날, 중국 진(晉)나라의 무릉에, 한 어부가 살고 있었는데, 어느 날 고기를 잡으려는 욕심에 강을 따라 자꾸 올라가게 되었다. 한참을 올라가다 보니 다른 나무는 하나도 없고, 복숭아나무만이 향기를 풍기고 있는 숲에 이르게 되었다. 어부는 어떻게 이런 곳이 아직도 알려지지 않았는지 이상하게 여기면서도 그 아름다움에 이끌려 자꾸 들어갔다. 한참 후 물줄기가 다한 곳에 산이 나오고, 산에는 작은 굴이 있었다. 그가 신기해하며 굴속으로 들어가자 평평한 땅에 집들이 늘어서 있고,

논밭에서 한가롭게 일하는 사람들이 보였다. 그들은 조상이 진(秦)나라 때에 난리를 피해 이곳에 들어온 후 한 번도 세상 밖에 나가 보지 못하였다며 세상이 달라진 것을 전혀 모르고 있었다. 그곳에서 며칠 쉬다가 돌아온 어부가 나중에 다시 그곳을 찾아 나섰으나, 그가 돌아올 때 군데군데 해 두었던 표지는 보이지 않았고, 동굴 또한 찾지 못했다고 한다.

無不通知 [무불통지]
무슨 일이든지 다 통하여 모르는 것이 없음.

無所不爲 [무소불위]
하지 못하는 일이 없음.

無我之境 [무아지경]
정신이 온통 한곳에 쏠려 스스로를 잊고 있는 경지.

無用之物 [무용지물]
쓸모없는 물건이나 사람.

無爲徒食 [무위도식]
하는 일 없이 놀고먹기만 함.

文房四友 [문방사우]
종이·붓·먹·벼루의 네 가지 문방구.

門外漢 [문외한]
① 어떤 일에 직접 관계가 없는 사람.
② 그 일에 전문적 지식이 없는 사람.

聞一知十 [문일지십]
한 가지를 들으면 열 가지를 미루어 안다는 뜻으로, 총명하고 지혜로움을 이르는 말.

門前乞食 [문전걸식]
이 집 저 집 돌아다니며 빌어먹음.

門前成市 [문전성시]
대문 앞이 저자를 이룬다는 뜻으로, 권세를 가진 사람 또는 부잣집의 문 앞이 방문하는 사람들이 많아서 시장을 이루다시피 함을 이르는 말.

彌縫 [미봉]
실로 깁는다는 뜻으로, 빈구석이나 잘못된 것을 임시변통으로 이리저리 주선해서 꾸며 댐을 이르는 말.
고사 중국의 주(周)나라 환왕(桓王)은 왕위에 오른 지 13년째 되는 해에 땅에 떨어진 천자국(天子國)의 세력을 되찾기 위하여 정(鄭)나라를 쳤는데, 당시 스스로 실력자임을 뽐내고 있던 정나라 장공(莊公)을 쳐서 항복을 받으면 천자국이 세력을 떨치게 될 것이라고 생각했기 때문이었다. 당시 정나라에는 원(元)이라는 아주 지혜로운 왕자가 있었다. 그런데, 그는 주나라 군사의 약한 곳을 노려 주나라 환왕의 군사를 무찌르고 주나라를 이름뿐인 천자국으로 만들어 버렸다. 당시 정나라의 군사는 원형(圓形)의 진(陳)을 쳤는데, 병거(兵車)를 앞세우게 하고 보병(步兵)은 그 뒤를 따르게 했다. 또, 병거와 병거 사이에도 보병을 배치하여 임시변통으로 대처[彌縫]했던 것이다.

美辭麗句 [미사여구]
아름다운 말로 듣기 좋게 꾸민 글귀.

ㅂ

薄利多賣 [박리다매]
이익을 적게 보고 많이 파는 일.

拍掌大笑 [박장대소]
손뼉을 치며 크게 웃음.

博學多識 [박학다식]
학식이 넓고 아는 것이 많음.

反哺之孝 [반포지효] ☞ p. 94
까마귀 새끼가 자라서 늙은 어미에게 먹이를 물어다 주는 효성이란 뜻으로, 자식이 자라서 어버이를 봉양하여 그 길러 주신 은혜를 갚는 효행을 이르는 말.
고사 까마귀는 새끼를 낳으면 60일 동안 먹이를 물어다가 먹이면서 키우는데, 새끼 까마귀가 자라면 역시 60일 동안 어미에게 먹이를 물어다 주어, 길러 준 은혜에 보답한다고 한다.

拔本塞源 [발본색원]
나쁜 일의 근원을 완전히 없애 버려서 다시는 그런 일이 생길 수 없도록 함.

坊坊曲曲 [방방곡곡]
한 군데도 빠짐없는 모든 곳.

傍若無人 [방약무인] ☞ p. 482
뭇사람 앞에서도 주변에 사람이 없는 것같이 말이나 행동을 마음대로 함을 이르는 말.
고사 중국의 전국 시대(戰國時代) 말엽, 위(衛)나라에 형가(荊軻)라는 사람이 살았다. 그는 평소 나랏일에 관심이 많아 독서도 많이 하고 검술 연습도 많이 했으나 뜻대로 되지 않자, 여러 나라를 두루 돌아다니며 호걸답게 지냈다. 그러던 그가 언젠가 연(燕)나라로 갔을 때, 축(筑)의 명수인 고점리(高漸離)와 사귀게 되었는데, 그들은 매일 술을 마시며 어울려 다니다가 얼큰해지면 거리에서 고점리는 축을 연주하고, 형가는 노래를 불렀다. 그러다가 감정이 격해지면 소리 내어 울기도 하였는데, 마치 옆에 사람이 없는 것같이 했다고 한다.

背水之陣 [배수지진] ☞ p. 467
강물을 등지고 친 진이라는 뜻으로, 목숨을 걸고 싸우는 것을 비유하여 이르는 말.

背恩忘德 [배은망덕]
남에게 입은 은덕을 저버리고 잊음.

百家爭鳴 [백가쟁명]
많은 학자나 지식인 등이 자기의 학설이나 주장을 자유롭게 논쟁하고 토론하는 일.

白骨難忘 [백골난망]
죽어서 백골이 되어도 잊기 어렵다는 뜻으로, 남의 은혜에 감사하는 말.

百年佳約 [백년가약]
부부가 되어 한평생을 함께 지내자는 아름다운 약속.

百年大計 [백년대계]
먼 앞날까지 미리 내다보고 세우는 크

고 중요한 계획.

百年河清 [백년하청] ☞ p. 393

아무리 오랫동안 기다려도 소망하는 것이 이루어질 수 없음을 이르는 말.

고사 중국의 춘추 시대 때, 정(鄭)나라가 초(楚)나라의 침공을 받게 되자, 조정 대신들은 끝까지 싸워야 한다는 쪽과 화해를 주장하는 쪽으로 나뉘어 의견의 일치를 보지 못하고 있었다. 이때 대부인 자사(子駟)가 "황하의 흐린 물이 맑아지기를 기다린다 해도 인간의 짧은 수명으로는 아무래도 부족하다는 말이 있듯, 진(晉)나라의 원군을 기다린다는 것은 백년하청일 뿐이오."라고 말했다 한다.

百年偕老 [백년해로]

부부가 되어 서로 화락하고, 사이좋게 함께 늙음을 이르는 말.

白面書生 [백면서생] ☞ p. 596

글만 읽어 세상일에는 경험이 없는 젊은이를 이르는 말.

고사 중국의 남북조 시대(南北朝時代)에, 송(宋)나라 오(吳) 땅에 살았던 심경지(沈慶之)라는 사람은 어렸을 때부터 큰 뜻을 품고 무예를 닦았다. 진장(晉將)인 손은(孫恩)이 반란을 일으켰을 때 그는 불과 열 살의 나이로 반란군과 싸워 여러 번 승리를 거두기도 했다. 그 밖에도 공적이 많았던 그는 효무제(孝武帝)가 세상을 떠나고 문제(文帝)가 즉위하자, 다시 소수 민족의 반란을 평정하여 변경 방위의 책임자가 되었다. 얼마 후 문제는 문관(文官)들과 심경지를 불러 북쪽을 칠 계획에 대하여 의논하게 했는데, 그때 심경지는 "폐하, 가정에서 밭 가는 일은 농부에게 맡기고 바느질은 아낙네에게 맡기듯이 국가의 일도 전문가에게 맡기셔야 하옵니다. 그런데 폐하께서는 어찌하여 백면서생(白面書生)과 북쪽을 칠 계획을 논의하시려 하옵니까?"하며 반대했다. 그러나 문제는 심경지의 의견을 듣지 않고 문관들의 의견을 받아들여 출병(出兵)했다가 크게 패하고 말았다.

百聞不如一見 [백문불여일견]

백 번 듣는 것보다는 한 번 보는 것이 더 낫다는 말.

고사 옛날 중국 한(漢)나라의 조충국(趙充國) 장군은 젊어서부터 흉노와의 싸움에 여러 차례 출정하였는데, 그때마다 승리를 거두었기 때문에 무제는 그의 용감성에 감탄하여 높은 벼슬을 주었다. 조충국이 관직에서 물러난 후, 70세가 넘었을 때에 오랑캐가 또 한나라로 쳐들어왔는데, 그 세력이 강하여 한나라의 군사들은 크게 패하고 말았다. 그러자 무제는 조충국에게 사람을 보내어, 토벌군의 장수로 누구를 보내야 할지를 물었는데, 조충국은 자기 자신을 추천하였다. 그 말을 전해 들은 무제가 그를 불러들여 오랑캐를 무찌를 때 어떤 방법을 쓸 것인지를 묻자, 조충국은 "백 번 듣는 것보다 한 번 보는 것이 낫습니다. 금성(金城)에 가서 보고 방법을 아뢰겠습니다."라고 대답했다. 그리하여 현지로 떠난 조충국은 단번에 무찌르기보다 그곳에 군사를 머물게 하여 천천히 무찌르는 것이 좋겠다고 건의하여 허락을 받고 일 년간 머무르면서 오랑캐를 완전히 토벌했다고 한다.

白眉 [백미] ☞ p. 392
흰 눈썹이라는 뜻으로, 여럿 가운데 가장 뛰어난 사람이나 물건을 이르는 말.
고사 중국 삼국 시대 촉(蜀)나라의 유비(劉備)에게는 마량(馬良)이라는 뛰어난 참모가 있었다. 그는 남쪽 국경 지대를 자주 침범하던 오랑캐를 촉나라에 복속시킬 정도로 정치적 수완과 재능이 뛰어났다. 마량의 형제들은 모두 다섯이었는데, 5형제가 모두 재주가 뛰어났으며, 특히, '읍참마속(泣斬馬謖)'이라 하여 제갈공명(諸葛孔明)이 눈물을 머금고 참해야 했던 사랑하는 장수 마속은 바로 그의 아우였다. 그러나 그 중에서도 가장 뛰어난 이는 마량이었는데, 마량은 태어날 때부터 눈썹이 희어서 그 때문에 사람들은 그를 백미(白眉)라 불렀다. 그때부터 엇비슷한 여럿 가운데 가장 뛰어난 사람을 '백미'라고 부르게 되었다고 한다.

百發百中 [백발백중]
①백 번 쏘아 백 번 맞힌다는 뜻으로, 총이나 활 따위를 쏠 때마다 겨눈 곳에 다 맞음을 이르는 말. ②무슨 일이나 틀림없이 잘 들어맞음.

伯牙絶鉉 [백아절현]
백아가 거문고 줄을 끊어 버렸다는 뜻으로, 자기를 알아주는 벗, 즉 지기지우(知己之友)의 죽음을 슬퍼함을 이르는 말.
고사 중국 춘추 시대(春秋時代)에 백아(伯牙)는 거문고의 명수로서 종자기(種子期)와 지기지우였는데, 이는 종자기가 자기의 거문고 소리를 가장 잘 알아주었기 때문이었다. 예를 들면, 백아가 태산을 그리며 거문고를 타면 종자기가 "아, 마치 높이 솟은 태산 같도다!" 하고, 백아가 유유히 흐르는 강물을 생각하며 거문고를 타면 종자기는 "굽이쳐 흐르는 강물이 마치 황하 같도다!" 하고 감탄하고 칭찬하였다. 이와 같이 자기를 알아주던 단 하나의 친구 종자기가 갑자기 병으로 죽자, 백아는 자기의 거문고 소리를 알아주던 종자기가 없음을 한탄하고 그만 거문고 줄을 끊어 버리고 다시는 타지 않았다고 한다.

白眼視 [백안시]
남을 업신여기거나 무시하는 태도로 흘겨봄.

白衣從軍 [백의종군]
벼슬이 없는 몸[白衣]으로 군대를 따라 싸움터로 나감.

百戰老將 [백전노장]
①수많은 싸움을 치른 노련한 장수. ②온갖 어려운 일을 많이 겪은 노련한 사람.

百戰百勝 [백전백승]
싸울 때마다 모조리 다 이김. 백전불패(百戰不敗).

百折不屈 [백절불굴]
백 번 꺾여도 굴하지 않는다는 뜻으로, 어떠한 어려움에도 결코 굽히지 않음을 나타내는 말.

伯仲之勢 [백중지세]
서로 우열을 가리기 힘든 형세. 백중세(伯仲勢).

百尺竿頭 [백척간두]
백 척(百尺)이나 되는 높은 장대 끝에 올라섰다는 뜻으로, 더할 수 없이 위험하고 어려운 상태에 있음을 이르는 말.

百八煩惱 [백팔번뇌]
사람이 지닌 108가지의 번뇌.

百害無益 [백해무익]
해롭기만 하고 이로운 것은 하나도 없음.

變化無雙 [변화무쌍]
비할 데 없이 변화가 심함.

覆水不返盆 [복수불반분]
한번 쏟아진 물은 다시 그릇에 담을 수 없다는 뜻으로, 한번 헤어진 부부는 다시 결합을 할 수 없음을 비유하거나 한번 끝난 일은 다시 되돌릴 수 없음을 이르는 말.
고사 중국 주(周)나라 때, 태공을 지낸 여상(呂尙)이 벼슬하지 않고 시골에서 평범하게 살고 있을 때, 그의 아내인 마(馬)부인은 가난을 이기지 못하고 친정으로 돌아가 버렸다. 후에 마부인이 출세한 여상에게 찾아와 다시 거두어 주길 간청하자, 여상은 잠자코 그릇에 물을 떠서 마당에 쏟아 붓고는 마부인에게 담아 보라고 했다. 그리고는 "한번 쏟아진 물은 다시 담을 수 없는 법이오."라고 말했다고 한다.

伏地不動 [복지부동]
땅에 엎드려 움직이지 않는다는 뜻으로, 주어진 일이나 업무를 처리하는 데 몸을 사림을 이르는 말.

蓬頭亂髮 [봉두난발]
머리털이 쑥대강이처럼 마구 흐트러짐. 또는 그 머리털.

富貴榮華 [부귀영화]
재산이 많고 지위가 높으며 귀하게 되어서 세상에 드러나 온갖 영광을 누림.

夫婦有別 [부부유별]
남편과 아내 사이의 도리는 서로 침범하지 않음에 있음을 이름.

父傳子傳 [부전자전]
대대로 아버지가 그의 아들에게 전함.

不知其數 [부지기수]
너무 많아서 그 수효를 헤아릴 수 없음. 또는 그렇게 많은 수효.

夫唱婦隨 [부창부수]
남편이 말을 꺼내면 아내가 거기에 따른다는 뜻으로, 부부가 화목하게 지냄을 이르는 말.

附和雷同 [부화뇌동]
일정한 자기의 생각이 없이 까닭도 모르고 남의 말에 찬성해 같이 행동함.

粉骨碎身 [분골쇄신]
뼈를 가루로 만들고 몸을 부순다는 뜻으로, 정성으로 노력함을 이르는 말. 또는 그렇게 하여 뼈가 가루가 되고 몸이 부서짐.

焚書坑儒 [분서갱유]
책을 불태우고 선비를 산 채로 매장하여 죽인다는 뜻으로, 진(秦)나라의 시황제(始皇帝)가 행한 가혹한 정치를 이르는 말.

고사 진나라의 시황제는 중국을 통일한 후, 봉건 제도를 폐지하고 군현제(郡縣制)를 실시하여 중앙 집권 체제를 강화하였다. 또, 의약·점술·농경에 관한 책과 진나라의 기록을 제외한 책들은 모두 불살라 버려야 한다는 승상 이사(李斯)의 주장을 받아들여 각종 귀중한 책들을 다 불태워 버렸다. 뿐만 아니라, 진시황은 늙지 않고 오래 살기 위하여 노생(盧生)과 후생(侯生)을 가까이하여 신선술을 썼는데, 이들이 돈을 번 후 시황제의 부덕을 욕하고 함양으로 도망친 것에 격분하여 자신을 비난한 혐의가 있는 함양의 유생(儒生) 460여 명을 잡아 생매장해 버렸다고 한다.

不可思議 [불가사의]

사람의 생각으로는 미루어 헤아릴 수 없이 이상야릇함.

不俱戴天之讐 [불구대천지수] ☞ p. 6

한 하늘 아래 함께 살 수 없는 원수.

고사 중국 유교학파의 경전인 '예기(禮記)' 라는 책을 보면 '아버지의 원수와는 하늘 아래에 함께 살 수 없고, 형제의 원수를 보았을 때는 무기(武器)를 가지러 가는 일이 없어야 하며, 친구의 원수와는 같은 나라 안에서 살 수가 없다.' 라는 말이 있다. 이 말은 아버지의 원수와는 같은 하늘을 이고 살 수가 없으니 반드시 죽여야 하고, 형제의 원수는 그 원수를 만났을 때 집으로 무기를 가지러 갔다가 놓치는 일이 있어서는 안 되므로 항상 무기를 가지고 다녀야 하며, 친구의 원수와는 같은 나라에서 벼슬을 해서는 안 되므로 다른 나라로 쫓아내든가, 그렇지 않으면 살려 두지 말아야 한다는 말이다.

不毛之地 [불모지지]

① 식물이 자라지 못하는 거칠고 메마른 땅. ② 어떤 사물이나 현상이 발달되어 있지 않은 곳. 또는 그런 상태.

不問可知 [불문가지]

묻지 않아도 알 수 있음.

不撓不屈 [불요불굴]

한번 먹은 마음이 흔들리거나 굽힘이 없음.

不遠千里 [불원천리]

천 리 길도 멀다고 여기지 않음.

不撤晝夜 [불철주야]

조금도 쉴 새 없이 밤낮을 가리지 않고 몰두함.

不偏不黨 [불편부당]

공평하여 어느 한쪽으로도 치우치지 않음.

不惑 [불혹]

유혹을 뿌리칠 수 있는 나이라는 뜻으로, 마흔 살을 일컫는 말.

고사 유교(儒敎)의 창시자라고 할 수 있는 성인(聖人) 공자(孔子)는 자신의 일생에 대해서 "나는 열다섯 살 때 학문에 뜻을 두었고 [志學], 서른 살 때 입신했다 [而立]. 마흔 살 때는 유혹에 넘어가지 않았고 [不惑], 쉰 살 때는 하늘이 내게 주신 명령을 알았다 [知天命]. 예순 살 때는 귀가 순해져서 남의 말을 받아들일 수 있었고 [耳順], 일흔 살이 되니 마음 내키는 대로 하여도 법도를 넘어서지 않았다 [不踰矩]."라고 하였다 한다.

朋友有信 [붕우유신]
오륜(五倫)의 하나. 벗 사이에는 믿음이 있어야 함을 이름.

非夢似夢 [비몽사몽]
완전히 잠들지도 않고 깨지도 않은 어렴풋한 상태.

悲憤慷慨 [비분강개]
슬프고 분하여 의분이 북받침.

非一非再 [비일비재]
같은 일이나 현상이 한두 번이나 한둘이 아니고 많음.

四顧無親 [사고무친]
사방을 아무리 돌아보아도 친척이 한 명도 없다는 뜻으로, 의지할 만한 사람이 전혀 없음을 이르는 말.

四面楚歌 [사면초가] ☞ p. 118
사방에서 들리는 초나라의 노래라는 뜻으로, 적에게 포위된 경우나 누구의 도움도 받을 수 없는 외로운 상태에 빠짐을 이르는 말.
고사 중국 대륙을 통일했던 진(秦)나라가 무너지고 초(楚)나라의 항우(項羽)와 한(漢)나라의 유방(劉邦)이 천하를 다시 통일하기 위해 서로 싸울 때의 일이다. 처음에 우세했던 항우는 자만한 나머지 유방의 군사에게 밀리기 시작했는데, 마침내는 해하(垓下)라는 곳에서 유방의 군사에게 완전히 포위당하고 말았다. 빠져나갈 길은 좀체로 보이지 않고 군량미도 얼마 남지 않았는데 한나라의 군사들은 포위망을 좁혀 왔다. 그러던 어느 날 밤, 사방에서 초나라 노래가 들려오자 가뜩이나 고달픈 초나라 병사들은 고향 생각을 하며 눈물을 흘렸고 심지어는 도망가는 병사까지 생겼다. 결국 항우는 싸움을 포기할 수밖에 없었는데, 밤마다 초나라 노래를 부른 사람들은 다름 아닌 한나라 군사들이었고, 그런 작전을 편 사람은 한나라 유방의 참모인 장량(張良)이었다. 이 싸움에서 이긴 유방은 마침내 중국 대륙을 통일하여 한나라를 세웠고 항우는 결국 자살하고 말았다고 한다.

四面春風 [사면춘풍]
사면이 봄바람이라는 뜻으로, 언제 어떤 경우에도 누구에게나 좋은 얼굴로 대하는 일. 또는 그런 사람을 이르는 말.

沙上樓閣 [사상누각]
모래 위에 세운 누각이라는 뜻으로, 기초가 튼튼하지 못하여 오래 견딜 수 없음을 이르는 말.

死生決斷 [사생결단]
죽고 사는 것을 돌보지 않고 끝장을 내려고 함.

似而非 [사이비]

겉은 비슷하나 속은 완전히 다름. 또는 그런 것.

蛇足 [사족] ☞ p. 538

뱀의 발이라는 뜻으로, 쓸데없는 군짓을 하다가 도리어 실패함을 이르는 말.

고사 중국 초(楚)나라의 회왕(懷王)은 소양(昭陽)에게 명하여 위(魏)나라를 정벌하고 나서, 제(齊)나라까지 공격하려 하였다. 이를 알게 된 제나라의 민왕(湣王)은 때마침 진(秦)나라에서 사신으로 와 있던 진진(陳軫)과 상의하였다. 진진은 걱정하지 말라며 민왕을 안심시킨 후에, 즉시 초나라로 가서 소양을 만나 이렇게 말하였다. "옛날에 어떤 사람이 하인들에게 큰 잔으로 술을 주었는데, 여럿이 마시기엔 부족하므로 땅에 이무기를 먼저 그린 사람이 마시기로 정했습니다. 잠시 후, 한 사람이 자기는 발까지 그렸는데도 벌써 다 그렸다며 술잔을 들고 일어서자, 다른 사람이 자신의 이무기를 다 그려 놓고 '이 사람아, 이무기에 무슨 발이 있어?' 하고는 잔을 빼앗아 마셔 버렸습니다. 공께선 더 이상 세울 공적도, 더 올라갈 관직도 없는데도 제나라를 치려 하시니 이기더라도 공께 무슨 소용이 있겠습니까? 만일 패하기라도 한다면 죽음을 면하기 어려울 뿐만 아니라 관직도 잃게 될 것입니다. 싸움은 그만두시고 제나라에 은혜를 베푸십시오." 이 말을 들은 소양은 과연 그의 말이 옳다고 여겨 철수하였다고 한다.

四柱八字 [사주팔자]

사주의 간지(干支)가 되는 여덟 글자. 타고난 운수.

四通八達 [사통팔달]

도로나 교통망 따위가 이리저리 사방으로 통함.

事必歸正 [사필귀정]

모든 일은 반드시 바른 데로 돌아간다는 뜻으로, 처음에는 잘못되어 가는 것 같아도 반드시 바른길로 돌아서게 됨을 이르는 말.

死後藥方文 [사후약방문]

죽은 뒤에 약방문을 쓴다는 뜻으로, 이미 때가 지난 후에 쏟는 헛된 노력을 이르는 말.

山戰水戰 [산전수전]

산에서의 싸움과 물에서의 싸움이라는 뜻으로, 세상을 살아오면서 온갖 고생과 어려움을 다 겪어 경험이 많음을 이르는 말.

山川草木 [산천초목]

산과 내와 풀과 나무라는 뜻으로, 자연을 이르는 말.

山海珍味 [산해진미]

산과 바다의 진귀한 맛이라는 뜻으로, 온갖 귀한 재료로 만든 맛있는 음식을 이르는 말.

殺身成仁 [살신성인] ☞ p. 325

자기 몸을 죽여 인(仁)을 이룬다는 뜻으로, 옳은 일을 위해서라면 죽음도 두려워하지 않는 용감한 행동을 이르는 말.

고사 공자(孔子)는 인을 강조하면서 어떤 것이 인인가를 아는 것만으로는 무의미하고, 자신의 정신과 인(仁)을 하나로 통일하여 행동으로 실천하는 것이 중요하다고 가르쳤는데, "뜻이 높은 사람이나 어진 사람은 인(仁)을 어기면서 자기 삶을 구하지 않으며, 자기 몸을 죽여 인을 이룬다."고 강조하였다.

三綱五倫 [삼강오륜]
유교의 도덕에서 바탕이 되는 세 가지 강령과 다섯 가지의 인륜을 아울러 이르는 말로, 삼강(三綱)은 군위신강(君爲臣綱)·부위자강(父爲子綱)·부위부강(夫爲婦綱)의 세 가지인데, 이는 임금과 신하, 어버이와 자식, 남편과 아내 사이에 마땅히 지켜야 할 도리를 밝힌 것이다. 또, 오륜(五倫)이란 부자유친(父子有親)·군신유의(君臣有義)·부부유별(夫婦有別)·장유유서(長幼有序)·붕우유신(朋友有信)의 다섯 가지를 말하는데, 이는 각각 아버지와 아들 사이의 도리는 친애에 있으며, 임금과 신하의 도리는 의리에 있고, 부부 사이에는 서로 침범치 못할 구별이 있으며, 어른과 아이 사이에는 차례와 질서가 있어야 하며, 친구 사이의 도리는 믿음에 있음을 뜻한다.

三顧草廬 [삼고초려] ☞ p. 3
초가집을 세 번 찾아간다는 뜻으로, 인재를 얻기 위해 끈기 있게 노력함을 이르는 말.
고사 중국의 삼국 시대(三國時代)에 촉(蜀)나라를 세운 유비(劉備)는 관우(關羽)·장비(張飛)·조운(趙雲)과 같은 뛰어난 장수들을 거느리고 있었지만 작전을 세우고 지휘할 수 있는 뚜렷한 인물이 없어서, 위(魏)나라와 싸우면 번번이 패하였다. 이를 안타깝게 여긴 유비는 사마휘(司馬徽)를 만나 군대를 이끌 수 있을 만한 인재를 추천해 달라고 부탁했는데, 사마휘는 제갈공명(諸葛孔明)을 천거했다. 유비는 관우, 장비와 함께 융중(隆中) 땅 외진 곳에 있는 제갈공명의 오두막을 찾아갔으나 만나지 못하였다. 며칠 후 유비는 많은 예물을 싣고 다시 제갈공명의 오두막을 찾았으나 또 허탕을 쳤다. 관우, 장비의 만류에도 아랑곳하지 않고 유비는 며칠 후 또다시 제갈공명의 오두막을 찾았다. 이에 제갈공명이 감동하여 유비를 따라 그 밑에서 일을 하게 되었고, 제갈공명의 힘으로 유비는 한때 위나라의 조조, 오(吳)나라의 손권(孫權)과 더불어 중국을 셋으로 나누어 다스릴 수 있었다 한다.

森羅萬象 [삼라만상]
우주에 있는 온갖 사물과 현상.

三昧境 [삼매경]
잡념을 버리고 하나의 대상에만 정신을 집중하는 경지.

三三五五 [삼삼오오]
서넛이나 대여섯 사람씩 떼를 지어 다니거나 무슨 일을 함. 또는 그런 모양.

三十六計 [삼십육계]
① 병법의 서른여섯 가지 계책.
② 병법의 갖가지 계략 가운데서도, 곤란할 때는 기회를 보아 달아나는 것이 상책이라는 말.

三人成虎 [삼인성호]

세 사람이면 호랑이도 만든다는 뜻으로, 아무리 거짓말이라도 여러 사람이 말하면 곧이듣게 된다는 말.

고사 중국의 전국 시대 위(魏)나라 혜왕(惠王) 때, 방총(龐葱)이라는 신하가 있었는데, 어느 해, 태자와 함께 조(趙)나라 도읍 한단(邯鄲)에 볼모로 가게 되었다. 떠나기 전에 혜왕을 만난 방총은 혜왕에게 "어떤 사람이 저잣거리에 호랑이가 나타났다고 한다면 전하께서는 믿으시겠습니까?"라고 물었다. 이에 혜왕이 "그걸 어떻게 믿는단 말이오?"라고 말하자, 방총은 "그럼 두 사람이 똑같이 저잣거리에 호랑이가 나타났다고 한다면 어찌하시겠습니까?" 라고 다시 물었다. "역시 안 믿을 것이오." 그러자 이번에는 "그럼 세 사람이 똑같은 말을 아뢴다면 전하께서는 믿으시겠나이까?"라고 물었다. 혜왕은 "그렇게 되면 아마 믿게 될 것이오."라고 대답했다. 그러자 방총은 정색을 하고는, "원래 저잣거리에는 호랑이가 나타날 일이 없지만, 세 사람이나 똑같은 말을 아뢰면 저잣거리에 호랑이가 나타난 것처럼 믿게 될 것입니다. 신이 한단으로 떠나고 나면 신에 대하여 이러쿵저러쿵 말하는 자가 세 사람만이 아닐 것이옵니다. 바라옵건대, 그들의 말을 믿지 마시옵소서."라고 말했다. 이 말을 들은 혜왕은 "걱정 마오. 내 눈으로 직접 확인한 것 이외는 믿지 않을 테니……."라며 방총을 달래었다. 그 후 혜왕과 작별한 방총이 조나라로 떠나자마자 과연 방총을 나쁘게 말하는 자들이 많았는데, 혜왕은 방총과의 약속을 지키지 못하고 방총을 의심하였다. 그 바람에 볼모에서 풀려난 태자가 돌아온 후에도 방총은 끝내 돌아오지 못하는 신세가 되었다고 한다.

三尺童子 [삼척동자]

키가 석 자 정도밖에 되지 않는 아이라는 뜻으로, 철없는 어린아이를 이름.

喪家之狗 [상가지구] ☞ p. 115

상갓집의 개라는 뜻으로, 초라한 몰골로 여기저기 기웃거리며 먹을 것을 찾아다니는 사람을 비유하여 이르는 말.

고사 중국 춘추 시대(春秋時代) 노(魯)나라에서 이상적인 정치를 하려던 공자는 노나라 귀족들인 삼환씨(三桓氏)에게 쫓겨나게 되자 자신의 의견을 받아줄 현명한 임금을 찾아서 천하를 돌아다니게 되었다. 공자가 정(鄭)나라까지 갔을 때 공자와 헤어지게 된 제자들은 스승을 찾아 나섰다. 제자인 자공(子貢)이 한 정나라 사람에게 공자의 얼굴 생김새와 옷차림새를 말하며 본 적이 있느냐고 묻자, 그는 "아까 동문(東門)에서 웬 노인을 보았는데, 이마는 어질기로 유명한 요(堯)임금과 같고, 어깨는 명재상(名宰相)인 자산(子産)과 같았습니다. 그런데 뜻을 이루지 못해 심히 피로한 모습이 마치 상갓집 개 같더군요."라고 대답했다. 이 말을 듣고 스승 공자가 틀림없다고 여긴 자공과 제자들이 동문으로 황급히 달려갔더니, 과연 그곳에 스승 공자가 있었다. 자공이 방금 정나라 사람에게서 들은 이야기를 스승에게 전하자, 공자는 웃으며 "나의 외모를 보고 한 말은 옳지 않으나, 상갓집 개와 같다는 표현은 맞는 말이다."라고 말했다 한다.

相扶相助 [상부상조]
서로서로 도움.

桑田碧海 [상전벽해]
뽕나무밭이 변하여 푸른 바다가 된다는 뜻으로, 세상일의 변천이 심함을 비유하는 말.

塞翁之馬 [새옹지마]
변방에 사는 노인의 말이란 뜻으로, 인생엔 변화가 많아 어느 것이 화가 되고 어느 것이 복이 될지 짐작하기 어렵다는 말.
고사 옛날, 중국의 북쪽 변방에 사는 한 노인이 기르던 말이 멀리 달아나 버렸다. 마을 사람들이 모두 이를 위로하자, 노인은 오히려 다행스러운 결과가 될는지 누가 알겠느냐고 대답하였다. 과연 몇 달 만에 그 말이 한 필의 준마(駿馬)를 데리고 돌아왔다. 이번에는 마을 사람들이 모두 그 행운을 축하해 주었는데, 노인은 도리어 불행이 될지 누가 아느냐며 불안해했다. 얼마 후에 노인의 아들이 말을 타다가 말에서 떨어져 다리를 다쳤다. 이에 마을 사람들이 모두 걱정하며 위로하였는데, 노인만은 행복이 될는지 누가 아느냐며 오히려 편하게 받아들이는 것이었다. 그로부터 1년이 지난 어느 날 북쪽 오랑캐가 쳐들어와 전쟁이 일어났고, 젊은이들이 싸움터로 불려 나가 거의 죽었으나, 노인의 아들은 절름발이여서 전쟁에 나가지 않아 죽음을 면하게 되었다고 한다.

生老病死 [생로병사]
태어나고 늙고 병들고 죽는 인생의 네 가지 고통.

生面不知 [생면부지]
서로 한 번도 만난 적이 없어서 전혀 모르는 사람. 또는 그런 관계.

先見之明 [선견지명]
어떤 일이 일어나기 전에 미리 앞을 내다보고 아는 지혜.

先公後私 [선공후사]
공적인 일을 먼저 하고 사사로운 일은 뒤로 미룸.

善男善女 [선남선녀]
① 착한 남자와 착한 여자란 뜻으로, 착하고 어진 사람들을 이르는 말. ② 곱게 단장한 남자와 여자를 이르는 말.

仙風道骨 [선풍도골]
신선의 풍채와 도사의 골격이라는 뜻으로, 깨끗하고 점잖게 생긴 모습이 보통 사람보다 뛰어난 사람을 이르는 말.

雪上加霜 [설상가상]
눈 위에 서리를 더한다는 뜻으로, 난처한 일이나 불행한 일이 계속해서 일어남을 이르는 말.

說往說來 [설왕설래]
서로 변론을 주고받으며 옥신각신함. 또는 말이 오고 감.

纖纖玉手 [섬섬옥수]
가냘프고 고운 여자의 손을 이르는 말.

歲月不待人 [세월부대인] ☞ p. 322

세월은 사람을 기다리지 않는다는 뜻으로, 세월의 중요함을 깨닫고 아끼라는 말.
[고사] 이 구절은 중국 진(晉)나라 때의 유명한 시인 도연명(陶淵明)의 권학시(勸學詩:학문을 권하는 시)에 나오는 말이다. 한창 나이는 거듭 오지 않으며 / 하루는 두 번 새기 어렵다 / 때에 미쳐 힘을 써야 하느니 / 세월은 사람을 기다리지 않는다.

少年易老學難成 [소년이로학난성]

☞ p. 176

소년은 늙기 쉽지만 학문을 이루기는 어렵다는 뜻.
[고사] 중국 송(宋)나라 때의 대유학자인 주자(朱子)의 시(時) '권학문(勸學問)'에 나오는 다음 구절에서 온 말로, 학문을 권하는 대표적인 이 한시(漢時)는 오늘날에도 널리 알려져 있다.
소년은 늙기 쉬우나 학문을 이루기는 어렵다 / 순간순간의 세월을 헛되이 보내지 마라 / 연못가의 봄풀이 꿈에서 깨기도 전에 / 섬돌 앞 오동나무 잎이 가을을 알린다.

小貪大失 [소탐대실]

작은 것을 탐하다가 큰 것을 잃음.

束手無策 [속수무책]

손이 묶여 방책이 없다는 뜻으로, 어찌할 도리가 없어 꼼짝도 못하게 됨을 이르는 말.

送舊迎新 [송구영신]

묵은 것을 보내고 새것을 맞음. 또는 묵은해를 보내고 새해를 맞음.

宋襄之仁 [송양지인]

송나라 양공의 어짊이란 뜻으로, 쓸데없는 인정을 베푸는 어리석음을 이르는 말.
[고사] 중국 춘추 시대(春秋時代)에 송나라의 양공(襄公)이 초(楚)나라와 싸우게 되었을 때 그의 아들 목이(木夷)는 "초나라 군대가 진용을 갖추기 전에 쳐야 합니다."라고 아뢰었다. 그러나 양공은 "아니다. 무릇 군자(君子)는 상대방의 약점을 이용해서는 안 된다. 적이 진용을 갖추기 전에 친다는 것은 비겁한 짓이니라."라고 말하며 듣지 않았다. 그리하여 결국 군사가 많은 적국에게 크게 패하고 다리에 큰 상처를 입고 이듬해 죽었다고 한다.

首丘初心 [수구초심]

여우가 죽을 때는 머리를 자기가 살던 굴 쪽으로 둔다는 뜻으로, 근본을 잊지 아니하거나 고향을 그리는 마음을 비유하여 이르는 말.

袖手傍觀 [수수방관]

팔짱을 끼고 곁에서 보고만 있다는 뜻으로, 당연히 해야 할 일에 아무런 손도 쓰지 않고 구경만 하고 있음을 이르는 말.

水魚之交 [수어지교] ☞ p. 615

물과 물고기의 사귐이라는 뜻으로, 임금과 신하 또는 부부 사이처럼 매우 친하여 서로 떨어질 수 없는 관계를 이르는 말.
[고사] 중국 촉(蜀)나라의 유비(劉備)가 제갈공명(諸葛孔明)의 재주에 감동하여 20세나 어린 그를 스승으로 모실 뿐 아

니라 먹고 자는 것까지 함께 하자, 관우(關羽)와 장비(張飛)가 강한 불만을 표하였다. 그러나 유비는 "나에게 제갈공명이 소중한 것은 마치 물고기에게 물이 없어서는 안 되는 것과 같다."라고 말했다고 한다.

誰怨誰咎 [수원수구]

누구를 원망하고 누구를 탓하겠느냐는 뜻으로, 남을 원망하거나 탓할 것이 없음을 이르는 말.

水淸無大魚 [수청무대어] ☞ p. 331

물이 맑으면 큰 고기가 없다는 뜻으로, 물이 너무 맑으면 고기가 살지 못하는 것처럼 너무 똑똑하거나 까다로운 사람은 따르는 사람이나 가까운 벗이 없음을 이르는 말.

고사 중국 후한(後漢) 시대에 반초(班超)는 30년간 서역(西域)을 다스리면서 이름을 떨쳤다. 그 뒤 나이가 많아지자 반초는 황제의 부름을 받고 한나라 도읍으로 돌아오게 되었는데, 이때 반초의 후임으로 임상(任尙)이란 사람이 임명되었다. 임상은 서역으로 떠나기 전에 반초를 찾아와서 서역을 잘 다스릴 수 있겠는지를 물었다. 그러자 반초는 "자넨 성격이 너무 조급하고 결백해 그 점이 걱정되네. 물이 너무 맑으면 큰 물고기가 살지 못하는 법이니, 작은 일에까지 너무 손을 대지 말고 대범하게 처신하도록 하게나."라고 말하였다. 서역 땅에 부임한 임상은 반초의 말을 대수롭지 않게 생각하고 자기 생각대로 정치를 하다가 결국 이민족(異民族)들의 반감을 사게 되어 서역 땅을 전부 잃고 말았다고 한다.

脣亡齒寒 [순망치한]

입술을 잃으면 이가 시리다는 뜻으로, 가까운 둘 중에서 하나가 망하면 다른 하나도 그 영향을 받아 온전하기 어려움을 비유해 이르는 말.

고사 중국 춘추 시대(春秋時代) 말경, 진(晉)나라의 헌공(獻公)이 우(虞)나라와 괵(虢)나라를 수중에 넣으려 하는 계획을 세우고는 괵나라를 치려면 우나라의 땅을 지나야 하니 길을 내 달라고 우왕에게 사신을 보냈다. 이 말을 전해 들은 우나라의 현명한 신하 궁지기(宮之奇)가 왕에게 고하기를 "괵나라는 우나라의 거죽이나 마찬가지입니다. 만일 괵이 망하면 우도 따라서 망하게 될 것입니다. 속담에 '덧방나무와 수레는 서로 의지하고, 입술을 잃으면 이가 시리다.'라는 말이 있는데, 우와 괵의 관계가 바로 그렇습니다. 그러니 절대로 길을 내주어서는 안 됩니다."라며 반대하였다. 그러나 우왕은 궁지기의 여러 차례에 걸친 간곡한 만류에도 불구하고 진나라 군사의 통과를 허락하였다. 궁지기는 사태를 예감하고 가족들을 데리고 우나라를 떠나면서 "진나라는 괵나라를 치고 전쟁에 이기고 돌아오는 길에 반드시 우나라를 공격할 것입니다."라고 아뢰었다. 궁지기의 예측대로 진나라 군대는 돌아오는 길에 우나라를 쳐서 멸망시키고 우왕을 사로잡았다고 한다.

乘勝長驅 [승승장구]

싸움에 이긴 여세를 타고 계속 몰아침.

時機尙早 [시기상조]

어떤 일을 하기에 때가 아직 이름.

是是非非 [시시비비]
옳은 것은 옳고 그른 것은 그르다고 하는 일. 잘잘못이나 옳고 그름을 따지며 다툼.

始終如一 [시종여일]
처음부터 끝까지 변함없이 한결같음.

始終一貫 [시종일관]
일 따위를 처음부터 끝까지 한결같이 함.

識字憂患 [식자우환]
학식이 있는 것이 도리어 근심을 사게 됨을 이르는 말.

神出鬼沒 [신출귀몰]
귀신처럼 자유자재로 나타났다 사라졌다 함.

實事求是 [실사구시]
사실에 토대를 두어 진리를 탐구하는 일.

心機一轉 [심기일전]
어떤 동기가 있어 이제까지 품었던 생각과 마음가짐을 버리고 완전히 달라짐.

深思熟考 [심사숙고]
깊이 잘 생각함.

深山幽谷 [심산유곡]
깊은 산속의 으슥한 골짜기.

十匙一飯 [십시일반]
밥 열 술이면 한 그릇이 된다는 뜻으로, 여럿이 조금씩 힘을 모아 돌보아 준다면 한 사람을 구해 주는 일은 쉽다는 말.

十人十色 [십인십색]
사람의 열 가지 색이라는 뜻으로, 사람의 모습이나 생각이 저마다 다름을 이르는 말.

十中八九 [십중팔구]
열 가운데 여덟이나 아홉 정도로 거의 대부분이거나 틀림없음.

阿鼻叫喚 [아비규환]
고통이 가장 심하다는 아비지옥과 규환지옥을 합쳐 이르는 말로, 여러 사람이 참담한 지경에 빠져 울부짖는 참상을 비유적으로 이르는 말.

我田引水 [아전인수]
제 논에 물대기라는 뜻으로, 자기에게 이롭게만 생각하고 행동함을 이르는 말.

惡戰苦鬪 [악전고투]
매우 어려운 조건을 무릅쓰고 죽을힘을 다해 싸움.

安分知足 [안분지족]
편안한 마음으로 제 분수를 지키며 만족할 줄을 앎.

安貧樂道 [안빈낙도]
가난한 생활 속에서도 편안한 마음으로

도(道)를 즐겨 지킴.

眼下無人 [안하무인]
눈 아래에 사람이 없다는 뜻으로, 스스로 교만하여 다른 사람들을 업신여김을 이르는 말.

暗中摸索 [암중모색] ☞ p. 285
어두운 가운데에서 더듬어 찾는다는 뜻.
고사 중국 당(唐)나라 때의 허경종(許敬宗)이라는 사람은 경솔하고 기억력이 없기로 유명했는데, 조금 전에 만났던 사람도 그 사람이 돌아서자마자 이름을 잊어버릴 정도였다. 어떤 사람이 그의 기억력을 비웃자, 그는 "세상에 잘 알려지지도 않은 사람들의 이름을 하나하나 외워서 무얼 하겠나? 존경할 만한 사람이라든가 유명한 사람을 외워 두어야지. 그런 사람의 이름이라면 암중모색(暗中摸索)을 해서라도 알아낼 수 있는 법이야."라고 대꾸했다고 한다.

哀乞伏乞 [애걸복걸]
소원 따위를 들어 달라고 애처롭게 사정하며 간절히 빎.

愛之重之 [애지중지]
매우 사랑하고 귀중히 여김.

弱肉強食 [약육강식]
약한 자가 강한 자에게 먹힌다는 뜻으로, 약한 자가 강한 자에게 지배당하거나 멸망됨을 이르는 말.

羊頭狗肉 [양두구육] ☞ p. 455
양의 머리를 내걸고 개고기를 판다는 뜻으로, 내세우는 겉은 훌륭하지만, 그 속은 변변치 않음을 이르는 말.
고사 중국 춘추 시대(春秋時代) 제(齊)나라의 영공(靈公)은 여자에게 남자 옷을 입혀 놓고 즐기는 이상한 버릇이 있어서 그는 궁궐 안에 있는 모든 여성들에게 남장을 시켜 놓았다. 이 이상한 취미는 백성들 사이에서도 유행이 되어 남자 옷을 입은 여성들이 날로 늘어났다. 그러자 조정에서는 남장을 하는 여자는 모두 처벌한다는 엄명(嚴命)을 내렸다. 그래도 여자가 남장하는 풍조가 백성들 사이에서 사라지지 않자, 영공은 명재상인 안자(晏子)에게 그 이유를 물었다. 그러자 안자는 "전하, 전하께오서는 궁중의 여자들에게는 남장을 할 것을 요구하시면서 백성들에게는 금지하고 계시옵니다. 문 앞에는 양의 머리를 걸어 놓고 안에서는 개고기를 파는 것과 다름이 없사옵니다. 궁중의 여자들에게 남장을 못하도록 명하시오소서. 그러면 백성들 사이에도 그런 풍조가 사라질 것이옵니다."라고 대답했다. 영공은 안자의 말을 듣고 깊이 뉘우치며 즉시 궁중에서도 남장을 못하도록 명했다. 그런 지 한 달도 채 못 되어 백성들 사이에서 남장하는 여자들을 찾아볼 수 없게 되었다고 한다.

梁上君子 [양상군자] ☞ p. 4
대들보 위의 군자라는 뜻으로, 도둑을 빗대어 이르는 말.
고사 중국의 후한(後漢) 말, 태구 현감(太丘縣監)의 자리에 있었던 진식(陳寔)은 인정이 많아 남의 사정을 잘 이해해 주었고 무슨 일이든 공정하게 잘 처리했다. 흉년으로 백성들의 살림이 무척이나 어려웠던 어느 해, 진식은 집에서 책을 읽고 있다가, 한 사나이가 몰래 안으로 들어와서 대들보 위에 올라가 웅크리고 있는 것을 보았다. 진식은 못 본 체하고 계속 책을 읽고 있다가, 아들들을 불러들여 타일러 말하기를, "사람은 항상 스스로 부지런히 힘써 일해야 한다. 하지만, 나쁜 짓을 하는 사람도 버릇이 어느새 습성이 되어 좋지 못한 일을 저지르게 되는 것이지, 그 본바탕이 나쁜 것은 아니다. 이를테면, 지금 대들보 위[梁上]에 있는 저 군자(君子)도 마찬가지다."라고 했다. 도둑은 이 말을 듣고 양심의 가책을 느껴 대들보 위에서 내려와 사죄하였다. 진식은 "자네는 나쁜 사람 같아 보이지는 않네. 분명 가난 때문에 이런 짓을 했겠지."라고 말한 후에 비단 두 필을 주어 돌려보냈다. 이런 일이 있고 난 다음부터는 그 고을에 도둑이 없어졌다고 한다.

良藥苦口 [양약고구] ☞ p. 479

좋은 약은 입에 쓰다는 뜻으로, 충언은 귀에는 거슬리지만 자신에게는 이롭다는 말.

고사 진(秦)나라 시황제(始皇帝)가 죽은 뒤에 항우(項羽)를 물리친 유방(劉邦)은 진나라 왕궁으로 입성하였다. 호화로운 궁궐에 산더미같이 쌓인 금은보화, 꽃같이 아름다운 후궁들에 둘러싸인 유방은, 그 화려함에 홀려 해야 할 일은 생각지도 않고 왕궁에 그대로 머물러 있으려 하였다. 이에 용장 번쾌(樊噲)가 아직 천하가 통일되지 못하였는데 머무르려 하는 것은 옳지 못하다며 속히 이곳을 떠나 적당한 곳에 진을 치고 항우의 공격에 대비해야 한다고 간했으나, 유방은 들으려 하지 않았다. 그러자 이번에는 장량(張良)이 나서서 "진나라의 무도하고 포악한 정치로 왕궁에 들어오는 기회를 얻은 귀공의 임무는 한시바삐 남은 적을 무찌르고 천하의 인심을 안정시키는 것입니다. 그런데도 금은보화와 아름다운 여인에 눈이 어두워 진나라 왕을 그대로 본받으려 하시니, 포악한 군주의 표본인 하(夏)나라의 걸왕(桀王)과 다를 바가 없습니다. 원래 충성된 말은 귀에 거슬리나 자신을 위하는 것이며, 좋은 약은 입에는 쓰나 병에는 효력(效力)이 있습니다. 부디 번쾌(樊噲)의 충성된 말에 따르도록 하소서."라고 말했다. 이 말에 유방(劉邦)은 크게 뉘우치고 왕궁(王宮)을 떠나 패상(霸上)에 진을 쳤다고 한다.

兩者擇一 [양자택일]

둘 중 하나를 택함.

魚頭肉尾 [어두육미]

물고기는 대가리, 짐승은 꼬리가 맛이 좋음을 이르는 말.

漁父之利 [어부지리] ☞ p. 353

어부의 이익이라는 뜻으로, 서로 다투는 틈을 타서 제삼자가 애쓰지 않고 이익을 가로챔을 이르는 말.

고사 중국 전국 시대에 연(燕)나라는 늘 조(趙)나라와 제(齊)나라의 위협 속에 살고 있었다. 어느 해, 조나라가 침략하려 하는 것을 미리 안 연나라의 소왕(昭王)은 소대(蘇代)를 사신으로 보내어 조나라 왕을 설득하도록 했는데, 이때 조나라의 혜문왕(惠文王)을 만난 소대는 "제가 이 나라에 들어올 때, 역수(易水)를 지나다가 우연히 냇가를 보니, 조개가 입을 벌리고 볕을 쬐고 있는데, 황새 한 마리가 날아와 조개를 쪼았습니다. 그러자 조개가 급히 입을 꽉 다물어 버렸습니다. 놀란 황새는 '오늘도 내일도 비가 오지 않으면 넌 목이 말라 죽을 것이다.' 라고 하였습니다. 그러자 조개도 지지 않고 '내가 오늘도 내일도 너를 놓지 않고 꽉 물고 있으면 너야말로 굶어 죽게 될 거다.' 라고 하였습니다. 이렇게 둘이 한참 다투고 있는데, 지나가던 어부가 이를 보고는 힘들이지 않고 둘 다 잡아 가고 말았습니다. 왕은 지금 연나라를 치려 하십니다만, 연나라가 조개라면 조나라는 황새입니다. 지금 연나라와 조나라가 공연히 싸워 국력을 소모하면 저 강대한 진(秦)나라가 어부가 되어 이익을 독차지하게 될 것입니다."라고 말했다. 혜문왕도 현명한 까닭에 소대의 말을 알아듣고 연나라를 치려던 계획을 중단하였다고 한다.

語不成說 [어불성설]
하는 말이 조금도 사리에 맞지 아니함. 말이 안 됨.

焉敢生心 [언감생심]
감히 그런 마음을 품을 수 없음.

言語道斷 [언어도단]
말문이 막힌다는 뜻으로, 어이가 없어서 이루 말로 나타낼 수 없음을 이르는 말.

言中有骨 [언중유골]
말 속에 뼈가 있다는 뜻으로, 하는 말이 예사롭고 순한 듯하나, 단단한 뼈 같은 속뜻이 들어 있음을 이르는 말.

言行一致 [언행일치]
하는 말과 행동이 같음.

嚴冬雪寒 [엄동설한]
눈 내리는 깊은 겨울의 심한 추위.

女必從夫 [여필종부]
아내는 반드시 남편을 따라야 한다는 말.

易地思之 [역지사지]
처지를 바꾸어서 생각함.

緣木求魚 [연목구어] ☞ p. 448
나무에 올라가서 물고기를 잡으려고 한다는 뜻으로, 불가능한 일을 무리하게 하려 함을 이르는 말.
고사 중국 전국 시대(戰國時代)에 맹자(孟子)는 자신의 이상인 왕도 정치(王道政治)를 실현하기 위하여 여러 제후들을 찾아다녔다. 그러다 제(齊)나라에 이르러 선왕(宣王)을 만났을 때, 선왕이 맹자에게 춘추 시대에 천하를 주름잡았던 제환공(齊桓公)과 진문공(晉文公)의 업적에 관한 생각을 물었다. 그러자, 맹자는 "왕께선 싸움을 일으켜 신하의 목숨을 위태롭게 하고, 이웃 나라와 원수가 되는 것이 좋습니까?"하고 반문했다. 이에 선왕이 "그게 아니고 이루고 싶은 큰 꿈이 있어 그렇소." 라고 대답하자, 맹자는 "그럼, 그 큰 꿈이란 무엇입니까?"하고 되물었다. 왕도 정치를 말하는 맹자 앞에서 선왕이 부끄러워 분명한 대답을 하지 못하고 머뭇거리자, 맹자는 다시 "무력으로 땅을 넓히고, 오랑캐를 복종시키려는 것은 나무에 올라 물고기를 구하는 것 [緣木求魚]보다 더 무리한 일입니다. 나무에 올라가 물고기를 구하는 것은 물고기를 구하지 못할 뿐 재난은 남기지 않습니다. 그러나 왕께서 하시고자 하는 일은 백성을 괴롭히고 나라를 망하게 하는 재앙을 부를 뿐입니다."라고 말했다고 한다.

炎涼世態 [염량세태]
세력이 있을 때는 아첨하며 따르고 세력이 없어지면 푸대접하는 세상인심을 비유적으로 이르는 말.

榮枯盛衰 [영고성쇠]
인생이나 사물의 번성함과 쇠락함이 서로 뒤바뀜.

五穀百果 [오곡백과]
온갖 곡식과 여러 가지 과실.

五里霧中 [오리무중] ☞ p. 18
안개가 오 리나 덮여 있는 속에 있다는 뜻으로, 무슨 일에 대하여 알 길이 없음을 비유해 이르는 말.
고사 중국 후한(後漢)의 안제(安帝) 때에는 환관과 외척이 세도를 잡고 있었는데, 그중에서도 등태후(鄧太后)와 그 오빠 등즐(鄧騭)의 세도는 대단한 것이었다. 당시에 성도(成都) 출신의 학자인 장패(張霸)라는 사람이 황제의 고문관으로 있었는데, 그의 학문이 뛰어나 누구나 그와 교제하기를 원했다. 그러나 그는 성품 또한 강직하여 당대 최고의 세도가인 등즐이 교제하기를 청해 왔을 때도 거절했다고 한다. 그 장패의 아들에 장해(張楷)라는 사람이 있었는데, 그 역시 학문에 뛰어나 그의 집 앞은 배우러 오는 사람들로 매일 북적거렸다. 황제의 친척들과 환관들도 그와 교제하기를 청할 정도였다고 하니, 그 높은 학문을 짐작할 만하다. 그러나 장해 역시 아버지 장패처럼 그런 것을 싫어하여 고향으로 돌아가 버린 후, 조정에서 여러 번 청했지만 끝내 벼슬길에 오르지 않았다. 그런데 이 장해는 학문뿐 아니라 도술(道術)에도 능하여 5리나 계속되는 안개를 만들어 냈다고 한다. 당시 관서(關西) 사람인 배우(裵優)란 자도 3리에 이르는 안개를 일으켰는데, 장해가 5리 안개를 만든다는 말을 듣고 한 수 배워야겠다고 생각했지만, 장해가 5리 안개 속에 모습을 감추어서 만나지 못했다고 한다.

寤寐不忘 [오매불망]
자나깨나 잊지 못함.

烏飛梨落 [오비이락]
까마귀 날자 배 떨어진다는 뜻으로, 어떤 행동을 하자마자 혐의를 받기에 알맞은 딴 일이 마치 그 결과인 듯 뒤따라 일어남을 이르는 말.

烏飛一色 [오비일색]
날고 있는 까마귀가 모두 같은 빛깔이라는 뜻으로, 모두 같은 종류 또는 서로 똑같음을 이르는 말.

傲霜孤節 [오상고절]
서릿발이 심한 속에서도 굴하지 않고

외로이 지키는 절개라는 뜻으로, 국화(菊花)를 비유하는 말.

五十步百步 [오십보백보]

오십 걸음과 백 걸음이라는 뜻으로, 조금 차이가 있기는 하나 그 본질에 있어서는 매일반이라는 뜻.

고사 왕도 정치(王道政治)를 주장하던 맹자(孟子)는 위(魏)나라 혜왕(惠王)이 자신이 이웃 나라의 왕보다 인의(仁義)로써 백성을 다스렸으나 이웃 나라보다 자기 백성이 늘지 않는다며 그 까닭을 묻자, "전쟁터에서 어떤 병졸이 겁에 질려 100보쯤 도망가다 멈추었는데, 또 한 병졸이 50보쯤 도망가다 멈추고 그를 비웃었습니다 [以五十步 笑百步]. 그러나 50보나 100보나 도망친 것에는 다름이 없습니다. 이웃 나라보다 백성을 더 많게 하시려는 대왕의 생각도 결국은 백성을 진심으로 걱정하여 인의의 정치를 펴려는 것이 아니라, 나라를 부강하게 하시려는 생각에서 나온 것이니 이웃 나라와 다를 것이 없는 것입니다."라고 말했다고 한다.

吳越同舟 [오월동주]

오나라 사람과 월나라 사람이 같은 배를 탔다는 뜻으로, 서로 사이가 나쁜 사람들이 같은 처지나 같은 자리에 있게 될 경우를 이르는 말. 사이가 나쁘다 할지라도, 같이 위급한 경우를 당하면 서로 협력한다는 뜻.

고사 중국의 유명한 병법서(兵法書)인 〈손자병법(孫子兵法)〉에는 다음과 같은 내용이 있다. 오(吳)와 월(越)은 예로부터 맞수였다. 그러나, 가령 오나라 사람과 월나라 사람이 한 배를 타고 강을 건넌다고 하자. 만일 큰 바람이 불어 배가 뒤집히려 한다면 오나라 사람과 월나라 사람은 평소의 감정은 잊고 서로 도와 배를 저을 것이다. 바로 이것이다. 전차(戰車)의 말을 서로 꼭 붙들어 매고 바퀴를 땅에 파묻고서 적에 대한 방비를 무너뜨리지 않으려 하지만, 최후로 도움이 되는 것은 필사적으로 하나가 되어 뭉친 병사들의 마음이다.

烏合之衆 [오합지중] ☞ p. 359

까마귀 떼처럼 규율도 질서도 없는 군중을 이르는 말. 오합지졸(烏合之卒).

고사 중국의 전한(前漢) 말에 유수(劉秀)는, 스스로 황제라 칭하던 왕망(王莽)의 군사를 물리치고 유현(劉玄)을 황제로 내세워 한나라를 회복했다. 그런데 왕망의 실정(失政)으로 인한 반란자 가운데 왕랑(王郞)이란 자가 성제의 아들 유자여(劉子輿)를 자처하며 군사를 모아 자신을 천자라 일컫는 사건이 발생했다. 이에 유수가 토벌에 나섰는데, 그의 덕망을 사모한 장수 경감(耿弇)이 유수에게로 가는 도중 수하의 두 장수가 왕랑에게로 가려 했다. 그러자 경감은 칼을 뽑아 들고 "왕랑이란 자는 원래 도적인데, 스스로 황제를 사칭하고 난을 일으켰다. 내가 장안에 가서 정예군으로 공격하면 왕랑의 군사 같은 오합지중을 꺾는 것은 썩은 나무를 꺾는 것과 같다. 너희가 도리를 저버리고 적과 한패가 된다면 얼마 가지 않아 일족이 죽음을 당하리라."라고 말했다고 한다.

屋上架屋 [옥상가옥]

지붕 위에 또 지붕을 얹는다는 뜻으로,

물건이나 일을 부질없이 거듭함을 이르는 말.

玉石俱焚 [옥석구분]
옥과 돌이 모두 불에 탄다는 뜻으로, 선악의 구별 없이 함께 화를 당함을 이르는 말.

玉石混淆 [옥석혼효]
옥과 돌이 한데 섞여 있다는 뜻으로, 좋은 것과 나쁜 것이 한데 뒤섞여 있음을 이르는 말.

溫故知新 [온고지신] ☞ p. 350
옛것을 익히고 그것을 미루어서 새것을 안다는 뜻으로, 옛일을 연구하여 거기에서 새로운 지식이나 도리를 찾아냄을 이르는 말.
고사 공자(孔子)는 제자들에게 "옛것을 익히고 미루어서 새것을 아는 이라면 남의 스승이 될 만하다."라고 말했다고 한다.

臥薪嘗膽 [와신상담] ☞ p. 472
섶에 누워 자고 쓸개를 맛본다는 뜻으로, 원수를 갚기 위해 때를 기다리며 고생을 참고 견딤을 이르는 말.
고사 월(越)나라 왕 구천(勾踐)과 싸우다 상처를 입은 오(吳)나라 왕 합려(闔閭)는 상처가 악화되어 죽게 되자, 태자인 부차(夫差)에게 월나라에 반드시 복수하라는 유언을 남겼다. 그 이후, 부차는 밤마다 편안한 이부자리를 마다하고 섶 위에 누워 복수를 다짐했다. 또, 자기 방에 드나드는 사람들에게 자기 아버지를 죽인 사람이 월나라 왕인 구천이라는 사실을 늘 되새길 수 있도록 말해 달라고 해 놓고 그때마다 각오를 새롭게 하곤 했다. 월나라 왕 구천이 이를 알고 두렵게 여겨 먼저 공격하였으나, 그만 패하여 오나라 왕의 신하가 된다는 조건으로 항복하였다. 그 후, 구천은 옆에 쓸개를 놓고, 항상 그 쓴맛을 맛보면서 항복한 지난날의 치욕을 씻을 날을 기다렸다. 그러다가, 항복한 지 20년 만에 오나라 왕 부차가 나라를 비운 틈을 타서 오나라를 공격하여 약 3년 후에 굴복시키고 말았다. 구천은 부차를 귀양 보내어 거기에 살게 하였으나, 부차는 스스로 목매어 죽었다고 한다.

完璧 [완벽]
완전한 구슬이라는 뜻으로, 조금의 결점도 없이 온전함을 이르는 말.
고사 중국 전국 시대(戰國時代) 조(趙)나라의 혜문왕(惠文王)은 당시 세상에서 제일가는 보물로 여겨졌던 화씨벽(和氏璧)이라는 구슬을 가지고 있었다. 이 화씨벽을 늘 탐내던 진(秦)나라 소양왕(昭襄王)은 어느 해, 진나라 성(城) 15개와 바꾸자고 조나라에 제의해 왔다. 조나라에서는 곧 중신 회의를 열어 이 문제를 의논했으나, 강대국인 진나라의 비위를 거스르는 것은 위험하다고 판단하여 그 제의를 받아들이기로 했다. 그러나 사신으로 누가 갈 것이냐 하는 문제를 놓고는 결론을 내리지 못하고 갈팡질팡하고 있었다. 이때 환관인 목현(繆賢)이 자신의 식객(食客)으로 있는 인상여(藺相如)를 적임자라며 추천하였다. 혜문왕은 곧 인상여를 만나서 화씨벽에 대한 이야기를 해 주었다. 인상여는 진나라로부터 15개의 성을 받게 된다면 이 화씨벽을 내주겠지만, 그렇지 못하면 그대로 가지고 돌아오겠다고 말하고 진나라로 향했다. 진나라에 도착한 인상여가 화씨벽을 소양왕에게 바쳤지만 소양왕은 화씨벽과 바꾸기로 한 15개의 성에 대해서는 한 마디의 말도 없었다. 소양왕에게 성을 내줄 생각이 없다는 것을 안 인상여는 화씨벽에 있는 작은 흠집을 가르쳐 주겠다고 속여 소양왕에게서 화씨벽을 넘겨받았다. 화씨벽을 넘겨받은 인상여는 슬슬 뒷걸음질을 쳐서 궁전 기둥 옆으로 다가가서는 약속한 15개의 성을 내주지 않으면 화씨벽을 이 기둥에 던져서 깨뜨려 버리겠다고 위협했다. 화씨벽이 깨질까 겁이 난 소양왕은 얼른 지도를 가져오게 해서는 15개의 성에 표시를 해 주었다. 그러나 소양왕이 또다시 속이려 한다는 것을 눈치 챈 인상여는 슬그머니 그 화씨벽을 부하에게 넘겨주어 급히 조나라로 가져가도록 했다. 뒤늦게야 이 사실을 안 소양왕은 인상여를 죽이려 했으나 신의(信義)가 없는 왕이라는 소리를 들을 것이 두려워 인상여를 그대로 돌려보냈다. 이렇게 해서 화씨벽은 온전하게 [完璧] 조나라로 되돌아오게 되었다고 한다.

曰可曰否 [왈가왈부]
어떤 일에 대하여 옳거니 그르거니 하고 말함.

外柔內剛 [외유내강]
겉은 부드럽고 순한 듯하나, 속은 꿋꿋하고 곧음.

樂山樂水 [요산요수]
산을 좋아하고, 물을 좋아한다는 뜻으로, 산수(山水)를 좋아함을 이르는 말.

窈窕淑女 [요조숙녀]
말과 행동이 품위 있고 정숙한 여자.

搖之不動 [요지부동]
흔들어도 꼼짝하지 않음.

龍頭蛇尾 [용두사미]
용의 대가리에 뱀의 꼬리라는 뜻으로, 처음에는 기세가 왕성하다가 뒤로 갈수록 쇠하고 보잘것없어짐을 이르는 말.

用意周到 [용의주도]
무슨 일이든 꼼꼼하게 잘 살펴 빈틈이 없음.

龍虎相搏 [용호상박]
용과 범이 서로 싸운다는 뜻으로, 강자끼리 서로 싸움을 이르는 말.

愚公移山 [우공이산]
우공이 산을 옮긴다는 뜻으로, 어떤 일이든 끊임없이 노력하면 반드시 이루어짐을 이르는 말.

憂國之士 [우국지사]
나라의 앞일을 근심하고 염려하는 사람.

迂餘曲折 [우여곡절]
뒤얽혀 복잡해진 사정.

右往左往 [우왕좌왕]
오른쪽으로 갔다 왼쪽으로 갔다 하며 종잡지 못함. 이랬다저랬다 갈팡질팡함.

優柔不斷 [우유부단]
어물어물 망설이기만 하고 결단을 내리지 못함.

牛耳讀經 [우이독경]
쇠귀에 경 읽기라는 뜻으로, 아무리 가르치고 일러 주어도 알아듣지 못하여 아무 효과가 없음을 이르는 말.

雨後竹筍 [우후죽순]
비 온 뒤에 죽순이 많이 솟아나는 것처럼, 어떤 일이 일시에 많이 생겨남을 비유하는 말.

月下氷人 [월하빙인] ☞ p. 291
결혼을 중매해 주는 사람을 이르는 말.
고사 중국 당(唐)나라에 위고(韋固)라는 총각이 있었는데, 어느 해 달밤에 송성(宋城)이란 곳을 향해 가다가 길모퉁이에 어떤 노인이 자루를 옆에 놓고 땅바닥에 주저앉아 무슨 책인지를 뒤적거리고 있는 것을 보게 되었다. 그 노인은 자신이 세상 모든 남녀의 인연을 맺어 주는 사람이라고 했다. 위고가 하도 신기하여 자신의 아내 될 사람에 대하여 묻자, 노인은 그의 아내 될 아가씨는 송성에서 채소를 파는 진(陳)이라는 노파가 안고 있는 갓난아기라고 말해 주었다. 세월이 흘러 14년 후, 위고는 상주(相州)의 관리가 되어 그 고을 태수의 딸과 결혼하였다. 그런데, 첫날밤에 신부가 자신은 태수의 딸이 아니며 갓난아기 때 돌아가신 아버지를 대신하여 진(陳)이라는 유모가 두 살까지 길러 주었다고 고백하는 게 아닌가. 이 말을 들은 위고는 14년 전 달밤에 만난 노인의 말이 생각났다고 한다.

危機一髮 [위기일발]
매우 무거운 물건이 머리카락 한 올에 걸려 있다는 뜻으로, 몹시 절박한 순간을 이르는 말.

韋編三絶 [위편삼절]
책을 맨 가죽끈이 세 번이나 끊어졌다는 뜻으로, 책을 열심히 읽음을 이르는 말.
고사 공자(孔子)가 주역(周易)을 즐겨 읽은 나머지 가죽으로 된 책 끈이 세 번이나 닳아 끊어졌다고 한다.

有口無言 [유구무언]
입은 있어도 말은 없다는 뜻으로, 변명이나 항변할 말이 없음을 이르는 말.

有名無實 [유명무실]
이름만 그럴듯하고 실속은 없음.

有備無患 [유비무환]
미리 준비가 되어 있으면 아무 근심할 것이 없음.

唯我獨尊 [유아독존]
세상에서 자기 혼자만 잘났다고 뽐내는 태도.

流言蜚語 [유언비어]
아무 근거 없이 널리 퍼진 소문.

類類相從 [유유상종]
같은 무리끼리 서로 내왕하며 사귀의 뜻.

悠悠自適 [유유자적]
마음에 여유가 있어 한가롭고 걱정이

없이 지내는 모양. 곧, 속세를 떠나 아무것에도 얽매이지 않고 자기 뜻대로 조용히 생활함을 이르는 말.

有終之美 [유종지미]

끝을 잘 맺는 아름다움이라는 뜻으로, 끝까지 잘하여 훌륭한 성과를 거둠을 이르는 말.

殷鑑不遠 [은감불원]

은나라 왕이 거울삼을 것은 먼 데 있지 않다는 뜻으로, 본받을 만한 본보기는 가까운 데서 찾으라, 곧 남의 실패를 자신의 거울로 삼으라는 말.

고사 이 말은 폭군인 은나라의 주왕(紂王)에게 간하다가 옥에 갇힌 충신 서백(西伯:뒷날 은나라를 멸망시킨 주(周)나라의 문왕(文王)이 됨)이 '시경(詩經)'의 '탕시(蕩詩)'의 구절을 인용하여 "은나라의 왕이 거울삼을 것은 먼 데 있지 않고, 바로 하(夏)나라의 걸왕(桀王) 때에 있다."라고 한 말에 말미암는다. 하나라의 걸왕은 말희(妹喜)라는 요사한 여인에 빠진 나머지 온갖 사치와 여색을 즐겨 백성들의 원망이 많았다. 이를 보다 못한 탕왕(湯王)이 혁명을 일으켜 은나라를 세웠으나, 이 은나라도 600년 뒤, 주왕이 요사한 여인 달기(妲己)에 빠져 주지육림(酒池肉林) 속에서 헤어나지 못하고 나랏일을 그르친 나머지 서백의 아들인 주나라의 무왕(武王)에게 멸망을 당하고야 말았다고 한다.

隱忍自重 [은인자중]

마음속으로 참고 견디면서 몸가짐을 조심함.

陰德陽報 [음덕양보]

남이 모르게 덕행을 쌓은 사람은 나중에 그 보답을 저절로 받게 된다는 것을 이르는 말.

泣斬馬謖 [읍참마속]

울면서 마속의 목을 베었다는 뜻으로, 기강을 세우기 위해서, 또는 대의(大義)를 위해서 사랑하는 신하나 부하 장수를 법에 따라서 처단함을 이르는 말.

고사 중국 삼국 시대(三國時代)에 촉(蜀)나라의 제갈공명(諸葛孔明)은 위(魏)나라 군대를 연거푸 물리치면서 북쪽으로 진군하여 드디어 기산(祁山) 들판에서 위나라 명장 사마중달(司馬仲達)의 대군과 맞싸우게 되었다. 치밀한 전략가인 제갈공명이 가장 중요시한 것은 군량미를 실어 나르는 요긴한 길목인 가정(街亭)을 지키는 문제였다. 이 때 그곳을 맡아 지키겠다고 자원한 사람은 허물없는 친구 마량(馬良)의 동생인 마속이었다. 그가 공명에게 "만일 제가 가정을 지키지 못하면 우리 일가 권속을 군법으로 처벌하셔도 한이 없겠습니다."라고 하자, 공명은 "좋다. 진을 친 가운데에서 실없는 소리는 없는 법이렷다."라고 하며 그를 파견했다. 그런데 마속은 가정의 산기슭을 지키라고 한 명령에 따르지 않고 산 위에 진을 치는 바람에 위나라 군대에게 크게 패하고 후퇴하지 않을 수 없게 되었다. 그리하여 공명은 기강을 세우기 위해서 친동생 같은 부하 장수인 마속의 목을 눈물을 흘리며 베어야만 했던 것이다.

意氣投合 [의기투합]

마음이나 뜻이 서로 맞음.

異口同聲 [이구동성]
입은 다르지만 소리는 같다는 뜻으로, 여러 사람의 말이 한결같음을 이르는 말.

以實直告 [이실직고]
사실 그대로 말함.

以心傳心 [이심전심] ☞ p. 27
말을 주고받지 않아도 서로의 생각이 상대방에게 통함을 이르는 말.
고사 어느 날 석가가 제자들을 불러 모아 놓고 설법을 하다가 아무 말 없이 연꽃 한 송이를 손에 들고 살짝 비틀어 보였다. 제자들은 스승인 석가가 왜 연꽃을 들고 있는지 그 뜻을 알 길이 없어서 석가의 얼굴과 연꽃만 번갈아 바라보고 있을 뿐이었다. 이때, 제자 중 가섭(迦葉)만이 홀로 그 뜻을 알고 활짝 웃었다. 그때서야 석가는 입을 열어 설법을 했다고 한다.

異域萬里 [이역만리]
다른 나라의 아주 먼 곳.

以熱治熱 [이열치열]
열은 열로써 다스린다는 뜻으로, 힘은 힘으로 물리침을 이르는 말.

二律背反 [이율배반]
서로 모순되는 두 개의 명제가 동등한 권리로서 주장되는 일.

李下不整冠 [이하부정관]
자두나무 아래에서는 갓을 고쳐 쓰지 말라는 뜻으로, 남에게 의심받을 만한 일은 아예 하지 말라는 말.
고사 瓜田不納履 [과전불납리] 참조.

離合集散 [이합집산]
헤어졌다가 모였다가 하는 일.

因果應報 [인과응보]
과거 또는 전생의 선악(善惡)의 인연을 따라 뒷날 복을 받게도 되고 화를 입게도 됨을 이르는 말.

人面獸心 [인면수심]
얼굴은 사람의 모습을 하고 있지만 마음은 짐승과 같다는 뜻으로, 마음이나 행동이 몹시 흉악함. 또는 그런 사람을 이르는 말.

人命在天 [인명재천]
사람의 목숨은 하늘에 달려 있다는 뜻으로, 목숨의 길고 짧음은 사람의 힘으로 어쩔 수 없음을 이르는 말.

人事不省 [인사불성]
① 제 몸에 벌어지는 일을 모를 만큼 정신을 잃어 의식이 없음. ② 사람으로서의 예절을 차릴 줄 모름.

人山人海 [인산인해]
사람의 산과 사람의 바다라는 뜻으로, 사람들이 헤아릴 수 없이 많이 모인 상태를 비유하는 말.

人之常情 [인지상정]
사람이 보통 가질 수 있는 마음.

一擧手一投足 [일거수일투족]
손을 한 번 들고 발을 한 번 옮겨 놓는다는 뜻으로, 크고 작은 동작 하나하나를 이르는 말.

一擧兩得 [일거양득] ☞ p. 261
한 가지 일을 하여 두 가지 이득을 얻음을 이르는 말.
고사 진(秦)나라와 초(楚) · 연(燕) · 제(齊) · 한(韓) · 위(魏) · 조(趙)의 여섯 나라가 대립했던 전국 시대(戰國時代)에 진나라의 재상(宰相)이었던 장의(張儀)와 사마착(司馬錯)이 왕 앞에서 촉(蜀) 땅을 토벌해야 하느냐 말아야 하느냐에 대해서 논쟁을 벌이게 되었다. 장의는 촉나라 같은 산간벽지를 공격해 봤자 아무 소득이 없다며, 위나라 · 초나라와 손을 잡고 천자(天子)가 다스리는 주(周)나라를 공격하는 것이 천하를 평정하는 지름길이라고 강력하게 주장했다. 그러자 사마착은 "그것은 잘못된 생각이옵니다. '나라를 부강하게 하려는 자는 먼저 그 토지를 넓히고, 군사를 강하게 하려면 먼저 그 백성을 잘살게 만들고, 왕자(王者)가 되려면 먼저 덕(德)을 쌓으라.' 고 하였사옵니다. 지금 우리 진나라는 토지는 좁고 반면에 백성들은 가난하옵니다. 따라서 촉 땅을 손에 넣는 것은 영토를 넓히고 재물을 얻을 수 있는 실로 일거양득(一擧兩得)의 방법이옵니다. 반면에 지금 주나라를 공격하는 것은 천자를 위협한다는 나쁜 인상만 남길 뿐 아무 이익이 없사옵니다."라고 말했다. 이 말을 들은 왕은 사마착의 말을 받아들여 촉 땅을 공격했다고 한다.

日久月深 [일구월심]
날이 오래고 달이 깊어진다는 뜻으로, 세월이 흐를수록 더함을 이르는 말.

一口二言 [일구이언]
한 입으로 두 가지 말을 한다는 뜻으로, 말을 이랬다저랬다 함을 이르는 말.

一刀兩斷 [일도양단]
단칼에 두 동강이를 낸다는 뜻으로, 어떤 일을 머뭇거리지 않고 선뜻 결정함을 이르는 말.

一網打盡 [일망타진] ☞ p. 1
한 번 그물을 쳐서 한꺼번에 잡는다는 뜻으로, 단 한 번에 모조리 잡는다는 말. 요즈음에는 범죄 수사에 있어서 범인들을 모두 잡았다는 의미로 쓰임.
고사 중국 송(宋)나라의 인종(仁宗)은 어질고 능력 있는 선비들을 등용하여 나라를 잘 다스려 나갔다. 하지만, 워낙 뛰어난 선비들이 많았던 터라 조정에서 어떤 문제를 가지고 의논할 때는 서로 자신의 의견이 옳다고 주장하기 때문에 결론이 쉽게 나지 않고, 게다가 여러 파로 갈라지는 바람에 대신들이 자주 바뀌게 되었다. 당시의 많은 선비들 중에 두연(杜衍)이 승상으로 있을 때에 황제에게는 자기 마음대로 명령을 내릴 수 있는 권한이 있었는데, 두연은 이런 제도를 못마땅하게 생각하고 황제가 혼자서 결정하고 내리는 문서를 찢어 버렸다. 대신들은 이러한 그의 행동을 몹시 비난하였다. 그 무렵 두연의 사위인 소순흠(蘇舜欽)이 공금으로 신(神)에게 제사를 지내고 손님들을 초대하는 사건이 발생하였다. 그러자 평소에 두연의 소행을 못마땅하게 여겨 오던 어사(御史) 왕공진(王拱辰)은 잔치에 모인 사람들을 모두 체포했다. 이 사건으로 청렴하고 강직했던 두연도 승상의 자리에서 물러나지 않을 수 없었다. 이때 왕공진은 “두연 일파(一派)를 일망타진(一網打盡)했다.”며 큰소리쳤다고 한다.

一脈相通 [일맥상통]
생각이나 처지, 상태 등이 서로 통하거나 비슷함.

一目瞭然 [일목요연]
한 번만 보아도 곧 환히 알 수 있을 만큼 분명하고 뚜렷함.

一罰百戒 [일벌백계]
한 사람이나 한 가지 죄를 엄히 벌하여 여러 사람을 경계함.

一絲不亂 [일사불란]
한 오라기의 실도 흐트러지지 않았다는 뜻으로, 질서나 체계가 잘 잡혀 있어서 조금도 흐트러짐이 없음을 이르는 말.

一瀉千里 [일사천리]
물의 흐름이 빨라서 한 번 흐르면 천 리 밖에 다다른다는 뜻으로, 어떤 일이 매우 빠르게 진행됨을 이르기도 하고, 문장력·말솜씨 등이 거침없음을 이르기도 하는 말.

一石二鳥 [일석이조]
돌 한 개를 던져 새 두 마리를 잡는다는 뜻으로, 동시에 두 가지 효과를 거둠을 이르는 말.

一心同體 [일심동체]
한마음 한 몸이라는 뜻으로, 서로 굳게 결합함을 이르는 말.

一魚濁水 [일어탁수]
한 마리의 물고기가 물을 흐리게 한다는 뜻으로, 한 사람의 잘못으로 여러 사람이 피해를 입게 됨을 비유하여 이르는 말.

一言半句 [일언반구]
한 마디 말과 반 구절이라는 뜻으로, 아주 짧은 말을 이르는 말.

一言之下 [일언지하]
한 마디로 잘라 말함. 또는 두말할 나위 없음.

一日如三秋 [일일여삼추]
하루가 삼 년 같다는 뜻으로, 몹시 애태우며 기다림을 비유한 말. 일일삼추(一日三秋).

一字無識 [일자무식]
① 글자를 한 자도 모를 정도로 무식함. 또는 그런 사람. ② 어떤 분야에 대하여 아는 바가 하나도 없음.

一字千金 [일자천금] ☞ p. 153
글자 한 자에 천금이라는 뜻으로, 매우 훌륭한 글자나 문장을 이르는 말.
고사 중국 전국 시대(戰國時代) 말엽, 여러 나라의 제후들은 서로 질세라 앞다투어 식객(食客)을 모아들였다. 제(齊)나라의 맹상군(孟嘗君), 조(趙)나라의 평원군(平原君) 등은 수백, 수천 명씩 재주 있는 식객들을 거느리면서 그것을 자랑했다. 이때 강대국인 진(秦)나라의 정권을 쥐고 있던 재상 여불위(呂不韋: 장사꾼 출신으로 시황제의 존숭을 받음)는 강대국인 진나라가 이에 질쏘냐 돈을 물 쓰듯 하여 식객을 모아들이는 한편, 그들로 하여금 20여만 어(語)나 되는 큰 책을 지어 내게 했다. 세상의 온갖 사물에 대한 내용을 적은 이 책은 오늘날의 대백과사전(大百科事典) 격이었다. 이것이 바로 그 유명한 '여씨춘추(呂氏春秋)' 인데, 그는 이 책을 함양(咸陽)의 성문 앞에 진열하고 그 위에다 '이 책에 한 글자라도 더하거나 뺄 수 있는 사람에게는 천금을 주겠다.' 라고 방을 써 붙였다. 이 방은 말할 것도 없이 식객을 더 끌어들이기 위한 술책이었던 것이다.

一長一短 [일장일단]
장점도 있고 단점도 있음.

一場春夢 [일장춘몽]
한바탕의 봄꿈이라는 뜻으로, 헛된 영화나 인생의 허무함을 이르는 말.

一觸卽發 [일촉즉발]
한 번 닿기만 하여도 곧 폭발한다는 뜻으로, 조그만 자극에도 큰일이 벌어질 것 같은, 위급하고 아슬아슬한 상태를 이르는 말.

日就月將 [일취월장]
날마다 달마다 성장하고 발전함.

一波萬波 [일파만파]
한 물결이 연쇄적으로 많은 물결을 일으킨다는 뜻으로, 한 사건이 확대되거나 잇따라 많은 사건으로 번짐을 이르는 말.

一片丹心 [일편단심]
한 조각의 붉은 마음이라는 뜻으로, 진심에서 우러나오는 변치 않는 마음을 이르는 말.

一筆揮之 [일필휘지]
글씨를 단숨에 죽 써 내림.

一攫千金 [일확천금]
힘들이지 않고 단번에 많은 재물을 얻음.

臨機應變 [임기응변]
그때그때의 형편에 따라 그 자리에서 결정하거나 일을 처리함.

臨戰無退 [임전무퇴]
전쟁에 나아가 물러나지 않음. 신라 진평왕 때 만든 화랑의 다섯 가지 계율, 즉 세속 오계(世俗五戒) 중의 하나.

立身揚名 [입신양명]
출세하여 세상에 이름을 드날림.

自家撞着 [자가당착]
같은 사람이 하는 말이나 행동의 앞뒤가 서로 맞지 않고 모순됨.

自激之心 [자격지심]
자기가 한 일에 대해 스스로 미흡하게 여기는 마음.

自給自足 [자급자족]
필요한 것을 스스로 생산하여 충당함.

自力更生 [자력갱생]
남에게 의지하지 않고 오로지 자신의 힘만으로 어려움에서 벗어나 새로운 삶을 살아감.

自問自答 [자문자답]
스스로 묻고 스스로 대답함.

自手成家 [자수성가]
물려받은 재산 없이 자기 힘만으로 집안을 일으키고 재산을 모음.

自繩自縛 [자승자박]
자기의 줄로 자기 몸을 묶는다는 뜻으로, 자기가 한 말과 행동에 자신이 구속되어 괴로움을 당하는 것을 이르는 말.

自業自得 [자업자득]
자기가 저지른 일의 결과를 자기가 받음.

自初至終 [자초지종]
처음부터 끝까지의 과정.

自暴自棄 [자포자기]
스스로 학대하고 스스로 포기한다는 뜻으로, 절망에 빠져 자신을 스스로 포기하고 돌보지 않음을 이르는 말.
고사 중국 전국 시대(戰國時代)의 성현(聖賢)인 맹자(孟子)가 "자포(自暴)하는 사람과는 함께 이야기를 나눌 수가 없고, 자기(自棄)하는 사람과는 함께 행동할 수가 없다. 입만 열면 예의와 도덕을 헐뜯는 것을 자포(自暴)라고 하고, 도덕의 가치를 인정하면서도 인(仁)이나 의(義)를 자기와는 아무런 상관도 없는 것처럼 생각하는 것을 자기(自棄)라고 한다. 사람의 본성(本性)은 원래 선(善)한 것이므로 사람에게 있어서 도덕의 근본 이념인 인(仁)은 평안한 가정과 같은 것이며, 올바른 말인 의(義)는 사람이 가야 할 정도(正道)이다. 평안한 가정을 버리고 엉뚱한 곳에서 살려고 하며, 정도를 벗어나서 걸어가려고 하는 것은 실로 개탄(慨歎)해야 할 일이다."라고 한 데서 유래한 말.

自畫自讚 [자화자찬]
자기가 그린 그림을 자기 스스로 칭찬한다는 뜻으로, 자기가 한 일에 대하여 자기 스스로 칭찬함을 이르는 말.

作心三日 [작심삼일]
마음먹은 것이 사흘을 못 간다는 뜻으로, 결심이 오래가지 못함을 이르는 말.

張三李四 [장삼이사]
장씨(張氏)의 셋째 아들과 이씨(李氏)의 넷째 아들이라는 뜻으로, 이름이나 신분이 특별하지 않은 평범한 사람들을 이르는 말.

才子佳人 [재자가인]
재주 있는 남자와 아름다운 여자를 아울러 이르는 말.

賊反荷杖 [적반하장]
도둑이 도리어 매를 든다는 뜻으로, 잘못한 사람이 오히려 큰소리치거나 잘한 사람을 나무라는 경우를 비유하여 이르는 말.

戰戰兢兢 [전전긍긍] ☞ p. 240

몹시 두려워서 벌벌 떨며 조심한다는 뜻으로, 남에게 잘못을 했거나, 어떤 일이 뜻대로 되지 않아서 몸 둘 바를 모르고 쩔쩔매는 경우를 이르는 말.
고사 중국에서 제일 오래된 시집(詩集)인 '시경(詩經)'에는 계략을 잘 꾸미는 간사한 신하가 군주(君主) 곁에서 옛법을 무시한 정치를 하고 있음을 한탄하는 시가 나오는데, 그 내용은 다음과 같다.
"감히 맨손으로 호랑이를 잡지 못하고 / 감히 걸어서 황허(黃河) 강을 건너지 못한다 / 사람들은 그런 것은 알고 있지만 / 그 밖의 것은 알지 못하네 / 벌벌 떨면서 조심하기를 [戰戰兢兢] / 깊은 못에 임하듯 / 엷은 얼음판을 밟고 걸어가듯 해야 하네."

轉禍爲福 [전화위복] ☞ p. 543
화가 바뀌어 오히려 복이 된다는 뜻으로, 아무리 불행한 일을 당하더라도 자신이 강한 의지를 가지고 노력하면 불행을 행복으로 만들 수 있다는 말.
고사 중국 전국 시대(戰國時代)에 유세객(遊說客)으로 이름을 날렸던 소진(蘇秦)이 "옛날에 일을 잘 처리해 나갔던 사람은 재앙을 바꾸어 복을 만들고 [轉禍爲福], 전쟁에서 패했을 때도 오히려 그것을 공(功)으로 만들었다."라고 한 데서 유래한 말.

絶世佳人 [절세가인]
세상에 견줄 사람이 없을 정도로 뛰어나게 아름다운 여자. 절세미인(絶世美人).

切磋琢磨 [절차탁마]
옥이나 돌 따위를 갈고 닦아서 빛을 낸다는 뜻으로, 학문과 덕행을 부지런히 갈고 닦음을 이르는 말.

切齒腐心 [절치부심]
몹시 분하여 이를 갈며 속을 썩임.

漸入佳境 [점입가경]
① 차차 재미있는 경지로 들어감. ② 시간이 지날수록 하는 짓이나 몰골이 더욱 꼴불견임.

頂門一鍼 [정문일침]
정수리에 침을 놓는다는 뜻으로, 따끔한 충고나 교훈을 이르는 말.

井中之蛙 [정중지와] ☞ p. 19
우물 안의 개구리라는 뜻으로, 세상 물정을 모르는 사람을 이르는 말.
고사 중국 후한(後漢) 시대 무렵 마원(馬援)이라는 사람이 있었는데, 벼슬을 하지 않고 조상의 묘를 지키고 있다가 농서(隴西)의 제후인 외효(隗囂)의 부름을 받고 장군이 되었다. 이때, 촉(蜀)나라에서는 공손술(公孫述)이라는 자가 스스로를 황제라고 부르며 세력을 키우고 있었는데 이를 걱정한 외효는 마원으로 하여금 그 인물됨을 알아 오라 하였다. 마원은 공손술이 같은 고향 사람이기 때문에 반갑게 맞아 주리라 여겼으나, 오히려 공손술은 호위병을 세워놓고 오만한 태도로 옛정을 생각해서 장군에 임명하겠으니 여기에 머물라 하였다. 마원은 공손술의 사람됨을 알아보고는 사양하고 돌아와서 "그 자는 우물 안 개구리입니다. 좁은 촉나라 땅에서나 위엄을 부리고 뽐내는 자입니다."라고 보고하였다. 이 말을 들은 외효는 공손술과 친교를 맺으려던 생각을 버렸다고 한다.

糟糠之妻 [조강지처]
술찌끼와 쌀겨를 함께 먹던 아내라는 뜻으로, 가난할 때부터 함께 고생하던 아내, 곧 첫 번째 아내를 이르는 말.
고사 중국 후한(後漢)의 광무제(光武帝)에게 과부가 된 누이 호양 공주(湖陽公主)가 있었는데, 공주는 청렴하고 강직하기로 이름난 대사공(大司空) 송홍(宋弘)을 사모하였다. 이를 눈치챈 광무제는 누이를 병풍 뒤에 숨겨 놓고 송홍을 가까이 불러 "사람이 살다가 부유해지면 친구를 바꾸고, 신분이 귀하게 되면 아내를 바꾼다는 말이 있는데, 공(公)은 이 말을 어떻게 생각하시오?" 라고 넌지시 마음을 떠보았다. 그러자 송홍은 "가난할 때의 친구는 잊을 수 없고 [貧賤之交不可忘], 술찌끼와 쌀겨를 함께 먹던 아내는 소홀히 대접하지 않는 [糟糠之妻不下堂] 것이 옳은 도리인 줄 아옵니다."라고 답하였다. 송홍이 돌아간 뒤, 광무제는 누이에게 그의 마음을 돌리기 어려우니 단념하라고 했다 한다.

朝令暮改 [조령모개]
아침에 명령을 내렸다가 저녁에 다시 고친다는 뜻으로, 법령을 자꾸 고쳐서 갈피를 잡기가 어려움을 이르는 말. 조령석개.

朝三暮四 [조삼모사] ☞ p. 295
아침에는 세 개, 저녁에는 네 개라는 뜻으로, 간사한 꾀를 써서 사람을 속인다는 말.
고사 중국 송(宋)나라 때, 저공(狙公)이라는 사람이 원숭이를 길렀는데, 많이 기르다 보니 먹이가 모자라게 되었다. 곤란해진 저공은 원숭이들의 먹이를 줄이기로 결심하고 원숭이들에게 "이제부터는 너희들에게 주던 도토리를 아침에 세 개, 저녁에 네 개씩으로 줄이겠다."라고 말했다 그러자 원숭이들은 아침에 세 개, 저녁에 네 개 먹고서는 배가 고파 살 수 없다며 펄쩍 뛰었다. 난처해진 저공이 이번에는 "그럼 아침에 네 개, 저녁에 세 개씩 주면 어떠냐?" 하고 물었더니, 원숭이들이 모두 기뻐했다고 한다.

鳥足之血 [조족지혈]
새 발의 피라는 뜻으로, 필요한 양에 비하여 너무나 적은 분량을 비유적으로 이르는 말.

存亡之秋 [존망지추]
존속과 멸망, 또는 삶과 죽음이 결정되는 아주 절박한 때.

種豆得豆 [종두득두]
콩 심은 데 콩 난다는 뜻으로, 원인에 따라 결과가 생김을 이르는 말. 종과득과(種瓜得瓜).

縱橫無盡 [종횡무진]
자유자재로 행동하여 거침이 없는 상태.

坐不安席 [좌불안석]
앉아 있어도 자리가 편하지 않다는 뜻으로, 마음이 불안하거나 걱정스러워서 한군데에 가만히 앉아 있지 못하고 안

절부절못하는 모양을 이르는 말.

坐井觀天 [좌정관천]
우물 안에 앉아서 하늘을 본다는 뜻으로, 견문(見聞)이 좁음을 이르는 말.

左之右之 [좌지우지]
자기 마음대로 이리저리 휘두르거나 다룸.

左衝右突 [좌충우돌]
① 이리저리 마구 찌르고 부딪침. ② 아무에게나 또는 아무 일에나 함부로 맞닥뜨림.

主客顚倒 [주객전도]
주인과 손님의 위치가 서로 뒤바뀐다는 뜻으로, 사물의 경중·선후·완급이 서로 뒤바뀜을 이르는 말.

晝耕夜讀 [주경야독]
낮에는 밭을 갈고 밤에는 책을 읽는다는 뜻으로, 어려운 상황 속에서도 꿋꿋하게 공부함을 이르는 말.

走馬加鞭 [주마가편]
달리는 말에 채찍질을 한다는 뜻으로, 잘하거나 잘되고 있는 일을 한층 더 잘하거나 잘되도록 격려하거나 몰아친다는 말.

走馬看山 [주마간산]
달리는 말 위에서 산을 본다는 뜻으로, 차근차근 살펴보지 않고 대강 보고 지나감을 이르는 말.

竹馬故友 [죽마고우] ☞ p. 425
대나무 말을 타고 놀던 옛 친구라는 뜻으로, 아주 어릴 때부터 가까이 지내며 자란 친구를 이르는 말.
고사 중국 진(秦)나라의 황제였던 간문제(簡文帝)는 촉(蜀) 땅을 정벌하고 차츰 세력을 펴더니, 이제는 마음대로 권세를 휘두르려는 환온(桓溫) 장군 때문에 늘 걱정이었다. 그러던 어느 날, 간문제는 환온의 어릴 적 친구인 은호(殷浩)를 자기 밑에 둠으로써 환온을 견제해야겠다고 생각했다. 그래서 은호에게 양주 자사(揚州刺史)라는 벼슬을 내렸는데, 이로 인해 은호와 환온은 서로 사이가 나빠지게 되었다. 그 무렵 후조(後趙)의 왕인 석계룡(石季龍)이 죽어서 호족(胡族) 사이에 소란이 일었는데, 간문제는 이 기회에 중원(中原) 땅을 회복하기 위하여 은호를 중원 장군(中原將軍)에 임명하고 군사를 내주어 호족을 치게 했다. 은호는 위풍당당하게 출발했으나 그만 말에서 떨어져 제대로 싸우지도 못한 채 호족의 장수에게 크게 패하고 돌아왔다. 이 일을 기회로 환온은 은호를 멀리 귀양 보냈는데, 사람들이 은호를 용서해 주라고 권하자 환온은 하는 수 없이 은호에게 안부 편지를 보냈다. 편지를 받은 은호는 몹시 기뻐서 답장을 쓰기 시작했는데 막상 답장을 써서 봉투에 넣고 보니, 혹 잘못된 구절이 있지나 않을까 걱정이 되었다. 은호는 몇 번씩이나 편지를 꺼내어 읽어 보고 고치고 하다가 막상 편지를 보낼 때는 깜빡 잊고 빈 봉투만 보내고 말았다. 빈 봉투만 받게 된 환온은 몹시 화를 내며 많은 사람들 앞에서 "은호는 어렸을 때 나와 함께 대나무 말을 타고 놀았던 옛 친구 [竹馬故

友] 사이였어. 내가 그 대나무 말을 집어 던질 적마다 그는 그것을 주워 오곤 했었지. 그러니 은호가 내 밑에서 머리를 숙여야 하는 것은 당연한 일이 아니겠는가."라고 말했다. 환온은 은호를 끝까지 용서해 주지 않았고, 그 때문에 은호는 멀리 귀양 가서 외롭게 죽었다고 한다.

衆寡不敵 [중과부적] ☞ p. 493

적은 수효로 많은 수효를 대적하지 못한다는 뜻.

고사 중국 전국 시대(戰國時代)에 맹자(孟子)가 자신의 능력을 돌아보지 않고 천하를 차지하려고 무모한 계획을 세우는 제(齊)나라 선왕(宣王)에게 "작은 나라는 결코 큰 나라를 이길 수 없고, 소수(少數)는 다수(多數)를 대적(對敵)하지 못하며 [衆寡不敵], 약자는 강자에게 지게 되어 있습니다. 지금 1천 리 사방(四方)에는 아홉 개의 나라가 있으며, 제나라도 그중 한 나라인데 한 나라가 다른 여덟 나라를 복종시킨다는 것은 작은 나라인 추(鄒)나라가 큰 나라인 초(楚)나라를 이기려는 것과 무엇이 다르겠습니까? 왕도(王道)에 의해 백성들이 기꺼이 따르게 하신다면, 모두 전하의 덕(德)에 굴복할 것이고 천하는 전하의 것이 될 것입니다."라고 말한 데서 온 말.

衆口難防 [중구난방]

뭇사람의 말을 막기가 어렵다는 뜻으로, 막기 어려울 정도로 여러 사람이 마구 지껄여 댐을 이르는 말.

重言復言 [중언부언]

한 말을 자꾸 되풀이함. 또는 그런 말.

芝蘭之交 [지란지교]

지초(芝草)와 난초(蘭草)의 교제라는 뜻으로, 벗 사이의 맑고도 고귀한 사귐을 이르는 말.

指鹿爲馬 [지록위마] ☞ p. 251

사슴을 가리켜 말이라고 한다는 뜻으로, 윗사람을 속여서 함부로 권세를 부리거나 남을 속여 곤경에 빠뜨림을 이르는 말.

고사 중국의 진(秦)나라 시황제(始皇帝)가 죽고 나자 이사(李斯)와 조고(趙高)는 태자 부소(扶蘇)를 죽이고, 아직 어린 호해(胡亥)를 황제의 자리에 앉혔다. 즉위한 호해가 천하의 즐거움이란 즐거움은 다 맛보겠다고 말하자, 조고는 그러기 위해서는 먼저 법을 엄하게 하고, 형벌을 가혹하게 하여야 하며, 또 오랜 신하들을 모두 내쫓아야 한다고 부추겼다. 호해가 이를 허락하자, 조고는 이사와 함께 선왕(先王) 때부터 있었던 오랜 신하 및 왕자, 장군 등을 모두 죽이고 승상이 되었다. 그런 다음, 신하들을 떠보기 위해 황제에게 사슴을 바치면서 말을 바친다고 말했다. 그러자 황제는 "승상께선 이상한 말씀을 하시는군요. 사슴을 보고 말이라고 하다니요?"하고는 좌우를 둘러보았다. 신하들은 잠자코 눈치만 보거나 황제의 말이 옳다고 하였다. 조고는 말이 아니라고 한 사람을 기억해 두었다가 후에 구실을 붙여 죽여 버렸다. 나중에는 황제마저 죽이며 위세를 떨쳤지만, 결국은 부소의 아들 자영(子嬰)에게 살해되었다고 한다.

支離滅裂 [지리멸렬]
갈가리 흩어지고 찢기어 갈피를 잡을 수 없음.

至誠感天 [지성감천]
정성이 지극하면 하늘도 감동한다는 말.

遲遲不進 [지지부진]
일 따위가 매우 더디어 잘 나아가지 아니함.

知彼知己百戰百勝 [지피지기백전백승]
적을 알고 나를 알면 백 번 싸워도 백 번 다 이긴다는 뜻으로, 상대방의 실정을 정확히 파악한 후 자신의 실력과 비교·검토하면 완벽한 승리가 보장된다는 말.

珍羞盛饌 [진수성찬]
푸짐하게 잘 차린 맛있는 음식.

盡人事待天命 [진인사대천명]
사람으로서 할 수 있는 일을 다한 후에 하늘의 뜻을 기다림.

進退兩難 [진퇴양난]
나아가지도 못하고 물러나지도 못한다는 뜻으로, 이러지도 저러지도 못하는 처지에 놓임을 이르는 말.

進退維谷 [진퇴유곡]
이러지도 저러지도 못하고 꼼짝할 수 없는 궁지에 몰림.

疾風怒濤 [질풍노도]
몹시 빠르게 부는 바람과 무섭게 소용돌이치는 물결.

ㅊ

此日彼日 [차일피일]
이 날 저 날 하고 자꾸 약속이나 기일 등을 미루는 모양.

天高馬肥 [천고마비] ☞ p. 141
하늘은 높고 말은 살찐다는 뜻으로, 가을을 비유해 이르는 말.
고사 중국의 북방 이민족인 흉노족은 그 기질이 매우 사나웠기 때문에 진(秦)나라의 시황제는 만리장성을 쌓아 그들의 침입을 막으려 했고, 한(漢)나라는 미녀를 바치면서 달래기도 하였다. 흉노족은 중국 북쪽의 대초원 지대에 살면서 방목(放牧)과 수렵을 주요 생활 수단으로 삼았기 때문에 남녀노소 누구나 말타기에 익숙하였다. 이들은 찬 바람이 불기 시작하는 10월쯤에 살찐 말을 타고 겨울 동안 먹을 양식을 구하려고 남쪽인 중국으로 쳐들어오곤 했다. 그래서 중국 사람들은 하늘이 높고 말이 살찌는 계절인 가을을 몹시 두려워했다고 한다.

千軍萬馬 [천군만마]
천 명의 군사와 만 마리의 군마라는 뜻으로, 아주 많은 수의 군사와 말을 이르는 말.

千里眼 [천리안]
천 리 밖의 것을 볼 수 있는 눈이라는 뜻으로, 사물을 꿰뚫어 볼 수 있는 뛰어난 관찰력이나, 먼 곳의 일까지도 꿰뚫어 아는 능력을 비유적으로 이르는 말.

天生緣分 [천생연분]
하늘이 정해 준 연분.

千辛萬苦 [천신만고]
천 가지 매운 것과 만 가지 쓴 것이라는 뜻으로, 온갖 어려움을 다 겪으며 심하게 고생함을 이르는 말.

天佑神助 [천우신조]
하늘과 신령이 도움.

千載一遇 [천재일우] ☞ p. 83
천 년에 한 번 만난다는 뜻으로, 좀처럼 만나기 어려운 좋은 기회를 이르는 말.
고사 중국 동진(東晉)의 원굉(袁宏)이 지은 책 중에서 특히 유명한 것은 '문선(文選)'에 수록되어 있는 '삼국명신서찬(三國名臣序贊)'인데, 이것은 '삼국지(三國志)'에 나오는 삼국의 건국 명신(建國名臣) 20명에 대한 기록이다. 그중 위(魏)나라 조조(曹操)의 참모였다가 조조가 한(漢)나라를 치려 하는 것을 반대하다 쫓겨나 불행하게 죽은 순문약(荀文若)을 찬양한 글 가운데 "만 년에 한 번 찾아오는 기회는 이 세상의 통칙(通則)이며, 천 년에 한 번 만나는 것은 [千載一遇] 현인(賢人)과 지자(智者)의 아름다운 만남이다."라는 말이 있다. 이런 기회를 만나면 누구나 기뻐하고 이런 호기(好機)를 놓치면 누구나 한탄하게 될 것이라는 뜻이다.

天眞爛漫 [천진난만]
말이나 행동에 아무런 꾸밈이 없이 순진하고 천진함.

千差萬別 [천차만별]
여러 가지 사물이 모두 차이가 있고 구별이 있음.

千篇一律 [천편일률]
여러 시문(詩文)의 율격이 모두 한결같다는 뜻으로, 여러 사물이 거의 비슷비슷하여 특색이 없음을 비유하여 이르는 말.

徹頭徹尾 [철두철미]
처음부터 끝까지 철저하게.

青山流水 [청산유수]
푸른 산에 흐르는 맑은 물이라는 뜻으로, 막힘없이 말을 잘하거나 그렇게 하는 말을 비유적으로 이르는 말.

青天霹靂 [청천벽력]
맑게 갠 하늘에서 치는 날벼락이라는 뜻으로, 뜻밖에 일어난 큰 변고나 갑자기 생긴 큰 사건을 비유적으로 이르는 말.

青出於藍 [청출어람] ☞ p. 594
푸른 물감은 쪽에서 뽑아냈지만 쪽빛보다 더 푸르다는 뜻으로, 제자가 스승보다 더 뛰어남을 이르는 말.
고사 중국 전국 시대(戰國時代)의 사상가인 순자(荀子)는 "배움은 계속 노력해야 하며 멈추지 말아야 한다. 푸른 물감은 쪽에서 나오지만 쪽빛보다도 더 푸르다 [青出於藍而青於藍]."라고 하였는데, 이 말은 학문의 깊이가 스승을 앞서는 제자가 있을 수 있음을 경고한 것이다.

清風明月 [청풍명월]
맑은 바람과 밝은 달.

初志一貫 [초지일관]
처음에 먹은 마음을 끝까지 밀고 나감.

秋風落葉 [추풍낙엽]
①가을바람에 떨어지는 나뭇잎. ②어떤 세력이나 형세가 갑자기 기울어지거나 시드는 모양을 비유적으로 이르는 말.

取捨選擇 [취사선택]
취할 것은 취하고, 버릴 것은 버려서 골라잡음.

治山治水 [치산치수]
산과 내를 잘 관리해서 가뭄이나 홍수 따위의 재해를 입지 않도록 예방함.

七顚八起 [칠전팔기]
일곱 번 넘어지고 여덟 번 일어난다는 뜻으로, 여러 번 실패해도 다시 일어나 더욱 노력함을 이르는 말.

針小棒大 [침소봉대]
바늘처럼 작은 것을 몽둥이처럼 크게 말한다는 뜻으로, 작은 일을 실제보다 지나치게 불려서 떠벌림을 비유해 이르는 말.

他山之石 [타산지석] ☞ p. 28
다른 산의 돌이란 뜻으로, 그런 돌로 옥을 다듬는다는 말. 즉, 다른 사람의 하찮은 언행일지라도 자신의 지혜와 덕을 닦는 데 도움이 된다는 말.
고사 이 말은 '시경(詩經)'의 다음 시에서 따온 말이다.
"학(鶴)이 높은 데서 우니 / 그 소리가 하늘에 퍼지네 / 물고기는 물가에 있다가 / 깊은 곳에 잠기기도 하네 / 즐겁게도 저 동산에는 / 심어 놓은 박달나무가 있고 / 그 밑에는 닥나무 있네 / 타산지석(他山之石), 이를 가지고 / 이곳의 옥(玉)을 갈 수가 있네."
이 시의 끝 구절에 나오는 '타산지석, 이를 가지고 이곳의 옥을 갈 수가 있네' 라는 말은, 다른 산에서 나는 보통 돌이더라도 이곳 산에서 나는 옥을 갈아 빛을 낼 수 있다는 의미로, 돌을 소인(小人)에 비유하고 옥을 군자(君子)에 비유하여 군자도 소인의 언행을 거울삼아 경계해야 하며, 학문과 수양을 쌓아 나가야 한다는 말이다.

卓上空論 [탁상공론]
탁자 위에서 벌이는 헛된 의논이라는 뜻으로, 현실성이 없는 허황된 이론을 이르는 말.

泰山北斗 [태산북두] ☞ p. 338
태산과 북두칠성이라는 뜻으로, 어떤 한 방면에서 모든 사람이 존경하는 인물을 이르는 말.
고사 당송 팔대가(唐宋八大家) 중의 한 사람이었던 한유(韓愈)는 두 살에 고아가 되었음에도 불구하고, 열심히 노력하여 25세에는 진사(進士)가 되었고, 나중에는 그 벼슬이 경조윤(京兆尹) 겸 어사대부(御史大夫)에까지 이르렀다. 그는 관직에 있을 때에 궁중의 여러 가지 폐단을 상소하여 황제의 노여움을 사기도 하였는데, '논불골표(論佛骨表)' 라 하여 황제가 부처의 유골을 영접하여 궁중에 사흘 동안이나 머물게 한 후, 여러 절에 보낸 일에 대해 간한 글이 유명하다. 한유는 이 글에서 불교는 요사스러운 종교이므로 부처의 유골 같은 것을 가까이해서는 안 된다고 통렬히 간했기 때문에 한때 좌천되는 수모를 당하기도 하였다. 한유는 학문에서도 모범을 보였는데, 당서(唐書) '한유전(韓愈傳)' 에는 "당나라가 일어난 이래, 한유는 육경(六經)의 글을 가지고 모든 학자들의 도사(導師)가 되었다. 그가 죽은 뒤에 그 학문이 점점 융성하여 학자들은 그를 태산북두(泰山北斗)를 우러러보는 것같이 존경하였다." 라는 기록이 있을 정도이다.

泰然自若 [태연자약]

어떤 충격을 받아도 태도나 기색이 변하지 않고 천연스러움을 이르는 말.

太平聖代 [태평성대]

어질고 현명한 임금이 나라를 잘 다스려 평화로운 세상.

兎死狗烹 [토사구팽]

토끼가 잡혀 죽으면 토끼를 잡던 사냥개는 필요가 없어져 삶아 먹히게 된다는 뜻으로, 쓸모 있는 동안에는 실컷 부림을 당하다가 필요 없어지면 버림을 받는다는 말.

ㅍ

破鏡 [파경]

깨어진 거울이라는 뜻으로, 부부의 금실이 좋지 않아 이별하게 되는 일을 이르는 말.

고사 옛날, 어떤 부부가 서로 떨어져 있게 되자, 애정의 증표로 거울을 쪼개어 한 조각씩 지녔다. 그런데 후에 아내가 개가를 하게 되자 아내가 지녔던 거울 조각이 까치로 변하여 전남편에게로 날아가 버렸다고 한다.

波瀾萬丈 [파란만장]

물결이 만 길 높이로 인다는 뜻으로, 일의 진행 상황이나 인생을 살아가는 데 있어서 갖가지 곡절과 시련이 많고 변화가 몹시 심함을 이르는 말.

破邪顯正 [파사현정]

불교에서, 요사한 의견이나 행동을 깨뜨리고 올바른 의견이나 행동을 드러냄을 이르는 말.

破顔大笑 [파안대소]

즐거운 표정으로 활짝 웃음.

破竹之勢 [파죽지세] ☞ p. 405

대나무를 쪼개는 기세라는 뜻으로, 세력이 강대하여 큰 적을 거침없이 물리치고 쳐들어가는 기세를 이르는 말.

고사 중국 삼국 시대(三國時代)에 촉한(蜀漢)과 위(魏)나라가 멸망한 후, 위의 뒤를 이은 진(晉)과 오(吳) 두 나라가 패권을 다투고 있을 때, 진나라의 무제(武帝)는 대군을 몰아 오나라의 정벌에 나섰다. 싸움은 이듬해 2월까지 계속되었으며 진나라 군대는 이미 무창(武昌)을 함락시킨 후였다. 이때에 어느 장수가 지금은 봄이라 강물이 불어날 터이니 일단 물러났다가 겨울에 다시 공격하자는 의견을 내었으나, 대장군인 두예(杜預)는 "지금 우리 군은 마치 대를 쪼갤 때와 같이 승세를 타고 있다. 둘째 마디, 셋째 마디를 쪼개 나가면 칼만 대도 저절로 쪼개지니, 힘들일 것도 없는 형편이다."라고 하며 반대하였다. 그리하여, 진나라 군사는 전투 태세를 다시 갖춘 뒤에 오나라의 서울 건업(建業)을 함락시켰다고 한다.

八方美人 [팔방미인]
① 어느 모로 보나 아름다운 사람. ② 여러 방면에 능한 사람.

敗家亡身 [패가망신]
집안의 재산을 없애고 몸을 망침.

平地風波 [평지풍파]
고요한 땅에 바람과 물결을 일으킨다는 뜻으로, 뜻밖에 분쟁이 일어남을 비유해 이르는 말.

抱腹絶倒 [포복절도]
너무 우스워서 배를 감싸 안고 넘어질 정도로 웃음을 이르는 말.

表裏不同 [표리부동]
마음이 음흉하여 겉과 속이 같지 않음.

風飛雹散 [풍비박산]
사방으로 날아 흩어짐.

風樹之歎 [풍수지탄] ☞ p. 605
풍수(風樹)는 '시경(詩經)'의 해설서인 '한시외전(韓詩外傳)'에 '나무가 고요하고자 하나 바람이 그치지 않고, 자식이 봉양하려 하나 어버이가 기다려 주지 않는다. [樹欲靜而風不止 / 子欲養而親不待]'고 하여 돌아가신 어버이를 생각하는 마음을 나타낸 데에서 유래한 말로, 자식이 부모에게 효도를 다하려고 해도 이미 부모는 돌아가신 뒤라서 그 뜻을 이룰 수 없음을 한탄하여 이르는 말.

風月主人 [풍월주인]
맑은 바람과 밝은 달 따위의 자연을 즐기는 사람을 이르는 말.

風前燈火 [풍전등화]
바람 앞의 등불이라는 뜻으로, 매우 위태로운 상황에 놓여 있음을 이르는 말.

皮骨相接 [피골상접]
살가죽과 뼈가 맞붙을 정도로 몹시 마름.

彼此一般 [피차일반]
두 편이 서로 같음.

鶴首苦待 [학수고대]
학처럼 목을 빼고 기다린다는 뜻으로, 몹시 애타게 기다림을 이르는 말.

咸興差使 [함흥차사]
심부름을 가서 오지 않거나 회답이 더딜 때를 이르는 말.

恒茶飯事 [항다반사]
차를 마시고 밥을 먹는 일이라는 뜻으

로, 보통 있는 예사로운 일을 이르는 말.

駭怪罔測 [해괴망측]
말할 수 없이 괴상하고 야릇함.

虛心坦懷 [허심탄회]
마음에 아무런 거리낌이 없이 솔직함.

虛張聲勢 [허장성세]
실속은 없으면서 큰소리를 치거나 허세를 부림.

孑孑單身 [혈혈단신]
의지할 곳 없는 홑몸.

螢雪之功 [형설지공] ☞ p. 591
반딧불과 눈빛으로 공부한 공이라는 뜻으로, 어려운 처지에서 갖은 고생을 하면서 꾸준히 공부하여 얻은 보람을 이르는 말.
고사 중국의 춘추 시대 동진(東晉)에 차윤(車胤)이라는 선비가 있었는데, 그는 어려서부터 책 읽기를 즐겨 온갖 책을 두루 읽었다. 그러나 독서할 때 필요한 등불을 밝힐 기름을 구하지 못할 만큼 집안이 가난하였다. 그래서, 차윤은 궁리 끝에 여름이 되면 깨끗한 비단 주머니를 만들어 그 속에 반딧불이를 잡아 넣어 그 불빛으로 글을 읽었다. 차윤은 훗날 그 벼슬이 상서랑(尙書郞)에 이르렀다고 한다. 그 후로 책 읽는 방 창문을 형창(螢窓)이라 하게 되었다. 한편 같은 시대에 손강(孫康)이라는 선비가 있었는데, 마음이 맑고 깨끗하여 세상 사람들과 어울릴 때도 잡스러운 데가 없었다. 그러나 그 또한 집안 형편이 어려워 등불을 밝힐 기름을 구할 길이 없었다. 그래서 그는 겨울이면 반짝이는 흰 눈의 빛을 불빛 삼아 부지런히 책을 읽었다. 그 결과 훗날 벼슬이 어사대부(御史大夫)에까지 이르렀다고 한다. 책상을 설안(雪案)이라 함은 여기에서 유래한 것이다.

形形色色 [형형색색]
모양이나 빛깔 따위가 서로 다른 여러 가지.

狐假虎威 [호가호위] ☞ p. 44
여우가 호랑이의 위세를 빌려 놀라게 한다는 뜻으로, 남의 권세를 빌려 위세를 부리거나 위협함을 이르는 말.
고사 중국 전국 시대 초(楚)나라의 선왕(宣王)이 신하 강을(江乙)에게 북방의 여러 나라들이 재상 소해휼(昭奚恤)을 두려워하고 있다고 생각하느냐고 묻자, 강을은 “어느 날, 호랑이가 여우를 잡았는데, 여우가 말하기를 ‘천제(天帝)께서 나를 모든 짐승 중의 왕으로 정하셨기 때문에 만일 나를 잡아먹으면 천제의 명을 어기는 것이 되어 큰 벌을 면하기 어려울 것이다. 만일 네가 내 말을 믿지 못하겠다면 내 뒤를 따라와 보아라. 나를 보고 도망치지 않는 짐승이 없을 것이다.’라고 했습니다. 이 말을 들은 호랑이는 가소롭기는 했지만, 여우의 태도가 하도 진지하여 그러자며 따라 나섰습니다. 이리하여 호랑이는 앞장선 여우의 뒤를 따라 가게 되었는데, 얼마 안 가서 한 짐승을 만났습니다. 그 놈은 여우 말대로 놀라 달아났습니다. 그 다음 짐승도, 또 그 다음 짐승도, 마주치는 짐승마다 모두 놀라서 달아나 버리는 것이었습니다. 이에 호랑이는 '아하, 과연 여우의 말이 사실이로구나.' 하고 생각했습니다. 사실은 짐승들이 여우 뒤에 따라오는 자기 자신을 보고 도망친 것인 줄은 생각지도 못하고 말입니다. 북쪽 나라들이 무엇 때문에 한낱 재상에 불과한 소해휼을 두려워하겠습니까? 그 까닭은 실은 폐하의 군대가 두려워서입니다."라고 아뢰었다고 한다.

糊口之策 [호구지책]
입에 풀칠을 할 방책이라는 뜻으로, 겨우 먹고 살아가는 방책을 이르는 말.

好事多魔 [호사다마]
좋은 일에는 흔히 뜻하지 않은 탈이 생기기 쉬움을 이르는 말.

狐死首丘 [호사수구]
여우는 죽을 때가 되면 자기가 살던 굴이 있었던 언덕 쪽으로 머리를 돌린다는 뜻으로, 자기의 근본을 잊지 않고, 고향을 그리워함을 이르는 말.

虎死留皮 [호사유피]
호랑이는 죽어서 가죽을 남긴다는 뜻으로, 이 말에 뒤이어서 따르는 말인 '사람은 죽은 뒤에 명예를 남겨야 함 [人死留名]'을 이르는 말.

虎視眈眈 [호시탐탐]
호랑이가 날카로운 눈으로 먹이를 노리고 있는 모양을 나타낸 말로, 남의 것을 빼앗기 위해 가만히 기회를 노리며 엿봄을 비유하는 말.

豪言壯談 [호언장담]
분수에 맞지 않은 말을 호기롭고 자신 있게 지껄임.

浩然之氣 [호연지기] ☞ p. 361
천지간에 충만하여 있는 바른 원기라는 뜻으로, 공명정대하여 조금도 부끄러울 것이 없는 도덕적 용기를 이르는 말.
[고사] 맹자(孟子)의 제자인 공손추(公孫丑)가 선생님의 부동심(不動心:움직이지 않는 마음)과 고자(告子)의 부동심의 차이점은 무엇이냐고 묻자, 맹자는 "고자는 납득 안 되는 말은 억지로 이해하려고 하지 말라 하였는데, 이는 소극적이네, 나는 말을 알고 있으며 [知言] 거기에다 호연지기를 기르고 있다네."라고 말했다. 지언(知言)은 편협한 말, 음탕한 말, 간사한 말, 피하는 말을 가려낼 수 있는 밝음을 갖는 것이다. 호연지기는 평온하고 너그러운 화기(和氣)를 말한다. 기(氣)는 매우 광대하고 강건하며, 올바르고 솔직한 것으로서 이것을 해치지 않도록 기르면, 천지간에 넘쳐 우주 자연과 합일하는 경지이다.

好衣好食 [호의호식]
좋은 옷을 입고 좋은 음식을 먹음.

呼兄呼弟 [호형호제]
서로 형이니 아우니 하고 부른다는 뜻으로, 매우 가까운 친구로 지냄을 이르는 말.

魂飛魄散 [혼비백산]
혼백이 날아 흩어진다는 뜻으로, 몹시 놀라 넋을 잃음을 비유해 이르는 말.

弘益人間 [홍익인간]

널리 인간 세계를 이롭게 한다는 뜻으로, 우리나라의 건국(建國) 시조인 단군의 건국 이념임.

紅一點 [홍일점] ☞ p. 437

여럿 가운데 돋보이는 하나라는 뜻으로, 많은 남자들 틈에 끼어 있는 오직 하나뿐인 여자를 이르는 말.

[고사] 당송 팔대가(唐宋八大家) 중의 한 사람이었던 왕안석(王安石)이 지은, 온통 녹색이 우거진 가운데 피어 있는 빨간 꽃 한 송이의 아름다움과 예쁨은 춘색의 으뜸이라고 추어올린 다음의 시에서 나온 말이다.

"만록 총중(萬綠叢中)에 홍일점(紅一點) 있도다 / 사람을 움직이게 하는 춘색(春色)은 많은들 무엇하리."

畫龍點睛 [화룡점정] ☞ p. 386

용을 그릴 때 마지막으로 눈동자를 그려 넣는다는 뜻으로, 사물의 가장 긴요한 부분을 마치어 일을 완성시킴을 이르는 말.

[고사] 중국의 남북조 시대(南北朝時代) 양(梁)나라의 화가였던 장승요(張僧繇)는 인물화에 뛰어나 사찰의 벽화를 많이 그렸다. 어느 해 그는 안락사(安樂寺)의 주지로부터 용을 그려 달라는 부탁을 받고 신중하게 그려 나가기 시작하였다. 꿈틀거리는 몸뚱이에 번쩍이는 비늘, 날카로운 발톱, 그리고 힘찬 꼬리와 위엄 있는 얼굴 등이 당장이라도 하늘을 날아 올라갈 듯이 생동감이 넘치는 쌍룡의 그림이었다. 그러나 이상하게도 눈동자가 그려져 있지 않았다. 그림을 보고 감탄하던 사람들이 저마다 의아해하면서 어서 눈동자를 그려 넣으라고 하였다. 그러자 장승요는 "눈동자를 그려 넣으면 용이 하늘로 날아 올라갈 것이오."하고 말했다. 사람들은 말도 안 되는 소리라며 어서 눈동자를 그려 넣으라고 재촉하였다. 이에 장승요가 하는 수 없이 쌍룡 중 한 마리에 눈동자를 그려 넣자 갑자기 번개가 번쩍하더니 천지를 뒤흔드는 뇌성과 함께 용이 벽을 깨고 하늘로 올라가 버렸다. 그래서 미처 눈동자를 그려 넣지 않은 한 마리의 용만이 그대로 남아 있었다고 한다.

花無十日紅 [화무십일홍]

열흘 붉은 꽃이 없다는 뜻으로, 성하거나 좋은 일이 오래도록 계속되지 못하고 얼마 가지 않아 반드시 시들거나 변함을 이르는 말.

禍不單行 [화불단행]

재앙은 늘 겹쳐 온다는 말.

畫蛇添足 [화사첨족]

뱀을 그리는데 있지도 않은 발까지 덧붙여 그려 넣는다는 뜻으로, 쓸데없는 군짓을 해서 도리어 잘못되게 함을 이르는 말. 사족(蛇足).

畫中之餠 [화중지병]

그림의 떡이란 뜻으로, 실제로 이용할 수 없거나 차지할 수 없다는 말.

換骨奪胎 [환골탈태]

① 뼈대를 바꾸어 끼고 태를 바꾸어 쓴다는 뜻으로, 고인의 시문의 형식을 바꾸어서 짜임새와 수법이 보다 더 잘되게 함을 이르는 말. ② 사람이 전보다

훨씬 나아져서 딴사람처럼 됨.

會者定離 [회자정리]
만나면 반드시 헤어지게 마련이라는 뜻으로, 인생의 무상함을 이르는 말.

橫說竪說 [횡설수설]
이치에 맞지 않고 조리가 없는 말을 함부로 지껄임.

後生可畏 [후생가외] ☞ p. 212
후배들이 선배보다 나아질 가망이 많기 때문에 나중에 두려운 존재가 될 수 있다는 말.
고사 중국 춘추 시대(春秋時代)에 공자(孔子)는 어지러운 세상을 바로잡고 자신의 이상(理想)을 펼치려고 여러 나라를 유랑하며 진리를 가르치고 다녔지만, 끝내 뜻을 이루지 못하고 말았다. 그 후 공자는 교육에 힘을 썼는데, 그가 배움을 권고한 많은 말 가운데 "젊은 후배들을 두려워해야 한다 [後生可畏]. 장래에 그들이 오늘의 우리만 못하리라고 누가 말할 수 있겠느냐? 그러나 40세, 50세가 되어도 이름이 나지 않는다면 그들은 두려워할 바가 없느니라."라고 한 데서 온 말이다.

厚顔無恥 [후안무치]
뻔뻔스럽고 부끄러운 줄 모름.

興亡盛衰 [흥망성쇠]
흥하고 망함과 성하고 쇠함.

喜怒哀樂 [희로애락]
기쁨과 노여움과 슬픔과 즐거움이란 뜻으로, 사람이 가지고 있는 갖가지 감정을 이르는 말.

한자능력검정시험 배정 한자

〈8급에서 4급까지〉

8급

〈ㄱ〉

教 가르칠 **교**: 265

校 학교 **교**: 305

九 아홉 **구** 13

國 나라 **국** 120

軍 군사 **군** 541

金 쇠 **금**/성 **김** 568

〈ㄴ〉

南 남녘 **남** 86

女 계집 **녀** 144

年 해 **년** 195

〈ㄷ〉

大 큰 **대**(:) 139

東 동녘 **동** 301

〈ㄹ〉

六 여섯 **륙** 58

〈ㅁ〉

萬 일만 **만**: 485

母 어미 **모**: 326

木 나무 **목** 295

門 문 **문** 575

民 백성 **민** 329

〈ㅂ〉

白 흰 **백** 391

父 아비 **부** 366

北 북녘 **북**/달아날 **배** 80

〈ㅅ〉

四 넉 **사**: 117

山 메 **산** 182

三 석 **삼** 3

生 날 **생** 378

西 서녘 **서** 499

先 먼저 **선** 53

小 작을 **소**: 175

水 물 **수** 330

室 집 **실** 162

十 열 **십** 82

〈ㅇ〉

五 다섯 **오**: 18

王 임금 **왕** 372

外 바깥 **외**: 137

月 달 **월** 290

二 두 **이**: 17

人 사람 **인** 23

一 한 **일** 1

日 날 **일** 276

〈ㅈ〉

長 길 **장**(:) 575

弟 아우 **제**: 206

中 가운데 **중** 8

〈ㅊ〉

青 푸를 **청** 593

寸 마디 **촌**: 171

七 일곱 **칠** 2

〈ㅌ〉

土 흙 **토** 123

〈ㅍ〉

八 여덟 **팔** 57

〈ㅎ〉

學 배울 **학** 156

韓 나라이름/한국 **한**(:) 597

兄 형 **형** 52

火 불 **화**(:) 356

7급

〈ㄱ〉

家 집 **가** 163

歌 노래 **가** 317

間 사이 **간**(:) 576

江 강 **강** 333

車 수레 **거·차** 540

工 장인 **공** 185

空 빌 **공** 420

口 입 **구**(:) 97

旗 기 **기** 275

氣 기운 **기** 330

記 기록할 **기** 506

〈ㄴ〉

男 사내 **남** 382

內 안 **내**: 56

農 농사 **농** 545

〈ㄷ〉

答 대답 **답** 427

道 길 **도**: 555

冬 겨울 **동**(:) 62

動 움직일 **동**: 76

同 한가지 **동** 101

洞 골 **동**:/밝을 **통**: 339

登 오를 **등** 390

〈ㄹ〉

來 올 **래**(:) 35

力 힘 **력** 73

老 늙을 **로**: 459

里 마을 **리**: 566

林 수풀 **림** 302

立 설 **립** 422

〈ㅁ〉

每 매양 **매**(:) 327

面 낯 **면**: 596

名 이름 **명** 103

命 목숨 **명**: 108

問 물을 **문**: 112

文 글월 **문** 269

物 물건 **물** 368

〈ㅂ〉

方 모 **방** 272

百 일백 **백** 392

夫 지아비 **부** 140

不 아닐 **불/부** 5

〈ㅅ〉

事 일 **사**: 16

算 셈 **산**: 429

上 윗 **상**: 4

色 빛 **색** 479

夕 저녁 **석** 136

姓 성 **성**: 147

世 인간 **세**: 7

少 적을 **소**: 176

所 바 **소**: 242

手 손 **수**(:) 243

數 셈 **수**: 268

市 저자 **시**: 188

時 때 **시** 281

植 심을 **식** 308

食 밥/먹을 **식** 606

心 마음 **심** 216

〈ㅇ〉

安 편안 **안** 157
語 말씀 **어:** 513
然 그럴 **연** 360
午 낮 **오:** 83
右 오른쪽 **우:** 100
有 있을 **유:** 291
育 기를 **육** 466
邑 고을 **읍** 561
入 들 **입** 55

〈ㅈ〉

子 아들 **자** 151
字 글자 **자** 152
自 스스로 **자** 473
場 마당 **장** 130
全 온전할 **전** 56
前 앞 **전** 71
電 번개 **전:** 592
正 바를 **정(:)** 319
祖 조상 **조** 410
足 발 **족** 538
左 왼 **좌:** 186
主 주인 **주** 10
住 살 **주:** 33
重 무거울 **중:** 567
地 땅 **지** 125
紙 종이 **지** 440
直 곧을 **직** 398

〈ㅊ〉

千 일천 **천** 82
天 하늘 **천** 141
川 내 **천** 184
草 풀 **초** 483
村 마을 **촌:** 299
秋 가을 **추** 415
春 봄 **춘** 280
出 날 **출** 64

〈ㅍ〉

便 편할 **편(:)**/오줌 **변** 39
平 평평할 **평** 194

〈ㅎ〉

下 아래 **하:** 5
夏 여름 **하:** 136
漢 한수/한나라 **한:** 353
海 바다 **해:** 344
花 꽃 **화** 480
話 말씀 **화** 511
活 살 **활** 341
孝 효도 **효:** 154
後 뒤 **후:** 212
休 쉴 **휴** 30

6급

〈ㄱ〉

各 각각 **각** 100
角 뿔 **각** 504
感 느낄 **감:** 229
強 강할 **강(:)** 207
開 열 **개** 577
京 서울 **경** 22
界 지경 **계:** 383
計 셀 **계:** 506
古 예 **고:** 98
苦 쓸 **고** 481
高 높을 **고** 613
公 공평할 **공** 58
共 한가지 **공:** 59
功 공 **공** 74

樹 나무 **수** 314
術 재주 **술** 494
習 익힐 **습** 458
勝 이길 **승** 77
始 비로소 **시:** 148
式 법 **식** 204
信 믿을 **신:** 39
新 새 **신** 271
神 귀신 **신** 409
身 몸 **신** 539
失 잃을 **실** 142

〈ㅇ〉

愛 사랑 **애(:)** 230
夜 밤 **야:** 138
野 들 **야:** 567
弱 약할 **약** 207
藥 약 **약** 487
洋 큰바다 **양** 341
陽 볕 **양** 583
言 말씀 **언** 505
業 업 **업** 309
永 길 **영:** 332
英 꽃부리 **영** 482
溫 따뜻할 **온** 350
勇 날랠 **용:** 75
用 쓸 **용:** 380
運 옮길 **운:** 556
園 동산 **원** 122
遠 멀 **원:** 557
油 기름 **유** 335
由 말미암을 **유** 382
銀 은 **은** 570
音 소리 **음** 598
飮 마실 **음(:)** 607
意 뜻 **의:** 231
衣 옷 **의** 496
醫 의원 **의** 566

〈ㅈ〉

者 사람 **자** 460
作 지을 **작** 32
昨 어제 **작** 279
章 글 **장** 422
在 있을 **재:** 124
才 재주 **재** 244
戰 싸움 **전:** 240
定 정할 **정:** 160
庭 뜰 **정** 202
第 차례 **제:** 426
題 제목 **제** 602
朝 아침 **조** 294
族 겨레 **족** 274
晝 낮 **주** 282
注 부을 **주:** 336
集 모을 **집** 587

〈ㅊ〉

窓 창 **창** 421
淸 맑을 **청** 346
體 몸 **체** 612
親 친할 **친** 501

〈ㅌ〉

太 클 **태** 142
通 통할 **통** 552
特 특별할 **특** 369

〈ㅍ〉

表 겉 **표** 496
風 바람 **풍** 604

〈ㅎ〉

合 합할 **합** 103
幸 다행 **행:** 196

行 다닐 **행**(:)/항렬 **항** 494
向 향할 **향**: 104
現 나타날 **현**: 375
形 모양 **형** 209
號 이름 **호**(:) 491
和 화할 **화** 109
畫 그림 **화**:/그을 **획** 385
黃 누를 **황** 619
會 모일 **회**: 290
訓 가르칠 **훈**: 507

5급

〈ㄱ〉

價 값 **가** 48
加 더할 **가** 74
可 옳을 **가**: 98
改 고칠 **개**(:) 262
客 손 **객** 162
去 갈 **거**: 92
擧 들 **거**: 260
件 물건 **건** 29
健 굳셀 **건**: 45
建 세울 **건**: 204
格 격식 **격** 306
見 볼 **견**:/뵈올 **현**: 500
決 결단할 **결** 333
結 맺을 **결** 442
敬 공경할 **경**: 267
景 볕 **경**(:) 282
競 다툴 **경**: 424
輕 가벼울 **경** 541
告 고할 **고**: 105
固 굳을 **고**(:) 120
考 생각할 **고**(:) 460
曲 굽을 **곡** 287
課 공부할/과정 **과**(:) 515
過 지날 **과**: 554
觀 볼 **관** 503
關 관계할 **관** 578
廣 넓을 **광**: 202
橋 다리 **교** 313
具 갖출 **구**(:) 60
救 구원할 **구**: 266
舊 예 **구**: 475
局 판 **국** 178
貴 귀할 **귀**: 530
規 법 **규** 501
給 줄 **급** 443
己 몸 **기** 187
基 터 **기** 128
技 재주 **기** 245
期 기약할 **기** 293
汽 물끓는김 **기** 334
吉 길할 **길** 101

〈ㄴ〉

念 생각 **념**: 218
能 능할 **능** 468

〈ㄷ〉

團 둥글 **단** 122
壇 단 **단** 132
談 말씀 **담** 515
當 마땅 **당** 386
德 큰 **덕** 215
到 이를 **도**: 69
島 섬 **도** 183
都 도읍 **도** 563
獨 홀로 **독** 371

〈ㄹ〉

落 떨어질 **락** 485
朗 밝을 **랑:** 293
冷 찰 **랭:** 62
良 어질 **량** 478
量 헤아릴 **량** 568
旅 나그네 **려** 274
歷 지날 **력** 322
練 익힐 **련:** 447
令 하여금 **령(:)** 25
領 거느릴 **령** 600
勞 일할 **로** 77
料 헤아릴 **료(:)** 270
流 흐를 **류** 342
類 무리 **류(:)** 603
陸 뭍 **륙** 582

〈ㅁ〉

馬 말 **마:** 610
末 끝 **말** 296
亡 망할 **망** 20
望 바랄 **망:** 293
買 살 **매:** 531
賣 팔 **매(:)** 533
無 없을 **무** 360

〈ㅂ〉

倍 곱 **배(:)** 41
法 법 **법** 334
變 변할 **변:** 523
兵 병사 **병** 59
福 복 **복** 413
奉 받들 **봉:** 143
比 견줄 **비:** 328
費 쓸 **비:** 531
鼻 코 **비:** 621
氷 얼음 **빙** 331

〈ㅅ〉

仕 벼슬 **사(:)** 26
史 역사 **사:** 99
士 선비 **사:** 134
寫 베낄 **사** 170
思 생각 **사(:)** 221
查 조사할 **사** 304
產 낳을 **산:** 379
商 장사 **상** 112
相 서로 **상** 399
賞 상줄 **상** 534
序 차례 **서:** 197
仙 신선 **선** 26
善 착할 **선:** 115
船 배 **선** 478
選 가릴 **선:** 558
鮮 고울 **선** 616
說 말씀 **설**/달랠 **세:** 512
性 성품 **성:** 222
歲 해 **세:** 322
洗 씻을 **세:** 340
束 묶을 **속** 300
首 머리 **수** 609
宿 잘 **숙**/별자리 **수:** 166
順 순할 **순:** 599
示 보일 **시:** 408
識 알 **식**/기록할 **지** 520
臣 신하 **신** 471
實 열매 **실** 168

〈ㅇ〉

兒 아이 **아** 55
惡 악할 **악**/미워할 **오** 227
案 책상 **안:** 307
約 맺을 **약** 436
養 기를 **양:** 607

〈ㅈ〉

〈ㅊ〉

〈ㅌ〉

濟 건널 **제:** 355
祭 제사 **제:** 411
製 지을 **제:** 498
除 덜 **제** 581
際 즈음/가 **제:** 585
助 도울 **조:** 75
早 이를 **조:** 276
造 지을 **조:** 551
鳥 새 **조** 616
尊 높을 **존** 173
宗 마루 **종** 161
走 달릴 **주** 536
竹 대 **죽** 425
準 준할 **준:** 351
衆 무리 **중:** 493
增 더할 **증** 132
志 뜻 **지** 218
指 가리킬 **지** 251
支 지탱할 **지** 261
至 이를 **지** 473
職 직분 **직** 464
眞 참 **진** 401
進 나아갈 **진:** 552

〈ㅊ〉

次 버금 **차** 316
察 살필 **찰** 170
創 비롯할 **창:** 72
處 곳 **처:** 489
請 청할 **청** 517
總 다 **총:** 450
銃 총 **총** 571
築 쌓을 **축** 432
蓄 모을 **축** 487
忠 충성 **충** 219
蟲 벌레 **충** 491
取 가질 **취:** 96
測 헤아릴 **측** 348
治 다스릴 **치** 337
置 둘 **치:** 453
齒 이 **치** 621
侵 침노할 **침** 40

〈ㅋ〉

快 쾌할 **쾌** 219

〈ㅌ〉

態 모습 **태:** 233
統 거느릴 **통:** 445
退 물러날 **퇴:** 549

〈ㅍ〉

波 물결 **파** 338
破 깨뜨릴 **파:** 405
包 쌀 **포(:)** 79
布 베 **포(:)**/보시 **보:** 189
砲 대포 **포:** 406
暴 사나울 **폭**/모질 **포:** 286
票 표 **표** 412
豐 풍년 **풍** 525

〈ㅎ〉

限 한할 **한:** 579
港 항구 **항:** 349
航 배 **항:** 477
解 풀 **해:** 504
鄕 시골 **향** 563
香 향기 **향** 609
虛 빌 **허** 490
驗 시험 **험:** 611
賢 어질 **현** 535
血 피 **혈** 492
協 화할 **협** 85
惠 은혜 **혜:** 228

呼 부를 **호** 109
好 좋을 **호**: 145
戶 집 **호**: 241
護 도울 **호**: 522
貨 재물 **화**: 530
確 굳을 **확** 407
回 돌아올 **회** 119
吸 마실 **흡** 107
興 일 **흥**(:) 475
希 바랄 **희** 190

4급

〈ㄱ〉

暇 틈/겨를 **가**: 284
刻 새길 **각** 70
覺 깨달을 **각** 502
干 방패 **간** 194
看 볼 **간** 399
簡 대쪽/간략할 **간**(:) 432
敢 감히 **감**: 267
甘 달 **감** 377
甲 갑옷 **갑** 381
降 내릴 **강**:/항복할 **항** 580
居 살 **거** 179
巨 클 **거**: 186
拒 막을 **거**: 249
據 근거 **거**: 258
傑 뛰어날 **걸** 46
儉 검소할 **검**: 50
擊 칠 **격** 260
激 격할 **격** 355
堅 굳을 **견** 127
犬 개 **견** 370
傾 기울 **경** 48
更 고칠 **경**/다시 **갱**: 288
鏡 거울 **경**: 572
驚 놀랄 **경** 611
季 계절 **계**: 155
戒 경계할 **계**: 239
系 이어맬 **계**: 435
繼 이을 **계**: 451
階 섬돌 **계** 584
鷄 닭 **계** 617
孤 외로울 **고** 155
庫 곳집 **고** 201
穀 곡식 **곡** 418
困 곤할 **곤**: 119
骨 뼈 **골** 612
孔 구멍 **공**: 152
攻 칠 **공**: 263
管 대롱/주관할 **관** 430
鑛 쇳돌 **광**: 574
構 얽을 **구** 310
君 임금 **군** 105
群 무리 **군** 457
屈 굽힐 **굴** 180
窮 다할/궁할 **궁** 421
券 문서 **권** 69
勸 권할 **권**: 79
卷 책 **권**(:) 90
歸 돌아갈 **귀**: 323
均 고를 **균** 125
劇 심할 **극** 73
勤 부지런할 **근**(:) 78
筋 힘줄 **근** 428
奇 기특할 **기** 143
寄 부칠 **기** 167
機 틀 **기** 313

획수로 찾기

이 찾아보기는 찾는 한자의 음을 몰라도 총획만으로 찾아볼 수 있도록 획수순으로 정리해 놓은 것입니다. 획수가 같은 경우에는 부수순으로 배열해 놓았으며 오른편의 숫자는 그 한자가 실려 있는 쪽수를 나타낸 것입니다.

1획

2획

3획

4획

5 획

6획

8 획

10 획

12획

15획

부수 찾기